# LECTURA CRITICA DE LA LITERATURA AMERICANA

## Inventarios, invenciones y revisiones

### TOMO I

# LECTURA CRITICA DE LA LITERATURA AMERICANA

## Inventarios, invenciones y revisiones

•

*Selección, prólogo y notas*
**SAUL SOSNOWSKI**

**BIBLIOTECA** **AYACUCHO**

© de esta edición
Biblioteca Ayacucho, 1996
Apartado Postal 14413
Caracas – Venezuela – 1010
Derechos reservados
conforme a la ley
ISBN 980-276-297-0 Obra completa (empastada)
ISBN 980-276-298-9 Tomo I (empastada)
ISBN 980-276-292-X Obra completa (rústica)
ISBN 980-276-293-8 Tomo I (rústica)

Diseño / Juan Fresán
Fotocomposición y montaje /
ProduGráfica, C.A.
Impreso en Venezuela
*Printed in Venezuela*

# CARTOGRAFIA Y CRITICA DE LAS LETRAS HISPANOAMERICANAS

SÓLO LA MEMORIA histórica podrá dictaminar si las últimas décadas de este milenio han de merecer la atención de algún futuro. Pero como a éstas y a la suma de otras imprecisiones del calendario se reduce toda nuestra historia, cabe esperar que el lector sabrá disculpar la impaciencia ante esa lejanía y el querer dar cuenta de un ejercicio de las letras en tierras que aún conjugan todas sus edades. Alguien que ciertamente perdurará nos ha enseñado que vivimos, como siempre, en el fin de los tiempos. Si también es cierto que sólo nos han sido legadas las transiciones, diseñar (o tan siquiera perfilar) las formas que han caracterizado a una amplia franja cultural de estas etapas resulta no sólo legítimo sino también útil.

La cuantificación de la producción crítica hispanoamericana refleja gráficamente un crecimiento acelerado a partir de los años sesenta y obtiene un valor singularmente dramático cuando se lo compara con lo publicado desde los inicios de la crítica hasta mediados de este siglo. Como lo demuestran estos años pródigos en transformaciones, todo mapa reproduce el íntimo sentido de lo provisorio. El que surge de la lectura de estos materiales no es ajeno a ese sentir. Respondiendo a algunas propuestas narrativas recientes, su diseño hace explícitos criterios de selección y valoración. Pone en juego, además, un régimen de opciones que no renuncia ni al gusto ni a la predilección por las páginas que sustentan el poder de la palabra y de su mundo; un régimen que, por otro lado, tampoco renuncia a la responsabilidad y al diálogo como ingredientes propios de todo sistema interpretativo.

El relevamiento de la crítica literaria hispanoamericana arroja un balance sumamente positivo como resultado de los valiosos adelantos que se han producido en las últimas décadas. Para facilitar el análisis de

IX

sus propuestas, y para poder contemplar sus repercusiones tanto en los recintos universitarios como en la más amplia esfera de lo social —uno de los propósitos de este proyecto— ha sido necesario deslindar las aproximaciones utilizadas en centenares de artículos, notas y libros publicados en su gran mayoría en las Américas y en Europa. Si bien parecería que las historias nacionales —algunas de ellas sorprendentemente voluminosas— lograron agotar el repertorio de sus respectivos países, es importante destacar que es recién a partir de los años sesenta que el análisis de la producción latinoamericana acelerará en proporciones inéditas hasta entonces[1]. Como lo verifican las bibliografías anuales de *PMLA* (*Publications of the Modern Language Association*), del *Hispanic American Periodicals Index* y, con un escrutinio mayor, el *Handbook of Latin American Studies*, no ha cejado el ritmo febril de las publicaciones. Este fenómeno, íntimamente ligado a factores literarios y socio–políticos, ha coincidido con reflexiones teóricas que han redimensionado toda aproximación al texto literario y a sus mecanismos de producción.

La confluencia de estos elementos puede ser vista en un conglomerado heterogéneo que reformula para esta mitad del siglo XX la historia de las literaturas hispanoamericanas. Su lectura permitirá no sólo constatar aproximaciones múltiples a textos literarios, sino derivar versiones igualmente múltiples de las tradiciones literarias. Doble inflexión, entonces, que por un lado singulariza y recorta textos parciales, y por otro los aglutina en un gran texto definido por la contemporaneidad lanzada hacia el pasado.

En 1979 presenté en la reunión de la Asociación de Estudios Latinoamericanos (LASA) un balance de la crítica literaria hispanoamericana[2]. Asumiendo plenamente el lugar desde el que trabajo, es decir, el de una universidad estadounidense, ese primer trabajo me llevó a replantear una serie de interrogantes sobre los parámetros desde los cuales se piensa la función crítica y se enuncian sus múltiples y conflictivas variantes. Además de señalar las condiciones impuestas por estos espacios, particularmente circunscriptos al mundo universitario, me propuse marcar algunos de los cambios producidos en las últimas décadas sobre la base de una selección de textos que representan instancias de reflexión, de apertura y de interrogación de los diseños que organizan las letras y que, en su conjunto, refieren la visión múltiple de la(s) historia(s) literaria(s) de la región. El haberme resignado al hecho de que la objetividad *absoluta* no es patrimonio de la raza humana me ha permitido guardar una cautelosa distancia ante ciertas manifestaciones críticas para no tergiversar por el lado de la simpatía esta muestra de la producción contemporánea. Tal distancia no cancela el hecho de que toda lectura recompone y organiza los textos en un orden personal que no oculta afinidades y que se historiza en la suma global de estas páginas. Por ello he elaborado una serie de paradigmas para dar cuenta de la multiplicidad de aproximaciones críticas desarrolladas en las últimas décadas y para proponer desde esta misma selección la posibilidad de leer una visión plural y actualizada de nuestras letras. Que ello sea posible sirve como claro testimonio de la amplitud y vitalidad de la crítica, inclusive de la expresa problematización de su propio quehacer, así como una prueba más del poder y reconocimiento internacional que ha merecido el objeto de su estudio.

El énfasis de este trabajo está puesto en la crítica académica que generalmente se asume como disciplina organizada en torno a una serie de principios formales y que, en casos extremos, ha llegado a considerarse independiente de la historia y aún de la propia literatura con la que dialoga. Para llevar a cabo este balance se han compulsado libros y revistas académicas de América Latina, EE.UU. y Europa; salvo algunas excepciones, no se han incluido suplementos literarios, semanarios o mensuarios a los que contribuyen algunos de los intelectuales mayores de los países latinoamericanos. Algunas de estas contribuciones –como las memorables notas en *Sur* [Buenos Aires] o las columnas que definieron el impacto de *Marcha* [Montevideo], como las páginas ejemplares de José Emilio Pacheco en *Proceso,* o de Carlos Monsiváis en *Nexos,* por citar dos notables ejemplos mexicanos, o las notas que en su momento publicaron José Miguel Oviedo en *El Comercio* [Lima] o Tomás Eloy Martínez en *La Nación* y *Primera Plana* [Buenos Aires]– suelen ejercer un rápido impacto en el circuito inmediato de sus lectores; son, sin embargo, de vida efímera si no son recopiladas en volúmenes que aseguran una mayor difusión y disponibilidad. Por otro lado, tales publicaciones responden –por encima (o por debajo) de las condiciones propias de diversos regímenes políticos– a espacios culturales diferentes a aquéllos en los que se inserta y dinamiza la crítica académica. Se podría argüir, inclusive, que los suplementos literarios han llegado a formar parte del ocio intelectual que en los fines de semana desglosa la novedad en compartimentos bien diferenciados. Para algunos lectores, la separación del diario en diferentes cuerpos hace que el suplemento sea aún más descartable; para quienes de algún modo frecuentan la literatura, tal división cumple con una anticipada sed de actualización. En algunos casos de singular éxito –valgan como ejemplos diferentes del mundo angloparlante el *Times Literary Supplement* de Londres y el *New York Review of Books*– el suplemento puede llegar a adquirir su propia independencia como órgano de opinión y difusión y a crear un espacio singularmente propicio para que desde sus páginas se diriman

XI

múltiples intersecciones estéticas e ideológicas, así como otras zonas que los puristas hallarán un tanto distantes de todo requerimiento cultural.

## ESCENARIOS Y FUNCIONES

Un acertado lugar común se impone como punto de partida de estas consideraciones. Me refiero a la conjunción nada fortuita de "la política" y "la literatura", conjunción que ha servido como detonante fundamental para que la mirada internacional se deslice hacia América Latina. El triunfo de la Revolución Cubana y la publicación en los años sesenta de una constelación de novelas magistrales —algunas de las cuales plantearon precisamente la proyección de la ficción hacia la historia y su inserción y posible injerencia en la política— anticiparon para América Latina un lugar de excepción y de singular fluidez histórica frente a lo pronosticado para otros escenarios culturales. El auge internacional de la literatura hispanoamericana motivó que se descentrara el eje de la literatura occidental: trans-oceánicamente el aleph se instaló en tierras americanas y así repitió en una escala mayor la experiencia del Modernismo frente a España. El territorio originariamente colonizado por potencias europeas —y que sigue uncido a diversos patrones de dependencia ante países desarrollados que esgrimen estrategias cada vez más transparentes— había iniciado desde las letras una nueva etapa de subversión. El mundo americano ofrecía alternativas al agotamiento, anunciaba aventuras y futuros ante experiencias que se perfilaban agotadas, sugería las oscilaciones propias de "tradición y ruptura", planteaba una heterogeneidad incompatible con las reducciones y encasillamientos que definen a los manuales de literatura, y ofrecía la posibilidad de volver a utilizar las palabras "nuevo", "innovador", "novedad", sin que éstas remitieran de inmediato al último *gadget* de la tecnología.

Con toda la connotación y el impacto de una súbita irrupción, el *boom* logró franquear para siempre el acceso de obras latinoamericanas al escenario internacional. Para un reducido núcleo de narradores imbuidos por una genuina sensación de plenitud, *boom* es un término aglutinante que apunta a la sinonimia de sus éxitos. Ajeno a toda categoría estética y a la vez poco esclarecedor del motivo de sus logros, su sonoridad y el hábil manejo de la mercadotecnia bastaron para hacerlo equivalente al bien merecido éxito y a la fama. Particularmente en los EE.UU., la rápida consagración de Gabriel García Márquez (1927), Carlos Fuentes (1928), Julio Cortázar (1914-1984) y Mario Vargas Llosa (1936) —para centrarnos sólo en los indiscutibles integrantes del *boom*—

y a través de ellos de algunos de sus mayores, impulsó la necesaria actualización de los estudios literarios. El entusiasmo por sus obras también produjo una desmesurada fijación en la actualidad, en desmedro de una obligada concentración en la tradición literaria de la región. La amplia cobertura de un "mundo nuevo" y la utilización de "nueva narrativa hispanoamericana", para representar autores de diferentes países y edades —dato que en sí desafiaba el encasillamiento generacional—[3] también contribuyó a la homogeneización de América Latina. Si por un lado es comprensible que la mercadotecnia requiera un envase mayor para la distribución de su nueva línea de productos —máxime cuando cada uno de ellos ofrece facetas disímiles de su entorno— no lo es menos que los rótulos tengan que ser desmantelados para dar cuenta de la heterogeneidad latinoamericana. Dicho de otro modo: la homogeneización puede ser una estrategia propicia para un reconocimiento inmediato, pero conduce indefectiblemente a conclusiones erróneas si no le sigue un análisis pormenorizado de la diversidad regional.

El triunfo de la Revolución Cubana, indudable divisoria de aguas de la historia cultural latinoamericana, también ejerció un impacto notable de otro signo al generar la incorporación de numerosos exiliados de las capas medias cubanas al mundo académico estadounidense. El énfasis en algunos epígonos de su exilio, tales como Guillermo Cabrera Infante (1922) y Severo Sarduy (1937-1993) refleja —al margen de sus indiscutibles méritos literarios y de la pronunciada diferencia en sus respectivas posiciones frente a la revolución— la puesta en escena de una opción política que ha sido retomada con escritores que pasaron al exilio en los años setenta y ochenta. Esta misma postura se registra aun en casos tan disímiles como los que ofrecen las obras de Alejo Carpentier (1904-1980) y José Lezama Lima (1910-1976), para no aludir al campo de batalla al que han sido remitidas copiosas citas y versos de José Martí (1853-1895).

El fascismo que rigió las tierras del sur, particularmente a partir de 1973, llevaría al exilio americano, europeo y estadounidense a escritores y profesores que han fortalecido la pluralidad de los estudios latinoamericanos. Instalados en otros países, la emigración forzada ha contribuido con su sola presencia a testimoniar la carga histórica de las palabras. Uno de los efectos a largo plazo que se inicia con la condición misma del exilio —a pesar de los procesos de re-democratización iniciados a mediados de los años ochenta— se verifica en la permanencia en el exterior de estos profesionales. Razones personales, condiciones económicas y la disponibilidad de recursos para la investigación, son algunos de los elementos que han fomentado una mayor integración de proyectos conjuntos entre académicos radicados en el exterior y en

América Latina[4]. Dicha integración se constata en otro indicio: en la vasta zona cubierta por la rúbrica "literatura/sociedad", es decir, aquélla que remite el análisis del texto a las condiciones de producción, la nómina de publicaciones refleja un manifiesto cruce de fronteras. Más que cualquier otra aproximación, ésta subraya la "latinoamericanización" de sus lecturas, fenómeno cuya contrapartida es la circulación de análisis semióticos. Esto no implica que se privilegie el sitio geográfico de la publicación ni que se cuestione la pertenencia nacional del crítico a partir de su lugar de residencia. Hay que tener en cuenta, sin embargo, que en términos generales, en América Latina, aun los "críticos académicos" –posiblemente más sensibles al hecho de que hacer crítica también es hacer política cultural– también escriben para un público más amplio. Sin adoptar una actitud prescriptiva ni un régimen de exclusiones, me permito subrayar la importancia de los análisis literarios cuya lucidez contribuye a percibir con mayor claridad ese segmento de realidad que permanece instalado más allá de toda traducción estética.

Las relaciones dinámicas de este campo intelectual se caracterizan por una intensa fluidez que permite calibrar –según lo tematizan sus estudios– los diversos grados de compromiso del crítico ante el mundo y frente al régimen que permite, tolera, o promueve sus desplazamientos. Las relaciones internas del mercado académico responden a distintas condiciones institucionales y por lo tanto no pueden ser homogeneizadas dentro de las fronteras latinoamericanas, como tampoco fuera de ellas. Estas relaciones son las que determinan, siquiera en un primer eslabón formativo, la selección de proyectos de investigación. Estos frecuentemente se encaminan hacia el reiterado culto de los consagrados y, generalmente, hacia territorios exentos de aristas ideológicas. En países sometidos a regímenes dictatoriales, el poder de las decisiones ha respondido a fuerzas coercitivas que afectaron la fluidez de todo discurso. Bajo los sistemas autoritarios, cuando el interrogante explícito podía ser atravesado por el silenciamiento, las propuestas estructuralistas ofrecieron el amparo de la teorización y la firmeza metodológica de sus modelos, aun cuando la duda sobre sus alcances ya había comenzado a minar sus fundamentos. Para algunos críticos, la modelización teórica fue asimismo expresión del fervor anti–histórico que sirvió para intentar un alejamiento, siquiera metafórico, de lo cotidiano. No es general el caso, sin embargo, de un total vuelco hacia esta tesitura en críticos que no la sostuvieron antes de los golpes militares. En tales condiciones, y al margen del encanto de una rigurosa arquitectura, la reducción al tamaño de la página, al mínimo y fragmentario detalle, a la intensidad de un momento, pueden ser vistos como refugio ante el colapso del orden externo.

XIV

En casos tan singulares como las diversas etapas recorridas por el proceso revolucionario cubano, por Chile durante el gobierno de Allende y por Nicaragua durante el período sandinista, los críticos –al igual que otros intelectuales y artistas que compartían la ideología imperante– participaron activamente en la formulación e implementación de políticas culturales. Fueron testigos, asimismo, de la transformación de sus respectivas prácticas. Bajo los regímenes dictatoriales que uniformaron el Cono Sur (Brasil en 1964, Chile y Uruguay en 1973, Argentina en 1976) se redujo el espacio público con la consiguiente restricción, cuando no el desmantelamiento, de las instituciones educativas[5]. La censura oficial y la autocensura ejercieron un control riguroso sobre zonas de investigación a ser abordadas explícitamente. Por su parte, los gobiernos de facto hicieron uso de áreas tendientes a proyectar una imagen oficial de apertura y a decorar una retórica que no cesaba de proclamar que toda imposición de autoridad se hacía en nombre de los valores occidentales y cristianos –con su correlato de patria, familia y propiedad– y de un eventual retorno a una democracia depurada y legítima. Uno de los resultados de este clima fue el encogimiento de la atención prestada a la literatura contemporánea y un cuidadoso tamizado de textos que aluden al entorno inmediato; otro fue el repliegue exegético sobre el texto. Entre quienes estaban inscriptos en una línea de análisis socio-histórico se registró un retorno hacia instancias de la historia cuya recuperación permitía hablar del presente. Por razones obvias, los mecanismos de representación fueron mucho más fluidos en condiciones de exilio. Fuera de fronteras abundaron los planteos sobre la función social del escritor y de la literatura, preocupación fácilmente comprensible ante la derrota sufrida en los años 70. El exilio y la emigración, por otro lado, ejercieron una marcada latinoamericanización de la reflexión crítica en los países que acogieron a los exiliados[6].

La restauración de instituciones democráticas, por otra parte, no ha cancelado unánimemente el clima de incertidumbre –que se suma a otros cuestionamientos sobre el perfil y alcance de la crítica– ni ha mejorado sensiblemente los medios que propician la investigación. Mientras tanto, en otras zonas, diversas opciones se han acomodado con mayor soltura a las menos dramáticas condiciones de mercado. En EE.UU., por ejemplo, y al margen de resultados puntuales, la investigación aséptica (como elisión de la política) o la concentración en problemas teóricos (como si hablar de teoría garantizara la des-ideologización del sujeto o su existencia al margen de la historia), así como una opción de signo distinto, puede afectar la supervivencia laboral en el ámbito universitario. Y este fenómeno se produce precisamente en el espacio que se fortalece a través del disenso.

Cabe añadir que en gran medida las fragmentaciones de la literatura responden a la parcialización de los estudios literarios y a una especialización excesiva en autores o literaturas nacionales que suelen hacer más difícil una visión de conjunto. Este cuadro se agrava tanto por la reiteración en los consagrados, como por la selección de temas aislados y marginales que ni siquiera son incorporados al corpus analítico general para derivar de allí su verdadero sentido. En otras palabras, ubicados en este tipo de relaciones (y dejando de lado los requisitos formales de las cátedras universitarias), la recomposición analítica de un texto literario no responde a una demanda social. Por un lado, se manifiestan en cierta crítica la urgencia vital, la pasión y el compromiso ético propios del espacio que habita el crítico, o hacia el cual se dirige desde cualquier lugar, y que lo impulsan a dirimir propuestas que no son sólo articulaciones de papel. Por otro lado, y en otras instancias, también se da el triste recuento del número de páginas impresas como cuota de ingreso al siguiente escalafón. Si tal ascenso es la única meta, las apostillas a lo remanido y las palabras sin riesgo podrán bastar, aun cuando disten de cumplir con un genuino propósito crítico. Conviene recordar, sin embargo, que tal ejercicio nada tiene de inocente puesto que su práctica sustenta al sector que considera que la lectura de un texto sólo posee validez científica cuando colinda con la asepsia y exorciza de su cuerpo a la historia y la política. Desde una distancia acotada, la exaltación teórica que prescinde de los textos no es ajena a este sentir, lo cual se verifica —dicho sea de paso— por la euforia ante textos que omiten su anclaje y con ello posibilitan una función modélica que aspira a ser universal. Sin embargo, para otros críticos —y creo que para la mayoría de los lectores— la literatura se lee *en* la historia y *en* la sociedad. La literatura no es una mera entelequia sino parte de la composición de lugar, de la historia que se articula por medio de las mediatizaciones que le son propias a través de la literatura. Es fundamental señalar, entonces, desde qué marco se compagina toda lectura crítica y recordar que toda práctica crítica comprometida con el yo pone en escena el cuerpo del crítico y el lugar que ocupa, el que desea ocupar, el que le es asignado o del cual se apropia en el sistema literario.

Uno de los problemas centrales en la definición de una aproximación crítica se da al formular si la autoridad última reside en el texto o si ésta se articula a partir de las relaciones, siempre en estado de flujo, entre el texto y un marco referencial, en el cual, por cierto, también está inscripto el lector. Toda crítica —también la que se pronuncia exenta de su alcance— evidentemente encarna una opción ideológica. La lectura ideológica —es conveniente recordarlo— no se limita a elaborar las relaciones de contexto de una obra literaria; también tiene a su cargo el reconocimiento de la ideología que porta como resultado del contexto del cual emerge y los posibles grados de corrección que pudieran llegar a manifestarse en ella. Las lecturas que se expresan como desinteresadas de cualquier posición política, o como ideológicamente asépticas, no por ello dejan de portar una ineludible carga ideológica. Y precisamente por ello sirven para llamar la atención sobre la naturaleza del lenguaje que analizan para que desde la manipulación de la lengua se pueda elaborar una lectura política. Jugar con la lengua, después de todo, como tan bien lo ilustraran notables páginas de Borges —"El idioma analítico de John Wilkins" y "La escritura del dios"[7], entre tantos otros— es elaborar el diseño del mundo; es decir, arrojarse de lleno sobre la realidad. Que la teoría ya no se discute con el mismo ahínco de hace unos años responde al hecho de que ha sido asimilada en diversos grados a los estudios literarios; por ello, la estridencia propia del advenedizo se hace menos necesaria. La creciente convicción en la necesidad de rearticular el posicionamiento del acto crítico ha contribuido a la expansión de los estudios culturales y a una rearticulación del "texto en sociedad". Por esta misma dinámica también son comprensibles el rescate de la Escuela de Frankfurt y la influencia cada vez mayor del pensamiento de Walter Benjamin, las alusiones a Adorno y en otros circuitos la incidencia de Habermas.

Pensar que la crítica literaria puede afectar decisivamente el curso de la historia presupone un acto de confianza en el poder de la palabra. Su desmesura no es del todo ajena a la que caracterizan algunas propuestas revolucionarias de los textos que analiza. Al considerar el impacto político de diferentes propuestas críticas se impone deslindar entre aquéllas que cumplen con metas políticas inmediatas —la feminista, por ejemplo— y aquellas otras que subvierten más sutilmente el orden establecido. Esto equivaldría a contemplar el valor subversivo de los textos de Borges que cuestionan desde un sutil punto de vista filosófico las bases sobre las que se asienta el orden y la tradición cultural de Occidente, con páginas que abogan explícitamente por la destrucción directa de las fuerzas que representan ese orden. En esta línea, entonces, Borges y Arlt sirven con un ejemplo eficaz. Estas opciones —evidentemente— ni son incompatibles ni se excluyen mutuamente; responden, más bien, a programas políticos y a momentos históricos diferentes[8].

En parte por la misma "despolitización" explícita de la crítica, en algunos países beneficiados por urgencias menores que las que caracterizan a la mayoría de los países latinoamericanos, los espacios académicos han podido amparar múltiples opciones y servir como foros singularmente propicios para la investigación y para el diálogo que parecería sobreponerse a distancias planetarias. Pueden, asimismo, prescindir de una excesiva concentración en una sola literatura nacional pues el énfasis en tal especificidad como sistema de exclusión frente a otras expresiones nacionales carece de sentido desde la periferia, el lugar que le corresponde a todo centro establecido fuera de América Latina. Desde una perspectiva latinoamericana, y a pesar de un exacerbado interés por lo producido dentro de los respectivos países, cuando no provincias o ciudades, la comunidad de intereses es comprendida mediante afinidades culturales por encima de matices diferenciales y distanciamientos ideológicos. Desde fuera, sin embargo, la visión homogeneizante de lo latinoamericano ejerce un claro mecanismo de apropiación que mina precisamente las variantes de sus zonas culturales y su complejidad histórica. La ponderada unidad latinoamericana corre así el peligro de ser utilizada como mecanismo de reducción con la consiguiente distorsión de sus particularidades. Por ello, una vez logrado el reconocimiento de un *corpus,* y por lo menos para el campo cultural, se impone la necesidad de llamar la atención sobre el ilusorio término unificador "América Latina" y sus variantes hispanas. Más que bajo una sola versión orgánica, la historia cultural latinoamericana se perfila como ilación dinámica de segmentos parciales, y su mapa literario como un multicolor manto de retazos. Por lo tanto, más que en un esfuerzo de homogeneización, el énfasis debe estar puesto en la heterogeneidad de sus literaturas, en la verificación de que diferentes sistemas podrán o no confluir en determinados espacios, y en la posible ordenación de sistemas (¿sería acaso válido o útil un modelo de jerarquización?) acordes con sus respectivas áreas de desarrollo e influencia. No puede ser de otro modo dada la conjunción y mezcla de visiones de mundo radicalmente distintas, de etnias y razas diferentes; dada la diversidad de lenguas que enuncian culturas milenarias con otras que se afianzan en conquistas e inmigraciones más recientes; así como de cultos a la escritura y, junto a ella, a la recuperación oral de la memoria, de complejos procesos de transculturación regional, nacional e internacional.

La integración del análisis literario con la reflexión sobre problemas de identidad es particularmente acuciante en zonas con fuertes componentes indígenas (notablemente la región andina) y de origen africano (Brasil y el Caribe multilingüe como casos paradigmáticos), así como en regiones caracterizadas por procesos inmigratorios aluvionales (Río de la Plata). Al considerar raza y etnia como factores en la formación de la identidad nacional y, por consiguiente, de la identidad literaria, se pone en juego la constitución de literaturas híbridas. Desde su diferencia, desde su misma conformación americana —es decir, mestiza— éstas elaboran la transformación de una tradición que a pesar del culto mayoritario a la hispanidad siempre ha desafiado toda noción inquisitorial de pureza. En diferentes momentos del siglo diecinueve, por ejemplo, la necesidad primordialmente política de afianzar lo "nuestro", es decir, de fortalecer el poder criollo frente al cada vez más distante legado colonial, tuvo como corolario la imposición cultural de "lo nacional". En algunas latitudes ello exigió el rescate parcelado del indígena; en otras, llevó a la exaltación del gaucho a través de un discurso criollista articulado como contraposición a versiones "foráneas" de lo nacional[9]. No obstante algún fugaz amago monárquico para hallar a los descendientes de cetros americanos, resultará difícil identificar casos en que toda la herencia colonial haya sido rechazada en aras de un retorno a eras previas al contacto con el mundo europeo. Lejos ya de tales esquematismos, considero importante tener en cuenta que al enarbolar la identidad como estandarte —más que su debido reconocimiento y respeto— entran en juego factores etnocéntricos a los que no es ajeno el sentir prejuiciado, tanto por la exaltación de una cultura dominante europea/estadounidense como por el ensalzamiento acrítico y la defensa de las fuerzas nativas.

Como lo han rememorado insistentemente algunas actividades efectuadas con motivo del quinto centenario del arribo de Colón a tierras americanas, el encuentro de culturas jamás se ha dado en términos de paridad sino como proceso de destrucción y apropiación de pueblos y culturas. Por parte del conquistado, de toda minoría renuente a su total asimilación, la incorporación de lo foráneo se produce mediante la transformación y adaptación de las fuerzas dominantes al orden social y cultural pre–existente[10]. Esta dinámica, con sus correspondientes matices y ajustes históricos, se reproducirá con la importación de productos y modelos extranjeros, que abarcan desde la industria y la tecnología avanzada al énfasis intelectual en algunos enclaves críticos de la posmodernidad.

Dado que los diversos estadios de desarrollo regional no están sincronizados, las fluctuaciones que se producen a partir del encuentro de culturas subrayan aún más la heterogeneidad americana y los mecanismos de transculturación, cuyas expresiones literarias ya han sido lúcidamente estudiadas por Angel Rama[11]. En "Problemas historiográficos de nuestras literaturas: Discurso literario y modernidad", Ana Pizarro indicó:

> La literatura en nuestro continente da cuenta de una cultura heterogénea y fragmentada que no podría tener otra forma de comportamiento que la de la heterogeneidad y la fragmentación de la sociedad

que la produce: "nuestra cultura –dice García Canclini– se ha hecho todo el tiempo a mitad de camino entre los residuos heterogéneos y las innovaciones truncas". Esta específica situación entre tradición y modernidad de cuya dialéctica surgen las secuencias superpuestas que construyen el espesor de nuestro discurso literario –o tal vez deberíamos decir de nuestros discursos– es la propia de las zonas literarias periféricas, las zonas en proceso de construcción de identidad, las que emergen de formaciones históricas coloniales y viven los avatares histórico-sociales de su condición[12].

Las expresiones de la heterogeneidad responden, a su vez, a la xenofobia propia de una sociedad, o de un sector elitista, que se asume homogéneo y que, por lo tanto, repele toda mácula diferencial como intromisión en la pureza. Al adoptar la función de portaestandartes de la cultura nacional, dicho sector rechaza la noción misma de la heterogeneidad en cuanto que es una fuerza contestataria. Un ejemplo, entre muchos, de búsqueda de una cultura representativa de lo nacional y contestataria frente a la línea dominante se dio en 1962 en el Ecuador con el lanzamiento de los tzántzicos[13]. Ante la aplanadora visión de una homogeneidad inexistente, la historia suscita la incorporación de prácticas y discursos heterogéneos como único medio para iniciar su esquiva definición. Aún más, como el mecanismo más apropiado para abordar el encuentro y la eventual conjunción de todas las fuerzas que hacen a la constitución de las respectivas literaturas americanas.

Esta sugerencia programática –alentada en otros términos por Alejo Carpentier en *Los pasos perdidos* (1953)– exige una versión más generosa de la expresión americana que aquélla que opta por una máxima reducción de la producción literaria para impulsar una imagen sectorialmente privilegiada de nuestras letras; o que aquella otra que habiendo erigido un mínimo recinto cree haber impuesto un castillo a nuestra compartida realidad. Exige, asimismo, que justamente se subrayen la diversidad, los constantes desfasajes, la imposibilidad de articular al unísono procesos regionales y manifestaciones locales; que se sintonice la asincronía de sus desarrollos, para entonces reflejar una imagen menos pulida, más escabrosa quizá, pero más fidedigna de su historia y de su expresión literaria.

La identificación de discursos heterogéneos no impide la especialización ni la concentración en una de sus múltiples manifestaciones; supone, sin embargo, una mayor disponibilidad para considerar los mecanismos de producción de la literatura. Además, frente a la omnipotencia de ciertas proclamas sobre los alcances de la crítica (mejor dicho, ante críticos con veleidades de omnipotencia), corresponde proponer una fuerte dosis de humildad. La suma de estos elementos apunta el juego de mediaciones adicionales al que debe atender la práctica literaria. Por un lado, las relaciones internas al texto –área que ha recibido una máxima atención teórica durante los años sesenta y setenta–; por otro, la incorporación del lector a la ecuación de la producción literaria. Ya instalados en otro nivel, también debe atender al papel que todos los participantes, incluido el crítico, juegan en el sistema y a las relaciones del sistema literario con otras instancias discursivas. Este régimen de consideraciones, a la vez escalonado y simultáneo, presupone que la literatura es vista como producción social y que, por consiguiente, su radio de influencia y acción se extiende fuera de los límites impuestos para sí misma por una crítica inmanentista.

Sin pasar aún al campo de las tácitas o expresas pugnas ideológicas, es útil recordar que la adhesión a diferentes escuelas teóricas, así como la adopción de diversas modulaciones críticas, determina una divergencia radical en el régimen de interrogantes en torno al texto literario. Las consecuencias de tal adopción exceden los márgenes literarios puesto que al atravesar la descripción e interpretación del texto, la lectura remite explícitamente a la concreta materialidad latinoamericana. La literatura es, en múltiples acepciones, "recreativa" ("re-creativa"), pero no por ello deja de entablar una función normativa. Todo texto manipula y apropia realidades para luego conferirle sentido a su mundo originario. Tal circuito significa, entonces, que si por lo menos una de sus variantes concibe a la literatura como forma que organiza la experiencia social, su sentido último se proyectará sobre esa misma realidad mediatizada en el texto. Por ello, sin menoscabar ninguno de los registros generados por la obra literaria, importa rescatar esta dimensión para comprender la seriedad y repercusión de algunas propuestas teóricas así como la magnitud de las discusiones sobre los propósitos de la crítica literaria. Si bien su primer énfasis está puesto en el "texto" –en este caso entendido tanto como "obra" o como "campo metodológico" tendente a constituir una teoría científica– su lectura última será urdida sobre la base de su posible impacto institucional y social. El carácter profundamente subversivo de la literatura radica precisamente en que inquisiciones y dudas sobre el sistema literario que ha heredado y que re-crea en su propia elaboración, también ejercen un impacto sobre el orden social –fenómeno que tendería a explicar las persecuciones ejercidas por regímenes dictatoriales contra escritores y artistas. Esta dinámica se reproduce en casos ejemplares con la crítica, cuando ésta se propone transformar su propia actividad y su objeto de estudio; también, cuando no reprime sus alcances limitándose sólo a la dilucidación de una obra o al montaje del sistema literario.

XXI

Cuando se acepta que la literatura no es sólo juego, se alteran radicalmente el sentido, la magnitud y el alcance del acto interpretativo. En su elaboración seguirán siendo primordiales los interrogantes sobre el discurso literario, pero no se excluirán de su predio, por ejemplo, la búsqueda de las razones últimas que han motivado el reconocimiento internacional de algunas variantes de la expresión latinoamericana, ni los mecanismos políticos que impulsan, condicionan y son condicionados por la práctica literaria. Por ello resulta imprescindible analizar los diversos órdenes institucionales dentro de los cuales se expresa esta crítica así como las diferentes modalidades afectadas por estos órdenes. Sólo así se comprenderán plenamente la dimensión y el sentido de lo leído y asimilado, y sólo así se tendrá una clara conciencia de la versión de la literatura latinoamericana y, a través de ella, de América Latina, que se promulga mediante una cuidadosa selección de textos. De este modo, al identificar los paradigmas de un sistema literario y al marcar los espacios conflictivos que requieren una mayor precisión, la crítica acepta el derecho a esbozar su propia capacidad anticipatoria.

Estos llamados de atención pueden parecer desmesurados ante la "mera" selección de algunas lecturas, y aun ante el diseño de un programa universitario u otro proyecto de alcance nacional. Sin embargo, no es descabellado aceptar que la palabra, tanto la pronunciada desde el sitial del poder como aquélla que es disparada con propósitos contestatarios, desencadena dispositivos que pueden llegar a regir el destino de los hombres. No hay proceso de selección casual o inocente; toda opción —aun la que se pronuncia más ajena y desinteresada— implica una visión de mundo determinada que de múltiples maneras recibe, modifica e incide en la esfera pública. Los regímenes autoritarios así lo han reconocido y venerado mediante prohibiciones y ejecuciones sumarias.

En EE.UU. las aproximaciones críticas que cabían bajo la rúbrica "literatura y política" o bajo la más apta cobertura de una "aproximación culturalista" —y que hoy pueden aparecer glosadas como "estudios culturales"— deben ser vistas frente a los análisis que esgrimen criterios "estetizantes" para avanzar su propia ideologización conservadora del mundo americano. En América Latina, esta "disyuntiva" se remonta a los primeros planteos de la crítica latinoamericana. La misma actividad política nacional e internacional desplegada por muchos escritores latinoamericanos, así como la más circunscripta de la política cultural, ha sido un patrón normal de sus vidas[14]. Por ello, articular y fundamentar argumentos literarios sobre una base política, o apelar a categorías marxistas, no debería ser llamativo ni mucho menos motivo de alarma[15]. Hacer política —como en diferentes contextos lo demostraron ejemplar e insuperablemente Domingo F. Sarmiento (1811-1888) y José Martí—fue, en muchos casos, proponer e implementar proyectos de construcción de una nación —proyectos que ahora también leemos como "literatura"[16]. Durante la formación de las nuevas repúblicas americanas, la literatura era integral e ideológicamente definitoria de los propósitos políticos de sus fundadores. Estaba concebida explícitamente como poseedora de una función política y moral normativa para los habitantes de las nuevas naciones[17]. Tenía a su cargo, además, la estructuración y ejemplificación de los mitos que establecerían un sentido de identidad nacional tendente, entre otras cosas, a forjar un sentido armónico entre las clases sociales que integraban los nuevos países; tarea para la cual no siempre era beneficiosa la explicitación de las metas políticas.

Si bien la primera instancia en el diseño y constitución de una tradición literaria responde a la conformación de sus forjadores, su reconocimiento posterior depende de los lectores que los identificarán en sus orígenes. Cada imagen, cada encadenamiento, denota una proyección ideológica que se ramifica hacia la formación de una cultura nacional y, en términos más amplios, de una imagen continental. En este sentido —como veremos más adelante— la discusión en torno a la crítica y a la definición del canon literario pierde todo cariz de superficialidad académica y se incorpora al recinto más amplio en el que se dirimen los destinos materiales de todo pueblo. Este argumento obviamente posee resabios decimonónicos en cuanto al papel que la literatura debía jugar en la formación de las repúblicas liberales. Si bien los términos han cambiado, el interrogante sobre ese papel no es menos urgente en estos días. Sabemos que forjar una tradición es formular un legado. Este alto grado de compromiso con la historia y los futuros no es ajena a la empresa de la crítica literaria. Resulta evidente, por otro lado, que proyectar esta dimensión hacia la crítica implica establecer un sentido de continuidad con las etapas fundacionales de lo americano y recuperar, asimismo, el sentido histórico profundo de esas páginas leyéndolas en función de una tradición literaria e interpretándolas en constante diálogo con el presente.

En una escala por cierto más modesta que la que implica la construcción de una nación, hay sectores de la crítica contemporánea que reflexionan sobre la constitución de este campo y sobre su propia responsabilidad en tal diseño. Instalados en el espacio latinoamericano se vuelve necesario interrogar por qué un núcleo selecto de autores y obras ha sido privilegiado con el manto de la representación de un amplio mosaico letrado. También, a qué gustos y a qué expresión de la moda responden y, desde ella, qué imagen del mundo latinoamericano —conflictiva, seductora, complaciente, ratificadora de prejuicios y sabores– ofrece el *corpus* escogido dentro y fuera de las zonas de producción literaria. El texto literario es un modo de persuasión que genera una vasta gama de reacciones, desde la indiferencia y el momentáneo placer del encuentro hasta el apasionamiento que puede impulsar a la acción. Análogamente, la crítica literaria adopta ese componente de persuasión desde el instante mismo en que comienza a delinear su propia versión estética de aquello que merece ser rubricado como "literatura". En este sentido, entonces, tanto la literatura como esta faceta de la crítica implican un desplazamiento a partir de una primera actividad cognitiva –el enriquecimiento obtenido mediante un mayor conocimiento de la realidad– hacia el plano que involucra una toma de posición ética y política.

Son numerosas las razones que motivan una ceñida selección de autores como figuras representativas de un todo. En el plano más simple puede obedecer a la capacidad limitada de un programa de estudios para absorber la complejidad latinoamericana. La concentración en algunas figuras señeras de la nación también puede apuntar a una genuina exaltación de lo propio, así como a la defensa del patrimonio nacional ante una desvalorización promovida por el mismo auge e importación de letras extranjeras (término que incluye a las repúblicas americanas entre sí). Cuando se desmerece el valor de lo contemporáneo, sólo queda el refugio de los incuestionables o la rendición ante la (falsa pero creída) nulidad. En otro contexto, sin embargo, esta actitud corresponde a la reducción de la heterogeneidad latinoamericana a unos cuantos epígonos. Mediante el culto de "los maestros" –se proclama– el lector captará "la esencia" de la literatura latinoamericana, y aun la de su cultura. Quizá sin proponérselo programáticamente, esta estrategia recupera para un muy reducido segmento contemporáneo, pero sin su énfasis original, lo adelantado por Pedro Henríquez Ureña para la elaboración de *Las corrientes literarias en la América hispana* y que adelantara en "El descontento y la promesa":

> . . .la historia literaria de la América española debe escribirse alrededor de unos cuantos nombres: Bello, Sarmiento, Montalvo, Martí, Darío, Rodó[18].

El riesgo implícito en la reducción contemporánea no es insignificante. Al hablar de los "genios" de la literatura se exaltan sus logros; sin problematizar más allá de matices diferenciales que endosan la singularidad, se promueven áreas de confluencia armónica; también se rumia una deshistorización siempre propia de "estados de excepción". Esta reducción puede llevar, por un lado, a la desmesurada concentración en un autor quien, al margen de su real o impuesta significación, sólo podrá aspirar a ser el falso aleph de una tradición; por otro, y mediante una selección tendenciosa de materiales, a la imposición de una ideología como versión dominante de la historia.

La reducción a figuras centrales de la literatura también ha cumplido con otros propósitos, generalmente ajenos a la voluntad del escritor. Un ejemplo: la dictadura argentina iniciada en 1976 utilizó el reconocimiento internacional de Borges, así como el campeonato de fútbol y la siniestra transformación de consignas humanitarias, en una inteligente operación de mercadeo tendiente a lavar la justa imagen que los generales supieron merecer. Borges fue transformado en icono, en la figura estelar que requiere la atención de numerosos lectores (más bien, de televidentes), en un "Borges para millones"[19]. Tal popularización sirvió para una doble y paradójica operación de mitificación y provisoria vulgarización de su figura. Los lectores de acápites e imágenes habían adquirido un nuevo ídolo. Bastaba verlo en tapa, nombrarlo, recordar una frase ingeniosa de la perpetua entrevista, citarlo como se cita a otras figuras estelares. Seguía siendo innecesario leerlo. Para el "gran público" una versión de Borges —la descartable, la que no pudo ser Borges— había sido reducida al tamaño de una sonrisa y un bastón de pantalla chica. La patria de los generales se había apropiado de una imagen prestigiada para insertarla, junto a otros campeones, en los avatares del consumo internacional. Había escasos títulos importantes, pero el saber extranjero del bestsellerato llenaba las vidrieras: así desmentían la ausencia de la palabra y el silencio de los cuerpos.

La compleja relación "literatura–política" —punto nuclear de innumerables discusiones y mesas redondas que proliferaron a partir de los años sesenta— tiene su correlato en la relación "crítica y política", máxime cuando además de hacerlo a través de los medios de comunicación, la crítica contribuye desde el magisterio a diseñar versiones alternativas de la historia. Cuando algunos sectores de la crítica académica aceptaron que no hay lectura inocente (ni juiciosa objetividad en la descripción), y que toda interpretación se dirime en un orden de apropiación, la virulencia del debate asumió su cariz verdadero: como en toda instancia de la historia, más que la transacción del verbo estaba en juego una módica cuota de poder. Era la época en que se delimitaban y apropiaban los campos, en que se percibía la necesidad de fijar la autoridad tanto a través de la mostración de un deslumbrante aparato crítico como mediante su denostación. El transcurso de los años obraría a favor de una reducción de la puesta en escena de dicho aparato y de una mayor atención a lo que el texto, en efecto, *dice*[20].

Si bien, como veremos, alguna crítica ha adoptado una función re-creativa del texto y la ha ejercido como "divertimento" o como incitación para redactar nuevas páginas literarias, es importante recordar su acepción cognoscitiva y valorativa, su capacidad para colaborar en diseño y montaje de tradiciones literarias, su función orientadora. En su momento, Enrique Anderson Imbert recuperó para el crítico la acepción griega de "juez de literatura" y afirmó:

> ...la misión específica que debe cumplir la crítica es la de juzgar el valor estético de una obra en todas las fases de su realización. El crítico lee, examina, toma posición frente al texto y enuncia un juicio, afirmativo o negativo.

Y agregó:

> Yo definiría así la crítica literaria: es la comprensión sistemática de todo lo que entra en el proceso de la expresión escrita y el enjuiciamiento de un texto particular[21].

Por su parte, en 1951 José Antonio Portuondo escribía:

> La crítica parte siempre de principios firmemente establecidos o, al menos, de una precisa actitud estética del juzgador que aplica al objeto juzgado una determinada tabla de valores. Es obra de aliento y de responsabilidad [ . . . ]. La crítica es obra de creación, a costa de las obras juzgadas, y tiende siempre a expresar la concepción del mundo del sujeto que critica[22].

En una severa nota sobre el estado de la crítica hispanoamericana, Octavio Paz consideró que el espacio de la crítica

> ...es el lugar de encuentro con las otras obras, la posibilidad del diálogo entre ellas. La crítica es lo que constituye eso que llamamos una literatura y que no es tanto la suma de las obras como el sistema de las relaciones: un campo de afinidades y oposiciones. [ . . . ] Crítica y creación viven en perpetua simbiosis. La primera se alimenta de poemas y novelas pero a su vez es el agua, el pan y el aire de la creación. [ . . . ] La misión de la crítica, claro está, no es inventar obras sino ponerlas en relación: disponerlas, descubrir su posición dentro del conjunto y de acuerdo con las predisposiciones y tendencias de cada una. En este sentido, la crítica tiene una función creadora: inventa una literatura (una perspectiva, un orden) a partir de las obras. Esto es lo que no ha hecho nuestra crítica.

Paz concluye que la misión de la crítica

> ...no es tanto trasmitir informaciones como filtrarlas, trasmutarlas y ordenarlas. La crítica opera por negaciones y por asociaciones: define, aísla y, después, relaciona. Diré más: en nuestra época la crítica funda la literatura. En tanto que esta última se constituye como crítica de la palabra y del mundo, como una pregunta sobre sí misma,

la crítica concibe a la literatura como un mundo de palabras, como un universo verbal. La creación es crítica y la crítica creación. Así, a nuestra literatura le falta rigor crítico y a nuestra crítica imaginación[23].

A pesar de los ponderados conceptos de Paz (o precisamente a raíz de ellos), la tarea crítica, que para nada enmascara el propósito didáctico, es portadora de un sentido de la humildad —valioso atributo para matizar los logros de una empresa que ocasionalmente se quiere todopoderosa y omnipotente para imponer gustos y modas duraderas, e igualmente infalible cuando lanza estrellas y relativiza textos ajenos a su entorno ideológico.

No es desmesurado suponer que por lo general sabemos en qué consiste nuestra tarea como críticos y que estamos conscientes de las motivaciones directas que nos conducen a ella. Si bien podemos dar fe de algún impacto inmediato como resultado de un curso o de un ensayo feliz, son menos evidentes las repercusiones que nuestros esfuerzos podrán alcanzar a mediano o largo plazo. Es evidente que las múltiples manifestaciones de la actividad crítica están íntimamente ligadas a una función social en tanto constituyen una expresión política[24]. Por lo tanto, una vez superado el nivel de la descripción (y aún entonces con serios reparos a toda pretensión de objetividad), el enunciado neutral es inadmisible como rector de un acto interpretativo. Si bien es imprescindible asimilar los adelantos teóricos de las últimas décadas, no es menos crucial recuperar para la tarea crítica el enunciado de juicios de valor, pues éstos permiten problematizar las relaciones de fuerza que afectan la producción cultural y hacer más efectivo el traslado del análisis literario a una mejor comprensión de la esfera pública. En este nivel, la crítica no sólo adquiere una densidad política sino también una dimensión ética, y acarrea una mayor responsabilidad en el acto de definir, interpretar y hacer inteligibles las versiones de realidad mediatizadas en la obra literaria[25].

Como en última instancia la literatura es un bien social, toda actividad relacionada con ella debe ser interpretada, tan siquiera en algunas de sus facetas, en relación con esta dimensión social. Ello es ineludible para la crítica cuya existencia se define desde la trama que entreteje con el objeto de su estudio. En casos óptimos esta (inter)dependencia —que no tiene por qué ser entendida como parasitaria— se traduce en un diálogo abierto y enriquecedor entre textos, en una co-existencia en tanto escritura ficcional, o en la mutua y jamás neutra articulación interpretativa de un mundo. Algunas propuestas narrativas de los años sesenta así lo acentuarían.

La poesía de vanguardia, al igual que algunas novelas singulares, vaticinaron lo que décadas más tarde sería visto como una deslumbrante innovación de la narrativa hispanoamericana. Reiterando en una escala de mayor difusión lo que se había dado anteriormente con la poesía, "la nueva novela hispanoamericana" sería exaltada por diferencias formales que marcaron instancias de ruptura y la re-creación de una tradición literaria; también, por haber intentado la conquista de otras realidades desde las fronteras mismas de la expresión. Si bien para este prólogo me he centrado en la novela, ello no implica que la crítica haya relegado a la poesía a un plano secundario. Que no ha sido así es evidente cuando se examinan las publicaciones de este período. Mi énfasis responde, sobre todo, tanto al auge de la narrativa desde los sesenta como a su efecto en el sistema de diseminación de las letras americanas.

Periódicamente la historia confirma el dictamen de Nebrija en el prólogo a su diccionario publicado en 1492: la lengua es compañera del imperio. Su fortuna —lo seguimos constatando— está íntimamente ligada al poder que le confiere la posesión de nuevos territorios. Que la literatura de una región considerada hasta fines de los años cincuenta como de interés marginal o subsidiario por los centros culturales de Occidente haya alcanzado poco después una proyección internacional, no es un fenómeno ajeno a las relaciones de la lengua con el poder. En el caso latinoamericano, sin embargo, tal expansión se produjo a raíz de un singular acto de resistencia que contó, siquiera por un tiempo, con la adhesión de amplios sectores. Considero útil, por ello, detenernos en la situación paradigmática de la "nueva novela hispanoamericana", novela de avanzada que se percibe como parte integral y constitutiva de una igualmente "nueva" etapa en la historia americana.

Como ya lo indicara anteriormente, es inconcebible plantear este fenómeno sin tener en cuenta la conjunción de hechos que alteraron el mapa político de la región junto con el rápido desarrollo de teorías literarias y su adaptación a lecturas críticas de esa misma narrativa. Que algunos textos de esta época hayan textualizado una reflexión teórica subraya la porosidad de los límites genéricos y el trasvasamiento de los lenguajes.

Postular la realidad es enunciar versiones del término "realidad"[26]; considerar el manejo del término "crisis" no es ajeno a esta misma ecuación. "Crisis" describe instancias de diversa intensidad y duración en cada una de las décadas de este siglo; en los años sesenta surgió como definición de un estado de vida[27]. Bajo un régimen de inestables fluctuaciones, éstas han sido décadas de triunfos parciales, de calamitosas derrotas y de decepcionantes o inestables retornos, de ansiedad y vacío, de alucinaciones y memoriosas recuperaciones de la historia, de mitificaciones y ensueños, de gestos y poses alternativas, de desafíos ante toda ilusión de realidad, de constantes e insatisfactorias redefiniciones de discursos y mundos referenciales.

Ante las prácticas, esquemas y utopías revolucionarias que emanaron de la Revolución Cubana y se expandieron por el continente en múltiples experiencias guerrilleras, resultaba inevitable una alta y explícita ideologización del campo literario. Este era uno de los escenarios visibles para dirimir la capacidad de transformación de la literatura y, a través de ella, del escritor y de sus lectores; eventualmente –confiaban los más optimistas– de toda una sociedad. Este dato alude a un nuevo pacto en las relaciones que se negocian en torno a los textos. Eran años en que el derecho a residir fuera de América Latina era tema de debate –como si una tierra santificara y la otra promoviera contagios de primer mundo– y de mesas redondas sobre la función social y el compromiso del novelista; eran años de minuciosas elaboraciones en torno al poder y la responsabilidad de la palabra, de lecturas particularmente apasionadas, de polémicas cuyos ecos aún no se han disipado[28]. También eran los años en que algunos escritores contribuían a la organización del espacio crítico con una guía "autor–izada". Si Morelli se planteaba los interrogantes existenciales y literarios de una época desde los "capítulos prescindibles" de *Rayuela*, Fuentes orquestaba la comprensión de fenómenos inéditos con *La nueva novela hispanoamericana*[29]. De este modo se capacitaba al lector para que pasara –previo descarte de ciertos gustos y hábitos– del deleite ante "lo tradicional" a una mayor comprensión de la novedad y a ser cómplice de los interrogantes. Eran –lo siguen siendo– los días en que la política convocaba alianzas solidarias y desavenencias, proclamas y distanciamientos. El caso de Mario Vargas Llosa ilustra el recorrido que va desde sus simpatías y adhesiones socialistas a la plataforma conservadora de su candidatura presidencial. Eran años en que las citas y la imagen del Che endilgaban pintadas políticas, pero también mercancías. Un nostalgioso hijo de los sesenta musitaba recientemente: ya son parte del pasado los tiempos en que se hablaba de "revolución"; hoy sólo se oye hablar de "democracia".

Una vez apaciguado el ímpetu juvenil ante la novedad –¡ya han pasado casi treinta años de la publicación de *Rayuela* y veinticinco de *Cien años de soledad*!–, el placer que acompañaba todo paradigma de experimentación y la fe en la aptitud para perfeccionar algunas realidades (y no pocas esperanzas), es posible observar la decantación de numerosas páginas. Un balance preliminar permite constatar qué ha sobrevivido de tanta fogosidad política y fe literaria, y ver cuántas páginas aún toleran el paso de las letras y de los años. Junto a estas consideraciones también nos atañe plantear hasta qué punto es posible verificar los límites de una nueva tendencia literaria y precisar sus líneas de fuerza. En este contexto, la crítica subraya el cómo leer, cuáles son las categorías de análisis como condicionante central y previo al qué leer y a la indagación de procesos de transformación y composición textual, para que todo interrogante apunte a la formación de una representación de la producción literaria elegida como objeto de análisis (y ojalá que también de goce) —tarea consciente, a la vez, de su propia ideologización y momento histórico-social.

La crítica como re-escritura de la literatura y, por consiguiente, como reordenación de textos, tiene a su cargo el trazado que hilvana las obras y las incorpora a un diseño histórico. En otras palabras, construye el *corpus,* la institución "literatura". Por ello mismo se pueden señalar las fechas de edición de *Facundo* (1845) o de *Azul...* (1888), por ejemplo, como instancias de cambio. Para nuestros días y para la novela contemporánea, consideramos que *Rayuela* (1963) y *Cien años de soledad* (1967), corresponden a esa categoría definitoria en que los epígonos apuntan logros e inauguran opciones para sus innumerables lectores[30].

El cuestionamiento que ha caracterizado a la "nueva narrativa" y a sus mejores secuelas fue logrado rechazando convenciones literarias; ejerciendo una crítica constante de la representación; interpelando realidades en todo plano discursivo; cultivando aperturas para múltiples narradores; dando cabida a monólogos interiores, ambigüedades y plurales puntos de vista y significados; e interrogando los límites mismos de la expresión literaria. Junto a la producción de otros autores, las obras perdurables han logrado incomodar y, siquiera en parte, interpelar toda proclama que explícita o implícitamente asumía el sentido de que la verdad residía en la versión oficial de una historia que las capas medias y altas o "la gran costumbre" habían hecho suyas. Conscientes del valor asignado a la "diferencia" y a la "novedad", los textos mejor logrados también se dejan leer como revisión de la historia y de la tradición literaria. En tales textos, innovar es enfrentarse a otra percepción de lo verosímil. Es, asimismo, rechazar la existencia *a priori* de la perfección ya que nombrar —acto que metafóricamente convoca el poder adánico— también define la imperfección y lo inacabado de todo lo sujeto a un nombre. Por ello, los afanes totalizadores de numerosas empresas literarias de décadas recientes pueden ser contemplados no ya como propuestas para cubrir toda faceta de lo real sino, más bien, como intentos por denunciar la imposibilidad de obtenerlo.

XXX

Este designio, con el que ya se habían enfrentado en décadas anteriores algunos proyectos de la vanguardia poética[31], se fundamentaba en obras que aisladamente habían comenzado a proponer aquello que será norma a partir de mediados de este siglo. Según Angel Rama, la vanguardia es ruptura y responde al desajuste entre la tradición recibida y la sociedad latinoamericana[32]. De ser así, quedaría establecida una homologación entre la fractura literaria y el quiebre social. Por su parte, los vanguardistas preferían hacer hincapié en el ser nuevos, en aparecer distintos a lo que los había precedido y aun a cualquier otra anticipación. La convocatoria a la novedad y a la diferencia volvió a surgir como un tópico definitorio en la narrativa del *boom* y sus aledaños. Esta "coincidencia" me lleva a interrogar si no serán estas situaciones de fractura, de deslinde frente a lo heredado, de culto a la novedad, algunas de las razones por las cuales a partir del auge de la narrativa de los sesenta la crítica también ha hecho hincapié en la vanguardia.

Borges ha recordado para siempre que los precursores emergen como resultado de una obra que repercute hacia el pasado[33]. La novela hispanoamericana producida a partir de la década del cincuenta, aquélla identificada como "nueva narrativa" y, en un régimen más ceñido, con el momento de eclosión del *boom* en los años sesenta, remite a las obras de autores que se definieron por su destreza para interpelar todo estatuto de realidad, por su anticipatoria marginalidad y por su reconocimiento como autores para iniciados. A esta categoría pertenecen Macedonio Fernández (1874–1952) y Felisberto Hernández (1902–1964), Pablo Palacio (1906–1947) y Juan Emar (1893–1964); Roberto Arlt (1900–1942), Leopoldo Marechal (1900–1970) y Juan Carlos Onetti (1909)[34].

Estos nombres sugieren claras opciones literarias. Sin menoscabar múltiples matices, es posible reconocer dos propuestas definidas que no siempre resultaron antagónicas. Por un lado, la que planteó desde la continuidad de una tradición crítica una revisión de las letras modernas y que acusó, siquiera parcialmente, el impacto de la modernidad narrativa. Por otro, aquélla que siguiendo modalidades heredadas de otras latitudes se pronunció rotundamente por una ardua experimentación. Sería reduccionista sostener el trazado de una oposición fundamental entre "escritura" y "realismo crítico" cuando aún estos mismos términos apuntan a un vasto y multiforme abanico literario. Sin embargo, el manejo de esta terminología insinúa que el pronunciado énfasis en la experimentación narrativa sirvió para deslindar prácticas literarias y para proponer "una modernidad" frente a "lo tradicional". La adopción de nuevos recursos narrativos toleraba la incorporación de versiones más flexibles del tiempo y del espacio como alternativas a una cotidianidad que se percibía aplastante. La historia se hacía más maleable con la intervención del mito; el paso del tiempo se hacía menos penoso y aun más tolerable con la circularidad y con claves de acceso a otras dimensiones. En un registro combinatorio, Carpentier afirmaba:

> . . .La nueva novela latinoamericana no puede ser diacrónica sino sincrónica, es decir, debe llevar planos paralelos, acciones paralelas, y debe tener al individuo siempre relacionado con la masa que lo circunda, con el mundo en gestación que lo esculpe, le da razón de ser, vigor, savia y los medios de expresión en todos los dominios de la creación, sea plástica, sea musical, sea verbal[35].

La capacidad de abandonar lo heredado, un sentimiento de total liberación que se deslizaba por la lengua, la revolución, el sexo, la droga, la música y la adhesión de un público cada vez más amplio iban compaginando el acceso a lo que muchos entusiastas consideraban una utopía literaria. En la página se desplegaba la imaginación que re-inventaba mundos; también el juego gratuito que llamaba la atención sobre el ingenio y sobre perecederas edificaciones de papel. Si algunos textos postulaban el universo, otros sólo expresaban la simple pero ponderada felicidad de "jugar a las palabras".

Que el aleph aún sea propiedad de un triste versificador podría explicar por qué la obra de narradores que anunciaron la conquista final del universo en (y a través de) sus textos no ha excedido el tamaño de su esperanza. Ante profundos cambios históricos y ante el desarrollo narrativo de las últimas décadas, la tan codiciada "novela del lenguaje" es un testimonio elocuente de valiosas pero relativamente truncas aventuras; también de anuncios para otro porvenir. Cabe recordar, sin embargo, que el énfasis en el lenguaje como definitorio de la "nueva novela hispanoamericana" está asociado con una actitud que en su momento fue "revolucionaria"[36]. Posteriormente, si por un lado algunas obras lograron centrar la atención en el malabarismo de la lengua, textos como los de Néstor Sánchez cifraron una de sus cimas y, a la vez, el agotamiento de una vía experimental[37]. No hay buena intención que haya logrado un proyecto totalizador ni que haya abarcado en sucesivas y parciales fórmulas lo que aún desde la historia algunos perciben como la magia contradictoria del mundo americano. Que los lectores le confieran a ciertos textos la calidad de aleph es un indicio de que páginas recientes han merecido ser leídas como clásicas —o tan siquiera como reveladoras de un mundo que ansiaba ser representado. Sugieren, además, que un público nuevo requería letras que plasmaran las innumerables realidades de un mundo cada vez más conflictivo y violent(ad)o.

*Cien años de soledad* ha sido considerada como la novela "en la que se identificó Latinoamérica" —así la han proclamado los anuncios publicitarios. En esta doble acepción, creo, está centrada la dinámica de la narrativa reciente, tanto la posibilidad del auto(re)conocimiento continental de los latinoamericanos como su proyección internacional. Esta fue obtenida precisamente cuando al enfrentarse con verdaderas alternativas históricas América Latina le volvía a ofrecer al viejo espacio hegemónico una dimensión imaginaria que ampliaba sensiblemente sus códigos culturales.

Para Europa, la novedad no ha dejado de ser la seña de identidad de "*su* Nuevo Mundo". El mundo americano la ha deslumbrado desde que se instaló para siempre en la mirada de Colón. Los cronistas debieron apelar a la maravilla literaria para describir lo que se extendía más allá de un horizonte palpable o hijo de la fe. Un imperecedero deslumbramiento ha subrayado lo inédito y lo sorprendente como signo de estas tierras y de su materia artística. Esta es una de las razones que permite comprender la presencia de una fuerte corriente regionalista y el recurso a escenarios desafiantes aun cuando la geografía física pareciera estar supeditada a lo "puramente experimental". De ello se deriva que si bien es cierto que la apropiación de lo americano adquirió un nuevo impulso dentro de la región, resulta igualmente cierto que la nueva narrativa, aún la que está centralmente instalada en el referente americano, no ha estado exenta de fuertes vínculos con el sistema literario occidental, vínculos que, a su vez, también han repercutido desde su apropiación y transformación latinoamericana sobre la producción literaria occidental. La creciente "interdependencia cultural" ya fue indicada por Antonio Candido en "Literatura y subdesarrollo":

> A partir de los movimientos estéticos del decenio de 1920, de la intensa conciencia estético social de los años 30 y 40; de la crisis de desarrollo económico y de experimentalismo técnico de los años más recientes, empezamos a sentir que la dependencia se dirige hacia una interdependencia cultural (si es posible utilizar sin equívocos este término, que recientemente adquirió sentidos tan desagradables en el vocabulario político). Esto no sólo les dará a los escritores de Latinoamérica la conciencia de su unidad en la diversidad, sino también favorecerá obras maduras originales, que serán lentamente asimiladas por otros pueblos, incluso los de los países metropolitanos e imperialistas. El camino de la reflexión sobre el subdesarrollo lleva, en el terreno de la cultura, al de la integración transnacional, puesto que lo que era imitación va cambiándose cada vez más en asimilación recíproca[38].

Uno de los rasgos definitorios de la nueva narrativa ha sido su (auto)percepción como empresa de "conquista de la realidad". Con el ímpetu del re-descubrimiento nada podía frenar el embate de sus propias fuerzas ni la grandilocuencia de sus proyectos. Más que consig-

XXXIII

nar las superficies del mundo americano —tarea cumplida por narraciones que serían abandonadas en un galope sostenido— era imprescindible reducir "La Realidad" a lo propio, a la comodidad solariega de un patio interior. Se trataba de tomar posesión de los tropos que habían sido frecuentados en las metrópolis occidentales universalizándolos desde el americanismo. Como toda otra empresa, también ésta tenía un costo declarado: a cambio de tecnología, se compartía con el mundo ese imaginario americano capaz de suplir las ausencias y los detritos del desarrollo.

En "La tecnificación narrativa" —título que registra una clara correspondencia entre el nuevo lenguaje narrativo junto a su "homólogo" crítico y la era tecnológica— Rama puntualizó que la acrecentada complejidad, tensiones y conflictos de la nueva sociedad latinoamericana aparecen en la nueva narrativa como signo

> . . .que se traduce en una pluralidad de estéticas que compiten entre sí. [ . . . ] La cosmovisión realista y la fantástica, la atención referencial a la historia y su negación, el manejo de la lengua culta y la recuperación del habla popular, la expresividad existencial y la impasibilidad objetivante, esos opuestos convivirán dentro del movimiento en variadísimas dosificaciones, por lo cual singularizan parcialidades.

Toda esta estructura, agrega, funciona entre los polos opuestos que se hallan en América Latina desde sus orígenes:

> . . .el internacionalista, que registra las sucesivas pulsiones externas que se distinguen por su variabilidad, y el nacionalista, que capitaliza las fuerzas integradoras y las tradiciones, ya autóctonas, ya acriolladas de larga data[39].

Al margen de evidentes variaciones que responden a las características propias de las respectivas zonas culturales y a los polos anotados por Rama, hay que considerar lo siguiente. Si por un lado, lo transnacional —en un eje que atravesaba el Atlántico Norte desde Europa hacia los EE.UU.— fascinaba por sus adelantos técnicos y tecnológicos y por el vasto alcance de sus medios de comunicación, ante la ineludible necesidad de ver el mundo desde lo americano, surgía ese incómodo cosquilleo que confirmaba la fascinación de la mentira o, tan siquiera, de lo extraño. Ese cosquilleo bastaba para ratificar una íntima pertenencia a los orígenes —pertenencia que permite atravesar fronteras y construir el espacio de la memoria en un territorio que se sabe fértil y propicio para ella.

Este último elemento resulta particularmente útil para considerar expresiones literarias de grupos étnicos minoritarios, así como para reflexionar en torno a textos producidos en exilios más recientes y considerar su imbricación en las respectivas literaturas nacionales. No está de más recordar que una extensa franja de la nueva narrativa ha sido producida fuera de Latinoamérica, si bien inicialmente bajo tensiones menos dramáticas que las ocasionadas por las dictaduras militares. En cuanto a estos últimos casos, y en un arco que también se extiende hacia múltiples pertenencias y exilios, considero igualmente significativo que el acto mismo de escribir en el exilio acarrea el deseo de recuperar el territorio abandonado y alterado por la historia y por las ausencias. Este deseo es matizado por el anhelo de reordenar el territorio originario —anhelo por cierto supeditado a pautas ideológicas. Por ello, no toda nostalgia evoca espacios utópicos o calles rendidas en el pasado. Como se puede comprobar en numerosas obras de estas décadas, tanto en las que abogan explícitamente por cambios históricos radicales como en las que comparten esa meta pero se ciñen más a lo lúdico y lo experimental, lo fundamental es el acto de transformar para volver a ser.

En cuanto a los críticos exiliados —la mayoría de los cuales ha ejercido su profesión en instituciones académicas— es justo recordar que para muchos de ellos la salida al exilio amplió miras que hasta entonces habían estado circunscriptas casi exclusivamente a las respectivas literaturas nacionales. Ante la pérdida de su espacio original, los receptores inmediatos de sus trabajos pasaron a ser los del país adoptivo. Una vez iniciados los procesos de redemocratización, junto a la lenta recuperación del saber y de los años perdidos, en el mejor de los casos se produjo tanto la expansión del público lector como la incorporación de una dimensión latinoamericana al lugar que previamente habían ocupado intereses más inmediatos.

Frente al restringido y marcado esquema de alusiones que identifica a las obras regionales, una mayor internacionalización en la dosificación misma de elementos técnicos, y el crecimiento de un público sintonizado con el cambio, promovió un diálogo interamericano e internacional cada vez más fluido. La moda(lidad) contemporánea de lo experimental junto a páginas desafiantes pero "más tradicionales" —por designar así a los textos que señalan menos que los primeros el sentido de ruptura— sugiere un puente formado por lenguas y heredades compartidas. Habilitados por una de las provocaciones de *Rayuela*, podríamos decir que se trataba de una apuesta a lectores cómplices, una invitación para los que saben o desean jugar. Una vez incitados a participar en la re-creación y recuperación del texto, estos lectores lo harían con plena conciencia de que el juego y el goce varían según el grado de disponibilidad y apertura de cada participante. Aunque esta

XXXV

noción ya fue intimada por Borges en su primer libro (1923)[40], *Rayuela* —singular divisoria de aguas de estos años— torna convención literaria el pacto interpretativo que atraviesa la página y une a todo fortuito "redactor" con su afortunado lector.

No es casual que se hable de juego. Los años sesenta —ya generosamente mitificados en parte, quizá, por la decadencia posterior— son los años de la revolución política, sexual, cultural. Individuo y sociedad constituyen el sitial de la transformación; son el espacio liberado al que serán reintegrados los poderes reprimidos por una moral burguesa[41] y por gobiernos nefastos. Abrir la puerta para ir a jugar es volver a la promisoria niñez, es "tomar la calle" para instaurar el signo mismo de la búsqueda que, en su sentido político más lato, es tomar el poder.

La literatura es fuego, dijo uno de los contemporáneos mayores, y es también juego; es incitación a quebrar los moldes de todo ídolo, es también responsabilidad ante el poder de su palabra y ante esa otra realidad cotidiana y metafísica que se desmorona y se erige sobre sus propios escombros. Es la solitaria, traumática, intimidad y el desencuentro con un mestizaje cultural que en José María Arguedas (1911–1969) se ansía armónico[42]; es la revolución defraudada en Juan Rulfo (1917–1986); es la agria decadencia en la Santa María de Onetti y la meticulosamente programada destrucción del Macondo condenado en García Márquez. Y todo ello, paradójicamente, como parte de un gesto utópico (¿hasta qué punto no es tal el acto de tomar la palabra?) que también apuesta a una máxima especulación con la historia y a los inciertos futuros americanos. Al mismo tiempo, y en una etapa en que convergían sentidos de liberación con fuerzas represivas sancionadas por el Estado, se fundaron dinastías y espacios en los que la magia comulgaba con la razón como si ante el cataclismo su mera imposición contribuyera a impedir que la historia acabe por desgajarse en el vacío.

Obras ya tan universalizadas como las de García Márquez, pero también *Yo el Supremo* (1974) de Roa Bastos —para citar una de las novelas más complejas de estas décadas— han reforzado no sólo la evidente "originalidad" de América Latina sino el hecho mucho más trascendente que pauta dicha originalidad como acto de resistencia frente a siglos de dominación imperial y como mediatización de dictaduras más recientes[43]. Precisamente porque el territorio americano no atravesó las mismas etapas que marcaron el desarrollo cultural de Europa sino que recibió desde ese "viejo mundo" los resultados de varios siglos de decantación cultural y los yuxtapuso y asimiló a su propio desarrollo cultural interno, América ha podido producir obras que deslumbran, enceguecen y hacen enmudecer a quienes rinden culto al racionalismo y a la administración rigurosa del saber y del capital. Así como la modernización en América se ha dado a empujones, su producción literaria tampoco ha respondido a planes prescriptos sino a la conjunción de esos empujones. El rechazo de modelos propios o foráneos, el conocimiento de la tradición y de la historia y la resistencia a la adopción de fórmulas prescriptas —resistencia cada vez menos evidente en las políticas nacionales a raíz del embate actual de las políticas de mercado— es un signo del cuño que define a las grandes obras americanas. La maravilla americana es el rechazo en sí, el no someterse a lo anticipado ni responder a las demandas de metrópolis con perfiles cada vez más difusos y con banderas transnacionales cada vez más nítidas que exigen materia prima para que nuevamente ésta sea moldeada y acuñada por manos ajenas. La necesidad de hablar de lo "real maravilloso" es un ancla para que no se niegue ni se esfume el imperio histórico de la imaginación creadora. Lo maravilloso es que la resistencia aún sea posible; que haya un discurso que aún apueste a una liberación posible en una época en que el vocablo mismo "liberación" se esfuma en la nostalgia y en la derrota; que todavía sea posible enunciar la restauración de lo humano[44].

Las comunidades literarias que surgen en Comala, Macondo y Santa María, por ejemplo, apuntan a la constitución y al reconocimiento de comunidades sociales y políticas. Ni réplica a la realidad ni prescripción de lo imaginario, el hecho de imponerlas desde el espacio literario apuesta a un diálogo de lo posible, a la interpretación de una visión política ausente en otros discursos. En épocas turbulentas, de descomposición y de eventual re-constitución, en épocas en que se insistía en el "hombre nuevo" (no tanto en la "mujer nueva"), en el (re)nacimiento latinoamericano, la construcción de mundos que respondían a una visión mítica y a una legislación literaria no menos mítica resultaba una respuesta eficaz para un espacio que renegaba del sometimiento a la rigidez de los sistemas.

Por esos años, ya institucionalizada la modernidad narrativa, también comenzará a ser reconocida una "literatura alternativa" escrita a contrapelo, una paraliteratura que recuperará materiales que la "alta literatura" considerara desdeñables y que hará suyo el mundo del folletín, del cine, de la radio y de la televisión en una actitud que asumirán algunos escritores que luego se autodefinirán como "novísimos"[45]. La coexistencia y frecuente cruce entre poesía y prosa, junto a la disolución de las fronteras entre los géneros literarios, pasaron a ser un lugar común de la época. Al debilitar el rigor formal de los límites, la búsqueda como acceso a otras realidades definió la existencia misma de los textos. Como lo hiciera Morelli, se reflexionaba sobre la marcha y se disecaba el trazado que rasgaba el papel; el tecleo decía (se cuestionaba: ¿decía?) e implantaba la duda; se escribía e interrogaba el sentido, el alcance, y el acto de la enunciación. De la novela se pasaba a la anti–novela[46] —como antes se había pasado a la anti–poesía— ironizando la linearidad y el mimetismo de antepasados realistas, forcejeando con el lenguaje fosilizado, y promoviendo la "obra abierta" como estatuto de la modernización literaria. Dicha obra prescindiría de entregas descriptivas y de cargas prescriptivas, y se rendiría al armado y pulido de cada lector en un pretendido estado de escasa plenitud. De este modo, el escritor deseoso (la figura deseante) de imponer a la realidad un mundo autónomo, así como su lector, viéndose en la antesala de la era tecnológica o, un tanto más cerca, en los resabios de una furtiva posmodernidad, se regocijarían al paladear "adánicamente" la escritura.

En este ejercicio confluían dos aproximaciones a la producción textual: por un lado se evocaba la nostalgia de ser un pequeño dios; por otro, se explicitaban las teorías narrativas que organizaban el texto. De este modo se diluía el misterio: más que creación, el texto es fruto de una ardua labor combinatoria que conjuga múltiples fuerzas montándolas en la página que se sueña memorable. En un plano más simple, se ponían en circulación (o se reciclaban) aspectos teóricos que ya paladeaban su cotidianidad. En este orden, el "lector cómplice" había pasado a ser una nueva categoría del relato. Esta designación, como bien lo sabe todo perseguidor, acarrea responsabilidades; en este caso, no sólo por el acto mismo de leer, sino también por sus eventuales repercusiones. Sin embargo, el minucioso llamado de atención sobre la opacidad del lenguaje y sobre la calidad de artificio de toda figura de papel, cedería paso a otras supervivencias. También, a incorporaciones cada vez más aceleradas en consonancia con la urgencia de la historia y con las demandas de rápidas entregas por parte de editores y consumidores. Hay numerosos ejemplos que demuestran que la publicación estuvo motivada por la necesidad de abastecer la demanda, desde libros–álbumes como *La vuelta al día en ochenta mundos* o *Ultimo round*, de Cortázar, y *La ciudad de las columnas,* de Carpentier, a novelas como *La cabeza de la hidra,* de Fuentes, y a algunas obras de Vargas Llosa[47]. Son más escasos los ejemplos que reflejan que la urgencia de la hora política aceleraba su edición. En este sentido, *Libro de Manuel,* de Cortázar, cumple con varios cometidos; entre ellos, entrelazar literatura e historia a medida que ambas avanzan, y ofrecer una documentación gráfica por medio de la incorporación de noticias a la densidad misma de la narración[48]. Ensayo intermedio, éste, como veremos, frente al desarrollo de una importante literatura–testimonio. Hecha la mención del cruce de historia y ficción, conviene recordar que tanto éste como la disolución de fronteras genéricas aparecen en las letras americanas desde que la conciencia europea comenzó a incorporar un mundo que sólo cabría en su imaginación mediante alusiones literarias. Durante los años que nos ocupan, el proyecto de crear "obras totalizadoras" llevó a la publicación de novelas de envergadura como las de Fernando del Paso (1935) –*José Trigo* (1966), *Palinuro de México* (1977) y *Noticias del imperio* (1987)– *Terra nostra* (1975) de Fuentes, *Yo el Supremo* de Roa Bastos, y *La guerra del fin del mundo* (1981) de Vargas Llosa.

El vértigo de lo novedoso, al igual que la canonización crítica que será tratada más adelante, no demoraron en integrar a la alternativa paraliteraria y a la vertiente popular a una nueva arruga del "establishment". Así envejecerían rápidamente los textos-gadget y los que hacían uso de los estimulantes tecnología-droga-sexo-rock-tipografía, como lo demuestran, por ejemplo, los textos iniciáticos de Gustavo Sáinz y de José Agustín[49]. Ese vértigo también arrastró textos "críticos" que con un alarde de fantasiosa imitación anhelaron obtener el status de la "originalidad" creativa.

En los años sesenta el éxito generalmente iba uncido al uso sofisticado (y ocasionalmente desmesurado) de recursos técnicos. Frente al creciente y ya poco deslumbrante despliegue del artificio, la crítica reconoció una vertiente alternativa en la obra de Manuel Puig (1932–1990). La recuperación de la cotidianidad mundana y de voces aplastadas por una pequeñez pueblerina, emergerían de ella, además, como contrapartida a normas autoritarias. Ya desde su primera obra, *La traición de Rita Hayworth* (1968), Puig evitó la señal identificatoria de esos años. En vez de centrarse explícita e insistentemente en los procedimientos del relato –que tanto aportaron a un nuevo hermetismo, a la "literatura de la incomunicación", como la denominara Onetti– Puig buscó los efectos que lo narrado ejerce sobre los lectores. Sus novelas presentan, asimismo, el encuentro de lenguajes literarios con aquéllos que provienen de los *mass media* y que posteriormente también se resguardarán bajo la cobertura del lenguaje sicoanalítico.

Frente a proyectos contemporáneos que se cifran como ruptura, los textos de Puig proponen el placer. En su lectura, como lo precisa gráficamente *El beso de la mujer araña* (1976), este placer devendrá en otras requisitorias al articular represión sexual y represión política. Para el caso de Puig es significativo el accionar de la crítica. Si por un lado, el uso de "material desechable", así como la imposición del folletín y del cruce de lenguajes literarios con el que proviene de los medios de comunicación masiva, le sirvieron a Puig para articular una opción literaria que rechazaba la constitución exclusiva de una "alta literatura", la crítica jibarizó sus propuestas para incorporarlo a un canon académico totalmente ajeno a su práctica inicial[50]. La apropiación de su literatura permitió poner en tela de juicio el rigor de "lo estrictamente literario" y así contribuyó a una mayor elastización del canon; también permitió, por otro lado, que se transparentaran las alarmas de Juan José Saer sobre la funcionalidad de los *mass media*[51].

El culto a la innovación y al ingenio también se reconoce en las lúcidas propuestas de Severo Sarduy[52]. Sus ensayos —y recupero para este caso la acepción más esclarecedora de este término— incitan a la mirada oblicua como clave de acceso a la sugerencia recóndita de algunas instancias mayores de los años sesenta. Su propia elaboración y práctica del "neo-barroco", con líneas íntimamente relacionadas con el diseño cultural de Lezama Lima, aporta, además, una importante reflexión sobre el Barroco[53]. La transgresión de normas y códigos establecidos que registra la marca de Lezama es la que, en otras instancias, define la práctica de Sarduy. Minando la inagotable veta barroca, ve su escritura (también la fase crítica) como escenario de toda des- y recomposición del universo. Consciente de la capacidad de renovación del arte, habiendo aceptado que el logos es incapaz de suplir toda ausencia, pero con la inefable ambición (barroca) de cubrir cada resquicio de espacio, la enunciación misma se establece como ejercicio de totalidad[54]. Haroldo de Campos visualiza el barroco como campo que propicia una mayor apertura de límites:

> Barroco en la literatura brasileña y en diversas literaturas latinoamericanas, significa, al mismo tiempo, hibridismo y traducción creativa. Traducción entendida como apropiación transgresiva e hibridismo (o mestizaje) como práctica dialógica y capacidad de expresar al otro y expresarse a sí mismo a través del otro, bajo la égida de la diferencia[55].

Es esta misma actitud que le permitirá decir, luego de invocar a Lezama Lima y a Valéry,

> Escribir, hoy, en las Américas como en Europa, significará cada vez más, pienso, reescribir, remasticar. Los escritores de mentalidad monológica, "logocéntrica" —si es que aún existen y persisten en esa mentalidad— deben darse cuenta de que, también cada vez más, resultará imposible escribir la "prosa del mundo", sin considerar, por lo menos como punto de referencia, las diferencias de esos "ex-céntricos", al mismo tiempo "bárbaros" (por pertenecer a un periférico "mundo subdesarrollado") y "alejandrinos" (por practicar incursiones de "guerrilla" en el corazón mismo de la Biblioteca de Babel) llamados Borges, Lezama Lima, Guimarães Rosa, Clarice Lispector, por mencionar apenas estos ejemplos significativos . . . [pp. 51-2].

Al margen de una máxima apertura al mundo, con la consiguiente dispersión de las voces y los géneros, y una máxima disponibilidad receptiva, Alejo Carpentier focaliza funciones específicas. En el ya citado "Problemática de la actual novela latinoamericana", contrapone las obras nativistas a la gran tarea del novelista americano de hoy: "inscribir la fisonomía de las ciudades en la literatura universal, olvidándose de tipicismos y costumbrismos" (p. 17), logro que según él explica la creciente circulación mundial de la literatura latinoamericana. Conviene recordar, sin embargo, que el cosmopolitismo no es menos latinoamericano que otras prácticas literarias más apegadas al suelo. Carpentier afirma más adelante:

> Nuestro arte siempre fue barroco [ . . . ] No temamos al barroquismo, arte nuestro [ . . . ] barroquismo creado por la necesidad de *nombrar las cosas,* aunque con ello nos alejemos de las técnicas en boga [ . . . ] El legítimo estilo del novelista latinoamericano actual es el barroco [pp. 43-4].

Esta amplia acepción del barroco, surgida por el requerimiento genésico de "nombrar las cosas", puede ser vista como una elaboración adicional del enfrentamiento con la realidad americana, encuentro que condujera a Carpentier al planteo de "lo real maravilloso" como prólogo a *El reino de este mundo* (1949) y a su exclamación: "¿Pero qué es la historia de América toda sino una crónica de lo real maravilloso?"[56].

Como lo indicara anteriormente, el desafío explicitado por múltiples propuestas narrativas se vio acompañado por llamados a la crítica para que también ésta se "pusiera al día" con los avances de la narrativa. "A nueva narrativa" —solía decirse— "nueva crítica". La necesidad de encontrar algún método, algún sistema de ordenación que diera cuenta de expresiones inéditas hasta entonces, se refleja en ensayos publicados a fines de la década del cincuenta y ya bien entrados los años sesenta. El afán didáctico estaba íntimamente ligado a estos esfuerzos, de tal modo que la feliz expresión de Carpentier, "lo real maravilloso", resultó sumamente útil para la incorporación de un nuevo régimen clasificatorio en torno a las variantes del "realismo mágico". Esta yuxtaposición terminológica se acomodaría a la necesidad de describir el estado de las letras americanas que daban cuenta de un continente que rehusaba someterse a otras categorías formales.

El término "realismo mágico" posee el encanto de una sugerente etiqueta, de la marca que vende, de una postal turística que rápidamente informa al extranjero que lo americano sigue siendo tierra ignota, tierra de maravilla que rechaza toda categoría exclusivamente racional. En las tierras de América todo sigue siendo posible; sólo de este lado de los mares el lector podrá recuperar lo que otros pueblos ya ni siquiera albergan en la memoria. En el circuito universitario, el término ha resultado apto para asir un estilo escurridizo y furtivo y para asomarse a un contenido desafiante. Esa misma contradictoria conjunción ha implicado que los textos fueran extrapolados tanto de la tradición y de los cambios literarios como de la historia[57].

Si bien el debate que generó en su momento el "realismo mágico" ya ha sido superado, conviene consignar, sin embargo, que las oscilaciones en torno a lo mágico y lo maravilloso –y en otra dimensión a "lo fantástico"– denotan la conjunción de varios factores[58]. Entre ellos, la recuperación de la dimensión mítica americana –como lo manifiesta el fuerte sustrato del *Popol Vuh* en *Hombres de maíz* (1949) y *Mulata de tal* (1963) de Miguel Angel Asturias (1899-1974)–, el impacto de la experiencia surrealista y la aceptación de que el dominio del logos marcaba las carencias que deberían ser cubiertas por otros medios de conocimiento. Otro factor decisivo fue el acto de develar un continente y una historia que requerían modalidades para las cuales la rápida adopción de fórmulas importadas resultó inadecuada. Como ya se ha sugerido, este último elemento ha resultado crucial para reconocer las diversas entonaciones de la crítica que diseña las literaturas americanas, particularmente de aquella crítica que no se parapeta tras una inexistente "neutralidad" o tras las grandes figuras de turno.

La poderosa gravitación de la moda contribuyó a que se generara una nómina de obras que continúa sometida a la depuración del olvido y a la decantación de criterios de valor tan fluctuantes como el gusto. Ha permanecido constante, sin embargo, la fuerza de una tradición que ya es parte integral de la cultura americana y que, a su vez, continúa sirviendo como polo de atracción para quienes comparten su herencia. Esta comunidad de intereses puede ser verificada en la onda experimental que ha caracterizado a un amplio sector de la narrativa hispanoamericana como extensión de prácticas similares en centros europeos. Si bien ésta sirve como indicio de ruptura dentro de la tradición literaria hispanoamericana, es decir, como voluntad expresa de ser diferente, no deja de ser llamativo que la ruptura esté basada en reflejos condicionados ante modelos provenientes de estados de producción disímiles. La adecuación de tales obras a situaciones diferentes –máxime cuando se tiene en cuenta que la moda literaria afecta a un sector cada vez mayor de la población, aunque siempre en una escala relativamente reducida– podría servir para medir su aceptación y radio de influencia entre diversos círculos de lectores.

Como ya lo habían sido unas décadas antes para la poesía, innovación y ruptura han sido institucionalizados como normas de la narrativa reciente. Lo experimental como expresión definitoria presupone un sentido de libertad en el comportamiento y construcción del relato que ha sido socavado por su canonización. Como en tantos otros niveles, más que la permanente insistencia en el hallazgo, es el proceso de búsqueda el que traza caminos. Por ello, más que la reiteración de lo andado, el retorno después de haber contemplado el "kibbutz del deseo" es el que marcará huellas para otras travesías. Son numerosas las obras que pautan caminos y renovadas opciones narrativas. Algunas han cancelado toda imitación al alcanzar el reconocimiento reservado a los clásicos; ello no ha impedido, sin embargo, el éxito de algunas variaciones sobre motivos similares. Otras se proponen como un modelo en el cual una máxima exploración lingüística y narrativa coexiste junto a la revisión de la historia y de las fuerzas que han impuesto una versión oficial. A esta dinámica, propia de proyectos narrativos con un fuerte arraigo nacional, como los que animan la producción de Carlos Fuentes para México, José Donoso (1924) para Chile, David Viñas (1929) para Argentina, Carlos Martínez Moreno (1917-1986) para Uruguay, o Salvador Garmendia (1928) para Venezuela, se suma el factor específico de la puesta en escena de las lenguas americanas.

Si bien Asturias recuperó para la narrativa contemporánea el legado y la sonoridad del *Popol Vuh,* y Rulfo los silencios de su región, José María Arguedas —que se veía como cultor de una actividad sagrada— y Roa Bastos son quienes, a mi parecer, mejor ejemplifican la transculturación que caracteriza a una amplia zona del territorio americano. En sus respectivas obras, el quechua y el guaraní no están relegados a letras cursivas o a notas explicativas que denotan el lugar sumiso que le ha sido asignado a los vencidos sino que, al contrario, rigen desde la centralidad del texto con la fuerza vital de los sobrevivientes[59]. Las novelas de Arguedas y Roa Bastos no se proponen ni, evidentemente, niegan la vigencia dominante de la lengua del conquistador —su prosa, en efecto, la revitaliza— pero tampoco cancelan la presencia de otros sustratos culturales, igualmente vigentes, que matizan su sintaxis y proponen visiones de mundo alternas.

Varias de las categorías utilizadas para aludir a las literaturas americanas están basadas en perspectivas europeas. Por razones que remiten a su historia colonial y a un correspondiente pero multifacético desarrollo cultural, las inflexiones literarias están caracterizadas como movimientos que definen a sus modelos. De tal modo, por ejemplo, se habla de neoclasicismo, romanticismo, realismo y naturalismo, siendo el modernismo la propuesta americana que transformó radicalmente el patrimonio de las letras hispánicas. Apelando a modelos ajenos al lugar de origen, y frecuentemente por intereses que respondían más a transformaciones económicas que a un humanismo desinteresado y altruista, surgió en el siglo XIX una fuerte novela antiesclavista en la región del Caribe[60]. Hacia mediados del siglo XX, aún circulaban en la región andina novelas de corte realista que abogaban por los derechos de las comunidades indígenas. En ambos casos, las novelas cumplían con un claro propósito didáctico que era, simultáneamente, una elocuente denuncia de violaciones y una convocatoria política a la acción pública. Tanto el negro como el indio, sin embargo, estaban supeditados a una benevolente mirada matri/patriarcal igualmente ajena a las pulsiones sociales y culturales originarias de los sometidos[61].

Los textos de Arguedas y Roa Bastos, por el contrario, articulan precisamente la dinámica del impacto mutuo y la confluencia de culturas inicialmente −y quizá para siempre− antagónicas. No es casual, en este sentido, la respectiva formación antropológica y el fundado interés lingüístico de estos autores; como tampoco lo es, particularmente en *Yo el Supremo,* que el texto reprodujera tanto la estructura del relato indígena como la tonalidad de su lengua en un marco formal innovador. Frente a la dicotomía Europa–América, propone Europa y América. El escritor abierto al continente no sólo es dueño de Occidente y de las tradiciones que definen su destino inmediato, sino también, y cada vez más, de las múltiples expresiones que hacen una permanente renovación del mosaico cultural americano[62]. La atención cada vez mayor que la crítica le ha prodigado a estos autores −en ambos casos su reconocimiento internacional fue tardío con respecto a las figuras del *boom* y aun fuertemente cuestionado por algunos de los artífices de ese lanzamiento− puede ser comprendida precisamente desde ese aporte. Si en el caso de Arguedas ello se da mediante la dramática supervivencia y defensa del mundo indígena, la voz de los que se niegan a ser vencidos se remonta desde las páginas de Roa Bastos por medio de la complejidad narrativa y de un sistema de figuraciones que el "lector transnacional" ya reconoce como propio de la contemporaneidad americana.

Frente a las opiniones que justifican el éxito internacional de la literatura latinoamericana mediante el "ascenso a patrones técnicos universales en el mismo momento en que se produciría un presunto decaimiento de la novelística de otras regiones europeas", Angel Rama considera que "el relativo éxito de la narrativa latinoamericana no está sólo en su modernización evidente, sino también, paradójicamente, en el presuntivo arcaísmo de su cosmovisión, de sus asuntos y de sus modos operativos"[63]. Es decir que un amplio sector del público se siente más atraído por elementos que evocan un fácil reconocimiento de su propia realidad que por el desafío de malabarismos técnicos que fascina al lector profesional. Dicha identificación está más cerca de una aceptación nacional que de una percepción continental. Sin embargo, dista del pronunciado regionalismo de décadas pasadas al articular lo próximo a la medida de una anticipada escala internacional. En este delicado balance los múltiples lectores ven su cultura (y pueden llegar a identificar sus prejuicios) con el regocijo que produce el reconocimiento; fascinados por lo extraño, lo examinan (se examinan) como si se enfrentaran a algo ajeno. Esta dinámica de apertura y cerrazón de la definición de lo nacional y lo latinoamericano se corresponde con momentos históricos específicos en que el indio, el mestizo, el negro o el inmigrante son tematizados, revalorizados y, en algunos casos, incorporados a una comprensión más generosa de lo americano.

Tanto en ecuaciones políticas como en las mediatizaciones culturales, centro y periferia han connotado las relaciones de América Latina frente a Europa y los EE.UU. Así como la Revolución Cubana desplazó la marginalidad política de la región, el reconocimiento de una gran narrativa latinoamericana re-orientó las relaciones culturales del mundo occidental. Para gran parte de América Latina fue necesaria esa legitimación internacional para que la originalidad comenzara a ocupar su lugar en la cultura nacional. Más que como indicio de lo novedoso o recuperación de lo ancestral, esta originalidad debe ser entendida como apropiación de las señas de identidad. A partir de los años sesenta, en efecto, autores de otros países latinoamericanos son más leídos en la región, si bien no por ello ha disminuido la popularidad de las respectivas expresiones nacionales. Los cruces entre diferentes zonas linguísticas y culturales (Brasil y el Caribe no-hispano como casos emblemáticos) siguen siendo reducidos; también son escasos los ejercicios críticos que se proponen cruzar y superar esos límites. En todo caso, y sin que las aristas fronterizas y los nacionalismos hayan sido limados, a partir de los sesenta se registró un *ansia* creciente de latinoamericanidad claramente relacionado con la diseminación de un ideal o por lo menos de una retórica revolucionaria. Por esos años, el ser humano, el arte, la literatura, estaban animados por proyectos de transformación; se confiaba que la humanidad y sus letras finalmente podrían ingresar a un sistema en que el goce y la ausencia de toda enajenación definirían el futuro. La utopía, sin embargo, estaba contaminada de incertidumbres; el sueño estaba condenado por una supuesta inestabilidad histórica, por la represión que hacía antesala en Tlatelolco y proseguía su programa de golpes al sur.

Habiendo accedido al centro literario, sin embargo, la nueva narrativa siguió "pensando en voz alta" y acusando los cambios de estas décadas. Se oscilaba entre la historia —como el Carpentier de *El siglo de las luces* (1962) y el Viñas de *Los hombres de a caballo* (1967)— y la crónica de un instante, especulando como *Farabeuf* (1965) de Salvador Elizondo (1932), o *Cobra* (1972) de Sarduy, sobre el derrame del placer y la producción del texto; se cosechaba, como lo hizo Fuentes, la especularidad erótica de la innovación (*Cambio de piel*, 1967) y la re-invención de historias fundacionales (*Terra nostra*, 1975); se recomponían críticamente sagas familiares como en las novelas de José Donoso o en *Un mundo para Julius* (1970) de Alfredo Bryce Echenique (1939); se ensalzaba la mítica trasnoche habanera en *Tres tristes tigres* (1967) de Guillermo Cabrera Infante; y se fundaban los mundos que iban al muere en *Los recuerdos del porvenir* (1963) de Elena Garro (1920), o en la agotadora Santa María de Onetti. Dentro de ese mismo aluvión que ratificaba la centralidad de la narrativa hispanoamericana se seguían operando los desplazamientos internos que acercarían lo social y culturalmente marginado hacia el centro, tarea que aún deben realizar los autores de regiones marginadas por la desmesura cosmopolita y los relegados por causas ajenas a la geografía.

Es tautológica la corta duración del rotundo y aptamente ruidoso monosílabo "boom". Pero que el *boom* no fue una furtiva eclosión lo prueban la sostenida producción de los elencos iniciales y el interés duradero del público. Una de sus mayores repercusiones, sin embargo, debe ser vista en el hecho de que también irradiaron interés por otros autores americanos dentro y fuera de América Latina y que esa proyección también se dio hacia atrás, hacia la recuperación de los precursores.

Los escritores que por largo tiempo serían vistos como los arquitectos de "la nueva narrativa" aprendieron y heredaron de sus mayores, tanto de los poetas de la vanguardia, de aquellos que ellos mismos contribuyeron a rescatar de la marginalidad, el desconocimiento o el anonimato (Arlt, Macedonio, Felisberto Hernández. . . ), así como de sus más contemporáneos (Borges, Paz, Onetti. . . ), el poder del lenguaje para penetrar realidades, para re-ordenar la historia, para re-crear universos, o para comenzar a mirar su universo desde ángulos inéditos. Este optimismo ante la página, esta certidumbre −diría: este acto de fe− en la capacidad de transformación de la literatura, sólo es comprensible en momentos en que la realidad misma parecía ceder a la imperiosa voluntad de alterar los signos bajo los que había sido organizada la historia americana desde su violenta incorporación al mundo del conquistador europeo. Y aún viéndolo de este modo, estos mismos términos incitan a otros interrogantes sobre las diversas interpretaciones de las organizaciones sociales y políticas que en última instancia no cedieron, sobre las aventuras del lenguaje que creaban mundos y horadaban falsas percepciones mientras promovían re-encuentros con el yo como etapa previa al descubrimiento del nos-otros.

Este postulado conjuga dos vertientes de las letras (así como de su homólogo crítico) y de los ya acallados debates en torno a su función: la literatura como goce en el repliegue del "yo-tú"; la literatura como un bien social que alcanza a poseer funciones utilitarias en el "yo-nosotros". Lo cual, al margen de sustratos eróticos y políticos (que por cierto *no* son incompatibles, como lo demuestran numerosos ejemplos de este período), también apunta a una comprensión de la literatura que excede otras fronteras. Además de la reconocida filiación con sus respectivas culturas nacionales y con América Latina, los "nuevos narradores" se afianzaron en "la literatura" como si ésta constituyera una primera (y final) patria con claras exigencias de adhesión, lealtad e íntimo compromiso. El "sé fiel a ti mismo" portaba una alta carga de responsabilidad profesional y ética tanto hacia la literatura como hacia los destinatarios de sus palabras. La fe en la autonomía literaria también puede ser leída, entonces, como parte de un compromiso implícito con anhelos de libertad individual, nacional y continental.

Si se acepta que es posible dirimir opciones literarias que se extienden desde una acentuación en la vía experimental hasta la incorporación explícita de referentes históricos y sociales, cabe reflexionar sobre sus respectivos cambios y posible continuidad —insisto en que estas opciones no son necesariamente antagónicas ni se excluyen mutuamente. La apuesta a una pretendida y absoluta objetividad que reduce al máximo la participación del yo, ha podido perdurar porque respondió a una flexibilidad y a una permeabilidad de planos de la que carecían los patrones del *nouveau roman* y sus legatarios más inmediatos. En última instancia, las reducciones experimentales acabaron por ser lecciones parciales más que metas a ser alcanzadas; cuando en lugar de limitarse a ser ejercicio llegaba a texto impreso, dicho alcance significaba la caída en la reiteración de formulaciones ya logradas. El cultivo heterodoxo del debate teórico en torno al discurso literario sugería, en cambio, que las letras adquieren su por siempre variable sentido a través de la igualmente fluctuante subjetividad y de sus condicionantes históricos. Es precisamente desde ese estadio que se construyeron, a mi parecer, las obras más perdurables de esta época.

El signo del perseguidor, altamente definido por una galería de personajes de Cortázar, debe ser extendido a una importante nómina de autores que siguen ejerciendo para la literatura latinoamericana una capacidad de concertación inédita en su historia. Existe un consenso sobre los diversos hechos editoriales e históricos que señalan el inicio de este proceso. Son mayores los interrogantes sobre su fin.

Como sabemos, los esquemas de periodización, falibles para el pasado, son aún más cuestionables para estos días. La plenitud de "los sesenta"[64] podría estar enmarcada por el segmento histórico que va de 1959 a 1973, es decir, del triunfo de la Revolución Cubana a la caída de la democracia chilena —trágico marcador, "por debajo" del precoz militarismo brasileño y del longevo autoritarismo paraguayo— de las otras dictaduras que azotaron a la región. También resulta funcional recuperar el arco más amplio (retóricamente, quizá más eficaz) que va desde las estrategias revolucionarias por la liberación de América Latina y la vertiginosa caída en la represión estatal hasta llegar a los procesos actuales de redemocratización.

En los años que lleva decir "de la revolución a la democracia", sin embargo, también se han desarrollado lineamientos literarios que dificultan un trazado uniforme de la topografía de las letras. Para un proceso de largo aliento como el que tiene a su cargo la historia literaria, esta revisión preliminar permite vislumbrar los epígonos y soslayar propuestas que han sido importantes pero contingentes; permite recordar, asimismo, que una de sus tareas centrales es el rescate de las voces ausentes.

Si una de las facetas primordiales de la nueva narrativa ha sido su apuesta a la recuperación de una realidad menos enajenante, esta constante tarea de cartógrafos, exploradores e intérpretes, propia de cierta crítica literaria, quizá no sea del todo ajena a ese modesto fin literario que celebra la ausencia de los vacíos y la fundación de nuevas tradiciones. Es evidente que si bien la narrativa de los años sesenta ha sido primordialmente una divisoria de aguas para la novela, también ha servido —por algunas de las condiciones ya señaladas y por otras que se verán a continuación— para marcar los parámetros de la atención crítica a la producción americana[65].

## PASOS Y PAUTAS DE LA CRITICA LITERARIA LATINOAMERICANA

La modernización de la crítica literaria se afianzó desde la década del cincuenta gracias a la difusión de lo ya logrado años antes por el formalismo ruso, por escuelas que, como la de Praga, impulsaron reformulaciones de la lingüística, y por el *New Criticism* angloestadounidense. Tal modernización se reconoce, por ejemplo, en la capacidad de discernir entre "textualidad" e "individualidad". Al marcar las distancias que separan al "sujeto biográfico" del "sujeto textual", se logró abandonar, en efecto, las correlaciones más esquemáticas entre vida y obra. Las propuestas de la estilística, de la filología y de la fenomenología sirvieron, asimismo, para detener tanto la expansión de la crítica impresionista como la vulgarización de un sociologismo empobrecido.

Estos cambios aceleraron velozmente a partir de los años sesenta a raíz de la incorporación de las ciencias sociales al análisis del fenómeno literario y, más enfáticamente aún, como resultado de la rápida adopción del estructuralismo y sus secuelas y de otros lineamientos teóricos que surgieron en Europa y EE.UU. Como resultado de esta diseminación teórica, en una dirección habría de mantenerse la especificidad analítica, la interpretación y la obtención del sentido de las obras literarias; en otra, las disciplinas confluirían hacia la constitución de una ciencia, de un nuevo modo de conocimiento cuyo propósito ha sido dar cuenta de la estructura, del sistema de convenciones discursivas que subyace al "texto" como objeto de análisis. El paso del sistema al análisis de una o más obras específicas marcó la transición de un asentamiento en la poética a la faceta interpretativa de la crítica. La oscilación se pronunciaba, entonces, entre "la teoría" en cuanto "ciencia", y el análisis, la búsqueda de los sentidos plurales de un texto, como vuelco sobre una acepción más raigal de la crítica literaria.

Los procesos revolucionarios de los años sesenta tuvieron una consecuencia inmediata en la ideologización explícita de todo discurso. Para el análisis del más amplio régimen literario, implicó trazar relaciones entre el texto y los factores y sistemas que hacen a su comprensión. Vivas voces demandaban una militancia política en la literatura[66], requisito que también fue homologado para la actividad crítica. El lugar de residencia del escritor preocupaba a algunos sectores de la izquierda y señalaba la exigencia de un compromiso personal y físico con ideologías revolucionarias. Señalaba, asimismo, que la politización había alcanzado a las mediatizadas representaciones, a las "innovaciones técnicas" de los textos, así como a la ubicación política del cuerpo del escritor. El debate era prescriptivo ya que definía cuáles eran las estrategias discursivas más aptas para promover y afianzar causas políticas. Mientras las modelizaciones teóricas privilegiaban el texto como única realidad, estas demandas suponían que en última instancia –a pesar del reconocimiento obtenido por medio de las letras– importaba más la puesta en escena del cuerpo que la estructura interna del texto. Dejando de lado los elementos que hacen al derecho y a la comodidad individual, a la solidaridad ideológica y al lugar de máxima eficacia literaria y política, importa subrayar que la misma tematización de la presencia del escritor en su país o región involucraba una responsabilidad colectiva en torno a la tan ansiada y ponderada "nueva sociedad". Los reclamos a favor de un retorno evocaban, asimismo, una concepción restringida de la nacionalidad; también, la tácita noción que sólo viviendo en su espacio originario el escritor retendría el sabor matizado de la lengua y obtendría "la savia nutricia" necesaria para no distanciarse de su pueblo, para mantener lazos inextricables con sus aspiraciones, noción que sería tristemente retomada apenas unos años más tarde frente a los exiliados de las dictaduras del sur. En otro plano, más íntimo quizá, también sugerían una soledad que quería ser abandonada; un temor ante la seducción que ejercían los centros europeos; una fragmentación de ideales y realidades que ansiaba ser recogida en la bienvenida algarabía de los aeropuertos. Es decir, se reponía para el intelectual latinoamericano la articulación de su responsabilidad individual en cuanto artista junto a las obligaciones contraídas con la sociedad en tanto ciudadano de una nación o un continente; se reponía la función de liderazgo letrado y político que había desempeñado en el siglo XIX durante la formación de las repúblicas liberales. Las réplicas de los escritores, por supuesto, aparecen consignadas tanto en inagotables mesas redondas como en algunos textos ejemplares que delinean sus respectivas posiciones[67].

Para "la crítica latinoamericana" también se oían reclamos que le exigían una participación central en la "afirmación popular" y la "liberación del continente", función que acabaría por ponerla en sintonía con el surgimiento de una narrativa latinoamericana de avanzada. Para tal caso, y en función de los textos sobre los que manufacturaba su propia versión, el crítico volvía a asumir las funciones de intérprete, traductor y productor de sentidos; de sentidos ligados íntima e ineludiblemente a la especificidad de su momento histórico. De este modo se afirmaba para la literatura y para la crítica una explícita función política normativa. A ambas se le imponía la dimensión fundacional de una identidad bajo marcadores políticos diferentes a los sustentados para las letras y los designios de sus respectivos países por las élites que habían asumido la representación de sus culturas nacionales.

Ante estos cambios, en otros círculos se produjo una reacción diferente: si a la literatura le correspondía "la autonomía" como categoría definitoria, la práctica de las letras que se define como crítica no podía ser menos. Este razonamiento motivó que el anhelo por obtener una máxima adhesión a la renovación teórica y crítica alcanzara una neutralización o una asepsia voluntariosamente internacionalista de los discursos literarios. Entonces se medía el impacto de "lo teórico", en sus diversas acepciones y matices, no sólo por sus alcances científicos y su institucionalización en los marcos académicos, sino también (¿paradojalmente?) por sus contribuciones a la politización del análisis literario. La "crítica ideológica", vista en una gama de orígenes y propósitos que abarcaba tanto a las aproximaciones de raigambre marxista como a las propuestas feministas, se fortaleció como resistencia al énfasis excluyente en "lo teórico". Por su parte, la fragmentación del propio campo teórico canceló toda imagen de homogeneidad[68]. Es así que una vez señalada esta primera percepción general de dos grandes bloques en pugna, conviene hacer hincapié en escuelas y matices que se siguen disputando parcelas de poder en el plano de la representación simbólica.

Estas opciones se dirimieron, a su vez, en una matizada bifurcación hacia análisis centrados en problemáticas nacionales o hacia reflexiones teóricas que frecuentemente prescindieron de toda asignación local. He apelado al verbo "dirimir" precisamente porque tales reflexiones están íntimamente ligadas a posiciones ideológicas que no siempre comparten un mismo discurso, aun cuando sus alegatos pueden estar sintonizados a una misma frecuencia[69]. En parte por programas políticos claramente diferenciados —como es el caso de la crítica feminista en sus diversos y avanzados estadios— o por el resguardo que exige todo advenimiento, cada feudo (o pálido minifundio) sigue ejerciendo su propia hegemonía discursiva. En este sentido es necesario tener presente que al margen de cualquier adhesión, las múltiples teorizaciones en torno al texto literario, así como el impulso para establecer una poética sobre bases científicas, ha consolidado un mayor rigor metodológico en la práctica crítica. Su riqueza, además, impone una toma de posición, implícita o explícita, ante ellas y ante el texto. Otros efectos incluyen el ya citado debate sobre el canon literario y lo adelantado, por ejemplo, por la estética de la recepción en cuanto a posibles acercamientos entre las series literaria y no-literaria, para cancelar reduccionismos mecánicos en las relaciones literatura–historia[70]. Esta última alienta un renovado enaltecimiento de la capacidad de transformación social que pueden ejercer la literatura y la crítica.

Hace apenas unas décadas la devoción a las "fuerzas espirituales" que animan a la literatura contemplaba las aproximaciones teóricas como una amenaza a la sensibilidad artística. Bajo el influjo de modelos provenientes de otras disciplinas, particularmente de las ciencias sociales, y de incipientes formulaciones teóricas, algunos críticos dieron comienzo a una primera serie de interrogantes para aproximarse al objeto de estudio. Desde hacía tiempo, la crítica había asumido su función como modo de conocimiento y no como mera descripción contenidista y de estados de alma. Un creciente núcleo de críticos reflejaba el anhelo de la precisión; el instrumental teórico que se abalanzaba sobre la sed de ciencia facilitaba el encuentro con conclusiones cada vez más rigurosas. No obstante esta inserción modélica que alienta la incorporación de las series literarias a sus respectivos contextos, se habría de privilegiar —precisamente como reacción a la ya mencionada causalidad esquemática— el perfil crítico que erige su autonomía en torno a textos abstraídos de toda otra relación. De tal modo que el lenguaje de la crítica –distanciado, objetivo y enunciado en frío– respondía a dos finalidades: proyectaba una retórica e imponía una práctica segura de sus objetivos y de la confianza que le merecerá a sus lectores; eludía, asimismo, el compromiso implícito en la primera persona.

Las diferencias en la concepción misma de esta actividad sugieren la demarcación de campos críticos: por un lado, se hallan quienes optan por una aproximación inmanentista a la literatura; por otro, quienes adquieren y adjudican sentidos en la contextualización histórica y social, proyectándose de este modo hacia una crítica "cultural". Al respecto opina Antonio Cornejo Polar:

> El imperio de los métodos del inmanentismo implica una arbitraria limitación del hecho literario a sus dimensiones posibles de conocimiento bajo los términos y condiciones de esa metodología, de suerte que quedan iluminados ciertos aspectos textuales, a veces los menos interesantes, y se eluden reiteradamente, una y otra vez, aquellos factores que determinan que la literatura sea materia de pasión y de estudio.
>
> Se olvida que la literatura es signo y que inevitablemente remite a categorías que la exceden: al hombre, la sociedad, la historia; se olvida, al mismo tiempo, que la literatura es producción social, parte integrante de una realidad y de una historia nunca neutrales, y tal vez por eso se omite toda referencia contextual y todo discernimiento de valores[71].

En algunas "aproximaciones tecnocráticas" a la literatura que han dominado un amplio sector del espacio académico desde los años sesenta, se puede constatar no sólo el carácter mecánico de las transferencias sino también la arrogancia del que no duda, la falsedad de una incuestionable certidumbre que se define en actitudes autoritarias y en un insuperable desdén por la amplia gama de elementos que entran en juego en la producción literaria. Como en otras ramas del saber, cuando se apela al encanto cifrado, a recintos para iniciados, a un lenguaje formulaico que enmascara el vacío, se prescinde de la función comunicativa del lenguaje y en su lugar se promueve la mirada atónita, el desconcierto, o el descarte, entre lectores que no comparten esas mismas claves de paso. En el clima enrarecido de pequeños claustros y devotos cenáculos, ha llegado a importar más la proyección de un vocabulario que se presume científico que las consideraciones que deben contribuir al pensamiento crítico. En lugar de cultivar la transparencia del lenguaje y hacer uso de la precisión para acceder a una mayor elucidación del texto, el culto de la nomenclatura cumple la función adversa del alambre de púa: señala las zonas limítrofes, el acceso vedado a una propiedad que se ansía privada. Es notable por ello que esa misma rigurosa construcción que logró expulsar de sus dominios a una sensible franja de la historia, haya resultado útil para que en zonas amenazadas por la violencia estatal su hálito científico extendiera cierta protección ante toda sospecha que pudiera emanar del empleo de conceptos o propuestas contestatarias.

Subrayo: el estructuralismo y sus secuelas han sido centrales en estas décadas, como lo siguen siendo las expansiones generadas desde aproximaciones semióticas; no ha sido igualmente productiva, sin embargo, la cerrazón adoptada por algunos de sus máximos (y mínimos) exponentes en el campo de la literatura latinoamericana. Es evidente que el desarrollo de las ciencias del lenguaje ha sido fundamental y sumamente beneficioso para la organización metódica de los estudios literarios[72]; pero no responden a esas mismas pautas los estudios cuya mera razón de ser ha sido la prestidigitación con giros y pespuntes de la moda, con páginas cuyo fin se agota en ese mismo malabarismo o en conclusiones que denuncian su propia ausencia.

Las primeras modalidades del estructuralismo, así como poco antes el formalismo ruso y los modelos lingüísticos de Saussure, cundieron, en parte gracias a su racionalidad y sistematización, como teoría de la interpretación[73]. En diversos contextos tenían a su favor el rigor apolítico que se le suele conferir al pensamiento y al lenguaje científico, atributos que han facilitado su desplazamiento y asimilación a través de historias radicalmente diferentes. Por otro lado, el creciente énfasis en "teoría" frente a la relación literatura–ciencias sociales –planteado como si la primera fuera un modelo de pureza frente a la "contaminación ideológica" de la segunda– omitía que la teoría misma está historizada y condicionada por la transferencia de conocimientos de otras disciplinas igualmente inscriptas en sus respectivos procesos históricos.

Es importante recordar aquí que si bien el pensamiento de Barthes, Foucault, Derrida, Bakhtin y Lacan, entre otros, se desarrolló en Europa a lo largo de varios lustros y sobre la base de una sólida tradición filosófica, su traslado al hemisferio occidental se produjo casi en bloque. Esta "casi simultaneidad" hizo más difícil una asimilación paulatina de sus orígenes, múltiples sugerencias e implicaciones. En algunos casos su irrupción llevó a la adopción mecánica del instrumental; en otros al cuestionamiento de la rigidez (no del rigor) analítica, al enriquecimiento conceptual y a la inscripción del debate local en una dimensión internacional. Los recientes avatares de la "posmodernidad" en América Latina ponen en escena una dinámica similar[74].

Luego de varios años de adhesión programática a una de las variantes del estructuralismo, el debate avanzaría hacia expresiones derivadas de esta primera etapa[75]. Se explayaría por medio de introducciones semióticas y post-estructuralistas —y en otra vertiente, si bien con una difusión sorprendentemente menor, por el cauce sicoanalítico— hasta alcanzar el abarcador modelo de la desconstrucción como acceso a una reflexión y a una constante reformulación sobre la capacidad misma de teorizar y producir conocimientos. En otras instancias adelantaría teorías sobre la producción cultural claramente arraigadas en un paradigma sociohistórico que conduciría, a su vez, a un renovado interés en problemas historiográficos. Dicho interés se puede constatar mediante proyectos que formulan nuevas historias de las literaturas americanas.

Toda historia de la literatura se enfrenta con múltiples dificultades de organización en torno a la elaboración de criterios, diseño y periodización en la drástica tarea de recortes y exclusiones[76]. Si ello ya es un grave problema en la preparación de una historia nacional, lo es aún más enfrentarse con la producción literaria de América Latina y todo lo que ello implica a partir de una conformación étnica y social disímil, de desarrollos históricos que no responden a un mismo cronograma, de expresiones culturales que laten al ritmo de sus propias exigencias. Como lo señala Susana Zanetti, a estos factores se suma la igualmente asincronizada recepción de la producción cultural, tanto extranjera como americana, en la región, "produciéndose así una simultaneidad impensable en literaturas con una tradición consolidada" que complica "el desarrollo lineal de la historia literaria latinoamericana"[77]. Otro aspecto que ha sido y deberá ser considerado en todo planteo de tal envergadura incluye el hecho de que la redacción misma de una historia presupone establecer una continuidad en el tiempo. Primer problema, entonces, ya que aún una primera revisión de las letras americanas señala un régimen de rupturas, de discontinuidades, de la ubicación en espacios contiguos de diversos estadios históricos que se enuncian en lenguas diferentes y se articulan como culturas diferentes. Más que hacer *una* historia, entonces, el fenómeno mismo del objeto a ser historiado se proyecta como una superposición, como un ensamblaje de series literarias y de versiones que en algunos momentos se rozan e integran (o no) a un mismo plano. Si en efecto resulta imposible obtener una totalidad, es evidente que se impone una selección —y, por lo tanto, una omisión— que en sí reproducirá un sistema de valores y la ideología de quien selecciona los segmentos que urdirán esa historia. De tal modo que quien elige se inserta como participante activo en el mapa que diseña —¿variante del lector cómplice que interpreta y así configura su propia página?[78]. El texto elegido, como el que aparece en una muestra antológica, es legitimado en su representación.

En este sentido es útil acotar que entre los componentes que definen la producción textual, y precisamente para la revisión actualizada del canon, la relación literatura–público lector como marcadora de la inscripción de la literatura en la historia es un factor definitorio. Así como todo texto re-produce en la abundancia intertextual y desde la infinita concatenación de palimpsestos culturales aquello que ya ha sido enunciado, el lector resemantiza todo texto a su propia imagen. No es casual, por cierto, que el "lector cómplice" —incorporado explícitamente por Cortázar a esta relación— se haya transformado en un estatuto básico de la literatura concebida en términos pragmáticos como relación dinámica y fluida entre todos sus elementos constitutivos. Dicho de este modo se asume como alternativa a las propuestas que remiten exclusivamente a la "esencia" del texto y, a la vez, como posible superación de lecturas circunscriptas a "lo literario" frente a los más amplios registros que exige toda historia de la literatura y toda comprensión del texto literario en su esfera de producción.

En casos extremos, la tecnocracia crítica llegó a contemplar una cuestionable fidelidad a sus propias fronteras; no la atravesaba un compromiso con "el decir" del texto, tampoco el fervor de las negaciones o alejamientos de los cauces que ella misma eligió. No propongo frente a esta postura la exaltación adjetivada de otros tiempos como sustituto a la reflexión y al análisis; sí abogo por una crítica que perciba su práctica como una actividad vital. Interrogo, además, el sentido de las críticas acotadas, de aquéllas que mutilan su actividad y la marginan de los elementos que conforman la producción textual. Evidentemente, estas consideraciones afectan al campo de la crítica literaria en general y no están circunscriptas sólo al campo latinoamericano.

Sin embargo, en este caso específico y por una serie de factores que veremos más adelante, su efecto tiene repercusiones particularmente sensibles.

La preocupación por el estado de la crítica de la literatura latinoamericana y su funcionamiento dentro del mundo académico estadounidense no es reciente; ya a fines de 1969 rigió las discusiones de una mesa redonda reunida en la Universidad de Texas que convocó a once profesores inscriptos en las diversas manifestaciones de la "crítica formalista" y la "crítica sociológica"[79]. Las discrepancias abundaron en torno a la función política y a la relación dialéctica de la literatura con la sociedad, a la utilización de la literatura como "arma de combate" y a la necesidad de superar rápidamente la moda impuesta por la entonces nueva narrativa hispanoamericana —Ricardo Gullón propuso en dicha ocasión que el "grupo recomendase una *moratoria* sobre novela y poesía recientes" (p. 105). Por su parte, Carlos Blanco Aguinaga insistió en esa ocasión que

> ... si se trata de ir a la busca de una teoría de la literatura [...] me parece que lo primero que hay que tener en cuenta es qué está pasando en la sociedad. Sólo si atendemos a eso podemos ir descubriendo cómo debemos hacer la crítica literaria, aunque sea como hipótesis, no como dogma [p. 87].

Y subrayó: "cultura sí, pero cultura–historia" (p. 96), porque

> ... cualquier texto importante de una cultura nos provoca las preguntas que no podemos contestar sin el conocimiento de esa cultura [p. 120].

Las opciones críticas que se deslindan de estas declaraciones se mantendrían constantes a lo largo de todos estos años, como lo evidencian los índices de publicaciones periódicas y la gradual polarización de estas prácticas en circuitos generalmente cerrados[80].

Una muestra de este proceso se verifica no sólo mediante la selección de textos que representan perfiles ideológicos claramente definidos, sino también por el hecho de que en el mundo académico existen enclaves en los cuales "la teoría" ha reducido o sustituido el análisis integral de la literatura. En tal ámbito, leer un conjunto ya preparado de teoría y crítica y optar por alguna(s) de sus manifestaciones, equivale a obtener una cédula de identidad que faculta al lector para interpretar las letras. Este reconocimiento restringido equivale, asimismo, a encasillarse en una pertenencia reductora y, hasta cierto punto, a obviar la búsqueda a la que incita toda eficaz página literaria. En casos extremos, el aprendizaje teórico de cualquier signo, así como la reiteración de fórmulas que aún se pretenden universales, dirige, condiciona y ajusta la elección, descripción e interpretación de los textos a las presuntas necesidades de tal o cual franja teórica. Tal reducción implica que a cambio de un orden pre–fijado, de una experiencia ya digerida, se renuncia precisamente a una de las expresiones fundamentales de toda literatura perdurable: la incitación al viaje, la recuperación de dimensiones ignoradas, la construcción de un nuevo imaginario.

Tener acceso a la escritura ha sido (lo sigue siendo en zonas aún relegadas al analfabetismo) un privilegio y un acto de poder. Tanto la posesión de la tierra como la misiva amorosa pasan por el escriba que consigna datos, interpreta deseos y traduce aspiraciones (estas últimas son algunas de las funciones de los "poetas" que aparecen en las novelas de Arguedas y Vargas Llosa, por ejemplo). Ser propietario de la palabra ha sido poseer (y restringir) las claves de paso hacia todos los tiempos.

Esta es la relación que evoca esa franja de la crítica que opta por una codificación gratuita en vez de utilizar una lengua compartida y que expulsa al resto de la comunidad interpretativa fuera de los límites asignados a "la crítica", a "la teoría" y, por ende, a "la literatura".

La crítica elevada a sacerdocio, y entendida en su función mediadora entre el lector/feligrés y "la verdad", ha conducido a una exaltación que equipara los términos "crítica" y "literatura". Es factible derivar que desde esta equiparación sus prácticas en nada difieren pues "autor" y "crítico" están montados sobre un mismo texto original y primario en el infinito palimpsesto de las letras. Una vez asimilada la autonomía literaria, cuando desde esta perspectiva se magnifica el poder de la escritura, también se proclama la autonomía de la crítica. Más aún, se elogia su primacía adjudicándole un lugar privilegiado en la constante competencia por la posesión del mundo que se cifra en los textos. Al margen de las singulares páginas de Borges, abundan ejemplos recientes que señalan esta mutua alimentación entre la literatura y la crítica, tanto intertextualizada como desglosada en volúmenes paralelos que sin inocencia alguna se proponen como guía mínima para recién llegados y perplejos[81]. En este contexto importa recordar que los autores reconocidos por ambas prácticas apuestan a su obra narrativa y no a su crítica como pasaporte a la memoria y a los premios consagratorios. Por otro lado, no es ocioso mencionar que es la crítica como conocimiento relativamente emancipado del campo cultural la que dispone el diseño histórico de esa memoria.

Literatura y crítica —para el caso hispanoamericano del período que nos ocupa, particularmente "nueva narrativa" y crítica— se articulan en un diálogo montado sobre el éxito de la primera y las expresiones plurales de la segunda, entre cuyas tareas se cuenta la articulación global de los textos. Más allá de otros factores, la dimensión fundamental de la crítica, vista como proceso histórico y en sus múltiples y variadas acepciones e interpretaciones, es ofrecer un mapa de las letras. A través de ellas se verán (o no) las condiciones de producción y la materialidad, el espacio real denotado por el reordenamiento y el juego de las cifras que conforman el imaginario latinoamericano.

Los encasillamientos se han vuelto menos rígidos a medida que se ha ido obteniendo el reconocimiento de las grandes metrópolis culturales de Occidente. Si al comienzo —particularmente fuera de América Latina— el referente obligatorio fueron los autores del *boom*, actualmente éstos permanecen como garantía del éxito para facilitar la incorporación, ya sin requisitos previos, de autores más jóvenes. Del exotismo y la novedad como claves de paso durante las primeras décadas de este siglo —es decir, de la extranjería tolerada— se ha pasado a la incorporación plena de la literatura latinoamericana a los foros internacionales. Tal consagración ha repercutido dentro de la región al otorgarle una cohesión continental y al promover un orgullo compartido. También, y quizá a largo plazo esto sea de mayor importancia, la producción contemporánea ha sido adoptada en los países de América Latina como una extensión de las aún obligadas concentraciones en las respectivas literaturas nacionales. Si recordamos lo propuesto por Borges en "Sobre los clásicos"[82], y la fuerza de los nacionalismos, es comprensible que cada país mitifique algunos de sus textos y promueva la exaltación de las páginas que ofrecen una máxima adecuación a los requerimientos ideológicos de sus dirigentes. Con el correr de los años, las obras que sobreviven el olvido o el abandono de sus lectores han ido adquiriendo esa aureola de *corpus* fundamental que cada pueblo percibe como si, en efecto, en sus letras estuvieran cifrados sus orígenes y ansias de futuro. También, como si ninguna otra versión fuera posible.

## LA REVISION DEL CANON

El canon es tranquilidad, es garantía de solvencia y seguridad, de esa firmeza propia de los vencedores que redactan su versión de la historia. Es saber que hay un "adentro" y un "afuera" ya estructurados. Como lo indican sus ecos teológicos, la noción misma del canon está íntimamente ligada a un acto de fe. Responder al dictamen del canon es sentir el respaldo de una versión autorizada de la historia. Someterse al canon es, asimismo, no arriesgarse a la duda y al error; es no incurrir en transgresiones. Lo heredado es ley y la ley existe para ser obedecida.

Cuestionar el canon presupone interrogar las premisas sobre las cuales ha sido montada esa misma versión; es resistir su embate. A partir de esta actividad inicial se deriva que sus componentes no son infalibles y que el transcurso mismo de la historia exige su recomposición. Es evidente, entonces, que ni "texto" ni "lector" son categorías inmutables. Por lo tanto, tampoco lo es la actividad interpretativa que debe su origen precisamente a las diversas relaciones que se establecen entre estas categorías. Si bien todo canon responde a condiciones históricas y culturales muy precisas, con lo cual también corporiza su eventual transformación y reemplazo, un sector de la literatura se mantendrá constante por responder al poder de una tradición y a la constancia de una perdurable, si bien cuestionada, concepción estética. Otro sector, instalado provisoriamente en un terreno más poroso para las exclusiones y los agregados, será sometido a un cuidadoso escrutinio. En este campo de batalla se jugará la relativización ideológica de las tradiciones literarias. Allí caerán algunos ídolos y en su lugar serán erigidas las fuerzas alternativas que apostarán a su capacidad anticipatoria y a su propia perduración. Actualmente –y de modo análogo a otros tiempos que quizá hayan sido menos vociferantes– nos encontramos en esta etapa.

Con una insistencia cada vez mayor y explícita se ha propuesto la revisión y necesaria expansión del canon para dar cuenta de nuevas voces y para incorporar a los marginados por una visión privilegiada de la literatura. Se cuestionan presencias, ausencias, límites y definiciones –como en otro nivel se impugnan desde campos diferentes las aproximaciones de los otros. No se cuestionan, sin embargo, los valores relativos, o "El valor", ni la institución misma de la "literatura". El debate sobre el canon habla de sus alcances, con lo cual también ensalza la existencia formal de su objeto de estudio. Se habla de flexibilidad y corrección; jamás de la destrucción de aquello que anima el debate, del objeto que justifica y alimenta su privilegio.

Si bien las batallas del canon se dirimen con particular vehemencia en círculos académicos de EE.UU. y en el contexto puntual de la política cultural e internacional de sus gobiernos, ni los términos del debate ni sus consecuencias son ajenas a América Latina, aún cuando su problematización –por supuesto– está condicionada a su propio entorno. Algo análogo se reproduce en las discusiones sobre los "estudios culturales" que son propuestos como alternativa multidisciplinaria a la ajenidad de una teorización ejercida en el vacío pero con claros propósitos de apropiación. Al margen de los factores sociales y políticos que impulsan esta actividad –las resultantes de cambios demográficos y del acceso a la "zona de combate" de sectores e interrogantes previamente marginados o soslayados– cabe preguntar si esta tarea no responde, siquiera en parte, al status que la crítica ha asumido como intérprete autorizado de la literatura. Por extensión, además, cabría indagar la función que desempeña el área de las humanidades en el diseño definitorio de una cultura nacional; área que por un lado se perfila como respaldo de una concepción ideológica singular y, por otro, como refractaria a todo intento por suprimir la pluralidad. En un contexto que reniega de la pureza aislada del acto crítico, el hecho de tomar conciencia y de hacerse cargo de las dimensiones de esta actividad altera las dimensiones de toda lectura. Un corolario inevitable de esta responsabilidad parecería conducir al crítico poroso a estos dominios a expandir su función hacia un análisis cultural. De tal modo que el segmento relativamente restringido del análisis literario se verá proyectado hacia una historia cultural y desde allí hacia la historia intelectual –como se puede constatar, por ejemplo, en las prácticas americanistas desarrolladas, por ejemplo, por Angel Rama y Antonio Candido[83].

Por otro lado, postular la revisión periódica del canon sustenta una propuesta más amplia. Si el canon representa una versión exclusiva, elitista, de la literatura, y de este modo implica una escala de privilegios sociales y estéticos, la incorporación al *corpus* literario de materiales menos prestigiados constituye en sí una democratización de la práctica crítica[84]. Es útil tener en cuenta, sin embargo, que cuando se adopta el impacto público de un texto como medida de valor literario ("valor" que responde a fluctuaciones ideológicas), ello implica someterse a criterios políticos de persuasión y aun a las presiones de mercadeo del libro visto ya como material de consumo. La politización de esta actividad puede conducir a la crítica a idealizar, a exaltar, y aun a santificar a la literatura que emana del marginado o del oprimido. Como resultado de un respetable deseo por enmendar las lamentables ausencias del pasado, a veces se ha vuelto necesario enfrentar presencias no menos lamentables. Al asignarle a tales textos virtudes especiales, o una condescendencia sentimental de profunda raigambre paternalista, se crean categorías secundarias que distorsionan toda posibilidad de análisis en un estamento literario único. Cuando se toma esta medida se afirma que sólo mediante categorías especiales tendrán cabida textos que de todos modos deben ser incorporados al canon literario. Si por un lado se podrá argüir que este mismo enunciado emana de un deslinde previo entre "alta literatura" y aquélla que no es tal, por otro lado deberá considerarse que desde el otro punto de vista se incurre precisamente en lo que debe ser evitado: un renovado ejercicio de poder que es lo que en última instancia determina relaciones de opresión, marginación y exclusión.

Elastizar el canon es en sí una aceptación de que éste no es inmutable y que responde al mismo entretejido histórico mediatizado por las obras literarias. Si inicialmente sólo cabían bajo su cobertura oficial las expresiones de una élite literaria (masculina, blanca, europeizante) que se manejaba cómodamente con géneros largamente establecidos, su ampliación abarca, por ejemplo, al "discurso provocado" del testimonio. Su incorporación —impuesta contra la resistencia, siquiera inicial, de los propios narradores a transformarse en "literatura"— hace más maleable la definición de un *corpus*. Por ello, la "literatura testimonio" también se perfila como uno de los segmentos fundamentales para la revisión del canon literario[85]. Frente a los altos grados de experimentación practicados durante las últimas décadas, la literatura testimonio apuesta a la transparencia de su lenguaje y a una mínima mediatización narrativa para ceder paso a los sectores marginados o ignorados por el canon literario. La politización de estos textos, sus orígenes en zonas de conflicto, sea éste la violencia del enfrentamiento militar o el no menos dramático de la represión institucionalizada en jerarquías clasistas, es evidente tanto en su formulación narrativa como en el circuito específico que recorren sus mejores ejemplos. Estas mismas características, que tácita y explícitamente se ofrecen como alternativa a los géneros literarios más formales, han servido, o bien para excluir a la "literatura testimonio" de los claustros en que sólo se privilegia el enunciado de la alta literatura, o bien para incorporarla bajo estatutos estéticos ampliamente reconocidos. Como ya lo señaláramos para el caso de Puig, estas maniobras discursivas permiten la aceptación de "elementos desviacionistas"[86].

La revisión del *corpus* también abarca a las literaturas orales. Cuando el culto de la oralidad se equipara al poder escriturario entran en juego nuevos cuestionamientos del canon y, a través de estos, de las relaciones de poder entre letrados y aquéllos que no han tenido acceso a la escritura, que han optado por preservar sus culturas orales, o que han sido forzados a enfrentarse a su propio mundo y al de sus conquistadores con un instrumental que les era ajeno. Como ya lo indicamos, Roa Bastos y Arguedas son casos paradigmáticos[87]. La revisión impone consideraciones sobre las determinaciones de toda expresión lingüística, de etnia, clase y sexo —tarea que ha sido emprendida asiduamente por antropólogos y lingüistas y que, como lo ha demostrado Cornejo Polar para el indigenismo, también define por su confluencia a las literaturas heterogéneas[88]. Resulta evidente, además, que al plantear manifestaciones que no se circunscriben sólo a lo escriturario, tal revisión conduce a reformular el sistema literario y al obligado replanteamiento del mundo que denota. Ello, a su vez, indudablemente repercutirá en las futuras miradas críticas que serán arrojadas sobre las series literarias.

Al discutir la revisión del canon es conveniente plantear en qué consiste la gama relativamente amplia de la actividad crítica. Ello se hace aún más necesario si recordamos que su prontuario incluye algunos debates sobre el dominio de la crítica que se llevaron a cabo con la ferocidad propia de batallas campales. Sin ánimo prescriptivo, considero que pasada la primera instancia de la descripción, "hacer crítica" es interrogar incesantemente y seguir preguntando en el recodo de todas las respuestas; es urdir textos que dialogan con otros textos, conscientes de la pugna de ideología y retórica que se desplaza por la página, de las afinidades y gustos que condicionan nuestra propia práctica y toda pretensión de objetividad; es estar consciente de las transformaciones a las que está sometida la propia crítica en el instante mismo en que se pasa de la investigación a la escritura. Hacer crítica es marcar y luego unir los puntos que trazan el mapa de una poblada geografía; es redimensionar y coordinar los segmentos de la institución literaria para constituir "el objeto"; es recomponer una versión actualizada (hija de nuestros días) de la historia a partir de las que nos han sido legadas. Es hacer uso de la palabra y revertir ese uso a través de los textos sobre la misma comunidad que le adjudica sentido a la palabra y a su uso.

La diversidad de las lecturas críticas radica en que no todos los puntos coinciden (ni todos ellos afloran) para todo cartógrafo, y así la crítica adopta ese aire de contagiosa ficcionalidad que le depara el objeto de sus ansiedades. Frente a lo cual también se debe preguntar si en última instancia el ejercicio crítico no es un sistema de vindicaciones. Pienso, obviamente, en los términos con que Borges interroga a la Cábala, al falso Basílides, o a Bouvard y Pécuchet[89]. La existencia misma de la "vindicación" presupone que nada puede ser casual o arbitrario y que tal sospecha sólo puede responder a que su función o sentido nos han sido ocultados o vedados. En tal caso se debe aceptar la ineludible versión final de cada página para entonces hurgar sus recónditas motivaciones y justificaciones con la entonación propia de estos tiempos. Esta actitud presupone, a la vez, una mesura en el uso de palabras que no siempre responden a una sola economía, como lo demuestra, por ejemplo, la confrontación de Borges con textos de Asturias o Carpentier. Si, en efecto, el mundo está cifrado en el texto, es tarea crítica des-cifrarlo para luego re-organizarlo según el orden que se estima apropiado en un discurso diferente al inicial. Leer críticamente es interpretar códigos y sabemos que interpretar ha sido siempre tarea de desciframiento y montaje, de dilucidación y recomposición.

La crítica funciona asimismo como planteo analítico e interpretativo del mundo literario, como juicio valorativo y también, según Noé Jitrik, como "pensamiento estructurado"[90]. Otra de sus funciones —ya indicada— consiste en ampliar las tramas discursivas para articular, siempre a partir del análisis literario, la recomposición de una historia intelectual. A una mayor apertura en su radio de acción, corresponderá una esfera de interés más amplia. Se puede suponer, entonces, que esta crítica logrará salir del clima enrarecido que produce el dirigirse a sí misma —para algunos el máximo radio de influencia al que debe aspirar— para ejercer la función social que le compete también fuera del espacio académico. Estas decisiones se traducen en opciones muy claras entre la transparencia o la opacidad del discurso crítico; entre el ejercicio de una función intelectual orientadora —que se pronunciaría en contra de una reducción de lo específicamente local a un patrón de análisis universal— y la resistencia a toda actividad que implique un mayor contacto con la esfera pública. Si bien el debate sobre los enunciados, objetivos y verdades de la crítica puede producir un máximo grado de placer para los contrincantes, pienso que éste no debe circunscribirse a esa esfera interna, sino que debe derivar en un "test de eficacia" que sólo es verificable al acceder a la circulación social. Un elemento adicional: es precisamente al pasar a esa dimensión que el texto empieza a ejercer su función didáctica entre un público no especializado —público que a mediano y largo plazo también se verá afectado por una revisión de lo que constituye "su" tradición literaria.

La elastización del canon ha extendido los límites propios de la función más estricta de la crítica literaria al incorporar a su predio a la cultura popular —tiras cómicas, radioteatros y teleteatros, cine y televisión— y al considerar expresiones artesanales,[91] por ejemplo, como áreas de interés inmediato. Este mismo proceso problematiza aún más la expresión de criterios estéticos como ordenadores de un canon. Si todo es literatura, si todo debe ser incorporado al canon, éste deja de existir. El término "canon" en sí evoca privilegio, selección y encumbramiento, rigor (eclesiástico, por cierto); marca, asimismo, una autoridad —colegiada en este caso— que fija criterios de exclusión. En esta dinámica son justamente los excluidos quienes se proponen como la etapa siguiente, como alternativa al predominio de una estética privilegiada.

En este contexto cabe agregar además que, si por un lado, la elastización del canon responde al cuestionamiento de una estética, por otro también le provee a la crítica un campo de actividades más amplio que el circunscripto a la "alta literatura". Es decir que se producen simultáneamente la impugnación de versiones elitistas y la creación de nuevas y renovables fuentes de trabajo[92]. Porque tal actividad conlleva el análisis de una vasta gama de la cultura, esta crítica se ve habilitada para proclamar una mayor "democratización" de su campo y, a la vez, para extender su autoridad a otras zonas de la producción cultural. En este sentido no sería desmesurado (pero quizá sí, irónico) concebir la demanda de una excesiva especialización, con la consiguiente atomización de los estudios literarios en detrimento de planteos más orgánicos, no sólo como una problemática del saber sino también como un instrumento más de esta expansión.

Como lo sugiriera anteriormente, el debate teórico también arroja veleidades de omnipotencia que se reciclan desde una esfera más íntima. Cuando el crítico se abandera como la voz interpretativa para un público del que se distancia mediante una jerga especiosa, se adscribe a una distorsionada visión romántica que arroja sobre él la capacidad de transformar mundos a través de la palabra. Así se pasa del poeta como pequeño dios al pequeño sacerdote que estando a su servicio se aprovecha de un campo disponible, frágil, y aún inocente, para construir su propia ínsula con "la teórica del poder".

Los críticos que postulan una mistificación del texto —ya que no del proceso de "creación"— parecerían sostener que así lo protegen de la penetración de las ciencias sociales, cuyos análisis tenderían a desmerecer el culto incondicional del valor estético o a cuestionar el poder absoluto con el que se pretende tomar posesión de la palabra. Por otro lado, particularmente en estos años en que las teorías políticas se han enfrentado a una crisis vertiginosa, abogar contra posiciones dogmáticas y a favor de actitudes más tolerantes —sin que ello implique renunciar al derecho personal a identificar una verdad, a optar por cierto punto de vista, o a regirse por un sistema de valores determinado— se despliega como el legítimo correlato de un necesario pluralismo político. En un ambiente propicio a las discusiones más amplias —es decir, allí donde el poder hegemónico es de tal magnitud que hasta su más acerba impugnación puede ser asimilada— se proponen la heterogeneidad (no el eclecticismo) y los interrogantes como signos permanentes de búsqueda, como una opción viable para dar cuenta del vasto abanico de voces que se dan cita bajo las fluctuantes acepciones "literatura"/ "escritura". Insisto: esta posición no implica la equiparación de toda aproximación crítica ni la reducción de toda actividad a un mismo juicio de valor o a una obligada función mediadora y conciliadora. Sí implica la posibilidad de ejercerlas para reflexionar y teorizar sobre y desde la literatura, para que sea factible plantear diversos grados de mostración y ejercer una función didáctica con miras a la inserción en la sociedad.

Por ello es útil recordar periódicamente quiénes están involucrados en esta tarea, desde qué espacio se pronuncian, cuál es su posicionalidad, y a quiénes afectan; en última instancia, en nombre de qué (valga el principio de autoridad ya implícito en este enunciado), para qué y para quiénes se practica la "crítica literaria". Dependiendo del espacio de producción y de los órganos de difusión, dicha práctica puede responder a la necesidad de satisfacer requisitos profesionales; puede estar dirigida a profesores y estudiantes de literatura y cultura latinoamericana, a un público que desea mantenerse informado, a quienes comparten un mismo espacio político y a interlocutores reales y virtuales; también puede estar diseñada para los encargados de formular planes educacionales y políticas culturales.

Cuando aún en el microcosmos académico, la crítica se erige en un núcleo privilegiado que tiene la capacidad de afectar de múltiples modos —entre ellos, el silencio— la constitución de valores estéticos, el cuestionamiento de tal privilegio también atañe al de los valores que sustenta. De tal modo que tanto el cuestionamiento y rechazo de valores y voceros, como su sustitución, se producen simultáneamente. Las vicisitudes sobre el dominio del canon no son ajenas a esta dinámica. El rechazo del *corpus* de "grandes obras de la literatura nacional/universal" es una impugnación de normas heredadas y de los juicios estéticos que subyacen a la constitución del canon. Diluir "el canon", o reemplazarlo por otro, es efectuar actos políticos que responden a la ideologización del campo literario como escenario parcial de otras pugnas en las que el ejercicio del poder adquiere dimensiones mucho más directas y dramáticas. Por ello la discusión sobre los criterios de selección (en sí un principio de autoridad) y sobre los textos que pueden (¿deben?) ser incluidos en un "canon alternativo", se lleva a cabo en un campo minado.

Como ya se ha indicado, tanto la formación como la revisión del canon constituyen actos políticos ya que ambos se desarrollan mediante mecanismos de exclusión. Ello no es menos cierto cuando la revisión se lleva a cabo sobre la base de la dispersión de todo centro unificador y consensual. Contemplado desde el proscenio del orden establecido, el cuestionamiento y la alteración del canon son actos subversivos en tanto atentan contra una estética consagrada por el "imperio de las generaciones", el culto del "buen gusto" y un sistema de valores erigido en patrón universal. La existencia de cualquier orden se constituye sobre la base de restricciones y, por consiguiente, en tanto orden represivo. Al abogar por su transgresión, por un abrir la puerta para salir a jugar, o aún más, por echar abajo el marco de la ventana que organiza la mirada —el borde que separa arte de realidad—, se declara en un gesto post-estructuralista (¿y posmoderno?) que a partir de su liberación todo es igualmente válido. Y sin embargo no se aboga por la total erradicación del canon. Al operar en un marco institucional —que puede ser la universidad como en otro orden lo es "la literatura"— su eliminación permanece al margen de lo funcional.

Por otra parte, si se plantea la co-existencia de pluralidades no jerarquizadas y si se lo mantiene infinitamente abierto, todo puede llegar a ser incluido en el canon. De este modo también se proyecta sobre la empresa del canon la clausura del concepto de "obra cerrada" y su incorporación a la expansión perpetua de la escritura. Orientada de otra manera, la disolución de los límites propone el igualmente perpetuo culto a la heterogeneidad, el enfrentamiento perenne con la noción de centro, de organicidad, de coherencia. El problema radica, en fin, en que la mera existencia del término "canon" presupone una ordenación jerárquica. Para resolverlo, es decir, para eliminarlo, habría que pasar a la disolución de valor literario. Si además se acepta la constante expansión del campo de los estudios literarios, se llegará a la suspensión del uso restringido de "literatura" para pasar, como propone Derrida, a la utilización de "escritura literaria" para designar toda escritura.

Al margen de todo sentido político propio de la discusión en torno al canon, resulta particularmente positiva la serie de interrogantes que aporta al debate sobre las teorías literarias que cuestionan la existencia de una tradición literaria, así como los conceptos con los cuales se ha constituido y organizado la crítica literaria en tanto disciplina. Para acercar estas reflexiones al territorio latinoamericano me permito acotar que fuera de lo obtenido en el campo artístico y cultural la marginalidad nos sigue definiendo frente a los países desarrollados; como resultado de los coeficientes de pauperización y desarraigo, esta marginalidad también nos define cada vez más dentro de las fronteras americanas.

Por otra parte, instalados dentro de estos límites, los interrogantes que nos interesan se basan en el (re)conocimiento de la diferencia, pues sólo al marcar lo diferencial es posible preguntar sobre la definición y sentido de una cultura formada por múltiples aportes —cultura que, precisamente por su ubicación, se halla en un estado de dramática y constante fluidez. Tomar posesión del saber es apropiarse de los elementos constitutivos del ser y del yo en tanto ser social; es conocer límites propios y ajenos; es tomar conciencia de las relaciones de poder y, en la medida de lo posible, actuar sobre ellas transformándolas, subvirtiéndolas, mejorándolas.

Cuando trasladamos este argumento a la discusión sobre el canon, podemos sugerir que la marginalidad hace posible un conocimiento raigal (y hasta "adánico") de la literatura latinoamericana. Justamente porque se lee de modo diferente la obra del autor canonizado frente a la del no-canonizado, el hecho de incorporar al predio de la crítica a la literatura marginal —la manifestación que en términos generales aún sigue siendo la más distante dentro del circuito académico— amplía el espacio alternativo a la racionalidad ya canonizada. En este contexto, y porque el conocimiento que se puede obtener de las otras franjas literarias desde una ubicación hegemónica es reducido, el margen hace posible que se constituya un canon más generoso para responder al espacio desde el cual se enuncian sus textos y se dejan oír sus voces. Al hablar de conocimiento y proyección evidentemente no abogo por un folclorismo abigarrado y tampoco aludo a una pátina *for export*; aludo al diseño interiorizado de las pulsiones que hacen eclosión en las letras. En lugar de invocar la integración de nuestros múltiples componentes en un solo bloque "latinoamericano" que en última instancia exalta una señera hegemonía, propongo un distanciamiento estratégico para elaborar el balance de las discrepancias. Señalar la diversidad no es apuntalar la desintegración; es otro modo de leer la riqueza cultural americana y de plantear su unidad a partir del conocimiento y aceptación de las partes; es abrirse al mundo, a las voces que revitalizan lo propio al deslizar la marca de la extranjería. Creo que sólo mostrando las fisuras de bloques falsamente homogéneos será posible comprender la pluralidad de prácticas discursivas que habitan diferentes áreas lingüístico-culturales y apreciar las distancias que median entre sus espacios simbólicos. Ello permitirá considerar los desafíos que la historia y la geografía humana le imponen a toda noción trasplantada e impuesta a nuestros antiguos "suburbios latinoamericanos" para entonces emprender la recomposición de nuestras perdurables y renovadas letras.

## OTRA APERTURA Y CODA

El diálogo que las mejores páginas de la crítica sostienen con la literatura demuestra que, al igual que ésta, también la crítica escribe su versión de la realidad inscribiéndose en ella. Cuando toma conciencia de la larga residencia de la tradición, la función crítica se enfrenta a una disyuntiva: puede optar por definirse en una relación de continuidad con legados históricos, o por una perenne marca de ruptura. En caso de optar por la convención de una ruptura total, se verá obligada a simular la novedad y el culto de la originalidad, puesto que siempre seremos los herederos de alguna tradición, aun de la que persiste en ambicionar los quiebres como marca definitoria. Por ello, y al margen de otros factores que ya han sido señalados, quizá no debamos sorprendernos ante la abundante producción en torno a la literatura colonial y su estamento fundacional, y ante el creciente interés por las vanguardias. Sabemos, por otra parte —particularmente a raíz de la demanda generada por los "Quinientos años del (des)encuentro de dos mundos"— que no toda búsqueda de los orígenes presupone una (re)construcción y que no todo cambio es ruptura y modernización. Conocemos, asimismo, los mecanismos de adaptación y apropiación que rigen las dinámicas culturales. Como críticos conscientes de nuestro quehacer, este conocimiento nos lleva a indagar los alcances de nuestra práctica y, a la vez, a aprovechar la vigilia que induce todo profundo cuestionamiento.

SAÚL SOSNOWSKI
University of Maryland at College Park

# NOTAS

[1] Los trabajos más recientes generalmente se han distanciado de modelos críticos aliados a proyectos oligárquicos y al culto de la hispanidad. Un ejemplo paradigmático de esa tendencia es la voluminosa *Historia de la literatura argentina* de Ricardo Rojas (ocho tomos publicados entre 1917 y 1922).

En cuanto a las historias literarias, la Library of Congress [Washington, DC] genera bajo "Latin American Literature-History" 989 fichas bibliográficas, que incluyen programas oficiales, historias analíticas, panoramas nacionales y continentales. En esta última categoría, una de las más utilizadas ha sido la *Historia de la literatura hispanoamericana* de Enrique Anderson Imbert, 2 vols. México, FCE, 1ª ed., vol. I: 1954; vol. II: 1961 (hay ediciones posteriores). Entre otras también hay que recordar: Fernando Alegría, *Historia de la novela hispanoamericana*, México, de Andrea, 1965; Jean Franco, *Introducción a la literatura hispanoamericana*, Caracas, Monte Avila, 1970 (1ª ed. en inglés, 1969), e *Historia de la literatura hispanoamericana a partir de la independencia*, Barcelona, Seix Barral, 1975; Cedomil Goić, *Historia de la novela hispanoamericana*, Valparaíso, Ediciones Universitarias de Valparaíso, 1980; Cedomil Goić, comp., *Historia y crítica de la literatura hispanoamericana*, Barcelona, Crítica, Vol. I: Epoca colonial, 1988; Vol. II: Del romanticismo al modernismo, 1991; Vol. III: Epoca contemporánea, 1988; Luis Iñigo Madrigal, coord., *Historia de la literatura hispanoamericana*, Madrid, Cátedra, vol. I: Epoca colonial, 1982; vol. II: Del neoclasicismo al modernismo, 1987; Luis Alberto Sánchez, *Proceso y contenido de la novela hispano-americana*, Madrid, Gredos, 2a. ed. corregida y aumentada, 1968. Un trabajo pionero fue realizado por Arturo Torres Rioseco, *Historia de la literatura iberoamericana*, New York, Las Américas, 1965 (1ª ed. en inglés, 1942); una obra fundacional: Pedro Henríquez Ureña, *Las corrientes literarias en la América Hispánica*, México, FCE, 1949. Para este registro es importante el trabajo realizado por Beatriz González Stephan, *Contribución al estudio de la historiografía literaria hispanoamericana*, Caracas, Biblioteca de la Academia Nacional de la Historia, 1985.

[2] Publicado como "Spanish-American Literary Criticism: The State of the Art", en Christopher Mitchell, ed., *Changing Perspectives in Latin American Studies. Insights from Six Disciplines*, Stanford, CA, Stanford University Press, 1988, pp. 164-82, 217-25. Versión castellana, "Sobre la crítica de la literatura hispanoamericana: Balance y perspectivas", en *Cuadernos hispanoamericanos*, 443 (mayo 1987), pp. 143-59. En esa ocasión cité como algunos antecedentes los siguientes trabajos, entre otros: "La crítica literaria, hoy", *Texto Crítico*, III, 6 (1977), pp. 6-36 (respondieron Enrique Anderson Imbert, Antonio Cornejo Polar, José Pedro Díaz, Roberto Fernández Retamar, Margo Glantz, Domingo Miliani, José Miguel Oviedo y Saúl Sosnowski); Hugo Achugar, "Notas para un debate sobre la crítica literaria latinoamericana", *Casa de las Américas*, XIX, 110 (1978), pp. 3-18; Jean Franco, "Trends and Priorities for Research on Latin America in the 1980s (Latin American Literature)", *The Wilson Center Working Papers*, Nº 111 (1981), pp. 25-35, publicado como "Tendencias y prioridades de los estudios literarios latinoamericanos", en *Escritura*, VI, 11 (1981), pp. 7-20 y en *Ideologies and Literature*, IV, 16 (1983), pp. 107-20, en un número especial

dedicado a "Problemas para la crítica socio-histórica de la literatura: Un estado de las artes". Es útil notar en esa misma publicación las miradas alternativas en "Para una redefinición culturalista de la crítica literaria latinoamericana", de Hernán Vidal (pp. 121-32) y "Crítica de una crisis: Los estudios literarios hispanoamericanos", de René Jara (pp. 330-52). A ellos agrego ahora un esfuerzo anterior: Joseph Sommers, "Research in Latin American Literature: The State of the Art; A Round Table", *Latin American Research Review*, VI, 2 (1971), pp. 85-124, que contó con la participación de Fernando Alegría, José Juan Arrom, Carlos Blanco Aguinaga, Frank Dauster, Fred Ellison, Ricardo Gullón, Juan Loveluck, Seymour Menton, Allen Phillips, Ivan A. Schulman y Joseph Sommers. También: Guillermo Sucre, "La nueva crítica", en César Fernández Moreno, comp., *América Latina en su literatura*, México / París, Siglo XXI / Unesco, 1972, pp. 259-75; Enrico Mario Santí, "Historia e historia literaria en América Latina", *La Torre*, XXXII, 126 (1984), pp. 101-12; el excelente número monográfico dedicado a la revisión de la crítica (1973-1988) de la *Revista de Crítica Literaria Latinoamericana*, XVI, 31-32 (1990), y Grinor Rojo, "Práctica de la literatura, historia de la literatura y modernidad literaria en América Latina", en su *Crítica del exilio. Ensayos sobre literatura latinoamericana actual*, Santiago, Pehuén, 1990, pp. 13-52.

[3] Para una actualización del "método generacional", cf. las opiniones de Cedomil Goić, José Juan Arrom, Enrique Anderson Imbert, Luis Leal, José Olivio Jiménez, Luis Mario Schneider y Jaime Concha, a través de las entrevistas realizadas por Miguel Angel Giella, Peter Roster y Leandro Urbina, en "Crítica hispanoamericana: La cuestión del método generacional", *Hispamérica*, IX, 27 (1980), pp. 47-67. Incluye una bibliografía selecta de estos críticos.

[4] Las condiciones de trabajo en América Latina son ampliamente conocidas y no exigen mayor elaboración en este contexto. A la percepción de que muchos de nuestros países viven un clima de incertidumbre, que siempre parecen estar al borde del abismo (y algunos, en efecto, lo están), se suman la fracturación o abandono de formas institucionales que hacen a los sentidos cohesivos de la nación; grados inéditos de corrupción; economías informales y otras altamente especulativas y una producción no canalizada a través de un desarrollo social dirigido; "la invasión" desde el interior de los grandes centros urbanos lo cual, a su vez, agrava el problema habitacional y económico-social, junto a una pauperización general de sectores que alguna vez pertenecieron a las capas medias. . . Al mismo tiempo se encuentra la resistencia al deterioro mediante organizaciones populares como alternativa a núcleos y partidos tradicionales que ya no ofrecen solución alguna y la celebración de las *formas* de la democracia sin que por lo general se pase a la construcción de una cultura política para afianzar las instituciones democráticas.

[5] Una respuesta eficaz fue la creación de talleres y cursos paralelos a las carreras universitarias. Estos sirvieron para cubrir tanto las necesidades educativas de los estudiantes como las económicas de profesores cesanteados; fueron, además, resguardo y sostén de una tradición crítica.

En otros países americanos, la creación de talleres literarios respondió a otras necesidades y creó, particularmente en provincia, zonas alternativas de creación y análisis.

[6] La bibliografía sobre los exilios más recientes es demasiado abundante para poder consignarla en este contexto. Por la diversidad de opiniones y reacciones de los participantes en reuniones realizadas en la Universidad de Maryland me permito citar los volúmenes que compilé bajo los títulos *Represión y reconstrucción de una cultura: El caso argentino,* Buenos Aires, Eudeba, 1988, y *Represión, exilio y democracia: La cultura uruguaya,* Montevideo, Ediciones de la Banda Oriental, 1987. El libro argentino incluye textos de Osvaldo Bayer, José Pablo Feinmann, Luis Gregorich, Tulio Halperín Donghi, Liliana Heker, Noé Jitrik, Santiago Kovadloff, Jorge Lafforgue, Tomás Eloy Martínez, Juan [Carlos] Martini, Mónica Peralta Ramos, León Rozitchner, Beatriz Sarlo e Hipólito Solari Yrigoyen. En la reunión sobre Uruguay participaron Hugo Achugar, Alvaro Barros Lémez, Amanda Berenguer, Lisa Block de Behar, Hiber Conteris, Juan Corradi, Joan R. Dassin, José Pedro Díaz, Eduardo Galeano, Edy Kaufman, Leo Masliah, Carina Perelli, Teresa Porzecanski, Juan Rial, Mauricio Rosencof, Jorge Ruffinelli, Bernardo Subercaseaux, Martin Weinstein y Rubén Yáñez. Están en prensa los trabajos realizados sobre Brasil (1988) y sobre Chile (1991). Ver también Karl Kohut y Andrea Pagni, eds., *Literatura argentina hoy. De la dictadura a la democracia,* Frankfurt am Main, Vervuert, 1989.

[7] "El idioma analítico de John Wilkins" se halla en *Otras inquisiciones,* Buenos Aires, Emecé, 1960, pp. 139-44; "La escritura del Dios" en *El aleph,* Buenos Aires, Losada, 1949, pp. 117-23.

[8] Una visión contestataria de la relación política–teoría literaria en Robert Young, "The Politics of 'The Politics of Literary Theory' ", *Oxford Literary Review,* 10 (1988), pp. 132-57.

[9] Un caso específico en Adolfo Prieto, *El discurso criollista en la formación de la Argentina moderna,* Buenos Aires, Sudamericana, 1988.

[10] Una versión mexicana de esta dinámica en el discutido e ineludible ensayo de Octavio Paz, *El laberinto de la soledad,* México, Cuadernos Americanos, 1950. Cf. Miguel León-Portilla, *Mesoamérica 1492 and 1992,* College Park, MD, University of Maryland, 1992 Working Papers Series, 1988. El quinto centenario ha promovido una importante serie de publicaciones que incluyen la recuperación de zonas de culturas amerindias que habían permanecido marginadas o ajenas a los análisis literario–culturales, así como el resurgimiento de los estudios coloniales.

[11] Sobre este último aspecto es fundamental el estudio de Angel Rama, *La transculturación narrativa en América Latina,* México, Siglo XXI, 1982. Junto a la modernidad, la transculturación ha sido uno de los ejes mayores que atravesaron la producción crítica de Rama. Cf. *La ciudad letrada,* Hanover, NH, Ediciones del Norte, 1984. Es sumamente enriquecedor el cotejo de los planteos de Rama con los análisis de José Luis Romero, *Latinoamérica: Las ciudades y las ideas,* Buenos Aires, Siglo XXI, 1976.

[12] En *Filología,* XXII, 2 (1987), p. 153. La referencia a Néstor García Canclini remite a su "Antropología *versus* sociología. ¿Un debate entre tradición y modernidad?", *David y Goliath,* XVII, 52 (Buenos Aires, setiembre 1987), p. 44.

[13] Cf. Humberto Vinueza, "Tzantzismo y vanguardia", *La Bufanda del Sol* [Quito], 1 (1972), pp. 3-10, y el testimonio de Ulises Estrella, "Los Tzántzicos: Poesía de la indignación", *Hispamérica*, I, 3 (1973), pp. 81-5. Sobre la función encubridora y el sometimiento de muchos escritores ecuatorianos a "la maquinaria de colonización", lo cual también implicaba una capacidad casi redentora del intelectual que asumía su verdadera función política, ver Agustín Cueva, *Entre la ira y la esperanza*, Cuenca, Casa de la Cultura Ecuatoriana, 1981 (1ª. ed., 1967), p. 23.

[14] Para no remontarnos a ejemplos paradigmáticos del siglo XIX, se puede ver una expresión contemporánea en los ensayos que Octavio Paz publicó en la primera etapa de *Plural* y que siguen apareciendo regularmente en *Vuelta;* también en ese recodo el caso puntual que ofrece el texto de Enrique Krauze, "La comedia mexicana de Carlos Fuentes", detonante de una furiosa polémica en los medios intelectuales de su país, publicado en *Vuelta*, XII, 139 (1988), pp. 15-27.

[15] Véase al respecto, Fredric Jameson, *The Political Unconscious: Narrative as a Socially Symbolic Act,* Ithaca, NY, Cornell University Press, 1981. En la p. 12 dice: "The political, in the widest sense given by Marxism, provides the absolute horizon of textual interpretation in the way that Marxism does for theoretical work in general". Si bien es obvio que Jameson habla desde categorías marxistas, su dictamen es aplicable a toda aproximación ideológica.

[16] Un excelente ejemplo en el estudio y la selección de Tulio Halperín Donghi, *Proyecto y construcción de una nación (Argentina 1846-1880),* Caracas, Biblioteca Ayacucho, 1980.

[17] Bernardo Subercaseaux S. lo ha estudiado ejemplarmente para el caso de Lastarria en su *Cultura y sociedad liberal en el siglo XIX (Lastarria: ideología y literatura),* Santiago, Aconcagua, 1981.

[18] Ver el prólogo a la ya citada versión española de *Las corrientes literarias en la América hispana.* "El descontento y la promesa" ha sido incluido en Pedro Henríquez Ureña, *La utopía de América,* prologado por Rafael Gutiérrez Girardot, Caracas, Biblioteca Ayacucho, 1978, pp. 33-45.
Junto a la obra fundacional de Henríquez Ureña, se impone la mención de Alfonso Reyes, cuyo *El deslinde. Prolegómeno a la teoría literaria* (México, FCE, 1983; 1ª ed., 1944) inició una sistematización teórica en lengua castellana.

[19] El texto de *Borges para millones* (Buenos Aires, Corregidor, 1978) fue utilizado como base para el guión de la película del mismo título, dirigida por Ricardo Wulicher, con Jorge Luis Borges como protagonista.

[20] La expresión "el texto dice" —asimilada aun por la crítica que estudia el texto a partir de su correlación con las ciencias sociales— señala un cambio en los paradigmas. Al reemplazar categorías como "autor" o "narrador" se subrayó la legitimidad y la autoridad del texto como ente que se desea autónomo.
La exaltación de una firma también produjo cambios en el enunciado y en el sistema de argumentación de la crítica. El "como diría. . . " o "a lo. . . " insinúa la garantía de un nombre consagrado por la moda y evita la corroboración de las fuentes. Se trata, después de todo, de esgrimir argumentos con el poder del estilo.

²¹ Enrique Anderson Imbert en la citada encuesta sobre "La crítica literaria, hoy", p. 6.

²² José Antonio Portuondo, "Crisis de la crítica literaria hispanoamericana", en *El heroísmo intelectual,* México, Tezontle, 1955, p. 112.

²³ Octavio Paz, "Sobre la crítica", *Corriente alterna,* México, Siglo XXI, 1967, pp. 39-44.

²⁴ Cf. con el dictamen de Northrop Frye en *Anatomy of Criticism: Four Essays* (New York, Atheneum, 1965, p. 25): "Criticism has no business to react against things, but should show a steady advance toward undiscriminating catholicity". La extrema "objetividad" de sus propuestas y el modelo que permitía incorporar toda expresión literaria a una de sus categorías míticas tuvo un gran auge en el medio universitario estadounidense durante los años sesenta. Me ocupé de esta vertiente en "Apuntes sobre lecturas míticas de textos hispanoamericanos contemporáneos", *Escritura,* VI, 11 (1981), pp. 75-92.

En su excelente análisis del caso de Frye, Gene H. Bell-Villada señala, entre otros reparos, que en Frye está notablemente ausente "the sense of literature as process, as change, as a system being ever modified by the efforts of new authors, movements and centers of production". "Northrop Frye, Modern Fantasy, Centrist Liberalism, Antimarxism, Passing Time, and Other Limits of American Academic Criticism", en Bell Gale Chevigny & Gari Laguardia, eds., *Reinventing the Americas. Comparative Studies of Literature of the United States and Spanish America,* New York, Cambridge University Press, 1986, p. 281.

²⁵ En "Poderes de la literatura y literaturas del poder: trabajadores, burócratas y francotiradores", David Viñas declara: ". . . —en mi criterio— lo específico de la literatura no se agota en la especificidad de lo literario. Eso implica varias cosas. Por ejemplo, que el criterio de neutralidad en la crítica literaria define a una ideología de profesores. Que la exaltación de una crítica inmanente, que pone entre paréntesis al texto, al desconocer los contextos y los niveles englobantes, lo único que hace es privilegiar un momento del circuito y de la producción literaria. Que esa actitud, al enfatizar una sola flexión, ideologiza la crítica despojándola de su posibilidad dialéctica. Quiero decir: que la mutila respecto de la dimensión globalizadora que debe tener una crítica rigurosa. La palabra 'globalizadora' quizá no sea la más adecuada. O la más eficaz. Podría decir 'crítica totalizadora' ". Y más adelante: " ( . . . ) La totalización se verifica, en último análisis, en el espacio político. Lo demás son elusiones que encubren el escamoteo del riesgo. Del riesgo crítico. ( . . . ) No por nada los esfuerzos de despolitización masiva caracterizan a todos los regímenes reaccionarios o represivos. Y también a los hombres coagulados sobre sus propias e inmutables certezas. Hombres que, por definición, dicen de sí mismos que son 'apolíticos' ". *Caravelle,* 25 (1975), pp. 153 y 154. Dada la confluencia de datos que proporciona su nota, conviene recordar que las lecturas críticas de Viñas —reunidas en libros como *Literatura argentina y realidad política* (Buenos Aires, Jorge Alvarez, 1964)— se constituyen como un modelo de crítica heterodoxa y que su impacto fue notable en la siguiente generación de críticos argentinos a la que pertenece, por ejemplo, Beatriz Sarlo.

²⁶ Cf. el ejercicio de Borges: "la eternidad es una imagen hecha con sustancia de tiempo. Esa imagen, esa burda palabra enriquecida por los desacuerdos

humanos, es lo que me propongo historiar". "Historia de la eternidad", en el libro homónimo, Buenos Aires, Emecé, 1953, p. 11.

[27] El término aparece en numerosos estudios, mesas redondas, encuestas y polémicas. Que una muy difundida e importante revista de la época se llamara precisamente *Crisis* –en su primera etapa, iniciada a mediados de 1973, fue dirigida por Federico Vogelius y Eduardo Galeano– también refleja un estado de transformaciones posibles que no siempre ha sido nocivo.

[28] Cf. Angel Rama, comp., *Más allá del boom: Literatura y mercado*, México, Marcha Editores, 1981. Sobre este tema son de especial interés los textos de David Viñas, "Pareceres y digresiones en torno a la nueva narrativa latinoamericana"; Angel Rama, "El 'boom' en perspectiva", y Tulio Halperín Donghi, "Nueva narrativa y ciencias sociales hispanoamericanas en la década del sesenta".

[29] De *Rayuela* (Buenos Aires, Sudamericana, 1963) ver en este sentido los "capítulos prescindibles" 62, 71, 73, 79, 95, 99, 112, 145.

En momentos en que la crítica buscaba un instrumental apropiado para dar cuenta de esta literatura, las propuestas de Fuentes en *La nueva novela hispanoamericana* (México, Joaquín Mortiz, 1969) sirvieron de brújula condicionada para numerosas aproximaciones académicas. *Su Cervantes o la crítica de la lectura* (México, Joaquín Mortiz, 1976) cumplió una función análoga para *Terra nostra*.

*Historia secreta de una novela* (Barcelona, Tusquets, 1971), escrito por Vargas Llosa a propósito de *La casa verde,* permite acceder a la cocina del escritor cuando sus dependencias habían pasado a ser motivo de atracción para un creciente sector del público. Una mirada interior en José Donoso, *Historia personal del "boom",* Barcelona, Anagrama, 1972.

[30] Un ejemplo de las reacciones iniciales ante las propuestas suscitadas por la nueva narrativa en Ivan A. Schulman, Manuel Pedro González, Juan Loveluck & Fernando Alegría, *Coloquio sobre la novela hispanoamericana,* México, FCE-Tezontle, 1967.

[31] Ver, por ejemplo, los materiales recogidos en Hugo J. Verani, *Las vanguardias literarias en Hispanoamérica (Manifiestos, proclamas y otros escritos),* Roma, Bulzoni, 1986; los lúcidos estudios de Jorge Schwartz, *Vanguarda e cosmopolitismo na década de 20. Oliverio Girondo e Oswald de Andrade,* São Paulo, Perspectiva, 1983, y el fundamental análisis y recopilación publicado como *Las vanguardias latinoamericanas. Textos programáticos y críticos,* Madrid, Cátedra, 1991; Tamara Kamenszain, *El texto silencioso: Tradición y vanguardia en la poesía sudamericana,* México, UNAM, 1983; de Nelson Osorio, *La formación de la vanguardia literaria en Venezuela (antecedentes y documentos),* Caracas, Academia Nacional de la Historia, 1985, y el valioso aporte de *Manifiestos, proclamas y polémicas de la vanguardia literaria hispanoamericana,* Caracas, Biblioteca Ayacucho, 1988; y el excelente análisis de Francine Masiello, *Lenguaje e ideología. Las escuelas argentinas de vanguardia,* Buenos Aires, Hachette, 1986. Por la integración continental, es particularmente significativo el trabajo organizado por Ana Maria de Moraes Belluzzo, *Modernidade: Vanguardas artísticas na América Latina,* São Paulo, Memorial da América Latina & UNESP, 1990.

[32] En el ya citado *La novela latinoamericana*, p. 11.

[33] "Kafka y sus precursores", *Otras inquisiciones,* Buenos Aires, Emecé, 1960, pp. 145-48. En la p. 148, dice: " ( . . . ) cada escritor *crea* a sus precursores. Su labor modifica nuestra concepción del pasado, como ha de modificar el futuro".

[34] Como se constata fácilmente, es desmesurada la atención recibida por los autores del "boom" en desmedro de otros narradores, poetas, dramaturgos y ensayistas. Sobre el "boom", es importante revisar las páginas de Emir Rodríguez Monegal, uno de sus mayores promotores, en *El boom de la novela latinoamericana,* Caracas, Monte Avila, 1972 y *Narradores de esta América,* Buenos Aires, Alfa, 1974. Rodríguez Monegal también desempeñó un papel fundamental en la difusión de las nuevas voces latinoamericanas a través de la revista *Mundo Nuevo,* que dirigió en su primera etapa (1966-69). Aun por las polémicas generadas a raíz de diferentes versiones sobre su independencia y apoyo financiero, *Mundo Nuevo* porta las pulsiones, ímpetus, marcas y cicatrices de esa década.

El popularísimo *Los nuestros,* de Luis Harss (Buenos Aires, Sudamericana, 1966), reúne a Carpentier, Asturias, Borges, Guimarães Rosa, Onetti, Cortázar, Rulfo, Fuentes, García Márquez y Vargas Llosa. Ver también Hernán Vidal, *Literatura hispanoamericana e ideología liberal: Surgimiento y crisis (Una problemática sobre la dependencia en torno a la narrativa del "boom"),* Buenos Aires, Ediciones Hispamérica, 1976; Jean Franco, "Modernización, resistencia y revolución. La producción literaria de los años sesenta", *Escritura,* II, 3 (1977), pp. 3-19, y "Narrador, autor, superestrella: La narrativa latinoamericana en la época de cultura de masas", *Revista Iberoamericana,* 114-115 (1981), pp. 129-148.

En *Nueva narrativa hispanoamericana* (Madrid, Cátedra, 1981), Donald Shaw desglosa un "boom I" con Cortázar, Fuentes, García Márquez y Vargas Llosa; un "boom II" con Rulfo, Roa Bastos, Donoso, Lezama Lima y Cabrera Infante, y un "boom junior" integrado por Del Paso, Sáinz, Elizondo, Sarduy, Arenas, Garmendia, González León, Congrains Martin, Bryce Echenique, Viñas, Puig, Néstor Sánchez y Edwards. Cf. Jaime Mejía Duque, "El boom en la narrativa latinoamericana", en su *Narrativa y neocoloniaje en América Latina,* Buenos Aires, Crisis, 1972, pp. 109-45; el número especial organizado por Yvette Miller y Raymond L. Williams, "The Boom in Retrospect: A Reconsideration", *Latin American Literary Review* [Pittsburgh, PA] XV, 29 (1987); Tomás G. Escajadillo, "La novela hispanoamericana re-visitada", *Revista de Crítica Literaria Latinoamericana,* XIII, 25 (1987), pp. 139-54, y "La novela hispanoamericana de nuevo re-visitada", *Revista de Crítica Literaria Latinoamericana,* XIII, 26 (1987), pp. 185-200.

Una magnífica lectura en Gerald Martin, *Journeys through the Labyrinth. Latin American Fiction in the Twentieth Century,* Londres, Verso, 1989.

[35] En "Problemática del tiempo y del idioma en la moderna novela latinoamericana", *Escritura,* I, 2 (1976), p. 206. El texto reproduce la conferencia dictada en mayo de 1975 en la Universidad Central de Venezuela.

[36] Carlos Fuentes lo articula del siguiente modo: "La corrupción del lenguaje latinoamericano [!] es tal, que todo acto de lenguaje verdadero es en sí mismo revolucionario. En América Latina, como en ninguna parte del mundo, todo

escritor auténtico pone en crisis las certidumbres complacientes porque remueve la raíz de algo que es anterior a ellas: un lenguaje intocado, increado". Más adelante: " ( ... ) la literatura asegura la circulación vital que la estructura requiere para no petrificarse y que el cambio necesita para tener conciencia de sí mismo. Ambos movimientos se conjugan de nuevo en uno solo: afirmar en el lenguaje la vigencia de todos los niveles de lo real". *La nueva novela hispanoamericana,* p. 94.

[37] En *Cómico de la lengua* (Barcelona, Seix Barral, 1973) Néstor Sánchez exploró hasta el desgaste lo propuesto por Cortázar en *62. Modelo para armar* (Buenos Aires, Sudamericana, 1968).

[38] "Literatura y subdesarrollo", en *América Latina en su literatura,* p. 347. Candido ofrece el caso de Vargas Llosa como uno de varios ejemplos posibles.

[39] "La tecnificación narrativa", en *La novela en América Latina. Panoramas 1920–1980,* Bogotá, Procultura, 1982, p. 295.

[40] La lectura de *Fervor de Buenos Aires* (1923) se inicia con "A quien leyere. Si las páginas de este libro consienten algún verso feliz, perdóneme el lector la descortesía de haberlo usurpado yo, previamente. Nuestras nadas poco difieren; es trivial y fortuita la circunstancia de que seas tú el lector de estos ejercicios, y yo su redactor".

[41] Cf. León Rozitchner, *Moral burguesa y revolución,* Buenos Aires, Tiempo Contemporáneo, 3ª ed., 1969 y en otro sentido, el minucioso estudio de Víctor Farías, *Los manuscritos de Melquíades. 'Cien años de soledad', burguesía latinoamericana y dialéctica de la reproducción ampliada de negación,* Frankfurt, Klaus Dieter Vervuert, 1981.

[42] Aludo al recorrido que va desde *Los ríos profundos* (Buenos Aires, Losada, 1958) hasta la traumática fragmentación de *El zorro de arriba y el zorro de abajo* (Buenos Aires, Losada, 1971).

[43] La confluencia de tres novelas sobre el dictador en un mismo año, dio lugar a varios análisis de conjunto. Cf. por ejemplo, Angela B. Dellepiane, "Tres novelas de la dictadura: *El recurso del método, El otoño del patriarca, Yo el Supremo*", *Caravelle,* 29 (1977), pp. 65-87. Otra perspectiva en Carlos Pacheco, *Narrativa de la dictadura y crítica literaria,* Caracas, Centro de Estudios Latinoamericanos Rómulo Gallegos, 1987. También, Martha L. Canfield, *El 'Patriarca' de García Márquez. Arquetipo literario del dictador hispanoamericano,* Firenze, Opus Libri, 1984; Juan Antonio Ramos, *Hacia 'El otoño del patriarca': La novela del dictador en Hispanoamérica,* San Juan, Instituto de Cultura Puertorriqueña, 1983; Julio Calviño, *La novela del dictador en Hispanoamérica,* Madrid, Cultura Hispánica, 1985; Francisco Tovar, *Las historias del dictador. 'Yo el Supremo' de Augusto Roa Bastos,* Barcelona, Edicions del Mall, 1987; Adriana Sandoval, *Los dictadores y dictadura en la novela hispanoamericana (1851-1978),* México, UNAM, 1989. Por su planteo en "The Dictatorship of Rhetoric / The Rhetoric of Dictatorship", al igual que por las ramificaciones que sustenta, ver Roberto González Echevarría, *The Voice of the Masters. Writing and Authority in Modern Latin American Literature,* Austin, TX, University of Texas Press, 1985.

[44] Mario Benedetti es uno de los autores cuyas obras aportan líneas demarcatorias de una época y un estilo. En este sentido, entre sus libros de ensayos cabe recordar *Letras del continente mestizo,* (Montevideo, Arca, 1967, que incluye "El *boom* entre dos libertades", pp. 31-48), *El escritor latinoamericano y la revolución posible,* Buenos Aires, Alfa, 1974 *y Crítica cómplice,* Madrid, Alianza, 1988.

[45] La filiación cine-literatura tiene antecedentes memorables. Entre ellos se encuentran las páginas de Borges y, en una proyección más amplia, *La invención de Morel* (1941) de Adolfo Bioy Casares (novela prologada por Borges). Cabrera Infante, Cortázar, Fuentes, García Márquez, Roa Bastos, Viñas, y más recientemente Piglia, Saer y Skármeta, son algunos de los nombres que están asociados con aspectos de la producción cinematográfica que van desde la adaptación de sus obras a la preparación de guiones y la publicación de comentarios críticos.

Sobre las relaciones literatura/paraliteratura, ver Myrna Solotorevsky, *Literatura<—>Paraliteratura. Puig, Borges, Donoso, Cortázar, Vargas Llosa,* Gaithersburg, MD, Ediciones Hispamérica, 1988.

Sobre los "novísimos", ver Antonio Skármeta en el ya citado *Más allá del boom: Literatura y mercado,* pp. 263-85; Angel Rama, "Los contestatarios del poder", prólogo a su *Novísimos narradores hispanoamericanos en marcha, 1964-1980,* México, Marcha, 1981.

Quizá por carecer aún de un perfil definitivo, o para establecer un marco propio, algunos narradores se han definido como pertenecientes al "posboom", término que ya encierra la caducidad a corto plazo.

[46] "Todas las grandes novelas de nuestra época comenzaron por hacer exclamar al lector: '¡Esto no es una novela!'." Alejo Carpentier, "Problemática de la actual novela latinoamericana", en *Literatura y conciencia política en América Latina,* Madrid, Alberto Corazón Editor, 1969, p. 17.

[47] Cortázar, *La vuelta al día en ochenta mundos,* México, Siglo XXI, 1967, y *Ultimo round,* México, Siglo XXI, 1969; Carpentier, *La ciudad de las columnas,* Barcelona, Lumen, 1970; Fuentes, *La cabeza de la hidra,* México, Joaquín Mortiz, 1978; obras de teatro de Vargas Llosa como la exitosa *La señorita de Tacna,* Barcelona, Seix Barral, 1981, y, frente a sus obras mayores, aún *La tía Julia y el escribidor,* Barcelona, Seix Barral, 1977.

[48] *Libro de Manuel,* Buenos Aires, Sudamericana, 1973. Es valiosa la explicitación de sus propósitos en el prólogo a la novela, como lo es su posdata del 7 de setiembre de 1972 que señala la máxima cobertura periodística sobre el asesinato de los atletas israelíes en los juegos olímpicos de Munich y el silencio absoluto en torno a Trelew. Es coherente con el compromiso político que articula dicha novela la publicación de la "utopía realizable" *Fantomas contra los vampiros multinacionales* (México, Excélsior, 1975) y el destino que Cortázar le otorgara a las regalías de ambas obras.

[49] Ver, por ejemplo, *Gazapo* (1964) y *Obsesivos días circulares* (1969) de Gustavo Sáinz; de la ya larga y fructífera obra de José Agustín, *De perfil* (1966) y *Se está haciendo tarde (final en laguna)* (1973), todas ellas publicadas en México por Joaquín Mortiz. Para el fenómeno de "la onda" mexicana: ver Margo

Glantz, *Onda y escritura en México,* México, Siglo XXI, 1971 y su "La onda diez años después: ¿epitafio o revalorización?", *Texto Crítico,* II, 5 (1976),pp. 88-102.

[50] Uno de los estudios más completos hasta la fecha ha sido realizado por Lucille Kerr, *Suspended Fictions: Reading Novels by Manuel Puig,* Urbana, IL, University of Illinois Press, 1987.

[51] Saer señaló la injerencia nociva de los *mass-media* en la literatura: "[ . . . ] no obstante la interacción continua de la literatura y los *mass-media,* que produce un enriquecimiento mutuo en un plano superficial, los *media* cumplen también una función ideológica respecto de la literatura, la función precisa de apropiarse de ella, institucionalizarla y retardar su evolución. Representan una fuerza de *detención".* "La literatura y los nuevos lenguajes", en *América Latina en su literatura,* p. 313.

[52] Un "diálogo" Puig-Sarduy en Severo Sarduy, "Notas a las notas a las notas. . . a propósito de Manuel Puig", *Revista Iberoamericana,* 76-77 (julio-diciembre 1971), pp. 555-67.

[53] Para el caso de Lezama, remito, entre otros, a los ensayos reunidos en *La expresión americana,* Santiago de Chile, Editorial Universitaria, 1969, y a *Tratados en La Habana,* Buenos Aires, Ediciones de la Flor, 1969.

[54] Cf. Severo Sarduy, "El barroco y el neobarroco", en *América Latina en su literatura,* César Fernández Moreno, coord., México, Siglo XXI-Unesco, 1971, pp. 167-84; *Barroco,* Buenos Aires, Sudamericana, 1974; y sus ensayos de crítica, *Escrito sobre un cuerpo,* Buenos Aires, Sudamericana, 1969. Ver también *Cobra,* Buenos Aires, Sudamericana, 1972. Sobre Sarduy: ver Adriana Méndez Ródenas, *Severo Sarduy: El neobarroco de la transgresión,* México, UNAM, 1983; Roberto González Echevarría, *La ruta de Severo Sarduy,* Hanover, NH, Ediciones del Norte, 1987.

[55] Haroldo de Campos, "Tradición, traducción, transculturación: Historiografía y ex-centricidad", Néstor Perlongher, trad., *Filología,* XXII, 2 (1989), p. 47.

[56] Prólogo a *El reino de este mundo,* Montevideo, Arca, 1966 (l ª ed., 1949), p. 13. Ver su *La novela latinoamericana en vísperas de un nuevo siglo y otros ensayos,* México, Siglo XXI, 1981.
En el mismo "Problemática del tiempo y del idioma en la moderna novela latinoamericana", Carpentier sostuvo: "[ . . . ] por lo mismo que el verdadero futuro político de nuestro continente está en gestación, puede decirse que en nuestra vida presente conviven las tres realidades temporales agustinianas: el tiempo pasado —tiempo de la memoria—, el tiempo presente —tiempo de la visión o de la intuición—, el tiempo futuro o tiempo de espera. Y esto, en *simultaneidad"* (p. 204).
"[ . . . ] Ante esta presencia del pasado en nuestro presente, viviendo en un hoy donde ya se perciben los pálpitos del futuro, el novelista latinoamericano ha de quebrar las reglas de una temporalidad tradicional en el relato para inventar la que mejor le convenga a la materia tratada, o valerse —las técnicas se toman donde se encuentran— de otras que se ajusten a sus enfoques de la realidad".
"[ . . . ] Es la materia virgen que nuestra América ofrece al novelista, las posibilida-

des que tiene de manejar el tiempo sin salirse de una realidad, sin forzar los elementos constitutivos del *epos,* sin infinitos" (p. 205).

[57] Algunos textos definitorios del "realismo mágico": Angel Flores, "Magical Realism in Spanish-American Fiction", *Hispania,* XXXVIII, 1 (1955), pp. 187-92, reproducido luego como "El realismo mágico en la narrativa hispanoamericana" en Angel Flores, comp., *El realismo mágico en el cuento hispanoamericano,* México, Premiá, 1985, pp. 17-24; Luis Leal, "El realismo mágico en la literatura hispanoamericana", *Cuadernos Americanos,* CLIII, 4 (1967), pp. 230-35; Enrique Anderson Imbert, *El realismo mágico y otros ensayos,* Caracas, Monte Avila, 1976; Arturo Uslar Pietri, "Realismo mágico", en su *Godos, insurgentes y visionarios,* Barcelona, Seix Barral, 1986, pp. 133-40. Un barómetro del auge que tuvo esta aproximación en Donald A. Yates, comp., *Otros mundos, otros fuegos: fantasía y realismo mágico en Iberoamérica,* East Lansing, MI; Michigan State University, 1975; un balance en Eileen M. Zeitz & Richard A. Seybolt, "Hacia una bibliografía sobre el realismo mágico", *Hispanic Journal,* III, 1 (1981), pp. 159-67, y en Antonio Planells, "La polémica sobre el realismo mágico en Hispanoamérica", *Revista interamericana de bibliografía,* XXXVII (1987), pp. 517-29. Ver de Seymour Menton, *Magic Realism Rediscovered 1918-1981,* Philadelphia, PA, The Art Alliance Press, 1983. Otra perspectiva en J. Michael Dash, "Marvellous Realism: The Way Out of Negritude", *Caribbean Studies* [University of Puerto Rico], XIII, 4 (1974), pp. 57-70; publicado como "Negritude - The Anatomizing of the Past", *African Studies Association,* University of the West Indies, Bulletin Nº 7 (1974), pp. 54-67.

Para el caso de Carpentier, por ejemplo, Alexis Márquez Rodríguez, *Lo barroco y lo maravilloso en la obra de Alejo Carpentier,* México, Siglo XXI, 1983; Emil Volek, "Realismo mágico: Notas sobre su génesis y naturaleza en Alejo Carpentier", *Nueva narrativa hispanoamericana,* III, 2 (1973), pp. 257-74.

Irlemar Chiampi (*El realismo maravilloso: Forma e ideología en la novela hispanoamericana,* pról. de Emir Rodríguez Monegal, Caracas, Monte Avila, 1983; publicado originalmente como *O realismo maravilhoso. Forma e Ideología no Romance Hispano-Americano,* São Paulo, Perspectiva, 1980) articula diversas instancias y expresiones de la narrativa hispanoamericana bajo "realismo maravilloso". Ver al respecto, Gari Laguardia, "Marvelous Realism / Marvelous Criticism", en el ya citado *Reinventing the Americas. Comparative Studies of Literature of the United States and Spanish America,* pp. 298-318.

[58] La fascinación por "lo fantástico", y aún más por la habilidad clasificatoria, tiende a explicar el éxito de Tzvetan Todorov, *Introduction a la littérature fantastique,* Paris, Seuil, 1970. Algunas de sus propuestas fueron ajustadas para la literatura hispanoamericana por Ana María Barrenechea, "Ensayo de una tipología de la literatura fantástica", en su *Textos hispanoamericanos. De Sarmiento a Sarduy,* Caracas, Monte Avila, 1978, pp. 87-103.

[59] Cf. Augusto Roa Bastos, "El texto cautivo (Apuntes de un narrador sobre la producción y la lectura de textos bajo el signo del poder cultural)", *Hispamérica,* X, 30 (1981), pp. 3-28. Una muestra de sus trabajos fuera del contexto estrictamente literario: Augusto Roa Bastos, comp., *Las culturas condenadas,* México, Siglo XXI, 1980; los textos de José María Arguedas recogidos por Angel Rama en *Formación de una cultura nacional indoamericana,* México, Siglo

XXI, 1975, y en *Señores e indios. Acerca de la cultura quechua*, Montevideo, Arca / Calicanto, 1976.

[60] Cf. José Piedra, "Literary Whiteness and the Afro-Hispanic Difference", *New Literary History*, XVIII, 2 (1987), pp. 303-32. También: Roger Bastide, *Las Américas negras*, Madrid, Alianza, 1969; Samuel Feijóo *et al., Africa in Latin America: Essays on History Culture and Socialization*, New York, Holmes & Meier / Unesco, 1984; Richard L. Jackson, *Black Writers in Latin America*, Albuquerque, University of New Mexico Press, 1979 y *The Afro-Spanish American Author: An Annotated Bibliography of Criticism*, New York, Garland, 1980; Marvin A. Lewis, *Afro-Hispanic Poetry, 1940-1980: From Slavery to Negritude in South American Verse*, Columbia, University of Missouri Press, 1983; William Luis, *Literary Bondage: Slavery in Cuban Narrative*, Austin, TX, University of Texas Press, 1990 y William Luis, ed., *Voices from Under: The Black Narrative in Latin America and the Caribbean*, Westport, CT, Greenwood Press, 1984.

[61] Se hallan ejemplos de estas tendencias en algunas novelas clásicas del género: *Sab* (1841), de Gertrudis Gómez de Avellaneda (1814-1873); en *Huasipungo* (1934), de Jorge Icaza (1906-1978); en *El mundo es ancho y ajeno* (1941) de Ciro Alegría (1909-1967).

[62] Esta amplia heredad ya había sido señalada por Borges en "El escritor argentino y la tradición", *Discusión*, Buenos Aires, Emecé, 1957, pp. 151-62.

[63] "La tecnificación narrativa", en *La novela en América Latina. Panoramas 1920-1980*, p. 333.

[64] Los sesenta son años de plenitud narrativa. Hasta 1967, fecha de publicación de *Cien años de soledad*, se editan, *entre otras*, las siguientes novelas: *Los premios*, de Cortázar, en 1960; *El astillero*, de Juan Carlos Onetti y *El coronel no tiene quien le escriba*, de García Márquez en 1961; *El siglo de las luces*, de Alejo Carpentier, *Sobre héroes y tumbas*, de Ernesto Sábato, *La muerte de Artemio Cruz*, de Carlos Fuentes, y *Oficio de tinieblas* de Rosario Castellanos en 1962; *Rayuela*, de Julio Cortázar, *La ciudad y los perros*, de Mario Vargas Llosa, *Mulata de tal*, de Miguel Angel Asturias, y *Los recuerdos del porvenir*, de Elena Garro, en 1963; *Todas las sangres*, de José María Arguedas, y *Juntacadáveres*, de Onetti, en 1964; *La casa verde*, de Vargas Llosa, y *Farabeuf*, de Salvador Elizondo en 1965; *Paradiso*, de José Lezama Lima, *Este domingo*, de José Donoso, y *José Trigo*, de Fernando del Paso en 1966; *Tres tristes tigres*, de Guillermo Cabrera Infante, *De donde son los cantantes*, de Severo Sarduy, *Morirás lejos*, de José Emilio Pacheco, *Cambio de piel* y *Zona sagrada* de Fuentes, en 1967.

Esta misma nómina es un llamado de atención sobre el número reducido de escritoras incorporadas a este primer reconocimiento, fenómeno que ha sido atendido por la crítica con mayor eficacia en los años siguientes a este período en obras como: Gabriela Mora & Karen S. Van Hooft, eds., *Theory and Practice of Feminist Literary Criticism*, Ypsilanti, MI Bilingual Press, 1982; Beth Miller, ed., *Women in Hispanic Literature: Icons and Fallen Idols*, Berkeley, University of California Press, 1983; Rose S. Minc, comp., *Escritoras de la América Hispánica*, número especial de *Revista Iberoamericana*, LI, 132-33 (1985); Mary Louise Pratt y Marta Morello Frosch, coords., *Nuevo Texto Crítico*, II, 4

(1989), número especial dedicado a "América Latina: Mujer, escritura, praxis"; Helena Araujo, *La Scherezada criolla. Ensayos sobre escritura femenina latinoamericana*, Bogotá, Universidad Nacional de Colombia, 1989; Jean Franco, *Plotting Women: Gender and Representation in Mexico*, New York, Columbia University Press, 1989; Patricia Elena González & Eliana Ortega, comp., *La sartén por el mango: Encuentro de escritoras latinoamericanas*, San Juan, Huracán, 1984. Varias bibliografías aportan un valioso inventario; entre ellas: Doris Meyer and Margarita Fernández Olmos, eds., *Contemporary Women Authors of Latin America*, 2 vols., Brooklyn, Brooklyn College Press, 1983; Diane E. Marting, ed., *Women Writers of Spanish America: An Annotated Bio-Bibliographical Guide*, New York, Greenwood, 1987.

[65] Es llamativo que el análisis del teatro aún no haya obtenido una difusión similar a la lograda desde hace ya varias décadas por el estudio de la narrativa y la poesía. Las revistas *Latin American Theater Review* [Lawrence, KS] y *Gestos* [Irvine, CA], así como *Conjunto* [La Habana], son las más especializadas. Un balance de los estudios sobre teatro en *Diógenes. Anuario crítico del teatro latinoamericano*, publicación iniciada en Ottawa en 1985. Otros significativos aportes: Grinor Rojo, *Orígenes del teatro hispanoamericano contemporáneo*, Valparaíso, Ediciones Universitarias de Valparaíso, 1972, y *Muerte y resurrección del teatro chileno*, 1973-1983, Madrid, Michay, 1985; Leon F. Lyday & George Woodyard, eds., *Dramatists in Revolt*, Austin, TX, University of Texas Press, 1976; Claudia Kaiser-Lenoir, *El grotesco criollo: Estilo teatral de una época*, La Habana, Casa de las Américas, 1977; Pedro Bravo-Elizondo, *Teatro hispanoamericano de crítica social*, Madrid, Playor, 1985; Fernando de Toro, *Brecht en el teatro hispanoamericano contemporáneo*, Buenos Aires, Galerna, 1987; Beatriz J. Rizk, *El nuevo teatro latinoamericano: Una lectura histórica*, Minneapolis, MN, Institute for the Study of Ideologies and Literature / The Prisma Institute, 1987; Juan Villegas, *Ideología y discurso crítico sobre el teatro de España y América Latina*, Minneapolis, MN, Institute for the Study of Ideologies and Literature / The Prisma Institute, 1988.

La amplitud de estudios está registrada en bibliografías como las compiladas por Fernando de Toro, *Bibliografía del teatro hispanoamericano contemporáneo, 1900-1980*, 2 vols., Frankfurt, Klaus Dieter Vervuert, 1985; Duane Rhoades, *The Independent Monologue in Latin American Theater: A Primary Bibliography with Selective Secondary Sources*, Westport, CT, Greenwood Press, 1986; Richard F. Allen, *Teatro hispanoamericano: Una bibliografía anotada/Spanish American Theater: An Annotated Bibliography*, Boston, G.K. Hall, 1987; para un caso nacional: Gerardo Luzuriaga, *Bibliografía del teatro ecuatoriano 1900-1982*, Quito, Casa de la Cultura Ecuatoriana, 1984.

[66] Véanse como paradigma de esa discusión las opiniones adelantadas por Julio Cortázar, Oscar Collazos y Mario Vargas Llosa en *Literatura en la revolución / Revolución en la literatura*, México, Siglo XXI, 1970; de Angel Rama y Vargas Llosa, *García Márquez y la problemática de la novela*, Buenos Aires / Montevideo, Corregidor / Marcha, 1973. Cf. las propuestas de Rama en *Diez problemas para el narrador latinoamericano*, Caracas, Síntesis Dosmil, 1972, de Mario Benedetti en *El escritor latinoamericano y la revolución posible*, Buenos Aires, Alfa, 1974, y de Roberto Fernández Retamar en *Para una teoría de la literatura hispanoamericana y otras aproximaciones*, La Habana, Casa de las Américas, 1975. Cf. el intercambio de opiniones entre Roque Dalton, René

Depestre, Edmundo Desnoes, Fernández Retamar, Ambrosio Fornet y Carlos María Gutiérrez en *El intelectual y la sociedad,* México, Siglo XXI, 1969.

[67] Cortázar fue particularmente vehemente sobre este tema. Así lo demuestra su conocida carta a Roberto Fernández Retamar de mayo de 1967 publicada como "Acerca de la situación del intelectual latinoamericano", incluida en *Ultimo round,* México, Siglo XXI, 1969; también su respuesta a los reparos que le hiciera David Viñas, publicada en *Hispamérica,* I, 2 (1972), pp. 55-8 (los comentarios de Viñas aparecieron en la entrevista que le hiciera Mario Szichman para *Hispamérica,* I, 1 (1972), pp. 61-7.
Planteos similares también se desarrollaron en las islas del Caribe. Un caso: Patricia Ismond, "Walcott versus Brathwaite", *Caribbean Quarterly,* XVII, 3-4 (1971), pp. 55-71.

[68] Los siguientes son *algunos* estudios que desde diferentes perspectivas —afincadas en su vasta mayoría en los EE.UU.— apuntan a una serie de disyuntivas y a sus ramificaciones: Derek Attridge, Geoff Bennington & Robert Young, eds., *Post-Structuralism and the Question of History,* Cambridge, Cambridge University Press, 1987; Francis Barker *et al., Literature, Politics and Theory,* London & New York, Methuen, 1986; Morton W. Bloomfield, ed., *In Search of Literary Theory,* Ithaca, NY, Cornell University Press, 1972; David Carroll, ed., *The States of Theory,* New York, Columbia University Press, 1989; Peter Demetz, Thomas Green and Lowry Nelson, Jr., eds., *The Disciplines of Criticism: Essays in Literary Interpretation and History,* New Haven, CT, Yale University Press, 1968; Howard Felperin, *Beyond Deconstruction. The Uses and Abuses of Literary Theory,* New York, Oxford University Press, 1987; Stanley E. Fish, *Is There a Text in this Class? The Authority of Interpretive Communities,* Cambridge, MA, Harvard University Press, 1980; Michel Foucault, *Language, Counter-Memory Practice,* Donald F. Bouchard, ed., Ithaca, NY, Cornell University Press, 1977; Giles Gunn, *The Culture of Criticism and the Criticism of Culture,* New York, Oxford University Press, 1987; Geoffrey H. Hartman, *Criticism in the Wilderness: The Study of Literature Today,* New Haven, CT, Yale University Press, 1983; Linda Hutcheon, *A Poetics of Postmodernism: History Theory, Fiction,* New York, Routledge, 1988; Fredric Jameson, *The Political Unconscious: Narrative as a Socially Symbolic Act,* Ithaca, NY, Cornell University Press, 1981; Bruce Robbins, "The Politics of Theory", *Social Text,* 18 (Winter 1987/88), pp. 3-18; Edward W. Said, *The World, the Text, and the Critic,* Cambridge, MA, Harvard University Press, 1983; Gayatry Chakravorty Spivak, *In Other Worlds. Essays in Cultural Politics,* New York, Methuen, 1987; Susan Suleiman and Inge Crossman, eds., *The Readers in the Text: Essays on Audience and Participation,* Princeton, NJ, Princeton University Press, 1980; Jane P. Tompkins, ed., *Reader-Response Criticism. From Formalism to Post-Structuralism,* Baltimore, MD, The Johns Hopkins University Press, 1980.
Algunas obras que habiendo ya asimilado los aportes fundacionales de la crítica feminista francesa señalan otros senderos: Elizabeth Abel, ed., *Writing and Sexual Difference,* Chicago, University of Chicago Press, 1982; Teresa de Lauretis, *Technologies of Gender: Essays on Theory,* Film and Fiction, Bloomington, IN, Indiana University Press, 1987; Josephine Donovan, ed., *Feminist Literary Criticism: Explorations in Theory,* Lexington, KY, University Press of Kentucky, 1975; Sandra Gilbert & Susan Gubar, *The Madwoman in the Attic:*

*The Woman Writer and the Nineteenth-Century Literary Imagination,* New Haven, CT, Yale University Press, 1979; Nancy K. Miller, ed., *The Poetics of Gender,* New York, Columbia University Press, 1986; Toril Moi, *Sexual/Textual Politics. Feminist Literary Theory,* New York, Methuen, 1985; Linda J. Nicholson, ed., *Feminism/Postmodernism,* New York, Routledge, 1990; Elaine Showalter, *A Literature of Their Own,* Princeton, NJ, Princeton University Press, 1977; Elaine Showalter, ed., *The New Feminist Criticism: Essays on Women Literature and Theory,* New York, Pantheon, 1985.

A las ya citadas puntualizaciones americanas, hay que agregar los aportes de revistas como *Fem* [México] y *Feminaria* [Buenos Aires].

[69] Un ejemplo estadounidense en los estudios de Jonathan Culler: *Structuralist Poetics: Structuralism, Linguistics and the Study of Literature* (1975); *The Pursuit of Signs: Semiotics Literature–Deconstruction* (1981); *On Deconstruction: Theory and Criticism after Structuralism* (1982), todos ellos editados por Cornell University Press (Ithaca, NY). En este último título Culler aboga precisamente por una búsqueda mancomunada, por una mayor síntesis que debería ser derivada de las propuestas del desconstruccionismo, del feminismo y de la teoría de la recepción. Ver también su "Criticism and Institutions: The American University" en el citado *Post–Structuralism and the Question of History,* pp. 82-98, y *Framing the Sign. Criticism and Its Institutions,* Norman, OK, University of Oklahoma Press, 1988. Quizá no esté de más recordar cuánto le debe la crítica angloestadounidense a *Theory of Literature,* de René Wellek y Austin Warren, New York, Harcourt, Brace & World, 1962 (1ª ed., 1948).

Versiones críticas de otro signo en Peter Dews, *Logics of Disintegration: Post–Structuralist Thought and the Claims of Critical Theory,* London, Verso, 1987; en los incisivos recorridos de Terry Eagleton, *Literary Theory. An Introduction,* Minneapolis, MN, Minnesota University Press, 1983, y *The Functions of Criticism: From 'The Spectator' to Post–Structuralism,* London, Verso, 1984. Raymond Williams realizó una valiosa sistematización en *Keywords. A Vocabulary of Culture and Society,* Londres, Fontana, 1983.

[70] Cf., entre otros, Wolfgang Iser, *The Act of Reading: A Theory of Aesthetic Response,* Baltimore, MD, The Johns Hopkins University Press, 1978; Hans Robert Jauss, *Toward an Aesthetic of Reception,* Timothy Bahti, trans., Minneapolis, MN, Minnesota University Press, 1982; Umberto Eco, *The Role of the Reader: Explorations in the Semiotics of Texts,* Bloomington, Indiana University Press, 1979. Propuestas latinoamericanas en: Luis H. Antezana J., *Teorías de la lectura,* La Paz, Altiplano, 1983; Diana Sorensen Goodrich, *The Reader and the Text: Interpretative Strategies for Latin American Literatures,* Amsterdam, John Benjamins, 1986.

[71] Antonio Cornejo Polar, en la citada encuesta "La crítica literaria, hoy", pp. 9-10. Ver también "Para una agenda problemática de la crítica literaria latinoamericana: Diseño preliminar", en su *Sobre literatura y crítica latinoamericana,* Caracas, Universidad Central de Venezuela, 1982, pp. 33-41.

Cf. Enrico Mario Santí: "Mi planteamiento es sencillo —que no necesitamos, y de hecho no debemos, abandonar una aproximación a cambio de la otra— la historia por la historia literaria, la literatura por la vida o viceversa, precisamente porque para el texto literario, para la literatura, y para el escritor mismo, no hay diferencia alguna entre las dos. En el ámbito de la literatura, lo que suele pasar como mensaje ideológico o planteamiento político suele ser una construcción ficticia que está sujeta a los límites retóricos que impone el texto y la lectura; al mismo tiempo, lo que suele pasar como pura "meta-ficción", o teoría de la novela o del lenguaje, es casi siempre una exploración de temas existenciales –como nos han demostrado los maestros de la meta-ficción: Cervantes, Unamuno y, desde luego, el propio Borges. El comentario que un texto realiza sobre sí mismo es algo más que un comentario sobre la literatura: es una glosa al carácter ficticio de nuestras vidas y una toma de conciencia de la temporalidad que la constituye". En su ya citado "Historia e historia literaria en América Latina", pp. 109-10.

[72] Ya en 1960 Félix Martínez Bonati publicó en Santiago de Chile (Editorial Universitaria) *La estructura de la obra literaria. Una investigación de filosofía del lenguaje y estética;* hay una segunda edición revisada (Barcelona, Seix Barral, 1972). Por supuesto, ya se habían dado en el continente obras precursoras como las de Amado Alonso, Pedro Henríquez Ureña y Alfonso Reyes. Y, por supuesto, del Borges que también es fundacional para la lucidez crítica. Por diversas razones y, entre otros aspectos, por la oposición entre crítica académica y no-académica, véase "Las alarmas del doctor Américo Castro" [a propósito de *La peculiaridad lingüística rioplatense y su sentido histórico* (Buenos Aires, Losada, 1941)], *Otras inquisiciones,* Buenos Aires, Emecé, 1960, pp. 43-49. Extraigo de su p. 45: "No adolecemos de dialectos, aunque sí de institutos dialectológicos. Esas corporaciones viven de probar las sucesivas jerigonzas que inventan".

[73] Parecía ineludible, por ejemplo, citar insistentemente el número 8 de *Communications: L'analyse structurale du récit* (1966; *Análisis estructural del relato,* Buenos Aires, Tiempo Contemporáneo, 1970), así como los sucesivos títulos de Barthes. Cunden hasta la fecha algunas meritorias especializaciones en *S/Z.*
Otro cultivo en Enrique Ballón Aguirre, "La escritura poetológica: César Vallejo, cronista", *Lexis,* VI, 1 (1982), pp. 57-98, además de su *Vallejo como paradigma: Un caso especial de escritura,* Lima, Instituto Nacional de Cultura, 1974.
Tzvetan Todorov contribuyó a la difusión de los formalistas rusos por medio de *Théorie de la littérature,* Paris, Editions du Seuil, 1965 (publicado como *Teoría de la literatura de los formalistas rusos,* Buenos Aires, Signos, 1970). Una sucinta sistematización del nuevo saber teórico fue obtenida gracias al *Dictionaire enciclopedique des sciences du langage* (Paris, Editions du Seuil, 1972) de Oswald Ducrot y Tzvetan Todorov (*Diccionario enciclopédico de las ciencias del lenguaje,* Enrique Pezzoni, trad., Buenos Aires, Siglo XXI, 1974). Véase, asimismo, los útiles manuales de Desiderio Blanco y Raúl Bueno, *Metodología de análisis semiótico,* Lima, Universidad de Lima, 1980; Nicolás Bratosevich, *Métodos de análisis literario aplicados a textos hispánicos,* Buenos Aires, Hachette, 1980; Emilio Bejel y Ramiro Fernández, *La subversión de la semiótica. Análisis estructural de textos hispánicos,* Gaithersburg, MD, Hispamérica, 1988.

[74] Ver, por ejemplo, las presentaciones y debates en torno a la posmodernidad latinoamericana en *Revista de Crítica Cultural,* dirigida desde Chile por Nelly Richard, autora, entre otros textos, del importante ensayo *La estratificación de los márgenes,* Santiago, Francisco Zegers, 1989.

[75] Las revistas especializadas *Dispositio* (University of Michigan), *Semiosis* (Universidad Veracruzana) y *Lexis* (Pontificia Universidad Católica del Perú) dan cuenta de *algunas* de estas líneas. Ver: Walter Mignolo, "La teoría en el campo de los estudios literarios", *Dispositio*, III, 7-8 (1978), pp. 145-56. También los ejemplos que ofrecen sus *Elementos para una teoría del texto literario*, Barcelona, Crítica-Grijalbo, 1978, y *Teoría del texto e interpretación de textos*, México, UNAM, 1986. Cf. Susana Reisz de Rivarola, *Teoría literaria. Una propuesta*, Lima, Pontificia Universidad Católica del Perú, 1986; Raúl Dorra, *Hablar de literatura*, México, FCE, 1989; Lisa Block de Behar, *Una retórica del silencio: Funciones del lector y procedimientos de la lectura literaria*, México, Siglo XXI, 1984, y el seminario que organizó en Montevideo con la participación de Jacques Derrida, Emir Rodríguez Monegal, Haroldo de Campos, J. Hillis Miller y Geoffrey H. Hartman, publicado como *Diseminario. La desconstrucción, otro descubrimiento de América*, Montevideo, XYZ, 1987.

[76] Para analizar estos y otros múltiples aspectos son singularmente enriquecedores los volúmenes coordinados por Ana Pizarro y que reproducen los materiales presentados y discutidos durante dos reuniones organizadas para diseñar una historia de la literatura latinoamericana (Caracas 1982 y Campinas 1983). En *Hacia una historia de la literatura latinoamericana* (México, El Colegio de México-Universidad Simón Bolívar, 1987) se encuentran textos de Ana Pizarro, Mario Valdés, Franco Meregalli, Rafael Gutiérrez Girardot, Domingo Miliani, Antonio Cornejo Polar, Kenneth Ramchand, Jacques Leenhardt y Antonio Candido. *La literatura latinoamericana como proceso* (Buenos Aires, CEDAL, 1985) presenta las opiniones de Candido, Gutiérrez Girardot, José Luis Martínez, Miliani, Carlos Pacheco, Pizarro, Angel Rama, Leenhardt, Beatriz Sarlo y Roberto Schwarz. Múltiples dificultades llevaron a que el proyecto de una historia, actualmente en prensa, recogiera en tres volúmenes múltiples aportes y estudios puntuales que ya señalan su futura organización.

Otro esfuerzo integrador para realizar una historia social de la literatura latinoamericana había sido impulsado por Alejandro Losada (1936-1985). Ver su bibliografía comentada por José Morales Saravia, en *Revista de Crítica Literaria Latinoamericana*, XI, 24 (1986), pp. 209-42. También, Tania Franco Carvalhal, coord., *1o. Seminário Latino-Americano de Literatura Comparada*, 2 vols., Porto Alegre, Universidade Federal do Rio Grande do Sul, 1987.

Para un análisis de las historias de la literatura de Enrique Anderson Imbert (1961), Luis Leal (1971) y Cedomil Goić (1980), ver Marta Gallo, "Historiografía e historias de la literatura hispanoamericanas", *Filología*, XXII, 2 (1987), pp. 55-73. En ese mismo número Ana María Zubieta analiza en "La historia de la literatura. Dos historias diferentes", la *Historia de la literatura argentina*, de Ricardo Rojas, y *Literatura argentina y realidad política. De Sarmiento a Cortázar*, de David Viñas (pp. 191-213). Rafael Gutiérrez Girardot puntualizó aspectos cruciales que hacen a una historia social de la literatura en una serie de conferencias publicadas como *Temas y problemas de una historia social de la literatura hispanoamericana*, Bogotá, Cave Canem, 1989.

[77] Zanetti advierte, además, que "Muchas veces el esfuerzo por articular cortes sincrónicos totalizadores, a partir casi siempre de la escritura de las obras, ha descuidado la necesaria consideración de la recepción y lectura también desde esa perspectiva global; o bien la aplicación de esquemas generacionales se desbarata ante el ritmo diverso de las distintas literaturas nacionales y de las

diversas áreas y centros. Una perspectiva más rica pareciera residir en la investigación de los sistemas que se van tejiendo, justamente, desde esos ritmos diversos y atendiendo a ejes claves". "La lectura en la literatura latinoamericana. Algunas consideraciones", *Filología*, XXII, 2 (1987), p. 189.

[78] Cf.: "Entre dos espacios, con procedimientos diferentes y propósitos semejantes, el autor, el lector, el traductor, el estudioso, detiene el discurso, combina textos, repite fragmentos que coinciden y hacen juego: con cada trazo descubre el sentido de una comunicación intersticial, procurando salvar en el espacio abierto entre palabras, los trozos dispersos, la inadecuación entre las cosas y las palabras que también son cosas. Por medio de su interpretación, cada uno intenta una crítica de *reparación:* cumpliendo con un gesto múltiple, *repara:* observa o compone, dispuesto a aclarar una voz por otra, un texto por otro, una lengua por otra, restituye, en cada caso, partes de un conocimiento anterior al que otra vez accede". Lisa Block de Behar, *Dos medios entre dos medios (Sobre la representación y sus dualidades),* Buenos Aires, Siglo XXI, 1990, Block de Behar, p. 12.

[79] Joseph Sommers, coord., "Research in Latin American Literature: The State of the Art (A Round Table)", *Latin American Research Review,* VI, 2 (1971), pp. 85-124. Esta reunión fue patrocinada por el Joint Committee on Latin American Studies (SSRC–ACLS); para llevarla a cabo, "An effort was made to invite men [!] with different backgrounds, whether academic or personal, representing varied critical persuasions about literature" (p. 85). Participaron Fernando Alegría, José Juan Arrom, Carlos Blanco Aguinaga, Frank Dauster, Fred Ellison, Ricardo Gullón, Juan Loveluck, Seymour Menton, Allen Phillips, Ivan A. Schulman y Joseph Sommers.
La reunión propuso dos planes referidos a la crítica literaria y aprobó dos resoluciones, una en inglés, para que fuera publicada en EE.UU., que abogaba por una mayor atención a grupos minoritarios y por la formación de programas de estudios chicanos, y otra en castellano dirigida al presidente de México, que protestaba "por la ignominiosa persecución política de que son víctimas profesores, escritores y estudiantes en varios países de América", que declaraba la voluntad expresa de ayudar a las víctimas de estos atropellos, y reclamaba explícitamente la libertad de José Revueltas (pp. 122-23).

[80] Un debate posterior en el contexto estadounidense no–latinoamericano, en *Critical Inquiry,* IX, 1 (1989), número dedicado a "The Politics of Interpretation".

[81] Otros casos, además de los ejemplos ya citados de Fuentes, en las lecturas propuestas por Vargas Llosa en *La orgía perpetua: Flaubert y 'Madame Bovary',* Barcelona, Seix Barral, 1975, en los ensayos recogidos en su *Entre Sartre y Camus,* Río Piedras, Huracán, 1981, además de esa otra función de apoyo que ejemplifica doctoralmente su *Gabriel García Márquez: Historia de un deicidio,* Barcelona, Barral, 1971. Cf. las reflexiones que habitan a los personajes de *Rayuela,* o las interpretaciones que surgen de los planteos de *Respiración artificial* de Ricardo Piglia (Buenos Aires, Pomaire, 1980), de su "Homenaje a Roberto Arlt", incluido en *Prisión perpetua* (Buenos Aires, Sudamericana, 1988, pp. 135-85), y de la reflexión crítica que Piglia elabora a través de múltiples entrevistas; por ejemplo, las reunidas bajo *Crítica y ficción,* Santa Fe, Universi-

dad Nacional del Litoral-Cuadernos de Extensión Universitaria, 1986; edición ampliada posteriormente y publicada en Buenos Aires, Siglo Veinte, 1990.

[82] "Clásico no es un libro (lo repito) que necesariamente posee tales o cuales méritos; es un libro que las generaciones de los hombres, urgidas por diversas razones, leen con previo fervor y con una misteriosa lealtad". "Sobre los clásicos", *Nueva antología personal,* Buenos Aires, Emecé, 1971, p. 305.

[83] Desde la historia y apuntando hacia una singular competencia integradora, se imponen los múltiples aportes de Tulio Halperín Donghi y de Richard M. Morse.

[84] Ver Evan Watkins, *The Critical Act: Criticism and Community,* New Haven, CT, Yale University Press, 1978; "The Politics of Literary Criticism", *Boundary* 2, 8 (1979), pp. 31-8; "Conflict and Consensus in the History of Recent Criticism", *New Literary History,* 12 (1980-81), pp. 345-65. Como lo indica Watkins, esta noción parte de Raymond Williams, *Marxism and Literature,* New York, Oxford University Press, 1977, pp. 49-53 y 154. Ver también: Hazard Adams, "Canons: Literary Criteria/Power Criteria", *Critical Inquiry,* 14 (1988), pp. 748-64; Barbara Herrnstein Smith, "Contingencies of Value", *Critical Inquiry,* X, Nº 1 (1983), pp. 1-35 (número especial dedicado a "Canons").

[85] Ver René Jara y Hernán Vidal, comps., *Testimonio y literatura,* Minneapolis, MN, Institute for the Study of Ideologies and Literature, 1986 (incluye el texto sumamente revelador de Miguel Barnet, "La novela testimonio. Socio-literatura", pp. 12-42); Eliana Rivero, "Acerca del género 'testimonio': Textos, narradores y 'artefactos' ", *Hispamérica,* XVI, 46-47 (1987), pp. 41-56; John Beverley, "Anatomía del testimonio", *Revista de Crítica Literaria Latinoamericana,* XIII, 25 (1987), pp. 7-16; Renato Prada Oropeza, "Constitución y configuración del sujeto en el discurso-testimonio", *Casa de las Américas,* XXX, 180 (1990), pp. 29-44.

Ejemplos ya "clásicos" de esta vertiente se han dado en Rodolfo Walsh (1927-1977), Miguel Barnet (1940) y Elena Poniatowska (1932). La propia elastización de esta literatura se registra, por ejemplo, en la incorporación de textos montados a partir de las declaraciones de Domitila Barrios de Chungara en la versión editada por Moemma Viezzer, *Si me permiten hablar. Testimonio de Domitila, una mujer de las minas de Bolivia,* México, Siglo XXI, 1977, o de Rigoberta Menchú a través de Elisabeth Burgos Debray, *Me llamo Rigoberta Menchú y así me nació la conciencia,* Barcelona, Argos Vergara, 1983. No es casual que las "marginadas" sólo adquieran su "voz" hacia el exterior gracias a otras voces y que su enunciado se dé mediante el género testimonio —acceso, éste, que también entronca con análisis formulados desde la crítica feminista.

El crecimiento y *utilidad* de esta manifestación literaria llevó a Casa de las Américas a establecer (y de este modo también a promover) la categoría "testimonio" como género diferenciado para sus concursos.

[86] Dice Hugo Achugar: "Los aparatos ideológico-culturales en que se produce el discurso testimonial presuponen el rompimiento con la noción de la autonomía del arte propio de la burguesía. Precisamente, el destino histórico del discurso testimonial latinoamericano sufre en estos momentos de finales de la década del ochenta de una suerte peculiar. Por un lado ha logrado unir arte y vida, y, por el otro, el museo y la academia proceden a su absorción en el espacio

letrado del canon. El estrato letrado latinoamericano –tomado como una totalidad homogénea– que recibe el discurso testimonial parecería operar de modo esquizofrénico: por un lado, aspira a recibirlo como una praxis sociopolítica debilitando su funcionamiento estético y, por el otro, lo asimila a una tradición artística". "Notas sobre el discurso testimonial latinoamericano", en *La historia en la literatura iberoamericana;* XXVI Congreso del Instituto Internacional de Literatura Iberoamericana, Hanover, NH, Ediciones del Norte, 1989, p. 288.

[87] Cf. José María Arguedas, "La soledad cósmica en la poesía quechua", *Casa de las Américas,* II, N⁰ˢ 15-16 (1962-1963), pp. 15-25, "La novela y el problema de la expresión literaria en el Perú", en *Yawar Fiesta,* Santiago, Editorial Universitaria, 1973, y el ya citado *Señores e indios. Acerca de la cultura quechua.* Sobre el impacto que ha tenido en Arguedas, Regina Harrison, "José María Arguedas: El substrato quechua", *Revista Iberoamericana,* XLIX, 122 (1983), pp. 111-32; John V. Murra, "José María Arguedas: Dos imágenes", *Revista Iberoamericana,* XLIX, 122 (1983), pp. 43-54; Martin Lienhard, "Tradición oral y novela: Los 'zorros' en la última novela de José María Arguedas", *Revista de Crítica Literaria Latinoamericana,* III, 6 (1977), pp. 81-92, y su *Cultura popular andina y forma novelesca: Zorros y danzantes en la última novela de Arguedas,* Lima, Latinoamericana, 1981; William Rowe, "Arguedas: El narrador y el antropólogo frente al lenguaje", *Revista Iberoamericana,* XLIX, 122 (1983), pp. 97-109.

De Augusto Roa Bastos, ver "Una cultura oral", *Hispamérica,* XVI, 46-47 (1985), pp. 85-112, y su ya citada compilación, *Las culturas condenadas.*

[88] Antonio Cornejo Polar, "El indigenismo y las literaturas heterogéneas: Su doble estatuto sociocultural", en *Sobre literatura y crítica latinoamericanas,* Caracas, Universidad Central de Venezuela, 1982, pp. 67-85.

[89] "Una vindicación de la cábala", "Una vindicación del falso Basílides" y "Vindicación de Bouvard et Pécuchet" en *Discusión,* Buenos Aires, Emecé, 1957.

[90] Noé Jitrik, *Producción literaria y producción social,* Buenos Aires, Sudamericana, 1975, p. 49.

[91] A las excelentes contribuciones de Néstor García Canclini en esta área –*Arte popular y sociedad en América Latina,* México, Grijalbo, 1977– hay que agregar su reciente *Culturas híbridas. Estrategias para entrar y salir de la modernidad,* México, Grijalbo, Consejo Nacional para la Cultura y las Artes, 1990.

Una buena muestra de las múltiples expresiones de la cultura popular se encuentra en el anuario *Journal of Latin American Popular Culture.* Ver también el lúcido estudio de William Rowe y Vivian Schelling, *Memory and Modernity. Popular Culture in Latin America,* Londres, Verso, 1991.

[92] Raymond Williams desarrolla algunas de estas nociones en su *Marxism and Literature,* New York, Oxford University Press, 1977. Cf. sus entrevistas en *New Left Review* recogidas como *Raymond Williams, Politics and Letters,* Londres, Verso, 1979.

# CRITERIO DE ESTA EDICION

Al desarrollar los criterios que determinaron la selección de los textos que integran esta *Lectura crítica de la literatura americana* me propuse dos objetivos. El primero –y el que si hubiera sido el único hubiera dado como resultado un índice mucho más acotado– era ofrecer una muestra de las diversas entonaciones que configuran el campo de la crítica en esta segunda mitad del siglo XX. El segundo fue organizar los análisis que parcelaron los siglos y los textos para que estos tomos también puedan ser leídos como una historia literaria conjunta e ineludiblemente signada por estos tiempos; una versión, claro está, supeditada a múltiples aproximaciones, a inevitables recortes y ausencias. No ha sido mi intención proveer un solo punto de vista ni homogeneizar el estado de la crítica; tampoco, por consiguiente, privilegiar una versión única de las literaturas americanas. Al contrario, esta propuesta se fundamenta en el hecho de que poseemos un variado mosaico de aproximaciones críticas y que éstas, a su vez, generan versiones diferentes de las literaturas que estudian. Ello se nota en algunos vacíos inevitables y en cierta discontinuidad en el tránsito que va de un texto a otro. Los cortes que marcan la división en cuatro volúmenes han obedecido a razones de producción. Por esto mismo, y sin perder una esencial coherencia, los títulos de cada volumen esbozan el recorrido impuesto a cada uno de ellos por la relativa arbitrariedad de pliegos y pastas.

La vasta y compleja heterogeneidad americana me ha obligado a prescindir de la crítica producida sobre literatura brasileña –si bien he incluido textos de críticos brasileños– y sobre el Caribe no-hispano. Su incorporación, que desde todo punto de vista es deseable e imperiosa, hubiera aumentado sensiblemente el caudal de los materiales a ser incluidos en esta selección. Con estas importantes salvedades que indican una tarea pendiente, me permito enfatizar que he intentado reflejar la definitoria heterogeneidad americana para que a partir de ella se deslinden sus múltiples versiones y sea posible obtener un registro múltiple de cómo la crítica, desde 1951 –año del texto más antiguo– hasta la fecha, ha leído e interpretado la literatura de esta región.

Es evidente que desde diferentes geografías cada época redacta su propia historia y organiza su propia cultura. Los textos que he convocado provienen de diferentes latitudes, se originan en posiciones ideológicas y teóricas diferentes, responden a diversos impulsos y motivaciones y, por lo tanto, producen una multiplicidad de versiones literarias. El índice de estos volúmenes marca, además, a veces por su misma ausencia, problemas en el circuito de producción y distribución de libros y revistas y, en alguna rara ocasión, la decisión de permanecer fuera de esta composición de lugar.

Forjar una tradición es formular una herencia o, cuando menos, dejar constancia testimonial del paso del tiempo. Más allá de las condiciones fortuitas que conducen al estudio de autores o instancias específicas del amplio abanico que diseña la literatura americana, más allá del régimen de inclusión-exclusión, los textos que organizan esta lectura y que atendiendo a diferentes razones consideramos perdurables, participan de un grado de compromiso con la historia y los futuros al que no es ajena la empresa de la crítica literaria.

Son abundantes los espejos y miradores que pueblan la casa de las letras. Instalados en ella no podremos dejar de rememorar otros momentos cuando, por ejemplo, el romanticismo hizo de la literatura un paradigma de libertad a la vez creador y disolvente; cuando desde el caos promovió las aventuras que abarcaban el deseo y la posibilidad de crear una nación. Ya estamos lejos (pero no alejados) de esos tiempos, pero no por ello hemos dejado de estar marcados por ese dejo de ilusión y utopía que con un dulce cosquilleo susurra que aún es posible participar, aunque más no sea que apenas, en ese saber que ya es una toma de conciencia de nuestro espacio y de nuestro ser en tierras americanas.

En cuanto practicantes, los críticos participamos de una constante recomposición de sistemas de expresión. En días vertiginosos que se definen por la fracturación de los esquemas, en que se perciben ritmos pulsantes en expresiones de un arte que se quiere efímero, que se construye con materia visiblemente descartable para promover su rápida descomposición; en días en que alguna "nueva sensibilidad posmoderna" puede llegar a apostar a una literatura sin causa, la revisión de la producción crítica de nuestros años ofrece un estado más pausado de la cuestión, un cierto balance frente a la rápida expansión y al veloz agotamiento de los términos de moda. Ojalá también responda a esa otra ambición colectiva de los cartógrafos: redimensionar límites, rastrear y trazar rumbos, incitar a una próxima salida.

S.S.

# AGRADECIMIENTOS

Dejo constancia de mi profundo agradecimiento al Dr. José Ramón Medina, a Oswaldo Trejo y al Consejo Directivo de la Biblioteca Ayacucho, por su apoyo constante y por el entusiasmo que siempre expresaron ante este proyecto.

Los autores aquí incluidos respondieron generosamente a nuestra solicitud para incorporar sus textos. Fue emocionante la atención que algunos escritores le depararon al pasar a un diálogo con sus páginas y con estas propuestas –quizá también por ello lamento muy especialmente la ausencia de una voz como la de Octavio Paz.

Agradezco a Tomás Eloy Martínez la sugerencia de transformar un temprano trabajo en un balance de la crítica que entonces pensé más acotado; a Evelyn Canabal, Todd Garth, Eduardo González, María Lima, Soledad Traverso-Rueda y particularmente a Roxana Patiño, estudiantes del Departamento de Español y Portugués de la Universidad de Maryland, que en ya lejanos cursos compartieron una primera lectura de algunos críticos que van haciendo camino.

Parte de este trabajo fue realizado con el apoyo de la Facultad de Artes y Humanidades de la Universidad de Maryland. A mediados de 1990, fui agraciado con un período de residencia en el Bellagio Study and Conference Center de la Fundación Rockefeller; comparto con su gente y con mis colegas de esos tiempos mi agradecimiento y una nueva versión de la felicidad.

Reconozco y agradezco con singular cariño la paciencia de mis hijos, quienes con la entrega de este material recuperan mesas, pisos y la atención que es siempre suya.

S.S.

# REVISION DE LOS ESTUDIOS LITERARIOS

WALTER D. MIGNOLO

# LA LENGUA, LA LETRA, EL TERRITORIO
# (O LA CRISIS DE LOS ESTUDIOS LITERARIOS
# COLONIALES)*

LAS HISTORIAS de la literatura hispano/latinoamericana nos legaron una imagen del período colonial que dificultó (si no impidió) orientar la reflexión sobre obras que no fueran escritas en castellano, consideradas literarias y que expresaran o representaran, de alguna manera, cierta "experiencia americana". Los criterios que fundaron esta imagen fueron el idiomático, el literario y el cultural. El supuesto de que la literatura colonial ES la literatura escrita en castellano en/sobre América, de tan simple parece incuestionable. *Las corrientes literarias en la América hispánica* (1949) de Pedro Henríquez Ureña imponen una pauta que se naturaliza y expresa de esta manera en Enrique Anderson Imbert (1954):

> Ni siquiera nos ocuparemos de los fenómenos culturales próximos a la literatura: folklore, oratoria, periodismo, filosofía, crítica. Cuando no podamos menos de detenernos en un escritor *sin propósitos literarios buscaremos su lado más íntimo y personal. Literatura, sólo literatura. Y la literatura que vamos a estudiar es la que, en América, se escribió en español. No ignoramos la importancia de las masas de indios. Pero, EN UNA HISTORIA DE LOS USOS EX-PRESIVOS DE LA LENGUA ESPAÑOLA EN AMÉRICA, corresponde escuchar solamente a quienes se expresaron en español.* Por la misma razón no nos referiremos a los escritores que nacieron en Hispanoamérica pero escribieron en latín (Rafael Landivar), en francés (como Jules Supervielle) o en inglés (como W.H. Hudson). *Tampoco a los que escribieron, sí, en español, pero sin experiencia americana* (como Ventura de la Vega). En cambio incorporaremos a nuestra historia a los extranjeros que *vivieron entre nosotros* y emplearon nuestra lengua (como Paul Groussac).

Si bien es incuestionable el hecho de que una historia de los usos del castellano en América se limite a las obras escritas en castellano, no

* *Dispositio*, XI, núms. 28-29 (1986), pp. 137-60.

3

por ello los estudios literarios sobre el período colonial deben limitarse a los usos del castellano en el Nuevo Mundo. Por el contrario, tanto la complejidad idiomática de las colonias como la confrontación de culturas basadas en la oralidad y sociedades basadas en la escritura, hacen del período colonial un modelo ideal tanto para la reflexión sobre culturas y lenguas en contacto como del espectro de interacciones discursivas. Pienso que la paulatina toma de conciencia de la complejidad cultural y lingüística del modelo que ofrece la colonia, se ha ido manifestando en un conjunto de estudios que comienzan a publicarse alrededor de 1980. De esta manera, el dominio de los textos escritos en castellano y con valor literario va dejando paso al dominio de textos escritos en otras lenguas y a las transcripciones de relatos orales, sin necesario valor estético. La "crisis" del subtítulo alude al reconocimiento, por parte de los investigadores, de que la relevancia de la circulación de discursos en el Nuevo Mundo y entre el Nuevo Mundo y Europa para la comprensión del período va más allá de lo escrito (puesto que importan las tradiciones orales y las escrituras no alfabéticas) y de lo escrito en castellano por hispanos. Intuyo que estamos presenciando un cambio de paradigma a cuya conceptualización intenta contribuir este artículo. Veo cuatro orientaciones entre los estudios que contribuyen a examinar la imagen heredada de la literatura colonial, que paso a resumir.

1. La primera orientación comienza antes de 1980 pero, naturalmente, pasa desapercibida. Digo "naturalmente" porque mal se podría prestar atención a los estudios del neolatín durante el México colonial y a los estudios que sacan a luz la literatura náhuatl cuando las investigaciones literarias se circunscribían al castellano. Si bien los estudios pioneros dedicados al neolatín se deben a los hermanos Gabriel y Alfonso Méndez Plancarte (1937, 1941, 1946), son indiscutiblemente los eruditos estudios de Ignacio Osorio Romero los que sitúan el neolatín en la escena de las letras coloniales (Osorio Romero, 1976, 1979, 1980, 1983a y 1983b). La confluencia en el interés por el neolatín y por las letras indígenas, la señala Osorio Romero en estas palabras:

> El nuevo interés por el neolatín mexicano —no podemos olvidar los meritorios trabajos de Joaquín García Icazbalceta en el siglo pasado— surgió casi simultáneamente a la actualización que Angel María Garibay hizo de los múltiples estudios anteriores sobre los poetas y prosistas indígenas hasta escribir la *Historia de la literatura náhuatl* (1953-1954). Ambos empeños surgen pues, de una misma motivación: recuperar una tradición, fijar una identidad para el mexicano de hoy, dar actualidad a los valores que a su juicio se pierden (1983a; 11-12).

La diferencia entre el proyecto de los hermanos Plancarte y el que reinicia Osorio Romero es de naturaleza ideológica. Mientras que los primeros continúan, de manera acrítica, la herencia de Menéndez y Pelayo (1877) transplantando el *Horacio en España* a un México que es

4

esencialmente una colonia agrícola (Gabriel Méndez Plancarte, 1937), el segundo trata de revisar críticamente la herencia latina junto a la castellana en la formación del México colonial. Cito:

> La cultura que los españoles introdujeron a estas tierras que *ellos* significativamente llamaron Nueva España tenía dos expresiones: *una lengua latina y otra en lengua castellana.* Ambas corrientes afincaban sus raíces en la historia y la tradición; representaban, por una parte, a quienes consideraron que la perfección literaria se encontraba en la expresión latina clásica, y, por otra, a quienes elevaron las lenguas vulgares a la categoría literaria. Su uso durante la colonia, las más de las veces fue simultáneo; pero, también, en una visión de mayor alcance histórico, el latín y el castellano encarnaron a los Dioscuros que tenían que vivir y morir alternativamente (1983a, 12-13).

La lectura conjunta de este párrafo con el de Anderson Imbert, antes citado (a la cual invito al lector) nos evita abundar en los comentarios que resaltan el contraste entre ambos proyectos. La restricción de las letras coloniales a los textos escritos en castellano responde a la ideología y punto de vista de la tradición colonizadora. La apertura que señala Osorio nos sitúa, en cambio, en la ideología y punto de vista de la tradición que surge de los escombros del proceso colonizador. Recordemos, finalmente, la temprana contribución al tema de José Manuel Rivas Sacconi (Rivas Sacconi, 1949).

2. La segunda orientación es un esfuerzo por justificar y racionalizar la atribución de propiedades estéticas o expresivas a un conjunto de textos cuya relevancia cultural nos resulta hoy obvia aunque no sus rasgos literarios. Al mismo tiempo, un esfuerzo por racionalizar y justificar el "origen" de la literatura hispanoamericana en el siglo XVI. En este contexto son ilustrativos los estudios de Enrique Pupo-Walker sobre Garcilaso de la Vega y sobre la vocación literaria del pensamiento histórico en América (Pupo-Walker, 1982a y 1982b), el de Noé Jitrik sobre Colón (Jitrik, 1983), y el de Beatriz Pastor sobre el discurso narrativo de la conquista (Pastor, 1983). En Pupo-Walker encontramos un denodado esfuerzo por justificar las propiedades literarias en los escritos de Garcilaso de la Vega (1982a, 27ss); de conjugar lo imaginario y lo retórico con lo literario y el pensamiento histórico (1982b, 64ss, 80ss), y de fundir el empleo de técnicas narrativas literarias en el discurso historiográfico con la naturaleza literaria de este último (1982b, 38 ss). En Jitrik percibimos un significativo cambio de expresión, "escritura latinoamericana" en vez de "literatura hispanoamericana", y un esfuerzo por encontrar en Colón los rasgos de una "escritura" (que incluye tanto lo escrito en castellano como la "literatura") cultural "latinoamericana" (que incluye "hispanoamericana"). Por su parte, Beatriz Pastor opta por atender aquello que no es específico sino genérico (i.e., el discurso narrativo). A la vez, se preocupa por encontrar en esa

generalidad del discurso narrativo el momento en que emerge la conciencia estética y cultural que le otorga al discurso narrativo de la conquista una especificidad literaria y americana (1983, 451 ss). Estos estudios tienen dos elementos en común: crean un espacio crítico y reflexivo sobre la naturaleza de lo literario y lo (hispano/latino) Americano y proyectan las técnicas del análisis literario hacia el análisis de discursos no-literarios. La consecuencia más notable es la de ampliar el horizonte de la disciplina incluyendo en ella una amplia gama de discursos cuyo estatuto literario no vaya de suyo. Conservan, del paradigma anterior, el postulado de una esencia americana que se manifestaría desde los primeros textos escritos por exploradores y conquistadores.

3. La tercera orientación ha puesto de relieve, por un lado, lo que hay de común más que de específico en cada discurso y, por otro, las normas retóricas que regían la producción y la lectura de discursos entre el siglo XVI y el XVIII. Elide Pitarello (1982) ha mostrado en un detallado análisis la complejidad discursiva y la ambigüedad genérica de la *Elegía de varones ilustres de Indias*, de Juan de Castellanos. Analizado el texto a la luz de los principios generales que configuraban el sistema discursivo de la época, Pitarello muestra que la dicotomía entre el género épico e historiográfico no debe necesariamente impulsarnos a decidir por el uno o por el otro sino a aceptarlo como un texto que participa de la naturaleza de ambos. El conocimiento de los principios generales del discurso historiográfico, en el artículo citado, le ha permitido emprender un estudio de esta configuración discursiva en la obra de C. Suárez de Figueroa, *Hechos de Don García Hurtado de Mendoza, Cuarto Marqués de Cañete* (1613) y en la *Historia de los descubrimientos antiguos y modernos de la Nueva España* (1584) de Baltasar de Obregón (Pitarello, 1984, 1986). La necesidad de reconstruir los principios generales que guían la organización discursiva durante el período colonial fue también sugerida por Walter Mignolo distinguiendo la configuración discursiva historiográfica de la literaria y reconociendo la existencia de textos cuya "unidad" resulta de la compaginación de normas que rigen distintos tipos y configuraciones discursivas (Mignolo 1982, 1983, 1986, 1988). Por otro lado, el análisis de la escritura de la historia desde el punto de vista de la historia de la escritura permitió confrontar las formas de conservar el pasado en sociedades orales con las de las sociedades con escritura alfabética (Mignolo 1981a, 1981b).

4. Las investigaciones de lo que llamaré la cuarta orientación, la más reciente y por ello menos definida, tiene en común la propiedad de llamar la atención sobre las fronteras de la lengua y la cultura castellana en la cultura del Nuevo Mundo. La noción de literatura que orientó la selección de textos y autores del período colonial raramente invocó a los autores indígenas. Por otro lado, el criterio idiomático no sólo eliminó la consideración de los textos en lenguas indígenas, sino que bloqueó la posibilidad de considerar textos escritos en otras lenguas que

el castellano. Si desde el punto de vista de la "literatura hispanoamericana" el idioma impone ya unas fronteras, desde el punto de vista del "discurso del período colonial" las interacciones discursivas adquieren mayor relevancia que las fronteras idiomáticas. La naturaleza de los problemas que deseemos investigar o de los textos que decidamos (re)interpretar tendrán distintas configuraciones según los situemos en el contexto de la "literatura hispano-americana" o de los "discursos del período colonial". Tanto la descripción y la explanación de acontecimientos y situaciones discursivas como la interpretación de textos individuales necesita de un "contexto de descripción" cuya configuración no la ha establecido la Historia sino que la postula o elige el investigador. Los reclamos por contemplar el "contexto histórico" a los que estamos acostumbrados no son más que la elección de UN contexto de descripción que elige el investigador y pretende que no ha sido elegido por él/ella sino creado por su agente anónimo, la Historia.

a) El primer caso puede ilustrarse con el ejemplo de José Carlos Mariátegui (1929) y de Francisco Esteve Barba (1964) frente a Guamán Poma de Ayala. Mariátegui se ocupa de Garcilaso de la Vega y de Espinosa Medrano al buscar las raíces de la literatura peruana en la colonia, pero no menciona a Guamán Poma. Esteve Barba, por su parte, traza la historia de la historiografía indiana y le dedica algunas páginas al autor indígena, principalmente para criticar sus incoherencias, mal castellano y su orgullo nativo (p. 475–481). La edición de *Nueva corónica y buen gobierno* de John Murra y Rolena Adorno (1982), por un lado, y los numerosos estudios que Adorno le ha dedicado a Guamán Poma y que culminan en su reciente libro (Adorno, 1986), hacen imposible ignorar la obra como hacen necesario encontrarle un lugar en el campo de estudio. Para hacerlo, debemos *salir* del marco de los usos del castellano en América e *ingresar* en la compleja estructura mental de las culturas precolombinas (Adorno, 1982) y en la red de interacciones semióticas de las colonias del Nuevo Mundo.

b) El estudio de W. Franklin sobre los descubridores, exploradores y colonizadores (Franklin, 1979), dedicado en su mayor parte a la América sajona comienza, sin embargo, estudiando las cartas de Colón y Cortés y prestando gran atención a las tesis de E. O'Gorman (1960). Por razones que podemos imaginar, pero que quedan fuera de nuestros propósitos explorar, el estudio de Franklin pasó desapercibido en los estudios de la literatura del Nuevo Mundo. El reciente libro de P. Hulme (Hulme, 1986) contribuye a recordar el de Franklin, publicado durante los primeros años de la transformación disciplinaria que vengo bosquejando. El estudio de Hulme (como el de Franklin) dedica los primeros capítulos a tópicos de la cultura "hispanoamericana" del Caribe para luego consagrarse a tópicos de la cultura "angloamericana". Ambos comparten la precupación central por el "discurso" y por el período colonial. Ambos son excelentes ejemplos para ilustrar el desplazamiento del área de estudio de la literatura hispano/latinoamericana al discurso de la colonia.

Estos ejemplos, como dije, nos invitan a examinar el alcance y los límites de la noción de "literatura hispano/latinoamericana". Algunos de ellos exigen una revisión de la noción de "literatura". Otros, del modificador "hispanoamericano". Mi propósito en las páginas que siguen es el de construir una imagen del área de estudio que nos despegue de las restricciones impuestas por las nociones de literatura y de su especificidad cultural, y el de justificar la necesidad de incluir en ella el ámbito de la oralidad, de las escrituras no–alfabéticas y de los discursos en idiomas distintos del castellano. El apartado II se consagra a elucidar el dominio de los estudios literarios y sus consecuencias para la configuración de áreas; el III a elucidar el problema de la identidad cultural y a distinguir la imagen de identidad forjada por los miembros de una comunidad cultural de la descripción de esa imagen por parte de los practicantes de una actividad disciplinaria; finalmente, el apartado IV reúne los resultados de los dos anteriores para justificar un desplazamiento en la designación del área de estudio de la "literatura hispano/latinoamericana colonial" a "los discursos coloniales".

## II. DE LA LETRA AL DISCURSO

El vocablo "literatura" proviene de "letra" (*littera,* una letra del alfabeto; del griego *gramma,* un signo escrito que significa un sonido). En su sentido primigenio designa la escritura alfabética y la distingue tanto de la voz (*phoné, vox,* sonido, grito, llamado) como de las formas de escritura no alfabética. La singularización de la escritura alfabética, distinguida de la voz y de otras formas de escritura, ha dado lugar a sugerir la necesidad de una disciplina (la gramatología) que se ocupe de ella. Esta disciplina se distinguiría de la epigrafía y de la paleografía por formular preguntas sobre el *cómo* y el *porqué* en vez de preguntar por el *qué, cuándo* y *dónde.* Las primeras preguntas establecen el contexto teórico de la gramatología, mientras que las segundas establecen el contexto descriptivo de la epigrafía y de la paleografía (Gelb, 1969, 22-23). Por otra parte, el empleo del mismo vocablo (gramatología) por Jacques Derrida para designar una disciplina surgida de la crítica a la lingüística moderna pone en entredicho la distinción entre la lengua hablada, en la que se funda la lingüística (según Saussure) y signos gráficos en los que se funda la gramatología (según Gelb), como también la fundación misma de las disciplinas científicas cuya condición de existencia es la escritura alfabética, un rincón privilegiado del dominio de estudio promovido al rango de universalidad (Derrida, 1967, 43). Al destituir a la lingüística y la escritura alfabética de su privilegio semiótico (e.g., de constituirse en signos y representantes de otras cosas que no son signos) y proponer que toda manifestación es un signo cuya estructura la generan las diversas posibilidades de la *huella* (p. 68) y cuya significación surge de la *diferencia,* la escritura ya no es privilegio de lo lingüístico sino la condición misma de la significación (p. 95).

Tanto la lingüística como la gramatología (en las versiones de Gelb y Derrida) nos invitan a revisar la imagen cultural de la noción de literatura y regresar a la cuestión fundamental de la *letra.* La letra fija, por un lado, el discurrir oral y , por otro, se independiza de él conduciendo a la invención de nuevas estrategias discursivas. También, a la vez que se independiza de la voz, la letra se independiza de otras formas de expresión gráfica configurando un dominio de interacciones en el que el discurso es prisionero del objeto en el que se transmiten los signos: el libro (Mignolo, 1987).

Los vocablos de *letra* y de *literatura* designan y diseñan, en este contexto, un espacio que bien podría considerarse como el dominio de los estudios *literarios.* Así, el universo del discurso (en sentido lógico) quedaría compuesto por la *letra* y su complemento *la oralidad y las escrituras no–alfabéticas.* Mientras que con Aristóteles nos acostumbramos a pensar la historia como complemento de la poesía y con Jakobson las distintas funciones del lenguaje como complemento de la función poética, la imagen del dominio de estudio que acabo de sugerir nos invita a meditar sobre las condiciones de existencia de la fijación gráfica del discurso (en sentido gramatológico) en relación con las posibilidades del dominio del discurso (en sentido lógico) que elimina: la oralidad y las escrituras no alfabéticas. Las consecuencias de un tal desplazamiento del dominio de estudio son relevantes no sólo para la disciplina misma sino también para un área específica de estudio como lo es la literatura colonial en el Nuevo Mundo. El centro de atención se desplaza de la literatura (en el sentido de "belles lettres") a la literatura (en el sentido de la producción discursiva escrita) y a su complemento, la oralidad y las diversas formas de escritura de las culturas precolombinas. Un doble desplazamiento que nos lleva desde la idea de literatura impuesta por una tradición cultural al concepto de literatura forjado en una práctica disciplinaria (Mignolo, 1983).

La idea de literatura impuesta por la tradición cultural y que todavía forma parte de nuestra vida cotidiana se remonta al siglo XVIII cuando los vocablos *letra* y *literatura* se rodean de nuevos sentidos al establecerse una relación de sinonimia entre "poesía" y "bellas letras". Mientras que en la antigua Grecia "poesía" *(poiesis,* hacer y hacer mimético, hacer para deleitar) se diferenciaba de *gramma* y *phoné,* vocablos con los que designaban las unidades del discurso oral y escrito, la expresión "bellas letras" (acuñada en el siglo XVIII) crea la sinonimia entre "letra" y "discurso" y singulariza un tipo particular de discursos por sus rasgos de belleza que no tardan en identificarse con la antigua noción de "poesía" y engendrar, en el encuentro, la imagen de literatura a la que todavía estamos acostumbrados. Así, en el contexto intelectual de la modernidad, *gramma* (signo escrito, letra del alfabeto), se funde con *aesthesis* (sensación, percepción, intuición) para convertirse en sensación, percepción e intuición de la belleza (E. Kant, *Crítica del juicio,* 1790). La acumulación de estas transformaciones configura el cuerpo de conocimientos (e.g., marcos discursivos) asociados hoy al vocablo "literatura"; conocimientos que han reprimido las estrechas relaciones entre *poiesis, mimesis y phoné* vertiéndolas en el contexto de *poiesis, aesthesis y gramma.* Las lecturas de Platón hechas por E. Havelock (1963) nos recuerdan que los diálogos en torno a la poesía tienen, en su contexto inmediato, las preocupaciones de una sociedad que está viviendo el conflicto entre la oralidad y la escritura, en el cual las musas son las guardianas de la memoria (*mnemosune*) y conservadoras del pasado, pero no fuente de inspiración poética para captar la belleza. La idea de *poiesis* que en Aristóteles se expresa en estrecha relación con la de *mimesis* mantiene, previamente, una estrecha relación con *mnemosune* (Havelock, 1963, 100).

La acumulación y transformación de sentidos en torno al vocablo "literatura" para conceptualizar una actividad que, primariamente, se limita a cierto dominio de interacciones discursivas y se desempeña en sociedades con escritura alfabética es un buen ejemplo de un fenómeno general que caracteriza a los seres humanos: la capacidad de participar, a un nivel, en un dominio de interacciones y, a otro nivel, reflexionar y crear una imagen del primero. Si bien esta característica es, como dije, común a los seres humanos, la conceptualización de la "literatura" en cambio se limita a aquellas sociedades y culturas que han creado un dominio de interacción por medio de la *letra escrita* (ver Figura 1). El desplazamiento de la noción de literatura que compartimos como miembros y participantes en la vida social y cultural hacia la noción de literatura (i.e. letra escrita, discurso) que elaboramos como miembros y practicantes en actividades disciplinarias, guiará nuestra concepción de los estudios de área así como nuestra interpretación de actividades, artefactos y acontecimientos semióticos del área que estudiemos.

No sólo los estudiosos de la literatura se vieron mal orientados por una noción regional y cultural (no teórica) del dominio de estudio, sino también lo estuvieron antropólogos e historiadores. Leamos estas opiniones de Edmonson sobre el *Popol Vuh:*

> It is my conviction that the *Popol Vuh* is primary a work of literature, and that it cannot be properly read apart from the literary form in which it is expressed. That this form is general to Middle America (and even beyond) and that it is common to Quiché discourse, ancient and modern, does not diminish its importance. The *Popol Vuh* is in poetry and cannot be accurately understood in prose. It is entirely composed in parallelistic (i.e. semantic) couplets.

La presuposición de que un discurso que se manifiesta por medio de repeticiones y acoplamientos paralelos es "literatura" sorprenderá hoy a los estudiosos familiarizados con la teoría de la literatura y con las reevaluaciones de la oralidad y de la escritura. Si aceptamos, en efecto,

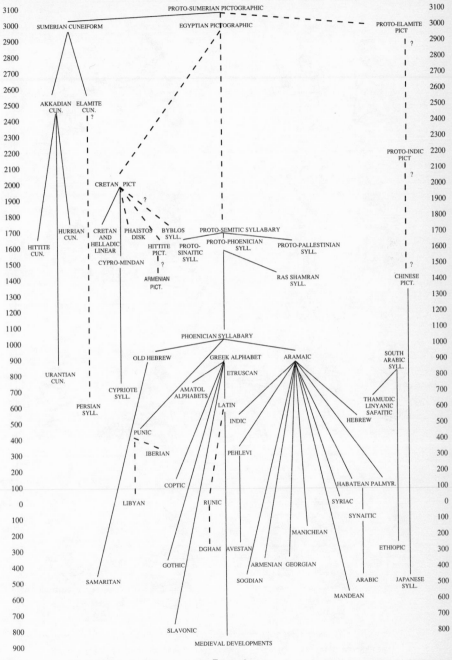

FIGURA 1
(I. J. GELB, 1952)

"Representación" del discurso entre los aztecas, *Códice Mendoza*

que las repeticiones y paralelismos son una exigencia de la expresión oral para asegurar la conexión discursiva y que la letra escrita introduce nuevos medios para alcanzar el mismo fin (e.g., la fijación escrita que dirige la atención hacia adelante, prosa, y elimina las repeticiones que dirigen la atención hacia atrás, verso) es sensato inferir de este principio que las repeticiones que encontramos en el *Popol Vuh* se deben a la base oral en la que se realizan las interacciones discursivas de la cultura en la que se narra y transmite el relato, y no a la universalidad de los valores estético/literarios que el relato manifestaría. Intuyo que Edmonson tiene razón cuando sostiene que la forma expresiva del *Popol Vuh* es un rasgo común de las culturas mesoamericanas. De ello no se infiere, sin embargo, que las culturas mesoamericanas practicaban o habían descubierto la poesía. Los conceptos de poesía y literatura son *regionales* y pertenecen a la tradición de las sociedades y culturas alfabéticas occidentales. No es ni mérito ni desmérito de una sociedad que ha tenido un desarrollo paralelo a la tradición de Occidente, no poseer o desconocer una forma de interacción que esta última ha conceptualizado y dado el nombre de poesía y de literatura. "La busca de Averroes", de Borges, es un buen modelo de las dificultades en comprender *diferentes conceptualizaciones de actividades semejantes:* Averroes, empeñado en traducir a Aristóteles y ofuscado por la imposibilidad de entender el sentido de dos palabras, *tragedia* y *comedia* (que nadie en el ámbito del Islam "barruntaba lo que querían decir"), mira por el balcón enrejado el *juego* de unos chicos semidesnudos que *pretendían ser lo que no eran* ("todos querían ser el almuédano, nadie la congregación o la torre").

La traducción e interpretación del *Popol Vuh* propuesta por Tedlock (1985) enfatiza, en cambio, la naturaleza oral del relato no sólo en su estructura sino también en su transmisión (1983a, 1983b, 1983c). Mientras que Adrián Recinos, más apegado a la ideología de la escritura, traduce la primera frase del relato destacando la expresión "antiguas historias" ("Este es el principio de las antiguas historias de este lugar llamado Quiché"), dejando que "historias" nos remitan tanto al relato como a los acontecimientos, Tedlock destaca la expresión "la antigua palabra" ("This is the beginning of the Ancient Word, here in this place called Quiché"). La opción de la primera frase revela los presupuestos que guiarán las opciones en la traducción entera del primer párrafo y de su interpretación correspondiente. Comparemos:

> Recinos: Este es el principio de las antiguas historias de este lugar llamado Quiché. Aquí describiremos y comenzaremos las antiguas historias, el principio y el origen de todo lo que se hizo en la ciudad de Quiché, por las tribus de la nación quiché.

> Tedlock: This is the beginning of the Ancient Word, here in this place called Quiché. Here we shall inscribe, we shall implant the Ancient word, the potential and source for everything done in the citadel of Quiché, in the nation of Quiché people.

El proceso que conduce de la primera versión escrita en idioma quiché hasta las traducciones de Recinos pasando por la del padre Fray Francisco Ximénez, presentan un espectro en el que la conservación oral del relato y la correspondiente conceptualización en la cultura quiché, anterior a la conquista, se fija en la escritura y, al hacerlo, deja abierta la posibilidad de las traducciones que arrastran con ellas la conceptualización de las interacciones semióticas generadas por la escritura. La traducción y estudios de Tedlock sobre el *Popol Vuh* y la cultura quiché son un esfuerzo por restituir los rasgos orales a la vez que contemplar el proceso de fijación y transmisión escriptural.

Una situación semejante a la anterior es la *Historia de la literatura náhuatl* de Angel María Garibay (1954). Las mismas objeciones que se le han hecho a Miguel León-Portilla por haber creado una imagen del pensamiento azteca sobre el modelo de la filosofía griega (León-Portilla, 1959) se podrían hacer con las cautelas necesarias en ambos casos, a la obra de Angel María Garibay. Sabemos por un lado, que Garibay era un gran conocedor de la cultura helena como así también de la tradición de las grandes culturas orientales. Sabemos también que estaba atento a la historia del alfabeto y de la escritura. Y fundamentalmente, que su obra no sólo tiene el valor del cual él mismo es consciente (una primera recopilación y ordenación de la producción verbal en náhuatl) sino también el de rescatar una producción cultural que, por no ser escrita, había sido hasta ese momento menospreciada (*cfr.,* 1954, vol. 1, p. 10-11). Las dificultades que tenemos hoy con la obra de Garibay es que la valoración de la cultura náhuatl se hace, la mayoría de las veces, en forma paralela a la imagen post-renacentista de la cultura griega. Y, como en muchos otros casos, reconstruye una cultura fundamentalmente oral en términos de una filosofía de la producción verbal forjada sobre la experiencia de las sociedades con escritura alfabética. Una defensa, en suma, que se construye sobre la base de la semejanza y toma el lugar de lo que hoy quisiéramos que fuera una descripción que enfatice la diferencia. León-Portilla (1968) ha racionalizado la necesidad de este principio metodológico en conexión con el pensamiento y la filosofía. Esta racionalización sería aplicable a la obra de Garibay y al caso de la producción oral y literaria. No obstante ello, segunda de las cautelas anunciadas, León-Portilla ha abierto nuevos caminos al escarbar en la etimología de las palabras empleadas por los propios aztecas para referirse a sus interacciones semióticas. Es así que a la vez que nos brinda preciosa información y comentario de palabras empleadas por los aztecas para designar las maneras de conservar el pasado (1980, 15 ss), de las "formas de composición de acuerdo con su designación en Náhuatl" (1978, XXV), y nos introduce al pensamiento de una sociedad oral, nos devuelve a la homogeneidad del vocabulario de la cultura occidental integrado al lenguaje de la disciplina. Nos habla así de los primeros intentos por preservar textos precolombinos (1978, XVIII), o de la legitimidad de conservar el vocablo filosofía para designar todo tipo de pensamiento o actividad que podemos asemejar a la que en Occidente se entiende y designa por tal nombre (1968). No se trata aquí de un empleo neutro de los vocablos que podría justificarse invocando la dificultad de emplear vocablos indígenas para designar aquello que, sabemos, no es propiamente filosofía o literatura, pero que no obstante se asemeja. Se trata más bien de presupuestos que guían la lectura e interpretación de discursos orales como si fueran textos escritos. Por ejemplo, cuando J. Bierhorst observa que las piezas denominadas *xochitl/cuicatl* (flores/cantos) de los *Cantares mexicanos* han sido definidas repetidamente como poema o poesía y que tal definición fue, al parecer, inventada por Angel M. Garibay (Bierhorst, 1985, 17), intuyo que la distinción entre oralidad y escritura que sostuvo mi argumento anterior (referido a Edmonson/Tedlock), puede invocarse nuevamente aquí. En efecto, cuando Bierhorst sostiene que la definición "*xochitl/cuicatl* = poetry" es en el mejor de los casos un concepto débil y en el peor un equívoco, podemos intuir que la distinción entre oralidad (canto) y poesía (escritura) está en juego. La crítica de León-Portilla (1987, 390 ss), enfocada en el nombre que Bierhorst asigna al ritual ("ghost-song ritual") esquiva, en realidad, el acento que el segundo pone en el hecho de que tales piezas no sean *poesías* sino *cantos* asociados a determinadas formas rituales. Sin pretender terciar en la discusión sino emplearla en mi propio argumento, quiero recordar que oralidad, en este contexto, remite a las sociedades que no poseen ninguna forma de escritura fonética. E. Havelock (1986, 65) acentúa la expresión "oralidad primaria" para destacar un tipo de interacción lingüística, difícil de comprender, para nosotros, que hemos acuñado una red metafórica y un léxico inferidos de nuestra experiencia escriptural. Esta comprobación abre las puertas hacia un campo desconocido que los estudios literarios pueden contribuir a explorar. En esa exploración nos saldrá al paso el enfrentamiento de culturas orales y escripturales en el Nuevo Mundo: enfrentamiento que ha sido interpretado, la mayoría de las veces, ignorando la diferencia radical que separa las primeras de las segundas.

## III. DISCURSO, IDENTIDAD Y TERRITORIALIDAD

El modificador "hispano/latino" con que usualmente acompañamos al sustantivo "literatura" puede analizarse de manera semejante al de este último. Arturo Ardao (1980) coleccionó y comentó un número significativo de documentos en los que la idea y/o el nombre de "América Hispana", "América Latina" y algunas otras expresiones equivalentes a las dos primeras, se forja y transforma desde los primeros años del siglo XIX hasta los últimos. Es notable también, al leer esos documentos, que el modificador se reemplace (como ya estamos acostumbrados desde Martí) por el posesivo, obteniendo así la expresión "nuestra América". Surge así un discurso en el que el posesivo implica la identificación con el espacio y con el pasado de ese espacio. Esto es, el posesivo invoca el problema de la tradición y de la identidad (Mario Sambarino, 1980). En este apartado me interesan las relaciones entre el discurso y la manera en que éste fija, transmite y transforma el sentimiento y el sentido de identidad que anima a todo grupo humano.

En efecto, mientras que a nivel del individuo construimos descriptivamente una entidad que llamamos "yo", que nos permite conservar nuestra coherencia operacional lingüística y nuestra adaptación en el dominio del lenguaje (Maturana y Varela, 1984, 152), a nivel del grupo construimos descriptivamente una entidad que llamamos "nosotros" y que situamos en relación a un espacio y a una tradición compartida; es decir, a un territorio. La identidad social y cultural de un grupo humano se construye descriptivamente en un discurso que lo sitúa en un espacio delimitado por fronteras geográficas y cronológicas (e.g., un linaje, una sucesión de acontecimientos que llega hasta "nosotros"). Expresiones como "América Latina" o "América Hispana" pueden emplearse, desde el punto de vista de un discurso que construye descriptivamente un "nosotros", como una apropiación territorial y, desde el punto de vista que construye descriptivamente un "él" (el discurso de varias disciplinas como la historia, la sociología, la literaturología, etc.), como nombre que designa una entidad pero que no debería necesariamente identificarse con el sentido de territorialidad. Cuando la identificación ocurre, el discurso que construyo como miembro de una cultura se identifica con el discurso que construyo como practicante de una disciplina. Las respuestas a la pregunta sobre la identidad de lo hispano/latinoamericano y, por lo tanto de su literatura, han sido víctimas de esta yuxtaposición.

El sentimiento y el sentido de la identidad del grupo es inseparable de la reflexión y conceptualización del pasado. "Tradición" nos remite tanto a los elementos inconscientes que comparten los miembros de una comunidad como a la reflexión consciente que la comunidad hace de ese pasado. En el primer caso, tradición es una configuración cultural que hace que el grupo sea lo que es; en el segundo, es la construcción discursiva y conceptual mediante la cual el grupo se representa como lo que cree que es.

Durante el período colonial tenemos al menos tres tipos de construcción territorial: la de las culturas nativo–indígenas, la de los conquistadores y colonizadores y, finalmente, la de los nativo–criollos. Es suficiente para mi argumento un ejemplo de cada uno de los tipos, aunque es posible encontrar casos fronterizos que complican la tipología.

> 1) El Señor del Sur es el tronco del linaje del Gran *Uc. Xhantacay* es su nombre. Y es el tronco del linaje de *Ah Puch.*
> Nueve ríos los guardaban. Nueve montañas los guardaban.
> El pedernal rojo es la sagrada piedra de *Ah Chac Mucen Cab.*
> La Madre Ceiba Roja, su Centro Escondido, está en el Oriente. El *chacalpucté* es el árbol de ellos. Suyos son el zapote rojo y los

16

bejucos rojos. Los pavos rojos de cresta amarilla son sus pavos. El maíz rojo y tostado su maíz.

El pedernal blanco es la sagrada piedra del Norte. La Madre Ceiba Blanca es el Centro invisible de *Sac Mucen Cab*. Los pavos blancos son sus pavos. Las habas blancas son sus habas. El maíz blanco su maíz.

El pedernal negro es la piedra del Poniente. La Madre Ceiba Negra es su Centro Escondido. El maíz negro y acaracolado es su maíz. El camote de pezón negro es su camote. Los pavos negros son sus pavos. La negra noche es su casa. El frijol negro es su frijol. El haba negra es su haba.

El pedernal amarillo es la piedra del Sur. La Madre Ceiba Amarilla es su Centro Escondido. El *pucté* amarillo es su árbol. Amarillo es su camote. Amarillos son sus pavos. El frijol de espalda amarilla es su frijol. (*Libro de Chilam Balam de Chumayel*, "Libro de los linajes". Antonio Mediz Bolio, 1980).

2) Naturaleza parece quiso dividir y cortar el continente y tierra descubierta de las Indias, por el istmo ó angostura que hay en la tierra desde el Nombre de Dios a Panamá, dejando la mitad de las Indias a la parte del norte, y la otra mitad al mediodía; que aunque lo descubierto y poblado de la parte de Tierra firme y Pirú, es mucho más, en comparación, que lo de la parte del norte, la tierra que está por descubrir para Quiviria y parte septentrional, se va ensanchando de manera que parece o debe ser tanta como la del mediodía o más [ . . . ] y así la división de *toda la tierra de las indias, por naturaleza y por caso parece la más cómoda que puede ser por el Nombre de Dios y Panamá*, que está desde 0 ó 9 grados septentrional; dejando a una parte en una tabla toda la tierra é islas de la mar del Norte, que hay desde aquella altura para el norte, *con nombre de Indias del Norte* y á la otra parte del mediodía, todo lo que hay desde la dicha altura de 8 grados y costa de Tierra Firme hasta el Estrecho de Magallanes, y lo que de adelante se descubriere, *con nombre de Indias del mediodía* (López de Velasco, 1571–74, itálicas agregadas);

3) Aunque el Nuevo Mundo abarca, como vulgarmente decimos, dos Américas, la mexicana o boreal y la peruana o meridional, hemos dejado intacta esta última en nuestra BIBLIOTECA, por muchas razones. [ . . . ].

Hemos rotulado nuestra obra BIBLIOTECA MEXICANA *o sea historia de los varones eruditos que habiendo nacido en la América septentrional o visto la luz en otros lugares, pertenecen a ella por su residencia o estudios y escriben alguna cosa* no importa en qué idioma; *y en especial de aquellos que se han destacado por sus hechos insignes o por cualquier clase de obras, impresas o inéditas encaminadas al progreso y fomento de la fe y piedad católicas.*

La razón de haber llamado mexicana a esta BIBLIOTECA, está declarada y refrendada por la costumbre geográfica, en virtud de la cual se designa a toda esta región con el calificativo de mexicana, tomado el nombre de su famosa y principal ciudad; sujetándonos nosotros a dicha costumbre y habiendo de tratar de los escritores que florecieron en la América Boreal, intentaremos abarcarlos bajo el indicado título. En esta biblioteca incluimos igualmente a los venezolanos, que si bien en lo demás pertenecen a la América meridional o peruana, están adscritos, política y eclesiásticamente, a la mexicana, por ser su diócesis una de las sufragáneas de la Iglesia de la Española o Católica de Santo Domingo. En cambio, *dejaremos casi de lado la Carolina, la Virginia, la Nueva Inglaterra, la Luisiana y el Canadá o Nueva Francia, regiones dominadas por reyes extranjeros, con las cuales tenemos muy raro o ningún trato, y cuyos libros desconocemos casi en absoluto, a pesar de haberse producido en estas partes de la América septentrional.* (Egiara y Eguren, [1755], 1944, 1984).

He aquí los comentarios que me sugieren estos ejemplos:

a) La tesis de Edmundo O'Gorman (1952) sobre la invención de América pone de relieve, en este contexto, el hecho de que no hay nada "esencial" en un espacio geográfico que determine el sentido y el sentimiento de territorialidad. La "invención de América", es un caso de apropiación semántica y de construcción territorial que ignora y reprime aquel que *ya* existía y que la invención oculta. Colonización es, en este sentido, una cuestión de apropiación territorial. La "invención de América", una construcción semántica del tipo 2, la de los exploradores y colonizadores hispánicos que no se superpone, ni reemplaza, la territorialidad precolombina ni la de los criollos del siglo XVIII. Erróneo sería decir, como a menudo lo hacen historiadores o sociólogos, que al fin de cuenta lo que *antes* se llamaban Indias Occidentales es *en realidad hoy* el Caribe o también América Latina. Las expresiones y los nombres propios no tienen un sentido independiente de quien los emplea y dependiente de lo que designan. Una vez más, la inmensa contribución de O'Gorman es la de haber despegado el nombre de la cosa, haberlo remitido al contexto de los usuarios y haberlo despojado de su necesidad histórica. En consecuencia, las respuestas a la pregunta por la naturaleza y el ámbito de la literatura latinoamericana (Ana Pizarro *et al.*, 1985, 13–65) dependerá del contexto de empleo y de la posición de participante o de observador de quien la formule. Podemos, no obstante, estar seguros que desde el punto de vista de la construcción territorial de la colonia [ejemplos 1) a 3) ] la expresión "literatura latinoamericana" no tiene ningún sentido. La expresión "literatura indiana" empleada por Céspedes del Castillo (1985, 307) para referirse a *La Araucana* y otros ejemplos coloniales es cercana, al menos, al concepto territorial hispánico y criollo.

b) Como es obvio, "América Latina" no aparece en ninguno de los ejemplos anteriores. "América Latina" es el nombre admitido en diversas disciplinas para designar una vasta macro–área antropogeográfica. Lingüísticamente, es un sustantivo compuesto equivalente a "Latinoamérica". Se forma de un sustantivo simple adjetivado "América Latina". El caso es semejante para "Hispanoamérica" que se forma de un sustantivo adjetivado "América hispana". La misma lógica afecta la formación de "Indoamérica" o "Iberoamérica". Históricamente, estos nombres comienzan a forjarse después de los movimientos de independencia. Culturalmente, tales nombres y expresiones han sido y son empleados por varias generaciones de intelectuales posindependentistas para construir su propio marco territorial.

c) La cuestión de la lengua está estrechamente ligada a la cuestión territorial. El primer texto está escrito, originalmente, en idioma quiché; el segundo en castellano y el tercero en latín. Dos ejemplos ilustran la importancia de este aspecto para la conceptualización de las relaciones entre discurso y sentido de territorialidad.

En 1545, Ambrosio de Morales expresa el conflicto entre el latín y el castellano y defiende la imposición del primero sobre el segundo. Cuando Cervantes de Salazar se traslada al Nuevo Mundo, una de sus múltiples tareas es la de editar los *Diálogos* de Luis Vives, agregándole algunos de su propia cosecha. Tres de estos diálogos, escritos en latín, fueron traducidos al castellano y editados por Joaquín García Icazbalceta en 1875. Los cuatro restantes, *también escritos en latín,* pero cuyo tema no es la ciudad de México o su Universidad, sino los juegos, no han sido incorporados en esta edición. Con la edición de Icazbalceta, la literatura mexicana e hispano/latinoamericana ha ganado una nueva obra. La obra de Cervantes de Salazar, pertenece a dos territorios: el de las colonias españolas en el Nuevo Mundo y el de las naciones independientes. Un segundo ejemplo lo constituye la obra de Sahagún. En su enorme esfuerzo por traducir y fijar en la escritura alfabética el discurso de una sociedad oral, Sahagún se enfrenta a la cuestión de la lengua que describe de esta manera:

> El governador con los alcaldes, me senalaron hasta ocho, o diez principales, escogidos entre todos muy habiles en su lengua, y en las coasas de sus antiguallas: con los quales, y con quatro o cinco colegiales, TODOS TRILINGUIS: por espacio de un año y algo mas encerrados, en tepeculco.

Al castellano y al latín se suman, en este y otros casos semejantes, el de las lenguas nativas. Recordemos una vez más que entre los manuscritos indígenas que se han conservado, independiente de los idiomas respectivos, son de dos tipos: los códices pictográficos, anteriores y posteriores a la conquista y la transcripción de discursos orales y su subsecuente traducción. Mientras que la lengua es un implícito de la territorialidad, los relatos y descripciones que construimos mediante ella la expresan de manera explícita. Es esto lo que encontramos en los ejemplos anteriores, dos de ellos traducidos al castellano, y cada uno de ellos manifestando distintos espacios territoriales. El territorio emerge de un conjunto de oraciones descriptivo-narrativas que construyen las fronteras geográficas y la selección de acontecimientos significativos del pasado.

d) Cada uno de los conceptos territoriales expuestos en los tres ejemplos no se excluyen sino que coexisten. Mejor dicho, coexisten desde el punto de vista del observador, no necesariamente de quien participa de un sentido territorial. En otras palabras, mientras que para el participante y miembro de una cultura se trata de un territorio o una morada cultural, para el observador se trata de un campo de conocimientos. En el primer ejemplo, el territorio está demarcado conforme a la cosmología mesoamericana, por los cuatro puntos cardinales y los colores y objetos que se hacen corresponder a cada uno de ellos. A esta demarcación espacial del territorio se suma la tradición de los linajes, la memoria del pasado de quienes narran y expresan el sentido de territorialidad. Un ejemplo del *Memorial de Sololá:*

> De cuatro [lugares] llegaron las gentes a Tulán. En oriente está una Tulán; otra en *Xibalbay;* otra en el poniente, de allá llegamos nosotros, del poniente; y otra donde está Dios. Por consiguiente había cuatro Tulanes [ . . . ]. Del poniente llegamos a Tulán, desde el otro lado del mar; y fue a Tulán a donde llegamos para ser engendrados a luz por nuestras madres y por nuestros padres (A. Recino, 1950).

En este relato las fronteras geográficas no están específicamente delimitadas. Las técnicas para medir el espacio no habían alcanzado, en las culturas mesoamericanas, la misma sofisticación que las técnicas para medir el tiempo. Sin embargo, las interrelaciones entre la organización del espacio y su correspondiente "espesura" histórica mediante las cuales las culturas precolombinas concebían y representaban su concepción territorial queda aquí claramente ejemplificada. A ello podemos agregar el clásico análisis del mapa de Teozacoalco hecho hace ya varios años por Alfonso Caso (Caso, 1949), en el cual la representación geográfica y cronológica del territorio se expresa también por medio de signos no-verbales. Mientras mantengamos la literatura y no la *letra* como objeto de conocimiento confundiremos la territorialidad con el campo de conocimientos a la vez que suprimiremos la posibilidad de comprender las relaciones entre la letra, la palabra y el ideograma. La territorialidad, como apropiación de un espacio en el que se construye un pasado, una historia, extiende nuestros proyectos cognoscitivos a la generalidad de las interacciones semióticas. La *letra* se convierte en un punto de referencia en el que convergen la palabra y el ideograma para construir un nuevo objeto de conocimiento.

e) El contraste entre la concepción territorial mesoamericana con la descripción territorial de López de Velasco no puede ser menos que notoria. El texto de López de Velasco marca y otorga sentidos a las fronteras geográficas que se corresponden con la expansión y apropiación territorial castellana. "Indias Occidentales" es el nombre con que se identifica el territorio y que reemplaza en su totalidad y desde el punto de vista de los participantes en la empresa castellana, el sentido territorial de expresiones indígenas como "Anáhuac" (cerca de donde abunda el agua) o "Teozacoalco" (gran solar o sitio). La apropiación territorial se funda en una disposición de la propia naturaleza y en el futuro de la humanidad que la cultura que ejecuta la apropiación se otorga. El discurso que describe las Indias Occidentales, producido por y para peninsulares, es el discurso que construye un sentido territorial que es a la vez una apropiación. Si la atribución de nombres castellanos y las constantes comparaciones que emplean cronistas e historiadores castellanos son, por un lado, puntos de referencia cognoscitivos, son también, desde el punto de vista de la construcción territorial, formas de apropiación. En ese proceso Cristóbal Colón ocupa un lugar singular. Su lectura de las Indias Occidentales es una apropiación territorial que se corresponde con la expansión peninsular. La lectura que de Colón hacen los historiadores y los historiadores de la literatura que le otorgan un lugar privilegiado en el origen de las letras y de la cultura del Nuevo Mundo, se corresponde con la construcción territorial decimonónica y posindependentista en Hispano/Latino América.

f) El territorio que construye Egiara y Eguren es de otra naturaleza. La memoria territorial no comienza ya con Colón o con Cortés (quienes no se mencionan en sus *Anteloquía*), sino que el "origen" se remite a las culturas precolombinas. Mientras que la construcción territorial hispánica se superpone y borra la territorialidad nativa, Egiara y Eguren la incorpora al sentido territorial que forjan los criollos. Siete de sus veinte *anteloquia* (exactamente un tercio) están dedicadas a las antigüedades mesoamericanas. En el octavo *anteloquium* se introduce la trayectoria de las letras y la cultura después de la llegada de los españoles. El título de ese capítulo es el siguiente:

> En que se pone de manifiesto la ignorancia de don Manuel Marti acerca de la *cultura mexicana en el tiempo comprendido desde que América comenzó a ser señoreada por los españoles hasta nuestros días,* y se refuta la ligereza con que escribe [énfasis agregado].

Este capítulo está dedicado a la enseñanza en México. En el siguiente Eguren comienza a ofrecer los primeros nombres y puntos de referencia que nos orientan hacia su construcción territorial. Estos primeros nombres son los de Antonio Rubio y su *Lógica mexicana (Lógica mexicana sive Commentarii in universam Aristotelis Logicam,* 1605), la *Grandeza mexicana* de Bernardo de Balbuena (1604) y "nuestra monja Sor Juana, cuyos libros publicados en Madrid, siete veces reimpresos en otros lugares de España en el siglo pasado y dados reiteradamente a las prensas más tarde, han hecho conocidísima de españoles y extranjeros, a la que ha merecido el nombre de décima musa y los insignes elogios de los varones más ilustres". Estos nombres y títulos pertenecen a la biblioteca mexicana en la medida en que se aceptan las fronteras geográficas establecidas por Eguren y los criterios a partir de los cuales se concibe "nuestra" cultura. Algunos de estos criterios son implícitos, otros explícitos como son los de nacimiento, el lugar de residencia y la *diversidad idiomática*. La Nueva España y el México de Eguren no son los mismos que la Nueva España y el México de López de Velasco. Menos aún el México–Tenochtitlan de Alvarado Tezozómoc, a quien le entrego la palabra:

> Dícese, nómbrase aquí cómo llegaron y penetraron los ancianos llamados, nombrados teochichimecas, entes de Aztlan, mexicanos, chicomoztoquenses, cuando vinieron en busca de tierras, cuando vinieron a ganar tierras, aquí a la gran población de la ciudad de México Tenochtitlan, su lugar de fama, su dechado, lugar de asiento del "tenochtli" (tuna dura), que está en el interior del agua [ . . . ] que está dentro del agua, en el tular, en el carrizal y se le llama el tular, el carrizal del ventarrón, la que se constituyera en cabecera de todos y cada uno de los poblados de todas partes de *esta reciente Nueva España* [*Crónica mexicáyotl*, 1609].

Egiara y Eguren convierte aquello que para el europeo es "lo otro" en "lo nuestro". "Lo otro" presupone una identidad; una identidad que no se hace explícita en el discurso de los colonizadores porque ella va de suyo. Es significativo el hecho de que tanto en el *Memorial de Sololá* como en Egiara y Eguren encontremos un énfasis en el pasado para fundamentar el presente mientras que en el texto de López de Velasco se trate de un presente que implica un futuro. El Nuevo Mundo, expresión que implica ya una demarcación territorial, se incorpora al Viejo Mundo, porque la memoria territorial es, para el colonizador, el segundo; en tanto que el primero es la proyección territorial hacia el futuro. Es decir, es la colonización. Las proyecciones de esta repartición territorial las encontramos reflejadas, hoy, en los estudios coloniales mismos. En efecto, mientras que el estudio de O'Gorman (1952) lleva implícitas las marcas de la *identidad*, el de Todorov (1982) hace explícitas las de la *otredad*. La comprensión de la colonia como parte de "lo mismo" o como "lo otro" de Europa no se debe tanto a los principios disciplinarios que asume el investigador sino a la cultura a la cual pertenece o al punto de vista cultural que adopta. Una línea tenue pero significativa separa la territorialidad en la que se inscribe el investigador del dominio de estudio que configura su discurso. La cuestión de la naturaleza de la "literatura hispano/latinoamericana" es un buen ejemplo de la simultaneidad entre la apropiación territorial y la conceptualización disciplinaria de aquello que se quiere describir, historiar o explicar.

## IV. CONCLUSION: DE LA LITERATURA HISPANO/LATINO AMERICANA A LOS DISCURSOS EN LAS COLONIAS DEL NUEVO MUNDO

En los apartados anteriores mis propósitos fueron los de constatar la necesidad de una nueva distribución del área de conocimiento y el de sugerir una manera de hacerlo. Quiero concluir adelantando un nuevo problema inseparable del anterior: la transformación disciplinaria a la que necesariamente llegamos como consecuencia de la redistribución del área de conocimiento.

Mencioné más arriba, y al pasar, las preguntas formuladas por Ana Pizarro en su introducción al volumen en que se contienen las ponencias y diálogos de la reunión en la Universidad de Campinhas (Pizarro, 1985). Citó:

> Cuando decimos literatura latinoamericana ¿estamos hablando por ejemplo de la literatura de los conquistadores —españoles, portugueses, franceses, holandeses, ingleses más tarde para el caso del Caribe— que, siendo europeos, escriben sobre América? [ . . . ] ¿Es literatura latinoamericana por ejemplo la literatura de los jesuitas que en 1767 son expulsados del continente y que comienzan a constituir en Europa una especie de conciencia de América en el exterior? [ . . . ] ¿Es literatura latinoamericana la de los exiliados recientes que comienzan a publicar en Europa y los Estados Unidos fundamentalmente, textos en rumano, finlandés, francés? Situándonos en el ámbito de la lengua ¿Cómo pensar por otra parte el caso de los chicanos viviendo del otro lado de la frontera de México con los Estados Unidos, y cuyos contenidos culturales constituyen un proceso transcultural específico? ¿Y el caso de los hispanos, situados ellos también entre dos lenguas y dos culturas?
>
> ¿Cómo pensar un problema que ya no es de minorías, sino que en nuestro continente es en varios de nuestros países de mayorías, como es el de las literaturas indígenas?
>
> ¿Cómo pensar, por otra parte, las literaturas del Caribe? Ya no el Caribe hispánico —Santo Domingo, Cuba, Puerto Rico— ni el Caribe francés —Haití, Martinica, Guadalupe—, en el que pensamos en último término cuando hablamos del Caribe no hispánico, sino también del Caribe holandés —Curazao, Aruba, Surinam— o el inglés —Trinidad, Jamaica, Santa Lucía, etc.?

La enumeración que sostiene las preguntas es ejemplar. Cabría decir, como lo hizo B. Croce sobre los géneros, que la expresión literatura hispano/latinoamericana es una manera de hablar que no puede tomarse como la expresión que unifica tan vasto campo de experiencia. O cabría decir, como lo he sugerido en el apartado anterior, que la expresión citada tiene vigencia y es relevante en el contexto de la construcción territorial que inician los criollos y se extiende a lo largo del siglo XIX, pero que no tiene validez como concepto que designa la totalidad del área de conocimiento de una disciplina. Durante el período colonial la literatura es una práctica discursiva relativamente menor y sólo podría concederse que sea hispano/latinoamericana en la medida en que se acepte que por "hispano/latino" entendemos la presencia de la cultura europea y por "americano" la contribución de las culturas indígenas a la configuración cultural del Nuevo Mundo, en vez de entender el trasplante de la colonización europea en América del Sur.

Las preguntas enumeradas por Pizarro me llevan a enfatizar un segundo aspecto que ha sido ya señalado en los apartados anteriores. Y muy especialmente en lo concerniente a la territorialidad. Cuando el investigador es un miembro de la comunidad cuyo propio pasado es el pasado que investiga, una delgada línea separa la construcción territorial de la construcción cognoscitiva (Mignolo, 1983). Al repensar las preguntas enumeradas por Pizarro comprendemos de inmediato que las respuestas pueden darse desde dos perspectivas. De tal manera que la pregunta que subyace a todas las que contienen los párrafos citados es algo así como la siguiente: "¿Para quién un corpus textual o un conjunto de prácticas discursivas reguladas por determinadas convenciones y normas puede designarse con el nombre de literatura hispano/americana?". Si la respuesta se formula desde un punto de vista territorial, la expresión incorpora los textos y las prácticas que son consistentes con la imagen de territorialidad como si "naturalmente" le pertenecieran. Es por esta razón que tendemos a pensar, en tanto miembros de la cultura hispano/latinoamericana, que nuestra literatura comienza con Colón. En cambio, si la respuesta se formula desde el punto de vista disciplinario, no podemos dar por sentado que así sean las cosas. Debemos indagar cuándo surge la idea de que hay tal cosa como la literatura hispano/latinoamericana, en lugar de suponer que hay tal entidad (en vez de una idea) y que tal entidad comienza con Colón.

El empleo de la expresión "discursos en el período colonial" en vez de "literatura hispanoamericana colonial" no es un capricho sino una necesidad de separar la cultura a la cual pertenezco de la disciplina que practico; separar la cuestión de la identidad como una cuestión vital de la cuestión de la identidad como una cuestión analítica. La "literatura" colonial, es sin duda, una parte de los discursos del período colonial, en la medida en que tal idea regula un sector de las interacciones lingüísticas. El modificador "hispano/latinoamericano" es ajeno a las reflexiones coloniales sobre sus propias interacciones semióticas. Por lo tanto el modificador me mantiene en la mismidad de la cultura a la que pertenezco y me oculta la diferencia con aquello que la cultura a la que pertenezco ha reprimido. Es por esta razón que el ejercicio crítico de la práctica disciplinaria en las ciencias de la cultura (incluyendo en el conjunto a los estudios literarios) exige que sepamos distinguir la cultura que, como miembro, naturalmente me constituye de la disciplina que, como practicante, naturalmente debo ejercer críticamente.

La complejidad de interacciones semióticas y transacciones discursivas durante el período colonial nos enfrenta a una fascinante superposición de construcciones territoriales cuya sofisticación simbólica se achata y se pierde cuando, en el gesto etnocéntrico de apropiación, lo cubrimos con la pátina del sentimiento que me identifica como hispano o latino/americano. Por otra parte, nos permite distinguir el canon (que se nos impone como obligación leer y transmitir) del campo de conocimiento y de investigación (que se nos impone como un deseo o un interés perseguir). Lo primero es una herencia cultural construida como territorialidad a la que pertenecemos (o, como extranjeros reconocemos) y transmitimos; comenzamos a construir lo segundo (según la tesis de este artículo), como conocimiento y como diferencia crítica con lo primero. La preocupación por afirmar la identidad cultural latinoamericana frente a la europea fue una etapa necesaria en la "búsqueda de nuestra expresión" e inevitable frente a la callada e imponente identidad del colonizador. Mientras que su prolongación es justificable desde el punto de vista del programa ideológico de un grupo intelectual representativo de un amplio sector de la población, sería contraproducente pensar que la tradición en la que me sitúo incorpora sin diferencia todo el pasado del que me apropio y todo el presente que ignoro o desconozco. La literatura (y las tradiciones literarias) forman parte de lo que soy. Para que ella se constituya en campo de conocimiento es necesario puntualizar la diferencia entre el canon que leo y transmito (la literatura hispano/latinoamericana) como miembro de una cultura o interesado en ella, del campo de conocimiento que construyo y transmito como practicante de una disciplina. Se trata de la simple distinción entre autocomprensión (hermenéutica) y conocimiento (epistemología). El estado de crisis es el de la tensión entre ambos niveles.

# BIBLIOGRAFIA

Adorno, R. and Murra J., editor (1982). *El primer nueva corónica y buen gobierno*, México, Siglo XXI.

Adorno, Rolena (1982). "The Language of History in Guaman Poma's; *Nueva Coróni-ca y Buen Gobierno*", en R. Adorno (ed.), *From Oral to Written Expression: Native Andean Chronicles of the Early Colonial Period*, Syracuse, Foreign and Comparative Studies/Latin American Series, 4, 109-173.

Adorno, Rolena, (1986). *Guaman Poma, Writing and Resistance in Colonial Peru*, Austin, Texas U. P.

Alvarado Tezozómoc, Fernando (1607). *Crónica Mexicáyotl*, México, Universidad Nacional Autónoma, Instituto de Investigaciones Históricas, 1975.

Anderson Imbert, Enrique (1954). *Historia de la literatura hispanoamericana*, México, Fondo de Cultura Económica.

Ardao, Arturo (1980). *Génesis de la idea y el nombre de América Latina*, Caracas, Centro de Estudios Latinoamericanos Rómulo Gallegos.

Asensio, Eugenio (1960). "La lengua compañera del Imperio. Historia de una idea de Nebrija en España y Portugal", *RFE*, XLIII.

Bierhorst, John (1985). *Cantares Mexicanos, Song of the Aztecs*. Translated from the Náhuatl with an introduction and commentary, California, Stanford University Press.

Caso, Alfonso (1949). "El mapa de Teozacoalco", *Cuadernos Americanos*, Año VIII, Vol. XLVII, 5, 145-181.

Cervantes de Zalazar, Francisco (1546). *Obras que Francisco Cervantes de Zalazar, ha hecho, glosado y traducido*, Alcalá, Juan de Brocar.

Céspedes del Castillo, Guillermo (1985). *América hispánica*, Vol. VI de la colección *Historia de España* (dirigida por Manuel Tuñon de Lara), Madrid, Editorial Labor.

Derrida, Jacques (1967). *De la grammatologie*, Paris, Les Editions de Minuit.

Derrida, Jacques (1971). "Semiologie et grammatologie, entretiens avec Julia Kriste-va", in *Essais de Sémiotique*, J. Kristeva, J. Rey-Debove et D. Jean Umiker (editores), The Hague Mouton, 11-27.

Edmondson, Munro S., (1971). *The Book of Council: The Popol Vuh of the Quiché Maya of Guatemala*, Middle American Research Institute, 35, New Orleans, Tulane University.

Egiara y Eguren, Juan José de (1755). *Bibliotheca Mexicana sive eruditorum historia viroum...*, Mexici, Ex nova Typographia in Acadibus Authores editioni ejusdem Bibliotheca destinada. Traducción al español de Agustín Millares Carlo, *Prólogos de la Biblioteca Mexicana*, México, FCE, 1944, 1984.

Esteve Barba, Francisco (1964). *Historiografía indiana*, Madrid, Gredos.

Franklin, Wayne (1979). *Explorers, Colonizers and Settlers*, Chicago, Chicago U. P.

Garibay, Angel María (1954). *Historia de la literatura náhuatl*, México, Porrúa.

Gelb, I. J. (1952). *The Study of Writing*, Chicago, Chicago U. P. (2nd. ed. 1963).

Gil Fernández, Luis (1981). *Panorama social del humanismo español* (1500-1800), Madrid, Alhambra.

Goody, Jack (1978). *Literacy in Traditional Societies*, Cambridge, Cambridge U. P.

Goody, Jack (1986). *The Logic of Writing and the Organization of Society*, Cambridge, Cambridge U. P.

Grossmann, Rudolf ([1969] 1972). *Historia y problemas de la literatura latinoamericana*, trad. del alemán por Juan C. Probst, Madrid, Revista de Occidente.

Havelock, Eric A. (1963). *Preface to Plato*, Cambridge, The Belknap Press of Harvard University Press.

Havelock, Eric A. (1976). *Origins of Western Literacy*, Toronto, Ontario Institute for Syudies of Education.

Henríquez Ureña, Pedro (1949). *Las corrientes literarias en la América hispánica*, México, El Colegio de México.

Hulme, Peter (1986). *Colonial Encounters, Europe and the Native Caribbean, 1492-1797*, London and New York, Methuen.

Jitrik, Noé (1982). *Los dos ejes de la cruz*, Puebla, Editorial Universidad Autónoma de Puebla.

León-Portilla, Miguel (1966). "Pre-Hispanic Thought" in *Major Trends in Mexican Philosophy*, Miguel León-Portilla, Edmundo O'Gorman *et al.*, Notre Dame, University of Notre Dame Press, 2-56.

León-Portilla, Miguel (1980). "Toltecáyotl, conciencia de una herencia de cultura" en *Toltecáyotl. Aspectos de la cultura náhuatl*, México, FCE, 15-35.

León-Portilla, Miguel (1986). *Literatura del México antiguo, Los textos en lengua náhuatl*, edición, estudios introductorios y versiones de textos de Miguel León-Portilla, Caracas, Biblioteca Ayacucho.

León-Portilla, Miguel (1987). "¿Una nueva interpretación de los *Cantares Mexicanos*?" La obra de Bierhorst, en *Estudios de Cultura Náhuatl*, vol. 18, 385-400.

López de Velasco, Juan (1571-74). *Geografía y Descripción Universal de las Indias*, Madrid, BAE, 1894.

Malmberg, Torsten (1980). *Human Territoriality: Survey of Behavioral Territories in Man with Preliminary Analysis and Discussion of Meaning*, The Hague, Mouton.

Mariátegui, José Carlos ([1928], 1979). *7 ensayos de interpretación de la realidad peruana*, Caracas, Biblioteca Ayacucho.

Maturana, H. y Varela, F. (1984). *El árbol del conocimiento*, Santiago, Editorial Universitaria.

*Memorial de Sololá. Anales de los Cakchiqueles.* Traducción de Adrián Recinos, México, F. C. E., 1950.

Méndez Plancarte, Gabriel (1946). *Humanistas mexicanos del siglo XVI*, México.

Méndez Plancarte, Gabriel (1937). *Horacio en México*, México.

Mignolo, Walter D. (1981a). "La escritura de la historia y la historia de la escritura", ponencia presentada en el XX Congreso de Literatura Iberoamericana, en *De la crónica a la nueva narrativa mexicana,* M. H. Forster y J. Ortega (eds.), México, Oasis, 1986, 13-26.

Mignolo, Walter D. (1981b). "El metatexto historiográfico y la historiografía Indiana". *MLN,* 96, 358-402.

Mignolo, Walter D. (1982). "Cartas, crónicas y relaciones del descubrimiento y de la conquista", en *Historia de la literatura hispanoamericana* (Epoca Colonial), Luis Iñigo Madrigal (Ed.), Madrid, Cátedra, 57-117.

Mignolo, Walter D. (1982/83). "¿Qué clase de textos son géneros? Fundamentos de tipología textual", en *Acta Poética,* 4/5, 25-51.

Mignolo, Walter D. (1983). "Comprensión hermenéutica y comprensión teórica", *Revista de Literatura,* Nº 94, 5-38.

Mignolo, Walter D. (1986). "Histórica, relaciones y tlatóllotl: los *Preceptos Historiales* de Fuentes y Guzmán y las Historias de Indias", *Filología,* XXI, 2, 153-177.

Mignolo, Walter D. (1987). "Sign and their transmission: the question of the book in the New World". *Proceeding of the conference "The Book in the Americas",* John Carter Brown Library, June 1987, in press.

Mignolo, Walter D. (1986). "El mandato y la ofrenda: la *Descripción de la provincia y ciudad de Tlaxcala* de Diego Muñoz Camargo y las relaciones de Indias" en *Nueva Revista de Filología Hispánica,* El Colegio de México (en prensa).

Ong, Walter J. (1967). *The Presence of the Word,* New Haven, Yale University Press.

Ong, Walter J. (1982). *Orality and Literacy,* London, Methuen.

Osorio Romero, Ignacio (1976). *Tópicos sobre Cicerón en México,* México, UNAM.

Osorio Romero, Ignacio (1980). *Floresta de gramática, poética y retórica en Nueva España (1521-1767),* México, UNAM.

Osorio Romero, Ignacio (1981). "Jano o la literatura neolatina en México". *Tradición Clásica, 1.* 3-43 (recogido en *Cultura Clásica y Cultura Mexicana,* 1983, México, UNAM, 11-46).

Osorio Romero, Ignacio (1983). "La retórica en Nueva España", *Dispositio,* VIII, 22-23, 65-86.

Osorio Romero, Ignacio (1986). "La enseñanza de la retórica en el siglo XVI novohispano", *Investigación Humanística.* II, 2, 87-104 (texto de la conferencia leída en el simposio *The History of Rhetoric.* The University of Michigan, November 1985).

Pastor, Beatriz (1983). *Discurso narrativo de la conquista de América,* La Habana, Casa de las Américas.

Pittarello, Elide (1980), *"Elegía de varones ilustres de Indias,* di Juan de Castellanos: un genere letterario controverso", *Studi di Letteratura Ispano-americana,* 10, 5-71.

Pittarello, Elide (1984). "Il discorso storiografico di Cristobal Suarez de Figueroa, in *Hechos de don Garcia Hurtado de Mendoza, cuarto Marques de Cañete",* in *Studi di Letterature IberoAmericana offerti a Giuseppe Bellini,* Roma, Bulzoni Editore, 125-151.

Pittarello, Elide (1986). "Scienza/esperienza nella *Historia de los descubrimientos antiguos y modernos de la Nueva España* di Baltasar de Obregón", in *Studi di letteratura Ispano-americana,* 17, 45-67.

28

Pizarro, Ana (coordinadora) *et al.* (1985). *La literatura latinoamericana como proceso*, Buenos Aires, Bibliotecas Universitarias, Centro Editor de América Latina.

Pupo-Walker, Enrique (1982a). *Historia, creación y profecía en los textos del Inca Garcilaso de la Vega.* Madrid, Porrúa Turanzas, S. A.

Pupo-Walker, Enrique (1982b). *La vocación literaria del pensamiento histórico en América,* Madrid, Gredos.

Recinos, Adrián (1960). *Popol Vuh. Las antiguas Historias del Quiché,* México, FCE.

Rivas Sacconi, José Manuel (1949). *El latín en Colombia. Bosquejo Histórico del Humanismo Colombiano,* Bogotá, Publicaciones del Instituto Caro y Cuervo.

Sack, Robert David (1986). *Human Territoriality. Its Theory and History,* London, Cambridge U. P.

Sambarino, Mario (1980). *Identidad, tradición, autenticidad. Tres problemas de América Latina,* Caracas, Centro de Estudios Latinoamericanos Rómulo Gallegos.

Tedlock, Dennis (1983a). "Beyond Logocentrism: Trace and Voice Among the Quiché Maya", in *The Spoken Word and the Word of Interpretation,* Philadelphia, University of Pennsylvania Press, 1983, 247-260.

Tedlock, Dennis (1983b), "Creation and the Popol Vuh - A Hermeneutical Approach", *op. cit.,* 261-71.

Tedlock, Dennis (1983c) "Word, Name, Epithet, Sign and Book in Quiché Epistemology", *op. cit.,* 272-281.

Tedlock, Dennis, translator (1985). *Popol Vuh. The Mayan Book of the Dawn of Life,* New York, Simon and Schuster, Inc.

Todorov, Tzvetan (1982). *La conquête de l'Amerique,* Paris, Editions du Seuil.

ANA MARIA BARRENECHEA

# LA LITERATURA FANTASTICA: FUNCION DE LOS CODIGOS SOCIOCULTURALES EN LA CONSTITUCION DE UN TIPO DE DISCURSO*

## INTRODUCCION

EL PRESENTE ENSAYO sobre la literatura fantástica completa y ahonda la concepción planteada antes en *Textos hispanoamericanos: de Sarmiento a Sarduy,* al discutir las ideas de Tzvetan Todorov y su distinción entre las categorías de lo extraño, lo fantástico y lo maravilloso.

En él exploro su necesaria relación con los contextos socioculturales, pues no pueden escribirse cuentos fantásticos sin contar con un marco de referencia que delimite qué es lo que ocurre o no ocurre en una situación histórico-social. Ese marco de referencia le está dado al lector por ciertas áreas de la cultura de su época y por lo que sabe de las de otros tiempos y espacios que no son los suyos (contexto extratextual). Pero además sufre una elaboración especial en cada obra porque el autor —apoyado también en el marco de referencia específico de las tradiciones del género— inventa y combina, creando las reglas que rigen los mundos imaginarios que propone (contexto intratextual).

Por el momento me concentro en el contexto intratextual, es decir en la elección de rasgos y en el modo en que cada texto los reelabora para guiar al lector y llevarlo a que acepte un contrato especial de lectura. Dicho contrato implicará siempre poner en el foco de atención la normalidad o anormalidad de los acontecimientos, la aceptación o el cuestionamiento de su paradójica convivencia.

---

* En su: *El espacio crítico en el discurso literario,* Buenos Aires, Kapelusz, 1985, pp. 43-54. Apareció en *Texto/Contexto en la literatura iberoamericana,* Memoria del XIX Congreso del Instituto Internacional de Literatura Iberoamericana (Pittsburgh, 27 de mayo-1º de junio de 1979). Madrid, 1980, pp. 11-19, con el título de "La literatura fantástica: función de los códigos culturales en la constitución de un género". Hoy prefiero llamarlo *tipo de discurso* y considerarlo una *categoría trasversal* [NOTA DE A.M. BARRENECHEA].

Paralelamente estudio las transformaciones sufridas por la literatura fantástica a través del tiempo hasta sus propuestas actuales en Hispanoamérica con respecto a la verosimilitud, lo que parece anunciar una nueva redistribución tipológica de lo fantástico y lo maravilloso bajo la ambigua categoría de lo "real maravilloso" o del "realismo mágico", que se está intentando configurar.

## ESTUDIO

Hoy es casi un lugar común de la crítica afirmar que toda obra literaria crea con su producción el propio código que la sustenta. Además, una experiencia como la de Barthes en *S/Z* destaca el funcionamiento de los códigos del extratexto (incluidos los literarios) en la conformación de un texto.

En esta comunicación me propongo analizar cómo los datos procedentes de códigos socioculturales (extratextuales) son elaborados por el texto en el caso de un tipo especial de obras que suelen clasificarse como pertenecientes a la literatura fantástica[1].

Descarto previamente la discusión sobre la legitimidad de la noción de género en teoría literaria, la existencia de lo fantástico como género, subgénero, modalidad, modo o tipo de discurso y la dificultad de la elección de rasgos para definirlo. Todo eso no invalida el hecho de que pragmáticamente se maneja la categoría de lo fantástico en la producción de las obras (como tradición literaria que los autores pueden aceptar o rechazar) y en la comercialización (puesto que se imprimen, venden y critican colecciones, antologías, bibliografías y obras particulares cuyos títulos o subtítulos las califican de fantásticas).

Ahora me interesa destacar: 1) que la correlación con ciertas áreas del código sociocultural es indispensable para la constitución del género; 2) que las relaciones entre cómo esos datos son manipulados por el texto y cómo aparecen organizadas esas áreas en el extratexto varían de época a época y de autor a autor; 3) que esa relación es muy compleja; 4) que si en la serie extratextual los códigos están determinados en el tiempo y en el espacio, en cambio el texto goza de libertad para elegir y combinar rasgos respetando o no esas determinaciones y creando las reglas que rigen internamente sus mundos.

Dos puntos adicionales quedan sobreentendidos en este planteo, pero no serán tratados: 5) que no debe confundirse esta relativa autonomía que postulamos con la negación de los condicionamientos histórico-culturales, los cuales rigen la creación de toda obra literaria; 6) que no debe deducirse de esa autonomía la idea de que toda obra fantástica, por serlo, implica necesariamente una huida de la realidad o una alienación[2].

Antes de entrar en materia —para evitar confusiones— diré con qué concepto de literatura fantástica opero. Me refiero a un grupo de obras delimitado por medio de dos parámetros: uno, los tipos de hechos que se narran, y otro, los modos de presentar dichos hechos. En cuanto a los tipos de hechos, llamo obras fantásticas a aquéllas que ofrecen simultáneamente acontecimientos que se adjudican: unos, a los campos de lo *normal,* y otros, a los de lo *anormal,* según los códigos culturales que el mismo texto elabora o da por supuestos cuando no los explicita[3].

Pero no basta tener en cuenta lo narrado, hay que contar con el modo de presentarlo. El relato puede mostrar esa convivencia de hechos normales y anormales como *problemática* o como *no problemática:* en el primer caso tendremos la literatura fantástica, en el segundo algunas formas de lo maravilloso; por ejemplo, los cuentos de hadas.

Aquí se hacen necesarias ciertas aclaraciones: unas, relativas al significado que doy a los términos; otras, al modo de acotar los acontecimientos que entran en cada una de las categorías. Por *problemática* entiendo suscitadora de problemas, conflictiva para el lector (y a veces también para los personajes); de ninguna manera quiero decir dudosa o insegura en cuanto al juicio sobre la naturaleza de los hechos. Para comprender el significado que doy a las palabras *normal* y *anormal* pondré por el momento ejemplos tomados de la llamada "realidad", o sea, de la serie extraliteraria.

En la experiencia cotidiana nos manejamos con códigos culturales para decidir qué cosas son pensables en la vida de los hombres, ya sea por las creencias en el orden natural físico y psíquico (saber científico, saber popular) y en el orden sobrenatural y parapsíquico (creencias religiosas y míticas, magia, brujería, supersticiones). Estos códigos están condicionados por el lugar y el tiempo, como todo hecho cultural[4]. Aclaro, pues: lo admitido en ambas esferas (natural y sobrenatural) es un acontecimiento *normal* para el grupo que lo considera como posible por esporádico que sea: cabe dentro de las regulaciones de los hechos humanos y divinos en esa sociedad. (Por ejemplo, a un niño enfermo puede salvarlo un médico experto o la intervención de la Virgen.) Lo anormal es todo lo que en el nivel natural o sobrenatural, físico o metafísico, psíquico o parapsíquico, resulta fuera de lo aceptado socioculturalmente por uno o más grupos en cuestión. Así queda aclarado que no consideraré obras fantásticas las narraciones míticas (por ejemplo, el *Popol Vuh*), ni tampoco los relatos medievales sobre lo maravilloso cristiano (milagros de la Virgen, vidas de santos) producidos en épocas y lugares en que hay homogeneidad de creencias, y ese consenso está inscrito en el relato mismo. Lo que ocurre es que las creencias de una sociedad no suelen ser homogéneas y lo admitido como normal por unos (especialmente en el ámbito sobrenatural) resulta anormal para otros.

Los problemas se complican cuando se pasa de las sociedades y sus códigos culturales al modo en que los textos los reelaboran. Pensemos que el mundo imaginario que ofrece la obra puede estar configurado con códigos muy diversos que no tienen que ser necesariamente los del propio escritor ni los de su público lector —coincidentes o no en tiempo y lugar—, todas entidades extrínsecas al texto. Dentro de las consideraciones intrínsecas, el nivel de lo enunciado y el de la enunciación (el de los acontecimientos narrados y el del narrador) agregarán también otros motivos de convergencias y divergencias. A ello se añade la exigencia de que la convivencia de lo normal y anormal plantee problemas. La manera en que están presentados los hechos conflictuales sugerirá a veces que los acontecimientos están vistos a través de las creencias del narrador, o de uno o varios personajes, o del oyente o lector implícito o explícito en la obra. Y éstos pueden coincidir o no entre sí y también ser distintos o iguales a los del lector y la sociedad que recibe el relato.

Por mucho que algunas corrientes críticas deseen o hayan deseado separar radicalmente el texto del orbe extratextual, es indudable que éste subyace en toda lectura. Aunque una obra organice su mundo imaginario con códigos de tiempos y lugares remotos siempre será leída contrastando con los del lugar y tiempo de la lectura. Ese contraste puede estar explotado o no en el texto mismo, según se verá más adelante.

Una de las fórmulas literarias usuales en la historia de lo fantástico ha sido elegir lo que es motivo de creencias contrarias en grupos culturales que conviven (por ejemplo, lo demoníaco, las apariciones de ultratumba, etc.) y presentar los hechos a través del testimonio divergente de narradores y/o personajes que sostienen posiciones opuestas. Entonces el enfrentamiento en las creencias (científicas, religiosas, etc.) y el debate sobre su legitimidad marca el conflicto de la conjunción de lo normal y lo anormal, pero no es el único recurso empleado.

Otro grupo de obras acepta dentro de su orbe imaginario la existencia de hechos anormales sin que provoquen un debate interno. Unas veces los justifica con curiosas explicaciones, otras simplemente los presenta. Entre los relatos que ofrecen aclaraciones bastará recordar *La invención de Morel,* de Bioy Casares[5], o el caso de Borges, que suele concluir sus ficciones (y aun sus ensayos) con un abanico de explicaciones posibles, y a veces privilegia la más asombrosa. Es obvio que todas las obras que incluyen comentarios (pseudocientíficos, filosóficos, teosóficos o sostenidos en creencias populares de ocultismo o de magia, etc.) inscriben en su texto los códigos culturales con los que se elaboran las categorías de lo anormal y lo normal. La explicación se destaca siempre en contraste expreso o tácito sobre el sistema de creencias del lector implícito que el mismo texto construye.

Consideremos ahora el grupo de relatos que insertan el hecho inusitado como existente, pero sin explicación: por ejemplo, que el mago de "Las ruinas circulares" sueñe y sea soñado, en Borges; que el tiempo fluya desde la muerte hacia el nacimiento, en Carpentier; que existan los trasvasamientos de tiempos, de espacios, de individualidades, en Cortázar ("Axolotl", "El otro cielo", "Lejana"); que se trastornen las ideas comunes sobre tiempo, espacio, causalidad, unidad del yo, materia, mundo y trasmundo, etc. Es indudable que la conjunción de opuestos como problema debe estar inscrita de algún modo cuando el texto no recurre al debate de narradores y/o actantes para que la obra no caiga en lo simplemente maravilloso (el cuento de hadas, lo maravilloso cristiano, etc.). Así, en "Viaje a la semilla"[6] de Carpentier, basta la yuxtaposición de los dos capítulos que abren y cierran el relato (el I y el XIII con su dirección temporal marcada por el sol de Oriente a Occidente, del nacer al morir, en contraste violento con los del tiempo invertido), las alusiones a la disolución en una y otra dirección temporal ("cuando llegó la noche, la casa estaba más cerca de la tierra", cap.I; "todo se metamorfoseaba, regresando a la condición primera. El barro volvió al barro, dejando un yermo en lugar de casa", cap. XII; "porque el sol viajaba de Oriente a Occidente y las horas que crecen a la derecha de los relojes deben alargarse por la pereza, ya que son las que más seguramente llevan a la muerte", cap. XIII). También se agregan en este cuento unas líneas con vaga alusión a las prácticas mágicas de los esclavos africanos (caps. II y IV), y es indudable que coadyuvan las tradiciones filosóficas y específicamente literarias del tipo de discurso fantástico en la temática con sus juegos temporales y en el estilo narrativo. Pero, ¿no hubiera bastado acaso la virtuosa, morosa, imaginativa descripción de los resultados de la inversión temporal y el consecutivo vuelco que destruye y relativiza la concatenación causal llevados a cabo por Carpentier?

No intento agotar la enumeración de las múltiples soluciones aportadas por los relatos que no debaten ni explican los acontecimientos sobrenaturales, sino llamar la atención sobre algunos caminos seguidos. Por ejemplo, Anderson Imbert ha retomado los argumentos de los mitos clásicos o de las leyendas medievales en *El gato de Cheshire,* pero no clasificaríamos sus textos ni entre la literatura mítica ni entre lo maravilloso cristiano. Así, en "Vértigos" y "Paraíso" reescribe el milagro del monje trasladado al paraíso por el canto de un pájaro y su vuelta a la tierra. Basta la reelaboración libre con variantes, a la que se agrega el refuerzo de la ironía y los juegos intertextuales (en el primero, la leyenda de tradición islámica sobre la yegua *Alburak,* que arrebata a Mahoma y vuelca con su pata una jarra de agua, popularizada por Borges[7], y la alusión al pintor Jacquemart de Hesdin; en el segundo, la alusión al *Panteón* de Godofredo de Viterbo en boca del ángel, como hecho a la vez contemporáneo del lector y alejado por siete siglos). Anderson Imbert es el ejemplo nítido del autor que juega con el manejo contrastado de dos códigos culturales (cristiano–medieval en lo que se narra, ateo–contemporáneo en el tono de la narración) y su contraposición irónica.

Pero la trayectoria histórica va acentuando cada vez más su trabajo en la experiencia de los límites y en el relativismo de todo saber. Llegamos así a un punto en la evolución del relato fantástico en el que parece superfluo preguntarse dentro de qué pautas culturales se eligen los hechos que representan los campos de lo anormal y lo normal. El mundo occidental en el siglo XX ofrece una historia en la que los grupos más avanzados: literarios, psicológicos, filosóficos, científicos, cuestionan radicalmente los códigos anteriores (citaré unos pocos: el realismo y la verosimilitud, o la obra como mímesis, en la literatura; la física newtoniana frente a las teorías de la relatividad, o de los quanta, o la noción de antimateria, en las ciencias de la naturaleza; la disolución de un yo unificado, en las teorías freudianas).

Mencionaré sólo dos casos típicos y muy distintos en la línea de la literatura fantástica. En Virgilio Piñera (1912) se muestra el ejemplo de una fabulación que metaforiza la disyunción en el absurdo generalizado. Hay una falta de correlación y de lógica en los hechos contados (lo enunciado) y en el nivel de la enunciación y sus convenciones admitidas, pero también en las relaciones entre ambos niveles.

Por ejemplo, en los hechos narrados no se produce lo que se esperaría en la vida: el hombre condenado a morir rechaza las mil oportunidades de escaparse que le ofrecen (mujer, carcelero, jefe de prisión) y prefiere buscar la liberación por el desaforado ejercicio del raciocinio, a la misma salvación ("El conflicto", 112). Tampoco concuerdan los hechos y las reacciones de sus espectadores ("El álbum") ni se da la secuencia esperada entre los hechos mismos ("El señor ministro", 164). Si se analizan además las secuencias desde el punto de vista de la narratividad, se comprueba que tampoco siguen las pautas tradicionales. El modo de narrar los acontecimientos crea en el lector expectativas y luego el relato se corta sin futuro[8] ("El parque", 99; "El comercio", 101; "La boda", 103). Tampoco hay armonía entre la naturaleza de los sucesos y la manera de contarlos. En "La caída", "La carne", "El caso Acteón" se habla de monstruosidades (muerte, despedazamientos, antropofagia) con el tono neutro de quien relata acontecimientos que no lo afectan emocionalmente o con el tono exultante de quien los valora positivamente, aun a pesar de ser su víctima. Otras veces ocurre a la inversa: se intensifica la nota emocional en el relato de asuntos sin importancia ("Alegato contra la bañadera desempotrada", 167), hasta que sumergido, perdido en el lenguaje de las relaciones comparativas espacio-temporales, siente el peligro de quien se pierde en los laberintos terrestres ("La locomotora", 161-162). El absurdo generalizado construye literariamente un mundo en el que ya no es posible funcionar con la contraposición de lo normal y lo anormal, porque desde lo nimio a lo de máxima importancia todo pierde su condición de clasificable en tales orbes, y el "orden" que rige los códigos socioculturales estalla hecho pedazos.

Analizaré algo más extensamente uno de sus cuentos, "El álbum" (64). En él, las gentes de una pensión interrumpen sus actividades cotidianas y se quedan fascinadas durante meses oyendo la descripción que una de las pensionistas hace de las fotos contenidas en su álbum (en realidad, de parte de una sola foto, que capta parte de una escena de su boda: cuando corta el pastel). Hay una puesta entre paréntesis total del "vivir" y de la temporalidad y de la muerte. Por ocho meses olvidan lo que no sea la azarosa descripción: no se mueven, comen, defecan en el lugar y uno de los personajes llega a morir antes de concluirse la sesión. La suspensión del "vivir" queda sustituida por el arte verbal de la descripción de una foto, que es a su vez copia de un instante pretérito "vivido". Pero el total azar guía a la relatora en la elección de fragmentos de la foto y de fragmentos de memoria conectados con ellos en un orden que no está regido por ninguna ley. No los busca ni por la importancia, ni por el interés, ni por la belleza, ni por la simple distribución espacial en la reproducción fotográfica, ni por la supuesta secuencia temporal de los acontecimientos registrados, ni por el más leve resquicio de finalidad. La descripción empieza por un acto azaroso al abrir el álbum y señalar con el índice una foto, se detiene o se apresura, saltea o señala, divaga en el recuerdo y concluye tan arbitrariamente como empezó.

Agregaré un último caso, el de García Márquez[9]. En él, los códigos culturales con que configura las categorías de hechos normales y anormales no parecen responder a experiencias socioculturales, localizables histórica y geográficamente. En las entrevistas publicadas insiste en decir que en su tierra colombiana todas esas extrañas creencias pueden convivir, pero no hay que tomar muy en serio sus afirmaciones ni basar la crítica en una supuesta correspondencia del mundo de Macondo con la "realidad" americana. Hay que entenderlas como elaboración –con desborde imaginativo y desaforada exageración superlativa– de variados elementos, tomados unas veces de creencias populares, otras de fuentes literarias (la historia del judío errante, la leyenda del buque fantasma, la Biblia, *Las mil y una noches,* etcétera).

Lo que llama la atención en García Márquez no es que la gente crea en jóvenes que suben al cielo, curas que levitan, alfombras que vuelan, ángeles que caen del cielo. Lo original es la distribución de los rasgos que caracterizan a los seres y hechos normales o anormales, los predicados que los determinan, y también la adjudicación de las creencias y de las reacciones entre los distintos personajes o lo inusitado de las proyecciones que esos hechos tendrán en el desarrollo de la historia.

Si recordamos *Cien años de soledad,* no sólo sorprende que se acepte que los gitanos vuelen en las alfombras, sino que eso parezca un recurso poco científico, lo que anula todo código de creencias mágicas y de cientificidad que podría haber servido de análogo. Los patrones que rigen la credulidad o las suspicacias de José Arcadio Buendía y de los demás personajes no corresponden a ningún modelo cultural que sea coherente y localizable (incluidas las regulaciones literarias). García Márquez parece dotar a cada uno de sus héroes (y a veces a sus narradores) de códigos particulares totalmente arbitrarios con respecto a los que rigen o rigieron alguna vez en la serie histórica, pero totalmente congruentes con la función que quiere hacerles desempeñar en el relato y que justifican sus acciones.

Del cuento "Un señor muy viejo con unas alas enormes" no podría decirse que es maravilloso, porque los hechos extraordinarios no son aceptados sin llamar la atención; pero tampoco sigue los cauces en que lo fantástico se desarrolló durante el siglo XIX y parte del XX, porque rompe los cuadros de la distinción normal/anormal y trastorna la analogía con las convenciones extratextuales (incluidas las literarias). La distorsión de esos patrones, la forma original de hiperbolizar su diseño o de borrarlo en una desaparición y aparición espectacular y aparentemente arbitraria lo acercan a un manejo de prestidigitador de los códigos, paralelo al de los truchimanes de feria que se complace en incluir en sus relatos, y tan gozosos como el espectáculo de ellos.

De este breve planteo sobre algunos de los modos en que las narraciones fantásticas crean las categorías de lo normal y lo anormal, cuya confrontación conflictiva constituye la base del género, surgen algunas conclusiones:

1. Que cada obra crea sus propias categorías por una compleja red de relaciones textuales (en el nivel de la narración y de lo narrado) y extratextuales (con materiales de los códigos socioculturales, incluidos los específicos de la tradición literaria y del propio tipo de discurso).

2. Que si los códigos con que se ha conformado al lector implícito son decisivos en la orientación de la lectura, no dejan de funcionar los códigos del lector real en constante contrapunto, nunca totalmente acallado.

3. Que en la transformación diacrónica de la literatura fantástica se va acentuando un proceso de cambio en la utilización de los códigos. Estos eran al principio fácilmente localizables en tiempo, espacio y grupo social que los sustentaba, pero cada vez se han convertido en más ambiguos, menos localizables, más heterodoxos en la manipulación de los datos y las convenciones del extratexto. Así se nota en muchos una subversión de la tradición mimética y del respeto a las reglas de verosimilitud, seguidas anteriormente aun en la literatura fantástica. Estas anuncian en Hispanoamérica una nueva redistribución tipológica de lo fantástico y lo maravilloso (complicada en algunos por la corriente del absurdo), que tiende a concretarse en el llamado "realismo mágico" o "realismo maravilloso", con nombre y caracterización que ha favorecido las confusiones y no ha logrado aún una formulación totalmente convincente.

# NOTAS

[1] Es bien sabido que Tzvetan Todorov, *Introduction à la littérature fantastique*, Paris, Seuil, 1970, pone como rasgo definitorio de lo fantástico el carácter dudoso de los acontecimientos sobrenaturales para el lector implícito. Véase mi posición y mis objeciones en "Ensayo de una tipología de la literatura fantástica". *Revista Iberoamericana*, XXXVIII, 80 (julio-septiembre de 1972), incluido en *Textos hispanoamericanos*, Buenos Aires, Monte Avila, 1978, pp. 87-103.

[2] Borges, en "La escritura del Dios", puede proponer el mundo de Alvarado y el del sacerdote Tzinacán en la época de la conquista, y construirlo —como observa con humor en el "Epílogo" a *El Aleph*— poniendo "en boca de un 'mago de la pirámide de Qaholom' argumentos de cabalista o de teólogo".

[3] Como ya lo aclaré en mi discusión de las ideas de T. Todorov (véase nota 1), y contra lo que él sostiene, lo fantástico incluye obras en las que se duda sobre si "realmente" ocurrieron acontecimientos anormales, y otras en las que se afirma rotundamente su existencia dentro del orbe narrativo propuesto. Por lo tanto, la "duda" no puede ser nunca un rasgo definitorio de este tipo de discurso.

[4] Todorov, *op. cit.*, p. 88, dice que el narrador representado (narrador-personaje) conviene a lo fantástico tal como él lo define, porque deja en la duda sobre el *status* de lo narrado (¿ilusión, alucinación, error, superchería?) lo que ha sido visto o experimentado por él. Jean Bellemin-Noël, "Des formes fantastiques aux thèmes fantasmatiques", *Littérature*, 2 (mayo 1971), pp. 103-118, y "Notes sur le fantastique (Textes de Théophile Gautier)", *Littérature*, 8 (diciembre 1972), pp. 3-23, llama la atención sobre la separación entre *protagonista* y *narrador* (pues aunque éste sea la misma persona, cuenta más tarde y alejado de la experiencia) y considera el desdoblamiento entre el héroe y el narrador-testigo *(relais)* como el fundador de lo fantástico (que define según Todorov basándose en la duda).

[5] Sobre el acierto o desacierto del escritor al incluir explicaciones de lo anormal habló Bioy Casares en su "Prólogo" a la *Antología de la literatura fantástica* compilada por Jorge Luis Borges, Adolfo Bioy Casares y Silvina Ocampo, Buenos Aires, Sudamericana, 1940. Las invenciones de Bioy y de Borges son calificadas por ellos mismos como *"fantásticas,* pero no *sobrenaturales",* refiriéndose cada uno a la del otro: véase Jorge Luis Borges, Prólogo a *La invención de Morel*, Buenos Aires, Emecé, 1954, p. 14.

[6] Véanse, entre otros, los análisis de Manuel Durán, "Viaje a la semilla: el cómo y el porqué de una pequeña obra maestra", en *Asedios a Carpentier. Once ensayos críticos sobre el novelista cubano*, Santiago de Chile, Ed. Universitaria, 1972, pp. 63-87, y en *Recopilación de textos sobre Alejo Carpentier*, La Habana, Casa de las Américas, 1977, pp. 295-320; Roberto M. Assardo, "Viaje a la semilla". *Explicación de textos literarios*, vol. 1, pp. 39-47, y Eduardo G. González. "Viaje a la semilla y *El siglo de las luces:* conjugación de dos textos".*Revista Iberoamericana*, XLI, 92-93 (julio-diciembre de 1975), pp. 423-444.

[7] Borges la cita como epígrafe de "El milagro secreto" en *Ficciones. Obras completas*, 5, Buenos Aires, Emecé, 1956, pero originariamente había puesto la leyenda del monje y el ruiseñor según "Newmann. *A Grammar of Assent*, note III" (*Ficciones*. Buenos Aires. *Sur*, 1944, p. 181); Borges y Bioy Casares en el *Libro del cielo y del infierno*. Buenos Aires. *Sur*, 1960, p. 169, mencionan la leyenda de Mahoma según "Sale, Prólogo del Corán" y también citan a Alfonso el Sabio. "Cantiga CIII", p. 168, y a Viterbo en p. 170.

[8] Cito por la edición de sus relatos *El que vino a salvarme*, Buenos Aires, Sudamericana, 1970, con indicación del número de páginas.

⁹ García Márquez, como bien lo vio Emir Rodríguez Monegal, puede ofrecer por medio de sus narradores "el mundo de la invención total, el mundo de la ficción creada y aceptada e impuesta como ficción", cuya primera aparición descubre en un párrafo de "Los funerales de la Mamá grande", en el que el Papa viaja en góndola desde Roma por la vía Apia y "a través de los caños intrincados y las ciénagas que marcaban el límite del Imperio romano y los hatos de Mamá grande" ("Novedad y anacronismo de *Cien años de soledad*", *Nueva narrativa hispanoamericana* 1, 1 [enero de 1971], pp. 25-26). Lo que no aclaró Rodríguez Monegal es que, junto a esta conducta del relator que lo acercaría más al mundo de lo maravilloso, ofrece otras variadas conductas, especialmente de personajes (vistos por un relator que no toma partido), los cuales interpretan, rechazan o aceptan los acontecimientos inverosímiles por las razones más inesperadas. Por otra parte, también lo aleja de lo maravilloso el presentar los hechos sobrenaturales en formas que subvierten las convenciones literarias, como se ve en el ángel despojado humorísticamente de todo el prestigio de lo maravilloso cristiano.

ANTONIO CANDIDO

# LITERATURA Y SUBDESARROLLO*

## 1

EL ESCRITOR BRASILEÑO Mario Vieira de Mello, uno de los pocos que han tratado del problema de las relaciones entre subdesarrollo y cultura, establece una distinción válida no sólo para su país, sino también para toda Latinoamérica. Dice él que hubo un cambio marcado de perspectiva, pues hasta más o menos el decenio de 1930 predominaba entre nosotros la noción de "país nuevo", es decir, que todavía no había podido realizarse, pero que se atribuía a sí mismo grandes posibilidades de progreso futuro. Sin haber habido cambio esencial en la distancia que nos alejaba y aleja de los países ricos, lo que predomina ahora es la noción de "país subdesarrollado". Desde la primera perspectiva, se ponía de relieve la pujanza y, por tanto, la grandeza aún no realizada. Desde la segunda, se subraya la pobreza actual, la atrofia; lo que falta y no lo que abunda.

Las consecuencias que Mario Vieira de Mello extrae de esa distinción no me parecen ciertas; pero considerada en sí misma ella es justa y ayuda a comprender ciertos aspectos fundamentales de la creación literaria en Latinoamérica. En efecto, la idea de "país nuevo" produce en la literatura algunas actitudes fundamentales, derivadas de la sorpresa, del interés por lo exótico, de un cierto respeto por lo grandioso y de la esperanza en cuanto a las posibilidades. La idea de que América constituye un sitio privilegiado se expresó en proyecciones utópicas, que actuaron en la fisonomía de la conquista, como demostró Sergio Buarque de Holanda en una obra fundamental, donde estudia la trasposición de nociones y fantasías de carácter paradisíaco, para componer la imagen del Nuevo Mundo. Pedro Henríquez Ureña señala que el primer documento relativo a nuestro continente, la carta de Colón, inaugura el tono de deslumbramiento y exaltación que se comunicaría

\* En César Fernández Moreno, coord., *América Latina en su literatura*, México/París, Siglo XXI/Unesco, 1972, pp. 335-53. Este texto fue publicado inicialmente en francés en *Cahiers d'Histoire Mondiale*, Unesco, Vol. XII, núm. 4, 1970.

a la posteridad. En el siglo XVII, el jesuita luso-brasileño Antonio Vieira, mezclando pragmatismo y profetismo, aconsejó la transferencia de la sede de la monarquía portuguesa al Brasil, que estaría predestinado a realizar los más altos fines de la historia, como sede del Quinto Imperio. Más adelante, cuando las contradicciones del estatuto colonial llevaron a las clases dominantes a la separación política de las metrópolis, surgió la idea complementaria de que América había sido predestinada a ser la patria de la libertad y, así, consumar los destinos del hombre de Occidente.

Los intelectuales latinoamericanos han heredado ese estado de entusiasmo y lo han transformado en instrumento de afirmación nacional y justificación ideológica. La literatura se hizo lenguaje de celebración y ternura, favorecida por el romanticismo, con apoyo en la hipérbole y en la transformación del exotismo en estado de alma. Nuestro cielo era más azul, nuestras flores más lozanas, nuestro paisaje más inspirador que el de otros sitios —como se lee en un poema paradigma escrito, en los años de 1840, por un brasileño, Gonçalves Dias, que podría, sin embargo, haber sido firmado por cualquiera de sus contemporáneos de México a la Tierra del Fuego.

La idea de *patria* se vinculaba estrechamente a la de *naturaleza* y en parte extraía de ella su justificación. Ambas conducían a una literatura que compensaba el retraso material y la debilidad de las instituciones por la supervalorización de los aspectos "regionales", haciendo del exotismo un motivo de optimismo social. En el *Santos Vega*, de Rafael Obligado, ya casi en el siglo XX, la exaltación nativista se proyecta sobre el civismo propiamente dicho, y el poeta argentino diferencia implícitamente patria (institucional) y tierra (natural), uniéndolas, sin embargo, en el mismo movimiento de identificación:

> ... *la convicción de que es mía*
> *la patria de Echeverría,*
> *la tierra de Santos Vega.*

Uno de los presupuestos ostensibles o latentes de la literatura latinoamericana fue esta contaminación, en general exaltada, entre la *tierra* y la *patria* —considerándose que la grandeza de la segunda sería una especie de desdoblamiento natural de la pujanza atribuida a la primera. Nuestras literaturas se nutrieron de las "promesas divinas de la esperanza" —para citar un verso famoso del romanticismo brasileño.

Pero también en la otra cara de la medalla las visiones de desaliento dependían del mismo orden de asociaciones, como si la debilidad o la desorganización de las instituciones constituyeran una paradoja inconcebible, frente a las grandiosas condiciones naturales ("En América todo es grande, sólo el hombre es pequeño").

Ahora bien, dada esta unión causal "tierra bella-patria grande", no es difícil ver la repercusión que traería la conciencia del subdesarrollo como cambio de perspectiva, que impuso la realidad de la pobreza de los suelos, el arcaísmo de las técnicas, la pasmosa miseria de las poblaciones, su incultura paralizadora. La visión resulta pesimista en cuanto al presente y problemática en cuanto al futuro, y el único resto de milenarismo de la faz anterior tal vez sea la confianza con que se admite que la remoción del imperialismo traerá, por sí misma, la explosión del progreso. Pero en general, ya no se trata de un punto de vista pasivo. Desprovista de exaltación, es una perspectiva agónica y lleva a la decisión de luchar, pues el traumatismo, producido en la conciencia por la comprobación de lo catastrófico del retraso, suscita reformas políticas. El precedente gigantismo de base naturista surge entonces en su esencia verdadera —como construcción ideológica transformada en ilusión compensadora. De ahí la disposición de combate que se extiende por el continente, convirtiendo la idea de subdesarrollo en fuerza propulsora, que da nuevo carácter al tradicional empeño político de nuestros intelectuales.

La conciencia del subdesarrollo es posterior a la segunda guerra mundial y se manifestó claramente a partir de los años 50. Pero desde el decenio de 1930 había habido un cambio de orientación, sobre todo en la ficción regionalista, que se puede considerar como termómetro, dada su generalidad y persistencia. Ella abandona su amenidad y su *curiosidad*, presintiendo o percibiendo lo que había de enmascaramiento en el encantamiento pintoresco o en la caballerosidad ornamental con que antes se trataba al hombre rústico. No es falso decir que la novela adquirió, desde este punto de vista, una fuerza desmitificadora que se anticipa a la toma de conciencia de los economistas y políticos.

En este ensayo hablaremos alternativa o comparativamente de las características literarias en la fase de la conciencia amena de retraso, correspondiente a la ideología de "país nuevo", y en la fase de la conciencia catastrófica de retraso, correspondiente a la noción de "país subdesarrollado". Ello, porque ambas se encajan íntimamente, y porque en el pasado inmediato y remoto nos enteramos de las líneas del presente. Respecto al método, sería posible optar por una sociología de la difusión, o por una sociología de la creación. Sin olvidar la primera, he preferido destacar la segunda, que, aunque nos aparte del rigor de las estadísticas, nos acerca, en cambio, a los intereses específicos de la crítica literaria.


2


Si nos fijamos en las condiciones materiales de existencia de la literatura, el hecho básico quizá sea el analfabetismo, que, en los países de cultura precolombina adelantada, resulta agravado por la pluralidad lingüística todavía vigente (objeto de otro capítulo de este libro). Al analfabetismo se vinculan, en efecto, las manifestaciones de debilidad cultural: falta de medios de comunicación y difusión (editoriales, bibliotecas, revistas, periódicos); inexistencia, dispersión y debilidad de los públicos disponibles para la literatura, lo que se debe al pequeño número de lectores reales (mucho menor que el número reducido de alfabetizados); imposibilidad de especialización de los escritores en sus tareas literarias, en general realizadas como actividades marginales o aun por mera afición; falta de resistencia o discriminación frente a influencias y presiones externas. El cuadro de esa debilidad se completa con factores de orden económico y político, tales como los niveles insuficientes de remuneración y la anarquía financiera de los gobiernos, articulados con políticas educacionales ineptas o criminalmente desinteresadas. Salvo en lo que se refiere a los tres países meridionales que constituyen la "América blanca" de los europeos, han sido necesarias revoluciones para cambiar las condiciones de analfabetismo predominante, como fue el caso lento de México y el caso rápido de Cuba.

Los rasgos mencionados no se ajustan mecánicamente y siempre del mismo modo, pues hay varias posibilidades de disociación y agrupamiento entre ellos. El analfabetismo no es, algunas veces, motivo suficiente para explicar la debilidad de otros sectores, aunque sea el rasgo básico del subdesarrollo en el terreno cultural. El Perú, para citar un ejemplo, está menos mal situado que otros países respecto al índice de instrucción, pero presenta el mismo retraso en cuanto a la difusión de la cultura. En otro sector, un hecho como el desarrollo editorial de los años 40 en México y Argentina mostró que la falta de libros no era consecuencia únicamente del número reducido de lectores y del bajo poder adquisitivo, pues toda América, incluso la de habla portuguesa, absorbió sus tiradas bastante significativas, sobre todo las de nivel superior. Quizá se pueda concluir que los malos hábitos editoriales y la falta de comunicación hicieron abultar, más allá de los límites, la inercia de los públicos; y que había una capacidad no satisfecha de absorción. Este último ejemplo nos hace recordar que en Latinoamérica el problema de los públicos presenta características originales, pues es el único conjunto de países subdesarrollados que hablan idiomas europeos (a excepción de los ya indicados grupos indígenas) y provienen culturalmente de metrópolis todavía hoy día subdesarrolladas. En esas antiguas metrópolis, la literatura fue y sigue siendo un hecho de consumo restringido, comparándosela con la de los países desarrollados, donde los públicos pueden clasificarse según el tipo de lectura que hacen, y tal clasificación permite comparaciones con la estratificación social de toda la sociedad. Sin embargo, tanto en España y Portugal como en nuestros países, se crea una condición negativa previa, que es el número de alfabetizados, es decir, de los que pueden eventualmente constituir los lectores de las obras. Esto hace que los países latinoamericanos estén más próximos a las condiciones virtuales de las antiguas metrópolis, que los países subdesarrollados de Africa o de Asia, que hablan idiomas diversos de los de las suyas, y donde ocurre el grave problema del idioma en que debe manifestarse la creación literaria. Los escritores africanos de lengua francesa, como un Leopold Sedar Senghor, o de lengua inglesa, como un Chinua Achebe, se alejan doblemente de sus públicos virtuales y se asocian, sea con los públicos metropolitanos, sea con un público local terriblemente reducido.

Se dice esto para mostrar que las posibilidades de comunicación del escritor latinoamericano, en el cuadro general del Tercer Mundo, son mucho mejores no obstante la situación actual, que reduce tanto a sus públicos eventuales. Sin embargo, es también posible imaginar que el escritor latinoamericano esté condenado a ser siempre lo que ha sido: un productor para minorías, aunque para el caso esto no signifique grupos de buena calidad estética, sino simplemente el número restricto de los grupos con disposición a la lectura. En efecto, no hay que olvidar que los modernos recursos audiovisuales pueden producir tal cambio en los procesos de creación y en los medios de comunicación, que, cuando las grandes masas lleguen finalmente a la instrucción elemental, buscarán fuera del libro la satisfacción de las necesidades universales de ficción y poesía.

Mejor dicho: en la mayoría de nuestros países hay grandes masas que todavía no han alcanzado la literatura erudita, zambulléndose en una etapa folklórica de comunicación oral. Cuando son alfabetizadas y absorbidas por el proceso de urbanización, pasan al dominio de la radio, de la televisión, de las tiras cómicas (*comic strips*) y revistas de historietas, constituyendo la base de una cultura de masa. De ahí que la alfabetización no aumenta proporcionalmente el número de lectores de literatura, como la entendemos aquí, sino que lanza a los alfabetizados, al lado de los analfabetos, directamente de la fase folklórica a esa especie de folklore urbano que es la cultura masificada. En la época de la catequesis, los misioneros coloniales escribían autos y poemas, en idioma indígena o vernáculo, para hacer accesibles al catecúmeno los principios de la religión y de la civilización metropolitana a través de formas literarias consagradas, equivalentes a las que se destinaban al hombre culto de entonces. En nuestra época, una catequesis al revés convierte rápidamente al hombre rural a la sociedad urbana, por medio de recursos comunicativos que comprenden hasta la inculcación subliminal, imponiéndole valores dudosos y bastante distintos de los que el hombre culto busca en el arte y en la literatura.

Este problema es, además, uno de los más graves en los países subdesarrollados, por la interferencia maciza de lo que se podría llamar el *know-how* cultural y de los propios materiales ya elaborados de cultura masificada, provenientes de los países desarrollados, que pueden por este medio no tan sólo divulgar normalmente sus valores, sino también actuar anormalmente a través de ellos para orientar la opinión y la sensibilidad de las poblaciones subdesarrolladas hacia sus intereses políticos. Es *normal*, por ejemplo, que la imagen del héroe de *far-west* se difunda, porque, independientemente de los juicios de valor, es una de las características de la cultura norteamericana incorporada a la sensibilidad media del mundo. En países de amplia inmigración japonesa, como el Brasil, está divulgándose de manera también *normal* la imagen del *samurai*, sobre todo por medio del cine. Pero es *anormal* que tales imágenes sirvan de vehículo para inculcar en los públicos de los países subdesarrollados actitudes e ideas que los identifiquen a los intereses políticos y económicos de Estados Unidos o de Japón. Cuando pensamos que la mayoría de las tiras cómicas y revistas de historietas llevan *copyright* norteamericano, y que gran parte de las fotonovelas y de la ficción policial y de aventura proviene de la misma fuente, o la imitan servilmente, es fácil evaluar el efecto negativo que pueden eventualmente ejercer, como difusión *anormal* frente a los públicos inermes.

Conviene señalar respecto a esto que en la literatura erudita el problema de las influencias (que examinaremos más adelante) puede tener un efecto estético bueno, o deplorable; no obstante, sólo por excepción repercute en el comportamiento ético o político de las masas, pues alcanza a un número restringido de públicos. Sin embargo, en una civilización masificada, donde predominen los medios no literarios, paraliterarios o subliterarios, como los citados, tales públicos restringidos y diferenciados tienden a uniformarse, hasta el punto de confundirse con la masa, que recibe la influencia en escala inmensa. Y, lo que es más, tal influencia llega por medio de vehículos donde el elemento estético se reduce al mínimo, pudiendo confundirse con designios éticos o políticos, que, en el límite, penetran en la totalidad de las poblaciones.

Puesto que somos un "continente intervenido", toca a la literatura latinoamericana una vigilancia extremada, para que no la arrastren los instrumentos y valores de la cultura de masa, que seducen a tantos teóricos y artistas contemporáneos. No es el caso de adherirse a los "apocalípticos", sino de alertar a los "integrados" –para utilizar la sabrosa distinción de Umberto Eco. Ciertas experiencias modernas son fecundas desde el punto de vista del espíritu de vanguardia y de la inserción del arte y de la literatura en el ritmo del tiempo, como es el caso del concretismo. Pero no nos cuesta recordar lo que ocurriría si fueran manipuladas políticamente por el lado errado, en una sociedad de masas. En efecto, aunque en el momento presenten un aspecto hermético y restrictivo, los principios en que se apoyan, acudiendo al grafismo, a la sonoridad expresiva y a las combinaciones sintagmáticas de alta comunicabilidad, pueden eventualmente hacerlas mucho más penetrantes que las formas literarias tradicionales, frente a públicos masificados. Y no hay interés, para la expresión literaria de Latinoamérica, en pasar de la segregación aristocrática de la era de las oligarquías a la manipulación dirigida de las masas, en la era de la propaganda y del imperialismo total.

El analfabetismo y la debilidad cultural no influyen solamente en los aspectos exteriores que acaban de mencionarse. Para el crítico, es más interesante su interferencia en la conciencia del escritor y en la propia naturaleza de la creación.

En la época que llamamos de la conciencia amena de retraso, el escritor participa de la ideología de la *Ilustración*, según la cual la instrucción trae automáticamente todos los beneficios que permiten la humanización del hombre y el progreso de la sociedad. Al principio, instrucción preconizada para los *ciudadanos*, minoría donde se reclutaban a los que participaban de las ventajas económicas y políticas; después, para el pueblo, entrevisto de lejos y vagamente, menos como realidad que como un concepto liberal. El emperador Pedro II del Brasil decía que habría preferido ser profesor, lo que denota una actitud equivalente al punto de vista de Sarmiento, según el cual el predominio de la civilización sobre la barbarie tenía como presupuesto una urbanización latente, basada en la instrucción. En la vocación continental de Andrés Bello es imposible distinguir la visión política del proyecto pedagógico, y en el grupo más reciente del Ateneo· de Caracas, la resistencia a la tiranía de Gómez se identificaba con la difusión de las luces y la creación de una literatura impregnada de mitos de la instrucción redentora, todo proyectándose en la figura de Rómulo Gallegos, primer presidente de una república renacida.

Un caso curioso es el del pensador brasileño Manuel Bonfim, que publicó en 1905 un libro de gran interés, *A América Latina*. Injustamente olvidado (quizá por apoyarse en superadas analogías biológicas, quizá por el radicalismo incómodo de sus posiciones), él analiza nuestro retraso en función del prolongamiento del estatuto colonial, traducido en la persistencia de las oligarquías y en el imperialismo extranjero. En el final, cuando todo llevaba a una teoría de la transformación de las estructuras sociales como condición necesaria, ocurre una decepcionante estrangulación del razonamiento, y él termina preconizando la instrucción como panacea. Nos sentimos, ahí, en el centro de la ilusión *ilustrada*, ideología de la fase de conciencia esperanzada de retraso, que, significativamente, hizo bien poco para llevar a cabo tal instrucción.

No extraña, pues, que la idea ya referida, según la cual el nuevo continente estaría destinado a ser la patria de la libertad, haya sufrido una adaptación curiosa: él estaría destinado igualmente a ser la patria del libro. Es lo que leemos en un poema retórico, donde Castro Alves dice que, mientras Gutenberg inventaba la imprenta, Colón encontraba el sitio ideal de aquella técnica revolucionaria:

> *Quando no tosco estaleiro*
> *Da Alemanha o velho obreiro*
> *A ave da imprensa gerou,*

*O Genovês salta os mares,*
*Busca um ninho entre os palmares*
*E a* pátria da imprensa *achou.*

Este poema, escrito en el decenio de 1860 por un joven imbuido de liberalismo, se llama expresivamente *O Livro e a América*, manifestando la posición ideológica a que nos estamos refiriendo.

Gracias a ello, esos intelectuales construyeron una visión igualmente deformada en cuanto a su posición delante de la incultura dominante. Al lamentar la ignorancia del pueblo y desear que desapareciera, a fin de que la patria se irguiera automáticamente a sus altos destinos, se excluían a sí mismos del contexto y se consideraban un grupo aislado, realmente "fluctuante", en una acepción más completa que la de Alfred Weber. Fluctuaban, con o sin conciencia de culpa, superiores a la incultura y al retraso, ciertos de que éstos no los podían contaminar, ni afectar la calidad de lo que hacían. Como el ambiente no los podía acoger intelectualmente, sino en proporciones reducidas, y como sus valores se radicaban en Europa, hacia ella se proyectaban, tomándosela inconscientemente como punto de referencia y considerándose equivalentes a lo mejor que había en el Viejo Mundo.

En verdad, la incultura general producía y produce una debilidad mucho más penetrante, que interfiere en toda la cultura y en la calidad misma de las obras. Vista desde hoy, la situación de ayer parece distinta de la ilusión que reinaba entonces, ya que podemos analizarla más objetivamente, debido a la acción reguladora del tiempo y a nuestro propio esfuerzo de desenmascaramiento.

La cuestión se hará más clara cuando tratemos de las influencias extranjeras. Para comprenderlas bien es conveniente volver, teniendo en cuenta la reflexión sobre el retraso y el subdesarrollo, al hecho de la dependencia cultural. Hecho considerado natural —dada nuestra situación de pueblos colonizados que o descienden del colonizador o sufrieron la imposición de su civilización— pero que se complica en aspectos positivos y negativos.

La penuria cultural sujetaba necesariamente al escritor a los modelos metropolitanos y europeos en general, estableciendo un agrupamiento en cierto modo aristocrático respecto al hombre inculto. En efecto, en la medida en que no existía público local suficiente, él escribía como si en Europa estuviera su público ideal, y así se disociaba muchas veces de su tierra. Esto daba origen a obras que los autores y lectores consideraban altamente refinadas, porque asimilaban las formas y los valores europeos. Aunque, por la falta de puntos locales de referencia, no pasaban de ser ejercicios de mera alienación cultural, no justificada por la excelencia de la realización —como ocurre en la parte de bazar y afectación existente en el "modernismo" en lengua española, y sus equivalentes brasileños, el "parnasianismo" y el "simbolismo"[1]. Existe validez en Rubén Darío, es cierto, así como en Herrera y Reissig,

47

Olavo Bilac, Cruz e Sousa. Pero hay también mucha alhaja falsa desenmascarada por el tiempo, mucho contrabando que les da un aspecto de concurrentes a algún premio internacional de escribir "hermoso". El refinamiento de los *decadentes* y *nefelibatas* se hizo provinciano, mostrando la perspectiva errónea que puede establecerse, cuando la élite, sin bases en un pueblo inculto, no tiene medios para encararse críticamente y supone que la distancia relativa que los separa traduce una actitud absoluta. "¡Soy el último heleno!" —pregonaba teatralmente en 1922 en la Academia Brasileña el escritor Coelho Neto, una especie de industrioso D'Annunzio local, protestando contra el vanguardismo de nuestros modernistas, que venían a debilitar la "pose" aristocrática en el arte y en la literatura.

Hay que recordar otro aspecto de aristocratismo alienante, que en el tiempo parecía refinamiento elogiable: el uso de idiomas extranjeros en la creación. Ciertos ejemplos extremados penetraban en la comicidad más paradójica, tal como el de un romántico brasileño tardío y de quinta categoría, Pires de Almeida, que publicó a comienzos de este siglo, en francés, una obra teatral nativista compuesta probablemente mucho antes: *La fête des crânes, drame de moeurs indiennes en trois actes et douze tableaux*... Sin embargo, el hecho es realmente significativo cuando aparece ligado a autores y obras de calidad, como el poeta del setecientos, Claudio Manuel da Costa, que dejó amplia y buena producción en italiano. O Joaquim Nabuco, típico ejemplar de la oligarquía cosmopolita de sentimientos liberales, en la segunda mitad del siglo XIX, que escribió en francés una obra teatral sobre los problemas morales de un alsaciano después de la guerra de 1870 (!), además de fragmentos autobiográficos y un libro de máximas. En ese mismo idioma escribieron toda su obra o parte de ella varios simbolistas brasileños, incluso uno de los importantes, Alphonsus de Guimaraens. Francisco García Calderón escribió en francés un libro muy útil en su tiempo como tentativa de visión integrada de los países latinoamericanos. En francés escribió Vicente Huidobro parte de su obra y de su teoría. Estoy cierto de que se encontrarían ejemplos semejantes en todos nuestros países, desde la vulgar subliteratura oficial y académica hasta producciones de calidad.

Todo ello no existía sin ambivalencia, pues por un lado las élites imitaban lo bueno y lo malo de las sugestiones europeas, pero, por otro, a veces simultáneamente, afirmaban la más intransigente independencia espiritual, en un movimiento pendular entre la realidad y la utopía de carácter ideológico. Y así vemos que analfabetismo y refinamiento, cosmopolitismo y regionalismo, pueden tener raíces mezcladas en el suelo de la incultura y del esfuerzo para superarla.

Influencia más grave de la debilidad cultural sobre la producción literaria son los hechos de retraso, anacronismo, degradación y confusión de valores. Normalmente toda literatura presenta aspecto de retraso, y se puede decir que el promedio de la producción en un instante dado ya es tributario del pasado, mientras las vanguardias preparan el futuro. Además de eso hay una subliteratura oficial, marginal o provinciana, por lo general expresada por las Academias. Sin embargo, lo que llama la atención en Latinoamérica es el hecho de considerarse vivas obras estéticamente anacrónicas; o el hecho de que obras secundarias sean acogidas por la mejor opinión crítica y puedan subsistir por más de una generación, cuando unas y otras deberían haber sido desde luego colocadas en su debido puesto, como cosa de menor valor o manifestación de supervivencia sin efecto. Citemos tan sólo el caso extraño del poema *Tabaré*, de Juan Zorrilla de San Martín, tentativa de epopeya nacional uruguaya casi en el comienzo del siglo XX, tomada en serio aunque concebida y ejecutada según moldes ya anticuados en la época del romanticismo.

Otras veces el retraso no tiene nada de chocante, y sólo significa demora. Es lo que ocurre con el naturalismo en la novela, que llegó un poco tarde y se extendió hasta nuestros días sin ruptura esencial de continuidad, aunque modificado en sus aplicaciones. El hecho de que nuestros países en su mayor parte tienen todavía problemas de ajuste y lucha con el medio, así como problemas ligados a la diversidad racial, ensanchó la preocupación naturalista con los factores físicos y biológicos. En tales casos, el peso de la realidad local produce una especie de legitimación de la influencia, que adquiere sentido creador. Por eso, cuando en Europa el naturalismo era una supervivencia, entre nosotros aún podía ser ingrediente de fórmulas literarias bastante legítimas, tales como las de la novela social de los decenios de 1930 y 1940, que se podría denominar neonaturalista.

Existen otros casos francamente desastrosos: los de provincialismo cultural, que pierde el sentido de las medidas, aplicando a obras sin valor el tipo de reconocimiento y valoración empleados en Europa para libros de categoría; que lleva todavía a fenómenos de verdadera degradación cultural, haciendo *pasar* obras espurias, en la acepción que *pasa* un contrabando, a causa de la debilidad de los públicos y falta de sentido de los valores, por parte de los mismos y de los escritores. Véase la aceptación rutinaria de influencias ya de por sí dudosas, tales como las de Oscar Wilde o Anatole France en el primer cuarto de este siglo. O, ya en el límite de lo grotesco, la verdadera profanación de Nietzsche por Vargas Vila, cuya fama en toda Latinoamérica alcanzó a medios que en principio deberían haber quedado inmunes, en una escala que espanta y hace sonreír. La *profundidad* de los incultos y semicultos crea condiciones para estas y otras equivocaciones.

4

Un problema que resulta interesante discutir desde el punto de vista de la dependencia causada por el retraso cultural es el de las influencias de varios tipos, buenas, o malas, inevitables e innecesarias.

Nuestras literaturas (como también las de Norteamérica) son, fundamentalmente, ramas de las literaturas metropolitanas. Y si ponemos aparte las susceptibilidades del orgullo nacional, vamos a ver que, no obstante la autonomía que fueron adquiriendo con relación a ellas, son todavía en gran parte reflejas. En el caso numéricamente dominante de los países de habla española y portuguesa, el proceso de autonomía consistió, en buena parte, en transferir la dependencia, de manera que otras literaturas europeas no metropolitanas, sobre todo la francesa, fueron volviéndose el modelo a partir del siglo XIX, lo que además ocurría también en las antiguas metrópolis. Actualmente, es necesario tener en cuenta la literatura norteamericana, que constituye un nuevo foco de atracción.

Esta es la que podría llamarse influencia inevitable, sociológicamente vinculada a nuestra dependencia, desde la propia Conquista y del trasplante a veces brutalmente forzado de culturas. He aquí lo que decía a ese propósito Juan Valera, a fines del siglo pasado:

> De este lado y del otro del Atlántico, veo y confieso, en la gente de lengua española, nuestra dependencia de lo francés, y, hasta cierto punto, lo creo ineludible; pero ni yo rebajo el mérito de la ciencia y de la poesía en Francia para que sacudamos su yugo, ni quiero, para que lleguemos a ser independientes, que nos aislemos y no aceptemos la influencia justa que los pueblos civilizados deben ejercer unos sobre los otros.
>
> Lo que yo sostengo es que nuestra admiración no debe ser ciega, ni nuestra imitación sin crítica, y que conviene tomar lo que tomemos con discernimiento y prudencia ["Juicio crítico" sobre *Tabaré*, de Juan Zorrilla de San Martín].

Encaremos, por consiguiente, con serenidad nuestro vínculo placentario con las literaturas europeas, pues él no es una opción; es un hecho casi natural. Jamás creamos cuadros originales de expresión, ni técnicas expresivas básicas, en la acepción que lo son el romanticismo, en el plano de las tendencias; la novela psicológica, en el plano de los géneros; el estilo indirecto libre, en el de la escritura. Y aunque hayamos logrado resultados a veces originales en el plano de la realización expresiva, reconocemos implícitamente la dependencia. Tanto es así que jamás los diversos nativismos rechazaron el empleo de las *formas* literarias importadas, pues sería lo mismo que oponerse al uso de los idiomas europeos que hablamos. Lo que se exigía era la elección de *temas* nuevos, de *sentimientos* distintos. Llevado al extremo, el nativismo (que en este grado resulta siempre ridículo, aunque sociológicamente comprensible) implicaría el rechazo del soneto, el cuento realista, el verso libre asociativo. El solo hecho de jamás haberse planteado la cuestión revela que, en los estratos profundos de la creación —los que abarcan la elección de los medios expresivos—, reconocemos siempre como natural nuestra inevitable dependencia. Además, cuando se la ve así, deja de serlo, para transformarse en forma de participación y contribución a un universo cultural a que pertenecemos, que rebasa las naciones y los continentes, permitiendo la reversibilidad de las experiencias, la circulación de los valores. Aun en los momentos en que influimos por nuestra parte en Europa, en el plano de las obras realizadas, no de las sugestiones temáticas, lo que hemos devuelto no fueron invenciones, sino más bien perfeccionamiento de instrumentos recibidos. Esto ocurrió con Rubén Darío respecto al "modernismo" español y con Jorge Amado, José Lins do Rego, Graciliano Ramos, en cuanto al neorrealismo portugués.

Muchos consideran el "modernismo" hispanoamericano una especie de rito de transición, señalando la mayoridad literaria a través de la capacidad de contribución original. Sin embargo, si enmendamos las perspectivas y definimos los campos, quizá veamos que esto es más verdadero como hecho psicosociológico que como realidad estética. Es cierto que Darío, y eventualmente todo el movimiento, invirtiendo por vez primera la corriente y llevando la influencia de América a España, representaron una ruptura en la soberanía literaria que ésta ejercía. Pero el hecho es que tal cosa no se hizo a partir de recursos expresivos originales, sino de la adaptación de procesos y actitudes francesas. Lo que los españoles recibieron fue la influencia de Francia ya filtrada y traducida por los latinoamericanos, que de este modo los sustituyeron como mediadores culturales.

Esto no disminuye en nada el valor de los "modernistas" ni la significación de su hazaña, basada en una alta conciencia de la literatura como arte, no como documento, y en capacidad a veces excepcional de realización poética. Sin embargo, permite interpretar el "modernismo" según la línea desarrollada aquí, es decir, como episodio sociológicamente importante del proceso de fecundación creadora de la dependencia, modo peculiar de nuestros países de ser originales. Por eso, también sin innovar en el plano de las formas estéticas, el movimiento brasileño correspondiente, aunque menos valioso es menos engañador, pues al denominarse, en sus dos etapas, "parnasianismo" y "simbolismo", dejó clara la fuente donde todos bebieron.

Una etapa fundamental en la superación de la dependencia es la capacidad de producir obras de primer rango, influidas, no por modelos extranjeros, sino por ejemplos nacionales anteriores. Esto significa el establecimiento de una causalidad interna, que hace incluso más fecundos los préstamos tomados a otras culturas. En el caso brasileño, los creadores de nuestro modernismo, en el decenio de 1920, derivan en gran parte de las vanguardias europeas. Pero los poetas de la generación siguiente, en los años 30 y 40, derivan inmediatamente de ellos —como ocurre con lo que es fruto de influencia en Carlos Drummond de Andrade o Murilo Mendes. Estos, a su vez, inspiraron a João Cabral de Melo Neto, a pesar de que éste debe también, primero a Valéry, después a los españoles contemporáneos. Sin embargo, estos poetas de alto vuelo no influyeron fuera de su país, y mucho menos en los países de donde nos vienen inspiraciones.

Así es posible decir que Borges representa el primer caso de incontestable influencia original, ejercida de manera amplia y reconocida sobre los países de origen por un modo nuevo de entender la escritura. Machado de Assis, que podría haber abierto nuevos rumbos a fines del siglo XIX, se perdió en la arena de una lengua desconocida, en un país entonces sin importancia.

Es por eso que nuestras propias afirmaciones de nacionalismo e independencia cultural se inspiran en fórmulas europeas, sirviendo de ejemplo el caso del romanticismo brasileño, definido en París por un grupo de jóvenes que vivían allá y fundaron en 1836 la revista *Niterói* que inició el movimiento. Y sabemos que hoy el contacto entre escritores latinoamericanos ocurre sobre todo en Europa y Estados Unidos, donde se estimula más que en nuestros países la conciencia de nuestra afinidad intelectual[2].

Interesante es el caso de las vanguardias del decenio de 1920, que marcaron una liberación extraordinaria de los procedimientos expresivos y nos prepararon para alterar sensiblemente el tratamiento de los temas planteados a la conciencia del escritor. Factores, para todos nosotros, de autonomía y autoafirmación, ¿en qué consisten, examinados desde nuestro ángulo? Huidobro establece el "creacionismo" en París, inspirado en los franceses e italianos; escribe en francés sus versos y expone en francés sus principios, en revistas como *L'Esprit Nouveau*. Directamente tributarios de los mismos orígenes son el "ultraísmo" argentino y el modernismo brasileño. Y todo eso no impidió que tales corrientes fueran innovadoras, y sus propulsores, los creadores por excelencia de la nueva literatura: además de Huidobro, Borges, Mario de Andrade, Oswald de Andrade, Manuel Bandeira.

Sabemos, pues, que somos parte de una cultura más amplia, de la cual participamos como variedad cultural. Es que, al contrario de lo que han supuesto a veces cándidamente nuestros abuelos, es una ilusión hablar de supresión de contactos e influencias. Aun porque, en un momento en que la ley del mundo es la interrelación y la interacción, las utopías de la originalidad no subsisten en el sentido patriótico, comprensible en una fase de formación nacional reciente, que condicionaba una visión provinciana y umbilical.

En la fase actual, de conciencia del subdesarrollo, la cuestión se presenta, por consiguiente, más matizada. ¿Habría paradoja en esto? En efecto, cuanto más se entera de la realidad trágica del subdesarrollo, más el hombre libre que piensa se deja penetrar por la inspiración revolucionaria, es decir, cree en la necesidad del rechazo del yugo económico del imperialismo, y de la modificación de las estructuras internas, que alimentan la situación de subdesarrollo. Sin embargo, mira con más objetividad el problema de las influencias, considerándolas como vinculación cultural y social. La paradoja es aparente y constituye más bien un síntoma de madurez, imposible en el mundo clausurado y oligárquico de los nacionalismos ideológicos. Tanto es así que el reconocimiento de la vinculación se asocia al comienzo de la capacidad de innovar en el nivel de la expresión, y al intento de luchar, en el nivel del desarrollo económico y político. Mientras que la afirmación tradicional de originalidad, con un sentido de particularismo elemental, llevaba y lleva, por un lado, a lo pintoresco, y por otro, al servilismo cultural, dos enfermedades de crecimiento, tal vez inevitables, pero, no obstante, alienadoras.

A partir de los movimientos estéticos del decenio de 1920, de la intensa conciencia estético-social de los años 30 y 40; de la crisis de desarrollo económico y de experimentalismo técnico de los años más recientes, empezamos a sentir que la dependencia se dirige hacia una interdependencia cultural (si es posible emplear sin equívocos este término, que recientemente adquirió sentidos tan desagradables en el vocabulario político). Esto no sólo les dará a los escritores de Latinoamérica la conciencia de su unidad en la diversidad, sino también favorecerá obras maduras originales, que serán lentamente asimiladas por otros pueblos, incluso los de los países metropolitanos e imperialistas. El camino de la reflexión sobre el subdesarrollo lleva, en el terreno de la cultura, al de la integración transnacional, puesto que lo que era imitación va cambiándose cada vez más en asimilación recíproca.

Un ejemplo entre muchos: en la obra de Vargas Llosa, sobre todo en *La ciudad y los perros*, aparece, extraordinariamente refinada, la tradición del monólogo interior, que, perteneciendo a Proust y Joyce, pertenece también a Dorothy Richardson y Virginia Woolf, a Döblin y Faulkner. Quizá procedan del último ciertas modalidades preferidas de Vargas Llosa, que, en todo caso, las profundizó y fecundó, a punto de hacerlas cosa también suya. Un ejemplo admirable: el personaje no identificado, que va dejando perplejo al lector, pues se cruza con la voz del narrador en tercera persona y con el monólogo de otros personajes identificados, pudiendo confundirse alternativamente con ellos, y que, al final, cuando se manifiesta como Jaguar, ilumina retrospectivamente la estructura del libro, a la manera de un reguero, promoviendo la revisión de todo lo que habíamos establecido sobre los personajes. Esta técnica parece una forma concreta de la imagen que Proust emplea para sugerir la suya (el dibujo japonés desdoblándose en el tazón con agua), pero significa algo diverso, en el plano diverso de realidad. Ahí, el novelista del país subdesarrollado recibió ingredientes que le vienen por préstamo cultural de los países productores de formas literarias originales. Sin embargo las ajustó en profundidad a su designio, para representar problemas de su país, y compuso una fórmula peculiar. No hay imitación ni reproducción mecánica. Hay participación de los recursos que vienen a ser bien común a través de la situación de dependencia, contribuyendo así a hacer de ésta una interdependencia.

Estas circunstancias parecen integradas en la conciencia crítica de América; uno de los escritores más originales del momento, Julio Cortázar, escribe cosas interesantes sobre el nuevo aspecto que presentan fidelidad local y movilidad mundial, en una reciente entrevista a la revista *Life* (vol. 33, núm. 7). Y a propósito de las influencias extranjeras en los escritores recientes, Rodríguez Monegal asume, en un artículo de la revista *Tri-Quarterly* (núms. 13-14), una actitud que podría llamarse justificación crítica de la asimilación. Sin embargo, subsisten todavía puntos de vista contrarios, ligados a cierto localismo propio de la fase de conciencia amena de retraso. Según éstos, tales hechos son manifestaciones de falta de personalidad y alienación cultural, como puede verse en un artículo de la revista venezolana *Zona Franca* (núm. 51), donde Manuel Pedro González llega a decir que el verdadero escritor latinoamericano sería el que no sólo vive en su tierra, sino explota su temática característica y expresa, sin dependencia estética externa, sus problemas peculiares.

Parece, empero, que una de las características positivas de la era de conciencia del subdesarrollo es la superación de la actitud de recelo, que lleva a la aceptación indistinta o a la ilusión de originalidad exclusivamente a cuenta de los temas locales. Quien lucha contra obstáculos reales queda más tranquilo y reconoce la falacia de los obstáculos ficticios. En Cuba, vanguardia de América en la lucha contra el subdesarrollo, ¿habrá artificio o evasión en la impregnación surrealista de Alejo Carpentier o en su compleja visión transnacional, incluso temáticamente, tal como aparece en *El siglo de las luces*? En el Brasil, el movimiento reciente de la poesía concreta adopta inspiraciones de Ezra Pound y principios estéticos de Max Bense; no obstante, lleva a redefinir el pasado nacional, permitiendo leer de manera nueva a poetas ignorados, como Sousa Andrade, precursor perdido entre los románticos del siglo XIX; o iluminando convenientemente la revolución estilística de los grandes modernistas, Mario de Andrade y Oswald de Andrade.

5

Considerada como derivación del retraso y de la falta de desarrollo económico, la dependencia presenta otros aspectos, que manifiestan su repercusión en la literatura. Atengámonos otra vez al fenómeno de la ambivalencia, manifestado por impulsos de copia y apartamiento, aparentemente contradictorios cuando son vistos en sí, pero que pueden ser complementarios, mirados desde ese punto de vista.

Retraso que estimula la copia servil de todo cuanto la moda de los países adelantados ofrece, además de seducir a los escritores con la migración, exterior e interior. Retraso que propone lo que hay de más peculiar en la realidad local, insinuando un regionalismo que, al parecer afirmación de la identidad nacional, puede ser en verdad un modo insospechado de ofrecer a la sensibilidad europea el exotismo que ella deseaba, como distracción; y que así se vuelve forma aguda de dependencia en la independencia. Desde la perspectiva actual, parece que las dos tendencias son solidarias y nacen de la misma situación de retraso o subdesarrollo.

En su aspecto más grosero, la imitación servil de los estilos, temas, actitudes y usos literarios tiene una aire risible o constringente de provincialismo, después de haber sido mero aristocratismo compensatorio de país colonial. En el Brasil el hecho llega al extremo, con su Academia copiada de la francesa, instalada en un edificio que reproduce el Petit Trianon, de Versailles (Petit Trianon vino a ser, sin broma, por antonomasia, la misma institución), con cuarenta miembros que se califican de "inmortales" y, tal como su maniquí francés, lucen uniforme bordado, sombrero de dos picos y espadín . . . Pero por todo América, la bohemia calcada en Greenwich Village o Saint-Germain des Près puede ser muchas veces un hecho homólogo, bajo la apariencia de rebeldía innovadora.

Tal vez no sean menos groseras, en el lado opuesto, ciertas formas primarias de nativismo y regionalismo literario, que reducen los problemas humanos a elemento pintoresco, transformando la pasión y el sufrimiento del hombre rural o de las poblaciones de *color* en un equivalente de los ananaes, y de las papayas. Esta actitud puede no sólo equivaler a la primera, sino también combinarse con ella, una vez que redunda en *servir* a un lector urbano europeo, o artificialmente europeizado, la realidad casi turística que le gustaría ver en América. Sin darse cuenta el nativismo más sincero se arriesga a hacerse manifestación ideológica del mismo colonialismo cultural, que su cultor rechazaría en el plano de la razón clara, y que pone de relieve una situación de subdesarrollo y consecuente dependencia.

Sin embargo, sería erróneo, desde el ángulo de enfoque de este capítulo, proferir, como está de moda, un anatema indistinto contra la ficción regionalista, al menos antes de establecer algunas distinciones que permitan mirarla en el plano de los juicios de realidad, como consecuencia de la acción que las condiciones económicas y sociales ejercen sobre la elección de los temas[3]. Las áreas subdesarrolladas y los problemas del subdesarrollo (o del retraso) invaden el campo de la conciencia y de la sensibilidad del escritor proponiendo sugestiones, erigiéndose en tema que es imposible evitar, transformándose en estímulos positivos o negativos de la creación.

En la literatura francesa, o en la inglesa, puede haber grandes novelas que transcurren ocasionalmente en el campo, como las de Thomas Hardy, pero es evidente que se trata solamente de marco, donde la problemática es la misma de las novelas urbanas. Además, las distintas modalidades de regionalismo son en ellas una forma secundaria y en general provinciana, en medio de formas mucho más ricas, que ocupan el primer plano. Sin embargo, en los países subdesarrollados, como

Grecia y España, o que tengan áreas esenciales de subdesarrollo, como Italia, el regionalismo puede ocurrir como manifestación válida, capaz de producir obras de categoría, como la de Giovanni Verga a fines del siglo pasado, la de Elio Vittorini o Nikos Kazantzakis actualmente.

Por eso, en Latinoamérica, el regionalismo fue y sigue siendo todavía fuerza estimulante en la literatura. En la fase de conciencia de país nuevo, correspondiente a la situación de retraso, da lugar sobre todo a lo pintoresco decorativo y funciona como descubrimiento, reconocimiento de la realidad del país y su incorporación a los temas de literatura. En la fase de subdesarrollo, funciona como preconciencia y después como conciencia de la crisis, motivando lo documental y, con el sentimiento de urgencia, el empeño político.

En ambas etapas se comprueba una especie de selección de áreas temáticas, una atracción por ciertas regiones remotas, en las cuales se localizan los grupos marcados por el subdesarrollo. Ellas pueden, sin duda, ejercer una seducción negativa sobre el escritor de la ciudad, por su pintoresquismo de consecuencias dudosas; pero, aparte de esto, por lo general coinciden con las áreas problemáticas, lo que es significativo en literaturas tan *engagées* como las nuestras.

Es el caso de la región amazónica, que atrajo a los novelistas y cuentistas brasileños desde el comienzo del naturalismo, en los decenios de 1870 y 1880, en plena fase pintoresca; que es materia medio siglo después, de *La vorágine*, de José Eustasio Rivera, situado entre lo pintoresco y la denuncia (más patriótica que social); y que vino a ser elemento importante en *La casa verde*, de Vargas Llosa, en la fase reciente de alta conciencia técnica, donde lo pintoresco y la denuncia son datos recesivos, ante el impacto humano que se manifiesta con la inmanencia de las obras universales.

No será necesario enumerar todas las otras áreas literarias que corresponden al panorama del retraso y del subdesarrollo, como los altiplanos andinos o el *sertão* brasileño. O aun, las situaciones y parajes del negro cubano, venezolano, brasileño, en los poemas de Nicolás Guillén y Jorge de Lima, en *Ecué Yamba-O*, de Alejo Carpentier, *Pobre negro*, de Rómulo Gallegos; *Jubiabá*, de Jorge Amado. O, si se quiere, el hombre de las llanuras —*llano, pampa, caatinga*—, objeto de una pertinaz idealización compensatoria que viene de los románticos, como el brasileño José de Alencar en el decenio de 1870; tratado ampliamente por los rioplatenses, uruguayos como Eduardo Acevedo Díaz, Carlos Reyles o Javier de Viana y argentinos, desde el telúrico Hernández al estilizado Güiraldes; que tiende a la alegoría en Gallegos para, de retorno al Brasil, en plena fase de preconciencia del subdesarrollo, encontrar una alta expresión en *Vidas secas*, de Graciliano Ramos, sin vértigo de la distancia, sin torneos ni duelos, sin *caballadas* ni *vaquejadas*, sin el *centaurismo* que marca a los demás.

El regionalismo fue una etapa necesaria, que dirigió a la literatura, sobre todo la novela y el cuento, a la realidad local. Algunas veces fue oportunidad de buena expresión literaria, aunque en su mayoría sus productos han envejecido. No obstante, desde cierto ángulo, quizá no se pueda decir que acabó; y muchos que hoy lo atacan, en verdad lo practican. La realidad económica del subdesarrollo mantiene la dimensión regional como objeto vivo, aunque sea cada vez más actuante la dimensión urbana. Basta tener en cuenta que algunos entre los buenos, e incluso entre los mejores, encuentran en ella sustancia para libros universalmente válidos, como José María Arguedas, Gabriel García Márquez, Augusto Roa Bastos y João Guimarães Rosa. Solamente en los países de absoluto predominio de la cultura de las grandes ciudades, como la Argentina, el Uruguay y quizá Chile, la literatura regional se ha vuelto un real anacronismo.

Es necesario redefinir críticamente el problema, y comprobar que no se agota por el hecho de que hoy ya nadie considere el regionalismo como forma privilegiada de expresión literaria nacional, incluso porque, como se ha dicho, puede ser especialmente alienante. Pero hay que pensar en sus transformaciones, recordando que, bajo nombres y conceptos diversos, se prolonga la misma realidad básica. En efecto, en la fase de conciencia exaltada de país nuevo, caracterizada por la idea de retraso, tuvimos el regionalismo pintoresco, que en varios países se tenía por *la* verdadera literatura. Se trata de esa modalidad hace mucho superada o rebajada al nivel de la subliteratura. Su manifestación más amplia y tenaz en la fase áurea fue acaso el *gauchismo* rioplatense, mientras la forma más espuria fue, sin duda, el *sertanejismo* brasileño. Y ella es lo que compromete de manera irremediable ciertas obras más recientes, como las de Rivera y Gallegos.

En la fase de preconciencia del subdesarrollo, por los años 30 y 40, tuvimos el regionalismo problemático, que se llamó "novela social", "indigenismo", "novela del nordeste", según los países, y que, sin ser exclusivamente regional, lo es en buena parte. Este regionalismo nos interesa más, por haber sido un precursor de la conciencia de subdesarrollo, pero es justo registrar que, mucho antes, escritores como Alcides Arguedas y Mariano Azuela ya se habían orientado por un sentido más realista de las condiciones de vida y de los problemas humanos de los grupos desamparados. Entre los que entonces proponen con vigor analítico y algunas veces con forma artística de buena calidad la desmitificación de la realidad americana, figuran Miguel Ángel Asturias, Jorge Icaza, Ciro Alegría, Jorge Amado, José Lins do Rego y otros. Todos ellos, al menos en parte de su obra, hacen una novela social bastante relacionada con los aspectos regionales, y frecuentemente con restos de pintoresquismo negativo, que se combina con cierto esquematismo humanitario para comprometer el alcance de lo que escriben.

Sin embargo, los caracteriza la superación del optimismo patriótico y la adopción de un tipo de pesimismo distinto del que ocurría en la ficción naturalista. Mientras ésta enfocaba al hombre pobre, considerándolo elemento refractario al progreso, ellos enfocan la situación en su complejidad, volviéndose contra las clases dominantes y viendo en la degradación del hombre una consecuencia de la situación. El paternalismo de *Doña Bárbara* (que es una especie de apoteosis del buen patrón) resulta de repente arcaico, ante los rasgos a la manera de Georg Grozs, de Icaza o Amado, en cuyos libros las huellas de lo pintoresco y del melodrama se disuelven por el desenmascaramiento social —haciendo presentir el cambio de la "conciencia de país nuevo" en "conciencia de país subdesarrollado", con las consecuencias políticas que eso comporta.

A pesar de que muchos de esos escritores se caracterizan por un lenguaje espontáneo e irregular, el peso de la conciencia social actúa a veces en el estilo como factor positivo, y da lugar a la búsqueda de interesantes soluciones adaptadas a la representación de la desigualdad y de la injusticia. Sin hablar del maestro consumado que es Asturias, también un novelista que escribe lisa y llanamente como Icaza debe su durabilidad menos a la vociferación indignada o a la acentuación con la que caracterizó a los exploradores, que a algunos recursos de estilo, utilizados para expresar la miseria. Es el caso, en *Huasipungo*, de cierto empleo del diminutivo, del ritmo de llanto en el habla, de la reducción al nivel de lo animal; todo eso junto encarna una especie de disminución del hombre, su reducción a las funciones elementales, que se asocian al balbuceo lingüístico para simbolizar la privación. En *Vidas secas*, Graciliano Ramos lleva al máximo su habitual contención verbal, elaborando una expresión reducida a la elipsis, al monosílabo y a los sintagmas mínimos, para expresar la sofocación humana del vaquero, circunscrito a los niveles mínimos de supervivencia.

Viene a propósito decir que el caso del Brasil quizá sea peculiar, puesto que, en él, el regionalismo, que empieza con el Romanticismo, no ha producido nunca obras consideradas de primer rango, ni siquiera por los contemporáneos, habiendo sido siempre tendencia secundaria, cuando no francamente subliteraria, en prosa y verso. Los mejores productos de la ficción brasileña fueron siempre *urbanos*, en su mayor parte desprovistos de todo pintoresquismo y su mayor representante, Machado de Assis, ya había sugerido, desde los años 1880, la fragilidad del descriptivismo y del color local, que proscribió de sus libros, extraordinariamente decantados. De tal suerte que sólo a partir más o menos del año 1930, en una segunda fase que estamos intentando caracterizar, las tendencias regionalistas, ya sublimadas y como transfiguradas por el realismo social, lograron el nivel de las obras significativas, cuando en otras partes, sobre todo en la Argentina, el Uruguay y Chile, ya se las desechaba.

La superación de estas modalidades y el ataque que vienen sufriendo por parte de la crítica son demostraciones de madurez. Por eso, muchos autores rechazarían como defecto el calificativo de regionalistas. Sin embargo, esto no impide que la dimensión regional siga presente en muchas obras de gran importancia, aunque sin ningún carácter de tendencia impositiva o requisito de una equivocada conciencia nacional.

Lo que ahora vemos, desde este punto de vista, es una floración novelística marcada por el refinamiento técnico, gracias al cual se transfiguran las regiones y se subvierten sus contornos humanos, llevando a los rasgos, antes pintorescos, a descarnarse y adquirir universalidad.

Descartando el sentimentalismo y la retórica; nutrida de elementos no realistas, como el superrealismo, el absurdo, la magia de las situaciones; o de técnicas antinaturalistas, como el monólogo interior, la visión simultánea, el escorzo, la elipsis, la novelística actual aprovecha, sin embargo, lo que antes era la propia sustancia del nativismo, del exotismo y de la documentación social. Esto nos llevaría a proponer la distinción de una tercera fase, que se podría llamar superregionalista. Ella corresponde a la conciencia lacerada del subdesarrollo y opera una superación del tipo de naturalismo que se basaba en la referencia a una visión empírica del mundo; naturalismo que fue una tendencia estética peculiar a una época, en la cual triunfaba la mentalidad burguesa y correspondía a la consolidación de nuestras literaturas.

De este superregionalismo es tributaria, en Brasil, la obra revolucionaria de João Guimarães Rosa, sólidamente plantada en lo que se podría llamar universalidad de la región. El hecho de haberse superado lo pintoresco y lo documental no hace menos viva la presencia de la región en obras como las de Juan Rulfo, sea en la realidad fragmentaria y obsesiva de *El llano en llamas*, sea en la sobriedad fantasmal de *Pedro Páramo*. Por eso es preciso matizar juicios drásticos y en verdad justos, como los de Alejo Carpentier en un ensayo, donde escribe que nuestra novela nativista es una especie de literatura oficial de las escuelas y ya no encuentra lectores ni siquiera en los lugares de origen. Sin duda, si pensamos en la primera fase de nuestra tentativa de clasificación; hasta cierto punto, si pensamos en la segunda; de ningún modo, si recordamos que la tercera lleva una dosis importante de ingredientes regionales, debido al propio hecho del subdesarrollo. Como se ha dicho, ellos constituyen la actuación estilizada de las condiciones dramáticas peculiares del regionalismo, e interfieren en la selección de los temas y de los asuntos, a veces en la elaboración del lenguaje.

Ya no se exigirá, como antes acaso se exigía, que Cortázar cante la vida de Juan Moreira, o Clarice Lispector explote el vocabulario *sertanejo*. Pero hay también que reconocer que, escribiendo con refinamiento y superando el naturalismo académico, Guimarães Rosa, Juan Rulfo, Vargas Llosa practican en sus obras, en todo o en parte, tanto cuanto Cortázar o Lispector en el universo de los valores urbanos, una especie nueva de literatura que todavía se articula de manera transfiguradora con el propio material del *nativismo*.

# NOTAS

[1] La palabra *modernismo* designa en Brasil el movimiento de las vanguardias literarias del decenio de 1920. Para llamar la atención sobre esto, empleo comillas siempre que la uso en el sentido que tiene en la historia literaria de los países latinoamericanos de habla española.

[2] Esto lo escribía en 1969, cuando ya estaba cambiando la situación y aumentando nuestro intercambio. Fue decisivo en este sentido el papel de Cuba, que promueve en su territorio el encuentro de artistas, científicos, escritores latinoamericanos, que pueden así convivir y cambiar experiencias sin la mediación de los países imperialistas.

[3] Empleo aquí "regionalismo" según la tradición de la crítica brasileña, abarcando toda la ficción vinculada a la descripción regional y a las costumbres rurales desde el romanticismo; y no a manera de la mayoría de la crítica hispanoamericana, que en general lo restringe a las fases comprendidas aproximadamente entre 1920 y 1950.

ROBERTO FERNANDEZ RETAMAR

# ALGUNOS PROBLEMAS TEORICOS
# DE LA LITERATURA HISPANOAMERICANA*

In memoriam
PEDRO HENRÍQUEZ UREÑA Y ALFONSO REYES

## UN RECLAMO

EN LOS ÚLTIMOS AÑOS, a medida que la literatura hispanoamericana encontraba acogida y reconocimiento internacionales, se ha hecho cada vez más evidente la incongruencia de seguir abordándola con un aparato conceptual forjado a partir de otras literaturas. Mientras a un complejo proceso de liberación —cuyo punto más alto es por ahora la Revolución Cubana— lo acompaña una compleja literatura que en sus mejores creaciones tiende a expresar nuestros problemas y afirmar nuestros valores propios, sin dejar de asimilar críticamente variadas herencias, y contribuye así, de alguna manera, a nuestra descolonización, en cambio esa misma literatura está todavía considerablemente requerida de ser estudiada con visión descolonizada; o incluso se la propone como algo distinto de lo que en realidad es —de nuevo como una mera proyección metropolitana—: con frecuencia, mediante una arbitraria jerarquización que empuja a primer plano sus búsquedas formales, y oscurece sus verdaderas funciones: todo ello con motivaciones y consecuencias ideológicas diversas y a ratos diversionistas.

El investigador de la R.D.A. Kurt Schnelle[1], al abordar este problema, ha escrito:

> Las naciones latinoamericanas pueden enorgullecerse hoy en día de una serie de obras maestras, las cuales plantean con absoluto derecho su pretensión de ser valoradas dentro de la literatura mundial [ . . . ] Pero el eurocentrismo hizo lo suyo para acelerar el alejamien-

* *Casa de las Américas*, Nº 89, marzo–abril de 1975, y *Revista de Crítica Literaria Latinoamericana*, I, núm. 1 (1975), pp. 7-38.

to de la historia y la aproximación al juego con temas y tradiciones literarias. Conceptos literarios tradicionales arrastrados como maligna enfermedad desde Goethe y otros poetas "clásicos" alemanes, se han mantenido hasta hoy tenazmente. Y con ellos también los juicios críticos de la novela clásica burguesa para aplicarlos a los nuevos fenómenos literarios, con todo lo que esto implica de error, como se puede ver en el caso de Lukács. Es decir, supone una afectividad [¿afinidad?] electiva entre la burguesía y el proletariado, y en esta forma menoscaba y falsea toda la literatura proletaria, de Mayakovski a Brecht [p. 162].

Y después de mencionar "la opinión más o menos ridícula de que la metodología materialista dialéctica estaría superada y sólo con una visión estructural se llegaría a una aclaración científica del fenómeno literario", concluye Schnelle:

> La ciencia literaria latinoamericana, que hubiera debido darnos, al resto del mundo, un conocimiento de los nuevos fenómenos literarios del continente, se halló inhibida en la presentación de los nuevos productos literarios debido al hecho de que en Europa había "clásicos" con los cuales no se podían comparar a primera vista las grandes muestras de la novela latinoamericana [p. 163].

Por su parte, el escritor uruguayo Mario Benedetti[2] es aún más drástico al preguntarse:

> ...¿debe la literatura latinoamericana, en su momento de mayor eclosión, someterse mansamente a los cánones de una literatura de formidable eclosión [la de la Europa occidental], pero que hoy pasa por un período de fatiga y de crisis? [ ... ] ¿Debe considerarse la crítica estructuralista como el dictamen inapelable de *nuestras* letras? ¿O, por el contrario, junto a nuestros poetas y narradores, debemos crear también nuestro propio enfoque crítico, nuestros propios modos de investigación, nuestra valoración con signo particular, salidos de nuestras condiciones, de nuestras necesidades, de nuestro interés? [p. 36].

> No estoy proponiendo [dirá más adelante Benedetti] que para nuestras valoraciones prescindamos del juicio o del aporte europeos [ ... ] en América Latina sabemos que nuestra comarca *no* es el mundo; por lo tanto sería estúpido y suicida negar cuanto hemos aprendido y cuanto podemos aprender aún de la cultura europea. Pero tal aprendizaje, por importante que sea, no debe sustituir nuestra ruta de convicciones, nuestra propia escala de valores, nuestro sentido de orientación. Estamos a la vanguardia en varios campos, pero en el campo de la valoración seguimos siendo epígonos de lo europeo [p. 37].

Tales planteos responden a exigencias insoslayables de nuestro proceso histórico, y por ello no es extraño ver aparecer un reclamo similar, dentro de una discusión continental y aun mundial, en diferentes autores. Ese reclamo está presente también en algunos trabajos nuestros[3] que aspiramos a complementar con las actuales notas.

## GENERAL, COLONIAL, RACISTA

Ya sabemos que a menudo los autores hispanoamericanos de trabajos teóricos, al absolutizar determinados modelos europeos, están convencidos de haber arribado a conclusiones "generales", que en algunos casos pretenden ejemplificar con obras literarias hispanoamericanas: lo que, lejos de sancionar el carácter "general" de su teoría, por lo común lo que hace es revelar su condición colonial. A algunas de aquellas obras que hemos mencionado anteriormente[4], podría añadirse otra, del argentino David Maldavsky[5], en la cual, aparte de especulaciones varias, se aplican eclécticamente ciertos criterios del estructuralismo francés y del sicoanálisis a escritores de nuestra comarca.

Se da el caso de autores que son conscientes de la arbitrariedad que supone aquel procedimiento. En su libro *La creación poética*[6], el chileno José Miguel Ibáñez se adelanta a explicar que "las observaciones de Goethe, Poe y Benn, y sobre todo las de Rilke, Valéry y Eliot han venido a suministrar el material para esta teoría del poema. . . " (p. 11); y, si bien menciona "la americanización de los ejemplos" en la versión definitiva de su libro, confiesa paladinamente que éste "es todavía colonizador –pues realiza sobre la materia latinoamericana un tratamiento bien europeo–"; lo que para él, sin embargo,

> dicho sea sin ofender a nadie, se funda en la única posibilidad real de practicar, por ahora, un abordaje no impresionista de nuestros poetas [ . . . ] Si la poesía latinoamericana actual presenta una materia bastante rica para fundar y ejemplificar una filosofía del poema, puede estar ya próxima la hora de la autoconciencia, cuando también esta filosofía pueda hacerse entre nosotros, sin el "incurable descastamiento histórico" americano que decía Vallejo, y en que este libro irremediablemente incurre [p. 13-14].

Sí: irremediablemente incurre en ello este libro, cuyo autor, no obstante una sinceridad plausible, no sólo ignora que para entonces había llegado hacía ya tiempo esa "hora de la autoconciencia" latinoamericana, sino que, fiel a la frase delirantemente irracional de Rilke que pone al frente como exergo ("Las obras de arte son de una infinita soledad, y con nada se pueden alcanzar menos que con la crítica"), realiza una tarea cuando menos inútil: especialmente para nosotros.

Pero si en obras así los propios autores, conscientes de las carencias de sus trabajos, o al menos de lo que ellos no se proponen, hablan autocríticamente de su carácter "colonizador", o de su pretensión de validez "general" (término que ya hemos visto que con frecuencia no es más que otro sinónimo, meliorativo, de "colonial"), algunas obras que, por el contrario, aspiran a una absoluta fidelidad a las peculiaridades de nuestra literatura, de nuestro mundo, nos deparan otras ineptitudes. Acaso la mayor de ellas —y, en todo caso, la arquetípica— es cierta vocación ontologizante, de la cual nos ofrece no pocas muestras el germano-argentino Rudolf Grossmann en su libro *Historia y problemas de la literatura latinoamericana*[7]. No pretendemos comentar aquí este libro de más de setecientas cincuenta páginas, que no carece de contribuciones útiles ni de errores de muy diverso tipo. Pero no podemos dejar de señalar a dónde puede conducir la creencia en una fijeza espiritual atribuida a una no menos fija "raza". Al hablar de "los elementos étnicos de la síntesis latinoamericana", este autor es capaz de escribir impávido que

> . . .la introducción de negros no significa sólo una mano de obra barata y de confianza en los tórridos llanos tropicales, en reemplazo del poco resistente aborigen, sino un nuevo plano emocional: candidez y servilismo, extrema movilidad por falta de autocontrol y de equilibrio en la vida afectiva; en contraste con el indio, prototipo de inmutabilidad monumental [p. 46].

Disparate que vemos ampliado más tarde, cuando leemos que en los dominios del negro "se imponen":

— sensualidad, más fuerte aún que en el mestizo o criollo, nacida de una falta de autodominio en la vida afectiva y apoyada por una fantasía exuberante, complacencia en el bienestar corporal y la elocuente expresión verbal del mismo;
— falta de sentimientos políticos y económicos ordenados, por tanto discordia y a veces rebeldía desatinada: la tiranía y la crueldad se hallan junto a una blandura anímica que puede llegar al servilismo;
— exagerado afán de notoriedad —que tiende, sobre todo, a los atributos de dignidad exterior— e inclinación a la fanfarronería;
— un concepto de la vida, en el fondo religioso, que se pone de manifiesto en el simbolismo primitivamente sensorial de expresiones fetichistas paleorreligiosas o en una especie de cristianismo primitivo, que caracteriza también los *spirituals* de los negros norteamericanos;
— tendencia más fuerte que en el criollo a apropiarse del acervo cultural europeo. Pero mientras que el criollo lo asimila, cuando lo acepta, el negro suele conformarse con la adaptación ingenua de formas puramente externas, lo que produce fácilmente un efecto caricaturesco [p. 63].

No debe extrañar, después de lo anterior, que el autor considere que "lo realmente 'evolucionista', lo propulsor en la síntesis literaria latinoamericana" puede señalarse en "el elemento humano moderno del Occidente europeo y de Norteamérica" (p. 46).

A estas aberraciones racistas, Grossmann acompaña otras aberraciones históricas, como postular que "se descubre en la impasibilidad del indio frente a las vicisitudes de la vida y en su menoscabo de lo material, el eficaz antídoto contra el desasosiego y la codicia. Desde este punto de vista, el indio se convierte, lentamente, en el antípoda socialista del capitalismo y el representante de un nuevo orden social más justo" (p. 62), etcétera.

Por cosas así, si bien Grossmann tiene razón al rechazar "la interpretación llamada inmanente" (p. 28) en la investigación de nuestra literatura, y es capaz, aquí o allá, de hacer observaciones válidas, el basamento mismo de su enfoque está irremisiblemente dañado por una equivocada concepción de la historia que se pone brutalmente de manifiesto en su asombroso racismo: el cual no sería menos rechazable, por supuesto, si en vez de las peculiaridades que otorga a una u otra "raza", propusiera otra distribución diferente. Lo esencial es que Grossmann ve a las "razas" al margen de la historia, sustituye a esta última con supuestos caracteres de raíz biológica que hubieran aprobado Gobineau o Hitler, pero que se sabe que no son más que inepcias; y cuando se vuelve a la historia, ésta se le presenta como una especie de pintoresca panoplia donde el investigador, a la manera de un escritor de ficción, puede escoger y mezclar épocas a voluntad. Tales puerilidades difícilmente ayudan a elaborar los conceptos propios de nuestra literatura, de nuestro mundo.

## COMPRENSION DE NUESTRO MUNDO

Pues la condición primera para esa elaboración, como no se cansó de decir el peruano Mariátegui[8], hay que buscarla fuera de la literatura misma: esa condición es la comprensión de nuestro mundo, lo que a su vez requiere una comprensión cabal del mundo todo, del que somos parte. Y ello sólo puede obtenerse con el instrumental científico idóneo, el materialismo dialéctico e histórico: el cual, no es ocioso repetirlo, implica lo opuesto a una serie de fórmulas, a una budinera para aplicarla indistintamente a cualquier realidad[9]. Por el contrario, como se ha dicho tantas veces —al parecer, nunca demasiado—, el marxismo no es un dogma, sino una guía para la acción: incluso para esa forma de la acción que es la elaboración teórica, la cual no está hecha de una vez para siempre, ya que el alma del marxismo, decía Lenin, es "el análisis concreto de la situación concreta".

En nuestro caso, no se trata, por tanto, ni de aplicarnos sin más criterios elaborados a partir de realidades ajenas (en el mejor de los casos, criterios nacidos del análisis de *otra* situación), ni de pretender cortarnos, a espaldas de la historia, de cualesquiera otras realidades, y abultar supuestos o incluso verdaderos rasgos propios, con la voluntad de proclamar una absurda diferencia segregacionista, sino de precisar nuestra "situación concreta".

Porque rechaza aquellas dos tentaciones, y porque parte de una visión justa de la historia, el crítico brasileño Antonio Candido[10], tomando en cuenta el específico carácter colonial de nuestros orígenes, y la situación de "subdesarrollo" que es su secuela —y esos términos implican determinada *relación*—, puede recordarnos nuestra característica de "continente intervenido" (p. 340), nuestra "dependencia cultural" (p. 342), y, en fin, que —querámoslo o no— "somos parte de una cultura más amplia de la cual participamos como variedad cultural", y que "es una ilusión hablar de supresión de contactos e influencias" (p. 347)[11]. Y más adelante:

> ¿Habría paradoja en esto? En efecto, cuanto más se entera de la realidad trágica del subdesarrollo, más el hombre libre que piensa se deja penetrar por la inspiración revolucionaria, es decir, cree en la necesidad del rechazo del yugo económico del imperialismo, y de la modificación de las estructuras internas, que alimentan la situación del subdesarrollo. Sin embargo, mira con más objetividad el problema de las influencias, considerándolas como vinculación cultural y social. La paradoja es aparente y constituye más bien un síntoma de madurez, imposible en el mundo clausurado y oligárquico de los nacionalismos ideológicos. Tanto es así que el reconocimiento de la vinculación se asocia al comienzo de la capacidad de innovar en el nivel de la expresión, y al intento de luchar en el nivel del desarrollo económico y político [p. 347].

Esto nos lleva, en primer lugar, a interrogarnos sobre esa "cultura más amplia", de la que somos "variedad cultural". "Cultura", ya lo sabemos, es un término harto polisémico, y no es ésta la ocasión para abordar su rica diversidad[12]. Recordemos sólo que en su sentido más general implica todo lo que el hombre añade a la naturaleza —incluyendo las modificaciones que ha hecho a la naturaleza misma—, y en otro sentido apunta al conjunto de particularidades propias de una determinada comunidad. Y no cabe duda de que, sin dejar de mostrar diferencias apreciables, que significan "variedades", aquel conjunto, o mejor ese sistema de sistemas sígnicos sociales que es una cultura[13], puede (y aun suele) abarcar con frecuencia áreas supranacionales. Tal es el caso de esa "cultura más amplia" a que se ha referido Candido.

Pero, puede preguntarse un sobresaltado, ¿no se tratará de esa misma cultura europea cuya arrogante pretensión de universalidad hemos convenido en rechazar? Este es el momento de recordar que aceptar esa "Europa" como un bloque prácticamente homogéneo y ucrónico que hemos introyectado para postrarnos ante ella mansamente o para (pretender) impugnarla irritados, implica ya, sea cual fuere nuestra reacción, una actitud de colonizados. Así como es un fraude identificar (como tan frecuente es *allá*) a "América" con "los Estados Unidos", es otro fraude (esta vez, frecuente *aquí*) identificar a "Europa" con unos cuantos países de la Europa occidental, de gran desarrollo capitalista, olvidándonos de que la Europa verdadera no es sólo Londres y París: es

66

también Sofía y Bratislava; para no decir nada de lo que representa la evidente diversidad interna de aquellos mismos países, donde han existido el nazismo y la Comuna, Rhodes y Marx. Un imprescindible ejercicio de nuestra madurez obliga a rechazar aquel simulacro de "Europa" que pretendió hacer pasar por universales determinados rasgos locales, y proclamar, en cambio, que la Europa real, la que no tiene comillas, incluyó ayer naciones de gran desarrollo capitalista y naciones atrasadas, países colonizadores e imperialistas y países colonizados, burguesías en ascenso y burguesías declinantes, movimientos reaccionarios y luchas obreras y campesinas, guerras de rapiña colonialista e imperialista y guerras de liberación nacional, fascismo italiano y revolución española; e incluye hoy mismo países capitalistas, desarrollados y subdesarrollados, y países con proyecciones socialistas. ¿Cómo podemos reclamar atención y respeto para nuestras especificidades, sobre la base de negar atención y respeto a las especificidades de otros? Pues bien: la "cultura más amplia" a que se refiere Candido *no* se identifica sin más con la de "Europa"; en todo caso, aceptaríamos que corresponde a aquellos países de Europa, de América, de Oceanía y de otros lugares a los cuales podría aplicarse la denominación que el sabio lituano–chileno Alejandro Lipschütz (a quien volveremos a referirnos más tarde), tan inequívocamente anticolonialista y tan consecuente defensor de las comunidades indígenas de nuestro continente, ha usado alguna vez: europoides[14].

Lo anterior significa que, sin renunciar a heredar críticamente lo que haya de positivo en ella, *de ninguna manera* identificaríamos esa "cultura" con la que, en un sentido restringido, colonizador, reaccionario, algunos toman por "cultura occidental", haciendo de paso curiosas martingalas cardinales. Es algo mucho más vasto, geográfica e históricamente hablando, e implica un mundo amplio, rico y dinámico en cuyo seno hay cuantiosas afinidades ("simpatías" diría Reyes) y diferencias. Estas últimas son obvias: baste recordar la pluralidad lingüística, para sólo señalar la que acaso sea la más evidente. Pero en relación con las primeras, es aleccionador leer la siguiente caracterización que hizo de su literatura el húngaro Miklos Szabolsci, en una reunión que tuvo lugar en Francia, en 1969[15]:

> El problema del estallido de la caparazón lingüística no se plantea entre nosotros, porque la lengua misma, sobre todo la hablada, se halla en constante transformación [ . . . ] ese discurso lógico que los oprime a ustedes [los franceses], está aún por crear [ . . . ] Segunda observación preliminar, sin duda más importante: no con referencia al romanticismo del siglo pasado, sino fundándome en ciertas investigaciones sociológicas, creo que la literatura, en el conjunto del modelo de la cultura, en el conjunto de la conciencia de los hombres, tiene en Hungría más lugar que en Francia. Durante mucho tiempo no hemos tenido grandes filósofos. En el siglo XVIII y en el XIX, las grandes ideas no se expresaban entre nosotros en obras teóricas (no teníamos ni Voltaire ni Marx ni Freud), sino en obras de poetas,

sobre todo líricos. Así, no sólo el modelo de la cultura es más literario, sino que la poesía ocupa un lugar privilegiado. Aún hoy, incluso en sus formas más herméticas, ella es bastante leída por las gentes de la calle. Por otra parte, ésta no es una situación exclusiva de Hungría: se la encuentra en España, en Latinoamérica y también en algunos otros países del Este, incluida Rusia. Es decir, que no se puede tomar el modelo de la literatura francesa como un modelo inmutable. Por otra parte, el papel de ciertas corrientes, de ciertas escuelas literarias es un poco diferente, en un país como el nuestro, de lo que es, por ejemplo, en Francia o Alemania. El simbolismo francés tuvo una inmensa resonancia en Rumania, se convirtió en una escuela de grandes poetas, pero al precio de una transformación, de una adaptación, de una folclorización. A partir de 1930, el surrealismo desempeñó en Checoslovaquia un papel importante, mezclado sin embargo a otra tradición y en una síntesis bastante alejada del modelo francés. También los problemas relativos al juego de las formas, del contenido, de la función y del valor, han cambiado de aspecto y de función. Puesto que se ha evocado aquí el papel de la sociografía literaria, esa literatura entre la literatura y el documento, debo indicar finalmente que ella es entre nosotros infinitamente mayor que en otros países [p. 612-613].

Szabolsci demuestra aquí ser consciente de las similitudes entre literaturas con un grado notable de convergencias, a despecho de las diferencias que provocan orígenes e idiomas distintos, y una ausencia de contactos que en muchos casos ha sido enorme. Esas similitudes no son azarosas: las ha provocado el surgimiento de los países respectivos, como naciones modernas, en la periferia de los países de gran desarrollo capitalista, con los cuales han mantenido relaciones que, unidas a sus propios elementos autóctonos[16], contribuyeron decisivamente a su perfil actual.

Ya hace diez años, al estudiar a Martí y destacar las semejanzas económicas y políticas impuestas a los países coloniales y semicoloniales de Asia, Africa y la América Latina que denominarían, harto equívocamente, "tercer mundo", llamábamos la atención sobre cómo, sin embargo,

. . .la América Latina se halla en una situación particular. Mientras el "occidental" es un mero intruso en la mayor parte de las colonias que ha asolado, en el Nuevo Mundo es, además, uno de los componentes, y no el menos importante, que dará lugar al mestizo (no sólo el mestizo racial, por supuesto). Si la "tradición occidental" no es *toda* la tradición de éste, es *también* su tradición. Hay pues un contrapunto más delicado en el caso de los pensadores latinoamericanos, al compararlos con los de otras zonas coloniales[17].

Lo que entonces no veíamos con suficiente claridad, es que aquella "situación particular" no lo era tanto. Un mayor conocimiento directo de países de la otra Europa, de nuestra América y de Asia, y un estudio más detenido de ciertos hechos y autores, nos ha mostrado, por ejemplo, la cercanía de no pocos de los caracteres y problemas propios de la América Latina con los de los países de la Europa periférica: en muchos de los cuales, por añadidura, iban a desarrollarse, como en nuestro propio país, procesos de horizontes socialistas.

Por otra parte, las similitudes estructurales entre los países latino-americanos y los de la otra Europa ya habían sido observadas por Lenin en los apuntes que tomara mientras preparaba *El imperialismo, fase superior del capitalismo*[18]. Tales apuntes, de indudable interés no obstante su parquedad, apenas han sido objeto, que sepamos, de la atención y el desarrollo merecidos. Las similitudes, sin embargo, llevarán sin duda a estudios ulteriores[19]. Podría decirse que el lenguaje de estos años recientes ya se ha hecho cargo de tales similitudes: al hablarse, en metáfora reveladora, de la "balcanización" de nuestra América, ¿no se establece un paralelo entre dos zonas del planeta que requiere ser profundizado? Entre los pocos materiales de este tipo que conocemos, merecen destacarse los que debemos al siempre sagaz Lipschütz, quien hizo ver la cercanía entre la problemática del viejo imperio ruso y la de la América Latina de este siglo[20].

Semejanzas entre las problemáticas socioeconómicas como las que señalaron Lenin y Lipschütz, por una parte; y cercanías culturales como las que corresponden a variedades que se remiten, enriqueciéndola, a una cultura más vasta, por otra: no pueden darse coyunturas más apropiadas para que se propugne un desarrollo de los estudios de literatura comparada entre nuestras literaturas respectivas, los cuales revelarán de seguro, como lo prueban las líneas de Szabolsci, aspectos peculiares de las mismas. Por supuesto, ello requiere rechazar la curiosa limitación que impone el alemán Ulrich Weisstein a estos estudios al afirmar que "la noción de influencia debe ser considerada como el concepto clave de la literatura comparada"[21]. Tomado al pie de la letra, tal criterio, en la medida en que mire a nuestras literaturas, sería propio de una concepción colonizadora de los estudios de literatura comparada, y explicaría la existencia de esos pleonasmos regocijantes que son trabajos como "Alejandro Dumas en La Habana" o "Shakespeare en Tegucigalpa". No: los conceptos claves de tales estudios (sin prescindirse por supuesto del de influencia, pero jerarquizándolo de modo distinto) serían más bien los que atiendan a la estructura y la función de las obras literarias estudiadas, aun cuando no pueda hablarse de influencias entre ellas[22]. Por desgracia, no creemos que tales estudios sean aún muy abundantes. Véase, sin embargo, lo que pueden reportarnos, en una comparación como la que realiza la investigadora soviética Vera Kuteischikova entre la narrativa soviética y la mexicana de los primeros años de sus respectivas revoluciones de este siglo[23]; o en la reseña en que el investigador rumano Adrian Marino señala las similitudes entre la crítica de Martí y las de críticos rumanos de su época:

En efecto [dice Marino], se puede constatar entre las concepciones críticas del gran poeta, crítico y revolucionario cubano José Martí, de fines de siglo XIX, y algunos problemas esenciales de la crítica rumana (que comienzan a diseñarse hacia la misma época), tomas de posición, dilemas y soluciones convergentes, paralelos e incluso rigurosamente idénticos. Se halla la explicación de ello tanto en la orientación general de la crítica europea, francesa en particular, que ejerció gran influencia a finales del pasado siglo, como en la reacción natural de espíritus profundamente preocupados por la creación y la consolidación de una crítica que fuera al mismo tiempo moderna y nacional. Una crítica que fuera la obra de una personalidad refractaria a toda forma de "colonización" espiritual o de colonialismo puro y simple (tal el caso, bien conocido, de José Martí)[24].

Pero al desarrollo de estos estudios de literatura comparada no los estorba sólo el criterio colonizador que hemos mencionado antes, sino también, entre escritores e investigadores de estos propios países de surgimiento periférico, lo que podríamos llamar su patético bovarismo, el cual lleva tanto a algunos latinoamericanos como a algunos de esos otros europeos a soñarse metropolitanos desterrados. Para ellos, una obra producida en su órbita inmediata (¿y qué decir de la producida en la periferia trasatlántica?) sólo merece su interés si previamente ha conocido la sanción metropolitana: y esa sanción les da además los ojos para verla. Ellos son los verdaderos periféricos, los colonizados sin remedio, que parecen ignorar que, con la aparición del socialismo, los países capitalistas son los que, cada vez más, van quedando situados al margen de lo que es hoy la línea central de la historia.

## DESLINDES

Al ir a abordar cuestiones específicamente literarias, el problema inicial, básico, es el de dilucidar lo que es y lo que no es literatura: esa tarea era considerada los "prolegómenos a la teoría literaria" por el mexicano Alfonso Reyes, en el que sigue siendo el libro hispanoamericano clásico sobre esta cuestión: *El deslinde. Prolegómenos a la teoría literaria*, México, 1944[25]. Con extremada agudeza y complicado aparato[26], Reyes se propone allí establecer los límites entre la literatura y otras producciones humanas: la historia, la ciencia de lo real, la matemática, la teología. Pero entiende que antes de acometer sus arduos trazados de linderos, hay que hacer un trazado previo:

> . . .antes de confrontar la literatura con la no literatura, tenemos que emprender una decantación previa que separe el líquido del depósito. Nuestro objeto será reconocer el líquido como tal líquido y el depósito como tal depósito, pero en manera alguna negar el derecho, y menos la existencia de las distintas mezclas. Para distinguir rectamente, en la literatura, la agencia pura o sustantiva de la adjetiva o ancilar, estudiaremos la función ancilar [p. 29].

Poco antes, nos ha dicho:

Sin cierta índole de asuntos no hay literatura en pureza, sino literatura aplicada a asuntos ajenos, literatura como servicio o ancilar. En el primer caso —drama, novela o poema— la expresión agota en sí misma su objeto. En el segundo —historia con aderezo retórico, ciencia en forma amena, filosofía en bombonera, sermón u homilía religiosa— la expresión literaria sirve de vehículo a un contenido y a un fin no literarios [p. 26].

Y más adelante: "Si hay, pues, en la literatura una fase sustantiva y una adjetiva, descartemos ésta para quedarnos con la esencia" (p. 30).

No hay duda: para Reyes existe, por una parte, "la literatura en pureza", "el líquido", "la agencia pura o sustantiva", "la esencia", que se manifiesta en "drama, novela o poema", y en la cual "la expresión agota en sí misma su objeto"; y, por otra parte, "literatura aplicada a asuntos ajenos, literatura como servicio o ancilar", "el depósito", a cuyas "distintas mezclas", si bien "no se les niega el derecho, y menos la existencia", se las considera agencia "adjetiva o ancilar", y merecedoras de la sonriente ironía de Reyes: "historia *con aderezo retórico*", "ciencia *en forma amena*", "filosofía *en bombonera*". . . : allí, "la expresión literaria sirve de vehículo a un contenido y a un fin no literarios".

Estas nociones, a las cuales llega Reyes con su enfoque fenomenológico —o "fenomenográfico", como preferirá decir luego para evitar confusiones—[27], "emparientan" a éste con otros "deslindes" relativamente recientes, aunque el de Reyes suela ser mucho más minucioso y demorado. Acaso el más notorio de ellos sea el expuesto por el entonces formalista ruso Roman Jakobson en *La nueva poesía rusa. Esbozo primero: Velimir Jlebnicov*, texto que Reyes pareció desconocer; cosa explicable, si se piensa que, escrito y publicado en ruso, y editado en Praga en 1921, fue sólo en 1973 cuando apareció, fragmentariamente, en francés[28]. En aquel trabajo de Jakobson se encuentra su famosa definición tantas veces citada de segunda (y hasta de tercera) mano: "el objeto de la ciencia de la literatura no es la literatura sino la literariedad *[literaturnost]*, es decir, lo que hace de una obra dada una obra literaria" (p. 15).

Retengamos, junto a esta observación de Jakobson que tantos formalistas y paraformalistas harían suya[29], estas otras dos:

a) Una poética científica no es posible sino a condición de que ella renuncie a toda apreciación: ¿no sería absurdo que un lingüista juzgara, en el ejercicio de su profesión, los méritos comparados de los adverbios? (p. 12-13)[30].

b) Hacer asumir al poeta la responsabilidad de las ideas y los sentimientos es tan absurdo como lo sería el comportamiento del público medieval que llenaba de golpes al actor que hacía el papel de Judas. . . (p. 16).

Una ciencia literaria que dice renunciar a toda apreciación; un escritor irresponsable de ideas y sentimientos expresados en su obra: tal oquedad es la contrapartida de la "literariedad" expuesta por Jakobson —la cual, a pesar de su alborotada pretensión de modernidad, no es sino un corolario tardío de la decimonónica teoría del "arte por el arte"—, ingeniosamente defendida por él así: "hasta ahora, los historiadores de la literatura se parecían más bien a ese policía que, proponiéndose arrestar a alguien, prendiera al azar a todo el que encontrara en la casa, así como a las gentes que pasaran por la calle" (p. 15). Tal procedimiento, como sabemos bien los lectores de novelas policíacas, es groseramente defectuoso. Sólo que lo que nos propone Jakobson es que el historiador de la literatura/policía, al entrar en la casa, arreste de inmediato al mayordomo: lo cual los lectores de novelas policíacas sabemos que no es menos ridículo y falso que lo anterior.

Pero si ese planteo resulta inaceptable, otro formalista ruso —acaso el que fue más lejos entre todos ellos—, Yuri Tinianov, señaló más tarde, en "El hecho literario" (1924)[31], a propósito del concepto de "literatura", que

> todas sus definiciones estáticas y fijas son liquidadas por la evolución. Las definiciones de la literatura construidas sobre sus rasgos "fundamentales" chocan contra el *hecho literario* vivo (p. 26).

Y más adelante: "Sólo en el plano de la evolución estamos capacitados para analizar la 'definición' de la literatura" (p. 31). Y es esa evolución la que nos revela no sólo que "resultan inciertos" los *límites* de la literatura, su 'periferia' y sus zonas de frontera", sino incluso su propio "centro": es decir, lo que era "centro" puede volverse periferia y viceversa (p. 27).

Tres años después de aquel ensayo, Tinianov lo complementaba con otro "Sobre la evolución literaria" (1927)[32] donde señalaba cómo

> . . . la existencia de un hecho como *hecho literario* [ . . . ] depende de su función. Lo que es "hecho literario" para una época será un fenómeno lingüístico perteneciente a la vida social para otra, e inversamente [ . . . ] Así, por ejemplo, una carta a un amigo de Derjavin es un hecho de la vida social; pero, en la época de Karamzin y de Pushkin, esa misma carta amistosa es un hecho literario. Las memorias y los diarios tienen un carácter literario en un sistema literario y, a su vez, muestran un carácter extraliterario en otro [p. 49].

Estas ideas, que encontrarían desarrollo en la teoría (y la praxis) literarias del alemán Brecht[33] y en lo mejor del Círculo de Praga[34], son indudablemente fértiles cuando afrontamos una literatura como la hispanoamericana.

De entrada, prescindiremos del intento apriorístico de un *deslinde* de nuestra literatura: en vez de pretender *imponerle* ese deslinde, *preguntemos* a nuestra literatura, a sus obras concretas.

Ya en 1951, el cubano José Antonio Portuondo, al querer destacar "el rasgo predominante en la novela hispanoamericana", había dicho:

> El carácter *dominante* en la tradición novelística hispanoamericana no es [ . . . ] la presencia absorbente de la naturaleza, sino la preocupación social, la actitud criticista que manifiestan las obras, su *función instrumental* en el proceso histórico de las naciones respectivas. La novela ha sido entre nosotros documento denunciador, cartel de propaganda doctrinal, llamamiento de atención hacia los más graves y urgentes problemas sociales dirigido a las masas lectoras como excitante a la acción inmediata[35].

Cerca de veinte años más tarde, Portuondo no limitaría ya ese "carácter *dominante*" a la novelística, y escribiría:

> Hay una *constante* en el proceso cultural latinoamericano, y es la determinada por el carácter predominantemente *instrumental* —Alfonso Reyes diría "ancilar"— de la literatura, puesta, la mayor parte de las veces, al servicio de la sociedad [ . . . ] Desde sus comienzos, el verso y la prosa surgidos en las tierras hispánicas del Nuevo Mundo revelan una actitud ante la circunstancia y se esfuerzan en influir sobre ella. No hay escritor u obra importante que no se vuelque sobre la realidad social americana, y hasta los más evadidos tienen un instante apologético o criticista frente a las cosas y a las gentes[36].

Si la tesis sobre la *dominante* de la *función instrumental* de la literatura hispanoamericana es aceptable, como nos lo parece, se verá lo discutible que resulta *para nuestra literatura* el "deslinde" propuesto por Reyes, según el cual hay una manifestación esencialmente *literaria* —digamos, el despliegue mayor de la *literariedad*— en ciertas obras literarias que ocuparían, supuestamente, el centro de la literatura; y obras híbridas, que no pueden ser sino la manifestación marginal de la literatura, nacidas allí donde la *literariedad* se amulata con otras funciones.

Sucede, sin embargo, que la línea central de nuestra literatura parece ser la amulatada, la híbrida, la "ancilar"; y la línea marginal vendría a ser la purista, la estrictamente (estrechamente) *literaria*. Y ello por una razón clara: dado el carácter dependiente, precario de nuestro ámbito histórico, a la literatura le han solido incumbir funciones que en las grandes metrópolis le han sido segregadas ya a aquélla. De ahí que quienes entre nosotros calcan o trasladan estructuras y tareas de las literaturas de las metrópolis —como es lo habitual en el colonizado—, no suelen funcionar eficazmente, y en consecuencia producen por lo general obras defectuosas o nulas, *pastiches* intrascendentes; mientras quienes no rechazan la hibridez a que los empujan las funciones requeridas, son quienes suelen realizarse como escritores realmente creadores. Nuestra literatura confirma los criterios de Tinianov, verificando no sólo lo inaceptable de los límites apriorísticos de la literatura, sino también en qué medida lo que parecía (o incluso era) central puede volverse marginal, y viceversa. El desconocimiento de estos hechos explica, por ejemplo, la incongruencia de quienes, a propósito de Martí, el mayor escritor hispanoamericano ("supremo varón literario" lo ha llamado Reyes con entera justicia[37], desautorizando así de paso algunas ideas de su propio *deslinde*), han insistido en deplorar el carácter "ancilar" de aquella obra magna, la cual, se dice, no pudo explayarse en los géneros supuestamente mayores: e ignoran, por aceptar categorías otras, que, como el aire para la paloma de Kant, aquel carácter "ancilar" no fue el obstáculo sino la condición para que se alzara la grandeza concreta de la obra concreta de Martí, expresión fiel y arquetípica de la literatura de nuestra América.

## GENEROS

No se han solido destacar suficientemente estos hechos, que obligan a replanteos, y por lo pronto a reconocer el predominio en nuestras letras de géneros considerados "ancilares": crónicas como las del Inca Garcilaso; discursos como los de Bolívar o Fidel; artículos como los de Mariátegui; memorias como las de Pocaterra o muchas de las llamadas "novelas" de la Revolución Mexicana[38]; diarios, no de elucubraciones subjetivas (Amiel, Gide), sino de campaña, como el del Che Guevara; formas "sociográficas" como *Facundo* o como muchos testimonios actuales: no es un azar, sino una comprobación, el que Martí sobresalga soberanamente en estos géneros, y en otros cercanos como la carta. Al lado de ellos han solido empalidecer los otros géneros, supuestamente centrales —en nuestro caso, obviamente laterales—; aunque, para seguir ateniéndonos a los hechos, habrá que exceptuar de ese empalidecimiento a la poesía —en la cual, por cierto, también sobresalió Martí.

Ya hace algo más de treinta años el estadounidense H.R. Hays hizo ver que "quizás no se exagere al decir que, dentro de la literatura internacional, la mejor contribución hispanoamericana es la de la poesía"[39]. Pero hay que añadir que se trata de una poesía que suele preferir lo instrumental, y en la que, en todo caso, se producen singulares alteraciones en relación con las corrientes metropolitanas. Szabolsci, quien destacó que en nuestros países "la poesía ocupa un lugar privilegiado", hizo ver también, por ejemplo, cómo el simbolismo en Rumania "se convirtió en una escuela con grandes poetas, pero al precio de una transformación, de una adaptación, de una folclorización".

Esa "transformación", esa "adaptación", esa "folclorización" ¿no están presentes en lo más creador y genuino de toda nuestra poesía? Pudiera parecer que la voluntad de muchos románticos de volverse a las fuentes populares explica plenamente la existencia de un poema como *Martín Fierro*: pero no debe olvidarse que la tremenda originalidad de esta obra es tal, que cuando apareció, si bien los escritores argentinos más o menos convencionales de entonces escribieron al autor celebrando su obra, "es dudoso", como observó con su habitual agudeza el dominicano Pedro Henríquez Ureña, "que ninguno la considerase 'lite-

74

ratura', exactamente igual a como, por aquellos mismos días, ocurría en los Estados Unidos con las canciones de Stephen Foster, que, para los músicos cultos, podían ser excelentes en su estilo, pero no 'música', es decir no la música que se oía en los conciertos"[40]. En cuanto al modernismo, tan dado al "rebusco imitado"[41] en la arrancada, sólo aquellas alteraciones explican que condujera en su madurez al *Canto a la Argentina,* a los *Poemas solariegos,* a un reencuentro con nuestras realidades que desarrollaría por ejemplo *Tala;* y otro tanto, con las variantes del caso, puede decirse de nuestro vanguardismo, al cuajar en la profunda voz mestiza, inconfundiblemente nuestra, revolucionaria del peruano Vallejo y el cubano Guillén, o en el *Canto general* que retoma y ensancha el propósito de Bello.

A veces, no sólo corrientes literarias, sino incluso formas estróficas sufren una curiosa mutación de funciones en nuestros países. Pocos casos más ejemplares, en este sentido, que el de la décima. Surgida en España durante la segunda mitad del siglo XVI[42], en el seno de los medios cultos, como revela su complicada arquitectura, vendría a ser, sin embargo, la estrofa predilecta de buena parte de la poesía popular hispanoamericana: "sólo aparece en la poesía popular de América", dice el argentino Carlos H. Magis[43]. Para añadir más interés a este hecho, allí donde, al parecer, comenzó esta primacía de la décima como estrofa de la poesía popular hispanoamericana, es decir, en las Antillas de lengua española[44], la estrofa tradicional preferida por la poesía popular española, el romance, no ha sido de elaboración popular, sino hechura poco arraigada de poetas cultos. La mejor estudiosa del romance en Cuba, Carolina Poncet[45], ha señalado ambos hechos reiteradamente: "Los romances no han constituido nunca en Cuba un género literario popular" (p. 13); "el romance [ha] sido siempre aquí planta exótica" (p. 15); "donde verdaderamente florece la espinela es en la poesía genuinamente popular cubana" (p. 20); "mientras más carácter popular haya tenido o pretendido tener una tendencia literaria, mayor habrá sido la importancia concedida en ella a la décima" (p. 26). No está de más recordar que la mayor parte del *Martín Fierro* está escrita en una curiosa estrofa que no es sino una décima trunca[46], siendo la décima la estrofa habitual de los payadores rioplatenses; y que en décimas escribió su autobiografía la extraordinaria Violeta Parra: ambas obras, por otra parte, magníficas muestras de fusión de la poesía culta y la popular en Hispanoamérica.

Nos hemos detenido un poco —mucho menos de lo que hubiéramos querido— en esta relación *décima/romance, culta/popular,* porque es un excelente ejemplo de cómo sólo la concreta encarnación histórica, y no el abordaje apriorístico, puede revelarnos las verdaderas características y funciones de un hecho literario. La estrofa complicada, de raíz culta en España, se vuelve popular en tierras americanas, mientras la estrofa más suelta, desarrollada por el pueblo español, pasa a ser de factura culta entre nosotros. No es sino un ejemplo más, entre muchas mutaciones similares. ¿Acaso en nuestros mismos días, el tono coloquial, sencillo, limpio de metáforas de la poesía hispanoamericana, no revela su procedencia culta, mientras, en aparente paradoja, la poesía popular, en especial la que se vale precisamente de décimas, utiliza un lenguaje encrespado, con metáforas complicadas que parecen mirar a los barrocos? Pero con esto nos hemos alejado algo de nuestro tema: el predominio de la poesía en nuestra literatura, al menos entre los géneros obviamente no ancilares.

Sólo que al regresar al tema, lo primero que habrá que hacer será poner en tela de juicio esta declaración, la cual, de ser sostenida hoy sin más, supondría por nuestra parte esa desatención a la historia concreta que es la bestia negra de estas líneas. Si hace treinta años era difícil contradecir la opinión de Hays −en 1941 podía escribir el estadounidense Waldo Frank que los poetas de nuestra lengua eran "sin duda el mejor conjunto de poetas en el mundo de hoy"[47]−, por esa misma época, con autores como el cubano Alejo Carpentier y el peruano José María Arguedas, se había iniciado un crecimiento de nuestra novelística[48] que unos años después permitiría enseñar al mundo esas "grandes muestras de la novelística latinoamericana" de que hablan Schnelle y muchísimos más. Por supuesto, no se trataba sólo de cambios literarios −sobre los cuales el propio Carpentier teorizaría agudamente[49]. Hays conjeturó que aquella "superioridad de la poesía dentro de la literatura de Hispanoamérica parece deberse en parte a la mezcla feudal de grandes masas en estado primitivo con la levadura de una reducida minoría intelectual", mientras que "en la literatura universal el pleno desarrollo de la novela parece coincidir con la compleja integración de la sociedad de tipo industrial"[50]. Schnelle, por su parte, al preguntarse por la "época a la [que] pertenece históricamente hablando" la nueva novela latinoamericana, se responde: "A la época de la liberación nacional latinoamericana, a la época de una revolución también de burguesías nacionales, en una palabra, a la época en que vive hoy América Latina"[51]; y Dessau considera que "el auge de la novela latinoamericana en los últimos tiempos está condicionado por el alto grado en que abarca la historia y el futuro concentrados alrededor del hombre y del pueblo que, a través de las distintas formas de su conciencia, forjan su propia historia"[52]. Sin necesidad de proponer homologías simétricas como las que establece Lucien Goldmann entre la llamada "nueva novela" en Francia y el estado de la sociedad capitalista en aquel país con posterioridad a la Segunda Guerra Mundial[53], sólo al precisar las relaciones entre literatura y clases sociales en nuestra América −tarea aún no realizada− será dable explicar de modo suficiente el hecho singular de que la novela hispanoamericana, que había sido la habitual parienta pobre (junto con la dramaturgia) en nuestras letras, haya alcanzado tal relieve en estos años recientes: años que han visto la aparición y el desarrollo de la primera revolución socialista en América, el comienzo del debilitamiento del imperialismo estadounidense y un crecimiento de la afirmación nacional en nuestros países.

# HISTORIA DE LA LITERATURA

Una teoría de la literatura no puede dejar de considerar, también, la teoría de la historia y la teoría de la crítica de esa literatura. Como ha dicho con razón la investigadora de la R.D.A. Rita Schober al hablar de un problema central de la historia literaria –la periodización, a la que nos referimos más tarde–, tal problema "no concierne en primer lugar al dominio restringido de la historia literaria, sino más bien al de la teoría literaria en general"[54]. En cuanto al vínculo entre ambas disciplinas, historia y crítica, el soviético Lunacharski, en la tercera de sus "Tesis sobre las tareas de la crítica marxista", había explicado:

> Suele hacerse una distinción entre las tareas del crítico y las del historiador literario, y en esas ocasiones la distinción se traza entre investigación del pasado e investigación del presente, como entre, por una parte, la investigación objetiva de una obra dada, de su lugar en la trama social, y de su influencia en la vida social –en el caso del historiador literario–, y, por la otra, la valoración de una obra dada desde el punto de vista de sus méritos y defectos formales o sociales –en el caso del crítico. Para el crítico marxista, tal división pierde casi todo su valor[55].

Frente al ahistoricismo paraformalista, es imprescindible subrayar con energía este criterio, que compartimos: historia y crítica literarias son como anverso y reverso de una misma tarea: es irrealizable una historia literaria que pretenda carecer de valoración crítica; y es inútil o insuficiente una crítica que se postule desvinculada de la historia: así como ambas mantienen relaciones esenciales con la correspondiente teoría literaria. Si especificidades concretas competen a cada una de ellas, tales especificidades no las desgarran ni desunen, pues esas disciplinas se remiten una a la otra para alimentarse mutuamente. Con este punto de vista, el colombiano Carlos Rincón ha realizado su trabajo "Sobre crítica e historia de la literatura hoy en Hispanoamérica", atendible exposición de muchos de los principales problemas actuales de ambas en nuestro continente[56]. Aquí sólo rozaremos algunas cuestiones sobre las que se ha insistido menos en aquel trabajo, y, de modo destacado, lo tocante a la periodización. (Otros aspectos relativos a la historia, los mencionamos a lo largo de este mismo ensayo.)

Así como al hablar de géneros fundamentales en nuestra literatura no se trataba tanto de perseguir géneros inventados como de señalar géneros predominantes, de ver cómo se jerarquizan y mezclan en Hispanoamérica, es necesario proceder de modo similar en lo que toca a los períodos de nuestra historia literaria.

Aunque algo se ha escrito sobre este tema entre nosotros, los trabajos suelen mirar problemas metropolitanos o "generales"[57]. Por ello, tiene particular importancia el estudio de José Antonio Portuondo "'Períodos' y 'generaciones' en la historiografía literaria hispanoameri-

77

cana" [1947][58], donde el autor pasa revista a las principales periodizaciones propuestas para nuestra literatura hasta la fecha en que él escribe –extrañamente, omite la sugerida por Mariátegui en sus *Siete ensayos* . . . –[59] y concluye ofreciendo otra. Para Portuondo, Pedro Henríquez Ureña (en *Literary Currents in Hispanic America*) "llevó a cabo la empresa de escribir la historia de las letras hispanoamericanas como narración de los esfuerzos sucesivos de las generaciones en busca de nuestra expresión". Y luego: "Ese es, cabalmente, el camino mejor, acaso el único para la historiografía literaria hispanoamericana" (p. 90). Y luego aún: "ahora nos es mucho más fácil percatarnos de la autonomía de la literatura sin perjuicio de su estrecha relación con las demás esferas de valores culturales" (p. 91). A continuación Portuondo ofrece su propia periodización (ocho períodos: desde "El Descubrimiento y la Conquista [1492–1600]" hasta "Proletarismo y purismo [1916–19. . . ] "), que explica así:

> En la división cronológica que proponemos, cada período está caracterizado por el predominio de una determinada actitud o tendencia literaria, y aun cabe lugar para las individualidades y grupos aislados que pudieran no integrarse en las mayores unidades generacionales [ . . . ]. En todos los casos hemos procurado mostrar tanto la continuidad histórica de nuestras letras como la presencia, en todas sus etapas, del ya descrito juego dialéctico de populistas y formalistas. Las denominaciones de cada período se contraen a su contenido [ . . . ]. En cualquier caso, nuestro ensayo periodológico aspira principalmente a proponer un tema de discusión a los historiadores de la literatura hispanoamericana y a los especialistas en teoría literaria [p. 98–99].

En el libro de 1958 donde recogió el trabajo anterior, Portuondo añadió un "Esquema de las generaciones literarias cubanas", en cuya primera parte complementa aquel trabajo anterior, y comenta la periodización propuesta por el argentino Enrique Anderson Imbert (en *Historia de la literatura hispanoamericana,* México, 1954), la cual según Portuondo supera, "en buena parte, la indecisión cronológica de Pedro Henríquez Ureña y la nuestra de 1947" (p. 104). Anderson Imbert se vale del método generacional, que Portuondo, aunque impugnando su empleo reaccionario (ver "Realidad y falacia de las generaciones" en aquel libro), ha utilizado él mismo. En cambio, Rincón enjuicia implacablemente ese método, y su empleo por Anderson Imbert:

> Hay ante todo un hecho insoslayable que pone en cuestión el criterio idealista generacional como principio periodizador. Una "conciencia generacional" sólo ha resultado posible tras el establecimiento de la sociedad burguesa en Europa. [ . . . ] Es decir, que bajo el *ancien régime* –el cual se extiende en la América Latina hasta las postrimerías del siglo XIX casi en general– no era posible el surgimiento de una conciencia generacional de ninguna especie como

correlato del comienzo de un nuevo estilo literario [ . . . ]. El término no tiene entonces derecho de proyectarse retrospectivamente [ . . . ][60].

No coincidiendo evidentemente con este criterio, Portuondo, en aquel libro suyo de 1958, proponía otra periodización provisional, estrictamente atenida a la división generacional, y explicaba: "El desarrollo del esquema, simplemente enunciado ahora, será objeto de un trabajo posterior, en vías aún de ensayo e investigación" (p. 100). Desgraciadamente, Portuondo no lo ha hecho aún[61]. Y Rincón, por su parte, no ofrece en este aspecto una hipótesis de trabajo, concluyendo así su estudio: "el trabajo que está por cumplirse no es concebible en forma distinta a una amplia labor colectiva" (p. 147).

Para la realización de esa imprescindible tarea, son del mayor interés los materiales del coloquio internacional sobre problemas de periodización en historia literaria realizado en Praga en 1966 [62], el cual, aunque centrado en la literatura francesa, la desbordó largamente, ofreciendo consideraciones de evidente utilidad para nosotros. Como explica en las palabras iniciales el profesor checoslovaco Jan O. Fischer: "Se ha comenzado por los problemas metodológicos generales, continuando con la materia concreta de la historia francesa [ . . . ], y terminando por los problemas de literatura comparada y universal" (p. 5).

En la imposibilidad de glosar todos esos materiales, nos detendremos en dos que consideramos particularmente interesantes para nosotros: el del profesor checoslovaco Oldrich Belic y el de la investigadora soviética Zlata Potapova. De la intervención de Belic, "La periodización y sus problemas"[63], vamos a citar sus puntos centrales:

a) La base de un buen método de periodización será [ . . . ] necesariamente empírica [ . . . ] Y estos rasgos y síntomas descubiertos de manera empírica se transformarán, en el método, en criterios (p. 18).

b) Si se logra definir la idea o el concepto "metodológico" de un período, no se podrá erigirlo en modelo abstracto, en esquema, y aplicarlo mecánicamente a cualquier literatura (p. 19).

c) No puedo negar la existencia y la importancia de los valores inmanentes [ . . . ] Pero estoy persuadido de que el papel principal pertenece a fuerzas motrices extraliterarias (p. 19).

d) Para revelar y describir la evolución literaria se deben utilizar exclusivamente criterios literarios; para explicarla será necesario recurrir a factores extraliterarios (p. 20).

e) Sobre la "denominación de los períodos":

i) Las denominaciones no serán sino etiquetas.
ii) Es necesario no confundir o identificar periodización y denominación. Y lo que importa es siempre la periodización.

79

iii) En cuanto a la solución práctica del problema, creo que se deberían conservar las denominaciones consagradas por el uso allí donde existen. Y donde no existen, sería ventajoso vincular la literatura, por medio de la denominación, a las otras actividades del grupo social correspondiente, especialmente a su actividad histórica (p. 21).

A estas observaciones, de validez general, debemos añadir las que ofrece Zlata Potapova en "Algunos principios generales sobre la periodización en la 'Historia de la literatura mundial' (sobre todo en los volúmenes consagrados a los siglos XIX y XX)", que se refieren a la *Historia de la literatura mundial* que prepara el Instituto Máximo Gorki, de Literatura Mundial, de la URSS [64]. Para esta autora, después de "describir las tendencias determinantes del proceso literario en la evolución histórica de las literaturas nacionales" (p. 68), "la segunda particularidad importante" de aquella *Historia* "es el deseo y el deber de sus autores de mostrar paralelamente el desarrollo de las literaturas del mundo entero liberándose al mismo tiempo del principio eurocentrista en el análisis de la materia", para lo cual es "absolutamente indispensable elaborar una periodización que sería válida tanto para el Occidente como para el Oriente, permitiendo así aprehender las leyes generales de la evolución literaria mundial sobre una base histórica dada, digamos para Rusia y la América Latina . . ." (p. 69). Y más adelante: "la periodización histórica debe ayudar a la generalización teórica de los procesos internacionales, ya que precisamente la noción misma de 'literatura mundial' está vinculada a ellos" (p. 59). Y más adelante aún: "Debo confesar que hasta hoy no hemos elaborado un concepto unido y perfectamente válido. . ." (p. 70).

A partir de trabajos similares, es menester volver a abordar la periodización de nuestra historia literaria, la cual, si por una parte no puede dejar de mostrar absoluta fidelidad a nuestras características concretas, y será por ello, como dice Belic con razón, "necesariamente empírica", por otra parte no puede dejar tampoco de tomar en consideración nuestro engarce con el resto del mundo, según lo plantea la Potapova: los "períodos" de nuestra historia literaria serán inequívocamente nuestros: ¿pero lo serán tanto que no tengan nada que ver con los "períodos" de las historias literarias de aquellos países con los que hemos estado vinculados o con cuyas estructuras tenemos grandes semejanzas? Por supuesto que no: serán nuestros, porque implicarán un engarce con el resto del mundo de una manera peculiar; porque serán momentos nuestros de estar en el mundo. Nuestros orígenes coloniales, nuestro subsiguiente proceso neocolonial y la trabajosa configuración de un rostro propio a través de nuestra historia hacen de este señalamiento de períodos una ardua tarea. A la mera aceptación de las categorías y denominaciones metropolitanas no puede oponérsele, tampoco aquí, una tabla rasa tan feroz como ingenua, sino una búsqueda concreta y una delimitación cuidadosa. En ello estamos. Mientras, por ejemplo, nuestro "modernismo" sigue siendo objeto de enconadas polémicas[65], últimamente ellas abarcan también a nuestro "barroco" y nuestro "romanticismo". Frente a ciertas apreciaciones equívocas del primero, el cubano Leonardo Acosta dirá que el barroco, tomado en un sentido histórico preciso, fue

> . . .un estilo importado por la monarquía española como parte de una cultura estrechamente ligada a su ideología imperialista. Su importación tuvo, desde el principio, fines de dominio en el terreno ideológico y cultural. Esto no implica una valoración estética negativa. Pero sí estimamos necesaria una toma de conciencia respecto a la verdadera significación del barroco, que es un fenómeno estrictamente europeo, y al imperativo de elaborar nuestras propias formas artísticas en la etapa de la liberación económica, política y cultural de la América Latina, formas que en una serie de aspectos serán todo lo contrario del barroco[66].

En lo que toca al romanticismo, el hispanomexicano Federico Alvarez[67], para quien "la cuestión romántica está en estrecha relación con la conciencia nacional de la burguesía" (p. 75), plantea:

> . . .resistiéndome a trasladar mecánicamente las periodizaciones literarias europeas del siglo XIX, defiendo la idea de que la incipiente burguesía hispanoamericana se expresa literariamente, a raíz de la independencia, en el marco de un extenso *eclecticismo,* del que muy pronto se va desgajando el realismo cimero, progresista, social de nuestras más altas figuras decimonónicas. Junto a él se desarrolla también un extenso y caótico movimiento de imitación servil a los modelos románticos europeos, cúmulo de *pastiches* [ . . . ] y por último un *romanticismo* cabal, forzosamente tardío (último tercio del siglo) y mitigado [p. 75-76] [del que es ejemplo, para este autor, *Tabaré* (1888)].

La cubana Mirta Aguirre[68], por su parte, no duda de "la existencia de un romanticismo latinoamericano —el que [ . . . ] está ahí–, por más que no falten quienes quieran negarlo por aquello de que no reproduce con exactitud lo europeo" (p. 413). Sin embargo, sería posible poner de acuerdo a estos autores, si se repara en que cuando Alvarez habla de resistirse a "trasladar mecánicamente las periodizaciones literarias *europeas* del siglo XIX", evidentemente piensa en la Europa *occidental* de desarrollo capitalista, y no en la *otra* Europa, la periférica, a propósito de la cual Mirta Aguirre nos dice que se produjo "en los países social y económicamente más atrasados —Polonia, Hungría [ . . . ]–, una aproximación entre literatura y política en la que lo romántico fue, de hecho, una misma cosa con los impulsos patrióticos por la libertad nacional, un tanto al estilo de lo que sucedió en Italia" (p. 26). Y más adelante: "hubo románticos más o menos retardatarios y más o menos avanzados de ideas. Y estos últimos hay que buscarlos, mejor que en Francia, en Italia, en Polonia, en Hungría o en la etapa predecembrista rusa, allí donde el auge romanticista coincidió con luchas antifeudales y por la independencia nacional" (p. 411). Es evidente que ese *otro* romanticismo, el de la Europa *otra,* la de "los países social y económicamente más atrasados"; ese romanticismo que se hizo "una misma cosa con los impulsos patrióticos por la libertad nacional", que "coincidió con luchas antifeudales y por la independencia nacional", es el que sí podemos acercar a nuestro romanticismo. Entonces nos será dable aceptar tal denominación sin sentir que estamos trasladando "mecánicamente las periodizaciones literarias europeas".

## CRITICA LITERARIA

"La crítica", repetía Martí con apego etimológico, es "ejercicio del criterio"; y esa definición, tan modesta como irreprochable, lleva a varias preguntas: ¿de qué criterio se trata?; ¿tiene sentido una crítica no valorativa?; si valoramos, ¿cómo arribamos a nuestra tabla de valores?; ¿es posible —o deseable— valorar sólo estéticamente? Desde luego, ni pueden responderse con simplezas esas preguntas, ni es eludible su carácter polémico.

En primer lugar, una cuestión es evidente: con cualquier criterio puede realizarse la crítica; pero cualquier criterio no es igualmente aceptable. Para nosotros, hay una línea divisoria inmediata: la crítica de los colonizados, la crítica colonizada no sólo es incapaz, por supuesto, de dar razón de nuestras letras, sino que, de modo más o menos consciente, realiza una tarea dañina, al tergiversar la apreciación de una literatura cuyo mérito central es, precisamente, contribuir a expresar y aun a afirmar nuestra especificidad. En esta categoría hay que situar a los colonizados puros, militantes, que realizan un traslado ramplón de cuanta cáscara de teoría cae de manteles occidentales; y a colonizados impuros o más maliciosos. Podemos prescindir aquí de sus nombres, tan divulgados por cierta previsible política editorial. Pero incluso gente honesta, que de ninguna manera podría confundirse con la anterior, coincide parcialmente con ella al reclamar, por ejemplo, un "Che Guevara del lenguaje". Las obras del Che —sus discursos, sus testimonios, sus artículos, sus cartas, su diario— están en la línea central de la literatura hispanoamericana a que nos hemos referido: por tanto, el Che Guevara del lenguaje propio de nuestra América es. . . el Che Guevara. Aquella expresión, con fraseo más limpio, retoma las tesis de los colonizados: viene a demandar, para volver a las palabras de Szabolsci, hacer estallar "la caparazón lingüística" del español hablado en Hispanoamérica, como desde hace algún tiempo, digamos, hacen con su lengua ciertos escritores burgueses franceses. Pero lo característico, lo ejemplar del Che Guevara es, precisamente, no plegarse en nada a las demandas colonizantes —ni en su actuación política ni en su escritura—, y ello lo hace ser quien es. Un "Che Guevara del lenguaje" tendría la pequeña desventaja de no tener nada que ver con el Che Guevara: ni, por extensión, con nuestra América. Naturalmente que ni proponemos la mansa aceptación del idioma recibido, ni desconocemos las diferencias que hay entre formas literarias distintas (el testimonio, la novela, el poema, por ejemplo): pero aquella metáfora infeliz, después de todo, no fue aducida por nosotros. En conclusión: sólo puntos de vista descolonizados permiten hacer justicia a nuestras letras.

Por otra parte, una crítica no valorativa como la que postulara Jakobson y dicen ejercer muchos, presenta para nosotros, por así decir, dos defectos: uno general y otro particular. Si bien son indudables el interés y la utilidad que puede tener describir con precisión las estructuras de una obra literaria, el que ello se realice sin remisión alguna a la valoración de la obra hace que aquella tarea se ejerza sobre un objeto que lo mismo deba merecer nuestra admiración que nuestra indiferencia, o incluso nuestro rechazo. En realidad, sin embargo, esta aparente "crítica sin criterio", que arroja a la valoración puertas afuera, la hace ingresar por la ventana: el criterio valorativo se ejerce al escogerse la obra objeto de atención, está implícito en esa escogida: sólo que el "crítico" que considera indigno de sí entrar a discutir ese hecho pretende imponernos tranquilamente su decisión. La obra, parece decirnos, es por supuesto buena, y la prueba, si prueba hiciera falta, es que él trabaja sobre ella.

Y ese trabajo aparentemente contagiado por el del lingüista (en realidad, colonizado por él), ¿no tiene el irrefutable rigor de una labor científica? ¿No se ha llegado así, por fin, a contar con un estudio estrictamente científico de la obra literaria? No es la primera vez que al ser una disciplina colonizada por otra, se padecen estragos de este tipo. Por ejemplo, el traslado mecánico a la historia de aspectos de la realidad descubiertos por Darwin para las ciencias naturales, trajo como lamentable consecuencia que el racismo pudiera citar en su apoyo, al parecer, a la ciencia. Cuando el argentino Sarmiento, algunos prohombres del positivismo mexicano o el argentino Ingenieros defendían su desafiante racismo, creían estar apoyados en una base sólidamente científica[69]. Ignoraban que las "razas" son primordialmente hechos históricos, no biológicos, y que, en consecuencia, no se las puede entender con el supuesto apoyo de *otra* ciencia, que no es aquella que les corresponde, y dejarse en el tintero el problema específico, concreto; cuando en el siglo XX, en nuestros propios días, estudiosos de literatura colonizados por la lingüística proclaman con orgullo el carácter científico de su tarea, no hacen sino esgrimir argumentos seudocientíficos para sus labores neorretóricas: sin duda útiles, aunque modestas, y por supuesto acríticas, o a lo más precríticas.

La lingüística, cuyo *fin* es el estudio del lenguaje, es por ello obligadamente anaxiológica; la crítica literaria, en cambio, trabaja con obras literarias, cuyo *medio* es el lenguaje, y declararla anaxiológica es privarla de sentido último. Por supuesto que puede realizarse, incluso con gran provecho, un estudio *lingüístico* de un texto literario, como de un texto jurídico o de uno histórico: pero si el primer estudio es ya crítica literaria, entonces el segundo es del dominio de la jurisprudencia, y el tercero de la historiografía, lo que no parece muy defendible que digamos. La verdad es que la crítica literaria *colonizada* por la lingüística (que no debe confundirse con la *alimentada* por ella) no es más científica que el racismo apoyado en una torpe colonización de la historia por las ciencias naturales. En ambos casos, estamos en presencia de realidades seudocientíficas, característicamente ideológicas, tomando "ideología" en el sentido marxista de falsa conciencia. Por supuesto, esta *reductio ad absurdum* no debe hacernos olvidar la diferencia esencial entre esas dos formas ideológicas: diferencia que radica en el hecho de que el racismo es todo él anticientífico, mientras que en el caso de la crítica invadida por la lingüística, lo anticientífico, como tendremos ocasión de repetirlo, es el desbordamiento de la función que puede y debe desempeñar esta ciencia como método auxiliar de la crítica, no como sustituto de ella.

Pero si tal nos parece el defecto de este abordaje en cualquier circunstancia, ello se agrava a propósito de literaturas como la nuestra. Las literaturas metropolitanas tienen detrás de sí un proceso de decantación que, aunque no excluye la necesidad de replanteos[70], permite al estudioso de esas letras una holgura, una seguridad de la que solemos carecer nosotros. El encuentro no del consabido paraguas con la consabida máquina de coser, sino de una realidad arisca, indeterminada, como la nuestra, con un instrumental conceptual con frecuencia inadecuado, no ha facilitado ciertamente la justa jerarquización (y ni siquiera la simple apreciación) de nuestras letras. La salida de esta encrucijada no puede ser, desde luego, suspender el juicio (lo que equivaldría para nosotros a perderlo), sino, por el contrario, ejercerlo con rigor, sin complacencias ni encogimientos. Y contando para ello como condición indispensable con nuestra propia tabla de valores, nacida de la aprehensión de las especificidades de nuestra literatura: no necesariamente de lo que la separa de las otras literaturas, pero sí de lo que en ella no es peso muerto, *pastiche*, eco mimético de realizaciones metropolitanas, sino —como Mariátegui había pedido para nuestra vida política— "creación heroica", contribución nuestra verdadera al acervo de la humanidad.

Ya Pedro Henríquez Ureña había señalado lo imprescindible que nos era "poner en circulación tablas de valores: nombres centrales y libros de lectura indispensable"[71]. Aquellas tablas no pueden ser sino la generalización de lo genuino encarnado en las obras reales, y tal generalización no tiene mejor demostración de su validez que la mostración de las obras mismas, las cuales urgía "poner en circulación". La situación era mucho más dramática en el momento en que se escribían aquellas líneas (1925) que en nuestros días. Entonces, Henríquez Ureña sólo podría mencionar los dos "conatos de bibliotecas clásicas de la América española" que se debían a Rufino Blanco Fombona y Ventura García Calderón. En los últimos años, la difusión de textos de literatura hispanoamericana de calidad ha crecido considerablemente. Baste mencionar, en lo que toca a textos clásicos, la *Biblioteca Americana* editada por el Fondo de Cultura Económica de México, que fuera proyectada por el propio Pedro Henríquez Ureña y publicada en memoria suya: colección ejemplar por el rigor de la selección y de las ediciones críticas; y la *Colección Literatura latinoamericana,* de la Casa de las Américas[72]. Por otra parte, es significativo que si en el siglo XIX y aún en el momento en que Pedro Henríquez Ureña daba a conocer *Seis ensayos en busca de nuestra expresión* (1928), libro capital, era frecuente que un escritor nuestro se viera obligado a publicar sus obras en tierras metropolitanas (como suele ser todavía el caso para los escritores de las Antillas de lengua no española), hace tiempo que en muchos países iberoamericanos se publica la gran mayoría de sus obras literarias.

Pero si esa "mostración" de las obras mismas es fundamental, no olvidemos que ella no sustituye la discusión crítica y teórica que lleva, precisamente, a la escogida, a la jerarquización de las obras en cuestión. Es cierto que los valores encarnan en las obras, y al abordaje axiológico sólo le es dable revelarlos. Pero ese abordaje es imprescindible, porque si en efecto es capaz de revelar los valores positivos, hace posible diseñar un mundo coherente y genuino, acercando a unas obras entre sí y separándolas de otras, destacando en aquéllas los aspectos esenciales, y señalando las obras que merecen la difusión reclamada por Henríquez Ureña. Todo ello supone una compleja operación; o, por mejor decir, varias operaciones: y si unas son de naturaleza teórica y crítica, lo tocante a "poner en circulación [ . . . ] nombres centrales y libros de lectura indispensable" ya no es, en esencia, ni una cosa ni otra: es una tarea política (término que no podemos rehuir), de política cultural, que necesariamente mira a la otra política (tomando el término en sentido lato), en cuyo seno le incumben funciones específicas. Aquellas colecciones de obras mayores de la literatura hispanoamericana ejemplifican cabalmente este hecho. También, la utilización tendenciosa de una zona de la reciente narrativa hispanoamericana, a la que se dio en llamar con el desagradable y extraliterario término de *boom*, promovida por razones políticas y editoriales[73]. Los vínculos entre cierta crítica de voluntad ahistórica y esa promoción son obvios, por lo que es absurdo considerar a ambas con una visión exclusiva, técnicamente "literaria". La discusión sobre ellas está obligada a tomar en cuenta también –y a veces, sobre todo– otras razones.

Dando pues por sentado que la valoración de las obras es imprescindible, y tomando en consideración hechos como los señalados anteriormente, nos parece que en lo que toca a los criterios para nuestra crítica, y si se quiere a las urgencias de ella, siguen teniendo validez estas observaciones de Reyes:

La llamada crítica pura –estética y estilística [hoy diríamos paraformalista o estructuralista]– sólo considera el valor específicamente literario de una obra, en forma y en fondo. Pero no podría conducir a un juicio y a una comprensión cabales. Si no tomamos en cuenta algunos factores sociales, históricos, biográficos o psicológicos, no llegaremos a una valoración justa[74].

La demanda de lo que Reyes, en otras ocasiones, llamó "integración de los métodos", y para lo que hoy acaso se prefiera el nombre de "colaboración interdisciplinaria" —que de ninguna manera debe confundirse con un eclecticismo desmedulado—, la expone así, en nuestros días, el mexicano Jaime Labastida:

> Tenemos que evitar [ . . . ] dos falsas vías de solución de la cuestión artística: una consistiría en la reducción de la obra a sus significados (económicos, políticos, sociales), con lo cual se caería en el vicio de un sociologismo o economismo vulgar; la otra vía estaría representada por la pretensión formalista, que buscaría en la obra exclusivamente notas de orden "formal" (significantes) o, según se intenta hacer en la actualidad, reproducciones de modelos lingüísticos, por ejemplo el "habla" o la "escritura" de los novelistas. El método correcto parecería ser, por el contrario, el que uniera, pero sin eclecticismo, lo más valioso de ambas tendencias o intentos de solución[75].

Sin duda es integrando lo más valioso de tales métodos, y eludiendo sus escollos, como llegaremos a contar con la crítica que requerimos. Uno de esos escollos lo conocemos bien, y hoy tirios y troyanos coinciden en denigrarlo (significativamente, entre quienes lo denigran con más entusiasmo se hallan algunos de sus intransigentes practicantes de ayer): el *sociologismo vulgar;* pero con no menor energía merece ser rechazado el otro escollo, para el que proponemos la denominación simétrica de *estructuralismo vulgar,* el cual, por otra parte, es el que ahora nos amenaza más, pues el estudio burgués de la literatura pretende hoy tildar de sociologismo vulgar a *todo* abordaje histórico de la literatura, e imponer así su enfoque ahistoricista.

Rechazar los escollos, sin embargo, no puede significar, de ninguna manera, rechazar los *métodos* de los cuales aquellos escollos no son sino su desbordamiento, extrapolación o absolutización. Sin lo mejor de tales métodos, la crítica es sencillamente irrealizable: uno, nos llevará a articular nuestras obras, para hacerlas plenamente comprensibles, con la historia real de nuestros países: historia que en considerable medida está aún por escribirse con criterio científico, lo que constituye una pesada dificultad para nuestro trabajo; otro, a captar las verdaderas características formales de nuestras obras, y la función conceptual de esas características, en lo que es de mucha utilidad la lección de Della Volpe[76]. Ambos, coherentemente integrados, harán posible contar con la crítica requerida por el abordaje maduro de nuestra literatura: más madura, ella, que la teorización y la crítica sobre ella. Lo cual, a fin de cuentas, no es para alarmar como sería lo contrario: el predominio, por encima de la literatura misma, de la crítica y la teorización: y sobre todo de *cierta* crítica y *cierta* teorización. De esto último vemos muestras abundantes en más de un país capitalista, y constituye otro ejemplo, aunque la palabra nos sea tan desagradable, de decadencia: no hay allí el recio vuelo crítico que sería señal de vigor intelectual, sino el "torpe vuelo de avutarda", como diría el español Antonio Machado, del alejandrinismo, del bizantinismo, del escolasticismo ergotizador, de la retórica de nuevo (y viejo) cuño: en suma, del estructuralismo vulgar. Pero si siempre es preferible que la literatura alcance las realizaciones a que aún no arriba el estudio sobre ella, la verdadera muestra de salud es que la praxis literaria, como toda praxis, sea iluminada por su correspondiente teoría, haciéndose así posible un enjuiciamiento a la altura de su objeto, e incluso la inserción orgánica y justa de este último en un orbe histórico más vasto[77].

## FINAL PROVISORIO

A lo largo de nuestra difícil historia, no nos han faltado contribuciones valiosas, y aun muy valiosas, a esa tarea colectiva que tenemos por delante, y a la que ofrecen un modesto aporte las páginas precedentes: la de precisar los verdaderos aspectos teóricos de nuestra literatura. Desde la polémica Bello–Sarmiento hasta la tarea fundadora de José Martí; y desde los estudios indispensables de Pedro Henríquez Ureña y Alfonso Reyes hasta nuestros días, tales aportes constituyen un *corpus* que en gran medida espera aún su apreciación, articulación y utilización adecuadas. Un capítulo decisivo en la historia de esa meditación fue iniciado por José Carlos Mariátegui al introducir el materialismo dialéctico e histórico en nuestros estudios literarios. Su tarea sería continuada por hombres como José Antonio Portuondo, y por un grupo apreciable de estudiosos más jóvenes a lo largo del continente, a quienes hay que añadir a investigadores marxistas no latinoamericanos que, sobre todo en años recientes (a partir del triunfo de la Revolución Cubana y de la atención que ella atrajo hacia nuestra América), han hecho importantes contribuciones. Entre todos ellos, y los que vayan apareciendo, se va desbrozando el terreno que nos permitirá elaborar la teoría adecuada a nuestras letras. El que aún no contemos sino parcialmente con ella no debe descorazonarnos. El francés Jean Pérus considera a la teoría literaria, en general, como "una ciencia en vía de constitución", y habla de su "estado aún incierto"[78]; y la revista francesa *La Nouvelle Critique,* al presentar el ensayo "¿Es posible una ciencia de lo literario?", afirma que "no disponemos aún de trabajos que permitirían fundar una teoría marxista del fenómeno literario"[79]. Quizá haya en esto cierta exageración[80]; pero por lo que sabemos, y a pesar de lo enmarañado de nuestra historia, *en cierta forma* nos encontramos, en este orden, en circunstancias parecidas al resto del mundo: con las particularidades propias de cada uno, desde luego. Y el que, como paso indispensable para elaborar nuestra propia teoría literaria, insistamos en rechazar la imposición indiscriminada de criterios nacidos de otras literaturas, no puede ser visto, en forma alguna, como resultado de una voluntad aislacionista. La verdad es exactamente lo opuesto. Necesitamos pensar nuestra concreta realidad, señalar sus rasgos específicos, porque sólo procediendo de esa manera, a lo largo y ancho del planeta, conoceremos lo que tenemos en común, detectaremos los vínculos reales, y podremos arribar un día a lo que será de veras la teoría general de la literatura general.

Diciembre de 1974.

# NOTAS

Aunque estas notas se refieren en lo fundamental a la literatura hispanoamericana, con la que el autor está más familiarizado, es obvio que no pocas de sus observaciones podrían aplicarse también a otras literaturas de nuestra América: la brasileña, las de las Antillas de lengua francesa, inglesa, etc. De hecho, algunos de los estudiosos citados hablan de cuestiones *latinoamericanas*. [Este trabajo, publicado por vez primera en *Casa de las Américas* ha sido republicado después varias veces. La presente versión, en la que se han corregido errores, erratas y desórdenes deslizados en las anteriores apariciones del ensayo, pero que salvo algunas indicaciones bibliográficas no implica una actualización, debe considerarse definitiva. Nota de 1992.]

[1] Kurt Schnelle: "Acerca del problema de la novela latinoamericana", varios: *El ensayo y la crítica literaria en Iberoamérica. Memoria del XIV Congreso Internacional de Literatura Iberoamericana, Universidad de Toronto. Toronto, Canadá, 24-28 de agosto de 1969*, edición de Kurt L. Levy y Keith Ellis, Toronto, 1970.

[2] Mario Benedetti: "La palabra, esa nueva cartuja", *Crítica cómplice*. La Habana, 1971. Estos conceptos (estas páginas) se hallan también en otros trabajos de Benedetti.

[3] Ver por ejemplo, de R.F.R.: *Ensayo de otro mundo,* La Habana, 1967 (2da. ed., ampliada, Santiago de Chile, 1969); "Diez años de revolución: el intelectual y la sociedad", en colaboración, *Casa de las Américas,* Nº 56, septiembre-octubre de 1969, y como libro en México, 1969; "Calibán", *Casa de las Américas,* Nº 68, septiembre-octubre de 1971, y como libro en numerosas ediciones; "A propósito del Círculo de Praga y del estudio de nuestra literatura", *Casa de las Américas,* Nº 74, septiembre-octubre de 1972; "Lecciones de Portuondo", *Casa de las Américas,* Nº 75, noviembre-diciembre de 1972; "Apuntes sobre revolución y literatura en Cuba", *Unión,* diciembre de 1972; "Sobre la crítica de Martí", prólogo a: José Martí: *Ensayos sobre arte y literatura,* selección y prólogo de R.F.R., La Habana, 1972; "Para una teoría de la literatura hispanoamericana", *Casa de las Américas,* Nº 80, septiembre-octubre de 1973. [Estos trabajos, de los cuales mencionamos sólo su primera aparición, y también el presente y otros se recogieron luego en *Para una teoría de la literatura hispanoamericana,* La Habana, 1975, y ediciones posteriores, corregidas y aumentadas, en Bogotá, 1976, México, 1977, y de nuevo La Habana, 1984. Ver también "Intercomunicación y nueva literatura" (1969), varios: *América Latina en su literatura,* coordinación e introducción de César Fernández Moreno, México, 1972, y ediciones posteriores. Este último trabajo debió formar parte del libro *Para una teoría...* y será incluido en quinta edición de él, si la hay. Quizás interese también consultar *Naturalidad y modernidad en la literatura martiana.* Montevideo, 1986. [Nota de 1992].

[4] Ver en particular "Para una teoría de la literatura hispanoamericana", cit. en nota 3.

[5] David Maldasvki: *Teoría literaria general,* Buenos Aires, 1974.

[6] José Miguel Ibáñez: *La creación poética,* Santiago de Chile, 1969.

[7] Rudolf Grossmann: *Historia y problemas de la literatura latinoamericana* [1969], traducción del alemán por Juan C. Probst, Madrid, 1972.

[8] Ver por ejemplo: José Carlos Mariátegui: "El proceso de la literatura", *Siete ensayos de interpretación de la realidad peruana* [1928], La Habana, 1963, p. 213-218.

[9] Los creadores del materialismo histórico advirtieron enérgicamente contra el error que implicaría prescindir de la aprehensión de las especificidades concretas. Un investigador soviético ha recordado hace poco: "cabe decir que Carlos Marx, Federico Engels y Vladimir Ilich Lenin se pronunciaron reiteradas veces contra las tentativas de desfigurar

dogmáticamente algunos postulados del socialismo científico en lo referente a las leyes generales del desarrollo histórico. Por ejemplo, sobre el crítico N. Mijailovsky, destacado ideólogo del populismo ruso, por su falsa interpretación de *El Capital*, Carlos Marx escribió en una carta a la redacción de la revista rusa *Otechestevenniye Zapiski:* 'El [Mijailovsky] necesariamente quiere convertir mi ensayo histórico del surgimiento del capitalismo en la Europa occidental en una teoría histórico-filosófica de un camino universal, que fatalmente están condenados a recorrer los pueblos, cualesquiera sean las condiciones en que se encuentren, y ello para llegar, en última instancia, a una formación económica que garantice —junto con un florecimiento grandioso de las fuerzas productivas del trabajo social— el desarrollo más pleno del hombre. Pero le pido mil perdones. Eso sería para mí demasiado halagüeño y, simultáneamente, demasiado oprobioso". (Carlos Marx y Federico Engels: *Obras*, 2da. ed., t. 19, p. 120 [en ruso]). Vladimir Ilich Lenin señalaba más adelante que la peculiaridad de la situación histórica en vísperas de la Revolución de Octubre facilitó a Rusia, por ejemplo, 'la posibilidad de pasar, de manera diferente que en todos los demás países del occidente de Europa, a crear las premisas fundamentales de la civilización' (v.i. Lenin. "Nuestra revolución", *Obras completas,* t. XXXIII, Buenos Aires, p. 439). Nodari Simonia: "Proceso histórico del 'despertar de Oriente'", *Ciencias Sociales,* 3 (9), 1972, p. 207.

[10] Antonio Candido: "Literatura y subdesarrollo", varios: *América Latina en su literatura,* cit. en nota 3.

[11] No creemos, sin embargo, que acierte del todo Candido al decir que "nuestras literaturas (como también las de Norteamérica) son, fundamentalmente, ramas de las literaturas metropolitanas" (*op. cit.,* p. 344), a no ser que se precise claramente esa siempre equívoca metáfora forestal: "rama". Que con aquellas literaturas, con sus grandes momentos creadores, conservamos vínculos poderosos es evidente: esos momentos son también *nuestra* tradición. Pero si durante siglos lo que dice Candido fue cierto, no puede sostenerse, por ejemplo, que la *actual* literatura norteamericana sea una "rama" de la *actual* literatura inglesa; ni que la *actual* literatura hispanoamericana sea una "rama" de la *actual* literatura española. Entendemos las palabras del agudo Candido como un desafío polémico a los secesionistas a ultranza.

[12] Ver *Cultura, sociedad y desarrollo,* introducción y selección del estadounidense John Dumoulin, *La Habana; y Cultura, ideología y sociedad. Antología de estudios marxistas de la cultura,* selección, presentación y traducción [ . . . ] por Desiderio Navarro, La Habana, 1975. En ambos casos, *1973, passim.*

[13] Conceptos más recientes de "cultura" abordada con óptica semiótica se encuentran en el soviético Yuri M. Lotman: "El problema de una tipología de la cultura", y el italiano Ferrucio Rossi-Landi: "Programación social y comunicación", ambos en *Casa de las Américas,* Nº 71, marzo-abril de 1972. Una vívida idea de nuestra cultura y sus relaciones se encontrarán en el cubano Alejo Carpentier: "De lo real maravilloso americano", *Tientos y diferencias,* México, 1964, y ediciones posteriores.

[14] Ver Alejandro Lipschütz: *Perfil de Indoamérica de nuestro tiempo. Antología 1937-1962* [1968], La Habana, 1972, p. 92. En este libro capital, Lipschütz combate el "desprecio para los hechos culturales ajenos" que "es el firme fundamento sobre el cual descansa la política cultural del europeo en Asia, Africa, Australia e incluso América Latina" (p. 93). Para saber lo que Lipschütz considera como "cultura", ver p. 40.

[15] Miklos Szabolsci: "L'enseignement de la littérature en Hongrie", varios: *L'enseignement de la littérature* [ . . . ] bajo la dirección de Serge Doubrovsky y de Tzvetan Todorov, París, 1971. [En este y en todos los casos ulteriores, si no se indica otra cosa, las traducciones son de R.F.R. Nota de 1992.]

[16] En nuestro caso, las poderosas *transculturaciones* que han estudiado, por ejemplo, el creador del término, el cubano Fernando Ortiz (en lo que toca a nuestras herencias africanas), y Lipschütz (con referencia a nuestras herencias amerindias).

[17] R.F.R.: "Martí en su (tercer) mundo", *Cuba Socialista*, Nº 41, enero, 1965, p. 55, pubicado después en varias ocasiones. Ver un complemento en "Notas sobre Martí, Lenin y la revolución anticolonial", *Casa de las Américas*, Nº 59, marzo-abril de 1970, donde ya se esboza un paralelo entre nuestros países y algunos de los de la Europa periférica. [Este último trabajo, así como nuevas versiones del anterior, y otros se recogieron luego en *Lectura de Martí*, México, 1972, y sobre todo en *Introducción a José Martí*, La Habana, 1978. Nota de 1992.]

[18] Vladimir Ilich Lenin: "Cuadernos sobre el imperialismo", *Obras completas*, tomo XXXIX, vol. II, La Habana, 1963, p. 746 y 749.

[19] Ello requerirá, por ejemplo, un abordaje de las regiones estadiales como el planteado por el historiador soviético Alexander Chistozvonov en "Estudio de las revoluciones burguesas europeas de los siglos XVI-XVII por estadios y regiones", *Ciencias Sociales*, 4 (14), 1973. Allí se considera "el tipo estadial regional de desarrollo del capitalismo en los países de Europa Central y Oriental", en cuyas revoluciones "surgían también las tareas de liberación nacional y las políticas"; y más adelante: "Nexos más complicados, mediatizados (y por ahora poco estudiados) son típicos para el 'ciclo ibérico' de revoluciones del siglo XIX y las guerras-revoluciones liberadoras en los países latinoamericanos. Creemos posible relacionar las últimas con el tipo del período manufacturero [ . . . ]" (p. 112-113).

[20] Ver Alejandro Lipschütz: *Marx y Lenin en la América Latina y los problemas indigenistas*, La Habana, 1974, especialmente "Lenin y nuestros problemas latinoamericanos". Ya a principios del siglo XIX Alejandro de Humboldt había señalado, de pasada, que el "estado político y moral del imperio ruso" tenía "muchos puntos notables de semejanza con la Nueva España". Alejandro de Humboldt: *Ensayo político sobre el reino de la Nueva España*, t. II, México, 1941, p. 25.

[21] Ver de Ulrich Weisstein: *Comparative Literature and Literary Theory. Survey and Introduction* [1968], traducido del alemán por William Riggan en colaboración con el autor, Bloomington y Londres, 1973, p. 29. Criterios más amplios se encontrarán, por ejemplo, en *La littérature comparée en Europe orientale. Conférence de Budapest 26-29 octobre, 1962*, Budapest, 1963, compilado por el húngaro I. Söter y otros; y en *La literatura comparada* [1967], de los franceses Claude Pichois y André M. Rousseau, traducción del francés por G. Colón, Madrid, 1969. [Y por supuesto en obras del agudo y erudito francés Etiemble: por ejemplo, *Comparaison n'est pas raison. La crise de la littérature comparée, París, 1963; Essais de littérature (Vraiement) générale*, París, 1974, o "Literatura comparada", Varios: *Métodos de estudio de la obra literaria*, coordinación de José María Diez Borque, Madrid, 1985. Y en el notable libro del hispanonorteamericano Claudio Guillén *Lo uno y lo diverso. Introducción a la literatura comparada (1984)*, Barcelona, 1985, que tiene el interés adicional de ser el primero de esta envergadura escrito en español y desde él, también con amplio conocimiento de lo producido en otros idiomas. Nota de 1992.]

[22] Un buen ejemplo de estudio de *funciones de influencias* es el del brasileño Roberto Schwartz "Dependencia nacional. Desplazamiento de ideologías. Sobre la literatura brasileña en el siglo XIX", *Casa de las Américas*, Nº 81, noviembre-diciembre de 1973, *passim*.

[23] Vera Kuteischikova: *La novela mexicana. La formación, la originalidad, la etapa contemporánea*, Moscú, 1971 (en ruso). Las páginas en cuestión aparecen en la *Recopilación de textos sobre la novela de la Revolución mexicana*, compilación y prólogo del cubano Rogelio Rodríguez Coronel, que publicará la Casa de Las Américas. (Apareció en La Habana, en 1975. El texto de V. K. lleva el título "La novela de la Revolución Mexicana y la primera narrativa soviética" [Nota de 1992]).

[24] Adrian Marino: "Sur la critique de Martí", *Cahiers Roumains d'Etudes Littéraires*, 1/1974, p. 143.

²⁵ Alfonso Reyes: *El deslinde. Prolegómenos a la teoría literaria,* México, 1944, edición de la que citamos. Existe una nueva edición en el tomo XV de sus *Obras completas,* México, 1963, cuidadosamente presentado por el nicaragüense Ernesto Mejía Sánchez y que incluye unos "Apuntes para la teoría literaria". El "pensar literario" de Reyes, como dice Mejía Sánchez (*op. cit.,* p. 7), debe buscarse también, al menos, en el tomo XIV de sus *Obras completas,* México, 1962, y en *Al yunque (1944-1958),* México, 1960. [Este último libro y otros similares fueron recogidos en el tomo XXI de dichas *Obras completas,* México, 1981, también sabiamente presentado por E.M.S. Nota de 1992.]

²⁶ En más de un aspecto, la gran obra de Reyes fue precoz. Por ejemplo, ciertas distinciones suyas que en la época parecieron excesivamente técnicas, deberán ser confrontadas con las propuestas luego por el italiano Galvano Della Volpe en su *Crítica del gusto* [1960-63], traducción del italiano por Manuel Sacristán, Barcelona, 1966. Así, lo que Reyes llama "coloquio" y "paraloquio" (*El deslinde,* p. 194), y Della Volpe "unívoco", "equívoco" y "polisentido o polisemo" (*Crítica...,* p. 121-122).

²⁷ Ver una alusión a este punto en el prólogo de Mejía Sánchez a la edición de *El deslinde* en las *Obras completas,* t. XV, México, 1963, p. 9. Ya José Antonio Portuondo, al reseñar la primera edición del libro, observó: "conviene advertir que el análisis fenomenológico practicado en él nada tiene que ver con los procedimientos, también fenomenológicos, de los partidarios de la crítica estilística". José Antonio Portuondo: "Alfonso Reyes y la teoría literaria" [1944], *Concepto de la poesía* [2da. ed.], La Habana, 1972, p.173. [En la tercera edición, corregida y aumentada, de este libro de Portuondo, con prólogo de R.F.R., México, 1974, la cita aparece en las p. 163 y 164. Nota de 1992.]

²⁸ Roman Jakobson: "Fragments de 'La nouvelle poésie russe'. Esquisse première: Vélimir Khlebnikov" [1919], *Questions de poétique,* volumen publicado bajo la dirección de Tzvetan Todorov, París, 1973, p. 15.

²⁹ Ver, por ejemplo: B[oris] Eikhenbaum [Eijenbaum en la trasliteración al español]: "La théorie de la 'methode formelle'", *Théorie de la littérature. Textes des formalistes ruses* compilados, presentados y traducidos por Tzvetan Todorov, prefacio de Roman Jakobson, París, 1965, p. 37. [Y del búlgaro-francés Tzvetan Todorov: *Poétique,* París, 1973, p. 20-21. Al tema ha dedicado Mircea Marghescou su libro *Le concept de littérarité. Essai sur les possibilités théoriques d'une science de la littérature,* La Haya, 1974. Nota de 1992.]

³⁰ A propósito de esta renuncia, de este defecto, escribe Kristina Pomorska ("Russian Formalism in Retrospect"): "los miembros del *Opojaz* nunca introdujeron el problema de la evaluación en su sistema; para decirlo de manera más categórica, no pensaron que el procedimiento de estudiar la literatura tuviera en absoluto que ser evaluativo. En realidad parecieron aceptar tácitamente el principio enunciado por Croce: que nuestra evaluación del arte es siempre y necesariamente intuitiva". *Readings in Russian Poetics. Formalist and Structuralist Views,* ed. por Ladislav Matejka y Krystina Pomorska, M.I.T., 1971, p. 275.

³¹ Jurij Tynianov [Yuri Tinianov en la trasliteración al español]: "Il fatto letterario", *Avanguardia e tradizione* [*Arcaisti i novátori,* Leningrado, 1929, en ruso], introducción de Viktor Sklovskij [Víctor Shclovski en la trasliteración al español], traducido del ruso por Sergio Leone, Bari, 1968.

³² Yuri Tinianov: "Sull evoluzione letteraria", *op. cit.* en nota 31, p. 49. Este texto ha sido traducido frecuentemente; ver, por ejemplo, en español: *Estética y marxismo,* presentación y selección de los textos por Adolfo Sánchez Vázquez, México, 1970, t. I. Allí el trabajo lleva el título "La correlación de la literatura con la serie social", y la cita aparece en las pp. 262-263.

³³ Como lo ha señalado el francés André Gisselbrecht: "Marxisme et théorie de la littérature", *Littérature et idéologies,* número especial de *La Nouvelle Critique,* 39 bis, c. 1970, p. 33.

[34] Ver R.F.R.: "A propósito del Círculo de Praga y del estudio de nuestra literatura", cit. en nota 3. [Ver en particular: Jan Mukarosky: *Escritos de estética y semiótica del arte,* traducción del checo por Anna Anthony-Visová, selección, notas, prólogo y bibliografía de Jordi Lloret, Barcelona, 1975, *passim.* Nota de 1992.]

[35] José Antonio Portuondo: "El rasgo predominante en la novela hispanoamericana" [1951]: *El heroísmo intelectual,* México 1955, p. 106. El subrayado es nuestro.

[36] José Antonio Portuondo: "Literatura y sociedad" [c. 1969], varios: *América Latina en su literatura,* cit. en nota 3, p. 391. El subrayado es nuestro.

[37] Alfonso Reyes: *El deslinde,* cit. en nota 25, p. 213.

[38] Uno de los buenos estudiosos de esas "novelas", el investigador de la R.D.A. Adalbert Dessau, confiesa que "tales obras [de Azuela, Guzmán, Vasconcelos, incluso Romero] más bien son memorias que verdadera novelística", *La novela de la Revolución mexicana,* México, 1972, p. 18.

[39] H.R. Hays: "La poesía latinoamericana" [prólogo a *12 Spanish American Poets,* New Haven, 1943], *Gaceta del Caribe,* año 1, Nº 3, mayo de 1944, p. 16.

[40] Pedro Henríquez Ureña: *Literary Currents in Hispanic America,* Cambridge, Massachusetts, 1945, p. 147. Citamos de la versión en español: *Las corrientes literarias en la América hispánica,* traducción del inglés por J. Díez-Canedo, México, 1949, p. 150.

[41] José Martí: "Julián del Casal", *Ensayos sobre arte y literatura,* cit. en nota 3, p. 234. Martí traza en este breve texto lo que sería parábola del "modernismo" (denominación que él no utiliza): "Es como una familia en América esta generación literaria, que principió por el rebusco imitado y está ya en la elegancia suelta y concisa, y en la expresión artística y sincera, breve y tallada, del sentimiento personal y del juicio criollo y directo".

[42] Ver del español Tomás Navarro [Tomás]: *Métrica española. Reseña histórica y descriptiva,* Nueva York, 1956, p. 250-251. Ver un valioso "Panorama histórico del género [se refiere a la décima] en España e Hispanoamérica" en la notable investigación de la puertorriqueña Ivette Jiménez de Báez *La décima popular en Puerto Rico,* Xalapa, Veracruz, 1964. Desgraciadamente, esta autora desconoce las búsquedas del cubano Samuel Feijoo sobre la décima popular cubana: ver, por ejemplo, de S.F.: *Los trovadores del pueblo,* t. I., Santa Clara, 1960, *passim.*

[43] Carlos H. Magis: *La lírica popular contemporánea. España, México, Argentina,* México, 1969, p. 526. Sin embargo, la cubana Carolina Poncet y de Cárdenas (*El romance en Cuba* [1914], La Habana, 1972) estima que en el siglo XVIII la poesía popular española se valía también de la décima (p. 20-21), y cita en su apoyo un curioso e incontrovertible pasaje del francés J. P. Burgoing (nota 20, al pie de la p. 21). [El libro de Poncet y Cárdenas se reprodujo íntegro en sus *Investigaciones y apuntes literarios,* selección y prólogo de Mirta Aguirre, La Habana, 1985. Nota de 1992.]

[44] Ver del dominicano Sócrates Nolasco: *Una provincia folklórica. Cuba, Puerto Rico y Santo Domingo,* Santiago de Cuba, 1952, p. 24.

[45] Carolina Poncet y Cárdenas: *op. cit.* en nota 43.

[46] En *El Martín Fierro* (con la colaboración de Margarita Guerrero), Buenos Aires, 1953, el argentino Jorge Luis Borges cita una opinión de Unamuno en que éste habla de "las monótonas décimas de *Martín Fierro*". Borges acota: "Acaso no es inútil advertir que las monótonas décimas [ . . . ] son realmente sextinas" (p. 71-72). Como se sabe, las "sextinas" son de arte mayor (Tomás Navarro: *op. cit.* en nota 39, p. 190), de modo que Borges está igualmente equivocado. La estrofa en cuestión es una "sextilla" (ver Eleuterio F. Tiscornia: *La lengua de Martín Fierro,* Buenos Aires, 1930, p. 284, y Tomás Navarro: *op. cit.,* p. 349), pero tan "original" ("no tiene antecedentes en la poesía gauchesca", Tiscornia:

*ibid.*) que no es en realidad sino una décima (frecuente ella sí en la poesía gauchesca) a la que se la ha privado de sus cuatro primeros versos, lo que deja al quinto (primero de la "sextilla") sin rima. Unamuno, pues, no estaba en este punto tan desencaminado como creía el siempre ingenioso (y con frecuencia equivocado) Borges. Ya el norteamericano Henry A. Holmes (*Martín Fierro, an Epic of the Argentine,* 1923) había reparado en esa peculiaridad, según el argentino Ezequiel Martínez Estrada, quien la comentó agudamente en *Muerte y transfiguración de Martín Fierro,* México, 1948, tomo II, p. 18 y s. Martínez Estrada llama a esta estrofa "sexteta". También el español Enrique Díez-Canedo señaló el hecho, y habló de la "décima trunca" del *Martín Fierro* en "Unidad y diversidad de las letras hispánicas" [1935], *Letras de América,* México, 1944, p. 33.

⁴⁷ Waldo Frank: "Notes on Alfonso Reyes" [1941], varios: *Páginas sobre Alfonso Reyes.* t. I, Monterrey, 1955, p. 415.

⁴⁸ Por supuesto que para entonces ya había novelas y en consecuencia novelistas en nuestras tierras, y hasta el chileno Arturo Torres Rioseco, refundiendo dos libros suyos anteriores, pudo publicar en la época una obra con el título *Grandes novelistas de la América hispana,* Berkeley y Los Angeles, 1949. Pero parece que le asiste la razón a Adalbert Dessau, quien ve nuestra novela como "conciencia histórica", cuando, refiriéndose a la novelística hispanoamericana previa a la eclosión de estos años recientes, escribe: "las novelas latinoamericanas representativas carecen bastante de la dimensión humana porque dentro del ambiente colonial y feudal muy poco modificado sus mismos autores no han ascendido lo bastante en el proceso de individualización propia del surgimiento de la sociedad burguesa [ . . . ] muchas novelas del siglo XIX y hasta del XX [ . . . ] resultan obras de divulgación en el sentido de que, por falta de otras formas e inmadurez del género, se ha dado forma novelística a algo que mejor habría sido haberlo publicado en forma de folleto o ensayo". Adalbert Dessau: "La novela latinoamericana como conciencia histórica", *Actas del Tercer Congreso Internacional de Hispanistas* [1968], México, 1970, p. 259.

⁴⁹ Alejo Carpentier: *Tientos y diferencias,* citado en nota 10, especialmente "Problemática de la actual novela latinoamericana".

⁵⁰ H. R. Hays: *op. cit.* en nota 39, p.16.

⁵¹ Kurt Schenelle: *op.cit.* en nota 1, p. 165-166.

⁵² Adalbert Dessau: *op cit.* en nota 48, p. 266.

⁵³ Lucien Goldmann: "Nouveau roman et realité", *Por une sociologíe du roman,* París, 1964.

⁵⁴ Rita Schober: "Périodisation et historiographie littéraire", varios: *Problèmes de périodisation dans l'histoire littéraire. Colloque international organisé par la section d'études romanes de l'Université Charles de Praque (29 novembre-1er. decembre, 1966),* Praga, 1968, p. 23.

⁵⁵ Anatoli Lunacharski: "Tesis sobre las tareas de la crítica marxista" [1928]. *La Gaceta de Cuba,* Nº 112, mayo-junio de 1973, p. 27.

⁵⁶ Carlos Rincón: "Sobre crítica e historia de la literatura hoy en Hispanoamérica", *Casa de las Américas,* Nº 80, septiembre-octubre de 1973.

⁵⁷ Por ejemplo, el trabajo del argentino Raimundo Lida: "Períodos y generaciones en historia literaria", *Letras hispánicas,* México, 1958, comenta el congreso sobre el tema – ceñido a literaturas europeas– que se celebró en Amsterdam en 1935. Un carácter "general" tiene "Problemas de la historia literaria" del mexicano José Luis Martínez, que toca esta y otras cuestiones, *Problemas literarios,* México, 1955.

⁵⁸ José Antonio Portuondo: "'Períodos' y 'generaciones' en la historiografía literaria hispanoamericana" [1947], *La historia y las generaciones,* Santiago de Cuba, 1958. [2da.

ed., La Habana, 1981. Nota de 1992.]

[59] Ver José Carlos Mariátegui: *op. cit.* en nota 8, p. 219.

[60] Carlos Rincón: *op. cit.* en nota 56, p. 145.

[61] Sí ha realizado el trabajo el cubano José Juan Arrom, en su minucioso *Esquema generacional de las letras hispanoamericanas. Ensayo de un método,* Bogotá, 1963. [En la segunda edición del libro, 1977, Arrom retocó varios párrafos y añadió algunas páginas para actualizar su obra. Nota de 1992.]

[62] Se trata del coloquio de cuyos materiales se habla en la nota 54.

[63] "La périodisation et ses problèmes", *op. cit* en notá 54, de donde citamos. El trabajo apareció también, en español, en la revista chilena *Problemas de Literatura,* año 1, Nº 2, septiembre de 1972.

[64] Zlata Potapova: "Quelques principes généraux posés à la base de la périodisation dans 'L'Histoire de la littérature mondiale' (surtout dans les volumes consacrés aux XIXe--XXe siècles)", *op. cit.* en nota 54. Sobre el estado en 1971 de la elaboración de dicha historia, que debe constar de diez volúmenes, ver A. Ushkakov: "El Instituto Máximo Gorki de Literatura Mundial", *Ciencias Sociales,* Nº 4 (6), 1971, p. 224.

[65] Hemos expuesto nuestra opinión sobre este punto en "Modernismo, noventiocho, subdesarrollo" [1968], *Actas del Tercer Congreso de Hispanistas,* cit. en nota 48, y *Ensayo de otro mundo,* 2da. ed., cit. en nota 3. Un resumen crítico de las discusiones hasta 1968 inclusive se encuentra en el texto del italiano Antonio Melis "Balancio degli studi sul modernismo ispanoamericano", *Lavori della Sezione Fiorentina del Grupo Ispanístico C.N.R.,* serie II, Florencia, c. 1969.

[66] Leonardo Acosta: "El 'barroco americano' y la ideología colonialista", *Unión,* septiembre de 1972, p. 59. [Y luego en el libro del autor *El barroco de Indias y otros ensayos,* La Habana, 1984. Nota de 1992.]

[67] Federico Alvarez: "¿Romanticismo en Hispanoamérica?", *Actas del Tercer Congreso Internacional de Hispanistas,* cit., en nota 48.

[68] Mirta Aguirre: *El romanticismo de Rousseau a Víctor Hugo,* La Habana, 1973. [2da. ed., 1987. Nota de 1992.]

[69] Ver del francés Nöel Salomon: "José Martí et la prise de conscience latinoaméricaine" *Cuba Sí.* Nº 35-36, 4to. trimestre 1970-1er. trimestre 1971, p. 5-6. Este importante trabajo se publicó también, en español, con el título "José Martí y la toma de conciencia latinoamericana", *Anuario Martiano,* Nº 4, La Habana, 1972. [Y luego en el libro del autor *Cuatro estudios martianos,* La Habana, 1980. Nota de 1992.]

[70] Pues se trata de una decantación hecha desde la perspectiva de una clase, la cual, como ha observado con razón la francesa France Vernier, diseña en cada caso lo que es "literatura", no "el conjunto de los textos literarios", sino "el conjunto de los escritos 'sagrados', que son, en una época dada, reconocidos como 'literarios' por una clase social", "la clase dominante", que "tiende a imponer su corpus a las clases dominadas". France Vernier: *Una sciencie du littéraire est-elle possible?,* París, 1972, p. 4-5. El desarrollo de las burguesías metropolitanas explica la nitidez de sus "corpus" literarios respectivos; el escaso desarrollo de nuestras burguesías dependientes, el desbarajuste de los nuestros.

[71] Pedro Henríquez Ureña: "Caminos de nuestra historia literaria", *Seis ensayos en busca de nuestra expresión* [1928], ahora en *Obra crítica,* México, 1960, p. 255.

[72] Una excelente visión general de esta *Colección,* que contó con su asesoría desde el primer momento, nos ha dejado la dominicano-cubana Camila Henríquez Ureña en "Sobre la *Colección Literatura latinoamericana", Casa de los Américas,* Nº 45, noviembre-

diciembre de 1967. Ver una comparación con la *Biblioteca Americana,* en cuyo diseño también participó Camila Henríquez Ureña, en la p. 160. [A partir de 1976 empezó a aparecer en Caracas la *Biblioteca Ayacucho,* que tiene puntos de contacto con las anteriores, pero en conjunto es mejor que ellas. Nota de 1992.]

[73] Sobre esta cuestión, ver por ejemplo, del colombiano Jaime Mejía Duque: "El 'boom' de la narrativa latinoamericana", *Narrativa y neocoloniaje en América Latina,* Buenos Aires, 1974; y Mario Benedetti: *El escritor latinoamericano y la revolución posible,* Buenos Aires, 1974, especialmente p. 147-155.

[74] Alfonso Reyes: "Fragmento sobre la interpretación social de las letras iberoamericanas", *Marginalia, primera serie,* México, 1952, p. 154. [Puede consultarse ahora en el tomo XXII, p. 155, de sus *Obras completas,* México, 1989, presentado con su acierto habitual por José Luis Martínez. Nota de 1992.]

[75] Jaime Labastida: "Alejo Carpentier: realidad y conocimiento estético [ . . . ]", *Casa de las Américas,* Nº 87, noviembre–diciembre de 1974, p. 24.

[76] Una forma válida de realizar esta labor se aprecia en obras recientes de los críticos cubanos Sergio Chaple: *Rafael María de Mendive. Definición de un poeta,* La Habana, 1973, y Salvador Arias: *Búsqueda y análisis,* La Habana, 1974.

[77] Un ejemplo de la crítica integral que requiere nuestra literatura es el libro del peruano Antonio Cornejo Polar: *Los universos narrativos de José María Arguedas,* Buenos Aires, 1975.

[78] Jean Pérus: *Méthodes et tecniques du travail en histoire littéraire,* París, 1972, p. 60.

[79] France Vernier: *op. cit.* en nota 67, p. 1 (presentación por *N[ouvelle] Critique,* editora del ensayo).

[80] Ver por ejemplo: André Gisselbrecht: *op. cit.* en nota 33.

96

NELSON OSORIO T.

# LAS IDEOLOGIAS Y LOS ESTUDIOS DE LITERATURA HISPANOAMERICANA*

## OBSERVACION PRELIMINAR

Las notas que a continuación se exponen tienen el carácter de tesis en proceso de elaboración y como tales se ofrecen a la discusión colectiva. Gran parte de estas ideas tienen su origen en el trabajo y las discusiones de un grupo de miembros del Departamento de Literatura de la Universidad de Chile (Valparaíso), y formaban parte de un proyecto de investigación sobre los problemas de la Teoría y la Crítica Literarias. El golpe de estado de septiembre de 1973 dispersó a los integrantes de este equipo y prácticamente todo el material, tanto libros como archivos, fichas, notas, fueron sometidos a "purificación por el fuego". Esta es la razón por la que, al reconstruir una parte de esas tesis no he podido contar con el apoyo de la mayor parte de los materiales que entonces se manejaron. Por otra parte, habría que tener en cuenta que estas proposiciones estaban integradas a un planteamiento de conjunto sobre la investigación y la crítica literarias.

En cualquier caso, he creído útil ofrecer estas ideas a la discusión, estableciendo su origen y asumiendo la responsabilidad de la forma en que ahora se presentan.

[La Jolla (California), enero de 1975].

Nota de 1993. Este trabajo fue escrito hace ya casi 20 años. Desde esa fecha ha pasado mucha agua bajo los puentes y mucha sangre también, como diría Prévert. . . Redactado originalmente como papel de trabajo para un Taller sobre Ideología y Dependencia organizado por la Universidad de Minnesota, tiene mucho de polémico y algo de contingente. Al autorizar su reedición para este volumen, me he permitido algunos

* *Hispamérica,* año IV, anejo 1 (1975) pp. 9-28. Reproducido en *Casa de las Américas,* XVI, núm. 44 (1976), pp. 63-75.

97

ajustes formales que en beneficio de un eventual lector tienden a precisar ciertos conceptos y a eliminar referencias demasiado circunstanciales, explicables sólo por las condiciones en que se originaron.

He resistido la tentación de introducir los ajustes y actualizaciones que la situación actual del debate harían necesarias; prefiero que sea un testimonio de mis ideas y mis limitaciones en esos años, en que mi reflexión teórica estaba marcada por una doble polémica: una, muy evidente, contra la ideología académica dominante (entonces y hogaño), que separa los estudios literarios del campo de estudio de la vida social; otra, tal vez menos explícita, contra la deformación dogmática de un marxismo ideologizado por institucionalización burocrática. La primera línea polémica creo que aún sigue vigente; la otra ha sido víctima de su propia perseverancia en el error.

## EN TORNO AL CONCEPTO DE "IDEOLOGIA"

Uno de los problemas que dificulta a menudo el diálogo y el intercambio productivo de experiencias, en el campo todavía imprecisamente acotado de las ciencias que estudian la producción humana, es el de la vaporosa indeterminación que suelen tener muchos de los términos que se emplean.

Este es un problema antiguo, y no afecta sólo a estas disciplinas sino en general a casi todas las ciencias, aunque sea aquí donde parece tener su manifestación más visible. Ya lo observaba el mismo Marx cuando escribe que "el empleo de los mismos términos técnicos con sentidos diferentes es deplorable, pero imposible de evitar en absoluto. No hay más que comparar, por ejemplo, las matemáticas superiores y las elementales"[1].

El problema se plantea con singular agudeza en disciplinas que están en etapa de formación, como es la de los estudios de la producción artística en general y de la literaria en particular.

En este último caso, la utilización, históricamente explicable y justificada, de un sinnúmero de términos provenientes de otros campos disciplinarios —términos trasladados a menudo sin precisar mayormente, a veces en uso y valor analógicos, sin un rigor que permita naturalizarlos en provecho de la nueva disciplina— es, por desgracia, fuente de ambigüedades, confusiones y equívocos. Y es esto justamente lo que se puede observar en el caso de un término como el de "ideología", cuya aclaración tiene singular importancia para proyectarla al estudio de los fenómenos de la vida social, en particular de la literatura.

A poco que cualquiera se empiece a preocupar del problema, podrá darse cuenta de que el término "ideología" y sus derivados no sólo se suelen emplear con sentidos diferentes, sino que en muchos casos estos sentidos son hasta contradictorios entre sí. Ante este panorama, un camino fácil podría ser el de descartar varios usos como "ilegítimos" y estabilizar *un* sentido como el único "legal" en el territorio de la comunicación intelectual. Esto —en la medida en que pudiera universalizarse tal proposición— podría ser útil para el desarrollo futuro de las discusiones, pero no nos permitiría comprender el fenómeno actual ni tampoco la realidad en que se origina. Para aclarar la confusión habría que remitirse a la realidad que el término pretende conceptualizar, y centrar allí inicialmente la atención. Porque junto a usos evidentemente ilegítimos, hay otros perfectamente válidos y comprensibles, por mucho que a primera vista parezcan contradictorios, puesto que se trata más bien del empleo de un mismo término en planos o niveles diferentes del discurso, en cada uno de los cuales puede ser formalmente el mismo pero su sentido cambia, ya que este sentido proviene del distinto contexto discursivo en que se encuentra.

El objeto de las notas que siguen es tratar de examinar este problema y proponer a la discusión algunas tesis con el objeto de contribuir a un diálogo que a mi juicio se hace cada día más necesario en torno al problema de la ideología y su relación con el estudio de la producción literaria.

## IDEOLOGIA Y TEORIA CIENTIFICA

Al parecer hay consenso en que el término "ideología" se incorpora a la vida intelectual a partir de Destutt de Tracy. Sobre esto y sobre su evolución hasta Marx, como también sobre su uso en varios pensadores contemporáneos y posteriores a él, hay abundante bibliografía[2]. En la actualidad, el centro de la discusión se sitúa principalmente en torno a la obra de Marx, que es a partir de dónde el término ha ido adquiriendo cada vez mayor importancia para los estudios de la vida social.

No parece caber duda de que Marx conoció la obra de Destutt de Tracy[3]. Además "conocía muy bien el cambio de significado de la palabra ideología, según el cual, después de haber designado con ella una disciplina filosófico-científica, se había convertido en una expresión peyorativa"[4]. Lo que ocurre es que Marx nunca se preocupó mayormente de dar una "definición" del término, al que, después de todo, tampoco pretendía convertir en un concepto fundamental en la elaboración de su teoría de la sociedad y de la historia[5].

En *La ideología alemana* el término está en general instrumentalizado en función de englobar el conjunto de la filosofía anterior para contraponerlo con el punto de vista propugnado por Marx, y que en esta obra denomina de la "ciencia real, positiva", "un saber real"[6]. Pero además de este sentido, impregnado de connotaciones peyorativas, hay otros textos de Marx en los que el término suele adquirir un sentido que pudiéramos considerar "neutro", en cuanto no implica valoración positiva o negativa, un sentido que no es de valoración sino de distinción, y que surge cuando la función del término tiene como fin el diferenciar, por oposición al conjunto de las relaciones de producción que forman la estructura económica de la sociedad, la manera cómo se

99

reflejan esas relaciones en una superestructura determinada por esas mismas condiciones, superestructura que tiene un ritmo de evolución distinto o subordinado. Este sentido es el que aparece, por ejemplo, en el "Prólogo" a la *Contribución a la crítica de la economía política*, cuando se dice que "hay que distinguir siempre entre los cambios materiales ocurridos en las condiciones económicas de producción y que pueden ser apreciadas con la exactitud propia de las ciencias naturales, y las formas jurídicas, políticas, religiosas, artísticas o filosóficas, en una palabra, *las formas ideológicas* en que los hombres adquieren conciencia de este conflicto y buscan resolverlo"[7].

Resumiendo lo anterior (y simplificándolo también), creemos que en Marx hay dos sentidos diferentes bajo el término "ideología", pero que en el uso de estos dos sentidos no hay confusión ni ambigüedad sino la presencia de dos planos contextuales diferentes. Y que esto puede ser determinado objetivamente al despejar el sistema primario de oposiciones en que se coloca el término para cada caso.

a) Uno de los sentidos forma parte de un contexto en que la oposición se establece entre "Ideología"/"Ciencia real"("saber real"), en el cual la opción valorativa es bastante evidente. Mientras la primera (la "ideología") funda su saber sobre la realidad en las representaciones que los hombres se hacen de los fenómenos, la segunda (la "ciencia real"), por el contrario, trata de comprender estas representaciones en función de las condiciones histórico–culturales en que las mismas se originan. "La ideología —escribe Engels en otro momento— es un proceso que el llamado pensador cumple sin duda con conciencia, pero con una conciencia falsa. Las verdaderas fuerzas motrices que lo ponen en movimiento le permanecen desconocidas, o de lo contrario no sería un proceso ideológico. Así, pues, se imagina fuerzas motrices falsas o aparentes. Del hecho de que es un proceso intelectual, deduce el contenido y la forma del pensamiento puro, ya sea su propio pensamiento o el de sus predecesores. Trabaja exclusivamente con materiales intelectuales; sin detenerse a examinarlos mayormente, considera que estos materiales provienen del pensamiento y no se preocupa de investigar si tienen algún otro origen más lejano e independiente del pensamiento. Esta manera de proceder es para él la evidencia misma, porque todo acto humano que se realiza *por medio del pensamiento* le parece, en última instancia, *fundado* igualmente sobre el pensamiento"[8].

b) El otro sentido surge de un contexto diferente, en el que la oposición no reviste primariamente connotaciones valorativas sino distintivas, que se reduce a oponer "formas ideológicas" a "condiciones económicas de producción". En otras palabras, "ideología"/"estructura económica".

En el primer caso, se trata de distinguir entre dos modalidades generales del "saber". En el segundo caso, se trata de denominar el conjunto de ideas y valores con que este "saber" adquiere forma concreta en relación a una estructura económica históricamente dada. Esto último significa que el "saber" de una época puede fundarse a partir de una comprensión ideológica (falsa conciencia) o de un conocimiento científico de la realidad; en otras palabras, que las concepciones del mundo que pueden encontrarse en la "superestructura" de una sociedad pueden tener su fundamento en la "subjetividad" (creencias, deseos, voliciones) o en el análisis objetivo de la realidad[9].

Los dos sentidos en que puede ser empleado el término "ideología" no sólo se encuentran legitimados en la obra de Marx sino que son perfectamente válidos y no debieran prestarse a confusión, en la medida en que se aclaren contextualmente las valencias terminológicas. La confusión comienza cuando se mezclan las dos perspectivas o cuando se traslada el valor determinado por un contexto al otro[10].

Establecer la distinción antes señalada posibilita superar un posible maniqueísmo, eliminar la dicotomía. Por otra parte, tiende a establecer el carácter complejo, dialéctico, que tiene el desarrollo histórico del marxismo, pues los dos sentidos de un mismo término son dos conceptos o categorías instrumentales del pensamiento que determinan la presencia de una complejidad dialéctica explicable como necesidad histórica. La potencial superioridad del marxismo como teoría científica de la sociedad y de la historia se funda en que no se *reduce* a ser una oposición a la ideología burguesa, sino que puede comprender a esa misma ideología en cuanto manifestación superestructural, en su carácter histórico, explicarla y situarla en su dimensión objetiva, para que su rechazo no se limite a una mera negatividad sino que sea una superación dialéctica (en el sentido que da Hegel al término *superar*). No sólo eso. Su condición de contraparte en la lucha teórico-ideológica, cualquiera sea la forma en que se exprese (que dependerá del nivel de desarrollo de la conciencia y la cultura de las masas), tiene su fundamento en una teoría científica, que no sólo es capaz de darle base sino que además puede comprender y explicar sus mismos errores y establecer la autocorrección, como asimismo integrar creadoramente la experiencia histórica[11].

De acuerdo a lo dicho, habría que trazar una distinción entre la ideología revolucionaria de una clase (el sistema de ideas, valores y principios que alimenta una praxis revolucionaria[12] y mediante el cual se comprende a sí misma en relación a otra y asume su conciencia y su rol histórico) y una teoría científica basada en las propuestas de Marx, que aunque genéticamente está en relación con este enfrentamiento de clase, no se reduce a una manifestación superestructural sino que se convierte en el instrumento y el método que la explica y comprende, y establece las distinciones funcionales entre las diversas manifestaciones ideológicas que se encuentran en la superestructura. El marxismo, en cuanto teoría de la sociedad y de la historia, es la comprensión y la negación de la ideología como falsa conciencia, y no se resuelve y agota como parte de la "superestructura ideológica" de una época, que desaparecería al desaparecer las condiciones materiales que originan su nacimiento[13].

Lo que se suele denominar en el discurso político como la "ideología del proletariado" sería, así considerado el problema, la forma histórica concreta en que es asumido el marxismo por una clase revolucionaria. En este sentido la ideología del proletariado podría considerarse manifestación específica de la conciencia de clase en enfrentamiento crítico-polémico con la ideología dominante (burguesa e imperialista), enfrentamiento que le da su sello histórico y la caracteriza, ya que es manifestación, en el plano de las ideas, de la lucha de clases, que se desarrolla al mismo tiempo en los planos económico y político.

Pero esto no puede significar de ninguna manera la "reducción" del marxismo a la forma histórica y contingente que asume como "ideología del proletariado" en determinadas condiciones. Esta forma está en función de las necesidades de ser conciencia revolucionaria de las masas populares *a partir* de un determinado nivel de desarrollo de la conciencia real y de la cultura de las masas.

Las proyecciones de la distinción propuesta en estas notas nos parecen bastante importantes. De allí la necesidad de ahondar en el problema, que no puede estimarse como puramente terminológico o de matices semánticos.

Al proponer una determinada manera de comprender los sentidos del término "ideología" en Marx, hemos tratado de establecer —eso esperamos— una distinción que afecta el modo de entender el marxismo en nuestra realidad. Y a partir de esta interpretación creemos que se pueden responder algunas de las cuestiones centrales de la crítica revisionista que suele darse en la sociología contemporánea, especialmente entre aquellos sociólogos y economistas angloamericanos que postulan, con diversos matices, la "superación histórica" del marxismo. El marxismo es una concepción del mundo, pero una concepción que busca tener una base científica en el conocimiento de la realidad. Y si nos limitamos a entenderlo *sólo* como parte de una superestructura histórica (ésta es la posición de la crítica "marxista" de Marx) justificamos a los "postmarxistas", que pretenden superar el marxismo aplicando "consecuentemente" los propios planteamientos de Marx.

Porque se puede rechazar y combatir una posición ideológica a partir de otra contrapuesta que organice y exprese los intereses de la clase antagónica, y esa es una tarea importante. Pero para comprender, situar y desmontar el aparato ideológico de una clase en todas sus implicancias, hay que hacerlo desde la perspectiva de una teoría científica de la sociedad y de la historia. Por eso, para un intelectual, para un trabajador de la cultura y de la ciencia, asumir el marxismo integralmente implica comprender su trabajo en una doble línea de responsabilidad, tanto con respecto al desarrollo de la teoría científica cuanto con respecto a las necesidades inmediatas de la realidad histórica, sin opciones maniqueas y excluyentes, entendiéndolas como el único modo de integrarse revolucionariamente a la vida social.

# LA IDEOLOGIA Y LAS CIENCIAS SOCIALES

El marxismo debe enfrentar la doble tarea de formar y movilizar a los sectores populares, preparándolos para la lucha teórica, política y económica contra los sectores dominantes, y de desarrollar una teoría científica que permita comprender y desmontar críticamente las representaciones ideológicas en el conocimiento de la realidad, tanto natural como social.

Atengámonos por ahora al problema del estudio de la realidad social, territorio donde se presenta con su mayor vigor el pensamiento ideológico.

De todo lo anterior debe desprenderse la idea de que el esfuerzo por lograr un estatuto científico para cada una de las disciplinas que estudian la organización, comportamiento y producción de los seres humanos en sociedad[14] es una tarea que debe preocupar seriamente a los investigadores que trabajan en dicho campo. Esta inquietud es la forma como se expresa en nuestros días la lucha por desarrollar un conocimiento científico de la sociedad, contra las ideologías contemporáneas, contra las interpretaciones mistificadoras de la sociedad y de las relaciones sociales. Marx funda este nuevo territorio para el pensamiento científico y sienta las bases metodológicas generales para desarrollar su estudio; Marx rescata para la ciencia lo que era dominio de la ideología, proponiendo los principios de una teoría científica que hace posible su estudio, investigación y crítica sobre bases nuevas y objetivas. Por eso, de lo que se trata no es de "aplicar" determinados principios o planteamientos por muy "marxistas" que nos parezcan a un fenómeno social, sino de estudiar lo más objetivamente posible dichos fenómenos, tratando de despejar su articulación a conjuntos más amplios, a totalidades relativas, a fin de "comprenderlos" en función de estructuras de conjunto.

La tarea del investigador ha de ser la de contribuir a reemplazar en el estudio de la vida social las respuestas ideológicas por respuestas científicas. Porque el sistema de la ideología, una vez estabilizado, tiende a institucionalizarse y adquirir carácter absoluto; por eso es una fuerza conservadora. El pensamiento científico, por el contrario, condiciona a la relatividad histórica la mayoría de sus verdades y tiene un fuerte sentido crítico y desmitificador, por lo que es propio de las fuerzas revolucionarias y renovadoras de nuestra época.

En líneas generales, la sociedad capitalista o se manifiesta francamente hostil[15] o relega a planos de menor importancia los estudios de ciencias sociales[16], particularmente si éstas tienden a un desarrollo independiente del tutelaje ideológico dominante y/o buscan ser realmente ciencias. Esto contrasta visiblemente con lo que ocurre en el dominio de las Ciencias de la Naturaleza.

La explicación del hecho no reside en la casualidad ni tan sólo en las diferencias de desarrollo histórico inmanente que han tenido ambas áreas de estudio. En el fondo esto se articula consecuentemente a una política general del sistema, destinada a preservar y consolidar el *statu quo*. Porque es relativamente fácil comprender que, mientras en las ciencias que estudian la naturaleza los resultados se convierten en la práctica fundamentalmente en productos útiles para la industria y el consumo, en progreso material, en las ciencias que estudian la sociedad los resultados se convierten en conciencia, y van a alimentar especialmente la conciencia crítica.

Este hecho —la ancilaridad esencial a que se relegan los estudios de las ciencias sociales en la sociedad capitalista—, tiene su reflejo objetivado en una racionalización ideológica. Esta consiste en que no sólo se niega a estos estudios el *status* de ciencia, considerándolos como meras disciplinas especulativas (debilidad real de que adolece gran parte de ellos), sino que se niega incluso la posibilidad (y por supuesto la necesidad) de que los fenómenos de este campo puedan convertirse en objeto de estudio científico.

La falta de rigor que se observa en muchas de las disciplinas que se abocan a estudiar la producción humana es un hecho palpable. Pero también es un hecho el que nunca ninguna ciencia ha surgido para decirlo con una imagen retórica como Palas Atenea completamente armada de la cabeza de Zeus. El paso de un "saber" ideológico, apoyado en las premisas de la experiencia básica, a un conocimiento científico, que se apoye en una teoría y un método, no es simplemente un cambio de registro; implica un quiebre, un salto, lo que Bachelard denominaría una *ruptura epistemológica*. Y el impulso para esta ruptura no puede encontrarse *sólo* en el progreso interior a una línea disciplinaria, sino que obedece *también* a condiciones y estímulos externos, a necesidades de la sociedad, en último término, a cambios en las condiciones de la vida social.

Por eso, la falta relativa de rigor científico en disciplinas nuevas y/o en proceso de constitución no puede justificar una negación absoluta de la posibilidad (y necesidad) de lograr el estatuto de disciplinas científicas.

Pero si bien esta "hostilidad" y desdén que se advierte en los ideólogos conscientes o no de la sociedad capitalista es explicable y desde el punto de vista de su autopreservación justificable, no es tan fácilmente explicable y en ningún caso justificable el que asuman una actitud similar quienes pretenden situarse políticamente en la posición opuesta. Creo que una actitud de esta especie sólo podría explicarse por influencia o contaminación de prejuicios y nociones que tienen su origen en la misma ideología dominante que se busca combatir.

La burguesía no puede desarrollar una real ciencia de los fenómenos sociales, ya que sus resultados entrarían casi necesariamente en contradicción con su ideología, que enmascara, mistifica y mitifica las verdaderas condiciones en que se basa una sociedad de clases. Y como *no puede, no quiere* aceptar que exista tal ciencia. Porque si ningún estudio de la vida y producción social puede pretender resultados científicos, si todo se mueve en el terreno de las especulaciones hipotéticas, si no cabe en este terreno el conocimiento científico ni se pueden aplicar los criterios de verdad científica (es decir, relativa), no hay tampoco razón para dar más crédito a una u otra "interpretación", para el empleo de uno u otro método. En suma, eclecticismo gnoseológico y metodológico. Y con esto nos retrotraemos en este campo a la etapa anterior a Marx.

Este planteamiento —con las consecuencias que implica— es una racionalización que se realiza a partir de los parámetros de la ideología dominante, pero que no se presenta como planteamiento clasista sino como principio neutral y fundado —obviamente— en el sentido común[17]. Desmontar el fundamento ideológico clasista de este prejuicio es una necesidad urgente, ya que de otro modo se autoriza el subjetivismo más anticientífico en los estudios de ciencias sociales.

Existe, pues, la necesidad de desarrollar con fundamento y métodos científicos las disciplinas que estudian los distintos fenómenos de la vida social. Postular esta necesidad no puede confundirse con buscar el reconocimiento a priori de esta condición para todas ellas en su actual estado de desarrollo. La constitución de una disciplina científica no depende de un impulso voluntarista, no depende simplemente de las intenciones o de las necesidades. Y es un hecho que no todo lo que actualmente circula en el terreno de los estudios sociales bajo el rótulo de "ciencia" puede considerarse efectivamente como tal.

En primer lugar, una ciencia social requiere de un fundamento *teórico explícito* que le permita distinguir lo científico de lo ideológico en su actividad, a fin de poder cimentar su propio estatuto. Este mismo fundamento le debe permitir comprenderse a sí misma dentro del conflicto de ideas e intereses de nuestra época, para fijar sus objetivos primordiales y sus tareas inmediatas, como también sus alcances y limitaciones históricos. Estos dos aspectos tienen gran importancia, ya que, por una parte, el conocimiento científico debe cumplir su tarea desideologizadora (desmontar el sistema del saber ideológico) y, por otra parte, la actividad científica no puede darse de modo concreto sino en relación con los condicionamientos propios de la instancia histórico-cultural en que se desenvuelve. El trabajador científico —cualquiera sea su campo— no puede evitar estos condicionamientos, aunque sí puede y debiera siempre conocerlos, para que su trabajo sea un modo real y consciente de integración a la vida social. Fue precisamente Marx el primero que señaló la relación de dependencia de la actividad científica con respecto a los datos de la estructura social, "y en particular, con respecto a la ubicación social de los científicos, ubicación que determina su perspectiva sobre la realidad y, por consiguiente, *lo que en ella ven y el modo en que lo ven*. Esta clase de relativismo (. . .) significa una nueva filosofía de la ciencia y una nueva definición de la verdad científica, si se desarrollan rigurosamente sus consecuencias lógicas. Incluso para las matemáticas y la lógica, y más aún para la física, la elección que efectúa el científico de los problemas, y los modos de enfocarlos y, por lo tanto, el patrón del pensamiento científico de una época se torna socialmente condicionado"[18].

En segundo lugar, toda disciplina, para asumir categoría científica, necesita deslindar y establecer un *Método* y un *Objeto* propios[19]. Esto tiene una importancia definitoria para el caso específico de la constitución de una perspectiva científica, y su descuido origina algunos de los problemas más difíciles de superar en la búsqueda de evitar las deformaciones ideológicas en una disciplina nueva.

La vinculación indisoluble de *Método* y *Objeto* en cada una de las ciencias debe considerarse un principio de valor casi axiomático. De allí que no pueda sostenerse alegremente el empleo de "cualquier método" o de una combinatoria de métodos, como suelen preconizar algunos profesores de literatura latinoamericana, por ejemplo (cada obra literaria determina su propio método, suele decirse). Este atractivo eclecticismo es una especie de canto de sirenas, y lejos de ser provechoso a lo único que conduce es a una distorsión de la óptica objetiva y a una pérdida de la orientación científica.

En resumen, toda disciplina de carácter científico debe establecerse en función de una *teoría*, un *método* y un *objeto*. La teoría establece el sistema conceptual y las categorías básicas en las cuales va a pensarse el objeto, y el método organiza la relación que esta teoría tiene con su objeto al referirse a él[20].

## LAS CIENCIAS SOCIALES Y LA CRITICA LITERARIA EN AMERICA LATINA

Anteriormente se ha dicho que el estudio de la organización, comportamiento y producción de los seres humanos en sociedad crea el campo para un conjunto de disciplinas que corresponden a las Ciencias Sociales (ciencias de la sociedad).

Al postular que hay una responsabilidad intelectual en el desarrollo de estas disciplinas como actividades de carácter científico, se busca asumir una posición en el terreno de la investigación y el conocimiento. Para combatir el subjetivismo no tiene mucho sentido oponerle mecánicamente otro subjetivismo de sello distinto; lo que realmente importa es oponerle un planteamiento fundado en el estudio objetivo de la realidad. En otros términos, del mismo modo como Marx oponía al "punto de vista ideológico de la filosofía alemana" otro distinto, fundado en lo que él designaba como "ciencia real y positiva", en cada una de estas disciplinas hay que desarrollar métodos científicos de investigación y análisis, a fin de que sus resultados puedan verdaderamente contribuir al conocimiento objetivo de la realidad.

La característica de las respuestas ideológicas sobre cualquier fenómeno es su base subjetiva, ya que, como ha podido decirse, "las ideologías transforman el sentimiento en significación"[21]. Es este hecho precisamente el que les otorga su fuerza (su "validez psicológica", diría Gramsci) y las mantiene en los medios sociales donde surgen. Las respuestas que procuran las ciencias, en cambio, sin dejar de ser parte de la superestructura (es decir, de las formas de pensamiento que se encuentran en un sistema de producción dado), están produciendo un conocimiento objetivo, entendiendo por tal "aquello que se comprueba por todos los hombres, aquello que es independiente de todo punto de vista meramente particular o de grupo"[22].

Ahora bien. Dentro del conjunto de los productos humanos existe un sector que está integrado por lo que se conoce como "obras literarias". A pesar de las dificultades que han encontrado hasta ahora los intentos de distinción rigurosa de este sector, no cabe duda de que, si bien sus límites se nos muestran históricamente como lábiles, es posible determinar en cualquier etapa de su existencia un núcleo de relativa estabilidad, lo que permite establecer un *corpus* orgánico básico de la literatura al cual remitirse en primera instancia.

La presencia de las obras literarias como fenómeno social, con características de funcionamiento especiales y distintas a las de otros fenómenos de este mismo terreno, plantea la necesidad de estudiar dicha especificidad (ya que por ella ejerce su influencia social) y, a partir de ella, su particular función dentro de la vida social.

La producción literaria debe ser considerada como una manifestación de la actividad humana, como una forma de trabajo humano; por ello es también una forma de respuesta del hombre, en su condición de ser social e histórico, ante el mundo. Por ello es que en una obra literaria se encuentra implícita una concepción del mundo, una manera global de concebir la realidad y la relación del hombre con ella. En este sentido es un elemento que integra la superestructura ideológica de la sociedad, y está en relación (directa o indirecta) con los valores ideológicos que se encuentran en dicha superestructura. De manera que, dicho a *grosso modo*, su función con respecto a los valores ideológicos dominantes puede ser la de reforzarlos (repitiéndolos, multiplicándolos, ampliándolos o enriqueciéndolos) o de cuestionarlos, abriendo camino a la expresión de nuevas concepciones del mundo. Esto es lo que hace que la obra literaria, al mismo tiempo de ser parte integrante de la superestructura social, pueda actuar y refluir sobre ella, e incluso sobre la propia base de la vida social.

Por esta condición es que la obra literaria no puede reducirse meramente a un "reflejo" de la realidad, ya que es al mismo tiempo parte de ella[23], integra y organiza en cierto modo la realidad desde una determinada perspectiva.

Por otra parte, no hay que confundir el contenido temático explícito de una obra con la concepción del mundo implícita en ella[24]. Si el núcleo significativo de una obra se redujera a los elementos explícitos en la organización de su contenido temático, no sería necesaria una disciplina científica para determinar su valor y su función; si la esencia real de los fenómenos se manifestara sin más en su apariencia, no habría diferencia entre el conocimiento originado en la experiencia básica y el conocimiento científico, no habría necesidad de las ciencias sino a lo más de taxonomías.

La eficacia y la influencia social que ejerce la literatura (como también otras formas de arte) reside justamente en el hecho de que tanto su "forma" como su "contenido temático" explícito son el soporte formal de su significación implícita —una concepción del mundo— que no es captada casi nunca en forma inmediata y directa por la conciencia, sino que funciona a modo de mensaje subliminar, vinculado a los modelos ideológicos que existen en la sensibilidad del lector.

El desentrañar este "mensaje subliminar" requiere de una actividad especial y de un método adecuado que permita distinguir este doble nivel de significación que se articula en la obra[25].

De lo anterior se desprende la necesidad de establecer una disciplina científica específica que posibilite el estudio de la obra en su condición propia de fenómeno artístico, disciplina que pueda remitirse a una teoría no ideológica, y que tenga por finalidad última (aunque no única) el despejar en la obra literaria la concepción del mundo que ésta organiza, la ideología implícita que sustenta[26] y la función que esta última cumple en relación con las ideologías de la sociedad en que la obra existe y funciona.

Esta disciplina, que provisionalmente —y a falta de una denominación menos equívoca— podemos llamar Crítica Literaria[27], debe desarrollarse a partir de una teoría de la sociedad y establecer su *Método* y su *Objeto* en relación al fenómeno empírico que llamamos producción literaria.

Esto último tiene en la actualidad particular importancia, ya que, aunque las obras literarias han sido materia de atención y de estudio, tradicionalmente esto se ha hecho con métodos y perspectivas que provienen de otras disciplinas que también se abocan al estudio de los fenómenos sociales (historia, filosofía, sociología, psicología, lingüística, etc.), lo que implica una distorsión que impide establecer su especificidad y sus caracteres distintivos, entrabando también consecuencialmente la posibilidad de establecer una disciplina propia para el estudio de una forma importante de la actividad humana[28].

En este punto podemos entroncar la función de la crítica literaria con el concepto de "ideología" que hemos tratado de determinar. La actividad de la crítica literaria se ejerce sobre un fenómeno de la superestructura de la sociedad, y es en sí misma parte de ella. Por tal razón, su ejercicio va a estar siempre, directa o indirectamente, relacionado con los conflictos que en este plano se manifiestan como reflejo de las contradicciones que existen en la base del sistema. Esto es lo que hace necesario el integrar su ejercicio dentro de los parámetros básicos del pensamiento científico, única manera de lograr una respuesta objetiva que pueda ser puesta al servicio de las necesidades de comprender el mundo en su transformabilidad.

En mi opinión, una crítica literaria ideológica, subjetiva, que encuentra en la realidad lo que estaba primero en la conciencia, cualquiera sea su sello, y a pesar de las buenas intenciones "subjetivas" que puedan impulsar a sus realizadores, en la práctica resulta inútil, cuando no perniciosa.

La proyección de la subjetividad en las proposiciones sobre la realidad objetiva suele acarrear consecuencias graves, sobre todo en la fundamentación de juicios de valor. La subjetividad no es algo abstracto, independiente de la vida social; por el contrario, es un producto concreto e histórico, y responde básicamente a impulsos, gustos y valores determinados, en último término, por la ideología dominante. Por ende, las proposiciones y juicios ideológicos, a pesar de las buenas intenciones que puedan tener sus autores, *en la práctica sólo contribuyen a reproducir y reforzar la misma ideología dominante*.

En el caso de los estudios literarios en América Latina, el hecho de ser la ideología dominante expresión de los intereses de las clases dominantes, se agrega además una distorsión de segundo grado. Las relaciones de dependencia económica, que afectan toda la vida social en nuestros países, se manifiestan también en el plano de la superestructura. Paralelamente a la exportación de materias primas a la metrópoli (EE.UU.) y a la importación de productos manufacturados, se produce la exportación de potencial humano especializado (el llamado "drenaje de cerebros") y la importación de conocimientos y tecnologías. A la dependencia económica se agrega la dependencia cultural y tecnológica.

En el plano de la vida cultural esto último se traduce en la implantación de valores, gustos, modas, patrones de conducta, prejuicios, en fin, todo un sistema ideológico que se origina en una realidad absolutamente heterogénea a la nuestra. En este plano, la dependencia económica se manifiesta como dependencia ideológica; y, en el caso particular de los estudios literarios, la encontramos expresada de múltiples maneras.

Vamos a señalar solamente dos.

Aunque en abstracto al estudioso de la literatura latinoamericana se le ofrece potencialmente *todo* lo que se ha escrito como campo de trabajo y de investigación, en la práctica los estudios se limitan necesariamente a un número restringido de obras y autores. Lo importante es plantearse la cuestión acerca de cómo se origina esa selección. Esta no la hace cada investigador sino que éste, desde que se inicia en su formación profesional, trabaja sobre una pauta ya trazada de preferencias incluyentes y excluyentes, dentro de la cual elige y jerarquiza, pero que está institucionalizada de tal manera que difícilmente puede introducir variaciones en ella. Este sistema de preferencias no es inocente ni casual sino que es reflejo del sistema ideológico vigente; refleja el "gusto" y el nivel histórico de sensibilidad tanto de los sectores dominantes dentro del mundo europeo y angloamericano como de las burguesías locales en nuestros países. Los hechos que demuestran esta tesis son abundantes. Nada más por vía de ejemplo se puede señalar la destacada predilección por autores cuyas obras arrojan una perspectiva "neutral" sobre el mundo, en detrimento de aquellos que buscan plasmar una concepción crítica. Es decidor, por ejemplo, el peraltamiento de Paz sobre Neruda, en la práctica de los estudios universitarios, la relevancia que se le dio hace un tiempo a un autor de segundo o tercer orden como Eduardo Mallea, la cuantitativamente menor importancia que se concede a obras como la de José María Arguedas, o el ominoso descuido de la obra de José Revueltas, de Ernesto Cardenal, de Nicolás Guillén, etc.[29]

Un panorama semejante se observa en las Historias de la Literatura, en la mayoría de las cuales, por ejemplo, se ignora la literatura de Puerto Rico como parte de la cultura de nuestra América. Como Puerto Rico ha sido incorporado al territorio político institucional de los Estados Unidos, repugna a la ideología imperialista el que se le considere parte cultural del mundo latinoamericano. Y esto se refleja en el desconocimiento de la literatura de esta nación en casi toda la crítica literaria de América Latina. Y no parece necesario insistir en el caso de otras literaturas del Caribe, que sin mayores explicaciones son todavía hoy absolutamente soslayadas en los panoramas históricos de nuestra América.

Un análisis concreto de la constelación de autores y obras que forman parte del espectro institucionalizado de la literatura latinoamericana sería tarea interesante para un estudioso de las Ciencias Sociales. Pero ese estudio probablemente nos podría decir más del sistema de preferencias y gustos, del sistema ideológico dominante, que de la literatura latinoamericana como conjunto.

Junto a la determinación ideológica de un *corpus* institucionalizado para la literatura latinoamericana (que reflejando acríticamente la ideología conservadora del "hispanismo" se reduce a "hispanoamericana"), también la dependencia actúa en cuanto a lo que debe estudiarse en él. Ya hemos visto que la percepción de un mismo fenómeno varía según la ubicación social de los científicos, "ubicación que determina su perspectiva sobre la realidad y, por consiguiente, lo que en ella ven y el modo en que lo ven"; y también que "la *elección* que efectúa el científico de los problemas y los *modos de enfocarlos*"[30] están socialmente condicionados. La dependencia ideológica en nuestro caso no sólo establece los elementos fundamentales del campo a estudiar sino que además determina la perspectiva desde la cual ha de estudiarse dicho campo. En Cortázar, por ejemplo, ha de interesar el carácter "lúdico" de la creación o lo que haya de "metafísico" en ella, y no la crítica al pragmatismo ideológico y la búsqueda de una concepción del mundo no alienada que marcan toda su obra. En la novela contemporánea en general, se estudiará el lenguaje como "artificio técnico" y no en su condición de intento de crear una dimensión nueva de la relación del hombre con el mundo, distinta a la dominante, que es la que se refleja en el lenguaje tradicional de la literatura narrativa. Etcétera.

De esta manera, tanto la jerarquización "literaria" como nuestro modo de ver estas obras, nuestro "gusto" incluso, se ven influidos por las ideologías dominantes. Y cuando, como en el caso de América Latina, estos valores ideológicos dominantes tienen además una relación de dependencia con una metrópoli extranjera, el problema se torna doblemente grave. Si la crítica literaria no logra adquirir conciencia de esto y no busca superar la dependencia ideológica, en ningún caso podrá servir a los intereses de los pueblos de América, ya que en último término, indirectamente si se quiere, estará siempre fertilizando el horizonte y las jerarquías que emanan de una realidad cultural que es heterogénea con respecto a la nuestra.

Aunque la influencia de estas ideologías no podrá superarse del todo mientras subsistan las bases materiales que la engendran[31], la crítica a las ideologías dominantes en cada uno de los campos puede contribuir al desarrollo de la conciencia necesaria para superar esta dependencia y al conocimiento objetivo de la realidad que hará posible el cambio interno de la estructura social.

La dependencia ideológica en América Latina se expresa en una "ideología de la dependencia", en un sistema de ideas, valores, creencias, gustos, prejuicios que, imbricados en la ideología burguesa, tienen como objetivo "explicar" y justificar la dominación interna y externa. Esto se manifiesta de una u otra manera en todos los fenómenos de la superestructura, por lo que evidentemente afecta también a la producción literaria y a los estudios que de ella se realizan. Por eso es que se hace necesario desarrollar la crítica literaria dentro de los marcos de exigencia de racionalidad, rigor, coherencia interna y propiedad metodológica que rigen todo discurso científico.

Por eso, para estudiar consecuentemente la producción literaria latinoamericana, estamos convencidos de la necesidad de superar el conocimiento que se origina en la experiencia básica de lectura para constituir el conocimiento objetivo de este fenómeno.

Convertir la crítica literaria en un discurso científico es la única vía a seguir para que estos estudios puedan ser un aporte a la desideologización y desmitificación de las relaciones del hombre con el mundo. Si no es capaz de alcanzar esta condición estará condenada siempre, consciente o inconscientemente, a ser tributaria de las categorías ideológicas dominantes, ya que estará glosando experiencias de lectura que se realizan dentro de las coordenadas que estas categorías establecen.

# NOTAS

[1] Karl Marx: *El Capital*. México: Fondo de Cultura Económica, 8ª reimpr., 1973; Tomo I, cap. VII, nota 5, p. 164.

[2] Entre otros trabajos, se pueden consultar por su valor informativo los de Hans Barth: *Verdad e ideología* (México: Fondo de Cultura Económica, 1951 [Tr. de *Wahrheit und Ideologie*, Zürich, 1945]), esp. caps. I y II; y de Arne Naess: "Historia del término 'Ideología' desde Destutt de Tracy hasta Karl Marx", en Irving L. Horowitz (comp.): *Historia y elementos de la sociología del conocimiento*, Buenos Aires: EUDEBA, 1964; tomo I, p. 23-37. Tb. Joseph Roucek: "A History of the Concept of Ideology", *Journal of the History of Ideas*, V, Nº 4 (October, 1944).

[3] Por lo menos ya en sus apuntes de lecturas del año 1844 en París figuran notas sobre los *Eléments d'idéologie*. Cf. Carlos Marx: *Cuadernos de París* (Estudio previo de Adolfo Sánchez Vásquez). México: Ed. Era, 1974; esp. Apéndice II. En *El Capital* aparece citado en varias partes y figura en las ediciones póstumas una larga crítica a su teoría de la reproducción (Cf. ed. cit., tomo II, p. 426 y ss.).

[4] Hans Barth, ed. cit., p. 78. Cf., por ejemplo, *La sagrada familia* [1845], Cap. VI, 3, c); en la tr. castellana (México: Grijalbo, 1867), p. 190. De hecho, Marx y Engels al escribir *La ideología alemana* (1846) estaban empleando el término con esa connotación, lo que le permite al primero decir algunos años más tarde, en el "Prólogo" a la *Contribución a la crítica de la economía política*, que el objeto de aquella obra fue "contrastar (. . .) nuestro punto de vista con el *ideológico* de la filosofía alemana" (subrayado por N.O.T.).

[5] Cf. Arne Naess, loc. cit., p. 30.

[6] Marx-Engels: *L'Idéologie Allemande* [1845-1846]. Paris: Editions Sociales, 1968. Citamos por Marx-Engels: *Oeuvres Choisis*. 3 vol. Moscou: Editions du Progres, 1970. Hay traducción en castellano de Wenceslao Roces, Montevideo: Ediciones Pueblos Unidos, 1958. No está de más observar que en un párrafo tachado se decía: "No conocemos sino una ciencia, la de la historia. La historia puede ser examinada bajo dos aspectos. Se la puede dividir en historia de la naturaleza e historia de los hombres. Los dos aspectos, sin embargo, no son separables; desde que existen los hombres, su historia y la de la naturaleza se condicionan recíprocamente". Más adelante: "casi toda la ideología se reduce o bien a una concepción falsa de la historia o bien conduce a hacer total abstracción de ella. La ideología misma no es sino un aspecto de esta historia" (ed. cit., tomo I, p. 11, nota).

[7] Ed. cit., tomo I, p. 525. Subrayado por N.O.T.

[8] Marx-Engels: *Correspondance*. Moscou: Editions du Progres, 1971; p. 499.

[9] Planteamientos similares son sustentados, en otros términos, por varios estudiosos marxistas contemporáneos. A. M. Rumjantsev, por ejemplo, sostiene que "es necesario observar (. . .) que hay dos aspectos en la ideología, y que el término puede ser usado en dos sentidos diferentes. Por una parte, la ciencia social es ideológica porque depende de la realidad social y de las necesidades e intereses reales engendrados por la realidad social. Por otra parte, la esencia ideológica de la ciencia social se basa en la premisa de la completa supremacía del pensamiento. En el primer caso 'ideología' es sinónimo de 'superestructura'; en el segundo, es sinónimo de 'subjetivismo'". A. M. Rumjantsev: "Karl Marx and Some Problems of Modern Ideology", en VVAA: *Marx and Contemporary Scientific Thought*. The Hague: Mouton, 1969; p. 13.

[10] Sobre los problemas que esto ha planteado, remitimos a los diversos trabajos sobre el tema publicados por Ludovico Silva. Desde su perspectiva, sólo puede considerarse propiamente marxista el primer sentido del término "ideología", lo que él llama su "sentido *estric-*

*to*", por contraposición a un "sentido *lato*" (Cf. Carlos Marx-Federico Engels: *Teoría de la ideología*. Textos para su estudio. Selección y prefacio de Ludovico Silva. Caracas: Editorial Ateneo de Caracas, 1980; esp. p. 17-19).

[11] Nota de 1993: El proceso de institucionalización del "marxismo" en los regímenes del llamado "campo socialista" de la Europa del Este puede ser considerado como una *ideologización* de la propuesta teórica de Marx. Al convertir la teoría en un dogma catequístico, doctrinario, se la redujo a un conjunto de normas deductivas, casi inamovibles y fetichizadas.

[12] Gramsci, en su crítica a Bujarin, dice entender "la ideología como fase intermedia entre la filosofía y la práctica cotidiana". Ver *Materialismo histórico y sociología*. México: Ed. Roca, 1973; p. 21.

[13] El no considerar esta condición de "no-ideología" del marxismo es lo que puede llevar a situaciones como la que se ha denominado "paradoja de Mannheim" (Cf. Clifford Geertz: "La ideología como sistema cultural", en VVAA: *El proceso ideológico*. Buenos Aires: Tiempo Contemporáneo, 1971; esp. p. 14).

[14] O sea, las Ciencias Sociales en su pleno sentido, también llamadas tradicionalmente Ciencias Humanas, o, si se prefiere, Ciencias del Hombre o Ciencias de la Sociedad, para distinguirlas de las Ciencias de la Naturaleza.

[15] El caso de Chile bajo la dictadura de Pinochet ahorra explicaciones: prácticamente todos los centros de investigación en este campo fueron clausurados y sus integrantes perseguidos, encarcelados, expulsados de su trabajo y a menudo del país. También fueron suprimidos o reducidos en las universidades los principales programas que formaban profesionales en estas disciplinas.

[16] Descontamos por supuesto, aquellos centros que, en los Estados Unidos, por ejemplo, están orientados a desarrollar las investigaciones, reunir el material y la información y preparar los proyectos que se necesitan para justificar y reforzar el dominio imperial.

[17] La apelación al *sentido común* en el territorio de la investigación o la lucha de principios es un viejo argumento reaccionario y anticientífico, frecuentemente esgrimido por los sostenedores de la ideología dominante (los conscientes y los inconscientes) y no menos frecuentemente zarandeado por los pensadores marxistas. Engels, por ejemplo, al referirse al pensamiento metafísico (por oposición al dialéctico) escribe: "Este modo de pensar nos resulta a primera vista muy plausible porque es el del llamado sentido común. Pero el sano sentido común, por apreciable compañero que sea en el doméstico dominio de sus cuatro paredes, experimenta asombrosas aventuras en cuanto se arriesga por el ancho mundo de la investigación" (*Anti-Dühring*. México: Grijalbo, 1968; p. 7-8).

[18] Joseph Schumpeter: "Science and ideology", *American Economic Review*, March 1949. Citamos por la traducción editada en Irving L. Horowitz, *op. cit.*, tomo I, p. 341 (el subrayado es de N.O.T.).

[19] Este es otro caso en que los términos se prestan para interpretaciones equívocas. Aquí, como también en el empleo de la palabra *ciencia* que no debe extrapolarse de las ciencias naturales, el contexto teórico a que remitimos el significado es el de la epistemología de las ciencias. "Método", por consiguiente, no debe entenderse en el sentido empírico de "metodología" o "instrumental metodológico"; como tampoco "objeto" debe hacer pensar en "objetivos" ni confundirse con el "campo empírico" ni con el "fenómeno" a estudiar. Esta observación, que sería probablemente innecesaria cuando se plantea el asunto entre los científicos de la naturaleza, todavía parece pertinente hacerla cuando nos enfrentamos al trabajo en las ciencias sociales. Para evitar un excurso especial, remitimos al trabajo de Louis Althusser, "Matérialisme historique et matérialisme dialectique", en *Cahiers Marxistes-Léninistes* (Paris), Nº 11 (abril de 1966). Para el caso específico de los estudios literarios puede verse Pierre Macherey, *Pour une théorie de la production littéraire*. Paris: Maspero, 1966; esp. p. 13 y ss.

[20] Cf. Louis Althusser, art. cit. *supra*.

[21] Clifford Geertz, loc. cit., p. 29.

[22] A. Gramsci: *Antología* (Selección y notas de Manuel Sacristán). México: Siglo XXI, 1970; p. 360.

[23] Del mismo modo como, por ejemplo, las catedrales medievales no sólo "reflejan" la Edad Media, sino que también la integran, son parte de esa realidad, que no podría comprenderse cabalmente sin considerar la existencia de dichos monumentos (Cf. Karel Kosik: *Dialéctica de lo concreto* [Tr. Adolfo Sánchez Vásquez]. México: Grijalbo, 1967).

[24] Es la crítica que hace, por ejemplo, Galvano della Volpe a los que llama "contenidistas" en los estudios literarios o de arte.

[25] No son tanto las diferencias en el contenido temático explícito lo que separa obras como *El mundo es ancho y ajeno*, de Ciro Alegría, y *Todas las sangres*, de J. M. Arguedas, sino la estructura ideológica, la diferente concepción del mundo *desde* la que está enfocado el espacio social y humano del indio andino. Es lo que le da su carácter positivo de crítica a una obra como *Un mundo para Julius*, de Alfredo Bryce Echenique, que temáticamente parece recrear solamente la vida de los sectores más altos de la burguesía limeña. O lo que hace que la denuncia de la explotación de los caucheros en *La vorágine*, de J. E. Rivera, no deje de ser un alegato humanista desde la perspectiva del progresismo liberal de comienzos de siglo.

[26] Que no debe confundirse con las convicciones explícitas o las condiciones de la vida de un autor, como tan a menudo suele hacerse y como tan obviamente parece desprenderse del "sentido común". Esta es una deformación ideológica del marxismo aplicado a los estudios literarios y que tiene una raigambre subjetiva tan sólida que se hace difícil desplazarla actualmente en los estudios literarios latinoamericanos, donde a menudo se hace pasar por estudios "marxistas" los más viejos refritos del positivismo. De las muchas críticas que en los últimos años se han venido haciendo a esta deformación, citaremos sólo una, del sociólogo de la literatura Lucien Goldmann: "Entre los malentendidos que quisiéramos señalar el más burdo y, no obstante, el más difundido, es el que confunde el materialismo dialéctico con las teorías de Taine y quisiera hacer explicar la obra por la biografía de su autor y por el medio social en el cual éste vivió. Difícilmente podría imaginarse una idea más extraña al materialismo dialéctico" ("Materialismo dialéctico e historia de la literatura", en *Investigaciones dialécticas*. Caracas: Universidad Central de Venezuela, 1962; cit. p. 44).

[27] Nota de 1993. Entendemos aquí la expresión Crítica Literaria en su sentido amplio de una disciplina de los estudios literarios, que integra tanto la crítica en su sentido estricto como la historia de la literatura.

[28] Lo anterior no debe ser entendido en el sentido de negar que la sociología, la lingüística, etc., puedan ocuparse del fenómeno literario, o que no puedan, en la medida de su rigor, arrojar luces valiosas y sugerentes sobre él. Significa sólo que, basándose en una epistemología materialista de las ciencias, cada uno de estos enfoques implica un *método* propio, lo que va a determinar, a partir del fenómeno, un *objeto* también propio y distinto, por lo cual la real validez de su aporte se resuelve en plenitud dentro del campo disciplinario respectivo, y no pueden, en rigor, considerarse crítica literaria.

[29] Desde luego, como estamos tratando de señalar las líneas dominantes de un conjunto, esto no significa desconocer el importante esfuerzo que realizan muchos colegas para tratar de modificar esta situación, incluso dentro del propio sistema educacional superior en los Estados Unidos.

[30] Joseph Schumpeter, loc. cit.

[31] Karl Marx: *El Capital*, tomo I, p. 44.

ANGEL RAMA

# LITERATURA Y CLASE SOCIAL*

## 1. LOS AVANCES DE LA CRITICA LITERARIA LATINOAMERICANA

HACIA 1910 se registra la progresiva emergencia de una generación cultural latinoamericana que habrá de sustituir al "modernismo", "simbolismo" y "parnasianismo" novecentista, desplegando una acción beligerante en torno a un programa nacionalista que interpreta las demandas presentadas por los ascendentes sectores medios y que, durante un determinado lapso, antes de que se produzca un aparte (y diversos conflictos) entre los intereses de las clases sociales urbanas que se están desarrollando en el período, expresa los puntos de conjunción de una burguesía nacional industrializadora, los variados estratos de las clases medias y las reclamaciones del proletariado naciente[1].

Este movimiento cultural acarrearía ingentes cambios político-sociales, sobre todo en los países del cono sur del continente (Argentina, Chile, Uruguay) donde aceleraría el proceso de modernización con una más firme dominación urbana sobre el territorio de los respectivos países; abastecería en México al "maderismo", continuando su acción a lo largo del tumultuoso proceso revolucionario que desencadena el asesinato de Francisco Madero; contribuiría al clima nacionalista con que los países de descendencia española festejaron el centenario de la Independencia política; en el hemisferio brasileño generaría la ideología de la "Liga de Defensa Nacional", así como sus anexos planteos de la pequeña burguesía de Río y São Paulo; se expresaría mediante el arrollador reformismo universitario nacido en Córdoba que contagió, hasta Cuba, a todo el continente; haría suyas las filosofías vitalistas europeas propiciando un nuevo idealismo con fuerte impregnación renovadora; pondría en marcha una literatura neorrealista a la cual se debe la novela regionalista y la poesía "sincerista" que tuerce el cuello a la retórica cosmopolita del "modernismo" hispanoamericano y comenzaría a revalorizar —manejan-

* *Escritura*, I, núm. 1 (1976), pp. 57-75.

do un instrumental moderno— el folklore, las tradiciones culturales enquistadas, las creencias y artes locales.

Esta generación que podría designarse como "nacionalista" o también "de las clases medias", hace una considerable aportación al estudio y encuadre de las literaturas latinoamericanas, porque desarrolla niveles más eficientes de la investigación, creando los primeros organismos dedicados a ello, y porque promueve los primeros intentos razonados de pensar la producción literaria del continente con una metodología derivada de sus rasgos históricos específicos. Como es obvio, tanto el nivel superior de la investigación como el intento de descubrir metodologías propias, responden al desarrollo alcanzado en la época por los estudios literarios y al punto de vista en que se sitúa la generación, puesto que ella participa de las conquistas políticas de los sectores medios, del crecimiento del movimiento sindical y del clima de vivas demandas democráticas que se posesiona de la sociedad latinoamericana.

Su esfuerzo metodológico (que el consabido candor de los hombres que creen que la historia siempre empieza con ellos tiende a desconocer) no pretendió cancelar las contribuciones europeas que habían servido para fundar las primeras estructuras orgánicas de las literaturas, propuestas por los mayores del siglo XIX (los principales estuvieron en Brasil y fueron Silvio Romero y Capistrano de Abreu) sino que intentaron corregirlas y reformarlas mediante incorporaciones nacidas de sus estudios concretos y en algunos casos relegarlas a un segundo plano. Los más importantes críticos literarios de la generación nacionalista corrigieron, mediante agregados, la obra de sus antecesores: lo que si por una parte enturbiaba la concepción general por éstos propuesta, por otra parte registraba los resultados metodológicos a que los había conducido un estudio detallado y concreto, más práctico que teórico, de algunos períodos desatendidos de la literatura latinoamericana.

Esta capacidad para enfrentarse de una manera aparentemente espontánea con la originalidad del "acontecimiento" literario latinoamericano, para luego comenzar a deducir de su atento estudio una metodología peculiar, es junto a la concepción culturalista que signó sus búsquedas, de las aportaciones considerables de esa generación de críticos. La humildad con que cumplieron su tarea, la "practicidad" de muchas de sus aportaciones, el cauto vuelo teórico de sus planteos, ha contribuido a que se pierda de vista su importancia (sus obras, como las novelas realistas del período, se "confunden" simplemente con la realidad de la literatura del continente) y a que en este período actual, signado por una traslación febril y muchas veces desafortunada de las "teorías" europeas sobre la literatura, se descuide su aportación. Pero justamente su mejor enseñanza radica en esa contracción al reconocimiento de la producción literaria, a la singularidad de su emergencia, a la originalidad de sus condiciones artísticas, lo que les permitió corregir el bagaje teórico con que se aproximaban a la realidad, tratando de adecuarlo a lo que ella les decía, lección de humildad a la que no es inútil rendir homenaje en un

116

tiempo en que la copia (ya que no la utilización) de las categorías marxistas o de las categorías estructuralistas, resulta negadora del afán de encontrar un instrumental teórico ajustado a la peculiaridad literaria latinoamericana, dado que es ésta la que no se observa ni se estudia. Los críticos de la generación nacionalista fueron también –forzoso es reconocerlo– dóciles trasvasadores de los modelos europeos, sobre todo en los lineamientos historiográficos y en la concepción del valor artístico, pero contribuyeron, mediante su paciente investigación del pasado literario, al descubrimiento de algunos comportamientos literarios específicos de América Latina, para los cuales procuraron encontrar ubicaciones críticas propias. Deberá establecerse con detenimiento el balance de virtudes y defectos, pero los resultados eventuales de esa tarea aún no emprendida, no creo que empañen esta comprobación: a esos críticos debemos las más comprensivas visiones de la literatura latinoamericana, las que han sido más utilizadas hasta nuestros días, las que han fingido mejor su composición interna.

Los nombres más prestigiosos de esa generación crítica corresponden a quienes nacieron por la década del ochenta: el argentino Ricardo Rojas (1882-1957), el dominicano Pedro Henríquez Ureña (1884-1946), el uruguayo Alberto Zum Felde (1888), el mexicano Alfonso Reyes (1889-1959), el chileno Hernán Díaz Arrieta (1891), a quienes puede sumarse el crítico español Federico de Onís, por su constante y lúcida atención a las letras hispanoamericanas. En todos ellos es central la búsqueda de la originalidad, de la peculiaridad, de la expresión de una cultura americana a través de sus manifestaciones literarias. El instrumental de que los proveyó la renovación filosófica de comienzos del siglo (James, Bergson) lo complementaron con un esfuerzo de sistematización investigativa que es particularmente alto en Reyes y en Henríquez Ureña.

Este inicial acercamiento a las condiciones particulares del funcionamiento literario latinoamericano será continuado por las generaciones posteriores, quienes cumplirán una doble tarea: apropiación de las teorías literarias difundidas en los países europeos y ampliación de los conocimientos sobre las letras del continente, éstos a la luz de las nuevas circunstancias creadoras latinoamericanas en una visión forzosamente historicista. Así, la generación inmediatamente posterior a los nacionalistas y en la que tendemos a englobar bajo el rótulo de "vanguardistas" a plurales y contradictorias orientaciones, generación donde comienzan a acentuarse los conflictos y las rupturas del frente global a causa de la pugna de los intereses sociales en un período crítico, habrá de descubrir, junto a los rudimentos de una teoría marxista de las artes que respondía al debate promovido en la Europa de los años veinte tras la Revolución de Octubre, importantes paneles literarios del pasado que habían sido desatendidos (el teatro popular, por ejemplo), las literaturas folklóricas o marginales, la narrativa política y social, etc. Este grupo de críticos que encabeza el peruano José Carlos Mariátegui (1895-1930) y donde pueden incluirse, entre otros, el cubano Juan Marinello (1898), el peruano Luis Alberto Sánchez (1900), el chileno Ricardo Latcham (1903-1965), heredan la perspectiva culturalista que, desbrozada inicialmente por los románticos, fundamentada por los naturalistas con los datos científicos de su tiempo, desarrollada por los nacionalistas de los sectores medios, se apropiará ahora de las concepciones socialistas dentro de un espectro de muy variadas luces que a veces prolongan simplemente los criterios tainianos sobre influencia del medio u operan un sociologismo primario, pero que en las elaboraciones más acuciosas fijan felices equivalencias entre la producción literaria y la estructura social. Cosa que hacen al servicio de una preceptiva literaria: la revalorización de Melgar que cumple Mariátegui es complementaria de su beligerante promoción de la literatura indigenista de la época.

## 2. LITERATURAS, SUBCULTURAS, CLASES SOCIALES

En el filo de 1930 queda ya afirmada la vinculación entre literatura y clase social, que tendrá posteriores y complejas derivaciones, mayoritariamente dentro de las proposiciones de las literaturas pragmáticas. No se busca, aquí, precisar la aportación individual de cada uno de los críticos mencionados, sino mostrar la evolución de la crítica literaria en las primeras décadas del siglo XX, destacando que al tiempo de penetrar con mayor conocimiento en la materia literaria específica del continente, establece, por la suma de dos generaciones de críticos, una línea interpretativa tendencial (que, desde luego, no es única) merced a la cual la producción literaria es considerada como una parte de la más vasta producción cultural que realiza la sociedad latinoamericana.

El proceso respecto a estos presupuestos pacientemente elaborados sólo se ha hecho posible, contemporáneamente, mediante una más rigurosa fundamentación culturalista que, a la luz del desarrollo de la renovada creación literaria, perciba las simultáneas y muy variadas subculturas que se elaboraron en las diferentes áreas de América Latina (y que aun dentro de cada una de ellas admiten construcciones autónomas superpuestas), con lo cual no sólo dispondríamos de un mapa de culturas regionales, sino que además, dentro de cada una de ellas, detectaríamos una serie de estratos culturales distintos que se vinculan notoriamente con los grupos o clases sociales pertinentes. Si este progreso, en el mejor conocimiento del acervo literario y de sus métodos de elucidación crítica (que se ha cumplido paralela y simultáneamente con el mejor conocimiento de la estructura social latinoamericana que sólo en nuestro tiempo ha alcanzado un nivel adulto) ha resultado facilitado por las contribuciones de la sociología latinoamericana contemporánea, especialmente en aquellas orientaciones que se reclaman de una filosofía marxista, también debe mucho a otra ciencia, de desarrollo aún más reciente entre los latinoamericanos: la antropología. No hay comparación posible entre el material antropológico que manejó Capistrano de Abreu o Henríquez Ureña, y el que han tenido a su disposición las recientes promociones de la crítica literaria, iluminando por primera vez con amplitud la cultura de importantes sectores de la sociedad que hasta ahora se escondían bajo estereotipos generalizadores. Con el añadido de que no ha sido sólo la crítica, sino la misma tarea creativa de los escritores la que ha sido beneficiada de este más elevado nivel de conocimiento, tal como puede registrarse en los escritos de un José María Arguedas.

Sólo a partir del concepto de cultura que los principales antropólogos mundiales han ido ajustando (Boas, Sapir, Herskovits, Kroeber, Lévi-Strauss) se ha tornado posible un diseño del complejo comportamiento de la literatura, si además se atiende a las singularidades culturales que los antropólogos latinoamericanos (Fernando Ortiz, Ricardo Pozas, Gilberto Freyre, Darcy Ribeiro, Juan Comas, etc.) han ido detectando en las diversas áreas de nuestra América sobre las cuales han trabajado, perfeccionando y corrigiendo aquellas definiciones generales. La ubicación de la producción literaria, como coronación de las tradiciones y de los procesos creativos constantes que se han cumplido en el campo específico de las subculturas americanas, conduce a una doble lectura de tipo intertextual a la que ha ido aproximándose la crítica: la de los textos literarios y la del discurso que se fragua en las invenciones de las diversas culturas testimoniando la tarea colectiva de los hombres, a la cual se agrega una tercera lectura de tipo crítico sobre las estrechas conexiones que muestran ambos procesos[2]. Relaciones que ya no podrían establecerse entre la literatura vista como un bloque homogéneo de obras y estilos, por una parte, y la sociedad latinoamericana concebida como un todo indistinto por la otra, tal como la practicó habitualmente la crítica de las citadas generaciones, sino como conexiones entre precisos y determinados sectores de esa sociedad (clases, capas o grupos que no sólo se percibirán como asociaciones económicas o sociopolíticas, sino como portadores y creadores de subculturas específicas) y también precisos y determinados estilos o movimientos artísticos que operan de manera particular y restricta dentro del conglomerado social.

Este punto de vista crítico permite acceder a una visión de la literatura donde se evidencia el funcionamiento de la compleja estructura social latinoamericana. Esa visión percibe la dinámica de sus clases sociales, los enfrentamientos, las diversas instancias del desarrollo histórico que ha venido cumpliendo la lucha de clases en la sociedad americana. Pero ya no al servicio de una serie de documentos, útiles para el sociólogo o el político, sino como expresión de la mayor y más ambiciosa tarea de los grupos sociales que ha sido y es la de productores de formas culturales, las cuales son manifestadas, en el más alto nivel a que pueden llegar sus integrantes, mediante obras literarias. De tal modo que la visión de la literatura, respetada su autonomía y su campo textual propio, construye sobre otro plano (el verbal y el artístico, el simbólico según el concepto de Cassirer, distinto por lo tanto del concreto social y económico de los hombres) un complejo y dinámico combate en que se manifiesta —se enfrentan, se sustituyen— diversas concepciones culturales representadas por diversas concepciones estéticas. Cualquier moderno texto de historia o de sociología latinoamericanas no puede menos que evidenciar, con mayor o menor afinación interpretativa, la lucha de clases que compone el meollo del desenvolvimiento secular del continente. No es comprensible que en cambio la historia literaria, que retrasa la producción artística de esos mismos pueblos, no sea capaz de trasuntar un elemento tan central y dinámico del comportamiento histórico, ni sea capaz de detectar las diversas formulaciones culturales que les han sido peculiares y que sirven de sostén a las creaciones literarias situadas en la superestructura.

Tal reconstrucción sólo puede hacerse a partir de los textos literarios procurando que sean ellos mismos quienes se agrupen en movimientos, estilos, tendencias, formas culturales diversas y quienes determinen sus acercamientos o alejamientos, sus conflictos y sus períodos de vigencia. Sería riesgoso abordar esa construcción partiendo de los esquemas ya preparados por los historiadores y los sociólogos, y forzando por lo tanto a la literatura a ajustarse a ellos. En tal caso la literatura vendría a corroborar simplemente un discurso interpretativo y no estaría contribuyendo por sí misma a diseñar el funcionamiento cultural latinoamericano, no haría una contribución específica al conocimiento generalizado de una sociedad. Como sería riesgoso que partiéramos, para tal empeño, de una doctrina rígida, una de esas hermenéuticas codificadas que buscan en la realidad la mera comprobación de las teorías, sin permitirle a ella que hable y corrija los presupuestos teóricos. Y desde luego, sería asimismo dañino que nos restringiéramos a la lectura "contenidista" que ocupó tanto espacio en la crítica social de la literatura y no fuéramos capaces de percibir en toda su riqueza la construcción de las formas culturales y artísticas que dicen, tanto o más que los contenidos, acerca de las proposiciones que presentan los grupos y las clases sociales dentro del horizonte de la sociedad latinoamericana. Sobre todo en un nivel crítico donde ha sido superada y cancelada la tradicional división entre forma y fondo, reconociendo un solo movimiento armónico de los textos cuando ellos alcanzan su eficiencia estética más certera.

## 3. EL ESPESOR DE LA LITERATURA

La concepción cultista de la literatura, que tuvo amplio y natural predicamento en una sociedad que, como la latinoamericana, contó durante muchas décadas con reducidísimos sectores educados que fijaron las normas ideales de la creación y el estrecho radio de consumidores de sus productos escritos, es responsable de la restricción operada en la producción literaria del continente. El foco culto, donde se escribía y se publicaba en periódicos y libros, fue muy reducido, sólo accesible a escasos sectores sociales, de tal modo que el debate entablado entre ellos pareció una discusión de familia. Eso contribuyó a fortalecer la idea de que la literatura era un conglomerado unitario dentro del cual se producían algunas discrepancias (que generaban estilos y obras, aportando diferencias artísticas) comparables a las que se sucedían entre padres e hijos. Es evidente que podemos reconstruir ese debate, reconociendo sus muy nítidas oposiciones, las cuales sin embargo sólo circulan dentro de un cauce dominado por la afinidad. Pero fuera de ese círculo iluminado, se extendió siempre una gran zona marginal donde no sólo había una persistente producción de literaturas ágrafas, sino también una aportación escrita cuyo acceso a la literatura propiamente dicha estaba vedado por las normas estatuidas en el foco culto, selectivo. Con lo cual se asumía ese que para Robert Escarpit es el trazo distintivo de las diversas concepciones de lo literario, aunque, en este caso americano, llevado a una extremación que es posible detectar como rasgo privativo de una élite colonizada, que se esfuerza, sobre todo, para no integrarse a su propio medio cultural:

> Le seul trait commun qu'aient ces diverses conceptions du donné littéraire est la sélection. Il s'agit en fait d'un système clos qui tire sa cohérence non de la matière sur laquelle s'exerce la sélection, mais de l'attitude sélective qui est la démarche culturelle fondamentale de toute société élitaire[3].

La caducidad histórica de algunas normas de la élite (por ineficacia o por reemplazo), la introducción de una suspensión metodológica a los efectos de una revisión independiente (con todos los riesgos de relativismo que conlleva), permite reconstruir el espesor de la producción literaria en cualquiera de los períodos del siglo XIX, tal como más visiblemente puede hacérselo en los tiempos contemporáneos, vista la creciente complejidad de la estructura social y cultural, que sobrevive a la homogenización que el sistema económico y sus instrumentos de comunicación procuran. Tal espesor es mostrado por la superposición, en un mismo tiempo y lugar, de diferentes expresiones literarias que pueden tener dos comportamientos extremos en lo que hace a su mutua relación: o guardan escasa vinculación y se despliegan paralelamente, sin llegar a colidir en apariencia, o son capaces de enfrentamientos que se traducen en polémicas cuyo punto de conflagración versa sobre "la naturaleza de la literatura" y sobre su "funcionalidad"[4].

El solo hecho de que dos producciones literarias puedan coexistir, sin rozamientos, indica la total ajenidad en que se desarrollan y por ende la enorme distancia en que se encuentra una con respecto a la otra a pesar de ser ambas coetáneas. Dado que la estructura sincrónica de un período literario determinado se organiza sobre diversas superposiciones donde existen formas que son privilegiadas y que disfrutan del apoyo de las instituciones y órganos de mayor importancia (academias, periódicos, salones), mientras que otras no cuentan con tales patrocinios, la entera desconexión entre dos producciones simultáneas de literatura revela que se encuentran en los niveles más alejados entre sí del sistema.

La inferior es ignorada por la superior, que no le concede estatuto artístico estimable y además, como si eso fuera poco, la inferior es incapaz de proponerse a sí misma como una alternativa estética válida que desafíe las normas vigentes instauradas por la superior. A eso se agrega una dificultosa interpenetración; la contextura artística de la inferior, los principios sobre los cuales se organiza, no pueden ser asimilados a los peculiares de la producción del estrato más alto. Los productos que de una a otra puedan circular y que preferentemente adoptan un descenso de formas superiores a los niveles más bajos, aunque en algunos períodos críticos se puede invertir el proceso, necesitarán de muy complejas operaciones transformadoras, la mayoría de las veces improbables. La falta de vinculaciones también indica la fragmentación de los públicos consumidores, que muy raramente registran la coincidencia: son públicos distintos, separados entre sí, carentes de puentes que los comuniquen, por lo tanto manejando separadamente cada uno de ellos bagajes culturales distintos, cuya singularidad y cuyo valor no son mutuamente percibidos con facilidad.

En la literatura latinoamericana no hay ejemplo más notorio de desconexión entre dos producciones literarias simultáneas que el que se registra entre la literatura culta oficial y urbana de un período (aquélla que ha conquistado el predicamento de los instrumentos del poder cultural, aunque también puede estar ya presa de retórica o epigonalismo) y la literatura tradicional oral de las comunidades rurales. Aún más notoria la desconexión en la América Latina del XIX que en la Europa de la misma época, pues las tesis románticas sobre la creatividad de los pueblos que depararon una escritura que ocasionalmente imitaba baladas y canciones no adquirió igual capacidad en nuestro continente. Aquí, los poetas románticos, no empece el manejo del color local y de la temática nacional, se mostraron mucho más apegados a la escritura culta (incluso cuando imitaban la balada o la leyenda poética europea) que a las formas estrictamente populares o folklóricas que se ofrecían en su contorno. Con lo cual fortificaron el progreso de la línea culta y su dependencia de los modelos extranjeros, cuando decían reproducir las formas artísticas peculiares de sus comarcas. Y por lo mismo endurecieron la separación existente entre las dos producciones literarias extremas.

Siendo éstas simultáneas, paralelas e independientes entre sí, siguen carriles que rubrican el aislamiento, aunque cumplen operaciones similares, que son las propias de una producción literaria: se instalan en un determinado curso que es fijado por una variedad lingüística de que se apropian, por un repertorio de formas literarias peculiares, y por un repertorio de asuntos (aunque es aquí donde pueden superponerse, ocasionalmente), por un repertorio textual afín, por un sistema de correlacionar autor y público. Si bien la orientación inferior, folklórica, se presenta como un continuo persistente e invariante, las numerosas recopilaciones con que contamos (Juan Alfonso Carrizo, Vicente T. Mendoza, Augusto Raúl Cortázar, Luis da Camara Cascudo, Carlos H.

Magis) permiten reconstruir su interna movilidad —con un ritmo diferente al que mueve a la orientación superior culta— y el proceso productivo constante que dentro de ella se cumple, en particular el correspondiente a una apropiación lingüística a partir de la realidad ambiente.

Aunque entre estas dos producciones extremas las oposiciones son mayores y son por lo mismo las que mejor definen los límites del espesor de la literatura, algunas diferencias señaladas entre ellas pueden ser objeto de crítica y reducidas a situaciones equivalentes. Ese es el problema que plantea su régimen de trasmisión, el cual implica también, en diversos grados, el modo de producción. La literatura culta se produce y trasmite mediante la escritura. Exige por lo tanto la previa alfabetización del autor y el lector, lo que vale por la incorporación a un circuito cultural que maneja códigos más precisos y también más circunscritos que los privativos del régimen de trasmisión oral que es el que aplica la literatura folklórica. Si bien en este caso el modo de producción alterna la oralidad con la escritura, el régimen de trasmisión, según ha visto Jakobson, supone, para toda creación individual, "el grupo que la acepta, la sanciona" y que ejerce lo que él ha llamado "la censura preventiva de la comunidad"[5]. A partir de la teoría del genio desarrollada por los románticos, que no han hecho sino extremar los surrealistas en nuestro siglo aplicándola a nuevos estratos de la creación que, hasta ellos, no habían sido incorporados a los valores estéticos, es fácil reconocer que en ambas zonas (culta y folklórica) es posible la eventualidad del creador personal, dentro de los más variados niveles de mediocridad o excelencia, aunque es menos perceptible la constricción que sobre su tarea ejerce el régimen de trasmisión escrita (periódico, revista, libro) que muchos críticos tienden a subestimar sin reconocer su alto poder, mientras en cambio lo detectan fácilmente en el régimen de trasmisión oral. De hecho tenemos en ambos casos creadores individuales, cuya relación con el consumidor se encuentra intermediada por diversos circuitos: en un caso es el editor del periódico o del libro, en otro el difusor o cantor de poesía, quienes enlazan la oferta y la demanda. Estos agentes pueden ser mucho más coercitivos en el régimen de trasmisión escrita, como lo demostró la rebelión de los poetas puristas del siglo XIX, que en el de la trasmisión oral. Arnold Hauser, que engloba diversas manifestaciones, entre ellas la folklórica, bajo la denominación "arte del pueblo", subraya la debilidad de la intermediación para trasmitir este mensaje artístico: "En el arte del pueblo, productores y consumidores apenas están separados entre sí y los límites entre ambos grupos son siempre fluctuantes"[6].

Por lo tanto, más que oposición encontramos, en ese aspecto de la trasmisión, formas equivalentes de censura. Pero de inmediato debemos registrar las opciones más dispares entre ambas producciones literarias. Mientras que la literatura culta responde a la existencia de los núcleos educados de las ciudades y por lo tanto está signada por las coordenadas mentales del proceso de urbanización en sus variados niveles, la folklórica se expande en la zona rural y pueblerina y hasta invade los arrabales del reciente asentamiento campesino en las ciudades, respondiendo a mecanismos mentales, formas asociativas, construcciones ideológicas que son el patrimonio de "sociedades rurales", las cuales disponen de la más rica tradición conocida. De esta inclusión o exclusión de la urbanización (entendida como un sistema de adaptaciones psíquicas a las formas de vida en cada zona) derivan comportamientos literarios diferentes: mientras el creador individual de la literatura culta urbana manejará un amplio y versátil abanico de formas literarias que conceden especial valor a la novación respecto a las heredadas, el creador individual de la literatura folklórica mostrará especial conservatismo en lo referente a formas literarias y una vez que asuma, ya una nueva estrofa, ya un régimen dialogado, cuyos orígenes frecuentemente se encontrarán en la tarea vigilante y avanzada de las literaturas cultas, tenderá a mantenerse apegado a ellas, a extraerles numerosísimas posibilidades expresivas hasta agotarlas según su ritmo propio de degustación artística, para recién entonces proceder a sustituirlas. Esto apunta al progreso del individualismo dentro de las sociedades modeladas por las revoluciones burguesas, el cual adquiere su mayor velocidad en los núcleos urbanos, de conformidad con la dinámica que conquisten: en América Latina la dominación de los estilos neoclásico y romántico en el estrato culto alcanza dimensiones muy extensas que han sido designadas como anacrónicas (respecto al modelo originario europeo, claro está), pero que son simplemente el testimonio del ritmo particularmente restringido de las ciudades en el siglo XIX; desde que ellas entran a un proceso de modificación veloz hacia el último tercio del XIX, asistiremos a un paralelo proceso de novación que nos dará un primer período sincrético —en que se suman orientaciones que se entremezclan, porque entremezcladamente se está haciendo la urbanización en un tesonero intento de ponerse al día— y luego a una veloz sustitución de movimientos literarios. En cambio, la más equilibrada correlación del individuo y su grupo social que persiste en las zonas rurales, el régimen de interdependencia del núcleo social, constriñe esta tarea novadora, aunque no la destruye. Más bien la traslada a otros aspectos del mensaje literario, como podría observarse en la utilización lingüística. Mientras que la literatura culta se apropia de la escritura y por lo tanto del signo lingüístico que tienda a una mayor capacidad de abstracción sobre la sustancia del contenido, tendiendo a reducir la amplitud del léxico y a organizarlo jerárquicamente, lo cual, en los casos de comunicación que ha estudiado Abraham Moles[7], implica una progresiva compartimentación del público al que el emisor se dirige, ya que, partiendo de un núcleo lingüístico básico muy reducido, se opera una especialización léxica orientada hacia un sector del conocimiento y por lo tanto de la recepción de la información, en la literatura folklórica se asiste a un manejo de una lengua comunitaria, con ancho espectro y amplias posibilidades expresivas, una lengua apegada a la simbolización generalizada del contorno

124

y que si bien no deja de operar una jerarquización interpretativa del mismo, tal como ha demostrado Amado Alonso para el lenguaje pampeano[8], recoge con más libertad la fluidez del habla y la tarea creativa lingüística del grupo social.

También en este aspecto hay sensibles diferencias entre el comportamiento culto americano y el europeo. La conciencia tácita del criollo americano de tipo colonizado (y con mayor evidencia en el perteneciente a asentamientos indígenas) de que estaba utilizando una lengua que no le era propia, sino que había sido importada y que, como los demás aspectos de la vida americana, era regida desde la metrópoli, condujo a un excesivo apego a la norma culta española o portuguesa. El hipercultismo de la lengua literaria hispanoamericana, que pervivió largamente a la revolución de Independencia, es parte de lo que Lipschütz ha llamado la "pigmentocracia" colonial[9]. Un elemento de ese considerable esfuerzo por asemejarse al modelo externo y que, como la tez blanca, la limpieza de sangre y el catolicismo militante, servía para alcanzar *status* distinguiéndose, por una parte, de las "razas inferiores" indias o negras con sus diversos cruzamientos, y por la otra, para parangonarse con los prototipos peninsulares tratando de salvar el menosprecio en que se tenía al "indiano" en Madrid o Lisboa. Ese hipercultismo, que aun se prolonga en la escritura de Eduardo Mallea o de Caballero Calderón a mediados del siglo XX, dejó en libertad a la lengua popular y permitió que su poderosa creatividad se tradujera en las literaturas orales o emparentadas con ella, pues mientras el hipercultismo era un aferramiento a la norma estatuida y de hecho habría de generar el arcaísmo que alarmaba a Américo Castro en el Buenos Aires de los años veinte (junto con otras absurdas inculpaciones), imposibilitando esa renovación que Alfonso Reyes reconocía como más eficaz en el vulgar centurión romano de la decadencia que en Quintiliano, la trasmisión oral, por más regida que sea por el conservatismo, no se encuentra sujeta a una norma lingüística rígida, tiende a reconocer la existencia de los dialectos, adaptándose a sus peculiaridades fonéticas, léxicas y morfológicas y la misma fragmentación de los enclaves sociales rurales contribuye a su reestructuración autónoma.

## 4. LAS ESTRATIFICACIONES COLINDANTES

Si reconociéramos sólo esta división del *corpus* literario repondríamos la conocida separación entre literaturas cultas y populares atendiendo a sus rasgos opuestos, en ese ejercicio del pensar binario que subyace a nuestra tarea crítica. Pero ella no agota el espesor de la literatura. Conviene registrar la existencia, en un período histórico, de cursos colindantes, que por lo tanto coinciden en notas comunes, pero que al mismo tiempo se oponen por otras. Son formas literarias que se producen dentro de los rasgos dominantes de las literaturas cultas o de las populares, pero que introducen divisiones dentro de sus normas generales. Son perceptibles en ellas nítidas diferencias y aun enfrentamientos, debates que indican la pertenencia de esas orientaciones a una familia literaria, pero con suficientes manifestaciones peculiares como para permitir discrepancias.

Este deslinde nos permite visualizar al mismo tiempo la terca dificultad que aún hoy día manifiesta la crítica literaria para reconocer que la literatura no circula por un cauce único, sino que se desarrolla por cauces diversos, paralelos, con mayor o menor afinidad, con capacidad de dominación o con régimen de servidumbre, siguiendo vericuetos y originales estructuraciones que deben recomponerse a través de un discurso interpretativo. En ese sentido, unas observaciones del crítico alemán Rudolf Grossmann, en su muy reciente *Historia y problemas de la literatura latinoamericana*[10], pueden servir de punto de partida para observar un caso concreto de paralelismo literario en estratificaciones colindantes.

Refiriéndose a la famosa novela de Manuel Antonio de Almeida, *Memorias de un sargento de milicias*, una de las joyas de la narrativa brasileña del siglo XIX, aduce Rudolf Grossmann, para explicar que esa admirable novelita sea "dos años anteriores a la primera novela romántica de Alencar", que es ese "uno de esos anacronismos literarios que abundan especialmente en el siglo XIX". Hace ya tiempo que la mejor crítica brasileña había destacado los valores de la obra de Almeida en relación a su contorno socioliterario, su imparcial decisión de "permanecer en el Río del primer cuarto del siglo XIX en el ambiente popular de barberos y comadres en que se iba diferenciando nuestra vaga burguesía"[11]. Los incipientes sectores medios habían bocetado una cosmovisión peculiar, manejaban una lengua basta y sabrosa, vivían a pechos de la vida en una lucha permanente por subsistir y habían adquirido un incipiente tacto realista, rápido y objetivo, con la cultura y la economía de la ciudad.

Pero no es la originalidad de la novela de Almeida, que permitió su recuperación por los "modernistas" de 1922, lo que nos importa ahora, sino su relación con la literatura de su tiempo, su distanciamiento de los contemporáneos, que sin embargo se produce dentro de una conjunción de fechas, de regímenes de trasmisión literaria y de manejos temáticos y formales comunes. Efectivamente, Manuel Antonio de Almeida es estrictamente un coetáneo de José de Alencar, pues el primero nació en 1831 y el segundo en 1829; sus carreras literarias tienen desarrollos iniciales contemporáneos y se hacen dentro de la cultura urbana de Río a mediados del XIX manejando los mismos oficios periodísticos, publicando incluso obras en el mismo periódico. En el *Correio Mercantil* aparecen, anónimamente, en 1853, bajo la forma habitual de folletín, las *Memorias de un sargento de milicias,* que confesadamente buscan ser un cuadro histórico, dentro del gusto de la época por las reconstrucciones, lo cual permite situarlas, desde el ángulo más externo de las formas literarias, dentro del modelo narrativo aportado por el romanticismo —la novela histórica[12]— que tuvo amplia difusión en los folletines periodísticos de los diarios brasileños. En el mismo diario se publican desde 1854 las crónicas de José de Alencar *(Ao correr da Pena)* y es en el *Diario do Rio de Janeiro* que aparecerán en folletín sus primeras novelitas y la famosa obra *O Guarani* (1857), que también sigue y aún tipifica el modelo romántico de reconstrucción histórica.

Si la temprana muerte de Almeida cortó su carrera y en cambio José de Alencar pudo desarrollar ampliamente una obra que, a pesar de su defensa postrera, no se apartó demasiado del modelo inicial, extendiéndose hasta su muerte en 1877, ello no impide que reconozcamos la estricta coetanidad de ambos narradores, el mismo manejo del régimen de la escritura y de la difusión a través de folletines periodísticos, la misma coincidencia en las orientaciones temáticas y los modelos de la época, la misma utilización de la demanda de un medio urbano que autorizaba diversas estratificaciones que sin embargo eran cubiertas por el mismo periódico. A partir de estos elementos comunes se nos hace más notoria la diferencia de sus respectivas opciones literarias, pues al modelo lírico, evocativo, de la novela romántica nacional que construye José de Alencar, se opone la visión realista, objetiva e irónica de Almeida; a la lengua flexible, poética y culta de José de Alencar, la lengua algo torpe de un cierto estrato urbano que Antonio Soares Amora define como "tejida con los recursos elementales del habla común"[13]; al idealismo que impregna personajes y acciones manejando drásticamente las oposiciones dicotómicas románticas, un realismo que atiende al comportamiento de las costumbres.

No es necesario recurrir a la biografía de ambos escritores para buscar las causas de estas diferencias: saber de los orígenes cearenses de la familia de José de Alencar, de la notoriedad política de su padre, senador y prohombre que participó de la elevación al trono de D. Pedro en 1840, de sus estudios como abogado, de su conservadora actividad política, y saber por otro lado del origen humilde de Manuel Antonio de Almeida, de su desamparo familiar, de sus luchas en el seno de la pequeña clase media carioca, de sus trabajos de periodista mal pagado. No es necesario apelar a esa información visto que no es en ella, a pesar de los datos que nos proporciona, donde se puede filiar la orientación literaria determinante de un escritor, si recordamos los razonamientos de Marx respecto a la procedencia de los ideólogos. Las diferencias se reconocen en la lectura de sus respectivas obras como manifestación de dos cosmovisiones simultáneas y distintas, destinadas evidentemente a enfrentamientos futuros, las cuales se despliegan al mismo tiempo y nos dan, dentro de la orientación que hemos definido como culta y escrituraria, una notoria división de tendencia. Son orientaciones colindantes: participan de elementos comunes y a la vez manejan otros diferentes que las singularizan. Tales comprobaciones textuales permiten reconstruir el espesor de la literatura culta urbana de un período, sin buscar coartadas en los anacronismos, los precursores, los creadores fuera de serie, etc. A partir de su existencia, podremos intentar la reconstrucción de otro espesor, en el cual nacen: el de las formulaciones culturales que se dan simultáneamente en el mismo lugar y tiempo y se vinculan a los estratos sociales.

En el ejemplo citado, hemos tomado exclusivamente a dos autores y sus correspondientes obras, las cuales se nos ofrecen, gracias a la decantación secular establecida por los lectores y la estimativa crítica, como específicas de un alto nivel artístico. Han sido extraídas de un conjunto mucho más vasto, separadas de él mediante un sistema de valores y ficticiamente presentadas como creaciones aisladas. Si retornamos a la productividad literaria de su tiempo, suspendiendo momentáneamente los principios selectivos que rigen el establecimiento de las literaturas, observaremos que nacieron dentro del abigarramiento de una nutrida producción folletinesca donde resulta posible rastrear, en diversas expresiones e intensidades variables, en niveles intermedios, frustrados o aun mediocres, las mismas líneas que ellas representan con rigor artístico superior. Es posible encarar entonces una reconstrucción de la axiología estética, pero a partir del reconocimiento de la simultaneidad y el paralelismo en que se producen las distintas manifestaciones artísticas.

Ha sido esto lo que lleva a Alfredo Bosi a reordenar la novelística romántica del período, atendiendo a un tipo de corte que responde a la excelencia literaria, aunque al hacerlo permite que al mismo tiempo podamos reconocer el manejo simultáneo de ambos principios críticos: el que detecta los cauces paralelos de la literatura y el que en cada uno de ellos registra una tarea artística más acuciosa. Dice Bosi:

> . . .não é tanto a distribuição de temas quanto o nervo do seu tratamento litérario que deve ofrecer o critério preferencial para ajuizar das obras enquanto obras. Teremos, no plano mais baixo, os romances que nada ecrescentan aos desejos do leitor médio, antes, excitan-nos para que se reiteren *ad infinitum;* e a produção de Macedo, de Bernardo, de Távora e alencariana menor *(A Viuvinha, Diva, A Pata da Gazela, Encarnação).* Ja Inocência de Taunay e alguns romances de segunda plana de Alencar *(O Sertanejo, O Gaúcho, O Guarani)* redimen-se consessoes a peripécia e ao inverossímil pelo fólego descritivo e pelo éxito na construção de personagens–símbolo. Enfim, o nível das intençoes ben logradas cabe, como é de esperar, aos *happy few:* as *Memórias de um Sargento de Milícias,* prodígio de humor pícaro en meio a tanto disfarce banal, e as duas obras–primas de Alencar, *Iracema* e *Senhora,* tão diversas entre si do ponto de vista ambiental, más próximas pela consecução do tom justo e pela economia de meios de que se valeu o romancista[14].

En el otro extremo que hemos diseñado, el correspondiente a las tradiciones orales del ámbito rural, podemos registrar también la aparición, contigua al estamento literario folklórico, de orientaciones literarias que le son colindantes, pero que ya no pueden confundirse con él. Dentro del hemisferio hispanoamericano, es ése el caso paradigmático de las llamadas literaturas gauchescas, que si se asemejan a las folklóricas por la libertad en el uso del dialecto regional, por la utilización de formas métricas comunes en la producción popular del campo a las que pronto modificarán con adaptaciones propias (la sextilla de José Hernández), por la irregularidad lingüística que las caracterizan (a la que sin embargo pronto embridarán siguiendo la norma culta de que parten algunos cultores del género, como lo ha demostrado para el caso de Estanislao del Campo el estudio de sus manuscritos hechos por Amado Alonso)[15], de ellas se distinguen por la importancia concedida al creador individual, por su mejor instalación en la circunstancia histórica presente, lo que implica incorporar a la literatura un ritmo más rápido de transformaciones artísticas, y por la utilización de nuevos circuitos de comunicación que complementan la oralidad con la escritura mediante el difundido régimen de las hojas sueltas y los pliegos de cordel.

La mejor crítica[16] ha reiterado que estamos en presencia de un movimiento típicamente literario, con autores individuales de cierto nivel cultural, con una actitud creadora adecuada a esos niveles, con una muy notoria opción de público. La literatura gauchesca, que ha sido objeto de diversas clasificaciones, las que obedecen a su desarrollo diacrónico y a las incorporaciones de autores y corrientes que la acercan o alejan del estrato folklórico, también apunta, como en el caso de la narrativa de Almeida y de Alencar, a la existencia de clases sociales con rasgos propios y diferentes. Si en aquel caso se trataba de estratos urbanos, en el de las literaturas gauchescas se trata de estratos rurales donde se introducen modificaciones que alteran la uniforme composición originaria.

El estereotipo del alegato histórico ha presentado la revolución de Independencia como un enfrentamiento entre el pueblo criollo con sus jefes, procedentes de la burguesía mercantil, y por otra parte los ejércitos españoles con los pocos regalistas de la administración colonial a la cabeza. La historia real fue bastante más compleja: ella reconoce que se produjo una profunda división dentro del mismo pueblo, del trabajador del campo, en especial del consagrado a las tareas ganaderas. Los victoriosos ejércitos del Boves regalista en Venezuela son muestra elocuente. En el proceso revolucionario se produce una fracturación dentro de ese sector social desamparado, y si bien una mayoría asume las banderas revolucionarias respondiendo a las promesas reivindicadoras que se le hace, muchos quedaron en la actitud tradicional y conservadora. Esa fracturación dentro de una clase social es la que delata la literatura gauchesca, apuntando por lo mismo a una incipiente conciencia de clase que el sacudimiento revolucionario promueve en los hombres del campo que están situados en el punto más lejano con relación a la estructura económico-social que comienza a incorporarse a América Latina con la revolución.

De tal modo que la literatura gauchesca de Bartolomé Hidalgo, no sólo se refiere a ese vasto sector popular donde pervivía y se desarrollaba la literatura folklórica, sino al más reducido que adquiere conciencia de una reclamación económica, social y política. Dicho de otro modo, la poesía gauchesca de Bartolomé Hidalgo es concomitante del Reglamento de Tierras del Artigas de 1815, como la poesía "negrista" que comienza a aflorar entonces sin alcanzar suficiente autonomía, lo es de la libertad de vientres y de la manumisión de esclavos que se decreta para conseguir su incorporación a los ejércitos criollos revolucionarios, lo que, inicialmente, sitúa a esos sectores en una dinámica social nueva que los aleja de las clases de que procedían: paisanos o esclavos. El grado de ruptura y el éxito de la empresa, quedará fijado —primero— por la capacidad mostrada para constituir un nuevo género literario (lo logran los cultores de la literatura gauchesca, pero no los de la negrista) y —segundo— por la pervivencia que alcance (casi un siglo en los gauchescos). Con lo cual se plantea el problema de la relación de una literatura específica, una vez delimitado su campo textual por sus peculiares rasgos artísticos, y el discurso social explícito o implícito de una clase.

De poco sirve, para detectar esa vinculación, apelar a los orígenes sociales de los escritores porque, como ya hemos indicado, no es ése un elemento determinante rigurosamente (de hecho la mayoría de los primeros ejercitantes de la gauchesca pertenecía a los estratos campesinos o sobre todo a los urbanos inferiores, como es el caso de Bartolomé Hidalgo, a quien Castañeda enrostró su condición de "mulato") sino a la asunción del pensar y sentir de un estrato social que realiza el escritor, sea cual fuere su nivel educativo. Más eficaz es interrogar, en el mismo texto, las operaciones literarias y lingüísticas. Respecto a estas últimas es conveniente observar que el pasaje de un escritor perteneciente al circuito alfabeto culto, en cualquier nivel, al oral rural, implica obligadamente la percepción de la distancia fonética, sintáctica y lexical en que se encuentra el dialecto regional respecto a la norma culta, lo que puede acarrear su manejo con un espíritu sistemático que por lo común está ausente del hablante inmerso en su dialecto. Cuando éste adopta una actitud creativa literaria, tiende a "hablar bien", o sea, a asumir los dictámenes lingüísticos de los estamentos superiores: la poesía anónima que Acuña de Figueroa recoge en su *Diario histórico* está, aparentemente, escrita siguiendo esa tendencia, lo que apuntaría a un productor del estrato popular, como también se lo encuentra en la mucha literatura de exaltación guerrera o patriótica de las revoluciones del siglo XIX en América Latina. Sus imperfecciones lingüísticas no son hijas de una voluntad de estilo, sino de las torpezas en el manejo de las normas cultas. En cambio, el poeta gauchesco hace el tránsito inverso, va hacia el habla dialectal y a veces (el citado caso de Estanislao del Campo) la somete a un régimen normativo que no es propio del hablante. La mayor o menor imposición de un régimen normativo al dialecto, para trasmutarlo en lengua literaria, es un buen índice del mayor o menor recorrido que hace el poeta desde su lengua propia a la presuntamente rural. Es bastante reducido en la primera promoción de gauchescos y en los gauchescos menores[17], es atemperada en Ascasubi y conquista, en José Hernández, su mejor dimensión porque elude la fijación de un dialecto específico y le otorga la movilidad propia de un habla que sigue respondiendo centralmente a la corriente del idioma español.

Sea cual fuere la solución que le confieren los diversos poetas, estamos en presencia de una lengua literaria y no de una trasposición dialectal. Esa lengua es parte central del proyecto literario y por eso se la puede comparar con la que asumen los poetas modernistas en relación al habla culta de las ciudades latinoamericanas de fines del XIX: por diferentes que sean, incluso por opuestas que resulten, responden ambas a operaciones literarias, a la necesaria construcción de un ámbito lingüístico (sobre todo lexical, pero también sintáctico) específico para traducir un mensaje artístico. Esto revela la concepción literaria de base que sostiene la invención de la gauchesca y que la distingue de las formas peculiares de la poesía folklórica. Corresponde a otro escalón del espesor literario: la voluntad de composición artística, que exige reelaborar la lengua para esos fines y luego anclar el mensaje en la coyuntura ideológica del momento, insertándola vigorosamente dentro de la historia, revela una modificación del grupo social campesino que se está incorporando al proceso social en curso. La estructuración literaria que consigue establecer, sirve de autoconciencia de su situación como clase, porque le es posible a través de ella definirse y abre el camino hacia la adquisición de una conciencia de clase.

Los dos ejemplos citados no agotan los modelos de estratificaciones literarias colindantes y sólo han sido traídos a colación para mostrar la aparición, en ambos extremos del espesor literario, de formaciones paralelas y autónomas a aquellas que elegimos como las más alejadas entre sí. Otro modelo estaría dado por los casos en que un grupo intelectual asume la representatividad de otro estrato de la sociedad, considerando (primer argumento) que carece en apariencia de una voz artística y de capacidad expresiva o que (segundo argumento), aun disponiendo de esas condiciones, carece de instrumentos con los cuales proyectarse en el seno de las clases dominantes. Es un ejemplo de intermediación, donde asistimos a un enmascaramiento de los motivos profundos del comportamiento artístico, que ha sido bastante característico de los sectores medios de la sociedad.

En esa asunción es posible inferir una cierta opacidad de la mirada que no le permite ver en el estrato inferior, o, más exactamente, no le permite aceptar y justipreciar su peculiar y constante productividad literaria, visto que ésta no se encuentra ausente de ningún sector de la sociedad. Esa opacidad se traduce en la concepción de que sus productos tradicionales son formas anquilosadas que toleran el "trasvasamiento", tanto vale decir, un presunto perfeccionamiento para ser incorporadas a otros sectores culturales, concretamente al del grupo o movimiento que se plantea ese cometido. Tal operación genera un arte internamente contradictorio que ha sido bastante frecuente en aquellos grupos sociales que cumplen una lucha ascendente dentro de la estructura global de la sociedad.

131

En la literatura latinoamericana del XX ha sido la característica de los movimientos "indigenista" y "negrista" que surgen por la década del veinte: parten de un proyecto de reivindicación social y económica de esos grandes sectores preteridos, sumidos a veces en el mayor desamparo, para lo cual manejan asuntos, elementos lingüísticos y formas literarias que entienden les son peculiares, pero "trasvasándolos" dentro de una literatura fuertemente racionalizada, cuyos rasgos internos apuntan a la cosmovisión de otra clase social —la pequeña burguesía provinciana— que en esta circunstancia se inclina por la parte inferior de la pirámide social. He estudiado en otro ensayo[18] la ambigüedad de los productos literarios del "indigenismo", que se revela en la interna contradicción entre esa estructura artística interna y los asuntos referidos al pueblo indígena, aproximándolos a la concepción que elaboran los sectores mestizos intersticiales de la sociedad, aliados a la baja clase media provinciana. Desde el arte de Sabogal y posteriormente de Guayasamín, hasta la novela de López Albújar o de Jorge Icaza, asistimos a una producción que se instala en la parte baja del sector culto y urbano, aunque no de manera paralela e independiente, sino fieramente enfrentada, en plena polémica con la orientación culta superior cuyo implacable procesamiento lleva a cabo y al que procura reemplazar con sus proposiciones artísticas propias. Para ello comienza a aplicar, por primera vez de un modo coherente en América Latina, el terrorismo verbal.

Que ésa no era la única forma de oponerse a la literatura culta, hispanizante y artística, que ya habían comenzado a minar los "colónidas", se demuestra con la exacta novelita de Martín Adán *La casa de cartón,* la que está al margen de la operación central del "indigenismo": asumir los problemas de las clases inferiores, pero no así su arte, aunque sus producciones sean idealizadas desmesuradamente. Adán demuestra la eventualidad de una literatura urbana que en el primer tercio del XX promoviera los valores estéticos de las clases medias tal como hicieron en otros lados los primeros ultraístas. Pero la literatura indigenista, no empece sus temas y propósitos pregonados, no colinda con el estrato folklórico, sino con la literatura culta urbana superior, en un visible desafío. Si en ella son incorporadas invenciones folklóricas, es porque son elementos corroborantes de su presunta verosimilitud, cuando no cumplen la función de meros toques de color local, pero no pertenecen a la concepción estética que anima a la producción "indigenista", lo que una vez más vuelve a exigir que el estudio de estos problemas no se restrinja a una estimativa "contenidista", sino que se amplíe con el examen de las plurales formas artísticas empleadas.

Universidad Central de Venezuela.

# NOTAS

[1] Véase mi ensayo "Un proceso autonómico: de las literaturas nacionales a la literatura latinoamericana" en: *Estudios filológicos y lingüísticos*. Caracas, Instituto Pedagógico, 1974. Homenaje a Angel Rosenblat en sus 70 años.

[2] Véase mi ensayo "Sistema literario y sistema social en Hispanoamérica" en *Literatura y praxis en América Latina*. Caracas, Monte Avila, 1974.

[3] Robert Escarpit: *Le littéraire et le social*. Paris, Flammarion, 1970.

[4] En su fermental ensayo "Historia del arte según los estratos culturales: arte del pueblo y arte popular" (en *Introducción a la historia del arte*. Madrid, Guadarrama, 1961), Arnold Hauser había detectado esta situación, sugiriendo "una exposición del desenvolvimiento artístico en secciones verticales, que permitiría ver con mayor claridad que en el arte actúan siempre distintas tradiciones de curso paralelo y que, a la vez, acabaría con el dogma de que todo lo simultáneo se encuentra en conexión orgánica". De sus múltiples dificultades del proyecto habla en ese estudio, reconociendo la precariedad de informaciones de que disponemos, tanto para establecer el distingo que él procura (arte del pueblo y arte popular) como para reconstruir continuamente una historia del primero.

[5] Roman Jakobson: "Le folklore, forme spécifique de création", en *Questions de poétique*. Paris, Le Seuil, 1973.

[6] Arnold Hauser, *ob. cit.*

[7] Abraham Moles: *Sociodynamique de la culture*. Paris. Mouton, 1967.

[8] Amado Alonso: "Americanismo en la forma interior del lenguaje" en *Estudios lingüísticos. Temas hispanoamericanos*. Madrid, Gredos, 1953.

[9] Alexander Lipschütz: *El indoamericanismo y el problema racial en las Américas*. Santiago de Chile, Nascimento, 1944.

[10] Madrid, Revista de Occidente, 1972, p. 293.

[11] Véase el ensayo de Antonio Candido "Manoel Antönio de Almeida: o romance en motocontinuo", en *Formação da Literatura Brasileira*. São Paulo, Livraria Martins, 1959, dos volúmenes.

[12] Georg Lukács: *La novela histórica*. México, Era, 1966.

[13] Antonio Amora: *O Romanticismo*. São Paulo, Editora Cultrix, 1973. Dice Soares Amora: "se aqui e ali se insinuam uns procurados o bem achados efeitos vocabulares e de torneio fraseológico, de intenção e excelente expressividade caricaturesca, como, entre muitos casos, o sermão da Sé, a duas vozes e línguas, o latinórico de alguna anexins, parxismos de lenguagem judiciária e tabelica intencionaus popularismos e neologismos; se tais procuras e echados são freqüentes na linguagem do Romancista, que também travalava com uma razoável herança de monedas do melhor quilate de casticismo e de respeitável antigüidade, nem por isso deixa de ser abundante, nessa mesma linguagem tõscas estructuras sintáticas, de origem e larga circulaçao popular: confusões de formas de tratamento, ambíguas relações regenciais, imprópios processos de expressao dos graus de determinação".

[14] Alfredo Bosi: *Historia concisa da literatura brasileira*. São Paulo, Editõra Cultrix, 1972.

[15] Amado Alonso: "Gramática y estilo folklórico en la poesía gauchesca", en *Estudios lingüísticos. Temas hispanoamericanos*. Madrid, Gredos, 1953.

¹⁶ Lauro Ayestarán: *La primitiva poesía gauchesca en el Uruguay.* Montevideo, Imp. El Siglo Ilustrado, 1950.

¹⁷ Eneida Sansone de Martínez: *La imagen en la poesía gauchesca.* Montevideo, Facultad de Humanidades y Ciencias, 1962.

¹⁸ Angel Rama: "El área cultural andina (hispanismo, mesticismo, indigenismo)" en *Cuadernos Americanos.* México, Año XXXIII, Nº 6, noviembre-diciembre 1974.

JACQUES LEENHARDT

# MODELOS LITERARIOS E IDEOLOGIA DOMINANTE*

PUESTO QUE en las investigaciones sobre la literatura, el tema de discusión es el uso del concepto de código, he creído oportuno proponer una doble puntualización con el fin de, por una parte, situar la relación general que existe entre el pensamiento sobre la literatura y los modos de pensamiento propios de otras esferas de la vida social y, por otra parte, proponer una hipótesis que se refiere a la moda actual de este concepto, es decir, su significación en el marco ideológico donde toda práctica teórica se deja oír.

En vista de que el "método" de Sainte-Beuve cristaliza una práctica centenaria que tiende a unir la literatura con su productor inmediato, se subraya la importancia de la relación de posesión para la historia literaria. Si existe ruptura en los estudios sobre la literatura, ella se da en el paso de la medida retórica a este nuevo criterio: la subjetividad del autor. Este nuevo tipo de juicio, el cual será sustituido en el mismo sistema de enseñanza por un deslizamiento correspondiente mediante el cual de una retórica de la *elocutio* pasa a una retórica de la *dispositio* −tal como lo señala G. Genette en su artículo "Retórica y enseñanza" (*Figures II*)− asegura el predominio de la función crítica, en tanto ésta se decreta enunciadora de la sinceridad. Ante esta coyuntura histórica e ideológica, Sainte-Beuve responde a Nisard en nombre del particularismo individual y contra el imperialismo de las normas, el cual este último siempre formuló de manera tan clara como brutal:

> Ella [la crítica] mediante los libros se ha constituido en un ideal del espíritu humano; un ideal del genio particular de Francia y otro de su lengua; ella coloca cada autor y cada libro ante ese triple ideal. Registra lo que se aproxima: he allí lo bueno; lo que se aleja: he allí lo malo[1].

De este modo, el flujo ideológico que mueve la historia literaria de la burguesía liberal conduce al proscenio el modelo generador del dis-

* *Escritura*, I, núm. 2 (1976), pp. 207-16.

curso sobre la literatura como elaboración de la relación de identidad de la obra y del escritor. De allí la categoría de la sinceridad que satura el discurso crítico, medida con la cual es confrontado cada escritor. De allí igualmente ese lugar común de los manuales de historia literaria, *Montaigne, su vida y su obra*, o *Rousseau, su vida y su obra*, etc., donde la partícula posesiva redundante cumple la función de teoría de la producción literaria y de criterio de autenticidad. En el plano ideológico se puede decir que, aquí, Montaigne o Rousseau, desde el punto de vista del modelo que permite pensar la historia literaria, no son más que significantes; por su intermediación se repite, en la ejemplaridad, el tema de la posesión de sí mismo. En este marco escénico, es el hombre quien triunfa, como el Cristo de la tradición bizantina, Pantocrator, el hombre en la gloria, sostenido y fundamentado por lo que se constituye en su haber: su vida y su obra.

No es de asombrar que esta representación, y el intento de justificación teórica que la acompaña en toda la segunda mitad del siglo XIX y en el siglo XX, aparezca de manera concomitante con el auge del diario íntimo. Se podría incluso ver en este género, cuyos monumentos aparecerán entre 1846 y 1866 (Biran, Guérin, Vigny) y después entre 1880 y 1890 (Amiel, Michelet, Constant, Stendhal, Delacroix), la expresión de esta categoría del haber aplicada a la existencia misma, la cual se ha desplegado hoja tras hoja en el papel, totalizándose a la manera de un tesoro, fiadora de la identidad[2].

Mientras que se desarrolla una ideología del haber en el plano de la existencia, al mismo tiempo que se afirma la crisis de identidad del individuo en la sociedad capitalista y la crisis de la escritura que le hace eco, el diario íntimo será el receptáculo ambiguo de esta doble interrogación que, al contarse, encuentra allí su conjuro.

En el momento en que escribir se ha vuelto una dificultad y un trabajo, la crítica literaria va a redoblar la ceguera para enmascarar el hiato, ya sensible a todos los escritores, prorrogando la idea fundadora de la tradición liberal y burguesa, según la cual

> . . .el individuo no es absolutamente deudor a la sociedad de su persona y de sus facultades, de los cuales él es, por esencia, el propietario exclusivo[3].

Con una exageración que señala el agotamiento ideológico, es incluso en esta posesión donde se ha tratado de definir su humanidad, la cual consiste precisamente en la relación privilegiada, connotada por la sinceridad entre el yo existencial y el sujeto de la creación.

Por lo tanto, en el modelo usado en cierta historia literaria, desde Mornet hasta nuestros días, hay que ver uno de los motivos ideológicos que fundan la ilusión liberal. Que este modelo, que hunde las raíces de su funcionalidad en el mismo establecimiento de las condiciones de auge de la sociedad burguesa, hoy haya pasado a funcionar en el campo de la historia literaria como antaño en el del derecho o en el de la práctica política y económica, no es más que el signo de la inclusión de la praxis intelectual, universitaria en este caso, en la movilidad de la ideología de la clase dominante. La persistencia muy notable de la antigua ideología de los Derechos del Hombre en el cuerpo docente, que incluso se reaviva cuando, en cambio, en cualquier otra parte por lo menos está sujeta a incertidumbre, plantea la difícil cuestión de la desviación ideológica propia de la Universidad y explica la resistencia que hoy está manifiesta ante modelos de comprensión ya ampliamente establecidos en otras esferas de reflexión.

Si la historia literaria de la burguesía liberal, después de haber abandonado la referencia a los códigos retóricos que implicaban la obediencia del escritor y recortaban las alas de su individualidad, planteó en su centro el valor clave de la sinceridad, como tarea y honor del escritor, es porque ella ha hecho prevalecer al fin, en su ejercicio, el modelo dominante de la praxis y, seguidamente, la piedra angular ideológica de la clase en el seno de la cual ella aparece y a la cual contribuye a reproducir.

A continuación quisiera examinar el mismo tipo de relación, pero en su manifestación dentro de la historia literaria marxista mecanicista o zdanovista. La inmediatez de la relación entre los modelos literarios y los modelos sociopolíticos aparece en este campo aun con mayor evidencia, especialmente por la existencia de dos modelos, respectivamente utilizados para la explicación de las producciones literarias externas a la esfera "socialista", es decir, los productos de la "decadencia burguesa", y para la de los productos interiores, vale decir la literatura realista-socialista.

En el primer caso, es el *modelo del reflejo*, en cuanto se inscribe en la teoría de la necesidad histórica, el que toma a su cargo la explicación histórica de la literatura. Cierta selección de obras, junto a una teoría mecanicista de las relaciones de infrasuperestructuras y una visión lineal catastrófica del devenir de las sociedades capitalistas, permite presentar un enfrentamiento imaginario, pero eventualmente rentable del punto de vista de la propaganda, de las descomposiciones irremediables de un mundo condenado.

El otro modelo, de uso interno, es más complejo y se basa en un proyecto totalmente distinto. Ya no calcado sobre la necesidad de un desarrollo, el modelo que sostiene la teoría del realismo socialista es francamente voluntarista. Constituido por un complejo entrelazamiento de códigos literarios, éticos, políticos, etc., él procede más del arsenal de las incitaciones por producir que del de las explicaciones. Por consiguiente, lo vemos en contradicción absoluta con su homólogo (de uso externo), negando radicalmente el determinismo histórico para hacer de la ejemplaridad del texto la medida de su carácter "socialista". La importancia de esta tendencia, incluso en un Lukács, atestigua el deslizamiento de una teoría verdaderamente marxista, donde la dialéctica sigue siendo la categoría histórica esencial, hacia una reinterpretación kantiana del desarrollo histórico como *sollen*, deber-ser de donde se eliminan las condiciones objetivas a favor de una construcción de tipo racionalista.

La contradicción entre estos modelos (determinista *vs*. voluntarista), que se puede localizar en todos los niveles de la lucha ideológica y política en el mundo "socialista", especialmente en el enfrentamiento entre espontaneísmo y organización, suministra el modelo original de las prácticas significantes institucionales.

Más allá de la censura que mantiene esta contradicción en el campo mismo de la literatura y de la crítica, hay sin embargo un aspecto común a estas dos posiciones y el cual las opone —por esta vez unidas— al modelo más o menos romántico de la historia literaria liberal: *la determinación externa de la producción literaria*, la cual se produce por intermedio de la necesidad histórica, en el caso de la teoría del reflejo, o por la idea abstracta de "otra" sociedad, en el voluntarismo político propio del "realismo socialista". Mediante uno u otro sesgo, el "autor" es relegado en segundo plano; su intervención, siempre intempestiva, se revela a menudo inadecuada para relacionarse con una u otra de estas instancias.

En esta especie de articulación de ambos tipos de modelos explicativos, modelo liberal y modelo "stalinista", en su rechazo común, se sitúa, en una escala de posiciones muy amplia, la tendencia actual de la crítica a colocar la noción de código en el corazón de su debate.

Hemos visto cómo la fractura producida en el siglo XIX tuvo como motivo y como resultado liberar la escritura y la crítica de las órdenes de una retórica de la *elocutio* hipercodificada. ¿Qué sentido, pues, pudo tener, hoy, la reaparición masiva de la noción de código, si no precisamente el de reactivar lo que la tradición ideológica liberal había ocultado: el enfeudamiento de la escritura? Al reivindicarse como trabajo, ella intentó aflojar los lazos que la ataban a imperativos externos. El resurgimiento de la retórica en el corazón de la historia literaria renueva el acento sobre las constricciones. Pero sería errado, en el movimiento que se desarrolla después de la Segunda Guerra Mundial, no ver más que uno de estos inevitables y poco interesantes movimientos de balancín a través de los cuales algunos creen pensar la historia. Si hoy la noción de código tiende a ser la inversión de todas las ciencias humanas, o incluso el estudio de la literatura en su especificidad, ello no es porque los críticos hayan agotado cierto discurso, el de la historia literaria, sino porque este discurso ya está agotado, minado por la disfuncionalidad de su modelo.

¿A qué nueva función se integra el discurso crítico actual? ¿Qué nos dice sobre nuestra coyuntura ideológica hablándonos de literatura? Es esto lo que ahora quisiera analizar rápidamente.

En primer lugar, es necesario precisar lo siguiente. Si utilizamos el término de retórica, hay que tener presente que éste ya no remite, como en la época clásica, a una escritura de la cual era la ley crítica por ser a su vez ley genética. El hecho de que una nueva retórica de los códigos hoy intente saturar textos cuyas reglas de engendramiento son heterogéneas respecto a ella, plantea el problema de la utilización del concepto de código en términos nuevos.

El uso del concepto de códigos, y yo diría su uso metodológico, apunta sistemáticamente a suministrar una equivalencia abstracta del objeto del discurso. En la constitución voluntarista de los códigos de señalización, como por ejemplo el código de rutas, el predominio del principio de economía, que intenta reducir el costo de la indicación, justifica por sí mismo esta equivalencia. El código está construido, él tiene una función instrumental, y ésta lo agota. Allí donde, en cambio, la aplicación de la noción de código trae problemas es cuando, frente a un texto constituido fuera de este principio de economía y fuera de esta función instrumental, la crítica va a tratar de hacer entrar la complejidad significativa de un universo en la simplicidad descriptiva de un código.

Se llamará *reducción semiológica*, reducción que se manifiesta tanto en el plano de la creación como en el de la crítica, la tentación de amordazar lo que Baudrillard llama lo "simbólico" en provecho de lo codificado, de lo diferencial. Inscribir la práctica literaria en el estrecho marco del juego diferencial de los signos, es precisamente asegurarse de que nada desbordará del texto, que todo será atrapado dentro de esa fina red que constituye la red de los códigos. Imperialismo del código y fetichismo del significante son por lo tanto las dos vertientes de una misma práctica, que aspira a apoderarse de la literatura en lo que ella tiene de facticio, de diferencial, de sistematizado. Tal como lo escribe Baudrillard en *Pour une critique de l'economie politique du signe*:

> En el fetichismo, no es la pasión de las substancias la que habla (ya sea ésta de los objetos o del sujeto), sino la pasión del código, el cual, reglamentando y subordinando a la vez objetos y sujetos, los consagra juntos a la manipulación abstracta. Allí está la articulación fundamental del proceso de la ideología: no en la proyección de una conciencia alienada dentro de las superestructuras, sino en la generalización misma en todos los niveles de un código estructural[4].

Es por lo tanto el fetichismo del significante lo que debemos interrogar: siempre reverso de lo que nosotros hemos conocido muy bien, hasta el presente, en la crítica literaria: el fetichismo del significado. Este último se apoya en una metafísica del sujeto, en la plenitud de significación que emana de la persona y de la práctica individuales; remite por lo tanto a cierta posición del sujeto en la ideología burguesa y dentro de cierto tipo de relaciones de producción ligadas al capitalismo liberal; el fetichismo del significante por su parte remite a una instancia de legitimación política nueva, al paso de una a otra refrendando la mutación de las ideologías que sigue a la transformación del sistema económico–político mismo.

\* \* \*

En la supervivencia de una forma de sociedad siempre intervienen de manera preponderante los procedimientos de legitimación del poder. Es a partir de la transformación de esta legitimación, que sigue a la transformación de la estructura del mercado mismo, que nosotros pensamos poder aclarar el paso del fetichismo del significado al fetichismo del significante.

En la sociedad liberal clásica, la justificación del poder político se basa en el hecho de que, independientemente de todo postulado teológico o teleológico, todos los miembros que componen la sociedad se consideran –o pueden considerarse– como iguales en un dominio que excede en importancia a todos aquéllos donde las desigualdades son flagrantes. Esta condición, necesaria para la justificación del poder, ha sido cumplida con el hecho de que el sometimiento de todos a las leyes del mercado en las sociedades liberales ha aparecido como un fenómeno ya sea legítimo, ya sea simplemente inevitable. Históricamente, junto a Macpherson, se puede observar que:

> . . .la edad de oro de las sociedades mercantiles ha visto cumplida esta condición por el solo hecho de que el derecho de voto estaba reservado a una clase poseedora suficientemente homogénea como para poder elegir periódicamente, y sin la mínima anarquía, aquél o aquéllos a los cuales ella confiaba el poder soberano. Por lo mismo ha sido posible una teoría autónoma de la obligación política hacia un Estado liberal y constitucional[5].

Estas condiciones que han permitido la constitución y la supervivencia de la sociedad liberal, manteniendo su justificación del poder a partir de la teoría del sujeto como poseedor de sí mismo, de su fuerza de trabajo y de sus cualidades, han sido cumplidas *grosso modo* hasta la mitad del siglo XIX. Después, una a una tienden a desaparecer. Ciertamente, las relaciones sociales instituidas por el mercado no han desaparecido pero, con el ascenso, primero cuantitativo y luego político, del proletariado, estas relaciones sociales han dejado de ser consideradas como inevitables en la medida en que se ha constituido una conciencia de clase dentro del proletariado. Al mismo tiempo, la igualdad de todos los hombres frente a las constricciones del mercado ha dejado de ser un postulado universalmente admitido. De esta manera, desde el siglo XIX, la sociedad no está ni más ni menos dividida en clases, sino que la esfera de la conciencia de clases se ha visto, respecto a sí misma, más brutalmente hendida. Paralelamente con el desarrollo del capitalismo, la intervención del Estado se ha hecho cada vez más frecuente para salvaguardar el equilibrio del sistema, minando a su alrededor las bases del modelo liberal del intercambio.

Es muy evidente que estas transformaciones han debilitado los fundamentos de la legitimación del poder en la sociedad liberal. Al mismo tiempo que el proceso del intercambio entre los individuos regulaba el juego social y político, las transformaciones que nosotros acabamos de recordar sumariamente implicaban que en la nueva forma de sociedad –que nosotros llamaremos capitalismo de organización o sociedad post-industrial– se constituía una nueva ideología legitimadora, capaz de ocupar el terreno de la ideología del intercambio, fundada en la metafísica del sujeto, de su libertad y de su propiedad.

Al tener como causa la necesidad de legitimar un orden social y económico cuya función es reemplazar las disfunciones engendradas por la estructura del libre cambio, la nueva ideología legitimadora deberá, por una parte, constituirse sobre las bases de la antigua ideología burguesa de la producción –lo que Habermas llama la *Leistungsideologie*– y por otra parte, principio que habrá estado, en una ideología liberal, en contradicción con el primero, ofrecer la garantía de un mínimo de bienestar ligado a la seguridad del trabajo y a la estabilidad de los ingresos. En semejante forma ideológica, es evidente que la política aparece esencialmente bajo su aspecto negativo: está allí para evitar las disfunciones y reducir al máximo los riesgos; no es un eje hacia la realización de cierto número de finalidades prácticas, sino hacia la solución de problemas técnicos. Aquí es, pues, la tecnicización y racionalización las que funcionan como caución y política.

De esta manera, al paso de un tipo de estructuración de la economía capitalista hacia un nuevo tipo, el capitalismo de organización, le corresponde una transformación del modelo de legitimación del poder. Por consiguiente, era necesario recordar a grandes rasgos esta transformación histórica para captar la función que puede cumplir allí el modelo ideológico que nos interesa

Del mismo modo como Dios y la fe, a través de la jerarquía de las mediaciones sociales del señor feudal al siervo, pasando por el vasallo, garantizaban las relaciones sociales dentro del mundo feudal; del mismo modo como el individuo, su derecho y su propiedad, garantizaban las relaciones jurídicas, económicas y políticas en la sociedad burguesa liberal; del mismo modo, hoy, la organización de la vida social por el capitalismo de organización se funda en imperativos de funcionamiento del sistema el cual aspira a desechar todas las cuestiones normativas. En la conciencia tecnocrática, nosotros no asistimos al enfrentamiento de proyectos sociales de carácter moral, sino al rechazo de la moralidad misma como categoría de la vida social[6]. Para resumir en pocas palabras, junto a J. Habermas, el carácter específico del núcleo ideológico de esta conciencia, nosotros diremos que se caracteriza por la eliminación de la diferencia entre praxis y técnica. Dado que el proceso científico y técnico ha engendrado un aumento continuo de la productividad, es en esta medida y de manera vinculada, que él también se ha convertido en un motivo de legitimación del poder en esta misma sociedad. A continuación cito a A. Touraine:

. . .la tecnocracia es el poder ejercido en nombre de los intereses de los aparatos de producción y de decisión políticos y económicos que aspiran al crecimiento y al poderío y que no consideran a la sociedad más que como el conjunto de los medios sociales que deben ser utilizados para conseguir el crecimiento y el fortalecimiento de los aparatos dirigentes que la controlan[7].

La ideología técnica es por lo tanto la ideología de esta clase, la cual permite justificar el poder que ella ejerce a la vez que, por su estructura, tiende a eliminar la categoría de lo político y a borrar, por consiguiente, la diferencia entre praxis y técnica.

Ahora bien, con la desaparición de esta diferencia, tocamos el centro de nuestro problema sobre la aplicación del concepto de códigos a la literatura. Que sea la racionalidad del signo la que elimina la ambivalencia simbólica, o bien que sea la racionalidad técnica la que elimina la apertura de la praxis, en uno y en otro caso es la *categoría de lo posible* lo que está negado[8]. Ahora bien, negar la categoría de lo posible y la del porvenir, es obviamente encerrar la determinación ideológica en un ir y venir especular, circularidad en la cual el metalenguaje de los códigos puede, bien entendido, operar libremente. El estereotipo hace aquí función de analizador.

No negaré ciertamente que ello pueda ser el caso en ciertos tipos de producción literaria, por definición los más estereotipados. En estos casos, el estereotipo, el código, agota precisamente la producción literaria, en la medida en que, de entrada, ésta se ha pretendido cifrada, codificada, objeto ofrecido a una descodificación fácil, mensaje destinado a ser filtrado por los *media* y su lógica propia de lo diferencial. Nos reencontramos entonces poco más o menos con esta función de señalización que les reconocemos a los códigos; ella no aspira más que al *reconocimiento*, ese reconocimiento del código que garantiza a la vez la gratitud de los lectores y su multiplicación remunerada por el productor de literatura codificada.

Pero fuera de este diálogo trucado, puesto que está totalmente inmerso en la lógica de los códigos, existen prácticas literarias de otro modo afianzadas en la ideología, no solamente reflejo de la parte muerta de esta última, sino gesto y momento integrante de su dimensión viviente. La práctica literaria aparece entonces como práctica significante e ideológica, incluso en el seno de la dialéctica de las clases y de los grupos sociales. Sin duda allí, como en cualquier otra circunstancia, ella se determina por la relación con un conjunto de códigos y de estereotipos que existen a la vez a nivel de la escritura, de la lengua, de los temas, etc., pero, por oposición a las prácticas enfocadas anteriormente, lejos de ser saturadas por el entrecruzamiento de estos códigos, los utiliza como a un trampolín, aspirando a una *estructuración posible*, y no a una jerarquía adquirida, por lo tanto enrolándose en un trabajo de desconstrucción de los códigos y de reconstrucción de una escritura donde la significación, esta vez, no habrá sido agotada por su asignación a códigos.

Estas observaciones rápidas con seguridad culminan –práctica peligrosa– por establecer una jerarquía teórica pero de ningún modo normativa, en el interior mismo de los textos. Ellas aspiran a preservar en particular la función de ruptura que puede ser la del texto literario –o más bien a atraer sobre sí la atención de una crítica que de lo contrario tendría tendencia a desviarse–, ruptura esta en relación a la sociedad y a sus códigos ideológicos dominantes, pero no ciertamente ruptura en relación a la ideología, puesto que, incluso rompiendo con los códigos, la obra literaria es totalmente ideológica, en la medida en que precisamente da forma a una concepción, a una visión del mundo que no podría ser sino ideológica.

Nuestro propósito simplemente ha sido tratar de *situar* nuestra práctica crítica en su campo ideológico. Ahora bien, la noción de código, reactualizada por el desarrollo de la semiología, de ahora en adelante forma parte de nuestro instrumental, y solamente ha podido integrarse a partir del desenganche de la retórica crítica en relación a la retórica poética.

Por lo tanto, lo que debe concentrar nuestra atención es lo implícito de la reactivación actual del análisis literario en términos de códigos. Si los "dogmáticos" de 1920 fundamentaron toda ocultación sobre una metafísica del sujeto y si los de Moscú utilizaron una noción criticable del desarrollo histórico, corresponde a nosotros vigilar para que ningún totalitarismo de los metalenguajes codificadores venga a enmascarar una de las dimensiones que, personalmente, reconozco como esencial de la producción ideológica, y de la producción literaria en particular, a saber: ser *a la vez* factor de toma de conciencia por las entidades sociales, y factor de transformación de la sociedad misma. Una crítica marxista de la literatura, que reconoce la función dialéctica de la ideología dentro del devenir de las sociedades debe, pues, rechazar toda parcialidad crítica que concediera un lugar exclusivo al análisis de los códigos.

París, Escuela Práctica de Altos Estudios.
(Traducción de Márgara Russotto)

# NOTAS

[1] Désiré Nisard, *Histoire de la littérature française*, 1861. Citado por Ch. M. Des Granges en *Histoire illustrée de la littérature française*, 3ª edición, Hachette, 1917, p. 803.

[2] Véase A. Girard, *Le journal intime*, P.U.F., 1963.

[3] C. B. Macpherson, *The Political Theory of Possessive Market*, Oxford University Press. 1962. Traducción al francés: *La théorie politique de l'individualisme possessif, de Hobbes á Locke*, Gallimard, Biblioteca de las Ideas, 1971, p. 287.

[4] J. Baudrillard, *Pour une critique de l'economie politique du signe*, Gallimard, p. 100.

[5] C. B. Macpherson, *op. cit.*, p. 298.

[6] No puede ser un azar que el formalismo en crítica literaria, bajo cierta forma diferente, haya inundado los Estados Unidos unos veinte años antes que a Francia, seguramente demasiado hundida en la política durante los años 50 como para creer totalmente en los sistemas todopoderosos.

[7] A. Touraine, *La Société post-industrielle*, Le Seuil, 1969.

[8] Nosotros restringimos aquí voluntariamente lo que Baudrillard entiende por "simbólico". Esta noción, bajo su pluma, adquiere acentos que remiten a una concepción antropológica del inconsciente y a una teoría del deseo que nos parecen a su vez ideológicas.

MARIO BENEDETTI

# EL ESCRITOR Y LA CRITICA EN EL CONTEXTO DEL SUBDESARROLLO*

## 1

EMPECEMOS POR UNA CITA básica de Martí: "No hay letras, que son expresión, hasta que no hay esencia que expresar en ellas. Ni habrá literatura hispanoamericana hasta que no haya Hispano-América"[1]. Esto fue escrito en 1881. Probablemente el mismo Martí estaría hoy de acuerdo en que ahora sí hay esencia para expresar en nuestras letras, quizá porque, así sea a tropezones y a sacrificios, ha comenzado a existir una América Hispánica, o más ampliamente, una América Latina, o más exactamente aún, una América nuestra, como el mismo Martí la bautizó para siempre. Y es obvio que esta América ha comenzado a existir en la medida en que ha luchado por su ardua descolonización y por su verdadera independencia.

Dos clásicos del pensamiento latinoamericano, como lo fueron el dominicano Pedro Henríquez Ureña y el peruano José Carlos Mariátegui, dieron en el clavo y en la clave, al titular respectivamente sus libros más significativos como *Seis ensayos en busca de nuestra expresión* y *Siete ensayos de interpretación de la realidad peruana,* ya que una crítica propiamente latinoamericana debería considerar, como tareas prioritarias, la búsqueda de nuestra expresión y la interpretación de nuestra realidad. No sólo hemos sido colonizados por los sucesivos imperialismos que se han ido pasando la América Latina como en una carrera de postas; también lo hemos sido por sus respectivos patrones culturales, y últimamente, como bien lo señalara Roberto Fernández Retamar, algunos de nuestros críticos han sido colonizados por la lingüística.

Una de las típicas funciones de estos y otros misioneros culturales ha sido la de reclutarnos para el ahistoricismo. En consecuencia, un de-

* Leído en el Curso de Extensión sobre Algunos Enfoques de la Crítica Literaria en Latinoamérica, organizado por el Centro de Estudios Literarios Rómulo Gallegos, de Caracas, en marzo de 1977. Reproducido en *Casa de las Américas*, XVIII, No. 107 (1978), pp. 3-21.

ber de nuestra ensayística, de nuestra crítica, de nuestra historia de las ideas, será la de vincularnos a nuestra historia real, no de modo obsecuente ni demoledor; simplemente, vincularnos a ella para buscar allí nuestra expresión (tantas veces sofocada, calumniada, malversada, teñida), como el medio más seguro de interpretar y asumir nuestra realidad, y también como una inevitable y previa condición para cambiarla.

Por suerte, esa crítica ya ha empezado a hacerse. Algunos ensayos del colombiano Jaime Mejía Duque, del brasileño Antonio Candido, del peruano Antonio Cornejo Polar, del cubano Fernández Retamar (particularmente *Calibán*), del chileno Nelson Osorio, del argentino García Canclini, publicados en los últimos años, plantean una dimensión y un punto de vista básicamente latinoamericanos, tanto en la crítica literaria como en la historia de las ideas; dimensión y punto de vista que de ningún modo desdeñan el aporte europeo (esa sí sería una estupidez del subdesarrollo), más bien lo comparten o rechazan sin asomo de autocolonización, es decir, de igual a igual. "Injértese en nuestras repúblicas el mundo; pero el tronco ha de ser el de nuestras repúblicas", dijo el infalible Martí[2].

De todas maneras, no deja de ser curioso que esta nueva actitud crítica empiece a esbozarse en la América Latina en un momento que no parecería, por cierto, el más adecuado para la tranquila faena intelectual. No cabe duda de que, globalmente considerada, nuestra región es hoy una de las más sombrías y castigadas. Existen, en otras latitudes, focos de alta tensión, pero aquí no se trata de focos aislados, sino de una vasta franja de fascismo dependiente, colonial, que llega de océano a océano y abarca, sólo en la América del Sur, nada menos que seis países. Las amenazas, los secuestros, las prisiones, las torturas, el crimen, se ciernen sobre el desarrollo de estos pueblos, y también de los pueblos aledaños, ya que es inocultable el propósito irradiante de este fascismo semicriollo. En un pasado no tan lejano, la calidad de intelectual o artista solía servir de protección frente a semejantes calamidades. Ahora, en cambio, el terremoto ha sido violento y derribó incluso las torres de marfil, que por fortuna no eran antisísmicas. Nadie está exento, ni seguro: el poeta o el pintor, el cantante popular o el novelista, ya no constituye una élite intocable, garantizadamente ilesa. Ni siquiera la fama sirve como escudo, e incluso llega a ser un riesgo adicional.

Que en medio de semejante fragor, haya todavía quienes se preocupen por ajustar y revitalizar la crítica literaria, movilicen ideas y se propongan interpretar nuestra realidad, es sin duda un síntoma de madurez y una saludable obsesión por mantener encendida, así sea en las peores condiciones y en plena conmoción política y social, la modesta llama de nuestra cultura.

El destino del escritor latinoamericano, salvo las excepciones que ni vale la pena nombrar, está hoy asimilado al de su pueblo. En este presente de fuego, cuando el novelista Haroldo Conti ha sido secuestrado y las esperanzas de recuperarlo se cubren de sombra; cuando el dramaturgo Mauricio Rosencof lleva casi cinco años de cárcel y torturas; cuando el poeta Francisco Urondo muere en combate (para sólo mencionar tres casos de escritores de primerísimo rango), ¿puede pensar alguien que nuestros enfoques, nuestros estudios y nuestros ensayos, vayan a ser rigurosamente asépticos, fríamente técnicos?

Ya llegará el instante del balance impecable, sin margen de error, sin desviaciones subjetivas; pero entretanto, mientras nos empecinamos, en sótanos o en exilios, bajo amenazas o sobre ascuas, en seguir buscando nuestra expresión o interpretando nuestra realidad, la historia de nuestras ideas será también la historia de nuestras actitudes, la teoría de nuestra literatura estará inevitablemente ligada a nuestra práctica de vida, nuestro pensamiento individual no podrá (ni querrá) desprenderse del pueblo al que pertenecemos.

Debo confesar que verme aquí ante ustedes, en este marzo de 1977 y en una de las grandes capitales de América, integrando un ciclo sobre crítica literaria latinoamericana, de a ratos me parece un poco irreal, casi como un encuentro entre fantasmas. Todos sabemos que son varios los países de la América Latina donde no sólo sería descabellado planificar un ciclo sobre crítica literaria, sino que sería increíble que un escritor publicara un libro, cualquier libro. Qué lejos han quedado aquellos tiempos en que el imperialismo sólo quería neutralizar a los intelectuales de la América Latina y en consecuencia apenas los atendía con los saldos o desechos de las tristemente célebres Fundaciones. En su tratamiento del campo intelectual, el imperialismo fue cambiando sus procedimientos: comenzó empleando el Congreso por la Libertad de la Cultura y terminó usando los escuadrones de la muerte. Quizá ello sea una lógica consecuencia de que los intelectuales y artistas también fuimos cambiando: empezamos aferrados a un concepto frágil de libertad burguesa y terminamos asumiendo, o por lo menos comprendiendo, la libertad revolucionaria. Estos son cambios dolorosos, cambios difíciles. Pensemos por un momento que sólo en el rubro *poesía* hay por lo menos treinta latinoamericanos que perdieron sus vidas por razones políticas en los últimos años. Unos eran revolucionarios que esporádicamente hacían poesía, y otros eran poetas que de vez en cuando hacían revolución, pero todos escribían sus poemas y todos dieron la vida.

Son cambios difíciles, a veces duros de entender, pero también hay en esos cambios una afirmación que debemos identificar para así estar en condiciones de consolidarla. En realidad, si las fuerzas más retrógradas cambian el Congreso por la Libertad de la Cultura por los escuadrones de la muerte, ello quizá signifique que vamos por el buen camino; que ya no alcanza con neutralizarnos; que el intelectual latinoamericano, que el arte latinoamericano, que la cultura latinoamericana, han tenido su parte en la concientización de vastos sectores populares; que el artista y el escritor comparten hoy los riesgos de sus pueblos.

Pido excusas por introducir estos temas en un ciclo sobre un campo tan específicamente intelectual como la crítica literaria, pero de algún modo me justifico (y aspiro a que también ustedes me justifiquen) entendiendo que no es sobre la crítica literaria *en general,* sino sobre la crítica literaria *en la América Latina.* Y en la América Latina no hay ningún sector, ningún campo específico, que esté ajeno a lo político, a lo social, a lo económico; que esté al margen de las luchas por la liberación. Hay quienes las impulsan y quienes intentan frenarlas, pero todos estamos comprometidos en ellas.

Si, en lo que me es personal, debo hablar del escritor y la crítica, ¿cómo olvidar que en estos momentos hay cientos o quizá miles de escritores y críticos latinoamericanos, que viven la dramática experiencia del exilio, con todas las inseguridades, desajustes, nostalgias y frustraciones, que esa expatriación acarrea en cuanto a vida cotidiana y formas de supervivencia, pero también en cuanto a oficio y vocación? El mero hecho de haber sido lanzados, en cualquier edad, a un contorno que no es el propio; la sola circunstancia de integrar esa América Latina errante, ese gran pueblo a pedacitos, que a veces debe rodar de frontera en frontera, de aduana en aduana, de funcionario en funcionario, de policía en policía, siempre con la amenaza de la posible deportación antes de afincarse en algún sitio, todo ello genera un estremecimiento, un desacomodo, un desconsuelo, pero también incluye una dolorosa puesta al día con la realidad latinoamericana, con los arduos problemas que viven otros pueblos hermanos, y por último significa un encuentro con uno de los rasgos más conmovedores del ser humano: la solidaridad.

2

Hace un par de años, cuando aún trabajaba en Montevideo y dirigía el Departamento de Literatura Hispanoamericana de la Facultad de Humanidades y Ciencias, mi biblioteca personal tenía (un poco, debido a esa obligación docente, y otro poco, debido a los caprichos de mi gusto) unos seis o siete mil volúmenes. Eran los libros que había ido juntando en treinta años de lector, y allí habían quedado de algún modo registrados las modas y los desusos, las fobias y los deslumbramientos, las caducidades y las permanencias. Una biblioteca personal no es nunca la historia de la literatura universal, pero en cambio se parece bastante a la historia privada de quien la ha ido formando.

Durante mucho tiempo pensé que mi biblioteca y yo éramos inseparables, y aun sin acompañamiento de tango hubiera dicho: vivir sin ella nunca podré. Luego, al tener que exiliarme sucesivamente en dos o tres países, mi biblioteca fue descendiendo a unos pocos centenares de libros. La verdad es que, cuando llega el momento del exilio, uno puede llevar a cuestas buena parte de sus problemas, y en todo caso agregarle otros, pero en cambio no puede cargar con su biblioteca. De modo que he podido comprobar que mi tango mentía: realmente puedo vivir sin ella. Ni siquiera echo de menos esa parte de la biblioteca en la que todo escritor junta las distintas ediciones de sus propias obras, así como sus traducciones a diversas lenguas, y otros oropeles; algo que podría llamarse la *egoteca*.

A veces en la vida ocurren terremotos, y sólo cuando el piso acaba de moverse, uno advierte que, entre otras cosas, las nostalgias han cambiado de sitio. Por acogedora y solidaria que sea la gente del país en que uno esté, el exilio ocasiona inevitables desajustes. Y ahí viene la sorpresa. No contabilicemos los afectos personales; estos, por supuesto, nunca pierden su prioridad. Pero, afectos aparte, ¿qué más razonable que un escritor sienta nostalgia de su biblioteca? Debo confesar que, para mi vergüenza, no es mi nostalgia prioritaria. A veces preciso un dato, claro, y lamento —por razones meramente profesionales— no tener a mano el libro adecuado para confirmarlo. Pero las nostalgias casi nunca son profesionales. Extraño mucho más las calles de mi ciudad, la cotidiana militancia de mis compañeros, algún café en que solía sentarme a media tarde, y si llovía a cántaros, mejor aún. En realidad, no tendría ningún inconveniente (y hasta lo he dicho en verso) en cambiar dos Shakespeare y tres Balzac por un atardecer en Malvín, mirando cómo las olas se rompen y vuelven a romperse en las rocas. Tampoco tendría inconveniente en cambiar todo Toynbee por un vistazo a la Vía Láctea montevideana, que no sé por qué es allí más luminosa que en ninguna otra parte, y hasta (esto ya es el colmo) cambiaría un *Fausto* en primorosa edición alemana, por echarle una ojeada al Palacio Salvo, edificio monstruoso si los hay, churrigueresco del subdesarrollo, que de tan horrendo ya me parece hermoso.

No crean que, al hablarles de mi biblioteca, me estoy apartando demasiado del tema, sobre todo en lo que éste tiene de inevitable testimonio personal. Durante muchos años escribí crítica: de libros, de teatro, de cine. Pero mis compañeros de este ciclo y del Centro Rómulo Gallegos saben mejor que nadie que la biblioteca personal es para el crítico una herramienta indispensable. "Sin literatura no hay crítica", decía Alfonso Reyes, pero todos entendimos que eso también quería decir que no hay crítica sin biblioteca. O sea, que no hay crítica sin información previa, sin lecturas cotejadas, sin citas corroborantes. De modo que al quedarme sin biblioteca tuve que cortarme, así fuera provisionalmente, mi coleta de crítico. Durante cuatro años no escribí crítica.

Sólo ahora, al rehacer, mal que bien, alguna zona limitada de mi biblioteca, y sobre todo al tener a mano la muy completa de la Casa de las Américas, donde trabajo, he vuelto parcialmente al género. Pero aun así, siento que estos cuatro años son un espacio en blanco, del que tal vez nunca me recupere, y creo que me sentiría más tranquilo si ustedes decidieran atribuir a esa inevitable laguna la inorganicidad de esta charla.

3

Pese a estar condicionada por los rasgos bastante peculiares que en nuestros países tiene la cultura como parte integrante de una situación de dependencia, pero también de una encarnizada lucha por salir de ella, la relación entre escritor y crítica es, como en cualquier lugar del mundo, una ecuación profesional, que incluso puede llegar a ser cerradamente técnica, erudita, pero es también una relación social, una relación que tiene que ver con vaivenes políticos, fuerzas de represión, interrogantes de la comunidad, respuestas de la historia. Podemos hablar en términos exclusivamente literarios, formales, pero entonces no estaríamos hablando de la relación escritor–crítica *en la América Latina.* Ni siquiera cabría ese aséptico enfoque al medir la relación valorativa entre la novela de un escritor latinoamericano, residente, por ejemplo, en Viena, y el juicio de un crítico latinoamericano, residente, por ejemplo, en París. Se me dirá que en un caso así no intervienen los acuciantes problemas del contexto latinoamericano, porque éste queda lejos, desgajado del novelista y amputado del crítico.

Sin embargo, la verdadera interdependencia no es tan exactamente previsible. Se trata, es cierto, de una relación distinta a la que se da entre el escritor y el crítico cuando ambos viven en la América Latina, pero de ningún modo es la misma que si ambos fueran europeos. Aun la literatura que hoy escriben los latinoamericanos que residen en Europa, está inexorablemente signada por la realidad de la América Latina. En unos (especialmente aquéllos que no fueron empujados a Europa por la represión política o la miseria económica, sino que eligieron libremente ese exilio cuando aún era posible elegir) la realidad latinoamericana suele aparecer como algo a ser negado y hasta vilipendiado, como una forzada justificación de la expatriación voluntaria. Pero de todos modos aparece. En otros, la América Latina existe como una nostalgia, o quizá como una culpa, como un lugar en que deberían estar y no están. En otros más, la lejana realidad latinoamericana es emulsionada con la fantasía, a veces como una auténtica manera de revelarla, y otras veces disimular, así sea inconscientemente, las inseguridades e inestabilidades que provoca la distancia.

En cuanto al crítico latinoamericano residente en Europa, es curioso comprobar cómo generalmente opta por una crítica formalista o estructuralista, aun para juzgar lo latinoamericano. Puede tratarse, naturalmente, de una vocación legítima, de una preocupación poco menos que científica sobre el fenómeno artístico, pero la abundancia de ejemplos autoriza por lo menos la sospecha de que en algunos casos el interés casi fanático en las formas, en las estructuras, en los significantes, puede ser una manera de eludir los contenidos, los referentes, los significados. O sea, de eludir los reclamos de la realidad.

Hay escritores latinoamericanos, y no sólo residentes en Europa, que escriben con la transparente intención de ser "leídos" por la crítica estructuralista. Sus obras quedan entonces desguarnecidas y no es para menos; si, por un lado, cierto pánico a la cursilería les hace escribir novelas–témpanos, por otro, aquel horror a la realidad circundante los lleva a escribir como si estuvieran alojados en cámaras herméticas, a prueba de

150

sonidos y revoluciones. En ciertos casos, ese rasgo es tan visible, que resulta patético, y es oportuno señalar que en cualquier lengua y en cualquier época, ése ha sido un innegable signo de decadencia, de extenuación artística, de flojera, y dio pie a que en el siglo XVII Moliére se ensañara con estos personajes y los cubriera de ridículo.

Por legítimo que sea el respeto que un crítico le merece a un escritor, siempre será indecoroso que el escritor escriba con miras a las preferencias y los mecanismos del crítico. Quizá deba agregarse que por lo general el precio de ese oportunismo es un magro nivel artístico. Hay matices varios en el concepto de libertad a manejar por el intelectual; pero hay un rasgo inexorable, un campo en que no caben concesiones ni variantes, y es la irrestricta libertad del escritor para *formar* su obra, para encontrar su lenguaje y nuclear su contenido. Y es justamente el ejercicio pleno de esa libertad, por parte del escritor, lo que resulta más estimulante para el crítico. Como crítico no me gustaría que una obra viniera provista de todas sus señales de tránsito, con flechas indicativas de cada curva peligrosa, de cada pozo, de cada desprendimiento de rocas, de cada zona resbaladiza. Como crítico no me gusta que una obra anuncie, con grandes cartelones, a qué tipo de análisis debo someterla, o qué tipo de lentes debo usar (como el Lobo Feroz disfrazado de Abuelita) "para mirarla mejor". Como crítico prefiero que el autor me entregue su obra sin "instrucciones para el uso"; prefiero que, frente a la obra, pueda ejercitar al máximo, también con irrestricta libertad, mi capacidad interpretativa y esclarecedora.

Es obvio que el escritor puede ser productor y receptor de la función crítica. El escritor como crítico, y el escritor como objeto de la crítica. ¿En qué condiciones se realizan una y otra operación en la América Latina? Aquí volvemos irremediablemente a las presiones del contexto. No es igual la función crítica que cumplía un escritor hace diez años en cualquiera de los países del Cono Sur, y la que no puede cumplir hoy. Con mayor fundamento, no cabe comparación entre la función crítica de un escritor que viva, por ejemplo, en Chile, donde el ominoso silencio puede llegar a ser un colmo de libertad relativa, y la función crítica a cumplir por un escritor en Venezuela o México, donde sin duda cabe la posibilidad de una discusión enriquecedora. Por otra parte, la función a cumplir específicamente por el crítico en un medio (como, por ejemplo, el de la Cuba revolucionaria) en el que discutir, argüir o razonar tienen sentido, no es por cierto equiparable a la que se puede dar en un ámbito de oscurantismo, donde la crítica va a la cárcel o al exilio junto con el poeta o el novelista. Nosotros debemos señalar este amplio espectro, y cuando intervenimos en un ciclo que se titula Crítica Literaria en Latinoamérica, debemos empezar por decir que hay toda una zona de la América Latina en que esa cultura literaria no toma estado público. Si en tales zonas subsisten (además de los que escriben y esconden) algunos dóciles amanuenses del fascismo, ello no significa un ejercicio de la crítica sino un nuevo capítulo (que acaso Borges no aprobaría) de la *Historia universal de la infamia.* Debemos señalarlo como una comprobación objetiva, pero no quedarnos allí. En el mapa de la crítica latinoamericana habrá, pues, vastas zonas de silencio, pero aquí, como es lógico, debemos hablar de las zonas en que hay voz. Y a mí me parece particularmente estimulante que, replegados como estamos en aquellos países donde aún la cultura puede ser expresión pública, confinados como estamos a reducidas áreas de intercambio y debate, de controversia y enriquecimiento, aun así participemos en este ciclo, en uno de los lugares donde el ciclo es posible. Y, claro, nuestro enfoque no abarcará las zonas de silencio, sino las zonas de voz porque sabemos que la Voz (la del escritor, la del crítico, pero sobre todo la de los pueblos) irá invadiendo las zonas de silencio hasta ensordecer a los tiranos. El futuro es de la Voz, no del silencio.

Sin embargo es difícil que avancemos en estos arduos temas, si no empezamos por reconocer que tanto en las zonas de silencio como en varias de las zonas de voz hay un rasgo en común, y es que la cultura está signada por el dominador. En uno de sus inteligentes aportes y alusiones al contexto latinoamericano, el ensayista peruano Augusto Salazar Bondy puso los puntos sobre las íes frente a cierto triunfalismo representativo de las élites, triunfalismo que confunde la plenitud cultural de un pueblo determinado, con el éxito personal o la genial realización de un individuo que, por lo común, ha tenido acceso a fuentes de cultura directa o indirectamente vedadas a los sectores más populares. Y decía concretamente:

> Mientras los países subdesarrollados no toman conciencia de su precaria situación histórica, que tiene profundas bases estructurales, ignoran que la norma positiva de cultura no puede ser la del dominador, a riesgo de continuar indefinida e inevitablemente en su condición alienada. Tiene que ser producto de una constelación de valores y principios emanados de la actividad creadora de una conciencia revolucionaria que opera a partir de la negación, generalmente dolorosa, de convicciones muy arraigadas y de mitos enmascaradores[3].

Es evidente que buena parte de la cultura latinoamericana está signada por el dominador. A éste no le interesa que el pueblo, como tal, tenga acceso a la cultura. En consecuencia, de un modo u otro siempre trata de que ingresen a las universidades los jóvenes representantes de la burguesía o de la alta clase media (a cuyas respectivas fidelidades apuesta). Es cierto que en algunos países latinoamericanos de mayor desarrollo cultural, hay un sector de la baja clase media que accede a las universidades. Pero también este sector habrá de acatar las leyes del juego burgués, o sea, que deberá estudiar con programas que por lo general no responden a necesidades de la nación, sino de las clases dominantes o del imperialismo.

## 4

Conviene aclarar que no sólo los voceros de la oligarquía integran una cultura de dominación. También los artistas e intelectuales estamos inevitablemente signados por ella. Todos la integramos, aun quienes propugnamos un cambio revolucionario y asumimos el compromiso de hacer algo por que el cambio se cumpla. Como lo han dicho, primero Tallet, y luego Fernández Retamar, en un poema memorable, somos *hombres de transición;* tenemos claro el rumbo a seguir, pero todavía estamos apegados a prejuicios, reticencias, aprensiones, rutinas, temores, fanatismos, fobias, mitos y manías. La conciencia, esa "elasticidad absoluta" de que hablaba Hegel, nos empuja hacia adelante, hacia la revolución; pero esa cultura del dominador, en que nos hemos formado, nos traba el avance, o por lo menos nos propone desvíos.

Así como la cultura burguesa de un país capitalista difiere de la de otro país capitalista porque también las burguesías son sensibles al contexto en que se desarrollan, así también las respectivas culturas de liberación, si bien se basan en principios que les son comunes, buscan, sin embargo, en su propia historia, en su propia idiosincrasia y en los rasgos esenciales de su lucha, los componentes e instrumentos de una cultura nueva.

El mismo Salazar Bondy anota que la cultura de dominación "ofrece una serie de caracteres significativos muy claramente perceptibles: tendencia imitativa, falta de vigor creativo, inautenticidad de sus productos, desintegración, desequilibrio y polarización de valores, entre otros. Este es el caso de la cultura latinoamericana tal como ella se presenta no sólo en el pasado, sino también en nuestros días"[4]. Frente a esa tajante afirmación, no faltará quien pregunte con impaciencia e indignación: ¿Y qué pasa con Rulfo, Arguedas, Onetti, García Márquez? ¿Dónde está allí la tendencia imitativa, la falta de vigor creativo, etc.?

Pienso que Salazar Bondy no se habría sentido apabullado ante la contundencia de semejante pregunta. Y no se habría sentido apabullado, porque el hecho innegable de que existan esos creadores de primerísimo rango, y muchos otros, no es garantía de que vivamos, ya hoy, en la América Latina, una cultura de liberación. El carácter promedial de una cultura no lo forman sólo sus cumbres, sino también sus llanos. Y en el contexto latinoamericano esos llanos son el analfabetismo, la educación vedada para grandes sectores de población, y aun la proliferación de neoanalfabetos (término acuñado por Pedro Salinas), o sea, aquéllos que aprendieron a leer y escribir, pero luego subemplearon ese conocimiento, ya que apenas si leen los títulos de los diarios o los avisos comerciales. Esta es la regla cultural para la mayoría. García Márquez, Rulfo, Arguedas, Onetti, significan cumbres que, desgraciadamente, no son representativas de la cultura promedio de nuestros pueblos. Más aún: el intelectual, el profesional, tampoco lo son. Pero esa primacía no debería ser motivo de orgullo. Nuestro privilegio de haber tenido acceso a la cultura, ese privilegio que tanto entusiasma a alguno de los autores del *boom,* más bien debería dejarnos tristes y angustiados, porque con ese privilegio estamos usando en exclusividad un patrimonio que es de todos.

La cultura de dominación tiende al privilegio, a construir élites. Así como el capitalismo propone el poder desmesurado con base en el dinero, en la cultura burguesa se propone el renombre desmesurado con base en el talento individual, convenientemente apuntalado por la propaganda; y sobre todo el talento que, aunque revolucione el estilo, no contribuya a revolucionar el orden existente. Y ese renombre desmesurado también significa una escisión, una ruptura.

Existe asimismo la fórmula paralela, aunque de distinto signo: así como la revolución propone el poder del pueblo, así también la cultura de liberación se propone a sí misma como asunción colectiva. Para usar la feliz terminología de García Márquez, habría que transformar los Cien Años de Soledad en cien años de comunidad. Al dominador le interesa sobremanera cultivar nuestras soledades: cuanto más aislados estemos, seremos más fácilmente dominados. Esto vale para los hombres y también para los pueblos. A la cultura de liberación le interesa, en cambio, nuestra labor en comunidad, ya que cuanto más unidos estemos, más alcanzable ha de ser nuestra liberación. Quizá esté aquí la diferencia esencial. En la cultura de dominación, el aparente protagonista es el individuo, pero enclaustrado en su frustránea soledad. En la cultura de liberación, el hombre es, por supuesto, figura esencial, pero como integrante de ese gran protagonista que es el pueblo.

Tengo la impresión de que han sido algunos ensayistas brasileños, como Mario Vieira de Mello y Antonio Candido, quienes más sagazmente han enfocado las relaciones entre subdesarrollo y cultura, y tal vez sea Candido quien por primera vez acuñó el término *conciencia del subdesarrollo* y analizó la repercusión que la misma podría tener como cambio de perspectiva. Esa conciencia del subdesarrollo es, después de todo, sólo una de las tantas rupturas que han tenido lugar en la literatura latinoamericana de los últimos veinte años. Significa por lo pronto el fin de un romanticismo que se prolongó mucho después de *María* y *Amalia;* de un paternalismo que ya estaba presente en *Tabaré,* de Zorrilla de San Martín, pero que aún subsiste en *Huasipungo,* de Jorge Icaza; de un entusiasmo épico-nativista que arrancaba de *Santos Vega,* de Obligado, pero que, aunque asordinado, todavía comparecía en los cuentos casi mágicos de Francisco Espínola.

Una de las inquietantes novelas escritas en los años sesenta se titula reveladoramente *Memorias del subdesarrollo,* del cubano Edmundo Desnoes. En una de sus acepciones, el término *memorias* significa "relación escrita de ciertos acontecimientos". ¿Qué otra cosa es la documentación y el testimonio sobre una situación o una realidad determinada? Cuando el escritor latinoamericano se rescata a sí mismo, en primer término, de la visión dulzona e irreal de los últimos románticos, y luego, del paternalismo y el diagnóstico esquemático de la novela indigenista, se acerca irremediablemente al análisis de los economistas, quienes sin duda precedieron a los escritores en adquirir una conciencia del subdesarrollo.

Esa conciencia no es, por supuesto, autoflagelación, y está, por cierto, muy lejos de la reaccionaria noción de *pueblo enfermo,* difundida por el novelista boliviano Alcides Arguedas. Más bien es una comprobación del atraso, pero no se queda en la mera verificación, y ahí sí va más lejos que los economistas. Candido llega a decir que la novela adquirió "una fuerza desmitificadora que se anticipa a la toma de conciencia de los economistas y políticos". Bueno, tal vez no se anticipe, pero sí alcance y en algún sentido sobrepase esa toma de conciencia. Los economistas suelen dar un diagnóstico objetivo, con la lacónica e irrebatible fuerza de las cifras, las estadísticas y las gráficas, que de alguna manera son la compulsa de las catástrofes y carencias que padecemos, pero también de nuestra cuota de posibilidades. La literatura llega con atraso a esa rebanada de verdades, pero cuando llega, sufre una tremenda conmoción. Entonces se lanza de lleno a la desmitificación de tantas falsas virtudes, a la asunción de una realidad monda y lironda, que también tiene virtudes, pero son otras.

Ahora bien, la comprobación del infortunio, la conciencia del subdesarrollo, significan también una investigación de sus causas, y es ante esa revelación que surgen la rebeldía, la voluntad de cambio, pero ya no basadas en la ayuda divina, ni en la infrecuente bondad patronal, ni en las instituciones de beneficencia, ni en la Alianza para el Progreso, sino en las posibilidades reales de los pueblos. Para decirlo también con palabras de Antonio Candido:

> Cuanto más se entera de la realidad trágica del subdesarrollo, más el hombre libre que piensa se deja penetrar por la inspiración revolucionaria[5].

## 5

En relación con el arte y las letras de la América Latina, se habla a menudo del *realismo,* pero mucho menos de la *influencia de la realidad.* Es claro que no son la misma cosa, aunque a veces puedan coincidir o complementarse. Recuerdo que en cierta etapa de la literatura uruguaya hubo un sostenido auge de los temas campestres, y si bien varios de esos escritores vivían en un medio rural, la mayoría de ellos eran montevideanos de pura cepa. Lo que influía sobre sus cuentos regionales no eran las peripecias de la doma, o el cruce de un río, o el calmo atardecer con lejanos mugidos, sino sencillamente los libros de un Javier de Viana o un Enrique Amorim, narradores que sí habían tenido contacto directo con ese mundo arisco y melancólico. Cuando la realidad, antes de influir sobre un autor, pasa por el filtro de otro artista (que tal vez la vivió en época lejana) llega inevitablemente cambiada, y en ese caso no se trata de la transformación que el propio artista introduce a sabiendas en su arte, sino de un cambio que él no gobierna.

En la literatura que se escribe hoy en la América Latina, hay una creciente influencia de la realidad, pero no siempre deriva de ésta un realismo estricto. Hay tangibles quimeras en Antonio Benítez Rojo, dinámicas alucinaciones en Luis Britto García, núcleos de sortilegio en Antonio Cisneros, personajes delirantes en Haroldo Conti, metáforas de carne y hueso en Eduardo Galeano, que acaso no podrían existir sin el previo aval de una realidad complejísima, abrumadora y estallante. A veces uno tiene la sensación de que una novela tan irremediablemente europea como *La jalousie,* de Robbe–Grillet, a pesar de su fanático inventario de lo inanimado (dedica varias páginas a un insecto aplastado pero no menciona siquiera la Argelia en que presumiblemente transcurre), se halla más desconectada de la realidad que un cuento inocultablemente fantástico como *Casa tomada,* de Cortázar, ya que este relato podría representar algo así como el Dunkerque de una clase social que poco a poco va siendo desalojada por una presencia a la que no tiene el valor de enfrentar.

Es demasiado absorbente nuestra realidad como para que no influya en nuestros escritores. Antes señalé que, aun hoy, cuando en Europa ya ha aflojado la fiebre estructuralista (no por cierto el estructuralismo, disciplina tan legítima como cualquier otra), todavía existen algunos narradores latinoamericanos que virtualmente no escriben para que los lea el lector común, el compatriota atento y preocupado, sino para ser "leídos" por el Crítico Estructuralista. Y ya que admiten ese objetivo, no les conviene, por supuesto, mencionar esta subdesarrollada y desgarrante realidad que vivimos. No hay que olvidarlo: fue el misnísimo Lévi–Strauss quien en un reportaje confesó que nuestra América no le interesaba después de 1492. Sin perjuicio de reconocer el derecho que Lévi–Strauss tiene a esa indiferencia militante, conviene aclarar que a nosotros, en cambio, América nos interesa aun después de esa fecha, y también nos concierne y nos importa la América del futuro.

Hasta las actitudes del narrador colonial son el resultado de una inevitable influencia de la realidad. Esta los espanta, y por eso su literatura es de escape, sin que para ello importe que vivan en Londres o en Chimaltenango, en Florencia o en Cuiabá. Es cierto que la realidad latinoamericana incluye lo *real maravilloso* que tantas excelencias ha brindado en la obra de un Carpentier, pero también incluye algo que Jorge Enrique Adoum denomina lo *real espantoso*[6], y hay muchos escritores que no le hacen ascos a esa sangrante, y a veces tétrica, zona de lo real. Vale la pena recordar aquí el estremecedor testimonio de *Operación masacre* y de *La patria fusilada,* de los argentinos Rodolfo Walsh y Francisco Urondo, respectivamente, pero también, ya en pleno territorio de lo literario, algunos relatos del peruano Julio Ramón Ribeyro o del chileno Carlos Droguett, las novelas del haitiano Jacques Stephen Alexis (tor-

turado y asesinado en 1961 por los gendarmes de Duvalier) o del uruguayo Juan Carlos Onetti (preso en 1974), y actualmente exiliado en España.

Tal realidad en carne viva influye en los poemas de Gelman, Dalton,
Cardenal, y sin embargo en sus libros también se instala a veces lo real
maravilloso. Ocurre simplemente que la América Latina es una conjunción de espanto y maravilla, de tortura y solidaridad, de traiciones y leal-
tades, de tiranos y pueblo.

Y la palabra no existe, como quieren algunos ideólogos de la derecha, para ser el *protagonista* de la nueva narrativa latinoamericana. No,
el protagonista sigue y seguirá siendo el hombre; la palabra, su instrumento. Pobre futuro nos esperaría a los latinoamericanos si un día la
palabra llegara a ser verdaderamente el protagonista, y el hombre su instrumento.

Hace algunos años sostuvo Carlos Fuentes que "la vieja obligación
de la denuncia se convierte en una elaboración mucho más ardua: la
elaboración crítica de todo lo no dicho en nuestra larga historia de mentiras, silencios, retóricas y complicidades académicas. Inventar un lenguaje es decir todo lo que la historia ha callado"[7]. No obstante, hay quienes creemos que la obligación de la denuncia nunca envejece, y aunque
por supuesto siempre es útil revelar lo que la historia ha callado, sobre
todo si se trata de complicidades más ominosas que las académicas, tal
vez no sea tarea desdeñable la denuncia (con "lenguaje inventado" o con
las claras e inconfundibles palabras de siempre) de todo aquello que nuestra historia ha dicho a gritos, desde Bolívar, Artigas y Martí, hasta los
actuales y convincentes muros de Santiago, Buenos Aires y Montevideo,
donde a veces se lee *Libertad o muer,* porque la mano adolescente no
pudo terminar la consigna. Allí la palabra no sólo "liga a la diacronía con
la sincronía", como quiere algún orfebre, sino más sencillamente al hombre con el hombre.

6

Reconocer la influencia de la realidad en la literatura latinoamericana es también reconocer la presencia del subdesarrollo y la dependencia; es también reconocer cómo la cultura del dominador impone todavía sus leyes, sus prejuicios, sus intereses, su *Weltanschauung.* (Incluso
esta palabra, *Weltanschauung,* viene de la cultura del dominador.) Y, en
consecuencia, es reconocer asimismo las enormes dificultades que enfrenta una cultura de liberación. El escritor y el crítico trabajan en medio
de esa contradicción, y hasta podría decirse: *con* esa contradicción.

Un escritor, como tal y no como crítico profesional, puede ejercer,
sin embargo, una crítica, directa o indirecta, que puede no ser literaria.
Todos somos conscientes de la actitud crítica directa (en lo social, en lo
político) que surge de muchos poemas, cuentos, novelas, desde el *Canto general* de Neruda a *Hora 0* de Ernesto Cardenal, desde *El coronel no
tiene quien le escriba* de García Márquez a *El recurso del método* de

Carpentier. No obstante, es obvio que cualquiera de esas obras incluye además una crítica cultural indirecta, es decir, una crítica a la cultura del dominador.

Cabe señalar, por otra parte, que en las letras latinoamericanas no faltan referencias a obras de colegas, juicios (oblicua o rectamente) críticos sobre libros de otros autores. Los ejemplos podrían ser numerosos, pero baste mencionar las alusiones a Borges en *Adán Buenosayres* de Leopoldo Marechal, y en *Sobre héroes y tumbas* de Ernesto Sábato; las arbitrarias invectivas a escritores, estampadas por Pablo Neruda en muchos de sus poemas, reiteradas y ampliadas luego en sus memorias; los retratos autografiados de Alí Chumacero y Victoria Ocampo, que aparecen colgados en un apartamento de *La región más transparente,* de Carlos Fuentes; algún cuento de Enrique Lafourcade que de alguna manera intenta denigrar, sin nombrarlo, a Vicente Huidobro; un relato de Jorge Ibargüengoitia en que alude, con nombre y apellido, a Rodríguez Monegal; un poema casi conminatorio de Pedro Orgambide a Octavio Paz, con motivo del secuestro y la desaparición de Haroldo Conti. Pero también hay resentidos que parodian venenosamente a sus mayores, y hay devotos que iluminan, así sea por un instante, huellas o cicatrices de homenaje. Todas estas variantes no son tan sólo pintorescos tópicos de la vasta grey cultural del continente mestizo; son además formas marginales de la crítica literaria, ejercida a veces por el escritor y que —conviene aclararlo— no son por cierto privativas del subdesarrollo.

Pero el poeta, el narrador, el dramaturgo, suelen también incursionar en la crítica literaria profesional. T. S. Eliot le colocó para siempre a ese espécimen la etiqueta de *crítico practicante.* Se presume que el crítico practicante, al concertar y emitir un juicio sobre una obra ajena, está en cierta manera condicionado por su propia arte poética. No es obligatorio, claro, pero es verosímil que así ocurra. El propio Eliot recuerda: "en mis primeras críticas [ . . . ] defendía implícitamente la clase de poesía que escribíamos mis amigos y yo"[8]. Y en 1961, o sea, en el penúltimo año de su vida, confesaba: "Es posible, claro está —y es éste un peligro que ronda tal vez al crítico filosófico de arte—, que adoptemos una teoría y nos convenzamos luego a nosotros mismos de que nos gustan las obras que se ajustan a esa teoría". Y agregaba, con el cínico desparpajo que a veces trae la vecindad de la muerte: "Pero estoy seguro de que mis teorías han sido epifenómenos de mis gustos"[9].

¿Qué pasa en este aspecto en la América Latina? Curiosamente, algunos de los más difundidos críticos cultivan esa disciplina contemporáneamente con los géneros llamados (mal o bien) *creativos:* los argentinos Ezequiel Martínez Estrada, Jorge Luis Borges, Enrique Anderson Imbert, David Viñas, César Fernández Moreno, Noé Jitrik, Pedro Orgambide; los chilenos Fernando Alegría y Ariel Dorfman; los uruguayos Carlos Martínez Moreno, Antonio Larreta, Idea Vilariño, Angel Rama, Mercedes Rein; los cubanos Alejo Carpentier, José Lezama Lima, Mirta Aguirre, Samuel Feijoo, Cintio Vitier, Roberto Fernández Retamar; los mexicanos

Octavio Paz, Efraín Huerta, Carlos Fuentes, Jaime Labastida; los venezolanos Mariano Picón Salas, Arturo Uslar Pietri, Ramón Díaz Sánchez, Orlando Araujo; el brasileño Ferreira Gular; el haitiano René Depestre, y tantos otros.

Por supuesto, no voy a decir que comparto los planteos o las actitudes de todos estos críticos practicantes (con algunos de ellos nos observamos de antípoda a antípoda), pero sí creo que su ejercicio de la crítica ha sido en la mayoría de los casos un válido aporte, no sólo a ese género en particular, sino también al desarrollo de las ideas en la América Latina. Los planteos inteligentes, estimulantes, provocativos en el buen sentido de la palabra, siempre son una contribución al incremento ideológico, sea para compartirlos y complementarlos, sea para impugnarlos y combatirlos.

Como es lógico, en cada uno de los autores mencionados existe una inevitable coherencia entre su arte poética y su rumbo crítico; lo contrario significaría que uno de sus dos soportes necesita una urgente reparación, y no es el caso. Sin embargo, también debe señalarse que, aun con ese explicable descuento en la objetividad, sus teorías no siempre llegan a ser, como en Eliot, "epifenómenos de sus gustos". Hay, no en todos, pero sí en varios de los autores mencionados, una clara voluntad de comprensión de la obra ajena, comprensión que va más allá de sus personales intereses en el quehacer literario.

Quizá haya que identificar, en ese equilibrio del escritor–crítico (probablemente más notorio que en los casos paralelos de Europa o Estados Unidos) la atención que debe prestar a las urgencias del medio, a las carencias del subdesarrollo. Cuando un escritor europeo decide participar en la función crítica, por lo general no está respondiendo a otra necesidad que a sus ganas personales de decir algo, y muchas veces de tener un "desahogo crítico". En nuestros países, en cambio, el escritor suele ocuparse de secciones críticas, en ciertas ocasiones porque no hay suficientes críticos profesionales que puedan o quieran encargarse de esa tarea, y en otras, porque la crítica periodística puede constituir un (precario) medio de vida.

Es claro que todo comienza mucho más allá, tiene raíces más profundas. Empieza acaso en el analfabetismo, ese mal endémico de nuestras comunidades dependientes, pero si la América Latina no es aún más analfabeta, ello no es, por cierto, atribuible a sus élites de poder ni a sus consejeros foráneos; más bien se debe al trajín incesante, al increíble tesón, a la fe indeclinable, de quienes tienen algo (así sea poco, así sea pobre) que aportar a su comunidad. Y esta es, en algunos casos, la razón de que algunos escritores llenen vacantes no sólo de la crítica, sino también de la docencia, del periodismo, de las luchas políticas, ya que todos hemos tenido alguna vez que hacer de todo.

## 7

Es cierto que el escritor no sólo puede llegar a ser, por una u otra razón, productor de crítica; también y con más frecuencia, es objeto de la misma. En este rubro pueden señalarse dos niveles: uno, el de la crítica que podríamos llamar periodística (la más frecuente en nuestros países), y otro, el de la crítica de mayor envergadura y que se expresa en trabajos de investigación, en el ensayo o en el libro.

En un medio de cultura dependiente, la primera acepción puede llegar a tener una importancia desproporcionada. La crítica periodística a veces hace y deshace prestigios, coloca en la tabla de *best-sellers* a un autor determinado, o decreta su *morte civile*. En ciudades como Buenos Aires o México, verdaderas capitales del mercado editorial latinoamericano, pero también hasta hace unos años en Santiago o Montevideo (cuando allí todavía podían publicar autores no castrenses) se han dado algunos casos que revelan graves contradicciones en las actitudes del gremio intelectual. (No puedo referirme a Caracas, ya que esta es mi primera visita y no tengo la menor experiencia de este medio.) Por ejemplo, en Buenos Aires (un ámbito cultural que conozco bastante bien, ya que residí allí durante tres años) los suplementos culturales o las secciones literarias de los grandes diarios comerciales suelen tener su lista negra de autores, apoyada, por supuesto, en razones políticas, y a partir de esa decisión ninguno de sus libros será objeto de la menor nota crítica, ni siquiera desfavorable. Esos suplementos culturales se prohíben incluso señalar que determinado autor no les gusta. Olímpicamente, prefieren ignorarlo. Los mexicanos tienen una expresiva palabrita, *ningunear,* para designar esa postura.

Considerados estos elementos, se comprenderá que una promoción o una crítica que vienen desde el inicio tan condicionadas, tan embretadas, tan distorsionadas, si bien pueden influir en la venta significativa o en el fracaso mercantil de un libro determinado, no pueden tener una influencia positiva en el escritor que es objeto de uno cualquiera de esos tratamientos, sea o no favorable. Se puede objetar, con toda razón, que esas no son críticas propiamente dichas, sino simplemente reseñas. Y estaré de acuerdo. Sin embargo, para el público en general, para el lector corriente, *esa es la crítica,* y no el enjundioso y fundamentado ensayo que nunca llegará a sus manos, o, si llega, no será leído. El concepto de crítica que el sistema defiende y propugna tiene que ver con brevísimas notas (ni siquiera artículos) que en un solo párrafo lapidan o ensalzan una obra que probablemente le costó al poeta o al novelista dos o tres años de ímproba labor.

Ahora bien, sucede a menudo que el autor de notículas, el gacetillero, también tiene sus principios, y uno de los más inconmovibles es el de no leer los libros, sino las solapas. Otro de sus principios es el de usar un léxico básico, acorde con las últimas tendencias. Si decide militar en la sicocrítica, mencionará seguramente a Edipo o a la presión libidinal; si resuelve afiliarse a la crítica historicista, hará la infaltable referencia a la "historia social *in toto*"; si prefiere alistarse en las huestes estructuralistas, dirá, con garbo luctuoso, que "la aparición del libro es la desaparición del autor". Estas expresiones, que en medio de un ensayo seria y honestamente construido pueden significar un enfoque válido, o por lo menos atendible, en la frívola nota son simplemente una referencia pedante y no representan otra cosa que un injusto desdén hacia el lector.

Afortunadamente, hay también otra forma menor de crítica, que produce algo así como una extensión clandestina de la literatura. Me refiero al comentario oral, a la explicación estimulante, al rumor que provoca. Quizá la podríamos considerar como una crítica de tracción a sangre. El lector se encarga personalmente de llevarla a otro lector, y éste a otro, y así sucesivamente. La verdad es que, cuando en alguno de nuestros países la represión alcanza a la cultura, y unos libros son quemados, y otros son prohibidos, y otros ignorados, y otros más retirados preventivamente de los escaparates, y sus autores secuestrados, deportados, amenazados o asesinados, entonces adquiere particular importancia esa crítica furtiva, subrepticia, esa crítica de tracción a sangre, gracias a la cual un lector, y otro, y otro más, buscan a su librero de máxima confianza, y logran que éste les dé a escondidas un ejemplar del libro explosivo —a lo mejor con una inocente tapa de Germán Arciniegas o de Jalil Gibran— exactamente como si fuera un cóctel molotov o medio kilo de trinitrotolueno.

8

Seguramente habrá quienes piensen que estos datos y consideraciones sobre el negocio, la distribución y promoción del libro, tienen poco que ver con el escritor y la crítica. Sin embargo, seríamos de alguna manera malversadores de los fondos culturales de nuestros pueblos si siguiéramos considerando el hecho artístico o literario como una isla ensalmada, a cuyas costas no llegan ni llegarán jamás las aguas contaminadas del mundo mercantil. Como bien ha señalado el crítico argentino Néstor García Canclini,

> . . .en la situación de dependencia económica y cultural de la América Latina, equivale a decir que la actividad artística, lo que el pueblo verá y lo que le será ocultado, se decide en amplia medida por empresas industriales y comerciales norteamericanas y trasnacionales. El estudio del poder de la distribución y sus mecanismos de imposición de criterios estéticos contribuyen a desmitificar la supuesta libertad de creación absoluta atribuida al artista, y nos permite visualizar el resorte de mayor responsabilidad en la deformación del arte en el capitalismo. Casi siempre las críticas van dirigidas contra las obras o los autores burgueses, pero se olvida que el proceso artístico en su conjunto está organizado para promover la evasión pasiva de los espectadores y la ganancia económica de los distribuidores. No puede

haber una política artística de liberación sin un conocimiento del papel cumplido por la distribución de todo proceso artístico[10].

Después de este informal recorrido por los suburbios de la hermenéutica, veamos por fin qué incidencia pueden llegar a tener en un real ejercicio de la crítica (y en la relación de ésta con el escritor) el contexto del subdesarrollo, la presencia del dominador, la cultura de la dependencia.

Tengo la impresión de que, a esta altura, la crítica literaria francesa —que ha solido marcar el rumbo de la Europa Occidental— se está rescatando de los sucesivos dogmatismos que la limitaron en los últimos veinte años. Quizá el más reciente de esos dogmatismos haya sido el de la crítica estructuralista, pero hace aproximadamente diez años que Gérard Genette, uno de los más inteligentes expositores de esa escuela, aclaró que la crítica estructuralista ya no se mostraba hostil a ninguna de las formas de la historia. La verdad es que este bienvenido ajuste sigue a otros, ocurridos en diversas tendencias de la crítica. Después de la intransigencia con que algunos oficiantes del enfoque sicoanalista enfrentaron la obra literaria, dando mejor testimonio —como bien ha señalado Dominique Noguez— "de una utilización de la literatura por el sicoanálisis que de una contribución del sicoanálisis a la crítica literaria"[11], la sicocrítica de Charles Mauron, en cambio, parece traer nuevos aportes en este último sentido.

La propia crítica marxista ha ahondado cada vez más en los no siempre bien asimilados textos de Marx, Engels y Lenin. En los nuevos enfoques ha tenido fundamental importancia la relectura y reasimilación del pensamiento, cada vez más actual y renovador, de Antonio Gramsci. Y esa influencia no es gratuita, ya que en el campo específico de la cultura, Gramsci es, sin duda, uno de los marxistas que más creativa y rigurosamente ha abordado el pensamiento de los clásicos del materialismo.

Quizá la tendencia crítica que ha envejecido sin atenuantes sea la que postularon, e intentaron estructurar ideológicamente, Robbe–Grillet y los otros representantes del *nouveau roman,* aunque a esta altura ya parece evidente que ese ocaso fue una mera consecuencia de su decaimiento como narradores.

De todas maneras, y puesto que la crítica francesa ha representado el núcleo esencial, tanto de la llamada *antigua nueva crítica* como de la denominada *nueva nueva crítica,* llama la atención que precisamente allí, en esa Francia de raíz cartesiana y fronda especulativa, tanto la literatura de ficción como la poesía pasen por un período que debe ser el más raquítico y desmedrado de toda su historia.

Hace pocas semanas, el poeta y crítico argentino Saúl Yurkievich, que desde hace muchos años reside en París, sintetizó, en una entrevista periodística, un diagnóstico que tiene relación con nuestro tema. Al preguntársele sobre la acogida que tiene en Francia la narrativa latinoamericana, expresó que allí se la considera como la más vivaz, la más vital de todas las contemporáneas, agregando que él piensa que a los narradores latinoamericanos

> . . .se los lee con tanto interés por lo siguiente: en la producción europea hay todavía un fuerte auge de los textos teóricos, reflexivos. Ya se podría decir, no hay obra literaria propiamente dicha, se han borrado las fronteras; de tal manera que hay una gran inflación retórica. La literatura circula en circuitos cerrados, lo que provoca un marcado enrarecimiento del lenguaje que torna la lectura bastante difícil. Se llega a perder el contacto con lo que se denomina el referente. La relación con lo real, lo sensual, lo material, resulta, pues, mediatizada a tal extremo, que se llegan a plantear problemas como el de la imposibilidad de narrar, o del discurso directo, la imposibilidad de incorporar lo inmediato, la historia inminente a medida que sucede. Y entonces la literatura latinoamericana aparece, justamente, como especialmente fresca y fuerte[12].

Creo que la respuesta de Yurkievich ayuda a detectar algo muy sutil que está ocurriendo en relación con la crítica en la América Latina. Es evidente que aun en ese centro *paleo* y *neocrítico* que es París, hay una apertura en cuanto a la aceptación de una crítica integral que no desperdicie ni malogre ninguna de las posibilidades de acceso a la obra literaria. En la América Latina, por otra parte, surgen voces igualmente integradoras: Alberto Escobar, Fernández Retamar, Jaime Labastida, Antonio Cornejo Polar, entre otros, abogan por, o sencillamente practican, una crítica integral e integradora, que si resulta adecuada para el análisis de cualquier literatura, en la de la América Latina pasa a ser sencillamente indispensable. "El fragmentarismo crítico", señala Gaspar Pío del Corro, "es un antihumanismo. Su expresión científica es el especialismo y su expresión técnico-social el profesionalismo. Especialistas y profesionales pueden y deben cumplir una efectiva función social; pero cuando la actividad en el área se torna excluyente ('ismo'), se aproxima a los límites de la negación de la cultura"[13].

Por una parte, la pluralidad de indicios que pone sobre el tapete el mestizaje cultural, reclama, sin duda, un asedio interpretativo que no malbarate ninguna vía de aproximación a la obra. Después de todo, esa obra se ofrece al crítico con lo que Alberto Escobar llama "el sentido inmanente en el texto" y "su significado trascendente en el proceso de la cultura en que está inscrito"[14]. Sin embargo, y pese a ese acuerdo de críticos tan sagaces, existe todavía en la América Latina una extraña tendencia que avanza a contramano y trata de imponer y prestigiar la crítica de exclusivo corte formalista.

Ya en 1971 lo señalaba Fernández Retamar, y su pronóstico se ha cumplido: "ahora el estructuralismo parece encontrarse en retirada. Pero en nuestras tierras se insistirá todavía un tiempo en esa ideología". Y al hablar del auge de la lingüística, agregaba:

Pero sé también que hay razones *ideológicas* para tal auge más allá de la propia materia. En lo que atañe a los estudios literarios, no es difícil señalar tales razones ideológicas, del formalismo ruso al estructuralismo francés, cuyas virtudes y limitaciones no pueden señalarse al margen de esas razones, y entre ellas la pretendida ahistorización propia de una clase que se extingue: una clase que inició su carrera histórica con *utopías* desafiantes para azuzar el tiempo, y que pretende congelar esa carrera, ahora que le es adversa, con imposibles *ucronías*[15].

Volvamos a la cita de Yurkievich. El panorama que presenta en relación con la literatura francesa es sencillamente pavoroso. Su comentario tiene la virtud de sintetizarlo, pero cualquier lector más o menos enterado puede comprobar que es rigurosamente cierto. Quizá, cuando se estampó la famosa ley (que dejó con la boca abierta a más de un crítico colonial) de que "la aparición del libro es la desaparición del autor", nadie pensó que la realidad iba a tomarla en serio, iba a cumplirla al pie de la letra. Es terrible que la hipertrofia crítica ayude al aniquilamiento de una literatura, y es realmente patético que un enjambre de críticos se quede de pronto sin nada que criticar. ¿Qué otra cosa significan "la imposibilidad de narrar", la imposibilidad "del discurso directo", "la imposibilidad de incorporar lo inmediato", etc.? La *antigua nueva crítica* y la *nueva nueva crítica* han llevado la literatura francesa virtualmente al *nuevo nuevo suicidio*. Ahora esa misma crítica trata de retroceder, de acabar con la clausura que se había autoprescripto. Y para que no se piense que el diagnóstico de Yurkievich es el producto calenturiento de un *buen salvaje* pasado por Vincennes (donde enseña literatura hispanoamericana), conviene citar a Serge Doubrovsky, uno de los hierofantes de la crítica formalista, que llega a decir: "Pero entonces, en los laboratorios herméticos donde se elaboran tantas sutiles arquitecturas, se llega a la asfixia: hay que abrir así la famosa 'ventana' mallarmeana y airear esos altos lugares estériles"[16]. O sea que son ellos mismos quienes detectan la asfixia y la esterilidad. Pero no alcanza con abrir las ventanas: si se abren tardíamente, puede ser que en "los altos lugares estériles" sólo penetren las inhibiciones, las frustraciones y las imposibilidades que detecta Yurkievich. Y no lo olvidemos: éste también dice que "la literatura latinoamericana aparece justamente, como especialmente fresca y fuerte".

Y es cierto, es fresca y fuerte; y quizá habría que agregar que es tan imaginativa como pletórica de realidades. Paradójicamente, a esa literatura vital, que por muchos atajos intenta integrarse a una cultura de liberación, la cultura del dominador trata de imponerle la misma experiencia crítica que en Francia originó aquellos círculos cerrados, aquel enrarecimiento del lenguaje, aquella imposibilidad de narrar. Por supuesto que el estructuralismo y los estudios lingüísticos son vías perfectamente válidas para el acceso a la obra literaria. Pero la propuesta sutil que desde muchos ángulos, y desde muchas tentaciones, se le hace al escritor latinoamericano, y particularmente a los jóvenes literatos, es una incitación que viene secretamente deteriorada por el fracaso euroccidental, o sea, que se trata del ya descartado dogmatismo formalista que sólo busca en la obra literaria los significantes, descartando todo otro acceso y sobre todo evitando el enfoque historicista y la función valorativa.

En la propuesta de la cultura dependiente, en la sutil instigación colonialista, así como también en la oferta del crítico colonial, hay, pues, dos maniobras ensambladas y afines. La primera, al introducir en exclusividad el análisis formalista, significa algo que Serge Doubrovsky ha expresado con singular rigor autocrítico:

> Toda un ala de la literatura y de la cultura actuales ha decidido que el arte es el "cristal" mallarmeano "desde donde se vuelve la espalda a la vida"; de ahí ese derroche de "pureza", del signo liberado del significado; de la forma, despojada del contenido; del lenguaje, aislado de la experiencia.

Tenemos que creerlo: nos lo confiesa un destacado portavoz de la nueva crítica. Pero en términos nuestros, esa autocrítica adquiere una dimensión poco menos que monstruosa, porque tanto el nutricio pasado como el trágico presente de la América Latina son precisamente significados, contenidos, experiencias. Proponernos el enfoque ahistoricista es, por tanto, proponernos que nos vaciemos de Bolívar, de Artigas, de Martí; y también de la Revolución Cubana, de las luchas de Panamá para recuperar su Canal, de la conciencia independentista de Puerto Rico, de la trágica realidad del Cono Sur. Es, en otros términos, proponernos que archivemos la realidad (tanto la historia ya hecha como la que estamos haciendo) y nos atrincheremos en la palabra.

Pero no es sólo eso. La segunda maniobra, probablemente más grave que la primera, aprovecha la experiencia francesa para tentar la inmovilización de nuestra literatura. Si en Francia "la gran inflación retórica" provocó circuitos cerrados, enrarecimiento del lenguaje, imposibilidad de narrar, y si la literatura latinoamericana aparece como especialmente fresca y fuerte, ¿por qué no envejecer esa frescura, por qué no debilitar esta fortaleza, mediante un asedio tautológico? Precisamente en francés *repetition* quiere decir ensayo. ¿Por qué no ensayar en la literatura latinoamericana aquel curso acelerado de suicidio cultural? ¿No sería acaso una operación más sutil, pero conducente al mismo fin, que el infamante genocidio cultural?

Si una cultura que se las sabe todas, como la francesa; si una literatura que dio a Rabelais y a Racine, a Hugo y a Baudelaire, a Montaigne y a Mallarmé, a Flaubert y a Proust, a Malraux y a Aragon; si una literatura verdaderamente señera pudo inhibirse, pudo inmovilizarse, al paso de la nueva retórica estructuralista, ¿cómo no va a inhibirse o inmovilizarse una cultura mestiza, subdesarrollada, colonial, caótica, permeada de influencias?

## 9

Hace nueve años, en un trabajo que llevé a cabo por encargo de la UNESCO, escribí lo siguiente:

> Cuando serios críticos franceses comienzan a insistir en la importancia de la Palabra, en el predominio casi totalitario de la semántica, por supuesto no intentan crear una nueva moda, destinada a asombrar una vez más al asombrable burgués de todas las épocas; lo que proponen, por el contrario, es una interpretación del fenómeno literario en sus relaciones humanas más profundas, y sobre todo en la manera y en la tradición racionalista que constituyen su cauce natural, su hábito de pensamiento. Pero cuando ciertos comentaristas literarios de la América Latina [y observen que no dije lingüistas o críticos rigurosos] aceptan al pie de la letra la capa exterior, la mera superficie de esa investigación (a la que por lo menos hay que reconocerle su coherencia), sin penetrar para nada en las hondas motivaciones de semejante actitud intelectual, se convierten en frívolos intermediarios, en el fondo infieles a la misma admiración que proclaman. En Europa, relevar en forma casi excluyente la importancia de la Palabra, puede expresar una actitud básicamente intelectual; refugiarse en sus significados más hondos, puede ser un palpable resultado de la avalancha semanticista. Pero esa misma operación, en la América Latina, asume distintas proporciones. En un país subdesarrollado donde el hambre y las epidemias hacen estragos, donde la represión, la corrupción y el agio no son un elemento folclórico, sino la agobiante realidad de todos los días, proponer el refugio en la Palabra, hacer de la Palabra una isla donde el escritor debe atrincherarse y meditar, es también una propuesta social. Atrincherarse en la Palabra, viene entonces a significar algo así como darle la espalda a la realidad; hacerse fuerte en la Palabra, es hacerse débil en el contorno. Hace veinte o treinta años la evasión consistía en escribir sobre corzas y gacelas, o en recrear los viejos temas griegos; hoy quizá consista en proponer la Palabra como nueva cartuja, como ámbito conventual, como celda voluntaria[17].

Al parecer, los hechos van acercándose a aquel pronóstico, y probablemente lo sobrepasen, puesto que lo que ahora se nos propone ya no es una búsqueda (todo lo restrictiva que se quiera, pero búsqueda al fin) de los significados, sino una hibernación en el significante. Recalco nuevamente que este alerta no es contra la crítica formalista, ni contra los estudios lingüísticos, incluso debo confesar que ambas disciplinas, en su esfera específica, me interesan sobremanera. El alerta es contra la maniobra inhibitoria, contra la misión letárgica que la cultura del dominador se arroga, cuando nos propone un sistema exclusivo de análisis, que así, dogmáticamente aplicado, ha demostrado ser (al menos, en la Europa Occidental) asfixiante para la narrativa y la poesía, haciéndoles perder todo contacto con lo real, y lo que es peor aún, haciéndoles perder su capacidad de imaginar. Si nosotros también llegamos a una hipertrofia de la función crítica, y sobre todo si limitamos esa función al análisis formal, quizá lleguemos, a fuerza de monotonía, a escribir *obras sinónimas,* y es posible que el aciago y lúcido día en que lo advirtamos ya sea irremediablemente tarde, porque también estaremos contaminados, como por una peste incurable, de la imposibilidad de narrar y el enrarecimiento del lenguaje. Después de todo, ¿no dijo Roland Barthes alguna vez que la literatura era una "inmensa tautología"? ¿No afirmó Paul de Man que, en el fondo, todos los libros dicen lo mismo pero de distinta manera? ¿No señaló Gérard Genette que todos los autores son uno solo, porque todos los libros son un solo libro"?[18] ¡Como para no desanimarse! Nadie había ideado antes una manera tan sutil de desalfabetizarnos, o de lograr subrepticiamente lo que Umberto Eco ha llamado "la deseducación estética del público"[19].

Aquí se hace presente una señal de la cultura del dominador que quizá hayan ustedes detectado en el curso de esta charla; para afirmar nuestra concepción de la crítica, hemos apelado, así sea para impugnarlos, a los planteos de la crítica euroccidental, especialmente la francesa, y eso revela también una inocultable huella que la cultura del dominador deja en nosotros. Pero hasta esa huella debemos razonarla. ¿Por qué francesa y no italiana, o inglesa, o alemana, que también han aportado nombres valiosos y enfoques originales? Sucede que los críticos de otros países de la Europa Occidental actúan más en función de individuos, de investigadores aislados, antes que con el sentido corporativo y generacional que asume la nueva crítica francesa. De modo que el relevamiento que aquí hacemos no significa que la nueva crítica francesa sea la más encumbrada, sino que por su organicidad, su ajustado aparato editorial y publicitario se presta mejor a la manipulación ideológica del dominador.

Debo aclarar que, pese a estas observaciones, mi profunda convicción es que esa manipulación no tendrá éxito en la América Latina. Y no lo tendrá, no exactamente porque sea una propuesta errónea, sino porque los propulsores de la misma saben de antemano que no tienen razón, y eso les quita fuerza persuasiva, pujanza catequizadora. El crítico chileno Nelson Osorio ha señalado que "la burguesía no puede desarrollar una real Ciencia de los fenómenos sociales, ya que sus resultados entrarían necesariamente en contradicción con su Ideología, que enmascara, mistifica y mitifica las verdaderas condiciones en que se basa una sociedad de clases"[20]. Pero debemos agregar que, por las mismas razones, tampoco puede desarrollarse una real Ciencia de los fenómenos culturales.

No es por azar que el empuje formalista ha tenido en los últimos años su centro en Francia. La literatura francesa empezó su declinación en los primeros años de la segunda posguerra, y la célebre lucidez de los intelectuales franceses no ayudó, ni aun entonces, a diferenciar otras lucideces: digamos, por ejemplo, la lucidez estremecedora de un Marcel Proust, de la lucidez casi inhumana de un André Gide. Pero fue con la aparición y promoción del *nouveau roman* que la crítica francesa empezó su *campaña contra el personaje*. Al iniciar su cruzada contra el orbe balzaciano, y por consiguiente contra el narrador omnisciente y omnipresente, los militantes literarios de lo que Nathalie Sarraute llamó "la era de la sospecha" aprovecharon el pretexto para oscurecer al personaje e iluminar el objeto. El resultado fue al menos polémico en el enfoque crítico, pero en la praxis novelesca fue inconmensurablemente aburrido.

Quizá por eso la siguiente promoción crítica movió sus reflectores e iluminó las estructuras, aunque dejando siempre en la sombra al personaje. Los narradores, por su parte, para ahorrarles trabajo a sus críticos, crearon personajes que ya venían apagados. El resultado fue nuevamente el tedio. La posta es hoy recogida por los neocríticos, que enfocan la palabra, pero siguen sin rescatar al personaje de su parcela de sombra.

Nótese, sin embargo, que mientras tres promociones de críticos franceses han iluminado el objeto, la estructura, la palabra, dejando en la sombra al personaje, los narradores más vitales de la América Latina (con la confirmatoria excepción de unos pocos escritores coloniales) han escrito excelentes cuentos y novelas, en los que, sin descuidar ni el objeto ni la estructura ni la palabra, han contado historias que tienen cabales personajes. Qué alivio debe significar hoy, para el pobre lector francés, abrir una novela latinoamericana, y encontrarse con que *cuenta* algo, con que *por fin alguien cuenta una historia*. Para un público que viene de una tradición que incluye tan notables *contadores* como Balzac, Hugo, Stendhal, Maupassant, Flaubert, Zola, Proust, Sartre, Simone de Beauvoir o Camus; para un público al que probablemente Robbe-Grillet no pudo convencer de que en una novela como *L'étranger* el empleo del pretérito imperfecto era más importante que la historia contada, ha de ser un banquete sumergirse ahora en *Cien años de soledad, Pedro Páramo, Rayuela, Concierto barroco,* o (ignoro si ya están traducidas) *Yo el Supremo* y *El pan dormido*.

De modo que mientras la cultura del dominador se prepara para inmovilizar la literatura latinoamericana, ésta, por su evidente calidad, y asimismo por su mera capacidad de narrar, movilizaba al lector europeo. Por esa razón, y por varias más, descarto que las nuevas propuestas inmovilicen al escritor latinoamericano o conviertan al crítico en misionero de un evangelio de la pura forma. Y no tendrán éxito, porque tanto el escritor como el crítico son conscientes de que en esa América todas las vías de acceso a la obra literaria, tanto la formalista como la historicista; la lingüística como la sicocrítica, todas conducen al hombre. Y si algún crítico, por inadvertencia o distracción, usa esquemáticamente una cualquiera de esas vías, con exclusión de las otras, y no llega al hombre latinoamericano, que no se alarme: sencillamente le habrá pasado como a aquel personaje de Cortázar que entraba por el Pasaje Güemes de Buenos Aires, y salía por la Galerie Vivienne de París.

Aunque la obra literaria integre la superestructura, no tiene por qué inhibirse de influir en la sociedad toda, ni de ser influida por ésta. Somos un mundo en ebullición y desarrollo, y quizá por eso en la América Latina las relaciones entre escritor y público, entre literatura y crítica, entre crítica y realidad, no sean las mismas que en la Europa Occidental. Es cierto que en los tres binomios mencionados suele haber una retórica de las relaciones, pero no tenemos por qué ser esclavos de esa retórica. Una de las riesgosas ventajas que nos proporciona nuestra voluntad de construir una cultura de liberación, es que si bien podemos transformar, mejorándolas, las relaciones heredadas (de Europa o de cualquier parte), también podemos crear relaciones nuevas, que establezcan una circulación más dinámica, más humana, más justa y más imaginativa, entre el escritor, el crítico y el lector.

Por lo pronto, ¿qué le sirve al escritor del enfoque crítico acerca de su propia obra? Alguna vez he recordado que los poetas (incluso los buenos poetas) se quejan a veces amargamente de los críticos (aun de los buenos críticos) y que ello se debía a la impresión que suelen tener los poetas de que los críticos se están refiriendo a una obra que no es la suya. Es lógico que el crítico salga a la búsqueda de un *ábrete sésamo;* a veces lo consigue y lo pronuncia, pero suele no darse cuenta de que la puerta que se abre no es la que él quiere, sino la de al lado. Y se entusiasma, y formula teorías, y encuentra testimonios, y descubre inhibiciones, y diseña toda una personalidad que se corresponde, a la perfección y al detalle, con un esquema que puede llegar a ser fascinante. Justamente, esa amargura que por lo general tienen los poetas con respecto a los críticos, viene de su explicable imposibilidad de llamarlos y decirles: "Señor: se equivocó de puerta. Yo tengo inhibiciones, pero son otras".

Creo que, a esta altura, para que una crítica le sirva de algo al escritor, éste y el crítico deben tener un mínimo territorio compartido. Si el código que maneja el crítico, si su cosmovisión, si su enfoque de la historia, si las claves de sus indagaciones, están a años luz de la cosmovisión, del enfoque histórico, de las claves indagatorias y otros códigos del escritor, la crítica puede ser igualmente legítima y quizá le sirva de mucho a sus lectores, pero no se cruzará jamás con el rumbo de escritor.

Si de algo puede servir mi experiencia de autor criticado, les diré que las observaciones de los críticos (y me refiero tanto a las desfavorables como a las elogiosas) me han significado un aporte, una ayuda al quehacer literario, sólo cuando su actitud humana ha guardado cierta relación con la mía. Esto no quiere decir que los puntos de vista sean los mismos, sino que ambos nos movemos en planos de comprensión recíproca.

Por el contrario, cuando la opinión del crítico, aunque aparentemente objetiva, está teñida de connotaciones o de prejuicios que le impiden ser justo, entonces esa crítica no me sirve, porque le veo la trampa, le descubro el doble fondo, le veo el rostro tras la máscara. Desgraciadamente, este tipo de crítica abunda en nuestras culturas dependientes:

debajo de un trabajo que en apariencia cumple con todos los preceptos de la crítica formalista, o sicológica, o historicista, asoman de pronto las garras del gorila, aunque sólo sea para colocar entre comillas una palabra, que puede ser —digamos— *revolución.*

Para que establezcan entre sí una relación nutricia, el escritor y el crítico deben tener algún código en común, que no sólo tiene que ver con signos y estructuras, sino también con una actitud ante la vida, ante el prójimo. Cuando el crítico funciona con un código y el escritor con otro, es como si se moviera en líneas divergentes, y no habrá interinfluencia posible.

Decíamos que es preciso crear relaciones nuevas entre el escritor, el crítico y el lector, a fin de establecer entre ellos una circulación dinámica. García Canclini ha abierto, en este sentido, uno de esos rumbos nuevos, al señalar que "el arte verdaderamente revolucionario es el que, por estar al servicio de las luchas populares, trasciende el realismo, el que, más que reproducir la realidad, le interesa imaginar los actos que la superen"[21]. Por esa sola brecha —y cuántas más no habrá— puede el escritor convertir la realidad en fantasía, pero siempre con la secreta esperanza de que esa fantasía se convierta en realidad. Algo que, después de todo, ya aprendimos en Verne. Pero el despegue a partir de lo real crea posibilidades infinitas. De modo que la brecha también se abre para el crítico, que no tiene un exclusivo y estrecho pasadizo para desentrañar esa esperanza (que es forma y contenido, historia y estructura, lenguaje y experiencia), sino que tiene a su disposición todos los medios, todos los recursos: la línea recta y los laberintos, el cielo y los volcanes, los puentes y los túneles, la palabra y los ecos, el paisaje y los sueños.

Entre las conflagraciones que separan la cultura del dominador de la cultura de liberación, está, por supuesto, la desmitificación que realiza esta última de los códigos estéticos impuestos por la primera. "Las relaciones humanas", señaló Lucien Goldmann, "se presentan como procesos de doble vertiente: *desestructuración* de estructuraciones antiguas, y *estructuración* de totalidades nuevas, aptas para crear equilibrios que puedan satisfacer nuevas exigencias de los grupos sociales que las elaboran"[22]. Acaso nuestro continente mestizo sólo soporte mestizas (y no puras) formas de interpretación. Si seguimos el rumbo marcado precisamente por un crítico, Henríquez Ureña, y vamos en busca de nuestra expresión, hallaremos que esta nuestra es una expresión mestiza: si seguimos la senda de otro ideólogo, Mariátegui, y tratamos de interpretar nuestra realidad, hallaremos que esta nuestra es una realidad mestiza. Pero no sólo son mestizas nuestra expresión y nuestra realidad; también lo serán nuestra búsqueda y nuestra interpretación, ya que ese mestizaje, esa impureza, ese entrevero, esa conmixtión de lenguas y costumbres, esa aleación de pigmentos, ese surtido de orígenes, esa dialéctica de paisajes, ese empalme de osadías, esa ancha tumba de héroes, ese crisol de revoluciones, esa maravillosa mezcolanza, esa *olla podrida* de identidades, ha generado con el tiempo un estilo propio, una identidad nueva, un implacable enemigo compartido, un rostro que no es de nadie en particular quizá porque es de todos, una conciencia colectiva que nos rescata de un pasado en que nos olvidábamos los unos de los otros y nos lanza hacia un futuro en que acabaremos por reconocernos como astillas del mismo palo.

Por eso, si la cultura del dominador era desintegradora y excluyente, la cultura de liberación será abarcadora y unificante, sin que esto quiera decir que vaya a ser ecléctica. Inmersos en una población latinoamericana de más de doscientos millones, el escritor y el crítico son aparentemente poca cosa. Pero sucede que en una cultura de liberación nadie es poca cosa. Si queremos que el hombre de transición se convierta por fin en hombre nuevo, quizá represente una modesta pero buena ayuda que los escritores y críticos no lo dejemos en la sombra, sino que lo iluminemos, lo enfoquemos, lo interpretemos, para así aprender de él, para así comunicarnos con lo mejor de nosotros mismos. Y si para ese hombre, para ese personaje, para ese protagonista de la realidad, buscamos una crítica de amplio espectro que atienda a la estructura y a la palabra, al inconsciente y a la historia, es porque pensamos que esta América, que ha fundado su identidad a partir de su mestizaje, también requiere, no una crítica monocorde y taxativa, sino una crítica integradora, vale decir *mestiza*.

# NOTAS

[1] José Martí: "Ni será escritor inmortal en América. . . " (párrafo de un cuaderno de apuntes que se suponen escritos en 1881), *Ensayos sobre arte y literatura* (sel. y pról. de Roberto Fernández Retamar). La Habana, Instituto Cubano del Libro, 1972, p. 50-1.

[2] José Martí: "Nuestra América", publ. en *El Partido Liberal*, México, 30 de enero de 1891.

[3] Augusto Salazar Bondy: "Sobre una definición de cultura", *Expreso*, Lima, 16 de julio de 1972, p. 25.

[4] Augusto Salazar Bondy: "Cultura y dominación, IV", *Expreso*, Lima, 16 de abril de 1972, p. 23.

[5] Antonio Candido: "Literatura y subdesarrollo", *América Latina en su literatura* (coordinación e introducción de César Fernández Moreno), México, Siglo XXI Editores y Unesco, 1972, p. 347.

[6] "A partir de la década que comienza en 1920, el arte encara la realidad social de la América Latina, la prisión colectiva, la fosa común, lo real espantoso de nuestros países, a veces con una declarada voluntad de contribuir a alterar el orden de la injusticia, y el orden del arte oficial también. Entonces, en el 'academicismo proletario' de la pintura realista comenzaron a aparecer nuestras poblaciones indias y negras en actitud de trabajar o de ser asesinadas, que allá con frecuencia da lo mismo. Pero ni siquiera de esta manera –y menos aún de la otra, la de quienes casi simultáneamente comenzaron a pintar su celda personal, abarrotada de conflictos individuales– ha podido el creador de antes, ése que era él y pueblo al mismo tiempo". (Jorge Enrique Adoum: "El artista en la sociedad latinoamericana", *América Latina en sus artes*, México, Siglo XXI y Unesco, 1973, p. 208).

[7] Carlos Fuentes: *La nueva novela latinoamericana*, México, Joaquín Mortiz, 1969, p. 30.

[8] T. S. Eliot: "Criticar al crítico", *Criticar al crítico y otros escritos*, Madrid, Alianza Editorial, 1967, p. 16.

[9] *Idem* 8, p. 21.

[10] Néstor García Canclini: "Para una teoría de la socialización del arte latinoamericano", *Casa de las Américas*, La Habana, marzo–abril de 1975, Nº 89, p. 118.

[11] Dominique Noguez: "Choix bibliographique", *Les chemins actuels de la critique* (vol. dir. por Georges Poulet), París, Plon, 1967, p. 500.

[12] Basilia Papastamatiu: "Premio Casa de las Américas 1977. Cómo se lee la literatura latinoamericana" [reportaje a Saúl Yurkievich], *Juventud Rebelde*, La Habana, 31 de enero de 1977, p. 3.

[13] Gaspar Pío del Corro: "Reflexiones y esquema de base para una crítica literaria latinoamericana", *Megafón*, Buenos Aires, julio de 1975, tomo I, Nº 1, p. 34.

[14] Alberto Escobar: *La partida inconclusa*, Santiago de Chile, Editorial Universitaria, 1970, p. 10.

[15] Roberto Fernández Retamar: *Calibán*, México, Ed. Diógenes, 1971, p. 70.

[16] Serge Doubrovsky: "Critique et existence", *Les chemins actuels de la critique*, cit.

[17] M. B.: "Temas y problemas", *América Latina en su literatura,* cit.

[18] Cit. por Serge Doubrovsky: *ob. cit.*, p. 264.

[19] Umberto Eco: *La definición del arte,* Barcelona, Martínez Roca, 1970, p. 163.

[20] Nelson Osorio T.: "Las ideologías y los estudios de literatura hispanoamericana", *Casa de las Américas,* La Habana, Nº 94, enero–febrero de 1976, p. 69.

[21] Néstor García Canclini: *ob. cit.*, p. 111.

[22] Lucien Goldmann: *Para una sociología de la novela,* Madrid, Ciencia Nueva, 1967, p. 222.

CARLOS RINCON

# ACERCA DE LA
# "NUEVA CRITICA LATINOAMERICANA"*

## POSICIONES Y PROBLEMAS

## I

A RAÍZ DE LA QUIEBRA de la crítica literaria dominante en Latinoamérica a mediados de los cincuenta, puede observarse toda una serie de intentos de reducir ese fenómeno a las dimensiones de una simple crisis en el campo de los métodos de abordaje del hecho literario. La proclamación de una necesaria renovación metodológica, de un remozamiento de conceptos instrumentales y procedimientos de análisis, se hizo oír en el Brasil ya con insistencia desde finales de los cincuenta, y llegó a generalizarse por muy diversos caminos en todo el continente a comienzos de los setenta. Con ese desplazamiento se llenaron varias metas inmediatas. Se quiso mantener incuestionadas solamente la función social y las bases teóricas, las más de las veces tácitas e indeterminadas, de esa práctica crítica y de la investigación. Se pretendió ignorar igualmente las implicaciones políticas de toda toma de posición metodológica en el campo de las luchas literarias. Por último, se negaron de esa manera los alcances de síntoma general de la crisis muy amplia de la ideología dominante —inclusive en el campo de la literatura—, que tenía esa inocultable bancarrota.
   Característico de este reduccionismo fue el propósito de pensar en una forma particular el desarrollo de esa crítica que al ser puesta al día gracias a la adopción de un nuevo método, debía ser capaz de explicar la nueva producción. Resulta sometido, en uno y otro intento, al modelo de un círculo condicionador, regla de oro de acuerdo con la que su trazo recibió diversas coloraciones. Dependió de la noción de la literatura de la que se pretendía partir y remitió a la variante del incipiente pluralismo metodológico que buscaba aplicarse al desciframiento de los nuevos

*   *Eco*, núm. 200 (1978), pp. 712-52.

textos. Lo que debía ser la nueva crítica latinoamericana aparece emparentado así no únicamente con la recepción de la línea, sellada por la lingüística, en que se incluyen el formalismo ruso, el estructuralismo checo y el reciente estructuralismo francés, en muy diversas versiones. Lo está también con el *myth–and–ritual–approach*, ahistorizante rastreo de mitos y arquetipos que se planteó en los USA, ante el agotamiento de las pesquisas formales del *New Criticism*, como un intento idealista de continuarlo y superarlo a la vez. Tanto el proceso de recepción como el de aplicación de esas concepciones intentó cumplírselo a nivel inmanente, sin reparar en el proceso histórico y en las luchas ideológicas del que formaban parte lo mismo la nueva producción literaria latinoamericana que esos esfuerzos críticos.

Según escribía Afrânio Coutinho en 1956, en forma que establecía una relación directa e inmediata entre el reciclaje táctico propuesto por *A nova crítica*, y el surgimiento de un conjunto de textos que escapaban a la comprensión de la crítica positivista o heredada de las ciencias del espíritu:

> É–nos lícito, aliás, afirmar que o advento da nova crítica está condicionado ao estágio correspondente de evoluçao literária e as exigencias de sua interpretaçao[1].

El círculo condicionador propiamente dicho estaba bosquejado unos renglones más atrás de esta reducción de la labor de la crítica al dominio subjetivista de la "interpretaçao". Coutinho procedía a trazar un paralelo entre lo que denominaba el impacto de "o experimentalismo na linguagem e na expressão" sobre la poesía y la prosa contemporáneas en el Brasil, y la atracción que ejercían sobre la actividad crítica "as investigasoes lingüísticas"[2]. Es esta la primera formulación de una tendencia que llevará, en el plazo de una década y en manos de divulgadores, a extremos conocidos. La proclamación de la "novela del lenguaje", del "lenguaje como protagonista principal de la novela", etc., se conjugará con eclécticas posiciones metodológicas en donde los aspectos funcionales e históricos de esa producción fueron anulados. Todavía hoy, cuando esa tendencia ha entrado en franco retroceso y en proceso de rectificaciones, Luis Alberto Sánchez podía sostener, a propósito de *Horas sin tiempo* (1977):

> El lenguaje para José Bravo es un elemento esencial de su novela. Podríamos calificarlo de protagonista[3].

De esa manera se acogió una definición formalista de lo literario, limitado a lo no denotativo (o a lo no exclusivamente denotativo) del texto, con la consiguiente concentración inmanentista en la forma, la organización y el material, resultado del corte entre el lenguaje (como ritmo, sonido, imagen) y el significado. Por ello núcleos racionales que hubiera sido posible establecer en la recepción del *New Criticism* y la forma como éste liquidó la concepción romántica del arte y el misticismo de la escritura, no llegaron a cristalizar. Sin embargo algunas de las tesis de aquél correspondían al hecho de que la ley de la producción capitalista, afianzada en el intercambio de valores de cambio, y transformadora de un producto en mercancía, produce también algo más. A la vez que hace del valor —resultado del trabajo social— un "jeroglífico social" (Marx), el pensamiento estético idealista metamorfosea las condiciones sociales de la producción literaria en condiciones puramente subjetivas e individuales. El supuesto papel autónomo del escritor reposa en la contradicción entre la forma de producción capitalista y la forma de producción del literato: éste permanece en el estado del productor simple de mercancías, a nivel artesanal, de manera que el momento del trabajo individual sobre la lengua y la ideología da pábulo, en esas condiciones, al mito de la "Creación", rimado por un escritor como Vargas Llosa cuando sostiene:

> . . .la literatura no tiene que ver más que con ciertas obsesiones, con ciertas convicciones más alimentadas de malas intenciones que de buenas[4].

Para el *New Criticism* esa liquidación y ese rompimiento significaron un rechazo de la tradición democrática liberal y el enfrentamiento de hecho con la crítica de *The read decade*, sobre la que autores como David Peck llaman actualmente la atención. Por otra parte, en la recepción de concepciones como el formalismo ruso se permaneció impermeable a problemas de indudable interés para la comprensión de la nueva producción literaria, y más en particular de la novelística latinoamericana contemporánea, como es el de la parodia. En su primera época, al tener que hallar sobre bases idealistas una explicación para la variabilidad de la literatura, como redistribución de las formas y las funciones, la parodia fue vista por Tinianov como un motor de ese tipo de cambio literario. Podemos entonces concluir que en lugar de todo ello acabó por imponerse tácita o expresamente el imperio de la noción de la *literaturnost*, sobre la que Jakobson escribía en 1973:

> La literaridad, es decir, la transformación del habla en una obra literaria, y el sistema de procedimientos que efectúan esa transformación, constituyen el tema que el lingüista desarrolla en su análisis de la poesía[5].

Tendió así a imponerse desde fines de los sesenta el divorcio ahistoricista entre una Poética, comprendida como teoría del discurso literario, orientada a la construcción de un modelo abstracto del que se desprenden obras privadas de sus elementos históricos, genéricos, etc., que la ilustran, y una crítica que se supedita al subjetivismo. Este esquema, planteado ya en el Brasil desde 1968–69, se desarrolló paralelamente a una teoría de la lectura, calcada sobre el modelo de la comunicación lingüística.

En otros casos, el mundo temporal de la historia de la literatura y de la sociedad fue disuelto en el supuestamente atemporal del mito, exterior a lo literario, y en donde residiría su sentido último. Se partió en la mayoría de ellos de la aceptación incuestionada de las tesis de Jung, con que éste afirmó sus resistencias idealistas contra el psicoanálisis: la de que existiría una forma de pensamiento arcaico-mitológica del inconsciente, lo mismo que un inconsciente colectivo. Este último estaría constituido por arquetipos originarios, de calidad mítico-simbólico, semejantes a las *representations collectives* de Lévi-Bruhl. El intento de hallar las fuentes de lo poético en una entidad distinta al "Creador", buscando separarse así de la estética de la expresión del idealismo burgués, no condujo sin embargo a un cambio real de terreno. Ni los símbolos suprapersonales, ni el mito, reducido a una manifestación psíquica que representaría "la esencia del espíritu", lo podían posibilitar. Según señalaba Ricardo Soler en 1972, el carácter del objeto de la crítica literaria latinoamericana, "una crítica en armonía con la literatura de hoy", dependería directamente del hecho de que con esta producción –trátese de Neruda, de Guimarães Rosa o de García Márquez–, las letras latinoamericanas habrían llegado por fin a ese estado de madurez que les permitiría "arrancarse las máscaras de la alienación colonial . . . y entrar en contacto con la dionisíaca sustancia del mundo mítico americano-universal"[6]. De allí su siguiente hipótesis:

> La grandeza de los creadores de Gaspar Ilom, Pedro Páramo, de Riobaldo y Diadorim se sitúa en cuanto su solidez, en la sensibilidad para aprehender y darles forma a arquetipos del inconsciente colectivo, en la intuición de las situaciones mitológicas originarias de la conciencia, en que no es el creador sino "la voz de la Humanidad entera", que dice Jung, la que habla y despliega un universo total. La nostalgia de esa totalidad que sufren creadores menos dependientes de lo mítico puro, he ahí la clave de la carga de mitemas de *Sobre héroes y tumbas* y *Cambio de piel*"[7].

El trabajo del crítico, de acuerdo con el carácter de lo literario, debía consistir entonces en moverse entre el intuicionismo y la aplicación empírica de un código de desciframiento. El problema de las relaciones entre Mito e Historia, y Mito y Literatura, no pudo ser captado ni formulado siquiera[8]. Tampoco resultó posible tematizar el interés particular que puede revestir para nosotros esa problemática, al nivel histórico específico en que cristaliza en nuestras sociedades la existencia del mito, dada la coexistencia de diversos modos de producción dentro de nuestras formaciones económico-sociales, bajo la determinación de la forma capitalista. A esas debilidades se agrega la inestabilidad de la noción del mito, que da alas a tendencias abiertamente especulativas:

> . . .sobre la base de la intuición primera de la naturaleza mitológica de la conciencia y la expresión artística, y de sus intuiciones de

177

lectura, la naturaleza del trabajo del intérprete cambia. Debe aplicar el procedimiento del descifrador de jeroglíficos y mayaglifos, como Lacan lo describe de Champollion y de Freud, pero provisto de una tabla que le proporciona la actualización de los símbolos como arquetipos. Y proceder a verter sus resultados en un fraseado de acceso general que toque las raíces de la conciencia del público[9].

Quedaría por señalar que el intento emprendido por Northrop Frye desde 1957 en su *Anatomy of Criticism*, para tender un puente, gracias a una crítica "científica", entre historia de la literatura y mitología, fracasado entre tanto, resulta apenas veinte años más tarde en Latinoamérica objeto de contados ecos y discusiones. Según escribía Cohen en 1969, se pasó entonces en un importante sector de la investigación en los USA, a cuestionar el hasta hacía poco "corriente rechazo de la historia de la literatura como guía para el conocimiento del presente"[10]. Es decir, que mientras ya se quería superar por ese camino las aporías precipitadas por trabajos como los de Frye, en el campo de los estudios latinoamericanos, apenas se intentaba a comienzos de los setenta, adoptar las posiciones liquidadas por el mismo Frye, con su bosquejo de una historia de la literatura que pretendía unir mito y sistema, arquetipo y estructura[11].

Veinte años después de la propuesta de una *Nova crítica* por parte de Coutinho, y de las primeras aplicaciones de la crítica de mitologemas y arquetipos desde comienzos de los setenta, el grupo reunido en 1975 en torno a la revista *Megafón* de Buenos Aires presentó en su primera entrega un conjunto de textos programáticos acerca de lo que pretendía ser "una nueva concepción de la crítica latinoamericana". La propuesta de *Megafón*, en los días en que ya se había abierto camino francamente en la Argentina el proyecto desestabilizador y desnacionalizador de derecha[12], remitía a tesis populistas y de liberación nacional antiimperialista burguesas. En *Hermenéutica y crítica literaria* Graciela Maturo comenzaba por hacer referencia a una filosofía de la historia y de la cultura a la que vinculaba su proyecto:

> ...el pensamiento no moderno que tanto puede ser rastreado en la cristiandad medieval como en las culturas de Oriente y de América pre-hispánica y que podemos señalar como correlato de una visión profundamente religiosa[13].

Dentro de esa tan peculiar perspectiva idealista "adquiere nuevo valor el signo literario", en su dimensión significativa y como parte del "mensaje intencionalmente asumido desde el autor", dentro del "proceso de liberación y autoconocimiento que en todos los terrenos estamos viviendo"[14]. De manera que como para Coutinho y para Soler, pero sobre otras bases, según Maturo:

> ...semejante concepción de lo literario impone a su vez una nueva concepción de la crítica... *una literatura engendra su propia crítica*[15].

178

Esa crítica que pretende ser a la vez "integradora", "pluralista", "comprensión" y "búsqueda de sentido", pero sobre todo "americana", aparece postulada sin embargo como práctica hermenéutica. Se la relaciona por lo tanto con la metodología predominante dentro de la investigación literaria burguesa europea desde el siglo XIX, cuya historia constituye un espejo ideológico de las relaciones literarias desde esa época. Aunque se intentaba especificarla:

> ...una literatura que no sólo supera –como toda literatura– el marco de la racionalidad y el empirismo, sino que se coloca en actitud polémica frente al cientificismo europeo, está reclamando, por su lenguaje, actitud y configuración simbólica, la aplicación de una hermenéutica particular [ . . . ][16].

Las soluciones ofrecidas por Maturo a tres series de cuestiones muestran la determinación subjetiva–idealista no sólo del objeto y del método de investigación propuesto, sino de sus relaciones entre sí. Dada esa determinación sus planteamientos se inscriben dentro de una problemática que permanece inclusive en retraso en comparación con los desarrollos alcanzados por la propia reflexión hermenéutica tradicional, como se aprecia en las propuestas formuladas hace casi veinte años por Gadamer en *Wahrheit und Methode*. A pesar de alguna referencia a los sistemas de signos que investiga la semiótica, hay en la posición de Maturo una dependencia inconsciente, al nivel de la concepción del carácter de "expresión" de las obras, de las hipótesis neokantianas, acerca de los presupuestos y rasgos propios de la conciencia mítica. A partir de ellos se crearían formas simbólicas de concepción del mundo en que no hay contradicción entre los universos del pensamiento racional y la imagen, entre logos y mito, a diferencia del pensamiento científico. Por esa vía, el neokantismo llegó a identificar en el arte y el mito las mismas estructuras simbólicas, con lo que se bloqueó la posibilidad de comprender la naturaleza y el carácter del símbolo como problema estético–literario. Para Maturo, por su parte:

> El campo simbólico representa en sí mismo un elemento de enlace entre la realidad y el logos [ . . . ] En el caso del símbolo estético-religioso, es notable, a través de él, el relacionamiento de categorías disímiles que la mente racional es reacia a asociar [ . . . ] El signo no constituye en la obra literaria un agregado retórico sino su manifestación más específica y sustancial [ . . . ] Toda la obra, en tal sentido, es fundamentalmente un símbolo, un sistema simbólico[17].

A esta última concepción idealista de la obra, al reducirla al carácter de un símbolo, no se une una descripción del proceso de desciframiento o comprensión de ella. Simplemente se la incluye en la declaración programática en que se demanda una nueva hermenéutica. Maturo alude a lo que considera:

...la necesidad de alentar el desarrollo de una hermenéutica que pondrá en juego por un lado una interpretación semiológica de las formas literarias y por otro el relacionamiento de éstas con la totalidad de los contextos a los que implícita o explícitamente se refiere y –aún más– con el contexto total de la realidad al que inexcusablemente pertenecen[18].

Este recurso a la semiología no debe entenderse ni como extensión de un proyecto de crítica ideológica ni en el sentido de la aplicación de una semiología de la textualidad o un análisis del relato, pues para Maturo, "el pensamiento estructural . . . no es sino el viejo pensamiento analógico . . . consustancial a la visión poética"[19]. De ahí que en la búsqueda de inspiraciones ideológicas recurra al Octavio Paz de *La nueva analogía* (1967), ensayo escrito en la época en que Paz descubrió el estructuralismo. Paz afirmaba entonces que la poesía sería "la encarnación en palabras de la mitología de una época", de manera que "la función mítica (es) casi indistinguible de la función poética"[20]. Sólo debe repararse en el muy laxo empleo que hay aquí del término "mito", y en que el establecimiento del carácter y estructura de la conciencia mítica y del símbolo estético, según ha podido verse en las últimas dos décadas, ha dependido no de su reducción y amalgama, al estilo de las practicadas por Paz. Ha residido en su diferenciación, pues para que la comparación entre mito y símbolo fuera productiva, ha debido llegarse a comprendérselos a partir de su verdadera función y en la especificidad de sus estructuras. En cuanto a la propuesta de Maturo, quedaría por precisar que el punto clave de toda hermenéutica, lo que desde nuestra propia perspectiva constituye la cuestión de la historia de la recepción y de las condiciones del efecto de las obras del pasado y su inclusión en nuestro presente, ni siquiera es abordada. La razón de ese olvido no es difícil de encontrar: reside en la idea de una imaginaria continuidad, con la que Maturo reemplaza la problemática concreta de las discontinuidades y los rompimientos del movimiento histórico–literario y su dialéctica.


II


Uno de los argumentos centrales para la adopción de esta tesis de un círculo condicionador, visible en los tres casos examinados –a esta literatura con las características a, b y c, debe corresponder una crítica con idénticas aunque transpuestas características–, fue lo que debe calificarse de ilusión metafórica ocasionada por una falsa visión histórica. Estuvo en la relación directa que se estableció entre la producción de Eliot, Pound y Hulme y el *New Criticism* (Brooks, Tate), entre los futuristas rusos (Brik, Klebnikov, Maiakowski) y el formalismo ruso (Jakobson, Sklovski, Eichenbaum). Y más recientemente, entre el *Nouveau Roman* (Robbe–Grillet, Butor, Simon), y la *Nouvelle Critique*

(Barthes, Genette, Ricardou). No se reparó en que no es el formalismo, con su recortada promoción del significante y carente de una teoría del Sujeto, el que nos ofrece una mejor comprensión de la producción de los futuristas, ni tampoco el análisis textual ahistorizante del *New Criticism* el que más nos acerca a Pound. Por otra parte, *New Criticism* y formalismo ruso no se reducen a ser epifenómenos de una nueva producción, ni a tomar los rasgos de resultados de un puro proceso científico de partogénesis. Como reacciones contra el positivismo y primeros intentos de aclaración, desde posiciones idealistas referidas a la lingüística, del papel de las estructuras formales en la obra literaria, su unilateral y deformadora preocupación por las estructuras del significante no es simple "expresión" de la concentración exclusivista de un sector de escritores en el trabajo sobre el material lingüístico. Hoy además es claro el puesto que ocupan el *New Criticism* y el formalismo ruso en la historia de las teorías y los métodos idealistas, y la función histórica que desempeñaron en su momento, de manera que constituyen pasos en la eliminación de la historicidad propiamente dicha del fenómeno literario dentro de la práctica burguesa de la crítica y la investigación. Es así como se articula el rechazo —obviamente ideológico— de las ideologías (Sklovski), o el craso conservatismo político (Tate, Eliot), con sus postulados teóricos y metodológicos. Pero quedan con todo otra serie de problemas por determinar. Entre estos está, en primer lugar, la significación real de la tendencia visible en la reflexión poetológico y teórico-literaria desde la aparición de la vanguardia, a convertirse en intento teorizador de una producción exclusiva. Por otra parte, la función histórica de esas tendencias de la crítica burguesa nos remite a la historia de la transmisión del *New Criticism* y de las resurrecciones del formalismo ruso. A lo que Benjamin señalaba como las fuerzas sociales vinculadas al proceso de transmisión de un fenómeno histórico-literario. Han respondido una y otras a muy diversos intereses ideológicos y de clase, y de allí el contraste, por ejemplo, entre la recepción realizada por Coutinho *(New Criticism)* y Claudio Guillén (formalismo ruso), y el esfuerzo visible en los trabajos de Roberto Fernández Retamar para situar sobre nuevas bases un posible contacto con determinadas preocupaciones de los formalistas. Mientras los primeros apuntalaron con ayuda de esos dos movimientos su inmanentismo estético, Fernández Retamar, tomando como base la consideración de las formas particulares como la literatura ejerce su acción, reconoce en ella una especificidad que exige un análisis pormenorizado de los procedimientos literarios, en su determinación y efecto.

En cuanto a las relaciones de la crítica latinoamericana con el complejo constituido por el *Nouveau Roman* y la *Nouvelle Critique*, éstas merecen tratamiento aparte. Pues hay una línea que lleva de los rechazos carentes de fundamentaciones teóricas que hacía Juan Goytisolo del *Nouveau Roman* en los años cincuenta, al que encontramos a finales de los sesenta como parte de la estrategia argumental de novelistas como Vargas Llosa y Carlos Fuentes para enaltecer el valor de la novelística latinoamericana, y de allí al rechazo de la Nouvelle Critique a nombre de tesis humanistas que vemos en críticos como Lupe Rumazo[21], o más recientemente a la proclamación de la muerte de la literatura francesa a manos de esa crítica.

El ocaso definitivo de la novela clásica burguesa, la forma más acabada de la ideología burguesa a nivel literario –tan indescifrable por eso mismo para aquélla como lo era ya en tiempos de Flaubert, y de allí el retorno de Sartre sobre la obra de aquél–, ha contribuido a poner de presente un hecho capital. Las sociedades occidentales parecen no poder abstenerse de lo novelesco y exigen el mantenimiento de una narración que relate la forma como se producen y reproducen. Es sobre ese horizonte que ha llegado a establecerse que lo decisivo de la discusión y las transformaciones traídas por el *Nouveau Roman*, con sus múltiples diferencias y diferenciaciones internas, residió en los aspectos de estética de la recepción que constituyeron el centro mismo de sus preocupaciones prácticas y teóricas. Ya hayan tendido a chocar a quien lee o a dificultar abiertamente la lectura, hicieron que esta producción, con su carácter antirrepresentativo y antimimético, se distinguiera claramente por la búsqueda, a nivel temático y formal, de nuevos efectos dirigidos en lo fundamental a descondicionar ideológicamente al lector. Entre los primeros está ante todo la transformación de las posibilidades de la novela como relato: el paso de la novela como narración de una experiencia a la novela como *recherche*. Pero también el carácter de enigma –a veces policíaco–, que toma la novela, y el hecho de darle un mito como soporte infraestructural, lo mismo que la utilización del libro en el libro como símbolo plurivalente. Por lo que toca a la búsqueda de nuevos elementos narrativo-formales, los más obvios son los que tienden a destruir directamente la ilusión novelesca tradicional: disolución de la narración lineal, imágenes repetitivas, juego de sospechas e hipótesis, falsas escenas con función desrealizadora. Deben incluirse además la representación y el tratamiento del Tiempo y el uso de los tiempos verbales, el tratamiento de las figuras –no de los personajes– y el empleo de los pronombres, el nuevo papel que toma la descripción. Por último, el tratamiento del punto de vista, en donde se incluyen formas particulares de autorreflejamiento. La participación productiva del lector en la novela anula los expedientes de la ilusión novelesca, a la vez que tiende a cumplirse a través de su integración en el propio acontecer ficticio en una forma distinta a la tradicional. Al no haber contacto directo con el narrador, no se busca un efecto catártico, sino que crece en ese lector el papel de la reflexión durante el proceso mismo de descifrar y estructurar el texto.

Todos estos aspectos forman parte de un desarrollo histórico-literario inseparable de la lucha de clases en Francia, elaborado a nivel teórico en la discusión cumplida acerca de la función social de la literatura en ese país. Así se desprende de la intervención con que France Vernier terció en una polémica en que se enfrentaron planteamientos ya muy fechados de André Gisselbrecht, y el nuevo formalismo con que Jean Ricardou ha desarrollado tesis ya bosquejadas en materiales como su artículo sobre *La littérature comme critique* (1972)[22]. Inclusive se tiende a considerar a esa novelística casi como un ejemplo paradigmático de reacción de los géneros y formas ante la transformación de las condiciones sociales de recepción y producción literarias. Por otra parte, ciertamente a partir de libros como *Les Gommes* (1953) y *La Modification* (1967), los diversos aspectos de estética de la recepción arriba señalados alcanzaron en un tiempo relativamente corto un clasicismo de sus formas que se tradujo en una conciencia de los límites del movimiento y aceleró su diferenciación interna. Llegado los años setenta, Ricardou abrió un coloquio en Cerisy-la-Salle preguntándose si en realidad el *Nouveau Roman* existiría. Cuando esas formas canónicas apenas dan lugar a variaciones semirrepetitivas, ni siquiera el recurso a las imágenes de choque o a la realidad mistificada del mundo de las fotonovelas y las historietas pueden salvar un libro como *Topologie d'un cité phantome* (1975), de Robbe-Grillet. Pero en cambio, en novelas como *Leçons de choses* y *Topographie idéale pour une agression caracterisée*, son dejadas atrás y sirven de base para auténticos logros. Para restituirnos la riqueza de la Historia, o para descubrir a un nuevo nivel las posibilidades de la narración y las contradicciones de la política, con un obvio carácter de clase.

En cuanto a Barthes, como el más representativo de los Nouveaux Criticiens, las nociones de la literatura como *écriture* y de la crítica como *lecture*, elementos básicos de la concepción teórico-literaria que propuso a mediados de los sesenta, hacen de sus planteamientos –cuyos límites no entramos aquí a discutir en detalle[23]– un último eslabón dentro del proceso cumplido en Europa Occidental en la pasada década por la investigación literaria burguesa. Suponen una hipótesis general acerca de la desagregación, después de 1848, del liberalismo burgués, y la forma homogénea de escritura burguesa, con la consiguiente proliferación posterior de una gran variedad de formas de escritura y el cuestionamiento de la noción de literatura hasta entonces imperante. Implican por lo tanto un análisis crítico de todo el proceso literario del clasicismo y del romanticismo, y de las manifestaciones y funciones de la ideología burguesa. Es justamente por eso que debe señalarse una contradicción en quienes adjudican la supuesta muerte violenta de la moderna literatura francesa a la *Nouvelle Critique:* su argumentación suele desembocar en una reivindicación del *compromiso*, de la más tradicional prosapia existencialista. Según Sartre, el lector debía ser activado para que le diera cumplimiento en su existencia personal a la literatura, y el escritor debía contribuir a ello, al posibilitar con su *compromiso* la reunificación de autor y lector. El divorcio iniciado a mediados del siglo pasado en la literatura francesa como un proceso histórico-social debía ser superado, según las diversas versiones del *engagement*, por una libre elección personal del escritor. El rebasamiento de una situación histórica acababa de ese modo por convertirse en una simple tarea de índole moral. El problema no consiste aquí en señalar la mucho mayor consistencia teórica de las posiciones de Barthes, ya otros lo han hecho. Lo que nos interesa subrayar es que al permanecer en una posición ya superada como es la vinculada al *engagement* no se consigue reparar en lo que constituye lo más específico y más productivo del aporte desde los años sesenta de la crítica literaria marxista en Francia, en un diálogo con algunas de las posiciones de la *Nouvelle Critique:* sus planteamientos sobre el problema de las relaciones entre ideología y literatura y la determinación histórico-social de la literatura a partir de puntos de vista funcionales.

No se trata pues tampoco, en este caso, de que el estadio correspondiente de la evolución literaria y las exigencias de su interpretación, como lo postulaba el teorema de Coutinho, condicionen en sus múltiples aspectos el advenimiento de una nueva crítica. Ni que la "serie literaria", la que se supone de acuerdo con los formalistas se renovaría a sí misma, incluya dentro de su autorregeneración la de la crítica. El surgimiento y las funciones sociales de fenómenos como los que acabamos de examinar remiten más bien a la dirección histórica en que se orienta el proceso social, a sus luchas concretas. Lo cual significa que su comprensión pasa, obviamente, por la consideración de las nuevas mediaciones existentes entre los procesos sociales de producción y recepción literarias.

### III

Para establecer las relaciones reales entre la producción literaria y la crítica que le ha podido ser contemporánea, la consideración del problema de la recepción, y con él del carácter histórico de los códigos de lectura y escritura, abre la posibilidad de examinar una problemática mucho más actual y productiva. Si el texto es irreductible lo mismo a su aparente evidencia que a un contenido fijo, el proceso material de la literatura está llamado a tomar todo su peso. De esa manera la lectura, en cuanto a praxis de la recepción literaria, aparece como un fenómeno individual situado por su naturaleza misma en un horizonte ideológico y social. Simultáneamente, el sujeto en cuanto lector fundamenta la especificidad y el carácter irremplazable de la producción literaria como fenómeno supraestructural.

Si la lectura no puede separarse de su efecto y evaluación en una situación histórico-social concreta, el efecto del texto no depende entonces de sus constantes o de leyes inmanentes, sino de su forma social de recepción, determinada por las relaciones y el modo de producción imperantes. Solamente la forma material de la obra permanece idéntica a lo largo de la historia, y su significado no depende de la estructura del texto ni de su recepción particular. Más allá de la oposición en Latinoamérica entre las tesis del estructuralismo venido de

Jakobson o de sus seguidores franceses, en particular de Todorov, y de las del llamado posestructuralismo, inspirado por Derrida, Kristeva, Eco, y en general, por posiciones semiológicas, de la concepción del texto como objeto y del texto como proceso, ese significado se cifra en una relación dialéctica entre su producción y recepción, ambas históricamente determinadas, lo que hace de la literatura un hecho ideológico. El significado histórico de un texto depende de la relación mutua entre dos sistemas de referencias: el de su génesis y aquél en que hoy es leído y ejerce su efecto. No es posible por eso, por ejemplo, franquear las distancias que hay entre los poetas del estridentismo y los lectores de la actualidad, argumentando que "por la estructura de su poesía... son *nuestros* contemporáneos"[24].

Por ese camino podemos enfrentar, de una parte, el establecimiento de la significación real de la crítica, coincidente en una determinada literatura nacional con el momento de aparición de la obra para la comprensión de aquélla, lo mismo que de la dialéctica del proceso histórico–literario. Por otra, puede considerarse por fin de manera teórica el significado de las sucesivas lecturas de un texto, dado que su sentido no es una entidad previa o susceptible de ser congelada. En cuanto a la importancia de la primera lectura histórica de un texto literario, el proceso del cambio consciente del horizonte de las experiencias estéticas a que asistimos en las últimas décadas en Latinoamérica ofrece una serie de casos que vale la pena examinar en detalle. Pensamos, por ejemplo, en el de Felisberto Hernández, en el de las obras de Juan Emar, releídas desde una nueva perspectiva entre 1964 y 1967 por Eduardo Anguita, Braulio Arenas, Jorge Teiller y Christian Huneeus. O en Martín Adán y *La casa de cartón*. O en *El habitante y su esperanza* y los primeros cuentos de Garmendia, que examinaremos enseguida. Toda producción literaria supone siempre la relación con un destinatario, una imagen del posible lector al que se le ofrece la obra como proyecto de recepción, pero ésta no siempre tiene que coincidir obligatoriamente con sus primeros lectores reales. De allí que sea necesario ir más allá de un inventario de capas semánticas descubiertas o hechas visibles en ese primer encuentro. Sobre *El habitante y su esperanza* (1926), la *nouvelle* de Pablo Neruda, encontramos en el momento en que comenzó a circular, una alusión pasajera pero de interés al hecho de que en ese relato el rompimiento de la sintaxis rebasaría el practicado por el dadaísmo[25]. La observación reviste importancia en la medida en que Breton practicó, como propiamente surrealista, el efecto de choque alcanzado gracias a la incoherencia de la enunciación, pero mantuvo la vigencia de las leyes sintácticas. Neruda, por lo tanto, a la vez que habría trasladado el fenómeno de la no–coherencia al nivel de la gramática del discurso, intentaría una transformación del sistema comunicativo, en las huellas de la consigna de "brouiller l'ordre des mots", lanzada por Rimbaud. Aunque no sean ésos propiamente los elementos nuevos de ese texto, el hecho es que la situación histórica en el momento de su aparición no permitió constituir, a los que realmente lo eran, en una novedad, ni ésta fue captable como tal. Inclusive ni siquiera se le dio al texto de Neruda un status dentro de los ismos latinoamericanos. Ha sido en el curso del proceso histórico en que la poesía de Neruda llegó a tomar significación mundial y en que se desarrolló una nueva prosa en Latinoamérica, que *El habitante y su esperanza* dejó de resultar una pieza marginal en la obra del poeta y prescindible en el desarrollo de la literatura del continente. Es decir, que con la transformación del código de normas estéticas ha tenido lugar un cambio de perspectiva del pasado histórico-literario, especificado de acuerdo con necesidades e intereses socio-históricos. La observación hecha en los años veinte sobre la sintaxis tiene así en realidad una vigencia distinta y el problema de la especificidad de ese texto se sitúa a otros niveles. Encontramos una imaginería que hoy nos resulta surreal, pero que permanece también cercana al mundo de la Naturaleza y dotada de rasgos románticos. En ello contrasta con lo que constituía la búsqueda de *le merveilleux quotidien* del Yo surrealista, ajeno a todo contacto con la Naturaleza, como se ve en *Le Paysan de Paris*, publicado por Aragon el mismo año en que circuló la nouvelle de Neruda. Además esas imágenes no tienden a hacerse autónomas, como en el surrealismo, sino que actúan a modo de núcleos significantes. Por eso, a pesar de que se trata de una *nouvelle* con un desarrollo cronológico y un clásico punto de conversión, el espacio dedicado a la descripción de la Naturaleza y el final catártico y surreal a un mismo tiempo, nos confrontan con algo inesperado. La situación del narrador tiende a servirle de espejo a la existencia personal del escritor, de modo que aquél y el Yo lírico resultan cercanos. Fuera de constituir, por su escritura y su rompimiento con las formas de lectura dominantes en la prosa narrativa de los veinte, un documento de primordial importancia acerca de nuestro proceso histórico-literario, el texto de Neruda ofrece otro interés suplementario. Superadas las reducciones del texto literario a un substrato psicoanalítico o a un elemento dentro de la biografía –así se la califique de "espiritual"– del autor, la *nouvelle* de Neruda invita a adentrarnos en ella provistos de las categorías de la ciencia del inconsciente para abordar las cuestiones relativas a una teoría del sujeto que escribe. Esta se relaciona con aquel "autor como fantasma" a que se ha referido Elisabeth Roudinesco[26], y ha sido evocada indirectamente a propósito del texto de Neruda por Lilia Dapaz Strout en su ponencia al Congreso del IILI en 1977.

En 1925 el acontecimiento literario en la provinciana Caracas del dictador Juan Vicente Gómez se llamó *La trepadora*, así fueron muy pocos los ejemplares que circularon y, en 1929, *Memorias de Mamá Blanca*, mientras a nivel latinoamericano lo fue en ese mismo año la edición española de *Doña Bárbara*. No lo constituyó en manera alguna a ninguno de esos dos niveles, entre esas dos fechas, la publicación en París en 1927 –un año después de la aparición, también en la capital francesa, de *Maelstrom*, cima de la prosa vanguardista latinoamericana, un año antes de *Macunaíma*–, de *Tienda de muñecos* de Julio Garmendia. Los modelos de expectación estética, y la función comunicativa y social de la literatura narrativa en Hispanoamérica, estaban en trance de ser codificados desde fines de la segunda década del siglo, a partir de una novelística que se produce antes que en ninguna otra parte en Chile y en la Argentina. La sellan los ideologemas liberales–románticos que van a resultar modificados por los del nuevo americanismo, y ya podía verse que su dominio no iba a ser excesivamente largo. En el retrasado caso venezolano, *Doña Bárbara*, a pesar del recurso a la noción de intrahistoria, tenía que resolver en un plano "espiritual" el antagonismo civilización–barbarie, ante la imposibilidad real de que se lo superara social y políticamente. Ya a finales de los treinta se va a identificar a Santos Luzardo con el partido Acción Democrática. Los lectores de las capas medias muy recientemente surgidas que tuvieron entonces acceso a la Universidad, imbuidos del idealismo reformista y utópico de Córdoba, al juzgar anticuada la prosa modernista de un Gómez Carrillo, sólo sancionaban el proceso de agotamiento funcional de su temática, sus formas y procedimientos, ante el empuje de la problemática latinoamericana de comienzos de los veinte. Los mismos críticos ya establecidos y que habían podido acompañar las últimas manifestaciones del modernismo –así lo testimonia el propio Julio Planchart– debieron reajustar su instrumental interpretativo. El consenso logrado después de 1935 entre la opinión pública literaria, en un momento en que coinciden ideológicamente en torno al antifascismo y la industrialización las jóvenes burguesías nacionales y el nuevo proletariado latinoamericano, convirtió así a las novelas de Gallegos, Rivera y Güiraldes en ejemplos canónicos. Es también el momento de la promoción de la llamada novela de la segunda etapa del modernismo brasileño.

Los cambios cumplidos en el curso de cuatro décadas en la recepción de sus tan disímiles obras, sólo es posible explicarlo mediante el análisis de las opciones temáticas y del funcionamiento de las estrategias narrativas y del efecto de las grandes síntesis históricas de Venezuela emprendidas por Gallegos y de las prosas cortas de Garmendia del año 27. Las lecturas que se hicieron entre 1930 y 1950 de las grandes novelas de Gallegos están todavía por inventariarse, de manera que se establezca tanto los intereses sociales y el sistema crítico que las orientó como los resultados a que pudieron llegar. Sin embargo puede decirse, en líneas generales, que el modelo que las rige es el de constitución de ese canon al que aludimos y de su afianzamiento clasicista. Otro muy distinto el caso de los cortos textos de Garmendia. Debió transcurrir más de un cuarto de siglo desde su publicación para que se comenzara a interpretar a Garmendia parcialmente, al nivel de la crítica y la historiografía, con la acentuación de muy determinados aspectos de su obra. A comienzos de los cincuenta se vio *Tienda de muñecos* a la luz de *La Tuna de Oro* (1952), y los relatos de este segundo libro se leyeron bajo la lente de la tradición regionalista propiamente venezolana, sus conflictos, el dibujo de sus tipos, etc. Es ese aspecto el que se aplaude entonces en Garmendia, es decir, se lo somete al código definido por Gallegos y la noción del realismo que se hacía depender de él. Sólo llegados los sesenta y setenta, en una constelación histórico–social y literaria diferente, habrá por fin ya no sólo una interpretación historiográfica o crítica sino una recepción propiamente dicha, con las deformaciones inherentes a toda reproducción parcial y partidista del pasado. En ella se privilegiará en *Tienda de muñecos*, entre otros, el elemento fantástico, el cual funciona en algunos de sus cuentos, como lo ha sabido establecer Manuel Bermúdez, como sistema de connotación[27]. Es en medio del intento de que la nueva narrativa venezolana lograra conectarse de alguna manera con el desarrollo por el que atravesaba la novela en el resto de Latinoamérica que el paradigma de lectura cambia y se descifra ese libro en esta otra forma. Ha sido por lo tanto dentro del proceso de cambio de función de la literatura y con él, de la transformación consciente del horizonte de las experiencias estéticas, como se llega a proyectar sobre las prosas de Garmendia del año 26 una problemática ajena a ellas y como se las deforma necesariamente en busca de un ancestro. Fue de esa manera como se suscitó un interés en recibir su obra y se la sometió a los cartabones de una nueva problemática estética e ideológica, corolario indispensable del hecho mismo de que el proceso históricamente posibilitado y condicionado de constitución del sentido de un texto sea siempre un proceso dialógico. Si en un momento la narrativa venezolana llegó a padecer de un "Complejo de Garmendia", fue entonces justamente en la medida misma en que Lacan ha podido referirse al "Complejo de Edipo" como a un "mito". Sólo tras cumplirse ese proceso en su caso y en el de otros, como se ve en las relecturas de Arlt, Emar, Macedonio Fernández, Felisberto Hernández, de los cuentos de Fuenmayor, de la novela de Eduardo Zalamea, o de un texto mayor como *Pequeña sinfonía del Nuevo Mundo* (1932), de Cardoza y Aragón, el horizonte de la actual narrativa latinoamericana y su historia propiamente dicha cambia. Aparece no apenas roto por supuestas experiencias "anticipatorias" de un código que se tornará dominante hacia fines de la década del cincuenta. Por *Memórias Sentimentais de João Miramar, Serafim Ponte Grande, Tres inmensas novelas* e inclusive *Cagliostro, algún conto* de Drummond de Andrade o una *nouvelle* de Neruda. Simplemente se descubre que la historia de nuestra narrativa y de nuestras letras es otra, fenómeno del que sólo puede acertar a dar cuenta un concepto dialéctico de la historia de la literatura, constituido a través del establecimiento de la mediación histórica entre el efecto pasado y la existencia presente de las obras[28].

Para abordar el segundo núcleo de cuestiones, el relativo a las sucesivas lecturas de un texto, vamos a reducirnos casi, con una única excepción, a materiales del siglo XIX. Lo que aquí nos interesa sobre todo señalar es que suele ocurrir que la consideración de esa sucesión de lecturas haga aparecer, en contraste con un cúmulo de dificultades y resistencias, la cristalización paulatina o repentina –históricamente determinada–, de elementos que resultan definitivos. Ese proceso es inseparable de aquél en que se desarrollan dentro del proceso científico-social nuevos métodos de interrogación y, más en general, ciencias cuya existencia misma y cuya eficacia eran poco menos que absolutamente desconocidas e insospechadas en Latinoamérica en el momento en que esos textos fueron escritos. Ambos procesos a su vez se relacionan con el surgimiento dentro del proceso de producción y recepción literarias en una sociedad dada, de nuevas formas de la práctica literaria. Esto no implica obviamente ningún pretendido encerramiento en una evolución científica o literaria puras. No indica en realidad otra cosa sino que esa significación inesperada que el texto hace por fin accesible, no se hallaba perdida, oscurecida o latente: es producida, literalmente, por la nueva práctica crítica. Por eso mal puede considerársela resultado de la inventiva personal –auténticamente poética en casos como el de Pignatari–, o de la información –Lacerda Carollo lectora de Alencar, Jean Franco lectora de Vallejo, para mencionar un caso más cercano–, sino de la presencia de nuevos intereses sociales e ideológicos que llevan a que se articule una relectura del tipo de las que venimos considerando. Con reservas respecto a su concepto de los objetivos de la crítica y en materia teórico-literaria, *Re/visão de Sussandrade* (1964), de Augusto y Haroldo de Campos, constituye una demostración ejemplar, con su establecimiento de una legibilidad que escapó no sólo a su contemporáneo Silvio Romero, sino imposible de hallar durante casi tres cuartos de siglo.

En cuanto al surgimiento de nuevas significaciones gracias al recurso, a un determinado nivel de la historia de la recepción y de la interpretación cumplida por la crítica y la historiografía, de técnicas y posibilidades de desciframiento con una fundamentación teórico-metodológica impensable en el momento de aparición de los textos, recientes estudios sobre Frei José de Santa Rita Durao, Blest Gana, Jorge Isaacs, Sarmiento y Machado de Assis pueden servirnos de ilustración. En el caso de este último sólo nos ocuparemos de un aspecto marginal: la investigación sobre su obra está en trance de hacer cristalizar problemas y hasta enigmas que permitirán una comprensión mucho más cabal de nuestro proceso histórico literario. Al ocuparse de *Caramuru*, poema épico del descubrimiento de Bahía, publicado en Lisboa en 1781, Candido comenzaba por comprobar una aparente paradoja:

> E curioso que o *Caramuru*, de Frei José Santa de Rita Durao, haja sido pouco apreciado no seu tempo, indo ter, quase meio século depois de publicado, um papel eminente na definição do caráter *nacional* da nossa literatura. Os estudiosos cohecem a abundancia, durante o Romanticismo, de referencias a Durao e a Basilio da Gama como verdadeiros poetas *nacionais*, precursores e, mesmo, secundo alguns, fundadores da tendencia que entao se preconozava[29].

Para plantear la cuestión Candido recurre a las categorías de "estructura litéraria" y "função histórica". Al no tratarse a secas de "estructura" y "función", vemos entonces que, aunque se calcan directamente de la conceptualización del estructuralismo francés de los sesenta cuando intentó enfrentar la relación producción-recepción reduciéndola a un proceso autónomo inmanente, Candido emplea tales categorías para aludir de manera histórica a ese complejo de interrogaciones. De allí la discordancia entre sus brillantes resultados analíticos prácticos y su esfuerzo para teorizarlos. Pues con un rigor ejemplar el historiador literario brasileño demuestra que lo que señalábamos más arriba como una paradoja

> . . .foi possível graças as suas características, que permitiram submete-lo a um duplo aproveitamento, estético e ideológico, no sentido das tendencias nacionalistas e romanticas[30].

Después de examinar con lujo de detalles los elementos básicos del Poema —Colonización, Naturaleza, figura del Indio—, y el papel de principios estructurales activos que llegan a adoptar en *Caramuru*, lo mismo que la coincidencia de su principio organizador —que hace depender de la noción de ambigüedad— con la ideología de tipo religioso que se articula en el texto, y establecer su proceso mismo de recepción por parte de los románticos franceses y brasileños, Candido concluye:

> . . .na formação de uma consciencia literária da autonomia, eclodida com o Romanticismo, o *Caramuru*, que teve entao o seu grande momento, desempenhou uma função importante, graças ao carater de paradigma, ressaltado pelos referidos (Ferdinand Denis, Francois Eugene Garay de Monglave, Gavet y Boucher. CR) escritores franceses. Isto foi possível, em grande parte, por causa da naturaleza ambígua do poema, tanto na estrutura quanto na configuração do protagonista. Daí terem podido os precursores franceses e os primeiros romanticos brasileiros operar nele uma dupla distorção, ideológica e estética. Ante um poema que podeira ser tomado, tanto como celebração da colonização portuguesa, quanto como afirmação nativista das excelencias e peculiaridades locais, optaram pelo segundo aspecto, encarando a obra como apopéia indianista e *brasileira*. De outro lado, no complexo estético da apopéia, apegaram-se de preferencia ao elemento novelístico e ao toque exótico, vendo nela uma espécie de pré-romance indianista[31].

En su análisis de *Martín Rivas* (1862), "la obra más representativa del siglo XIX chileno", Jaime Concha consigue leer el texto, a la luz de la ciencia de la historia, en su relativa autonomía histórico-literaria, y determinar lo que él mismo llama "el abismo abierto por esa crisis ideológica que es el motor secreto" de la novela[32]. Concha acierta así a superar una de las fallas fundamentales de los estudios literarios que trataban de tomar una orientación semejante a la practicada y desarrolla-

190

da por él: no separa lo que todavía llama la "visión del mundo" del escritor, de su relación con la práctica. Sin embargo, el crítico chileno da indirectamente ese otro paso que hace de la *Gestaltungstheorie* de Lukács, una versión idealista del marxismo en literatura: medir el enunciado literario con el metro de la "teoría del conocimiento"[33], por lo que acoge la noción de "figura típica" como conclusión de su estudio crítico. El recurso al instrumental de la economía política le permite hallar a otro crítico, el colombiano Gustavo Mejía, al leer de nuevo la obra de Isaacs, componentes básicos del motivo de la nostalgia de un mundo idílico, dentro del marco de la construcción ficticia[34], de manera que éste aparece fuertemente sellado por elementos de lo vivido autobiográfico. Sus primeros resultados contribuyen ya a situar en otra perspectiva las discusiones en torno al género propiamente dicho de *María* (1867), su significación frente a la novela y el idilio como formas épicas. Queda con todo por aclarar por qué *María* no es un simple residuo del pasado sino se ha continuado leyendo a lo largo de cien años, hasta hacer de ella la obra novelística más editada en la historia de las letras latinoamericanas. Jaime Concha, por su parte, tomando como punto de referencia al autor de *Martín Rivas*, avanza esta hipótesis generalizadora:

> El valor duradero de un escritor no reside en valores formales, sino en la sustancia y riqueza de relaciones histórico-sociales que su obra promueve[35].

La polémica contra las pretendidas formas atemporales y su belleza o perfección, el sustancialismo de las llamadas obras clásicas y la reducción de la literatura a una función práctica de documento de época, común a Candido y Concha, se abre hacia una problemática que creemos necesario precisar, dados sus alcances teórico-literarios. Trabajos como los que hemos mencionado hasta aquí son la más fehaciente de las pruebas de que la producción literaria no puede ser interrogada exclusivamente desde el punto de vista de la objetivación y la representación —o sus contrarios, al analizar textos de Libertella, de Nélida Piñón o una novela como *A Hora da Estrela* (1977)–, debe serlo ante todo como forma de práctica social, como fuerza que configura la Historia. Irreductible a otras prácticas, determinada a través de los aparatos ideológicos, y con un funcionamiento preciso dentro de las formaciones nacionales latinoamericanas, esa práctica conlleva una determinación precisa del proceso de mediación que se da en ella, históricamente, entre efecto y recepción. Este, lejos del intuicionismo de la estilística, o de las tesis ahistorizantes de la Poética sincrónica, debe comprenderse como un diálogo entre el texto pasado y el sujeto de un presente concreto. Pues lo cierto es que el texto sólo logra decir algo en la medida en que el sujeto lee en él, como lo muestra el análisis de Candido al que nos hemos referido, respuestas a interrogantes formulados desde su propia actualidad y dictados por sus propios intereses ideológicos y sociales, históricamente condicionados. Esa posibilidad está directamente ligada con la capacidad que posee el producto literario de programar y manejar su recepción, con el conjunto de funciones que puede llegar potencialmente −dada su constitución misma en cuanto proyecto de recepción, en el momento en que es producido−, a adoptar a través de las épocas. Es por eso que la categorización estructuralista se constituye en un obstáculo para Candido cuando aborda directamente este problema clave de la actual discusión teórica y metodológica. Según debe limitarse a señalar:

> . . .a função histórica ou social de uma obra dependa da sua estrutura literária. Devemos levar em conta . . . a diferença de perspectiva dos contemporaneos da obra, inclusive o própio autor, e a da posteridade que ela suscita, determinando variações históricas de fanção numa estrutura que permanece esteticamente invariável[36].

Pero justamente los elementos estructurales no son autónomos, ni formales ni inmanentes, y la noción de estética que trata de convertirlos en invariables depende ideológicamente en forma directa del sustancialismo. Como lo ha señalado desde 1969 Manfred Naumann:

> Lo "específico" de las estructuras literarias no consiste en que sean una construcción de elementos formales, sino en asumir funciones en la constitución del sentido de una obra. A través de ese sentido resulta mediatizada la función social de la literatura[37].

De ahí que la propia estética de la recepción, en la línea de Jauss, haya venido a considerar la noción de estructura de un texto como inestable y variable sincrónica y diacrónicamente.

Además de interpretaciones y lecturas generales, que son solamente un momento dentro de un proceso histórico, la utilización de nuevos métodos y formas de acercamiento a los fenómenos y productos literarios puede deparar también, en la sucesión de las lecturas y las críticas de una obra, la precisión de detalles particulares que a su vez remiten a una problemática siempre más general. Aunque tocado en alguna medida por el deductismo apriorístico en su desarrollo procedimental, Luis Medrano ha logrado desentrañar, al tratar el problema de la transformación de la realidad histórica en relato, la eficacia narrativa del episodio que cierra la segunda parte de *Facundo*[38]. El examen de su configuración lo lleva a realizar un inventario de mitemas y arquetipos que además de mostrar por qué ese efecto, siempre hasta ahora conseguido por el texto, logra cristalizar a un nivel inconsciente y realizarse a través de estructuras de la narratividad, que nos remite al problema que se planteaba en 1949 Pavese. El escritor italiano consideraba ya entonces imposible una "narración viva" que no posea "un fondo mítico", aunque arte y mitología sean dos cosas por completo diferentes. Igualmente, Décio Pignatari ha podido, a partir de la práctica de la poesía concreta brasileña en la primera etapa de su desarrollo, y de la semiótica, lograr la "desocultación" de dos "caligramas" eróticos en las *Memórias póstumas de*

*Brás Cubas* (1881), de Machado de Assis. En sus *Definitionen zur Visuellen Poesie*, Eugen Gomringer, antiguo colega de Pignatari en Ulm, se refería en 1972 al *tipograma* diciendo:

> . . .tipogramas son resultados de un trabajo particularmente intenso sobre la figura de las letras, lo mismo que sobre la oferta de las cajas de tipos y de los libros de tipografía. La poesía se descubre en las letras, se transforma y transforma imágenes textuales completas, que resultan en esa forma interpretadas simultáneamente. Los tipogramas pertenecen, en parte, a la escuela primaria de la poesía concreta, y en parte, representan su inclinación romántico-artesanal[39].

Pignatari registra en su análisis la forma como la extrapolación del código alfabético, en cuanto código puramente fonético, lo satura hasta convertirlo en manos de Machado de Assis en "tipoideografía"[40]. Escribir es aceptar trabajar el lenguaje, y mostrar ese trabajo como tal, según lo habrá de revelar abiertamente la práctica del *calligramme* de Apollinaire.

## IV

Por lo que podemos comprobar hasta ahora, tenemos entonces que la cuestión de las diversas lecturas de una obra en el curso de la historia, como problema histórico-literario y de teoría de la literatura, lleva a romper con la serie de interrogaciones inmanentistas y estructuralistas, e inclusive a variar el corpus sobre el que, desde esa otra perspectiva, se ha centrado el interés político-investigativo. Pero también quedan atrás las consideraciones que reducían la historicidad de la obra literaria a su aspecto puramente genético. Es de esa manera, por ejemplo, como al superarse el pseudoproblema constituido por los "orígenes" de la novela en Latinoamérica, se ha despejado un panorama de tradiciones narrativas propias y se ha hecho indispensable la relectura de la obra de los cronistas del siglo XVI al nivel del relato. O como la cuestión del escritor como lector, reducida dentro de la tradición positivista al establecimiento de "fuentes" e "influencias", se encuentra también desplazada, según podemos verlo en dos casos de la literatura de este siglo.

En la *Leyenda del Lugar Florido*, incluida por Asturias en la edición original de sus *Leyendas de Guatemala* (1930), la crítica positivista ha mostrado al escritor dejándose guiar por Bécquer (al nivel de la adopción del género de la Leyenda en prosa), aceptando la tutoría de Alfonso Reyes (su Anahuac le da animación al Atitlán de Asturias), y tomando detalles inclusive del *Rabinal Achí*. Ya al nivel de la significación de este hecho, las explicaciones tradicionales de la crítica permanecían excesivamente limitadas. Todo el proceso histórico-social e ideológico que permite que después de siglos, gracias a la intervención de esa "hija del colonialismo" (Lévi-Strauss) que es la antropología, y de una práctica poética de vanguardia basada en el empleo de la imagen, textos como ese último, dentro de los pasos iniciales de una lucha de liberación cultural y política, entren a formar parte de una nueva noción de la literatura, tenía que permanecerles extraño. Pero ya si vamos al texto mismo no basta con desechar la idea del escrito como propiedad exclusiva de su "Creador", del juego del debe y el haber literarios para superar el escollo que representa el comienzo del segundo párrafo, aquella frase a partir de la que la leyenda toma su desarrollo narrativo propiamente dicho. La escala que lleva de la determinación del tipo de texto a componer hasta los términos proposicionales y su lexicalización, nos pone ante un hecho inesperado, actuante ya al primero de esos niveles. Atitlán adoptando y transformando a Cartago, Asturias como lector de *Salammbó*.

| | |
|---|---|
| En lo alto del templo, un vigilante vio pasar una nube a ras del lago, casi besando el agua, y posarse a los pies del volcán. [Buenos Aires, 1973, p. 52] | L'Annonciateur-des-Lunes qui veillait toutes les nuits au haut du temple d'Eschmoun, pour signaler avec sa trompette les agitations de l'astre, apercut un matin, du coté de l'Occident, quelque chose de semblable a un oiseau frolant de ses longues ailes la surface de la mer [Paris, 1961, p. 118]. |

La nube se detiene, y al haberse posado da lugar a la imagen del sacerdote con brazos de alas de pájaro, y a la caída de la noche: "Y ya fue noche de mercado". Luego, la fiesta es interrumpida de improviso por "un vigilante": el volcán que rasga "las nubes" anuncia la llegada de "los hombres blancos", de "la guerra". Pero antes, en medio de la descripción de la ciudad florida, retornaba Cartago:

| | |
|---|---|
| Y las pausas espesaban la voz de los sacerdotes, cubiertos de mitras amarillas y alineados de lado a lado de las escaleras, como trenzas de oro, en el templo de Atit [54] | [ . . . ] les Anciens, a sa droite, formaient, avec leurs tiares, une grande ligne d'or [347]. |

Jamás Asturias hubiera dicho, como lo sostenía Lautréamont al romper radicalmente con la ideología literaria burguesa, que "el plagio es necesario". Pero la comprobación del encuentro Asturias-Flaubert/ Cartago-Atitlán/*Leyenda del Lugar Florido-Salammbó*, sólo tiene interés en la medida en que pueda contribuir a una comprensión histórica de la *Leyenda* de Asturias. Por eso no es suficiente la idea del texto como mosaico de citas y de la orientación de toda secuencia hacia la evocación de otra escritura (reminiscencia) y su transformación (agregado)[41]. Son elementos cercanos a lo que Lukács calificaba equivocadamente de "monumentalización decorativa" y "exotismo" en *Salammbó*, obra que marcaba dentro de sus esquemas la "decadencia" de la novela historica[42], los que a primera vista retiene Asturias. Pero lo que posibilita esa recepción y da impulso a su propio texto debe buscarse no del lado de las carencias de la prosa en lengua castellana en ese momento o de rezagos estilísticos del modernismo, sino del de los logros reales de Flaubert. A través del rodeo que constituyó la reconstrucción minuciosa de Cartago y de sus luchas en la época de las guerras púnicas, Flaubert logró presentar, con una visión de la historia correspondiente a la experiencia burguesa europea a partir de 1848, la lucha de clases de su propia época[43]. A través de la evocación idealizada de la vida diaria en el antiguo imperio maya, Asturias elabora dentro del espacio de la ideología americanista en constitución, bajo las especies de lo que Kunzmann ha llamado una "contradicción arqueológica"[44], las luchas propias de Latinoamérica en los años veinte.

Un caso absolutamente límite es el constituido por la interpretación crítica y la recepción —o no recepción— entre antillanos, norteamericanos negros y africanos de *Batoula*, de René Maran, toda vez que la problemática ideológica que elaboraba es anterior a esa nueva conciencia de raza y de resistencia a la asimilación que cristalizan, como primeros elementos en la génesis de la noción de *Négritude*, en torno a Césaire, en París, en el año 35. Como se desprende de los trabajos de Michel Fabre y Martin Steins[45] a la vez que la novela de Maran tiene el papel de un espejo proyectivo, vemos aparecer la noción de *Négritude* como indisolublemente unida a una situación específicamente antillana. Miguel Barnet ha tenido el acierto de señalar que la obra de Richard Wright constituye "el primer documento que expone a todas luces el dolor de la raza negra en América"[46], y su peso será decisivo en la constitución misma de la literatura chicana. Pero es sobre la base de una situación propia de las Antillas —de allí el encuentro entre los jóvenes de Martinica y los escritores jamaiquinos y haitianos— sobre la que también ha llamado la atención Barnet en alguno de sus artículos, en la que se incluyen problemas culturales de mestizaje, problemas raciales, y antagonismos de clase, que no se dan ni en los USA ni en el Africa a finales de los treinta, como tomará un contenido semántico específico la noción de *Négritude*. Así determinada la génesis de esa ideología, inspiradora ya directamente de *Cahier d'un retour au pays natal* (1939), pueden especificarse tanto su rendimiento como sus límites y apreciar en todos sus alcances empresas como las de Glissant, desde los ensayos reunidos en *Soleil de la conscience* (1956) hasta los que aparecen en *L'Intention poétique* (1969), o en textos de ficción como *Le quatrieme siècle* (1964), que no sólo han clausurado y superado una etapa histórica sellada por esa ideología sino que han conducido a una nueva problemática. Al mismo tiempo, el reexamen de la crítica de la novela de Maran pone de presente que las diversas lecturas, aunque se contradigan abiertamente, no lo hacen en forma arbitraria, y como hay en su aparente desorden una relación histórica: se completan entre sí y marcan un acercamiento a la realidad de su objeto.

Esta última observación es válida inclusive para esa forma tan particular de crítica y de lectura que suponen las adaptaciones que hoy se realizan para el cine y la televisión, y que forman parte también de la historia de la recepción de una obra. En esas adaptaciones, la herencia literaria resulta redeterminada y reinterpretada, como puede apreciárselo en el caso de *Macunaima*, filmada por Joaquim Pedro de Andrade, dentro del espíritu del *tropicalismo*. Este ha sido definido retrospectivamente por Glauber Rocha, después de la desaparición del Cinema Novo entre otras múltiples consecuencias del AI-5, como sigue:

> Este movimiento comenzó a partir de *Tierra en trance*, conjuntamente con los esfuerzos que se hacían en el terreno de otras manifestaciones artísticas como la música y el teatro. Las características de ese movimiento eran de tipo político, se identificaba profundamente con las realidades antropológicas y sociales, los caracteres psicológicos del pueblo brasileño. También significaba un espíritu político muy desarrollado, porque el *tropicalismo* era la recuperación del movimiento modernista de 1922, donde por primera vez se producía una ruptura del arte brasileño con el colonialismo europeo. En esta fase nosotros habíamos recuperado el espíritu *tropicalista*, que era lo que había de más subversivo[47].

Esa experiencia está de todas maneras presente en trabajos más recientes, trátese del film realizado sobre *Dona Flor e seus dois maridos* (1977), o de la serie de televisión sobre *Gabriela, cravo e canela* (1976), obras de Amado, cuya difusión resulta determinante para la historia de su recepción.

La problemática que aquí hemos bosquejado la había sabido señalar ya desde 1935 Alejo Carpentier. En una época de reorientación general de la vanguardia, planteó la cuestión de la recepción y del efecto de la literatura no sólo a partir de la consideración de la relación obra-lector. Carpentier vio además que la obra no es una constante y el lector una variable, y que el establecimiento de la significación de una obra depende de su recepción concreta. En el mismo artículo en que Carpentier, dentro de su amplísima producción periodística y crítica, invocó por vez primera directamente el materialismo histórico para reclamarse de él, se refirió a este tema. Para ello empleó conceptos acuñados por Freud durante la primera etapa de sus estudios sobre el sueño, y puestos más tarde en circulación por los surrealistas:

> Cerca de cuatro siglos fueron necesarios para que el "contenido latente" de la obra del Greco se revelara. Cincuenta años para que comprendiéramos el alcance verdadero de un poeta casi contemporáneo como Arturo Rimbaud. Y sin embargo, no está demostrado aún que el interés actual que nos lleva a admirar las producciones de esos creadores los haya instalado definitivamente en el sitial que los hemos colocado. Tal vez sus obras tengan todavía un "contenido latente" que no percibimos. Que se revelará dentro de años, varian-

do totalmente el género de admiración que por ellos sentirán los hombres[48].

El proceso de transformación del corpus a examinar, de los métodos y categorizaciones para abordarlo, la redefinición del objeto de los estudios literarios con que aquél se relaciona, y el cambio de la noción de la literatura al que remite, han articulado intereses sociales muy amplios. Estos acaban de sufrir en los años recientes en Latinoamérica una derrota que ha puesto fin a todo un ciclo histórico. Si en las universidades de El Salvador, Honduras, Nicaragua y Guatemala, ha sido obviamente imposible estudiar una narrativa en que se incluyen *Tiempo de fulgor* (1970) y *¿Te dio miedo la sangre?* (1977), de Sergio Ramírez, *El valle de las hamacas* (1970) y *Caperucita en la zona roja* (1977), de Manlio Argueta, *Trágame tierra* (1967) y *Balsa de serpientes* (1976) de Lizandro Chávez Alfaro, lo mismo que los libros de Roque Dalton y Julio Escoto, y la crítica a *Ceremonia de casta* (1976), de Samuel Rovinski, la ha debido asumir Cortázar, en las universidades del Cono Sur, sometidas a los dictados de la doctrina de la Seguridad Nacional, son difícilmente concebibles estudios del tipo de los que hemos mencionado más arriba. Al mismo tiempo, el proceso restauracionista en el campo ideológico es ampliamente orquestado.

La misma revista *Ercilla* debía reconocer a fines de 1977 que los 11 millones de dólares destinados en Chile en 1970 a la importación de libros se habían reducido en el primer semestre de ese año a millón y medio[49], mientras su precio es un 30 por ciento más alto que en los USA, y los 1.497 títulos impresos en el país en 1965 se redujeron una década más tarde a 618. Pero en otra de sus entregas la misma publicación, antes de realizar una apología de una práctica de la literatura comparada basada en el divorcio entre "lo literario" y "lo social" como alternativa para la investigación y la crítica, proponía este retrato de la situación de aquéllas en Chile:

> . . .el estructuralismo, o por lo menos su forma *chilensis*, da por agotada la discusión sobre el verdadero, único y eficaz método de análisis literario, desdeñando lo que no sea su propio en-sí [ . . . ][50].

Sería esa polémica académica, entonces, y no el aplastamiento, la represión y el exilio masivo de quienes estaban vinculados a un movimiento investigativo democrático, lo que caracterizaría la situación actual en Chile.

En esta coyuntura hay un elemento que toma una significación preponderante y que debe intentar calibrarse con alguna precisión: el peso cuantitativo y cualitativo que adquieren los estudios sobre nuestra literatura realizados en los USA. Es sabido que en los sesenta la producción de conocimientos en el campo de las ciencias sociales y políticas resultó inscrita en calidad de medida de flanco dentro de la estrategia general de la *Counterinsurgence*, aspecto central de la política de desarrollo formulada entonces para Latinoamérica. Fueron los años en que, coincidiendo con el golpe de estado en el Brasil, y en vísperas de la invasión de diez mil marines a Santo Domingo, Charles Wagley, de Columbia University, afirmaba:

> Nunca antes fue tan importante el conocimiento y el saber sobre las sociedades latinoamericanas para los USA ( . . . ) El futuro de las naciones latinoamericanas y su rápidamente creciente población es decisivo para nuestro *way of life*. El futuro de Latinoamérica es decisivo para nuestra seguridad. Nuestras instancias decisorias, a muchos niveles del régimen, de la economía y de las fundaciones privadas, requieren conocimientos sobre las sociedades latinoameri-canas. Muchos investigadores han "descubierto" a Latinoamérica y preparan actualmente estudios sobre este campo de tan inmenso interés estratégico[51].

Inútil hablar de los planes Camelot y Lazo, de conocidas investiga-ciones financiadas por The US Air Force. En cuanto al estudio propia-mente dicho de la literatura latinoamericana, después del incremento masivo en las universidades de los USA de los cursos de lengua, la financiación de los departamentos universitarios que debían ocuparse de la cultura y la literatura latinoamericanas creció de modo considera-ble. Se inició así, paralelamente a la redefinición general del sistema universitario norteamericano —edificación de la *Big Science*, reducción de las ciencias sociales al "social engineering"—, una operación de definición de problemas a investigar, hipótesis explicativas y formas de análisis e interpretación. A más de tareas internas de producción, correc-ción y reproducción de una imagen de Latinoamérica y de posibilitar el diálogo académico con las minorías chicana y puertorriqueña, ese traba-jo asumió, independientemente de la voluntad subjetiva de muchos científicos de valor, una función estratégica: la exportación de hecho hacia Latinoamérica de orientaciones para la investigación que tendie-ron a redeterminar el interés cognoscitivo hacia nuestras propias letras. Sólo en fecha muy reciente, y cuando ya las motivaciones para el interés hacia Latinoamérica y más en general los estudios de Letras y Humanida-des, por razones diversas, ha disminuido en los USA, se ha comenzado a examinar la historia de esa Latinoamericanística. Tarea por demás nece-saria dada la significación que ya tiene y que está destinada a acrecentar-se en los próximos años.

# NOTAS

[1] Afrânio Coutinho, *Da Crítica e da Nova Crítica*. Rio de Janeiro, 1975, p. 93 (Coleção Vera Cruz, 9).

[2] *Ibid.*, p. 92.

[3] Luis Alberto Sánchez, "La narración y el episodio". En: *El Nacional*, Caracas, 28 XI. 1977.

[4] Eduardo Chamorro, "Vargas Llosa: Ganar tiempo, saquear la vida". En: *Cambio 16 Internacional*, 311/1977, p. 32.

[5] Roman Jakobson, "Post-scriptum". En: R. Jakobson, *Questions de Poétique*, Paris, 1973, p. 486.

[6] Ricardo Soler, "Problemas de la crítica y sus niveles. El cientificismo y la fantasía". En: *Taller*, I (1972) /2, p. 3.

[7] *Ibid.*, p. 5.

[8] Un resumen general acerca de la discusión y nuevos puntos de partida metodológicos ofrece Robert Weimann, *Literaturgeschichte und Mythologie. Methodologische und historische Studien*. Berlin-Weimar, 1971.

[9] *Ibid.*, p. 10.

[10] Ralph Cohen, A Note on "New Literary History". En: *New Literary History*, I (1969-70) /1, p. 6.

[11] Sobre las posiciones de Frye cfr. la crítica formulada inicialmente por Robert Weimann en *Sinn und Form*, XVII (1965) /3-4, ampliada y refundida en "Literaturkritik als historisch-mythologisches System". En: R. Weimann, *Literaturgeschichte und Mythologie. Methodologische und historische Studien*. cit., pp. 342-363.

[12] Sobre esta etapa del proceso argentino, cfr. los materiales publicados en *Peronismo auténtico*, I (1975) /1.

[13] Graciela Maturo, "Hermenéutica y crítica literaria". En: *Megafón*, I (1975) /1, p. 9.

[14] *Ibid.*, p. 10.

[15] *Ibid.*, pp. 10 y 11. El subrayado es de la autora.

[16] *Ibid.*, p. 11.

[17] *Ibid.*, pp. 17-18.

[18] *Ibid.*

[19] *Ibid.*, p. 11.

[20] Octavio Paz, "La nueva analogía". En: *ECO*, XVI (1967) /92, p. 114.

[21] Cfr. Lupe Rumazo, *Rol beligerante*. Caracas, 1975, p. 52 ss.

[22] En: *L'Humanité*, París, 13-14. V. 1976 y 10. X, 21. XI, 28. XI, 1975.

[23] Cfr. M. Naumann, *et alii, Gesellschaft-Literatur-Lesen. Literatur-rezeption in theoretischer Sicht*. Berlin-Weimar, 1975, pp. 164-178.

²⁴ Esteban Toro, "¿Pro o contra las vanguardias?" En *Aquelarre*, II (1976) /2, p. 16.

²⁵ Guillermo de Torre, "Poemas en mapa. Chile: Esquema panorámico de la nueva poesía chilena". En: *La Gaceta Literaria*, Madrid, 15. VII. 1927.

²⁶ Cfr. Elisabeth Roudinesco, "Catharsis, distanciation, identification". En: *Action poétique*, 58/1973, p. 59.

²⁷ Manuel Bermúdez, "El cuento como poema". En: *Imagen*, 31-32/1972, p. 17.

²⁸ En ese sentido, marcado ya por estudios como el editado y coordinado por Manfred Naumann (cfr. N⁰ 23), intentan orientarse trabajos recientes de Hans Robert Jauss como "Der Leser als Instanz einer neuen Geschichte der Literatur". En: *Poetica*, VII (1976) /4, pp. 325-344.

²⁹ Antonio Candido, "Estrutura literária e função histórica". En: A. Candido, *Literatura e Sociedade. Estudos de teoria e história literaria*. São Paulo, 1973, p. 169.

³⁰ *Ibid.*, p. 172.

³¹ *Ibid.*, pp. 191-192.

³² Jaime Concha, "Martín Rivas o la formación del burgués". En: *Casa de las Américas*, XV (1975) /89, p. 8.

³³ Cfr. Ingeborg Münz-Koenen, "Auf der Wege zu einer marxistichen Literaturtheorie. Die Debatte proletarisch-revolutionärer Schrifsteller mit Georg Lukács". En: W. Mittenzwei (Ed.), *Dialog und Kontroverse mit Georg Lukács. Der Methodenstreit deutcher socialistischer Schrifsteller*. Leipzig, 1975, pp. 138-142.

³⁴ Gustavo Mejía, "La novela de la decadencia de la clase latifundista: *María* de Jorge Isaacs". En: *Escritura*, I (1977) /2, pp. 261-279.

³⁵ Jaime Concha, "Martín Rivas o la formación del burgués", cit., p. 17.

³⁶ Antonio Candido, "Estrutura literária e função histórica", cit., p. 169.

³⁷ Manfred Naumann, Strukturalismus - bürgerliche Modephilosophic. En: *Forum*, XVI/1969, p. 19.

³⁸ Luis Medrano. "El arte de contar de Sarmiento". En: *Congreso del Instituto de Literatura Iberoamericana*, XVIII. Rio de Janeiro, 1977 (manuscrito).

³⁹ Eugen Gomringer, *Konkrete Poesie*. Stuttgart, 1972, p. 164.

⁴⁰ Décio Pignatari, "As decifrações semióticas". En: D. Pignatari, *Semiótica e literatura*. São Paulo, 1974, p. 101 ss. (Debates, 93.)

⁴¹ Cfr. Julia Kristeva, "Bakthine, le mot, le dialogue et le roman". En: J. Kristeva, *Seméiôtiquê. Recherches pour une sémanalyse*. Paris, 1969, pp. 164-165, 181-182.

⁴² Cfr. Georg Lukács, *Der historische Roman*. Berlin, 1955, pp. 194-212.

⁴³ Jean Thibaudeau, "Lukács le roman historique et Flaubert". En: J. Thibaudeau, *Socialisme, avant-garde, littérature. Interventions*. Paris, 1972, p. 140 ss.

⁴⁴ Cfr. Ulrich Kunzmann, "Acerca de la concepción del realismo mágico en la novela *Hombres de maíz* de Miguel Angel Asturias". En: *Beiträge zur romanischen Philologie*, XII (1973) /1, p. 97 ss.

⁴⁵ Cfr. Michel Fabre, René Maran, "Trait d'union entre deux Négritudes". En *Négritude Africaine - Négritude Caraïbe*. Paris, 1973; Martin Steins, "Permanences de l'imagerie africaine". En *Congres de l'AILC*, VII. Montreal-Ottawa, 1973.

[46] Miguel Barnet, "Una epopeya constante". En: *La Gaceta de Cuba,* 150/1976, p. 14.

[47] En: *Casa de las Américas,* XII (1972)/70, p. 182.

[48] Alejo Carpentier, "Victor Hugo, figura de actualidad". En: *Carteles*, La Habana, 22. IX. 1935.

[49] En *Ercilla,* Santiago, 4. X. 1977.

[50] En *Ercilla,* Santiago, 8. XII. 1976.

[51] En: Charles Wagley (Ed.), *Social Science Research on Latin America.* New York, 1964, pp. 1-4.

AGUSTIN CUEVA


# EL METODO MATERIALISTA HISTORICO
# APLICADO A LA PERIODIZACION DE LA HISTORIA
# DE LA LITERATURA ECUATORIANA:
# ALGUNAS CONSIDERACIONES TEORICAS*


LA PRINCIPAL DIFICULTAD del método materialista histórico aplicado a la resolución de un problema como el de la periodización de una historia de la literatura (en este caso la ecuatoriana), es la de su complejidad teórica. Esta se deriva, en lo sustancial, de la aspiración del materialismo histórico a comprender la sociedad en los siguientes términos:

Primero, como una totalidad articulada, es decir, como una *estructura* compleja en la cual cada elemento que la conforma no puede ser estudiado aisladamente, sino con relación a un todo que le confiere sentido.

Segundo, como una estructura jerarquizada, en la que hay un sistema regulado de determinaciones y predominios que confieren un diferente estatuto teórico a cada elemento o nivel: predominio de determinado modo de producción en una formación social dada; predominio de la infraestructura sobre la superestructura; predominio de tal o cual aspecto de una contradicción, etc.

Tercero, como una estructura dinámica, o sea, en perpetuo movimiento, lo cual pone de relieve la compleja cuestión de la relación entre estructura y procesos.

Cuarto, como una estructura contradictoria, movida precisamente por el desarrollo de un conjunto siempre articulado, pero a la vez dinámico, de contradicciones.

Estas características de la sociedad exigen, por lo demás, la aplicación de un método especial de análisis, que es el método dialéctico, único capaz de captar, sin mecanicismos ni unilateralidades, la enmarañada realidad del flujo histórico. Se trata, por este camino, de recuperar la riqueza de lo real, superando, sin disolverlas, las primeras antinomias

\* *Casa de las Américas*, XXII, núm. 127 (1981), pp. 31-48.

aparentes que el propio pensamiento teórico ha creado en su esfuerzo por captar la realidad: determinante/determinado; infraestructura/superestructura; estructura/procesos.

En el plano de la periodización –que es el que aquí interesa directamente– los señalamientos anteriores nos permiten obtener, por el momento, algunas pautas de orden general. En primer lugar, tenemos los grandes cortes históricos que están determinados por el cambio del predominio de un modo de producción por otro en la formación social dada, a través de cierta fase de transición. Por ejemplo, el paso de una sociedad del feudalismo al capitalismo, a través de un proceso de acumulación originaria.

En segundo lugar, los períodos más cortos –comprendidos dentro de los anteriores– y que están marcados por los cambios en las modalidades de desarrollo de determinado modo de producción. Por ejemplo, ciertos cambios en la "vía" de desarrollo del capitalismo, o una mutación significativa en la modalidad de acumulación de capital.

En tercer lugar, están los períodos menores, determinados por los movimientos cíclicos de cada modalidad de desarrollo. Por ejemplo, el ciclo ascendente o declinante de cierta modalidad de acumulación de capital.

En cuarto y último lugar, tenemos los movimientos estrictamente coyunturales, que corresponden a modificaciones temporales en las correlaciones de fuerzas, que pueden o no producir cambios en la articulación global de las contradicciones sociales.

Como se verá, hay aquí un esquema de periodización que busca aprehender los "cortes" del proceso histórico en sus distintos niveles, yendo de las determinaciones más "estructurales" a las más "coyunturales", del largo plazo al corto plazo. Por demás está decir que las líneas del proceso se vuelven tanto más complejas cuanto más corto es el plazo en el que nos situamos.

Esto, en lo que concierne a la periodización en general. Cuando se trata de aplicar este esquema a un campo tan específico como el de la literatura, obviamente surgen nuevos problemas y, en primera instancia, el de la relación que guarda el movimiento global señalado con el movimiento ya más concreto y *sobredeterminado* de una esfera cultural concreta como la mencionada.

Por más superfluo que ello pueda parecer, es necesario advertir que sería del más tosco mecanicismo suponer que el predominio de la infraestructura sobre la superestructura se traduce por una relación de reproducción automática, o de reflejo pasivo, de la segunda instancia con respecto a la primera. Esto es absurdo por dos razones. Una, que la propia infraestructura es demasiado compleja y contradictoria como para ser simplemente "calcada" por la superestructura. Otra, que la superestructura es también harto compleja y aún más contradictoria, como para que una sola de sus esferas pueda producir aquel "reflejo". De hecho, la superestructura en su conjunto contiene tantos elementos de

203

"mediación" y "tradición" (acumulación cultural), que se torna prácticamente imposible, un reflejo simplemente, especular de la sociedad en la literatura. La "creación" literaria es por lo demás una práctica, en el sentido más fuerte del término, y no una práctica cualquiera, sino una que por principio tiende no sólo a capturar la realidad sino también, en cierto sentido, a trascenderla, es decir, a transformarla. Sólo que, para entender esos mismos esfuerzos de transformación, de trascendencia, hay que partir de las determinaciones estructurales que constituyen, en última instancia, el horizonte y a la vez la materia prima del quehacer literario. De modo que, desde esta perspectiva, la literatura no sale "empobrecida" de un análisis a la luz del materialismo histórico, sino más bien enriquecida: a menos, claro está, que uno conciba la grandeza humana como una cómoda instalación en el nirvana o la ingravidez social y no como una lucha perpetua por hacer y rehacer la historia, en condiciones concretas y determinadas.

Propongo, pues, que veamos a la infraestructura económico-social como una matriz de base, dialéctica, que a través de múltiples "mediaciones", o sea, de determinaciones de diverso grado, termina por delinear la configuración de cierto espacio (o campo) superestructural en el cual han de desenvolverse las prácticas que denominamos literarias. ¿De qué maneras concretas ocurre esto? Sin pretensión de exhaustividad voy a señalar algunos niveles en que la matriz infraestructural interviene para delinear cierta configuración de lo literario.

En primer lugar, esa intervención aparece en la definición misma de lo que ha de entenderse por "literatura", es decir, en la fijación de fronteras entre lo literario y lo no literario, asunto que no es nada "natural" ni "obvio". ¿Es o no literatura una prosaica crónica de la Conquista, que desde luego no tuvo la menor intención de producir efectos estéticos? ¿Lo es el texto de don Gabriel García Moreno incluido en aquellos cuadernos que alguna vez aparecieron con el título de *Cien autores ecuatorianos*? Puede sonar a paradoja, pero la delimitación de lo literario es siempre extraliteraria.

En segundo lugar, aquella matriz interviene en la definición de lo que ha de considerarse como "literaturizable". ¿Lo "sublime" solamente? ¿También lo cotidiano? Aun en la historia más contemporánea de nuestra literatura resulta evidente, por lo demás, que en cada período la literatura apunta a niveles diversos del referente empírico: la narrativa de los años treinta, por ejemplo, no aborda la realidad ecuatoriana en un plano análogo al de la narrativa actual. ¿Error en el primer caso y acierto en el segundo, o inversamente? Personalmente pienso que resulta disparatado plantear el problema en tales términos. Se trata de prácticas literarias diferentemente determinadas, ninguna de las cuales está más cerca de la "esencia" de la literatura, porque tal esencia simplemente no existe, como no sea entendida en el sentido de un núcleo de determinaciones histórico-estructurales, a las que se dan respuestas más o menos adecuadas.

Tercero, aquella matriz determina ciertas *formas* de conciencia social que a su turno generan ciertas grandes líneas formales del quehacer literario, que se traducen por la tendencia al predominio de tal o cual género o géneros literarios en un período determinado, o por las mutaciones que un género va experimentando en sus diversos momentos históricos. Las formas de conciencia que genera el modo de producción feudal, por ejemplo, parecen ser poco propicias para el desarrollo del género novela, y en esto el Ecuador no parece constituir una excepción a la regla. Igualmente podríamos citar el ejemplo del ensayo literario, que parece condenado a entrar en crisis a partir de cierto nivel de desarrollo del modo de producción capitalista.

En cuarto lugar, la matriz histórico–estructural pone de relieve determinado tipo de contradicciones, propias de cada período, que en el plano superestructural (ideológico) aparecen como sendos problemas que la literatura, a su turno, los retoma como temas. Es claro, por ejemplo, que hay una temática modernista que es algo más que un simple *mal du siècle*. En este plano, los "decapitados" ecuatorianos expresan un malestar social derivado de un momento ya crepuscular del modo de producción feudal en nuestro país, y lo hacen no desde un futuro, sino desde el interior mismo de ese pasado en extinción. Lo cual no es sólo un problema de contenido: ningún contenido social reflejado en la conciencia es un mero contenido, sino que necesariamente involucra cierta forma subyacente, a la que la literatura puede, desde luego, dar múltiples concreciones (si no, no sería una práctica creativa), pero dentro de límites configuracionales fuera de los cuales la obra sería fallida, justamente por un problema de adecuación de la forma al contenido.

En quinto lugar, la matriz a la que venimos refiriéndonos, a través del desarrollo de sus contradicciones, no solamente prioriza ciertos problemas sino que también va produciendo cambios en la índole social de los productores de literatura; es decir, va abriendo diversas posibilidades de expresión para cada una de las clases presentes en la escena histórica. El índice de predominio de la visión del mundo de esas clases en el terreno literario refleja desde luego (aunque no mecánicamente) una cierta correlación ideológica de fuerzas de tal escena general. Pero insistimos en que se trata de una correlación *ideológica* de fuerzas, para destacar que aquí tampoco hay una conexión automática capaz de permitirnos pasar de la "extracción social" del autor al contenido-forma de su obra.

En sexto lugar, aquella matriz histórico–estructural determina ciertas tareas tendenciales de la literatura, que también contribuyen a caracterizar cada período. El mejor ejemplo, en el caso nuestro, tal vez esté dado por la necesidad de rescatar los lenguajes popular–regionales en los años treinta, para, a partir de ellos, ir creando un lenguaje nacional de base, prácticamente inexistente hasta entonces. Necesidad que, por supuesto, iba más allá del lenguaje, ya que se trataba de la creación de una matriz simbólica de muy amplia dimensión social.

En séptimo lugar, parece cierto que la relación obra–crítica–público también es un nivel socialmente determinado. Las formas de acercamiento a las obras literarias, su "valoración", que jamás puede ser estrictamente técnica o "intrínseca", son en última instancia formas de lucha ideológica, por más que la confrontación esté en este caso sobredeterminada, como es natural, por la existencia de reglas de juego específicas que sería necio desconocer.

Tenemos pues, un núcleo de múltiples determinaciones estructurales que, por así decirlo, configuran una especie de red que atraviesa el campo de las prácticas literarias. Cabe preguntarse ahora de qué manera se plantea el problema de la periodización en esta perspectiva.

Una vez más el concepto de matriz va a sernos de mucha utilidad, ya que la tesis que queremos proponer es, justamente, la de que cada período se caracteriza por una forma particular de presencia y articulación de estas determinaciones: extensión misma del campo llamado "literatura"; niveles de realidad tendencialmente "literaturizables"; predominio de tal o cual género; privilegio de tal o cual problemática y de tal o cual tratamiento estético ("escritura"); predominio de determinada perspectiva ideológica; etc.

Y es lícito suponer que estos planos guardan un mínimo de coherencia entre sí, tanto en razón de la estructuración de la matriz que les sirve de base como por la congruencia a que tienden las más destacadas obras literarias.

De hecho, las indicaciones que venimos formulando podrían dar la impresión de que este método de periodización tal vez termine por disolver la especificidad de cada obra literaria en el universo de ciertas determinaciones generales. Pero, a este respecto conviene recordar que las mismas historias positivistas o "generacionales" de la literatura tratan de buscar los *rasgos comunes* de cada época o estilo, aunque en un plano meramente descriptivo. Lo que el método materialista histórico introduce aquí, es un criterio teórico de selección e interpretación de tales rasgos comunes, destinado a mostrar que ellos no son arbitrarios ni incongruentes, sino que constituyen verdaderas configuraciones estructurales, históricamente determinadas. Con ello se busca pasar del plano meramente descriptivo al explicativo, pero evitando caer en las "filiaciones" de tipo puramente anecdótico o lineal, que tratan de vincular, a guisa de explicación, determinados "acontecimientos" de la vida extraliteraria con determinadas características, a veces simplemente temáticas, del desarrollo literario. Y valga aquí un ejemplo. Todo el mundo sabe, puesto que ello ha sido dicho y repetido hasta el cansancio, que la generación del treinta estuvo "marcada" por acontecimientos tales como la masacre del 15 de noviembre de 1922, la guerra civil de "los cuatro días" (1932), la crisis de 1929 (de la que por lo demás no tuvieron mayor conciencia), etc. Lo que es más, también se sabe que los dos primeros acontecimientos aparecen recreados en novelas como *Las cruces sobre el agua* y *En las calles*. Así es, pero con sólo señalar esto no se está "periodizando" nada y, menos todavía, avanzando hacia la explicación profunda de los hechos literarios del período en cuestión. La conexión temático-acontecimental antes señalada es una obviedad, pero que poco nos dice sobre los profundos cambios estructurales que sufrió la literatura ecuatoriana en aquel momento. Para entender realmente estos cambios, tengo que remitirme necesariamente a un análisis de las transformaciones que experimentó la propia matriz infraestructural del Ecuador, sin comprender lo cual tampoco puedo entender, por lo demás, lo que significó aquel 15 de noviembre o la guerra "de los cuatro días".

Y valga este ejemplo para, a partir de él, abordar un problema más. Es igualmente conocido que la generación del treinta estuvo influida por dos acontecimientos de capital importancia en la historia universal y latinoamericana: la Revolución Rusa y la Revolución Mexicana, hechos que no solamente tuvieron profundas repercusiones políticas sino también culturales. Esto no se puede, pues, dejar de tomar en cuenta; pero sería un error craso imaginar que produjeron efectos automáticos. Toda influencia, sea política, ideológica o propiamente literaria, es necesariamente procesada, redefinida y refuncionalizada en una matriz histórico-estructural particular (la matriz receptora), en este caso la ecuatoriana. De suerte que también por este lado es menester volver a ella, a sus características concretas en un momento dado, para, a partir de allí entender las "coordenadas" de un período literario determinado.

Observaciones con las cuales entramos a tocar el problema neurálgico de la periodización, a saber: que no se trata, al menos en lo fundamental, de establecer conexiones entre series de acontecimientos que no tienen otra lógica aparente que la de su sucesión temporal, sino de buscar las determinaciones profundas entre dos configuraciones: la configuración infraestructural de la sociedad y la configuración de uno de sus campos específicos, que en este caso es el literario.

¿En qué medida el método que venimos proponiendo no peca de demasiado "teórico" y nos conduce, en cierto sentido a "violentar" la "realidad"? Si por "realidad" se entiende la empiria más inmediata, efectivamente es así. Pero, colocadas las cosas en este plano, conviene recordar que toda ciencia es, por principio, una "violación de la realidad". Ninguna realidad habla por sí sola y cualquier trabajo científico consiste en elaborar modelos teóricos que vayan más allá de la mera descripción. Como escribe Robert H. March en su libro *Física para poetas* (título que no parece desentonar en esta ponencia):

> La ciencia es más que el mero intento de describir la naturaleza lo más exactamente posible. Con frecuencia, el mensaje verdadero está muy oculto, y una ley que se acerque algo a la naturaleza tiene mayor valor que otra que resulte bastante buena pero sea defectuosa en su origen [teórico].

Y, como el mismo autor añade para explicar el secreto del valor tricentenario de las leyes de Newton, este reside "en la economía de las ecuaciones en que se enuncian, en los conceptos que las sustentan y asimismo en la universalidad con que pueden aplicarse, pero no necesariamente en su aplicación a cualquier situación particular" (México, Ed. Siglo XXI, 1977, p. 34 y 71).

Citas que he escogido intencionalmente, con el propósito de destacar dos cuestiones. La primera, que el adelantar hipótesis de trabajo teóricamente fundamentadas vale siempre más, en el plano científico, que la simple presentación de descripciones en apariencia muy "cercanas" a la realidad, pero que en el fondo sólo rozan la superficie de ésta (método positivista o método denominado "generacional"). La segunda, que es propia de todo trabajo científico, la dificultad de verificar sus enunciados teóricos en cada detalle de la realidad, e incluso la de someter la complejidad de lo real a la necesaria "economía" de cualquier esquema teórico.

En efecto, cuando pasamos de la teoría de la periodización a su aplicación concreta surgen múltiples problemas. En términos abstractos podemos afirmar, por ejemplo, que el tránsito de un período literario a otro consiste precisamente en un cambio significativo de estructura interna, en correspondencia con un cambio similar en la configuración de la base social. Pero, casi huelga aclarar que ninguna mutación se produce repentinamente ni de manera lineal, sino a través de procesos prolongados, sinuosos, llenos de desfasamientos en uno u otro sentido, de crisis y hasta de "vacíos", que en ocasiones pueden ser tan largos (relativamente) como el que experimentó la narrativa ecuatoriana entre mediados de la década de los cincuenta y mediados de la década de los setenta de este siglo. Ejemplo casi paradigmático de una situación en que la descomposición de determinada modalidad literaria se extiende tanto en el tiempo (antes de dar paso a una nueva modalidad) que prácticamente viene a constituir por sí sola un período. Período literario que por lo demás coincide (¿simple coincidencia?) con un período de prolongada crisis de cierta modalidad de desarrollo del capitalismo en el Ecuador.

Conviene aclarar, por otra parte, que el paso de una configuración literaria a otra no tiene por qué involucrar en igual grado a todos los elementos que la constituyen, ya que alguno o algunos de ellos pueden permanecer como "constantes" de varias configuraciones en la medida en que su presencia está determinada por constantes estructurales de una etapa histórica dada. La aparición o desaparición de un género literario, por ejemplo, no es algo que pueda darse en períodos cortos.

En fin, los ritmos de la mutación tampoco son idénticos para cada nivel o elemento, lo que vuelve todavía más complejo el problema de la transición. Lo "nuevo" aparece a veces prematuramente en algunos puntos de una configuración literaria, mientras otros parecieron más bien proclives a un ritmo más conservador. Ello depende de la confluencia de múltiples determinaciones, incluso coyunturales, que sólo el análisis concreto puede detectar; en todo caso, la misma definición de lo "nuevo" y lo "viejo" sólo puede precisarse con referencia a una matriz estructural.

Todo lo cual plantea un problema que, al menos en el terreno empírico –e incluso pedagógico–, no deja de ser engorroso: el de datar, con fechas del calendario, los límites de cada período. A este respecto sólo quisiera observar lo siguiente. En términos teóricos el problema es más bien secundario, tanto en el terreno de la historia literaria como en el de la historia a secas: es a todas luces una necedad pedir que se precise en qué año empezó y en qué año terminó el proceso de acumulación originaria descrito por Marx, o en qué año se pasó de la manufactura a la industria propiamente dicha. Y es que, por deplorable que ello pudiera parecer a un Anderson Imbert, por ejemplo, la investigación científica se rige por normas bastante distintas de las del registro civil: el acta de nacimiento de Medardo Angel Silva es tan irrelevante para entender su poesía como el acta de nacimiento de Marx para entender *El capital*. Con lo cual queremos decir que cualquier fecha que se señale como comienzo o fin de un período será un mero punto de referencia, muy aproximativo, que nada quitará ni añadirá al contenido de la periodización. Lo esencial es que ésta sea capaz de detectar "nudos" claros de organización de cada configuración literaria, forjando "modelos" dialécticos de explicación que no caigan en tipologías "ideales" (en el sentido weberiano del término), sino que sean puertas abiertas hacia la comprensión más profunda de los vínculos de la literatura con la sociedad.

Dado que la periodización, tal como aquí la hemos propuesto, comprende niveles distintos de determinación, incluso es posible concebir varios cortes, siempre que ellos estén teóricamente fundados. Los movimientos coyunturales sobre todo, se prestan a varios cortes pertinentes.

En fin, me parece que el nombre que se dé a cada período no es una cuestión de vida o muerte: la etiqueta es lo de menos, y a veces ésta responde a la simple tradición. Lo que vale, en definitiva, es la profundidad explicativa a que llegue la investigación.


ANEXO


EN POS DE LA HISTORICIDAD PERDIDA
(CONTRIBUCION AL DEBATE SOBRE LA LITERATURA INDIGENISTA DEL ECUADOR)

Dolorosa coincidencia. En el momento en que comienzo a redactar este breve ensayo sobre la literatura indigenista de mi país, el cable internacional trae la noticia del fallecimiento del novelista Jorge Icaza (1906-78), acaecido el día 26 de mayo. El Ecuador acaba pues de perder a su más notable escritor del siglo XX y la primera tentación que me surge es la de decir que con su muerte se cierra toda una etapa de nuestra historia literaria. Pero tal afirmación sería inexacta: esa etapa, que es la del realismo social, se clausuró probablemente hace dos décadas, cuando el propio Icaza publicó el último gran relato ubicable dentro de dicha corriente: *El chulla Romero y Flores* (1958). Para esa fecha José de la Cuadra (1903-41) había fallecido ya, lo mismo que Joaquín Gallegos Lara (1911-47); Enrique Gil Gilbert (1912-74) prácticamente había dejado de escribir para dedicarse de lleno a la actividad política; Angel F. Rojas (1909) era un próspero abogado que apenas si recordaba con algo de remordimiento y nostalgia la época de *El éxodo de Yangana;* Alfredo Pareja Diezcanseco (1908) y Demetrio Aguilera Malta (1909) seguían produciendo pero ya dentro de otra veta, ensayando con irregular fortuna estilos y estructuras narrativas[1].

El mismo autor de *Huasipungo* atravesó por un largo período de silencio del que sólo logró salir en 1972 –o sea catorce años después de *El chulla Romero y Flores*– con la aparición de su tríptico intitulado *Atrapados,* en la editorial Losada. Mas esta novela, que ingenuamente Icaza consideraba su *chef d'ouevre,* carecía ya de la fuerza dramática que había caracterizado a su anterior producción. En buena parte antológica, puesto que incluye algunas piezas de teatro escritas hace cuatro décadas, *Atrapados* es en lo demás una obra autobiográfica y de reflexión sobre la creación del autor, pero en la que hasta el vigoroso estilo icaciano termina transformándose en "manera". Para decirlo en pocas palabras, Icaza no hace aquí más que sobrevivirse: su mensaje está agotado, como agotado está, en cuanto forma social, ese Ecuador semifeudal en curso de disolución que él vivió en su juventud y que con amor, dolor e ira supo plasmar en sus célebres relatos. 1972, el año en que se publica *Atrapados,* es precisamente el año de nacimiento del Ecuador "petrolero" y, por ende, en cierto sentido "moderno", con esa modernidad dudosa que el *boom* bananero de fines de los años cuarenta y principios de los cincuenta prefiguró de alguna manera.

Lo que de verdad me asombra ahora que vuelvo a recapacitar sobre el proceso literario de mi país no es tanto el hecho de que durante los treinta y pico de años que van desde la aparición de la primera novela indigenista, *Plata y bronce* (1927), de Fernando Chávez, hasta la publicación de *El chulla Romero y Flores,* hayamos tenido un predominio neto de la corriente que denominamos realismo social, de la que el indigenismo no es sino una vertiente. Tampoco me llama la atención el que a partir de 1958, aproximadamente, dicha corriente haya ido extinguiéndose junto con la peculiar materia prima que constituyó su savia. Lo que parece tener visos de una paradoja que quisiera destacar, es más bien el hecho de que esa literatura tildada de "localista", "regionalista" o "criollista", siempre de manera peyorativa, sea la literatura más *universal* que hasta ahora haya producido el Ecuador. Porque, seamos justos: ¿qué otra cosa es la "universalidad" literaria si no la capacidad de elaborar un mensaje artístico que por su intensidad expresiva llegue a las más amplias latitudes, difundido y traducido como efectivamente fue el de nuestra "generación del 30"?[2].

Y seamos además francos: sin nombres como el de Jorge Icaza en la narrativa o el de Oswaldo Guayasamín en la pintura, es decir, sin los grandes indigenistas, nuestra proyección universal se vería harto mermada. Pablo Palacio (1906-47), por ejemplo, el "antirrealista" al que algunos compatriotas reivindican actualmente como símbolo alternativo de aquella época, me parece —con todo el respeto que merecen las opiniones ajenas— un escritor menor, en muchos sentidos interesante pero de segunda línea[3].

Con estas reflexiones me he adentrado tal vez en una polémica demasiado doméstica, pero que en cierta medida no puede estar ausente cuando se trata de hacer un balance del realismo social y, más concretamente, del indigenismo ecuatoriano. En efecto, la pugna intergeneracional viene impidiendo un aquilatamiento justo de estas manifestaciones culturales que sin duda pertenecen ya al pasado, pero que en virtud de la misma proyección de sus protagonistas siguen pesando como una suerte de complejo o de fantasma sobre los autores nacionales de hoy[4].

Sea de esto lo que fuere hay una cosa que se debe tener en cuenta antes de emprender cualquier análisis de la literatura indigenista: que así como sería un anacronismo esperar que los escritores actuales continúen escribiendo como sus congéneres de hace medio siglo, también resulta anacrónico juzgar a estos grandes "ancestros" según los cánones vigentes en 1978. Ello, por la sencilla pero a menudo olvidada razón de que la literatura es un producto social y por lo tanto histórico como cualquier otro. En este sentido, es un hecho que, pese a la persistencia del "subdesarrollo" y la "dependencia", la América Latina ha sufrido importantes cambios en los últimos cincuenta años (desarrollo indudable del modo de producción capitalista), y que estos cambios en la estructura de nuestras formaciones sociales se han traducido por sendas transformaciones en el quehacer literario y en la concepción de la literatura.

Una cuestión que quisiera subrayar de partida, puesto que parece ser el punto nodal de unos cuantos malentendidos, es que la evolución misma del concepto de *forma literaria* no es independiente de los cambios ocurridos en el modo de inserción de las formas en general en la vida material. Conviene recordar a este respecto que sólo desde el momento en que el capitalismo industrial y monopólico penetra con cierta intensidad en el cuerpo social, convirtiéndose en experiencia cotidiana, la forma empieza a autonomizarse realmente, a adquirir la categoría de un "valor en sí". Y es que en la propia esfera económica el capitalismo convierte a la forma en un componente cada vez más importante de la producción y realización del valor, por razones que no es del caso entrar a analizar aquí. La industria automotriz, por ejemplo, llega a incluir entre sus costos de producción hasta un 25 por ciento proveniente de modificaciones estrictamente formales, y algo similar ocurre, en mayor o menor grado, en todas las ramas de la producción capitalista, o al menos en aquéllas dedicadas a la producción de bienes de consumo, para no hablar del predominio omnímodo que la elaboración formal adquiere en la "industria" de la publicidad. Baran y Sweezy han descrito de manera aguda estos fenómenos, mostrando cómo el capitalismo monopólico, para reproducirse, tiene que recurrir sin cesar a la generación de una "obsolescencia planificada" y crear, por medio de las campañas de ventas, un insaciable *apetito de novedades* que por lo general son sólo formales y no de contenido ("novedades fraudulentas" en la terminología de Baran y Sweezy). Los autores apuntan que tal hecho, que en sus comienzos fue "una característica relativamente sin importancia, ha avanzado a la posición de uno de [los] centros nerviosos decisivos [del sistema capitalista]". "En su impacto sobre la economía", concluyen, "es superado solamente por el militarismo. En todos los otros aspectos de la existencia social nada supera su influencia penetrante"[5].

No es de extrañar, entonces, que esa *forma* que en sí misma ha alcanzado el estatuto pleno de un *valor de cambio,* invadiendo todas las esferas de la existencia social, *tienda a aparecer* también de manera protuberante en el ámbito literario; en el límite, a presentarse como un "valor en sí" desvinculado de todo valor de uso, como una forma independiente de todo contenido. Sólo en dichas condiciones es posible, por lo demás, que se desarrolle una teoría que conciba a la literatura como un fenómeno exclusivamente lingüístico y, más en concreto, como un simple proceso de transformación de significantes. Después de todo el *fetichismo del significante* no es más que la prolongación, en el terreno de la crítica literaria, de un fetichismo mayor y bien conocido: el de la mercancía.

No pretendo "deducir" de estas observaciones ningún juicio de valor sobre la literatura actual de nuestros países capitalistas, que considerada en bloque no es ni puede ser "mejor" o "peor" que la de épocas anteriores, y que está compuesta, como la sociedad misma, de sustanciales innovaciones y "novedades fraudulentas". Tampoco quiero decir —y que por favor nadie lo interprete así— que esta literatura responde a los intereses del capitalismo: está claro que, a partir de determinadas condiciones sociales de producción entre las que se incluyen las del orden formal, cada obra refleja, con profundidad variable y orientaciones ideológicas diversas, los perfiles y contradicciones característicos de nuestra época.

Lo único que busco es relativizar enfáticamente cierta perspectiva crítica surgida desde mediados de la década pasada, con todo su arsenal de axiomas que en última instancia remiten a la necesidad supuestamente "intrínseca" de una literaturidad "pura", exenta de cualesquiera intención y referencias "extraliterarias", que, al parecer, habrían impedido durante milenios la realización de la verdadera "esencia" de la literatura. Incapaz de descubrir sus propias determinaciones históricas, tal perspectiva es con mayor razón incapaz de indagar las causas por las cuales los escritores de hace medio siglo escribieron como escribieron. Con una suerte de "jdanovismo" invertido (mecanicismo idealista en lugar del mecanicismo materialista) se limita a *condenar* el realismo social y *a fortiori* al indigenismo por "impuros" y "utilitarios", sin siquiera barruntar la idea de que la concepción de la forma como dimensión casi "natural" de un contenido (valor de uso) pudo haber correspondido efectivamente a la experiencia social de una época en la que el capitalismo industrial estaba lejos de echar raíces en la mayor parte de nuestros países.

En efecto, el Ecuador de los años veinte, en el que surgen las primeras manifestaciones del indigenismo literario[6], es una sociedad en la que ni siquiera está consumada la transición del feudalismo al capitalismo. En la sierra sobre todo, que es el lugar de asentamiento del problema indígena, dicha transición no ha hecho más que comenzar. Por consiguiente, y esto hay que tenerlo muy en cuenta, la subsunción real del trabajo al capital no se ha efectuado aún; lo cual significa, mirando las cosas desde un ángulo complementario, que todavía no se ha establecido socialmente ese nivel de "complejidad" derivado en última instancia del mecanismo de ocultamiento estructural de la explotación que es peculiar del modo de producción capitalista propiamente dicho; pago aparente del trabajo, pago efectivo de la sola fuerza de trabajo. De suerte que en ese entonces no es posible decir, como lo hará Jorge Enrique Adoum medio siglo más tarde, que "cada casa está habitada por toda una población de tipos diferenciados y complejos, entre los que no es tan fácil como en el campo latinoamericano diferenciar definitivamente al enemigo, ni siquiera encontrar su ubicación exacta dentro del proceso de producción, es decir, su clase"[7].

Por el contrario, en una fase de transición como la indicada, los mecanismos de explotación eran absolutamente "visibles" dada la presencia de formas brutales de acumulación originaria, prolongación inhumana de la jornada de trabajo, aumento de la intensidad de ésta por los métodos más bárbaros, procesos diversos de supeditación formal, vigencia de todo género de coacciones extraeconómicas, amén de los profundos desarraigos y "contrastes" ideológicos y culturales que en tales condiciones ocurren inexorablemente.

Todo esto está recreado de manera clara en la literatura social de la época, pero no es esta evidencia la que quiero subrayar aquí[8].

Lo que me interesa poner de relieve es que tales procesos históricos generaban un *espacio de verosimilitud* para una literatura en que se mostrara, como en la realidad, la trama infraestructural de la sociedad, con sus mecanismos básicos de explotación y opresión al descubierto como una llaga viva.

Aparentemente "esquemática" cuando se la lee con la distancia generada por el desarrollo ulterior del capitalismo, esa literatura no lo era, por lo tanto, en el momento y en las condiciones sociales en que fue producida. Las coordenadas de la percepción de lo real eran entonces distintas; esa "otra realidad" a la que se refiere Adoum sencillamente no existía y la supuesta "esencia barroca" de la América Latina tampoco había nacido, ya que el precapitalismo mal podía contemplarse borrosamente y desde lejos a sí mismo; estaba demasiado vivo como para aparecer con una dimensión "mágica" o "mítica", con el *charme* legendario que sólo adquieren las formas ya abolidas. En fin, esa misma "alma" que hoy parece estar ausente del realismo social de los años treinta no es otra cosa que el espesor ideológico–cultural creado posteriormente por el capitalismo, con sus formas síquicas correlativas.

Las condiciones sociales de producción de dicha literatura son desde luego más complejas de lo que este primer acercamiento deja entrever. La sociedad semifeudal ecuatoriana de que venimos hablando es además una formación semicolonial, que a comienzos de los años veinte y sobre todo durante la década de los treinta se ve fuertemente estremecida por la crisis del sistema capitalista mundial. Las contradicciones internas se exacerban consiguientemente, hasta el punto de engendrar una aguda crisis de hegemonía. Entre 1920 y 1940 desfilan por el palacio presidencial de Quito alrededor de veinte mandatarios; el 15 de noviembre de 1922 hay una insurrección popular en Guayaquil que termina con una espantosa masacre de artesanos y obreros; en el solo año de 1923 se producen y son brutalmente reprimidos los levantamientos campesinos de Leyto, Simincay, Pichibuela y Urcuquí; en 1925 triunfa la revolución pequeñoburguesa "juliana", que intenta modernizar el país; en 1932 la reacción conservadora desencadena la guerra civil de "los cuatro días".

Dentro de este convulso contexto hay un hecho que se perfila claramente: la casi permanente rebeldía "antioligárquica" de las nacientes capas medias, que por igual apuntan contra los "gamonales" de la sierra que contra los "plutócratas" costeños. Si los primeros son el símbolo de la feudalidad todavía vigente, los segundos representan la típica vía reaccionaria de desarrollo del capitalismo; ambos sectores constituyen por tanto el blanco de la ira "jacobina", exasperada por la dura crisis.

Transición extremadamente tardía hacia el capitalismo, la del Ecuador determina además una acumulación muy particular de contradicciones que, entre otras cosas, se traduce por la posibilidad de que en el horizonte aparezca "prematuramente" una perspectiva ideológica socialista que penetra en la propia ala izquierda del movimiento "jacobino": después de todo, la Revolución de Octubre ya se ha producido en el mundo. El campo de visibilidad histórica es por ende más vasto que el que las solas condiciones internas del Ecuador habrían podido generar, aunque con respecto a este nivel también hay que hacer una precisión: internamente existe un espacio muy amplio para la recepción de influencias en la medida en que la crisis de hegemonía de entonces no es sólo política sino además profundamente ideológica. En efecto, recién con el *boom* bananero de los años cuarenta empezará a resolverse una de las contradicciones más "clásicas" del Ecuador sigloventino: predominio económico claro de la fracción "compradora" de la burguesía, incapacidad de la misma para establecer su hegemonía ideológica[9].

Me he extendido tal vez más de la cuenta en estas consideraciones extraliterarias, pero que parecen necesarias para dar una visión más amplia del contexto histórico-estructural en el que se desarrolla la cultura "contestaria" (perdón por el anacronismo del vocablo) de esas capas medias que producirán la literatura realista de los años treinta y subsiguientes.

Una inquietud surge, naturalmente, en este punto y es la de saber por qué esas capas no produjeron una literatura "autocentrada", o sea volcada hacia la recreación del universo pequeño-burgués propiamente tal (con la excepción de la obra de Pablo Palacio, claro está). Una vez más seré polémico en mi respuesta señalando que me parecen infundados todos aquellos análisis que plantean el problema en términos de "autenticidad"/"inautenticidad"[10]; pero es que no veo razón alguna que autorice a interpretar la evolución de las capas medias latinoamericanas como un proceso de progresiva "purificación" moral. En cambio, me parece claro que en la trayectoria de estas capas se registra un movimiento objetivo que las lleva del "descentramiento" al "autocentramiento" social y cultural, con lo cual quiero decir una cosa muy sencilla: ellas no desembarcaron un buen día en la historia ya "hechas y derechas", sino que fueron conformándose como tales paulatinamente. En el caso ecuatoriano esto ocurrió a partir de la relativa democratización operada por la revolución liberal de 1895, que permitió la constitución de una significativa capa de intelectuales de extracción popular.

*Extracción* y *popular:* he aquí los dos términos claves para comprender la primigenia situación de estos grupos que obviamente carecían de una "refinada" herencia cultural. La única tradición de "alta cultura" que el Ecuador poseía hasta entonces era la de cuño señorial-oligárquico, que culminó y a la vez inició su agonía con los "decapitados", como llamamos a nuestros modernistas. Pero ésta era justamente la *cultura de clase* más abominada por las nuevas capas medias criollas, y no precisamente por sectarismo sino porque en aquel momento el enfrentamiento no se daba con los puros textos, como hoy, más con la clase de carne y hueso que los había producido. *Pas question,* pues, de asimilar esa cultura, aunque sólo fuese a título de "bella forma".

¿Qué quedaba entonces? ¿Cuál era ese "adentro" que supuestamente rehusaban expresar las capas medias de la época? Obviamente no había ningún "interior" oculto, sino un ser social en gran medida centrífugo por razón de su mismo grado de desarrollo, embrionario aún. En lugar de ese "espíritu" autocentrado que después se conformaría, con una tradición, una cultura y una sicología propias, en lugar de ese "para sí" ulterior que recibirá el nombre de "autenticidad", estaba por el momento el ingrediente popular, "cholo" si se quiere, que lejos de ser la "impostura" que a veces se imagina, era una *vivencia* casi ineludible en un contexto cultural prácticamente dicotómico en el que lo que no era oligárquico anclaba de alguna manera en lo popular. Incluso lo popular campesino no se hallaba tan "distante" como ahora, dada la índole semirrural de las "urbes" ecuatorianas de hace medio siglo.

Mas esto constituye sólo una cara de la medalla, ya que había también un segundo nivel de realidad que el término *extracción* refleja perfectamente: la cultura y la vida de esas capas medias estaba arraigada en el pueblo pero al mismo tiempo "extraída", en cierta medida, de él. El sistema educativo liberal progresista era el encargado de llevar a cabo esta "extracción" por lo demás indispensable para sacar a lo popular de su simple condición de folclor[11].

Las primeras capas medias del Ecuador eran pues una realidad contradictoria, cuyo carácter no dejó de reflejarse en la propia estructura del relato realista: "El autor latinoamericano", escribe Jorge Enrique Adoum refiriéndose a este período, "hacía hablar a sus personajes en la jerga popular pero se mantenía a distancia para que no hubiera confusión en cuanto a su casticismo"[12]. Lo cual es verdad, con la sola condición de precisar que ese "casticismo", que por un lado refleja indudablemente la "extracción" a que nos hemos referido, por el otro lado no deja de representar una ruptura con la escritura oligárquica precedente. Castizo con respecto a la "jerga" popular, el lenguaje de los nuevos "relatistas" nada tiene que ver con la alambicada prosa de un Gonzalo Zaldumbide por ejemplo: "cualquier hijo de vecino sabe, en el Ecuador, que los autores realistas escribían como "cholos" y don Gonzalo como un "señor". En cuanto a Icaza, es de dominio público que "no sabía escribir". . .

La recuperación de aquella "jerga" no es, por su parte, una cuestión de mero "folclor" sino que constituye uno de los elementos definitorios de la enorme *revolución* que en el plano del lenguaje literario llevó a cabo el realismo social. En efecto, y pese a la dicotomía señalada por Adoum, la literatura de esa época fue configurando de manera cada vez más intensa una *expresión latinoamericana,* no sólo a través de la incorporación masiva del léxico popular —cosa que en última instancia y aislamiento sería lo de menos— sino sobre todo con la recuperación y recreación artística de un ritmo, una entonación y una sintaxis propias.

Y en este punto también se torna necesario rescatar la historicidad del problema con el fin de evitar los juicios *a priori.* En el Ecuador de los años treinta no era cuestión de romper con la escritura *burguesa* o expresar una "desconfianza" frente a ella, puesto que tal escritura simplemente no existía. Lo que había era esa escritura señorial–oligárquica de que venimos hablando, que nada tenía de propiamente nacional pero que el mismo Juan Montalvo respetó y hasta "enriqueció" diccionario en mano[13], y que los realistas rechazaron de plano. No se trataba tampoco de "echar mano" del habla nacional y literaturizarla ya que, en cuanto unidad, era tan inexistente como la escritura burguesa. Lo único que realmente había era una masa heterógena pero estratificada de idiomas, dialectos y hablas locales o, en el mejor de los casos, regionales, a partir de lo cual se tenía que emprender la gran tarea de forjar una lengua literaria nacional: esa lengua, como la cultura nacional toda, mal podía surgir definitivamente decantada y sin contradicciones de la noche a la mañana. Que se me perdone las prosaicas metáforas económicas, pero había que realizar una "acumulación originaria" de materiales culturales autóctonos y crear un "mercado interior" de símbolos propios, lingüísticos entre otros, única manera de sentar las bases de una verdadera cultura nacional. La tarea era tanto más difícil cuanto que el desarrollo interno del capitalismo ecuatoriano era aún incipiente, además de reaccionario y prematuramente deformado por su condición semicolonial: que en esas condiciones la burguesía criolla había sido incapaz de forjar una profunda unidad nacional. En el plano literario esa unidad fue más bien creándose y en buena hora, a través de una vía revolucionaria.

Como se ve, era la propia realidad la que imponía a la literatura de entonces ciertas grandes tareas "extraliterarias"; éstas eran, en rigor, la condición misma de existencia de una producción literaria ecuatoriana. Por un lado, esta situación ampliaba el ámbito vital del escritor, quien sin duda estaba lejos de ser un especialista o un profesional de las letras; le ofrecía la oportunidad, que después se iría perdiendo *en cierto sentido,* de explorar y recrear un mundo en gran medida virgen, puesto que todavía no estaba codificado desde abajo. Los que cumplieron con acierto esta labor no tardaron en universalizarnos: creación de una cultura nacional y universalización de nuestro ser histórico eran tareas dialécticamente entrelazadas y así lo entendió la comunidad internacional, al menos la progresista, que ubicó en un sitial de honor a los pioneros de tal empresa. Su éxito no significó, por tanto, el triunfo de determinada "escuela" literaria, sino el triunfo de una literatura que cumplía la tarea histórica más avanzada que como literatura de un país semicolonial en transición al capitalismo podía entonces cumplir[14].

Pero por otro lado, es cierto que el mismo contexto que abría ese amplio horizonte cerraba por definición otras posibilidades literarias. Era impensable, por ejemplo, una literatura experimental a nivel del lenguaje, puesto que justamente estaba por construirse ese lenguaje sobre el que los escritores ulteriores podrían experimentar. Y en general cualquier tipo de "obra abierta" era imposible, en la medida en que ella supone una codificación cultural preexistente que sirva de referente. La obra típica de los años treinta tenía pues que ser de significación "cerrada", básicamente *codificadora* y referida con un mínimo de mediaciones a su contexto histórico–estructural. Todo confluía, en definitiva, hacia la necesidad de cierto realismo y, diría yo, de una particular epicidad. Las mismas marcaciones de ficción involucradas en el concepto europeo moderno de novela volvían inadecuada la aplicación de tal concepto a nuestra narrativa realista, que encontró una mejor ubicación en la categoría de *relato.*

Sin la recuperación literaria de los montuvios "que se van"[15], de la cultura y problemas de la población negra de Esmeraldas, del drama y el lenguaje del "cholerío" y por supuesto de la cuestión indígena mal podía pensarse siquiera en cimentar las bases de una cultura nacional en el Ecuador. Pero la plasmación literaria del problema indígena —en el que ya es tiempo de que nos concretemos— no era una tarea fácil. Penetrante como siempre, José Carlos Mariátegui supo plantear en pocas líneas lo medular de esta cuestión:

> Y la mayor injusticia en que podría incurrir un crítico, sería cualquier apresurada condena de la literatura indigenista por su falta de autoctonismo integral o la presencia, más o menos acusada en sus obras, de elementos de artificio en la interpretación y en la expresión. La literatura indigenista no puede darnos una versión rigurosamente verista del indio. Tiene que idealizarlo y estilizarlo. Tampoco puede darnos su propia ánima. Es todavía una literatura de mestizos. Por eso se llama indigenista y no indígena. Una literatura indígena, si debe venir, vendrá a su tiempo. Cuando los propios indios estén en grado de producirla[16].

Mariátegui nos previene de este modo contra cualquier crítico fácil (*vulgar*) del indigenismo literario, a la vez que va al fondo de la cuestión. En efecto, todo el meollo del asunto reside en que a los problemas generales del realismo social se añade, en el caso del indigenismo, un problema particular derivado de esa sobredeterminación cultural específica que levanta una verdadera barrera entre dos "ánimas", es decir, entre dos *universos simbólicos:* el del indio, y el del resto de la nación. Siendo la literatura una representación simbólica de la realidad, tal barrera se convierte necesariamente en uno de los problemas centrales de la dación de forma artística.

En esta perspectiva, la primera constatación que cabe hacer es la de que la literatura indigenista del Ecuador no logró rebasar, con ninguna de sus manifestaciones, el límite indicado por Mariátegui. Y es que tal vez sea el peruano José María Arguedas el único que hasta ahora ha superado esa frontera, de manera muy problemática y en la medida en que él mismo era, culturalmente hablando, por lo menos mitad indio. No nos corresponde analizar aquí su obra sino sólo señalarla como un punto de referencia diferencial con el que cualquier cotejo *valorativo* resulta ilegítimo, puesto que ningún escritor ecuatoriano intentó abordar la cuestión indígena en un plano similar. El acercamiento al problema es tan distinto en obras como *Huasipungo* y *Los ríos profundos,* por ejemplo, que hasta da lugar a estructurar narrativas claramente divergentes: "relatística" en el primer caso, tan lírica que llega a colindar con la prosa poética en el segundo.

El indigenismo ecuatoriano produjo fundamentalmente una literatura del *en sí* indígena, que no de su *para sí;* su principal propósito fue, en síntesis, el de plasmar la ubicación y condición del indio dentro de determinada estructura social. En este sentido, la obra pionera es *Plata y bronce,* ya mencionada, y sobre la cual Angel F. Rojas formuló el siguiente comentario:

> El esquema de varias novelas posteriores de tema indigenista escritas por otros está ya esbozado aquí. Un cura fanático y dominador. Un teniente político sumiso a la voluntad de los señores feudales del predio contiguo. Un amo blanco gamonal, que explota a los indios que viven en el latifundio y viola a sus mujeres y a sus hijas. Se completa así el terceto trágico de expoliadores de la raza india, que luego veremos presente en las novelas y cuentos sobre la realidad agraria del altiplano[17].

Ahora bien, ¿por qué *Plata y bronce,* a pesar de contener ya el esquema de varias novelas posteriores sobre el tema, no alcanzó un éxito comparable al de *Huasipungo* y aún en la actualidad la seguimos considerando como una obra pionera pero menor? Resulta importante formular esta pregunta para dejar bien sentado que ese esquema, ni ningún otro, podía garantizar por sí solo una buena literatura. El indigenismo, como cualquier otra corriente, tenía un problema *formal* que resolver y únicamente podía producir grandes obras desde el momento en que encontrara la manera de conferir una forma adecuada al contenido que buscaba expresar. Es posible, entonces, que en *Plata y bronce* haya un esquema hipotéticamente aceptable, acompañado de las intenciones más loables de denuncia del problema indígena, pero por desgracia la plasmación artística deja mucho que desear. En primer lugar se conserva, aquí sí, un nivel de escritura "castiza" que no logra romper con la señorial–oligárquica sino que más bien es su prolongación, hecho que por sí solo introduce una inadecuación entre la forma y el contenido. En segundo lugar, hay una idealización incluso física del indio que indudablemente resta fuerza a la denuncia: los apolíneos ejemplares de super-explotados que allí aparecen quiebran la coherencia simbólica del relato. Tercero, el narrador es demasiado didáctico, como si buscara compensar las insuficiencias de la plasmación con un *surplus* de discurso ideológico–conceptual; los resultados no son obviamente los mejores. Cuarto, el autor termina por disolver el drama social en un melodrama sentimental entre el blanco "apasionado" y la india hermosa, falla artística que por lo demás remite a un problema que es ya de contenido y que revela los límites que no podía rebasar una visión estrictamente plebeya del problema, sin el apoyo, llamémoslo "logístico" de una perspectiva materialista.

Errores similares pueden encontrarse en muchos otros indigenistas, que no es del caso entrar a analizar aquí. Antes de ver la solución artística que Jorge Icaza da a estos problemas, convirtiéndose en el representante máximo de nuestro indigenismo literario, sólo quisiera referirme brevemente a la obra de su "contrincante profesional", G. Humberto Mata (1904), para subrayar que novelas como *Sal* (1963) ponen en evidencia que el panfleto, por muy encendido que sea y por mucho que "ensalce" al indio, no garantiza una buena literatura. Incapaz de distinguir lo esencial de lo que no es y de plasmar con verdaderos métodos literarios la realidad, Mata hasta llega a romper el universo narrativo con estériles polémicas directas que, lejos de afirmar una dimensión realista, confirman la irrealidad de su obra literaria en cuanto tal; sin el rigor del ensayo ni la fascinación del arte, se diluye incluso toda significación.

La narrativa de Jorge Icaza constituye un vasto fresco de la sociedad ecuatoriana de los años treinta y subsiguientes, en el que el problema indígena se destaca como un resultado objetivo y subjetivo de determinada estructura (feudal) en curso de transformación. Este fresco, dotado de una indudable profundidad sociológica, no surge sin embargo de la "aplicación" de esquema alguno, si por esquema se entiende una representación conceptual anterior al proceso de producción literaria, que se limitaría a "ilustrarla" con las imágenes pertinentes. Para disipar cualquier duda al respecto es oportuno recordar que, aunque es evidente que su literatura recibió el apoyo "logístico" de una concepción (convertida en él en *capacidad de percepción* materialista de la historia), Icaza, en lo personal, nunca se distinguió por la claridad teórica. Incluso era penoso comprobar, al escucharlo en conferencias o en la simple conversación, la gran dificultad que tenía para expresar en conceptos esa realidad que tan admirablemente recreaba con imágenes literarias. Y en su vida política jamás fue un militante marxista: perteneció a la Concentración de Fuerzas Populares, organización populista fundada y en aquel entonces dirigida por el ambiguo caudillo Carlos Guevara Moreno.

No es mi intención reabrir aquí el clásico debate sobre cómo es posible que la obra literaria supere, y a veces con creces, la ideología explícita de su autor ("triunfo del realismo" diría Lukács; posibilidad de una "crítica en acto de la ideología", afirmaría Althusser). Pero sí deseo destacar que en tales condiciones resulta más admirable aún el "contenido" de la obra de Icaza, en la que aparecen planteamientos *(plasmaciones)* bastante más avanzados e históricamente más justos que los formulados en los escritos anteriores, inclusive marxistas, de su tiempo. Vale señalar a este respecto una sola cuestión, pero que considero esencial para la correcta comprensión de la narrativa icaciana: lejos de ser la representación simplista de una situación feudal en la que el indio es explotado por el "gamonal", el cura y el teniente político, como tantas veces se ha dicho y repetido, esa narrativa se ubica y constituye como tal en la "frontera" conformada por el haz de tensiones que el avance del capitalismo desencadena en la vieja matriz feudal. De ese núcleo de contradicciones extrae su savia, allí encuentra su materia novelable. Toda la tensión de *Huasipungo,* por ejemplo, surge del embate capitalista que va desintegrando o por lo menos redefiniendo, según el nivel de análisis en el que uno se sitúe, las antiguas relaciones sociales de producción. En la novela *En las calles* la cuestión es más clara aún.

Ahora bien, el hecho mismo de que la crítica, sin excluir la de carácter sociológico, haya sido incapaz de detectar este gran tema central de la obra de Icaza, demuestra que el "contenido" de ésta no es tan simple como por principio se supone. En la *construcción* de ese "contenido" llama la atención la capacidad del autor para distinguir lo esencial de lo secundario, captar el movimiento histórico y convertirlo en trama artística, seccionar con certeza los diversos niveles de la realidad social y luego reconstruir sus vínculos más hondos; en fin, para recrear sin la ayuda de conceptos teóricos toda una intrincada estructura de clases y castas ponderando atinadamente el significado de cada elemento involucrado. Se puede discutir si valores como éstos constituyen o no un principio al menos de mérito literario: lo que a mí como sociólogo no deja de asombrarme es que tal riqueza analítica se haya logrado por medio de imágenes sensibles y con procedimientos estrictamente narrativos.

Apuntaba que en la obra de Icaza el problema indígena se destaca como el producto objetivo y subjetivo de determinada estructura social en proceso de transformación a lo cual quisiera añadir ahora una aseveración más *como en la realidad.* Pues en efecto, y salvo que uno asuma una posición racista, idealista o similar ¿cuál otra puede ser la esencia del problema indígena? Fuera de un sistema de explotación, dominación y discriminación, ni el indio ni la cultura indígena configuran problema alguno. Desde que tal sistema existe, con un pasado colonial como telón de fondo, es cierto que la cuestión adquiere proyecciones complejas en la medida en que entre los sectores "indio" y "no indio" se levanta una especie de dique cultural. Mas ello no autoriza a postular que la única visión válida del problema sea la plasmada con símbolos aborígenes, postulado que sólo cobraría pertinencia en caso de demostrarse que *todo* el problema radica en el nivel simbólico–afectivo.

Es oportuno recalcar, además, que la misma cultura aborigen se convierte en una mera entelequia si se la desprende de sus condiciones materiales de existencia. Esa cultura es sin duda más vigorosa en un país como el Perú, en el que la comunidad indígena ha logrado mal que bien sobrevivir con relativa consistencia hasta determinado momento cercano a nuestros días, que en el Ecuador, donde el omnipresente sistema hacendario serrano la redujo desde hace siglos a situaciones estrictamente marginales, convirtiendo al resto de la población autóctona en verdaderos *siervos* de la gleba. No quiero insistir aquí en los efectos que esto ha tenido en nuestras artes, la música por ejemplo, que en sus mejores manifestaciones es infinitamente menos india que la del antiplano peruano o boliviano. En cambio me parece indispensable subrayar cómo la diferencia histórica anotada ha creado de hecho parámetros distintos para el desarrollo de la narrativa indigenista. En el Perú:

> Una constante de la novela indigenista es la representación de un
> estado social indígena de relativa perfección, donde el grupo huma-

no realiza sin dificultad valores incuestionables, y goza, al mismo tiempo, de una cierta estabilidad y bonanza económica; este estado, sin embargo, se destruye rápidamente por acción de fuerzas exteriores: la interferencia del poder central, la expansión del gamonalismo, los requerimientos de la explotación minera, para mencionar los casos más frecuentes. Es obvia la intención social de este esquema, como es obvia también su fidelidad representativa[18].

Ahora bien, una constante como ésta es simplemente impensable en la narrativa indigenista ecuatoriana en razón de que no corresponde a nuestra experiencia histórica fundamental. Por eso la materia novelable de Icaza se ubica en una "frontera" distinta, construida a partir de una situación originaria en la que no es posible presentar al grupo indígena realizando sin dificultad sus valores, en medio de la secular depredación ejercida por el latifundista feudal, el cura y el resto del aparato moral y materialmente represivo[19].

No es de extrañar entonces que en la narrativa icaciana el universo indígena aparezca por lo general "degradado", en tanto producto histórico de un doble proceso de avasallamiento: el del feudalismo ahora en declive y el del capitalismo en curso de implantación. Lo que más bien asombra es el que un buen sector de la crítica haya llegado a pensar que el autor de esta "degradación" es el novelista: ¿imagínase acaso que la servidumbre embellece al hombre y le permite desarrollar una espléndida cultura?

Tenemos, pues, que los primeros componentes de la cultura material del siervo andino se presentan en la obra de Icaza como símbolos de la depredación antes que como indicios de una autoctonía plena, de una "autenticidad" recién perdida. Y en cuanto a la cultura espiritual, ella aparece apenas de perfil y fugitiva, rostro de siervo antiguo que empecinadamente esquiva la mirada extraindígena.

Anímicamente el drama del indio se expresa sin embargo con una gran intensidad en esa obra, según la lógica del conflicto vivido. Deviene lamento, imploración y grito de rebeldía, bellamente plasmado en los famosos pasajes corales a través de los cuales el pueblo aborigen habla colectivamente. Tocamos aquí el plano del símbolo y la poesía: el autor sin duda "adultera" y "estiliza" el dato lingüístico inmediato, pero para descubrir ritmos y entonaciones subterráneas, registros anímicos y dimensiones socioculturales sumergidas. El indio entra así existencialmente en la escena, por más que la vastedad de su universo simbólico permanezca inexplorada; hay un límite de alteridad que no se puede rebasar, es cierto.

Este mismo límite, impide, en otro nivel, la creación de personajes individualizados, o sea construidos a partir de un "yo-tú-él únicos e irreductibles", que por lo demás parece difícil encontrar fuera de la literatura producida bajo el capitalismo en su fase competitiva. Como quiera que esto sea, la solución literaria de Icaza que consiste en reforzar el personaje colectivo indígena es sin duda la más adecuada, dadas las características estructurales del propio referente empírico. Tal procedimiento no es desde luego privativo de la obra de Icaza, sino un rasgo común de la novela indigenista: "La norma de la novela indigenista es distinta: si en cierto sentido se puede decir que frecuentemente descuida la caracterización de sus personajes individuales, en otro orden de cosas tiene que reconocerse su aptitud para dotar de personalidad suficiente a grupos humanos más o menos numerosos, convirtiéndolos, así, en personajes colectivos"[20].

En Icaza, el tratamiento del problema indígena no se agota con la plasmación de la situación del "indio" propiamente dicho, categoría social que por lo demás posee contornos no siempre bien definidos. Uno de los mayores aciertos del autor consiste precisamente en haber sabido comprender que tal categoría no es sino uno de los polos de una superestructura racista que refleja, cristaliza y a la vez enmascara las relaciones de explotación (de clase por tanto) en una compleja red de relaciones de discriminación. Estas relaciones "étnico-culturales", de origen feudal y colonial, impregnan toda la constelación social de los Andes ecuatorianos, confiriendo a su estructura clasista un indeleble tinte de "castas". Sobre esta base, el propio arranque del capitalismo registra un movimiento ambiguo, que por un lado tiende a conservar la discriminación racial como asidero de una redoblada explotación, mientras por otro lado no deja de generar cierta movilidad de los "recursos humanos" (creación paulatina de un marcado trabajo) que a la postre entre en conflicto con el rígido sistema de "castas".

En el espacio urbano y suburbano del Ecuador de los años treinta ese conflicto es ya notorio y, para ciertos estratos al menos, se convierte en un verdadero trauma: es el trauma del "mestizo", a cuyo análisis Jorge Icaza dedicará alrededor de las tres cuartas partes de su obra. El problema indígena, que inicialmente apareciera como exclusivo del "indio puro", se proyecta así a sectores mucho más vastos de la población, afectados por una discriminación que está lejos de ser abolida por el relativo avance del capitalismo. Ya no es entonces un problema "exterior" a la experiencia vital del "cholerío", sino que forma parte de su drama íntimo. Como dice un personaje de *Media vida deslumbrados:* "Todo está en luchar porque nu'asome el indio. No dejarle salir a la cara, a la voz, a los ojos, a la ropa, a la tierra en la cual uno vive, a todo mismo. Shevarle como un pecado mortal en las entrañas".

En la narrativa icaciana el mestizo se manifiesta esencialmente como el punto de cristalización subjetiva de todas las contradicciones sociales. Atrapado entre dos "razas", dos culturas, dos instancias estructurales y hasta dos edades históricas, configura un lugar de desgarramiento y desarraigo antes que un espacio privilegiado de fusión. Como solía decir Jorge Icaza, en el "alma mestiza" no se desarrolla en realidad un monólogo interior, sino un permanente diálogo entre dos mundos irreconciliables.

El autor sabe perfectamente que ese conflicto de valores y pautas de comportamiento no es más que el complejo trasunto de contradicciones más profundas, de clase, que el mítico "mestizaje" no está en capacidad de resolver. Con objetividad ve cómo el avance del capitalismo, inducido desde arriba por los "junkers" locales y los "inversionistas" extranjeros, desencadena en ciertos niveles subalternos una especie de "libre competencia" tanto más despiadada cuanto menos son las posibilidades de un real ascenso social. Por eso, el "cholo" aparece con frecuencia en sus relatos como un verdadero "lobo del indio", a la vez que en otros planos, y ya como embrión de capas medias ("chulla"), va incubando patrones de conducta netamente individualistas. El drama del mestizo, esa suerte de Mesías Prometido que casi todos los escritores de la época presentan como la "síntesis" redentora de la América Latina, es recreado en todo caso sin mistificación alguna, en sus justas proporciones y perspectiva histórica.

En el plano propiamente formal la obra de Icaza se construye sobre la base de una enunciación siempre lineal, escueta y altamente funcionalizada, en la que ninguna diversión —en el doble sentido del término— tiene derecho de ciudadanía. Se ubica decididamente en el terreno del *relato,* o sea en esa franja fronteriza en la que la narración reduce al mínimo vital sus connotaciones de ficción e inclusive de literatura. La propia trama se rige por un principio de absoluta economía como si el autor se propusiese romper deliberadamente la norma de "morosidad" que Ortega y Gasset señalaba como atributo esencial del género novelístico. Las descripciones son por regla general "telegráficas", sin el menor asomo de esa fruición que consiste en hacer *le tour* de los objetos, en modelarlos con delectamiento. Y jamás encontramos un engolosinamiento en el lenguaje o indicios siquiera de una estancia recreativa en el significante. Pese a que el referente de las narraciones icacianas es frecuentemente agrario, en ellas no aparece en rigor paisaje alguno: sólo una topografía severa y funcional, con la que el hombre lucha o se confunde. En fin, nada que se asemeje a un entorno pintoresco o folclórico: en ese mundo de lo horrible el "color local" no tiene sitio.

Hay, en esta voluntad de no-estilo, una negación radical del pomposo discurso literario de la oligarquía, un rechazo radical de la estética del consumo conspicuo. Como hay, en otro plano, un designio de desmitificar la ideología dominante toda mediante la confrontación de sus fragmentos discursivos más "sublimes" con la escueta representación de un universo de miseria y opresivo, en el que la única poesía posible parece ser la de la insumisión, la de la rebeldía.

El proceso de codificación realista de nuestra realidad queda así consumado y la literatura ecuatoriana *de denuncia* alcanza su expresión más alta: la historia de la expoliación empieza a recorrer el mundo convertida en un mensaje cuyo no-estilo reproduce en sí mismo la lógica del despojo absoluto, y cuya configuración profunda está impregnada de universalidad en la medida en que trasciende lo único que en rigor merece el nombre de "regional" o "local", es decir, lo meramente fenoménico, lo aparencial.

¿Perdurará la obra de Icaza como gran literatura o bien el transcurrir del tiempo la irá relegando a la más modesta condición de un testimonio de carácter sociológico? No quiero arriesgar ninguna profecía, aunque me parece más probable que la historia llegue a olvidar ciertas querellas de campanario antes que la producción del mejor exponente de una corriente como la indigenista, surgida de las entrañas mismas de nuestro dolorido ser andino.

# NOTAS

[1] Los autores hasta aquí mencionados constituyen el núcleo fundamental del realismo social ecuatoriano y pertenecen todos a la llamada "generación del 30". Dicha corriente se prolonga en dos autores más: Adalberto Ortiz (1914), quien en 1943 publicó la conocida novela *Juyungo*, y Pedro Jorge Vera (1914) que publicó *Los animales puros* en 1946. De entre ellos sólo Icaza puede ser considerado indigenista.

[2] La sola novela *Huasipungo* había alcanzado hasta 1968 —última fecha para la que dispongo de datos— los siguientes *records* de difusión: veinte ediciones en lengua española incluyendo tirajes de hasta cincuenta mil ejemplares; traducciones a dieciséis idiomas; tres adaptaciones para niños y varias para teatro; selección, en el *Diccionario de la literatura universal Laffont-Bompiani,* como una de las cinco obras maestras publicadas en el mundo en 1934.

[3] Lo digo sin el menor prejuicio contra la obra de Palacio y con el exclusivo objeto de restablecer ciertas proporciones. Recuérdese, por lo demás, que el único libro de este autor editado fuera de nuestro país va precedido de un elogioso prólogo mío: *Un hombre muerto a puntapiés y Débora,* Santiago de Chile, Editorial Universitaria, 1971.

[4] Por esta razón en los últimos años sólo ha aparecido un estudio riguroso y consistente del indigenismo ecuatoriano, escrito por el catedrático español Manuel Corrales Pascual: *Jorge Icaza: frontera del relato indigenista,* Quito, Centro de Publicaciones de la Pontificia Universidad Católica del Ecuador, 1974.

[5] Cf. Paul A. Baran y Paul M. Sweezy: *El capital monopolista,* 10a. ed., México, Ed. Siglo XXI, 1975, p. 93 y ss.

[6] Y no sólo literario: en 1922, por ejemplo, aparece la obra pionera de la sociología indigenista, *El indio ecuatoriano,* de Pío Jaramillo Alvarado.

[7] "El realismo de la otra realidad", en: *América Latina en su literatura* (Coordinación e introducción por César Fernández Moreno), México, Ed. Siglo XXI 1972, p. 207.

[8] He tratado de demostrarla en mi estudio *Jorge Icaza,* Buenos Aires, Centro Editor de América Latina, Enciclopedia Literaria, 42, 1968.

[9] Cf. nuestro trabajo, *El proceso de dominación política en Ecuador,* México, Ed. Diógenes, S. A., 1974.

[10] Pese a la gran finura de sus análisis, Jorge Enrique Adoum cae, desgraciadamente, en este y otros lugares comunes de la mitología "antirrealista". Cf. su ensayo ya citado.

[11] En el sentido gramsciano de "concepción del mundo no elaborada y asistemática". Cf. Antonio Gramsci: *Cultura y literatura,* Madrid, ediciones Península, 1967, p. 329 y s.

[12] *Ob. cit.,* p. 215.

[13] Hecho que Gabriela Mistral no dejó de advertir en alguno de sus delicados ensayos.

[14] Me parece que todo el error de la crítica adversa a esta literatura consiste en analizarla como si fuera una "escuela" surgida arbitrariamente y que además asume tareas que "idealmente" no le corresponden.

[15] *Los que se van* es, como se recordará, el título del libro de cuentos "montuvios" publicado por Gallegos Lara, Gil Gilbert y Aguilera Malta en 1930. A esta fecha-hito hace alusión la *denominación* "generación del 30".

[16] *7 ensayos de interpretación de la realidad peruana,* Lima, Empresa Editora Amauta, 1971, p. 335.

[17] *La novela ecuatoriana,* México, Fondo de Cultura Económica, 1948, p. 175.

[18] Antonio Cornejo Polar: "Para una interpretación de la novela indigenista", *Casa de las Américas,* N° 100, enero-febrero de 1977, p. 43.

[19] El único libro en que Icaza aborda el problema de los indios "de comunidad" es *Huairapamushcas,* pero lo hace de manera relativamente tangencial y muy simbolizada: el tema central de la obra es más bien el del conflicto entre cholos e indios.

[20] Cornejo Polar, *ob. cit.*, p. 46.

ALEJANDRO LOSADA

# ARTICULACION, PERIODIZACION Y DIFERENCIACION DE LOS PROCESOS LITERARIOS EN AMERICA LATINA*

EL OBJETIVO DE ESTAS NOTAS es proponer una teoría concreta sobre la especificidad de los procesos literarios en las sociedades de América Latina a lo largo de los siglos XIX y XX.

Los movimientos artísticos y literarios *ilustrados* latinoamericanos deben ser observados en el contexto global de la difusión, recepción y transformación de los procesos ideológicos–culturales internacionales producidos en Europa. La cosmovisión medieval, el humanismo renacentista, el manierismo barroco, la ilustración, el liberalismo burgués, las tendencias anti–burguesas o las expectativas de la revolución socialista constituyen horizontes culturales internacionalizados producidos originariamente en regiones externas a América Latina de los que, sólo posteriormente, ella participó dada su pertenencia a ese mundo internacional. Esto significa que no es posible estudiar los procesos latinoamericanos como si fueran autónomos de este movimiento general del mundo occidental. Desde la Conquista, sin embargo, los productores de cultura ilustrada de esta región se han identificado con ese horizonte internacionalizado a partir de su posición periférica y dependiente dentro del proceso general de expansión y consolidación del modo de producción capitalista. La observación de los desarrollos literarios y culturales latinoamericanos se debe realizar, por lo tanto, a partir de esta posición receptora con respecto a centros productores dominantes del capitalismo hegemónico.

Este modo de apropiarse y de transformar lo que se difunde desde otras situaciones sociales depende de las condiciones concretas en que se encuentra cada formación social latinoamericana en cada etapa de su evolución histórica. El impacto que tendrán los movimientos ideológico–culturales del siglo XIX europeo no será el mismo, por ejemplo, en sociedades esclavistas como el Imperio del Brasil, o en sociedades con una mayoría indígena perteneciente a una antigua cultura, como las andi-

* *Revista de Crítica Literaria Latinoamericana*, IX, núm. 17 (1983), pp. 7-37.

nas, que en espacios sociales en donde recién se estaba consumando el proceso de ocupación de la tierra, como en el Río de la Plata. Dentro de estos concretos cuadros de relaciones, la producción de literatura debe cumplir nuevas funciones sociales que, por ser diferentes de las que caracterizan a las literaturas europeas, determinan la transformación de aquellos lenguajes internacionalizados, organizándose procesos que son específicos de estas subregiones. De tal manera que el presupuesto metodológico que destaca la internacionalización de estos fenómenos no implica que haya que observarlos como si fueran solamente pasivos y dependientes de la difusión externa; sino, sobre todo, hay que aislar la manera en que cada uno de los sujetos sociales productores de literatura en cada subregión se apropia activamente de aquellos movimientos y los transforma para que cumplan otras funciones, en otro contexto de relaciones y con otros actores sociales.

El objeto de este trabajo no es discutir este modelo general de análisis que fue publicado en el año 1975 y que está a la base de los trabajos más interesantes que ha producido la disciplina en los últimos quince años (Losada, 1981). Se trata, más bien, de dar a conocer los resultados de su aplicación para explicar la *diferenciación* de los procesos literarios en dos tipos de formaciones sociales a lo largo del presente siglo. Para decirlo en pocas palabras, la investigación ha permitido explicar la coexistencia sincrónica de dos literaturas radicalmente diferentes porque las pudo *articular* a dos sociedades que también eran muy distintas. Una de ellas debía liquidar todavía los problemas que traía consigo su herencia colonial cuando ya se encontraba en la etapa imperialista y, por ello, produce lenguajes como el *Indigenismo* o la *Negritud;* y otra se encontraba en la etapa predominantemente capitalista y urbana, donde la mayoría de la población pertenecía a la ola inmigrante que se trasladó desde Europa y permitió incorporar toda la subregión, abruptamente, al mercado mundial, produciendo otras literaturas con otras funciones sociales. Una teoría concreta que trate de dar razón de la especificidad de los procesos literarios latinoamericanos se verá forzada, por lo tanto, a diseñar un *nuevo modelo de periodización* que permita entender los distintos procesos literarios que se articulan a las diferentes formaciones sociales que coexisten en América Latina a lo largo de los últimos cien años.

La articulación de los procesos literarios a los procesos de formación y desarrollo de las sociedades latinoamericanas se puede realizar en dos niveles. Si se privilegia el nivel *macroeconómico,* se insistirá en el proceso de internacionalización del capitalismo hegemónico y, por lo tanto, se considerará el factor externo como la variable fundamental que determina el cambio de las épocas y de los períodos literarios latinoamericanos. Si se considera esencial, en cambio, el nivel *macrosocial,* se tratará de dar relevancia a las transformaciones y a las funciones que cumple la producción literaria dentro de cada formación social. Como veremos, la disyuntiva es sólo aparente, ya que a lo largo de los dos últimos siglos hay procesos literarios diferentes que se articulan a uno y otro espacio económico–social. Donde se llega a estabilizar una estructura económica dependiente del desarrollo del capitalismo internacional de una manera tan eficaz que permita reestructurar un espacio institucional, se producirá un tipo especial de procesos literarios. En donde, en cambio, no se estabiliza una nueva estructura productiva, se vivirá una experiencia histórica de transición irresuelta que determina una tensión prerrevolucionaria o directamente comprometida. En el primer caso, el proceso de institucionalización se podrá percibir en el tipo de sociedad urbana que se organiza, que trata de reproducir las formas de vida y de cultura europeas. En el segundo, se dará una desestructuración social que determinará la situación problemática que deberá enfrentar todo intelectual envuelto en los problemas de la liquidación de la herencia colonial y que, ordinariamente, deberá producir desde el exilio. El caso más ilustrativo para la manera en que se articulan los procesos literarios a los procesos sociales metropolitanos y capitalistas es el Cono Sur entre 1880–1960. Para la articulación de la producción cultural a la liquidación de la herencia colonial el caso Caribe entre 1890–1980 tiene una transparencia excepcional para diseñar un nuevo modelo de periodización. En el resto de las subregiones los procesos se vuelven más complejos ya que participan de ambos problemas. El caso Brasil, por ejemplo, presentará al menos dos literaturas, una vinculada a la crisis de la sociedad tradicional en Minas o en el N. Este, y otra predominante capitalista con base inmigrante en São Paulo. El nuevo modelo de periodización que presentamos está elaborado a partir de aquellos dos casos más extremos, pero esperamos que sea de utilidad para resolver los problemas de la simultaneidad de diferentes literaturas dentro de cada sociedad subregional, en donde coexisten espacios predominantemente capitalistas con otros que todavía no han liquidado los problemas de su herencia colonial.

## 1. LA ARTICULACION AL NIVEL MACROECONOMICO INTERNACIONALIZADO

El dato relevante que distingue a estas formaciones sociales es la dependencia de su sistema productivo de los polos hegemónicos que se han ido constituyendo con la formación y la expansión del sistema capitalista: dependencia colonial de España y Portugal en la época de la revolución mercantil; dependencia neocolonial de Inglaterra en el de la revolución industrial; y, finalmente, dependencia de USA en la etapa imperialista. Para América Latina, este proceso mundial significó tres épocas marcadamente diferenciadas por la forma de organizar su sistema productivo dependiendo de distintas metrópolis hegemónicas y, por lo tanto, de reorganizar forzadamente todas sus fuerzas productivas, de distribuir su población, de modificar sus asentamientos urbanos, de modernizar sus instituciones culturales y de transformar sus intelectuales para que cumplan nuevas funciones.

Esta articulación de la totalidad de la vida social, económica y cultural latinoamericana al desarrollo del capitalismo hegemónico a nivel mundial es tan marcada que la historia literaria no ha dudado en tomarla como criterio para distinguir las tres grandes épocas en que se diferencian sus procesos literarios: (1) literatura *colonial* durante ese período; (2) fenómenos literarios semejantes a los modelos franceses en la etapa neocolonial o *"nacional"* durante la nueva articulación al mercado mundial; y (3) procesos literarios *"modernos"*, "vanguardistas" o "cosmopolitas" en el siglo XX, durante la etapa de dominación multinacional bajo la hegemonía imperialista. A partir de este modelo, se plantea cada vez con mayor agudeza una discusión acerca del modo en que se han formalizado e interpretado los procesos literarios dentro de cada una de esas tres épocas. La disciplina tradicional había insistido en la manera en que las metrópolis "influían" en los centros urbanos latinoamericanos y en cómo éstos reproducían aquellos movimientos y lenguajes literarios. Las nuevas corrientes de interpretación argüirán que esa reproducción es, en primer lugar, bastante problemática, dando lugar a transformaciones en las funciones de los lenguajes metropolitanos, como es el caso de las Crónicas; mostrarán, en segundo lugar, que existen una cultura y una literatura de los "vencidos" (Wachtel), o una literatura mestiza (Lienhard), que no había sido incluida en el corpus de la literatura latinoamericana. Pero sobre todo insistirán en que las categorías de "difusión–imitación" no dan razón del proceso interno de producción de estas literaturas. Si bien existen literaturas imitativas, no toda la producción literaria refleja y depende de los modelos culturales hegemónicos.

Muchas literaturas las reproducen para negarlas o para plantear alternativas y poner en duda esa forma de dominación. Este movimiento de "reproducción–negación" recién comienza a ser estudiado por la disciplina pero, en general, podemos afirmar que cada sistema hegemónico produce, internamente, su propia negación. En la época colonial, por ejemplo, a través de las literaturas indígenas o con el pesimismo manierista. En el siglo XIX, en los lenguajes que se producen para destruir las formas precapitalistas de organización social, como las formalizadas por los patriotas cubanos en el exilio, o por los proscritos rioplatenses, para no hablar de las formas populares de resistencia. En la primera mitad del siglo XX, con el ensayo, la poesía y la novela sociales, o con el teatro popular. Y en las últimas décadas, con una literatura que produce una "contracultura" y reinterpreta alternativamente la situación de América Latina; o con una transformación de las técnicas de comunicación de masas, donde el teatro de la calle o campesino, el cine documental o la canción popular tratan de formar la conciencia colectiva para provocar una revolución social.

No es el objeto de estas notas intervenir en este nivel de la discusión. Sólo nos interesa señalar que una y otra tendencia aceptan como válido un modelo de periodización basado: (a) en la distinción de *tres épocas;* (b) que el criterio para distinguirlas no es únicamente el de sus diferencias literarias, sino su participación en un fenómeno mucho más amplio que se da a *nivel estructural;* (c) que la variable determinante para explicar las transformaciones de los procesos literarios se encuentra en los *centros hegemónicos* del capitalismo internacional; y (d) que esa variable externa determina procesos *análogos* en toda América Latina. Como veremos más adelante, este modelo da razón de una buena parte de los fenómenos culturales y de los desarrollos literarios en la región. Pero nos encontramos con la evidencia de que en los últimos dos siglos se desarrollan movimientos y procesos literarios tan diferentes en cada subregión que resulta imposible formalizarlos con aquellos supuestos.

Para explicar estos fenómenos tan contradictorios no basta articular los procesos literarios latinoamericanos —como si fueran una unidad— a un marco estructural internacionalizado, sino que se hace necesario articularlos al efecto que tienen aquellos fenómenos hegemónicos sobre cada formación social subregional en cada una de esas etapas. Hay que articular, entonces, los procesos literarios a los procesos de formación y transformación de cada sociedad subregional.

## 2. LA ARTICULACION A CADA FORMACION SOCIAL

El hecho de articular el desarrollo literario al desarrollo de cada sociedad subregional destaca la *función* que cumple la producción de la literatura con respecto a las contradicciones en que se encuentran las clases sociales en cada período histórico. Se trata no sólo de preguntarse si se producen procesos literarios dependientes de los centros hegemónicos externos (y de la clase dominante local), sino, sobre todo, de observar si se produce un desarrollo literario que busque liquidar esa situación dependiente y, o bien sea producido por la misma clase oprimida, o bien pretenda articularse a sus contradicciones y a su movilización. Plantear las cosas de esta manera ha tenido por consecuencias: (1) restarle relevancia a la época intermedia que se desarrolla controlada por el modo de producción colonial; (2) oponer la época en que se produce literatura en función de la liquidación de la herencia colonial —es decir, de la dependencia externa y de la situación de la masa popular— a todos los movimientos que la antecedían; (3) diferenciar radicalmente los procesos literarios que tienen esta función "social–revolucionaria", de aquellos otros que formalizan otros lenguajes y tienen otra articulación social.

No se trata de intervenir en este momento en la discusión sobre la naturaleza de las sociedades y de las clases en América Latina, sino de avanzar a partir de evidencias que ofrecen una base sólida para la construcción de un modelo. Y la evidencia, en este caso, es la peculiaridad del *momento formativo* en que se constituyen estas sociedades, donde nuevos actores sociales surgen, se desarrollan y se consolidan diferenciándose de las sociedades europeas y participando, sin embargo, en el mismo proceso del capitalismo mundial: la masa *indígena* sometida a relaciones de dominación semifeudales, la masa *esclava* en la economía de plantación y la masa *inmigrante europea* proletarizada, por un lado, y una clase *señorial-oligárquica* de tipo tradicional, por otro. Y avancemos la hipótesis de que la producción literaria vinculada a este marco de relaciones a lo largo del siglo XIX no tiene la significación de una época que supere el modo de producción colonial, en la casi totalidad de las sociedades de América Latina en donde permanecen resistentes las relaciones sociales precapitalistas. Consideremos a continuación estos procesos dejando para más adelante los que se desarrollan en sociedades de asentamiento reciente, donde se constituyen sociedades agrarias predominantemente urbanizadas y donde la mayoría de la población inmigrante no tendrá una participación directa en el proceso productivo sino en el sector terciario metropolitano bajo relaciones predominantemente capitalistas.

A diferencia del proceso europeo, el momento formativo de las sociedades de América Latina es efecto de tres grandes migraciones desarrolladas por la dinámica del capitalismo hegemónico. A partir de estos enormes desplazamientos y reasentamientos poblacionales surgen y se organizan las diferentes formaciones sociales subregionales (Sánchez Albornoz, 1973). En el período de la conquista, la emigración ibérica ocupa, destruye y reorganiza las poblaciones indígenas bajo un sistema semifeudal en la forma de ocupación de la tierra y de explotación de la fuerza de trabajo, y bajo una burocracia eclesiástica-estatal, en el período de la revolución mercantil. El efecto de este proceso sobre la sociedad y las altas culturas mesoamericanas y andinas es conocido. Nos interesa destacar, sin embargo, cómo se constituye entonces una sociedad en donde coexistirán conflictivamente una cultura dominante de mentalidad señorial que oprime a la cultura popular indígena durante cuatro siglos, utilizando la variante racial y cultural para legitimar esa explotación (M. Mörner, 1967). La experiencia histórica de estas sociedades estará determinada por este trauma original que permanece resistente y acumula lo que se ha dado en llamar una "suma de iniquidades" (P. L. Crovetto, 1982) en su conciencia social. Será, en un primer momento, la desarticulación del propio Imperio; luego las encomiendas, haciendas, repartimientos y mitas; vendrán más adelante la catástrofe demográfica y las rebeliones; hasta que finalmente, a lo largo del siglo XIX, se da una lenta recuperación por la situación de aislamiento en que se encontraron con respecto a las zonas dinámicas de la economía de enclave, aunque sometidos siempre al mismo tipo de discriminación y dominación. El hecho es que a partir del avance del capitalismo sobre las estructuras tradicionales en las primeras décadas del siglo XX —y en no menor medida a causa del crecimiento demográfico— comienza un período crítico en el que la antigua formación social se desestructura y no puede reproducirse bajo las antiguas condiciones (E. Wolf, 1968: 276-303). En este momento de crisis de la sociedad tradicional se produce la ruptura entre los productores de cultura y los sectores dominantes, dando lugar a una literatura social antioligárquica, antiimperialista o indigenista. Y esta ruptura es tan significativa para *todo el proceso social y cultural* que se desarrolla desde la Conquista, que permite organizar los procesos literarios producidos bajo condiciones coloniales como varios períodos referidos a una misma época histórica (entre los que se incluye el de las literaturas "nacionales" del siglo XIX); y a todos ellos oponer estos procesos sociales y literarios que pretenden liquidar aquella herencia colonial.

En las subregiones en que se organiza una economía de plantación bajo la forma de enclave y con mano de obra esclava se produce una emigración forzada de grandes masas de población africana pertenecientes a diferentes culturas. En este caso se forman sociedades en donde la gran mayoría de la población desarrolla una cultura afroamericana (Bastide, 1967) que le permite sobrevivir y resistir el proceso de enajenación y dominación a que la somete un pequeñísimo grupo de plantadores europeos o europeizados, que pertenecen a otra cultura. Este sistema de relaciones sociales y culturales no desaparece con la abolición de la trata y de la esclavitud a lo largo del siglo XIX, ya que en regiones como Brasil o las Antillas españolas se mantiene resistente hasta casi el siglo XX. En otras sociedades, el cuadro cultural de la masa popular se complica con la inmigración de otras minorías étnicas como los chinos o los hindúes que, finalmente, se proletarizan o regresan a formas de producción precapitalistas. A lo largo del siglo XX, este cuadro de relaciones sufre una doble transformación. Por un lado, la expansión del imperialismo norteamericano y de la economía de plantación local tratan de reestructurar la explotación de esa fuerza de trabajo combinando relaciones capitalistas asalariadas con formas precapitalistas de organización de la producción. Por otra, se reorganiza una economía marginal no-capitalista, se forma un "Lumpenproletariat" urbano, o se producen nuevas migraciones internas (jamaiquinos, haitianos o nicaragüenses) hacia otras regiones del mismo Caribe o hacia las metrópolis dominantes (Sandner-Steger, 1973). El hecho es que el cuadro de relaciones concreto en que se produce la cultura del siglo XIX en esta subregión manifiesta la ausencia de un nuevo proceso literario significativo. El lector, por ejemplo, comprobará en el caso de Costa Rica la ausencia de instituciones culturales hasta aproximadamente finales del siglo XIX, cuando comienza a insinuarse una literatura "nacional". El caso de Cuba, excepto la producción de los emigrados revolucionarios, en el exilio las últimas décadas del siglo, es el de una sociedad y de una literatura coloniales. El Caribe francés, a pesar de la independencia de Haití, producirá también una literatura colonial. Y en el inglés y el holandés, la debilidad estructural es tan pronunciada que difícilmente se puede hablar de un proceso literario hasta entrado el siglo XX. En esta región, para hablar de una literatura colonial tenemos que apoyarnos en el único caso significativo: Guatemala. Y el período de las literaturas nacionales, durante el siglo XIX, presenta sólo fenómenos irrelevantes, cuando no inexistentes. De esta manera, lo único que realmente se impone como el surgimiento de una literatura nacional, o subregional, son las que, en el siglo XX, toman como materia de reflexión la necesidad de liquidar aquella herencia colonial, que pretenden producir una contracultura rescatando la identidad de la masa popular, o que buscan denunciar la ilegitimidad de la dominación oligárquica o imperialista.

Tomemos los tres primeros rasgos del modelo general de periodización presentado en el párrafo anterior: se distinguen *tres* épocas articuladas a las transformaciones de la *dependencia* de los centros hegemónicos del capitalismo, y se interpretan los procesos literarios de las sociedades dominantes como la *variable determinante* de los cambios que se producen a nivel latinoamericano. Los problemas que presenta este modelo cuando se articulan los procesos literarios a las formaciones sociales son los siguientes:

1. La forma de producción colonial se consolida tempranamente sólo en las cabezas administrativas del antiguo imperio español, en donde existían cortes, universidades o instituciones semejantes a las metropolitanas. En ellas se dan estos tres rasgos que hemos mencionado ya que reproducen imitativamente los fenómenos literarios centrales. Pero existe un doble proceso cultural que no reproduce estas características. Por un lado, la *ausencia* de movimientos literarios significativos en casi la totalidad de las otras regiones, incluyendo Brasil (Antonio Candido, 1958) y el Caribe. Pero por otro lado, la *persistencia* del modo de producción colonial en las regiones en que se produce literatura a lo largo de todo el siglo XIX hasta aproximadamente 1910. El hecho relevante es que en la gran mayoría del subcontinente (excepto los polos de asentamiento reciente que estructuran sus relaciones sociales en los últimos cien años) las formaciones sociales constituidas durante la conquista o durante la esclavitud mantienen las relaciones básicas de la época colonial: sociedades polarizadas y dominadas por una élite europeizada que no alcanza —digamos— a sumar el 5 por ciento de la población; una masa productora campesina, indígena o esclava sometida a modos de explotación precapitalistas; un abismo entre el horizonte cultural de las élites dominantes identificadas con los centros hegemónicos externos y las culturas populares con las que se identifica la mayoría de la población; esa mayoría popular excluida de toda participación en el excedente del sistema productivo articulado al mercado internacional; y, finalmente, una pirámide de castas donde las diferencias raciales y culturales legitiman el sistema de dominación de tal manera que la gran mayoría de la población se ve despreciada y discriminada por aquella élite dominante que, a su vez, no le permite participar de sus propias formas culturales internacionalizadas. El hecho de que a lo largo de todo el siglo XIX estas constantes se mantengan resistentes tanto en sociedades coloniales como Cuba (I. Rodríguez, 1978) o el Caribe francés (U. Fleischmann, 1982); en naciones formalmente independientes como Haití (U. Fleischmann, 1968

y 1976), las de Centroamérica (S. Ramírez, 1975) o de los países andinos (Losada, 1977); o en sociedades nacionales con base esclavista como el Brasil (A. Candido, 1958; R. Schwarz, 1977 y 1978) permite juzgar como científicamente inoperante el presupuesto básico que sustenta el modelo de periodización tradicional: los cambios en los centros hegemónicos del capitalismo, y sobre todo el cambio radical de las revoluciones burguesas, no determinan la transformación de las épocas literarias en las sociedades latinoamericanas hasta aproximadamente 1910. Debemos, en cambio, entender toda la época que se desarrolla entre la Conquista y el presente siglo como un solo sistema hegemónico, y dentro de él podemos distinguir muchos períodos o fenómenos diversos determinados por la misma forma de producción.

2. Hay que interpretar, en cambio, el momento de *superación* del modo de estructurarse estas formaciones sociales —y de producir y reproducir su vida material, cultural y literaria— como un hecho fundacional que constituye una nueva época en el desarrollo de estas sociedades que comienza a principios del siglo XX.

El hecho es que aproximadamente en la tercera y cuarta décadas del presente siglo, en muchas subregiones surge una nueva literatura que rompe abruptamente con los procesos y los modos de producir que la anteceden y se articula a la lucha por liquidar aquella herencia colonial (polarización social, dependencia externa, opresión de las mayorías, desprecio y exclusión de la masa popular en los bienes del sistema). No es el momento de repetirlo en esta ocasión, pero el lector recordará el trabajo de Dessau 1968 sobre la literatura de la Revolución Mexicana; el número especial de esta misma revista (7–8, 1978) con los estudios de A. Cueva, J. Sommers y A. Cornejo Polar sobre la literatura indigenista; las reflexiones de Rubén Bareiro Saguier 1976 sobre la literatura paraguaya, y encontrará a continuación investigaciones sobre procesos similares en el N. E. del Brasil (C. Acevedo), en América Central (C. Bogantes y U. Kuhlmann) y en Haití (U. Fleischmann). Estos desarrollos literarios no pueden identificarse con los que los antecedieron, sino que constituyen un nuevo fenómeno que escinde los procesos culturales en dos grandes sistemas enfrentados. Por un lado, aquel que se constituye a partir de las condiciones que impusieron el trauma original de la Conquista y de la esclavitud y se prolongó durante varios siglos mientras se produjo una literatura articulada a ese modo general de producir y reproducir la vida material y social de la totalidad; y, por otro lado, surge un nuevo sistema cultural que entiende la producción de la literatura como una práctica social que se dirige a revertir los efectos de aquel proceso de destrucción–dominación y a fundar un nuevo ciclo histórico, negándole legitimidad a las culturas hegemónicas internacionalizadas y buscándola en las culturas de las masas populares latinoamericanas.

No hay duda de que los fenómenos tienen una complejidad mayor que esta simplificación. Pero tampoco la hay de que una observación científica que se pregunte por la *especificidad* de los procesos literarios latinoamericanos encontrará en estos fenómenos culturales –articulados a aquellos procesos sociales de crisis y liquidación de la herencia colonial– un tipo de lenguajes, géneros y funciones que son radicalmente diferentes de los que se producen sincrónicamente en los centros hegemónicos del capitalismo, debiendo explicarlos y ordenarlos con un nuevo modelo de periodización. Para ello debe formalizar (a) la decisiva importancia fundacional que tiene este nuevo proceso con respecto a todos los que lo anteceden; (b) destacar su autonomía con respecto a los centros dominantes que ofrecen modelos de una cultura internacionalizada; y (c) abandonar el presupuesto de que la variable determinante de las transformaciones literarias latinoamericanas se debe buscar en el mundo internacionalizado de las culturas hegemónicas.

3. El cuarto supuesto que controla el modelo tradicional de periodización es la analogía entre los procesos literarios latinoamericanos. Este prejuicio tiene su fundamento en que estos procesos son entendidos como una parte de los internacionales, considerando a los centros hegemónicos como la variable independiente que los determina. Nos encontramos ahora con dos series de hechos. Por un lado, es evidente que muchos procesos literarios se deben explicar como predominantemente condicionados por un fenómeno internacional hegemónico, es decir, como un *efecto* de una causa que se encuentra en Europa. Pero, por otra, nos encontramos con procesos *no–determinados* por los desarrollos que se producen en los centros hegemónicos sino que tienen una orientación específica irreductible. Aunque estos dos tipos de fenómenos se han dado a lo largo de toda la historia cultural latinoamericana, hasta este siglo no se había producido una diferenciación tan pronunciada entre las diversas subregiones que se manifestara en la concentración –y en la exclusión– de dos tipos de lenguajes radicalmente diferentes dentro de la misma América Latina. El hecho es que a partir de 1880 aproximadamente, las metrópolis del Cono Sur –sobre todo Buenos Aires y Montevideo, aunque también Santiago de Chile y São Paulo– se constituyen en espacios sociales predominantemente capitalistas que no plantean los problemas que tienen que ver con la liquidación de la herencia colonial. Y precisamente estos problemas son los que determinarán los lenguajes y las funciones de las literaturas del Caribe. Nos encontramos, entonces, con la evidencia de la simultaneidad de dos procesos literarios, que al mismo tiempo se articulan a diferentes formaciones sociales. Uno se producirá en metrópolis articuladas al movimiento internacionalizado de la cultura europea a partir de los problemas que debe elaborar una formación social urbana, dividida en clases bajo formas de relación capitalista, y otro, en un espacio social–revolucionario que trata de liquidar la herencia colonial y reorganizar la sociedad superando los condicionamientos a que la somete el sistema capitalista.

Por ello, toda periodización de la literatura latinoamericana que trate de formalizar los procesos del siglo XX como si fueran un conjunto homogéneo deberá fracasar. En los últimos cien años habrá que diferenciar al menos dos tipos de sistemas literarios que se articulan a diferentes formaciones sociales y, muchas veces, se producen dentro del mismo espacio donde coexisten diferentes formaciones vinculadas por la hegemonía de un mismo Estado Nacional.

Con estas reflexiones no hemos negado el modelo de periodización tradicional, sino que lo hemos relativizado. Aquellos cuatro rasgos que lo controlan no bastan para formalizar los procesos de "*la* literatura latinoamericana" sino "*una de las* literaturas" que se producen en articulación a la sociedad hegemónica europea y se reproduce en América Latina, donde se dan espacios sociales semejantes a aquellos modelos hegemónicos. Paralelamente, se producen también otras literaturas que no se articulan a ese contexto internacionalizado, sino a los problemas y contradicciones de la propia sociedad. Vamos a proponer a continuación cómo se han producido estos dos tipos de procesos a lo largo de los últimos cien años. En el primero de los casos, veremos que se trata de literaturas *urbanas* internacionalizadas precisamente porque esas ciudades pudieron reproducir las formas de vida y de conciencia que tenían las ciudades dominadas por el capitalismo hegemónico. En el segundo de los casos, se trata de literaturas que buscan articularse, no a la ciudad y al individuo "modernizado", sino a la *sociedad como totalidad,* incluidos el centro hegemónico y las clases populares.

## 3. LOS PROCESOS LITERARIOS EN LOS ESPACIOS URBANOS INTERNACIONALIZADOS

El hecho relevante es que, a lo largo de la historia de la sociedad de América Latina, cada vez que se consolida un modo de producción dependiente del capitalismo hegemónico, surge un espacio social urbano semejante al de las capitales hegemónicas y, al mismo tiempo, literaturas análogas. Como tipos ideales, podemos recordar los siguientes fenómenos:

a. La ciudad *administrativa–colonial,* sobre todo los asientos virreinales de Perú, México y, posteriormente, de la Corte en Brasil. El intelectual será un cortesano, miembro directo de la clase dominante, vinculado a la Universidad, a la Iglesia o a la nobleza.

b. La ciudad republicana como *intermediaria,* un enclave moderno vinculado a Europa, con un enorme "Hintergrund" tradicional que reafirma y reproduce formas de explotación colonial de la mano de obra esclava o semiservil indígena. El intelectual es un mestizo dependiente de la oligarquía señorial, que debe representar la modernidad pero está absorbido por sus relaciones con la élite tradicional (Lima–Rio de Janeiro–Port-au-Prince–México 1850-1910).

c. La ciudad *metropolitana* industrializada e internacionalizada, dividida en clases, con masas de muchos millones, con culturas internas diferenciadas, donde la población está sometida a relaciones capitalistas —dentro del capitalismo dependiente, ya que no habrá universidades o empresas culturales como las que contó la burguesía europea. En ella, el intelectual es un profesional de la cultura, un hombre que dispone de su talento y de su fuerza productora para ponerlos al servicio del mercado cultural, o para articularse a la cultura supranacional elitista, o para organizar la resistencia o la revolución. Los ejemplos más claros están en el Cono Sur –São Paulo, Montevideo, Buenos Aires– y, excepcionalmente, en La Habana. A partir de las últimas dos décadas ésta es también la fisonomía de las capitales "primadas" como Caracas, Bogotá, Santiago de Chile, Lima o México. Y el hecho relevante es la coexistencia de diversas literaturas que se ignoran mutuamente, desarrolladas en función de diversos proyectos culturales.

En estos tres tipos de ciudades, la institución urbana aparece como resultado de distintos modos de producción, que organiza la sociedad de maneras diferentes. Pueden ser vistos, por lo tanto, como instituciones que son efecto de un proceso de *estructuración general de toda la sociedad* que, a lo largo de un período más o menos sostenido, se consolida y construye su propio espacio urbano ( J. Hardoy - R. Schaedel 1969, R. Morse 1971, R. Mellafe 1971).

En estos sucesivos espacios urbanos, se diferencian una serie de tipos sociales y actividades administrativas, políticas, judiciales, culturales y religiosas propias de cada etapa y de cada formación social. Lo que a nosotros nos interesa destacar es que en cada tipo de ciudad –efecto del modo de producción y de organización social general– habrá un diferente *tipo social productor de cultura*. Y los tipos de cultura que desarrollarán estos intelectuales serán diferentes porque constituyen un aspecto de diferentes sociedades, y tienen diferentes funciones dentro de cada una de ellas.

Cuando hablamos de culturas coloniales, de culturas neocoloniales dependientes y de culturas metropolitanas producidas bajo las condiciones de la alienación capitalista, nos referimos a literaturas que, al mismo tiempo, están referidas a distintos tipos de sujetos productores y, más allá, a distintas etapas históricas del desarrollo de las formaciones sociales latinoamericanas.

En los tres casos, estas culturas se producen a partir de una cierta estabilización de todo el sistema social, que se manifiesta en la formación de una nueva ciudad. Uno de los rasgos que manifiesta más claramente esta estabilización es precisamente la especialización de la vida literaria en instituciones específicas (vida religiosa, Corte virreinal, Facultad de Derecho, revistas literarias y periodismo, salón burgués, revistas dedicadas a los especialistas de la cultura, escuelas literarias, etc.).

Con esto llegamos a uno de los puntos que más nos interesa para diferenciar estas literaturas de las que presentaremos a continuación: cada vez que se estabiliza una cultura urbana institucionalmente, el sistema literario está referido predominantemente al estrato especializado en la cultura. Y a partir de la consolidación de este grupo social, es posible observar el fenómeno literario como una manera de establecer relacio-

239

nes sociales con los otros tres actores sociales también organizados institucionalmente: la masa popular, la élite dominante del poder económico y del poder político, y finalmente, los centros hegemónicos externos.

En las tres etapas por las que evolucionan estas sociedades latinoamericanas, se destaca un fenómeno común: la literatura institucionalizada en momentos de estabilización de los sistemas productivos y de las formas de organización social siempre pone todo su esfuerzo en diferenciarse de la masa popular. Y se produce la literatura buscando algún tipo de *identificación* con la élite dominante del poder económico local y más allá, con ciertos sectores de los centros hegemónicos metropolitanos.

a. En el caso de la ciudad *colonial*, sobre todo en las cabezas de virreinato o de capitanías generales el productor de cultura se siente miembro de la aristocracia reproduciendo la cultura metropolitana en circunstancias locales. Producir cultura en esta situación significa producir cultura dominante, creando un abismo con la masa popular indígena o negra de otras culturas perseguidas y dominadas (H. Vidal, 1980).

b. En el caso de la *capital republicana,* durante el siglo XIX, cuando se estabiliza el sistema productivo dirigido a la exportación y se consolidan las instituciones político-culturales de la élite oligárquica, las instituciones de la cultura se reestructuran junto con los nuevos Estados independientes "nacionales" como México durante el Porfiriato, Río de Janeiro durante el Imperio esclavista, Lima durante el período del guano o Buenos Aires a lo largo de la enorme expansión de finales de siglo XIX. Pero, los intelectuales que sirven esas instituciones −Universidad, prensa, partidos políticos, parlamento, abogados−administradores, diplomáticos− producen literatura en función de las demandas y expectativas de la élite oligárquica. Y esas demandas van en una doble dirección. Por un lado, cultivan el localismo con formas literarias españolas referidas a las tradiciones coloniales urbanas (las tradiciones, el artículo o la comedia de costumbres) reduciendo lo "nacional" a las vivencias de la élite urbana a que pertenecen (S. Ramírez 1975, D. Sommer 1982, A. Cueva 1967), y por otro, tratan de mostrar que las nuevas ciudades tienen formas de cultura literaria semejantes a las de los nuevos centros hegemónicos, sobre todo Francia: sensibilidad romántica que elabora una América utópica a lo Chateaubriand o a lo Lamartine; poesía y novela intimista que muestre una sensibilidad "sublime y delicada" a la francesa; destreza profesional en el dominio del "arte literario" en el parnasianismo, decadentismo a la manera del "Fin de Siècle" (L. Pollmann 1982, U. Fleischmann 1968 y 1982, Mayer−Minnemann 1979, Losada 1978). En ambos casos, el grupo productor está dependiendo de las expectativas de quienes lo promueven −la élite oligárquica− (F. Perus 1976, R. Schwarz 1977, Losada 1977) y reproduce formas culturales españolas, portuguesas, inglesas o francesas, identificándose con la sensibilidad de los centros hegemónicos, procurando mostrarse como perteneciente al mundo europeo dominante, en medio de una sociedad que no ha logrado superar su herencia tradicional. Y no sólo no deben elaborar los problemas y contradicciones de la propia sociedad, sino también deben diferenciarse radicalmente —en las formas de lenguaje, en la moda, en las comidas, en el mobiliario de los salones, en el tipo de recreación— de la clase popular mayoritaria todavía sometida a relaciones de dominación tradicionales y perteneciente a otra cultura. Y si bien las historias literarias —producidas también bajo el dominio oligárquico dependiente— señalan estos movimientos como las primeras literaturas "nacionales", esta clasificación oculta esta identificación con las formas dominantes hegemónicas y, sobre todo, esta exclusión y rechazo de las culturas de las masas populares que constituían la inmensa mayoría de la población.

c. En el caso de los espacios *metropolitanos* predominantemente capitalistas São Paulo, Buenos Aires, Montevideo, México —se produce una pronunciada división de clases, una especialización de las actividades, una profesionalización del intelectual y una especie de "independización" de cada uno de los sectores que antes estaban unidos y absorbidos por la élite económicamente dominante. Por un lado, se forma un Estado burocrático y anónimo, frente al cual el intelectual se siente ajeno aunque dependa ordinariamente de su presupuesto, es decir, sea un asalariado. Por otro lado, la política se desarrolla en cauces populistas (PRI, varguismo, irigoyenismo–peronismo, Partido Colorado), arrastrando masas urbanas de clase media en alianza con sindicatos obreros, y con industriales capitalistas relativamente nuevos y que no tienen nada que ver con la cultura. La esfera económico–financiera se internacionaliza y es servida por técnicos extranjeros y nacionales especializados que tampoco tienen que ver con la cultura. De esta manera, surgen grupos dedicados a la literatura que escriben y producen sólo para "especialistas" en una cultura cosmopolita, según la agenda de problemas que plantea la crisis de la cultura burguesa, identificándose con los movimientos de vanguardia europeos y norteamericanos: subjetivismo, marginación hermética, erudición culturalista "universal", experimentación, aislamiento, simultaneidad con sus pares desarraigados y marginales y con sus lenguajes producidos también en metrópolis sometidas a la alienación capitalista.

Antes de seguir adelante, debemos aclarar que estamos aislando "regularidades" que se articulan predominantemente a estos espacios hegemónicos internacionalizados en situaciones relativamente estabilizadas. Pero el hecho de que estemos dando relevancia a las analogías con el mundo internacionalizado de la cultura hegemónica no significa que estos fenómenos no tengan también su especificidad. Ellos se producen en las zonas más modernizadas del capitalismo periférico, y están referidos a las élites y clases sociales que participan más intensamente del excedente producido por la participación en el sistema mundial. Pero se trata de un capitalismo dependiente y de una modernización problemática. Sin poder entrar ahora en la discusión (Losada, 1982), señalemos tres

aspectos que diferencian estos procesos literarios de los que se desarrollan en los centros hegemónicos.

1. El primer rasgo que asemeja a las culturas y literaturas metropolitanas de ambos lados del Atlántico es la ruptura con los lenguajes propios del arte burgués que se desarrolló entre 1830 y 1910. La crítica ya ha
dado cuenta del sentido de estas rebeliones vanguardistas que formalizan la frustración de los intelectuales ante la crisis de los ideales con los
que el liberalismo burgués legitimó su ascenso social y reestructuración
del sistema de relaciones sociales bajo formas capitalistas (J. C. Mariátegui 1970 4a., P. Bürger 1974, M. de Micheli 1970). El segundo rasgo es la
estructuración de una sociedad compleja de tipo urbano, donde no sólo
se diferencian clases sociales que tienen sus propios sistemas culturales,
sino también se forman grupos diferenciales que pueden cultivar su propio horizonte de intereses con cierta autonomía con respecto a la totalidad de la vida social. También los lenguajes literarios se diferencian, según los públicos que dominan la nueva vida urbana, entre una literatura
de "masas" que forma parte de la nueva cultura popular, y una literatura
"marginal" de élites especializadas en un lenguaje erudito, intelectualiza-
do o hermético (W. Benjamin 1971, A. Hauser 1968, N. Luhmann 1971).
De nuevo nos encontramos acá con un aspecto internacionalizado dependiente del desarrollo del capitalismo en los centros hegemónicos, y
con un aspecto que se articula a la propia formación social. Los trabajos
que han interpretado el fenómeno latinoamericano refieren la ruptura
predominantemente al contexto internacional de crisis del capitalismo
en la etapa imperialista (N. Osorio 1981). Nuevamente hay que plantear
la pregunta si no existen transformaciones significativas de los lenguajes
y los procesos literarios cuando se producen en un espacio metropolitano periférico que se estructura con otros actores sociales que las sociedades hegemónicas.

Dos grandes procesos estructuran los espacios metropolitanos latinoamericanos. Por un lado, la ola inmigratoria europea que, a partir de la
guerra de secesión de los EE.UU., proviene de zonas deprimidas del Mediterráneo y se dirige a América del Sur. El hecho es que en el Cono Sur
se producen fenómenos que resultaban desconocidos para la experiencia europea y la mayoría del continente. Montevideo, por ejemplo, será
una ciudad predominantemente extranjera; o Buenos Aires saltará de los
200.000 habitantes a más de 2 millones en cuarenta años (Sánchez Albornoz 1977: 183; G. Germani 1966: 225). De tal manera que movimientos
literarios como el modernismo y, posteriormente, los lenguajes vanguardistas se producen en estas regiones, no sólo como una elaboración de
los efectos de la instauración de las relaciones capitalistas sobre el individuo y sobre la vida cultural, sino, sobre todo, como una respuesta de la
élite intelectual aristocrática frente a la incorporación acelerada de una
masa de población inmigrante que abruptamente se apodera de las instituciones, domina la vida política, presiona y obtiene una mayor participación en el excedente productivo, se organiza y, finalmente, transfor-

242

ma las pautas culturales dominantes y desplaza a la antigua élite artística del lugar de privilegio que pensaban le correspondía (A. Prieto 1966, D. Viñas 1971-1973, I. Verdugo 1968, J. C. Portantiero 1961, B. Matamoro 1975; C. Real de Azúa 1976 y 1977, A. Rama 1970 y 1976; Losada 1982). Fenómenos semejantes sobre los que no tengo información que hayan sido estudiados bajo esta perspectiva se han dado en São Paulo y, con menor intensidad pero con un gran impacto en el modo en que transformaron sus relaciones sociales y sus lenguajes literarios, también en Caracas y La Habana. El segundo proceso de formación de las metrópolis ya se sabe que es bastante problemático y constituye uno de los rasgos diferenciales de las sociedades dependientes subdesarrolladas: la inmigración campesina que se acumula en las ciudades y no puede ser integrada por el sistema, constituyendo un propio espacio cultural urbano cada vez más ajeno al sistema capitalista. Posiblemente el caso de la ciudad de México sea el más ilustrativo, donde se acumulan millones de habitantes que no han perdido su propia cultura; y donde, por otro lado, se produce una cultura urbana de manipulación (C. Monsiváis 1975 y 1978) a través de los "mass-media", al mismo tiempo que una literatura internacionalizada que trata de negar toda identificación con los problemas y las realidades de la mayoría de su sociedad contemporánea (A. Villegas 1972). Pero los mismos procesos se producen, por ejemplo, en la ciudad de Lima, que cada vez más es un espacio quechua-hablante, con el cual los intelectuales cosmopolitas no pueden mantener una suficiente "autonomía" problematizando su producción literaria. Para decirlo claramente, desde que esas masas mayoritarias se constituyen en dominantes en cada espacio urbano nacional, la producción literaria internacionalizada de la propia región tiene un sentido, no sólo de identificación con los procesos que se desarrollan en las ciudades europeas o norteamericanas, sino de negación de la pertenencia a la propia sociedad. Cuando estas masas comienzan a ser manipuladas por movimientos políticos populistas, o se organizan y presentan sus propias demandas de participación, la situación se agudiza y aquellos procesos literarios que estaban referidos predominantemente a la subjetividad privada de una élite internacionalizada no pueden mantener su marginalidad y se convierten, muchas veces claramente, en una presencia reaccionaria dentro de la propia sociedad.

2. El tercer rasgo que caracteriza el proceso literario metropolitano en América Latina es el carácter problemático de su articulación al sistema internacionalizado y, por lo tanto, de su estabilización capitalista. Como en el caso europeo y norteamericano, la estabilidad del sistema económico y cultural es puesta en duda cada vez que se produce una crisis general, como durante las dos guerras mundiales o a lo largo de la crisis económica de 1929. La repercusión de estos procesos es diferente en Europa y América Latina. Por un lado, lo que fue una catástrofe para Europa significó un nuevo momento de estabilización para algunas regiones latinoamericanas a través del proceso de sustitución de importaciones o del alto precio que alcanzaron sus productos de importación

hasta aproximadamente la Guerra de Corea en 1949-1951. Pero por otro lado, lo que significó una enorme expansión en EE.UU. y Europa en las décadas posteriores significó el límite de las posibilidades de crecimiento y de autonomía en las primeras metrópolis industrializadas, que se prolongan hasta hoy. Esta sensación de frustración general del proyecto capitalista de modernización dependiente toma un carácter prerrevolucionario cuando se considera el efecto que tiene esta situación de crisis irresuelta en la masa proletarizada integrada al sistema capitalista. El hecho es que, a partir de 1955 ó 1960, se produce un proceso de movilización popular cada vez más decidido, que provoca la represión también cada vez más organizada y que culmina en el golpe brasileño de 1964, en el derrocamiento del gobierno popular chileno en 1973 y, finalmente, en la bárbara represión de Uruguay y Argentina. De esta manera, el proceso de surgimiento y desarrollo de las literaturas marginales internacionalizadas se ve completamente cuestionado. Después de un primer período de institucionalización a lo largo de las décadas de 1920 y de 1930, que se manifiesta en la constitución de revistas y grupos de referencia que fundan su propia tradición artística, a partir de los procesos de movilización popular y de represión autoritaria, se ven internamente cuestionados por quienes habían sido sus discípulos y sus públicos y tratan, ahora, de vincularse a la movilización popular. Hoy el investigador cuenta con una elaboración bastante amplia de estos procesos en trabajos como el de R. Schwarz 1978 sobre el proceso brasileño, el de Katra 1977 y Losada 1980 sobre Buenos Aires, el de M. Benedetti 1974 sobre el uruguayo, el de A. Skármeta 1979 y G. Canepa 1981 referido al chileno, y los de C. Rincón 1978, N. García Canclini 1977 y Julianne Burton 1981 sobre la transformación de los géneros tradicionales y el surgimiento de nuevas expresiones artístico-literarias directamente articuladas a la movilización popular a lo largo de todas las metrópolis de América Latina. De tal manera que el proceso de desarrollo de estos lenguajes marginales e internacionalizados, producidos sobre todo por profesionales especializados en la vida de la cultura cosmopolita y articulados primitivamente a las vanguardias europeas, sufren una completa transformación en las metrópolis de América Latina que las diferencia de los fenómenos hegemónicos.

Estas características de los sistemas que se desarrollan como literaturas marginales dentro de las grandes metrópolis latinoamericanas a lo largo del siglo XX permiten replantear la categoría fundamental que utiliza actualmente la disciplina para conceptualizarlas: la "modernidad". Ya es conocido que la crítica producida desde las metrópolis europeas o norteamericanas —de las que participan los miembros de estas "élites" marginales dentro de cada sociedad latinoamericana— discrimina a toda la literatura latinoamericana en dos grandes tendencias. Por un lado, desvaloriza todas aquellas literaturas que tratan de articularse a las propias formaciones sociales y elaborar sus contradicciones, arrinconándolas en el concepto de "tradicionales". Por otro, sólo valora la "modernidad" de formas cosmopolitas, referidas a subjetividades marginales y desdichadas, que no logran relacionarse con la propia sociedad. Y se identifica con aquellos escritores que, en las grandes metrópolis, tienen la misma experiencia de desorientación y desarraigo, sintiéndose, como dice O. Paz, "contemporáneos de todos los hombres": es decir, de todos aquellos grupos marginales que no hunden sus raíces en las realidades sociales y vivencian sólo las consecuencias que tiene el capitalismo sobre las relaciones humanas y, en no menor medida, la pérdida del lugar privilegiado que tenían los productores de cultura en las sociedades oligárquicas. ¿Cuál es la validez, entonces del concepto de "modernidad"?

## 4. LOS PROCESOS LITERARIOS EN SOCIEDADES QUE SE ENCUENTRAN EN LA ETAPA DE LIQUIDACION DE LA HERENCIA COLONIAL

Hasta ahora hemos llamado la atención sobre dos conceptos problemáticos que utiliza el modelo tradicional. Durante el período de dependencia neocolonial parece inapropiado el térmiro de literatura "nacional", ya que una literatura producida en función de una élite oligárquica dependiente de los centros metropolitanos dominantes no tiene suficiente legitimidad como para ser referida a la creación de una sociedad y una cultura nacionales, es decir, con independencia política, con un aparato productivo que se dirija a satisfacer las propias necesidades y con una reestructuración social que supere la polarización y explotación coloniales e integre a todos en una unidad solidaria. Por otro lado, reducir la "modernidad" a un tipo de literatura que caracteriza a las formaciones urbanas metropolitanas donde se han impuesto las relaciones humanas propias de la alienación capitalista, reduciendo la cultura a elaborar esa alienación, implica dos cosas. En primer lugar, dar legitimidad a un tipo de organización social y de producción cultural que más significa una etapa de degradación, de crisis o de deshumanización, que un grado más elevado de realización de las posibilidades humanas. Y por otro lado, quitar legitimidad a un modo de producir cultura que se encuentra relacionada con una etapa anterior de evolución del capitalismo, es decir, en el momento de clausurar las formas de producción y estructuración sociales propias de la etapa colonial; y, al mismo tiempo, lo hace con la expectativa de evitar la plena instauración de relaciones capitalistas en la sociedad, y fundar en cambio una sociedad y un modo de producción socialistas alternativos.

El hecho es que desde la Revolución Mexicana (1910–1940), en América Central, en el Caribe antillano, en el Pacífico andino, en el Brasil y en Paraguay se han producido y se siguen produciendo literaturas que se diferencian radicalmente de las antiguas literaturas dependientes y, por lo tanto, no se articulan a un sistema social controlado por aquel modo de producción. Y, por otro lado, tampoco pueden ser conceptualizadas como literaturas marginales metropolitanas, ya que durante ese período todavía no se habían formado en aquellas regiones grandes espacios metropolitanos dominados por formas de relación social sometidas íntegramente a la alienación capitalista.

Nos encontraremos, por lo tanto, con un fenómeno específico que no puede ser conceptualizado a partir de los modos de producción urbanos dependientes de la estabilización capitalista en el período neocolonial ni en el período metropolitano.

Desde un punto de vista fenomenológico, es posible aislar el fenómeno a partir de dos diferencias. Diacrónicamente no hay duda de que en cada subregión se produce una ruptura en la forma y los lenguajes literarios con la irrupción de movimientos como el negrismo en Cuba (Guillén), la literatura de la revolución en México (Azuela, Mancisidor, López y Fuentes), con la novela social e indigenista en Ecuador (Grupo de Guayaquil, J. Icaza), con el movimiento indigenista en Perú (Mariátegui, C. Alegría, J. M. Arguedas, M. Scorza), con el relato social y la novela indigenista en Bolivia (A. Céspedes y J. Lara), con la narrativa social en Paraguay (Roa Bastos), con la novela social en el N. E. brasileño (J. Amado, Lins de Rego, G. Ramos), con el movimiento de la negritud, la novela y la poesía sociales en las Antillas (A. Cesaire, S. Alexis, R. Dalton, R. Depestre, G. Lamming, U. S. Naipaul). Por lo tanto, es posible hablar de un fenómeno que se desarrolla con una notable persistencia y funda su propia tradición, llegando a dar figuras mayores como A. Carpentier, E. Cardenal, R. Fernández Retamar, M. A. Asturias, G. García Márquez o J. Rulfo, para citar sólo algunos ejemplos más conocidos. Tomada esta tendencia en su conjunto entre 1920 y 1960 se destaca, por otro lado, una notable diferenciación entre el modo en que se desarrolla la literatura en estas regiones y en aquellas otras donde predominan espacios metropolitanos sometidos a relaciones capitalistas y donde han desaparecido las estructuras sociales tradicionales, es decir, en el Cono Sur (Buenos Aires, Montevideo, São Paulo y Santiago de Chile: J. L. Borges, J. C. Onetti, E. Sábato, J. Cortázar, J. Donoso, C. Lispector).

Nuestra hipótesis más general supone que cuando aparece un sistema literario específico que puede ser opuesto a los que anteceden diacrónicamente, y es diferente de los que se desarrollan sincrónicamente en otras regiones, se debe producir un modo de producción específico. Siguiendo el modelo que hemos presentado para comprender los sistemas literarios que surgen en sociedades donde se estabiliza el capitalismo, este modo de producción debe ser opuesto al que lo antecede, es decir, al neocolonial dependiente; y debe ser diferente del que se desarrolla simultáneamente en metrópolis organizadas bajo relaciones capitalistas. ¿Cómo podemos describir el nuevo modo de producción que da resultados tan diferentes?

La estrategia de investigación para aislar y describir un nuevo modo de producción establece, por un lado, un conjunto literario y un sujeto social que lo produce. Por otro, formaliza el sistema social general atendiendo a la constitución de tres actores sociales, es decir, los centros externos hegemónicos, la élite dominante local y la masa popular. Hablar de un modo de producción opuesto al que lo antecede diacrónicamente en cada subregión implica que el modo de producción general por el que cada sociedad produce y reproduce su vida material y cultural ha variado. Y dentro de ese cuadro de relaciones generales, se ha configurado un nuevo sujeto social que produce una nueva literatura para que cumpla nuevas funciones en esa situación general.

Aplicando este modelo de investigación a las subregiones donde se produce la nueva literatura, nos encontramos que estas sociedades están dominadas por una *situación de transición* prerrevolucionaria que permanece irresuelta. No son sociedades que se reestructuran globalmente bajo un nuevo período de avance del capitalismo como en los casos anteriores, sino que se encuentran en un momento histórico cuando entra en crisis el sistema neocolonial dependiente; y, por otro lado, no logra imponerse el sistema capitalista a la sociedad global y reestructurar las relaciones sociales bajo una nueva forma de producción. En esta situación de transición irresuelta, surgen nuevos grupos que producen textos literarios con la intención de colaborar activamente con el proceso histórico. En estas circunstancias la literatura se transforma porque está destinada a cumplir funciones radicalmente diferentes de las que cumplía con respecto a la élite oligárquica herodiana, y también diferentes de las que cumple con respecto a los intelectuales marginales en las regiones metropolitanas. Estas literaturas no se producen, por lo tanto, en espacios urbanos estabilizados sino, al contrario, en espacios revolucionarios que se despliegan en toda la sociedad nacional, continental y aún, internacional. Y no se articulan a un modo de producción capitalista firmemente arraigado que logra imponer su hegemonía sobre toda la sociedad, sino a la tensión histórica que se crea cuando (a) un modo de producción y de jerarquización social oligárquico–dependiente entra en crisis y pierde legitimidad; (b) comienza un nuevo período de dominación capitalista bajo la forma imperialista, caracterizada por la ocupación militar y económica directa de potencias hegemónicas, que no logran consolidarse e imponer su dominio para estructurar la sociedad por entero conforme a sus intereses; (c) finalmente, se produce una literatura con la perspectiva de realizar una revolución social que logre liquidar la herencia colonial, enfrentar al imperialismo y reestructurar la sociedad de una manera alternativa, no capitalista, y en función de las demandas y de la identidad de la masa popular. Nos encontramos, por lo tanto, con un modo de producción de cultura sui géneris, que se articula a una sociedad que no está dominada totalmente por un determinado modo de producción, sino que está en un momento de desestructuración y reestructuración irresueltas.

En estas circunstancias, la producción cultural tiene su "autonomía relativa", en cuanto no se articula a una sociedad consolidada, sino que trata de colaborar con un proceso histórico irresuelto para, revolucionariamente, darle una orientación alternativa. Dadas todas estas características, llamamos a este modo de producir cultura modo de producción social-revolucionario.

Para entender las características del *grupo productor de cultura* en esta situación, debemos modificar el supuesto básico que diferencia los modos de producción y la institucionalización de las literaturas surgidos en los espacios urbanos dependiente y metropolitano. En estos dos casos, el grupo productor se constituía como el último eslabón de una cadena, es decir, como efecto de un proceso paulatino de reestructuración del aparato productivo y de las relaciones sociales, que finalmente se estabilizaba y creaba las instituciones de la cultura y los tipos sociales adecuados al sistema. Había por lo tanto una relación "causa-efecto", donde el surgimiento del sujeto productor de cultura podía ser visto como una de las tantas variables dependientes de la consolidación de un modo de producción general de una sociedad periférica.

En el caso de las literaturas social-revolucionarias, en cambio, el grupo productor enfrenta a la élite dominante de una sociedad global; y aún más allá, enfrenta al centro hegemónico que trata de reestructurar una nueva sociedad, oponiéndoles un proyecto alternativo de sociedad. No es, por lo tanto, un sujeto productor articulado y efecto de un proceso anterior, que puede ser visto como una consecuencia del desarrollo de un sistema productivo; sino que es un revolucionario, que trata de constituirse en sujeto histórico de una nueva sociedad todavía no existente, pero a la que presiente por una multitud de indicios que lo estimulan a ponerse a trabajar para hacerla nacer. Como puede verse, acá no sólo cambian las características de este tipo social, sino que sobre todo se rompen las barreras que encierran a los anteriores en la agenda de cuestiones de la vida urbana y de su propia clase; y surgen nuevos proyectos literarios que tienen que ver con la génesis de la sociedad presente como totalidad, es decir, de los tres actores sociales a que hemos aludido: la masa popular hasta ahora explotada y desvalorizada, la élite oligárquica extranjerizante en cuanto a sus valores culturales y su proyecto social, y los centros hegemónicos dominantes. Y de la misma manera, tratan de elaborar literariamente el surgimiento y la agudización de las contradicciones sociales, para plantear el modo de superarlas con un tipo de organización no-capitalista, configurando el presente en tensión entre el pasado y el futuro. Es por esto que este modo de producción elabora lenguajes literarios que poco tienen que ver con lo alusivo, lo subjetivo que se desarrolla en la marginalidad, lo hermético, lo aristocrático o lo trascendente. Pero esto lo realizan no porque no hayan ingresado en la "modernidad", sino porque tienen otro concepto histórico y social, revolucionario, de qué es la modernidad. De la misma manera, cuando enfrentan las escuelas literarias dependientes y producen una ruptura, tal como lo habían realizado los vanguardismos y el subjetivismo marginal, o cuando buscan hacer una nueva literatura, producen un lenguaje de "vanguardia" y "revolucionario" en un sentido histórico social y no sólo individualista y privado. Finalmente, cuando sienten afinidad con una literatura antiburguesa producida en los centros hegemónicos, se articulan a grupos revolucionarios que plantean la producción cultural en vinculación con la lucha antifascista, la defensa de la República Española o la lucha contra el colonialismo imperialista, no con los sectores decadentes y herméticos, sofisticados y subjetivistas de las metrópolis. De esta manera, los conceptos de "vanguardia", de "literatura revolucionaria", "modernidad", "contemporaneidad", "creatividad", que ordinariamente la crítica de las metrópolis capitalistas reserva para las literaturas marginales, tienen poca legitimidad para conceptualizarlas y conquistan su sentido primigenio cuando se los aplica a estas nuevas literaturas social–revolucionarias.

En el modo en que perciben la *sociedad global*, podemos citar tres rasgos generales que se han transformado con respecto al modo de producción anterior, y que también lo diferencian del modo de producción capitalista en el estadio metropolitano. Se transforma, en primer lugar, la incidencia del *centro hegemónico* que toma una presencia directamente imperialista en todo el continente, pero que se agudiza de doble manera en las zonas de influencias más próximas del Caribe. El hecho es que no se hace presente sólo por la demanda de productos primarios y la inversión de capitales, sino por la presencia directa militar y empresaria. La situación se presenta más grave cuando las sociedades que deben enfrentar a este poderoso invasor son tan pequeñas que, en su totalidad, son cinco o diez veces menores que algunas de las metrópolis donde se producen las literaturas marginales. En esos casos, se produce también una desarticulación política que coarta las libertades democráticas que habían sido conquistas del sistema social del siglo XIX, siendo manipuladas por pequeños *dictadorzuelos que gobiernan a través de clientelas* directamente controladas por una familia. Para decirlo claramente, el problema que deben enfrentar Haití, Guatemala, la República Dominicana o Nicaragua no es el caso de México, donde se contaba con una masa de población y de recursos suficientes como para organizar la sociedad en base al proyecto capitalista que, aunque fuera básicamente dependiente, respondía de alguna manera a los intereses de una burguesía y de amplias capas medias nacionales. Finalmente, es importante destacar un tercer actor social: la alianza entre un nuevo *estrato medio progresista y democrático y la masa campesina movilizada*. Este elemento es probablemente el más esencial para que surja el nuevo sistema literario, ya que mientras no hay posibilidad de que los intelectuales se articulen a los nuevos grupos dominantes de dictadores y formen parte de sus clientelas, a lo largo de las últimas décadas, la expansión económica y urbana del sistema anterior permitió la formación de un estrato intelectual más o menos significativo para cada una de esas pequeñas sociedades que, finalmente, retira su lealtad y su identificación a las élites locales dominantes y busca conquistar el poder para constituir una nación recogiendo las demandas de la clase popular. Esta clase mayoritaria, finalmente, a lo largo del siglo XIX ha estado en constante aumento demográfico y no puede reproducirse en el sistema anterior, busca nuevas fuentes de recursos y de trabajo, se incorpora a las empresas imperialistas y forma sindicatos, y finalmente se moviliza, aliándose con los estratos medios progresistas. Es en este cuadro de relaciones que los productores de cultura abandonan la forma de producir literatura que los antecedía, y comienzan a formular un sistema social-revolucionario.

Este marco de relaciones está reproducido para poder discutir en qué medida esta producción tiene no sólo un contenido "nacional", para tomar perfiles claramente continentales y, finalmente, mundiales. En una primera etapa, estas pequeñas sociedades, que deben enfrentar una dominación imperialista tan poderosa que repite sus modos de penetración militar, económica y política en toda la región Caribe, ven surgir intelectuales "nacionales" que plantean en sus obras los problemas de toda la masa proletaria, campesina, negra e indígena, y que combaten por igual a los nuevos dictadores dominantes y al imperialismo. Las cosas se suceden desde la ocupación de Haití, Nicaragua, R. Dominicana, Guatemala y Santo Domingo hasta la agresión a Cuba y, recientemente, a El Salvador. Cada vez que se repetían estos hechos, que iban dirigidos contra aquella posible alianza de estratos medios y campesinos contra el imperialismo y sus dictadores locales, se producen nuevamente las mismas literaturas que recogen la experiencia anterior y tienen cada vez más un contenido continental.

Estas situaciones de emergencia y fracasos revolucionarios frente al imperialismo, por otro lado, dan lugar a una evolución del tipo de intelectual continental-revolucionario, que se convierte en un exiliado-vinculado a la revolución internacional. Y de esta manera se llega a producir un tipo de literatura que tiene por productores y destinatarios tanto a los grupos que resisten la agresión imperialista y tratan de aliarse a las masas movilizadas a nivel continental, como a los sectores progresistas o revolucionarios internacionales que actúan en las mismas metrópolis dominantes en USA, Londres, París o La Habana y en otras capitales latinoamericanas. De esta manera surge un sistema literario que no sólo es significativo para los problemas de cada una de las sociedades nacionales sino, también, para todo el continente, y más allá, para el mundo internacional. Frente a esta nueva significación que toma la producción de la cultura latinoamericana, mal pueden invocar la pretensión de ser los fundadores de "literaturas nacionales" aquellos sistemas articulados a las élites oligárquicas dependientes. Y siendo muy significativas para cada sociedad nacional contemporánea, esta literatura ha comprendido que los problemas de cada una de las sociedades contemporáneas no son patrimonio de grupos locales y, ni siquiera, del subcontinente latinoamericano. Hoy son problemas que atañen a todos los hombres. Y por ello, más que ninguna otra, como lo ha expuesto tan sagazmente A. Dessau, puede incorporarse como uno de los mayores logros a la literatura mundial.

# RECAPITULACION

En esta discusión no se trató de diseñar un modelo general de periodización de los procesos literarios en América Latina, sino una estrategia de investigación que permita elaborarlo. Se han presentado los resultados teóricos a que han llegado dos equipos de investigación que durante cuatro semestres han confrontado los casos del Caribe y Río de la Plata entre 1840 y 1980. El grupo que elabora la región Caribe ha prestado especial atención a las Antillas españolas, francesas, inglesas, América Central y N. E. del Brasil. Excepto el caso inglés, el lector encontrará una ilustración de sus investigaciones en los trabajos parciales que se reproducen a continuación. El grupo del Río de la Plata formalizó los fenómenos que se desarrollan entre 1880 y 1950. El limitado espacio del que disponemos nos impide publicar sus trabajos en esta oportunidad. Creemos, sin embargo, que los datos básicos de esta región son suficientemente conocidos y, después del caso del Brasil, los que han sido más elaborados por la disciplina. Una primera recapitulación de este esfuerzo nos permite afirmar que:

1. Contamos con una suficiente evidencia para considerar que toda periodización del proceso literario latinoamericano debe realizarse en *articulación* con el proceso social. Por otro lado, las dos series de hechos presentados son tan particulares como para no pretender formalizar estos procesos a partir de los modelos que ofrecen los desarrollos en los centros hegemónicos del capitalismo internacional. Se debe atender, en cambio, al proceso de *diferenciación* de las distintas formaciones sociales subregionales y observar sus desarrollos específicos en el contexto global de su dependencia del sistema capitalista mundial.

2. Para ambas subregiones, el momento fundamental para observar cómo surge su especificidad social y literaria se encuentra en el *período de liquidación de su herencia colonial*. Cada subregión entrará en la vida contemporánea con una concreta agenda de problemas que serán el resultado de una experiencia social acumulada en su período colonial. Hay que observar, entonces, cuáles son las características de esas formaciones sociales en la última etapa de su integración a la metrópoli dominante, cómo se produce la crisis y el proceso de desestructuración social, y cómo se desarrolla el movimiento de reestructuración de sus instituciones, de su aparato productivo, de su articulación al mundo internacional, de sus espacios urbanos y, en ese contexto, de sus procesos literarios.

3. En el caso Río de la Plata, la liquidación de la herencia colonial se desarrolla entre 1840-1880. A partir de entonces, se clausura un modo de producción literaria articulado a la lucha por superar aquellos condicionamientos del pasado tradicional (E. Echeverría, D. F. Sarmiento, J. Hernández). En los últimos cien años será posible aislar diferentes períodos. Se podrá hablar de un primer momento oligárquico-ornamental producido en la ciudad intermediaria y en función de la clase dominante.

Entre principios de siglo y el final de la segunda guerra mundial, surgirán diversos sistemas literarios vinculados a diversas clases sociales dentro de una metrópoli cosmopolita. En los últimos 25 años se consolidará un nuevo sistema vinculado a la crisis del proyecto de modernización dependiente y a la movilización popular. Pero ya sea se divida el proceso de una o de otra manera, todos sus períodos se desarrollan a partir de la superación del pasado, *dentro de una etapa metropolitana* sometida a relaciones sociales predominantemente capitalistas. Y se trata de comprender que estos sistemas literarios deberán elaborar una agenda de cuestiones y cumplir funciones radicalmente diferentes de los que producen otras formaciones sociales que, durante la misma etapa, deben liquidar todavía su herencia colonial.

4. A lo largo del siglo XX, el caso Caribe presenta rasgos específicos que son imposibles de formalizar con los modelos que se diseñan para el Río de la Plata. Caribe y América Central se encuentran, aproximadamente desde 1880, precisamente en la *lucha irresuelta por liquidar una herencia colonial que se reformula y permanece resistente* hasta la década de 1960. A nivel de los sistemas literarios, estos *lenguajes* están manifiestamente articulados a ese horizonte de expectativas como el de M. A. Asturias, de G. García Márquez o de E. Cardenal. No se producen ni en un *espacio social* oligárquico, ni en otro metropolitano estabilizado bajo el capitalismo dependiente, sino en una situación de transición, en la que el productor de cultura pertenece todavía a la propia formación social local, pero se encuentra participando de un horizonte de expectativas internacionalizado y, la mayoría de las veces, en el exilio. Los *sujetos productores* no son, por lo tanto, ni clientes captados por la oligarquía terrateniente, ni profesionales absorbidos por su marginalidad problemática, sino escritores comprometidos tanto con la literatura como con la situación de sus propias sociedades. Las *funciones* también son completamente diferentes, pues se tratará de producir una cultura alternativa a las de las metrópolis capitalistas y, aún, una contracultura: manifestar la legitimidad de la conciencia popular que resiste a la explotación imperialista, impugnar la validez de los valores del centro y de las clases hegemónicas y tratar de colaborar con el nacimiento, no sólo de la literatura, sino de la historia regional y mundial. Es, por lo tanto, otra literatura, articulada a otra formación social, que tiene distintas relaciones con el mundo internacionalizado del que depende, y se desarrolla dentro de otra etapa del proceso social de América Latina.

5. Estas evidencias manifiestan la insuficiencia del modelo de periodización y de los conceptos que utiliza la disciplina para formalizar los procesos literarios de los siglos XIX y XX. Particularmente problemático es el concepto de literatura "nacional" cuando se aplica a fenómenos que se producen en función de la pequeñísima clase dominante oligárquica, en las subregiones en donde predominan todavía las formas y relaciones de producción coloniales. También lo es el de "modernidad", porque las etapas y funciones que caracterizan los procesos literarios de

una subregión no son adecuados para dar razón de los de otra subregión. En los últimos ciento cincuenta años, la literatura rioplatense se desarrolla articulada al período de liquidación de la herencia colonial (1840-1880); a la formación de ciudad intermediaria dominada por la oligarquía y que excluye a la gran mayoría de la población de toda participación en los bienes del sistema (1880-1920); y a la consolidación de una metrópoli capitalista, donde se opone la cultura de las masas urbanas a las literaturas profesionales de los intelectuales (1920-1960). En casi todas las sociedades del Caribe, en cambio, la etapa oligárquica sólo se insinúa en las primeras décadas del siglo XX, sin llegar a consolidarse en un sistema literario. En los últimos cincuenta años, esta misma subregión llega a desarrollar un corpus literario muy significativo articulado a la etapa de liquidación de su herencia colonial. Más aún, puede decirse que ha alcanzado una riqueza y una sofisticación tan notables precisamente por haberse desarrollado tratando de colaborar con la liquidación del pasado tradicional, de elaborar la identidad de sus pueblos y de fundar, no sólo una nueva literatura, sino una nueva cultura para una nueva sociedad. De tal manera que, para estas literaturas, lo "moderno" es al mismo tiempo lo "social-revolucionario". Para las otras, en cambio, la modernidad está en la formalización de lo "subjetivo", de lo "fantástico", de lo "lúdico" o del cultivo de la marginalidad. Un modelo de periodización de la literatura latinoamericana que pretenda elaborar los fenómenos de toda esta región en el contexto de su dependencia del capitalismo hegemónico, por lo tanto, deberá ser lo suficientemente complejo como para que pueda dar cuenta de las diferentes maneras en que cada una de sus formaciones sociales se articula a los centros hegemónicos, y de las distintas funciones que cumplen sus literaturas para elaborar, consolidar o superar esa dependencia. Más aún, deberá ser capaz, no sólo de iluminar los contrastes que diferencian las subregiones, sino los que coexisten y son antagónicos dentro de cada sociedad subregional.

## BIBLIOGRAFIA PARA UNA PERIODIZACION DE LA LITERATURA EN LA SOCIEDAD DE AMERICA LATINA 1800-1980

La siguiente bibliografía ordena la mayoría de los trabajos citados en los estudios que la anteceden. No se trata de la relación entre la literatura y la sociedad, que genéricamente es caracterizada como "sociología de la literatura". Tampoco se refiere a aquellos trabajos que estudian la sociedad en la literatura. Sino a las investigaciones que articulan los procesos literarios a los procesos de formación, desarrollo, transformación y crisis de las diversas sociedades que coexisten en América Latina en los últimos dos siglos. Los dos primeros puntos consideran trabajos teóricos generales sobre la especificidad de estos procesos literarios y sociales. El punto 3 agrupa estudios de la función de la literatura a lo largo del período oligárquico "nacional" hasta aproximadamente 1920. Los puntos 4 y 5 contrastan el desarrollo del Caribe y del mundo andino con el que se produce en el Río de la Plata y São Paulo durante los últimos cincuenta años. Finalmente, el punto 6 llama la atención sobre el surgimiento de un nuevo fenómeno cultural metropolitano que se desarrolla, aproximadamente, desde 1960. Se han mencionado sólo los trabajos más relevantes sobre los que se funda este nuevo modelo de periodización de los procesos literarios en América Latina. Una bibliografía más completa, que incluye alrededor de 400 títulos, ha sido publicada en A. Losada, *La literatura en la sociedad de América Latina, Los modos de producción entre 1750–1980.* Odense, Dinamarca. University of Odense Press. 1982, 2a. ed. corr. y aum.

## 1. TRABAJOS GENERALES

Candido, Antonio (Mello e Souza). *Literatura e sociedade* (Estudios de teoría e historia literaria). São Paulo. Ed. Nacional. 1976, 5a.

Cueva, Agustín. "El método materialista histórico aplicado a la periodización . . . ", en *Casa de las Américas* (La Habana), XXII, 127, 1981: 31–48.

Dessau, Adalbert. "Das Internationale, das Kontinentale und das Nationale in der lateinamerikanischen Literatur des 20. Jahrhunderts", en *Lateinamerika* (Rostock), Frühjahrssemester, 1978: 43–87.

Dessau, Adalbert. "Demokratische und sozialistische Tendenzen in der lateinamerikanischen Literatur des 20. Jahrhunderts", en Wiemarer Beiträge, XXIV, 1978, 12: 5–29.

Dessau, Adalbert. "Die weltliterarische Bendingtheit, Geltung und Wirtkung der Literaturen Asiens, Afrikas und Lateinamerikas", en *Wiemarer Beiträge*, 1980, 9: 5–32.

Fernández Retamar, Roberto. *Para una teoría de la literatura hispanoamericana y otras aproximaciones.* La Habana. Casa de las Américas. 1975.

Fleischmann, Ulrich. *Zur Literaturgesellscheft des Karibischen Raumes.* Berlin. Lateinamerika Institut (Arbeitspapier), 1981.

Gutiérrez Girardot, Rafael. "Literatura y sociedad", en *Texto Crítico* (Veracruz), III, 1977, 8: 3–26.

Losada, Alejandro. "Los sistemas literarios como instituciones sociales en América Latina", en *Revista de Crítica Literaria Latinoamericana* (Lima), I, 1975, 1: 39–61.

Losada, Alejandro. "Bases para una estrategia de investigación del cambio cultural en América Latina", en *ECO* (Bogotá), XXXII, 1978, 196: 337–374.

Losada, Alejandro. *La literatura en la sociedad de América Latina.* (Tomo I: Los modos de producción entre 1750-1980). Odense, Dinamarca. University of Odense Press. 1982, 2a. ed. corr. y aum.

Losada, Alejandro. *La literatura en la sociedad de América Latina.* (Tomo II: Modelos teóricos). Aarhus, Dinamarca. Latinamerika Seminar Aarhus Universitet. 1981.

Rama, Angel. "Sistema literario y sistema social en Hispanoamérica", en *Literatura y praxis en América Latina.* Caracas. Monte Avila. 1974: 81-110.

Rama, Angel. "Literatura y clase social", en *Escritura* (Caracas), I, 1976, 1: 57-75.

Rincón, Carlos. *El cambio actual de la noción de literatura y otros estudios de teoría y crítica latinoamericana.* Bogotá. Instituto Colombiano de Cultura. 1978.

Rodríguez, Ileana. "La literatura del Caribe: una perspectiva unitaria", en *Ideologies and Literature* (Minnesota), III, 1980, 12: 3-15.

2.    TRABAJOS DE HISTORIA SOCIAL INCLUIDOS EN EL TEXTO

Bastide, Roger. *Las Américas negras.* Madrid. Alianza Ed. 1969 (orig. París 1967).

Cardozo F. H. y Faletto E. *Dependencia y desarrollo en América Latina.* Buenos Aires. Siglo XXI. 1969.

Cueva, Agustín. *El desarrollo del capitalismo en América Latina.* México. Siglo XXI. 1977.

Di Tella T., Germani G. y Graciarena J. *Argentina, sociedad de masas.* Buenos Aires. Eudeba. 1966.

Germani, Gino. *Sociología de la modernización.* Buenos Aires. Paidós. 1969.

Hardoy J. E. y Schaedel R. P. (Editores). *El proceso de urbanización en América desde sus orígenes hasta nuestros días.* Buenos Aires. Editorial del Instituto. 1969.

Mellafe, Rolando. *The Latifundio and the City in Latin American History.* Toronto. University of Toronto Press. 1971.

Morse, Richard M. *The Urban Development of Latin American 1750-1920.* Stanford. Center for Latin American Studies. 1971 (2 tomos).

Mörner, Magnus. *Race Mixture in the History of Latin American*. Boston. Little, Brown and Co. 1967.

Sánchez Albornoz, Nicolás. *La población de América Latina*. Madrid. Alianza Ed. 1977.

Sandner, G. y Steger H-A. *Lateinamerika*. Frankfurt. Fischer V. 1973.

Steger, Hanns-Albert. *Las universidades en el desarrollo de la América Latina*. México. Fondo de Cultura Económica. 1974.

Schaedel, Richard P. "El tema del estudio antropológico de las ciudades latinoamericanas", en *Revista de Indias* (Madrid), 1972, 127-130;

Schaedel, R. y otros. *Urbanización y proceso social en América*. Lima. Instituto de Estudios Peruanos. 1972.

Stanley J. y Stein B. H. *La herencia colonial en América Latina*. México. Siglo XXI. 1972.

Wolf Eric R. Peasant. *Wars of the Twentieth Century*. New York. Harper Torchbooks. 1973.

3. TRABAJOS SOBRE LOS PROCESOS LITERARIOS ARTICULADOS A LOS PROCESOS SOCIALES INCLUIDOS EN EL TEXTO (SIGLOS XIX Y XX).

*3.1. Las literaturas dependientes.*

Candido, Antonio. (Mello e Souza). *Formaçao da literatura brasileira. (Momentos decisivos)*. São Paulo. Livr. Martins. 1959 (2a. rev. 1964).

Bastide, Roger. "L'acculturation littéraire", en Bastide R., *Le Prochain et le Lointain*. París. Cujas. 1961.

Concha, Jaime. "Prólogo" a *Rubén Darío*. Madrid. Júcar. 1975.

Concha, Jaime. "La literatura colonial hispano-americana: problemas e hipótesis", en *Neohelicon* (Budapest), IV, 1976, 1-2; 31-50.

Fleischmann, Ulrich. *Ideologie und Wirklichkeit in der Literatur Haitis*. Berlín. Colloquium V. 1969.

Losada, Alejandro. "La literatura urbana como praxis social . . . Bases para la formulación de un paradigma de la cultura ilustrada dependiente de las élites oligárquicas en el período preindustrial (1780-1920)", en *Ideologies and Literature* (Minnesota), I, 1977, 4: 33-62.

Losada, Alejandro. *Literatura y sociedades en América Latina*. (Modos de producción cultural entre 1840-1920). Ph. Dr. Dissertation

256

Universität Erlangen-Nürnberg. 1978 (Versión corr. en prep. Frankfurt, Vervuert V.).

Meyer-Minnemann, Klaus. *Der spanisch-amerikanische Roman des Fin de siècle*. Tübingen. Marx Niemeyer. 1979.

Perus, Françoise. *Literatura y sociedad en América Latina. El modernismo*. México. Siglo XXI. 1976.

Rama, Angel. *Rubén Darío y el modernismo*. Caracas. Univ. Central de Venezuela. 1970.

Ramírez, Sergio. "Balcanes y volcanes. Aproximaciones al proceso cultural contemporáneo de Centroamérica". En E. Torres et al., *Centroamérica Hoy*. México. Siglo XXI. 1975.

Real de Azúa, Carlos. "Prólogos", en J. E. Rodó. *Ariel. Motivos de Proteo*. Caracas. Biblioteca Ayacucho. 1976: IX-CVI.

Real de Azúa, Carlos. "El modernismo literario y las ideologías", en *Escritura* (Caracas), II, 1977, Nº 3.

Rodríguez, Ileana. "Liberalismo esclavista y romanticismo abolicionista: El grupo de Domingo del Monte", en *Cuadernos Universitarios* (La Habana), 1979, Nº 5: 40-51.

Schwarz, Roberto. *Ao vencedor as batatas. Forma literaria e processo social nos inicios do romance brasileiro*. São Paulo. Livr. Duas Cidades. 1977.

Vidal, Hernán. "Literatura hispanoamericana de la estabilización colonial", en *Casa de las Américas* (La Habana), XXI, 1980, 122: 11-34.

Viñas, David. *Literatura argentina y realidad política*. Tomo II: *Apogeo de la oligarquía*. Buenos Aires. Siglo XX. 1972.

### 3.2 Procesos literarios articulados a la liquidación de la herencia colonial.

Azevedo, Carlos. "Literatura e Praxis Social no Brasil: O Romance Nordestino de 1930". Berlin, Lateinamerika Institut, 1981 (Arbeitspapier).

Bareiro Saguier, Rubén. "Trayectoria narrativa de Augusto Roa Bastos", en *Texto Crítico* (Veracruz), II, 1976, 4: 36-46.

Borel, Jean-Paul. "Apuntes para un análisis sociológico de la narrativa paraguaya . . . ", en *Cahiers du Monde Hispanique* (Toulouse) 1975, 25: 39-56.

Cornejo Polar, Antonio. *Literatura y sociedad en el Perú: la novela indigenista*. Lima, Ed. Lasontay. 1980.

Coulthard, G. R. "Paralellisms and Divergencies between Negritud and Indigenismo", en *Caribbean Studies*, VIII, 1968, 1: 31-55.

Cueva, Agustín. "Para una interpretación sociológica de *Cien años de soledad*", en *Revista Mexicana de Sociología*, XXXVI, 1974, 1: 59-76.

Cueva, Agustín. "En pos de la historicidad perdida. Contribución al debate sobre la literatura indigenista del Ecuador", en *Revista de Crítica Literaria Latinoamericana* (Lima), IV, 1978, 7/8: 23-38.

Dessau, Adalbert. *La novela de la Revolución Mexicana*. México. Fondo de Cultura Económica. 1972 (or. Berlín 1967).

Dessau, Adalbert. "Mythus und Wirklichkeit in Miguel Angel Asturias 'Bananentrilogie'", en *Lateinamerika* (rostock), Frühjahrssemester 1966: 7-51. (Extracto traducido en *Revista Iberoamericana* [Pittsburgh], XXXV, 1969, 67.)

Echeverría, Evelio. *La novela social de Bolivia*. La Paz. Ed. Difusión. 1973, 2a.

Fernández Retamar, Roberto. *Calibán y otros ensayos*. La Habana. Ed. Arte y Literatura. 1979.

Fleischmann, Ulrich. *Ecrivain et société en Haití*. Martinique. Université Montreal. 1976.

Kuhlmann, Ursula. *Literatur und gesellschaft in Mittelamerika*: (Interpretation des Romans "Mamita Yunai" vom Carlos Luis Fallas als soziale Praxis). Magosterarbeit, Lateinamerika Institut, Freie Universitat Berlin, 1981.

Losada, Alejandro. "Ciro Alegría como fundador de la realidad hispanoamericana", en *Acta Literaria* (Budapest), XVII, 1975, 1/2: 71-92.

Losada, Alejandro. *Creación y praxis*. La producción literaria como praxis social en Hispanoamérica y el Perú. Lima. Universidad N. M. de San Marcos. 1976.

Losada, Alejandro. "El surgimiento del realismo social en la literatura de América Latina", en *Ideologies and Literature* (Minnesota), 1980, II, 9: 20-55.

Losada, Alejandro. "¿Cultura nacional o literatura revolucionaria? La producción cultural de los intelectuales autónomos en las sociedades periféricas", en *Nova Americana* (Turin) 1980, Nº 3: 287-330.

Losada, Alejandro. "Modelo del modo de producción social-revolucionario", en Idem, *La literatura en la sociedad de América Latina*, Berlin Lateinamerika Institut, 1980: 38-81.

Losada, Alejandro. "Las literaturas social-revolucionarias en la etapa imperialista" en *Espacios sociales de las instituciones literarias en América Latina*. Berlin. Lateinamerika Institut. 1982 (Arbeitspapier).

Lucas, Fabio. *O carácter social da literatura brasileira*. Río de Janeiro. Paz e Terra. 1970.

Ngal, Mbwill. *Aimé Cesaire. Un homme a la recherche d'une patrie*. Dakar. La nouvelle Edition Africaine. 1975.

Ortega, Julio. "Crisis, identidad y cultura en el Perú", en A. de la Flor et al., *Perú, identidad nacional*. Lima, CEDEF, 1979: 191-208.

Rama, Angel. "El área cultural andina. Hispanismo, mesticismo, indigenismo", en *Cuadernos Americanos*, XXXIII, 1974, 197: 136-173.

Ramírez, Sergio. *La narrativa centroamericana*. Managua. Ed. El Pez y la Serpiente. 1972.

Sommers, Joseph. "Novela de la Revolución: criterios contemporáneos", en *Cuadernos Americanos*, XXIX, 1970, 168: 171-184.

Sommers, Joseph. "Forma e ideología en *Oficio de tinieblas* de Rosario Castellanos", en *Revista de Crítica Literaria Latinoamericana* (Lima), IV, 1978, 7/8: 73-91.

### 3.3. Procesos literarios marginales articulados a las metrópolis capitalistas (sobre todo Cono Sur).

Collazos, O. (compilador). *Los vanguardismos en la América Latina*. Barcelona. Ed. Península. 1977.

Decanal, José Hildebrando. *Dependencia, cultura e literatura*. São Paulo. Ed. Atica. 1978.

Fernández Retamar, Roberto. "Sobre la Vanguardia en la literatura latinoamericana", en *Casa de las Américas* (La Habana), XIV, 1974, 82: 119-121.

Ferreira Gullar, José Ribamar. *Vanguarda e Subdesenvolvimento*. Ensaios sobre arte. Río de Janeiro. Ed. Civil. Brasileira. 1978 2a.

Franco, Jean. "Criticism and Literature within the Contexto of a Dependent Culture", en *The Uses of Criticism* (A. P. Foulkes Editor), Frankfurt-Bern, H-P. Lang, 1976: 269-287.

Franco, Jean. "Ideología dominante y literatura: el caso de México post-revolucionario", en *Cultura y dependencia*. Guadalajara. Departamento de Bellas Artes. 1977: 11-34.

Franco, Jean. "History and Literature: Remapping the Boundaries", en *Literature and Society in Imperial Russia 1800-1914* (W. Mills Todd III Ed.). California. Stanford University Press. 1978: 11-28.

Franco, Jean. "Prólogo" a Guillermo Enrique Hudson. *La tierra purpúrea, allá lejos y hace tiempo*. Caracas. Biblioteca Ayacucho. 1980: IX-XLV.

García Canclini, Néstor. "Estrategias simbólicas del desarrollismo económico. Para una sociología de las vanguardias artísticas", en *Idem, La producción simbólica*. Teoría y métodos en sociología del arte. México, Siglo XXI. 1979: 96-136.

Guilherme Merquior, José. *Formalismo e tradiçao moderna. O Problema da Arte na Crise da Cultura*. Río de Janeiro. For. U. 1974.

Guilherme Merquior, José. "Le modernisme brésilien: la signification d'un stule", en G. Raillard *et al., La Modernité. Cahiers du 20e. siècle*. París. 1975. Nº 5.

Lafetá, João Luis. "Estetica e ideologia: O modernismo em 1930", en *Argumento* (Río de Janeiro), 1972, Nº 2.

Lafetá, João Luis. *1930: A crítica e o modernismo*. São Paulo. Dos Cidades. 1974.

Losada, Alejandro. *La literatura latinoamericana en las metrópolis complejas*. Berlin. Lateinamerika Institut (Arbeitspapier), 1982.

Lucas, Fabio. "Dependencia ideologica e Vanguarda", en *Hispamérica* (Medinson, USA), IV, 1975, 1: 33-55.

Mariátegui, José Carlos. *El artista y la época*. Lima. B. Amauta. 1970 4a. (tomo 6 de la *Obra completa*).

Matamoro, Blas. *Oligarquía y literatura*. Buenos Aires. Ed. del Sol. 1975.

Monsiváis, Carlos. "Clasismo y novela en México", en *Latin American Perspectives* (California), II, 1975: 164-179.

Monsiváis, Carlos. "Notas sobre cultura popular en México", en *Latin American Perspectives* (California), V, 1978. 16: 98-118.

Osorio, Nelson. "Para una caracterización histórica del vanguardismo hispanoamericano", en *Revista Iberoamericana* (Pittsburgh), XLVII, 1981, 114-115; 227-254.

Portantiero, Juan Carlos. *Realismo y realidad en la narrativa argentina*. Buenos Aires. Ed. Procyón. 1961.

Prieto, Adolfo. "Adán Buenosayres", en *Boletín de Literaturas Hispánicas* (Rosario), I, 1959, Nº 1.

Prieto, Adolfo. *La literatura autobiográfica argentina*. Buenos Aires. J. Alvarez. 1966 2a.

Prieto, Adolfo. *Estudios de literatura argentina*. Buenos Aires. Ed. Galerna. 1969.

Prieto, Adolfo. "Prólogo" a Roberto Arlt. *Los siete locos*. Caracas. Biblioteca Ayacucho. 1978.

Schwarz, Roberto. "Nota sobre vanguarda e conformismo", en *Teoria e Prática* (São Paulo). 1967, Nº 2.

Verdugo, Iber. "Testimonio y denuncia en la novela argentina", en *Aportes* (París), 1968, 8: 38-87.

Vieira de Mello, Mario. *Desenvolvimiento e Cultura. O Problema do estetismo no Brasil*. São Paulo. Comp. Edit. Nac. 1963.

Villegas, Abelardo. "El Ateneo y la mafia. Dos formas de cultura mexicana", en *Revista de la Universidad de México*, XXVI, 1972, 10: anexo 1.

Viñas, David. *Literatura Argentina y Realidad Política*. Tomo 3: *La crisis de la ciudad liberal*. Buenos Aires. Siglo XX. 1973, 2a. corr.

Viñas, David. *Idem*, tomo 4: *Grotesco, inmigración y fracaso*. Buenos Aires. Siglo XX. 1974.

*3.4. Los procesos literarios en la etapa de desestabilización de los espacios metroplitanos capitalistas (1960-1980).*

Benedetti, Mario. *El escritor latinoamericano y la revolución posible*. Buenos Aires. Alfa. 1974.

Burton, Julianne. *Film . . . 1956-1980: Theoretical and Critical Implications of Variations in Modes of Filmic Production and Consumption*. Washington DC, The Wilson Center (Working Papers 102), 1981.

Dorfmann, Ariel. "Notas para un análisis marxista de la narrativa chilena de los últimos años", en *Casa de las Américas* (La Habana), 1971, 69: 65–83.

Dorfmann, Ariel. "Niveles de la dominación cultural en América Latina: algunos problemas, criterios y perspectivas", en *Ideologies and Literatures* (Minnesota), II, 1978, 6: 54–89.

Dorfmann, Ariel. "El Estado y la creación intelectual: reflexiones acerca de la experiencia chilena de la década del setenta", en *La creación intelectual en América Latina*. México, Siglo XXI, 1979.

Franco, Jean. "From modernization to resistance: Latin American Literature 1959–1976", en *Latin American Perspectives* (California), V, 1978, 1: 77–97.

Funes, Santiago. "Escritura, producción literaria y proceso revolucionario", en A. Mattelart *et al., Comunicación masiva y revolución socialista*. México. Siglo XXI. 1976 3a.: 291–392.

García Canclini, Néstor. *Arte popular y sociedad en América Latina*. Teorías estéticas y ensayos de transformación. México. Ed. Grijalbo. 1977.

Guilherme Mota, Carlos. *Ideología da cultura brasileira, 1933–1975*. São Paulo. Ed. Atica. 1978.

Jitrik, Noé. *El escritor argentino. Dependencia o libertad*. Buenos Aires. Ed. Candil. 1967.

Katra, William H. *The Argentine Generation of 1955: Politics, the Essays and Literary Criticism*. Ph. Diss. University of Michigan. 1977.

Schwarz, Roberto. "Cultura e politica 1964–1969", en *O Pai de Familia e outros estudos*. Río de Janeiro. Ed. Paz e Terra, 1978: 61–92.

Skármeta, Antonio. "The Perspective of the Novísimos on the New Narrative", en el Workshop *The Rise of the New Latin American Narrative 1950–1975* (Working Papers). Washington, The Wilson Center, 1979.

4. OTROS AUTORES CITADOS.

Benjamin, Walter. *Lesezeichen* (G. Seidel Ed.). Leipzig. 1971.

Bürger, Peter. *Theorie der Avantgarde*. Frankfurt/M. Suhrkamp. 1974.

Crovetto, Pier L. (Editor). *Storia di una iniquitá*. Génova. ed. Tligher. 1982.

Hauser, Arnold. *Historia social de la literatura y el arte*. Madrid. Guadarrama. 1968 4a. (3 tomos).

Lienhard, Martin. "La crónica mestiza en México y el Perú hasta 1620: apuntes para su estudio histórico-literario". Berlin. Lateinamerika Institut. Arbeitspapier. 1981.

Cánepa-Hurtado, Gina. "La canción de lucha en Chile 1960-1973. Antecedentes socio-históricos y categorización de los fenómenos culturales". Berlin, Lateinamerika Institut. Arbeitspapier. 1981.

Luhmann, N. "Moderne Systemtheorie als From gesamtgesellschaftlicher Analyse", en J. Habermas - N. Luhmann, *Theorie der Gesellschaft oder Sozialtechnologie. Was leistet die Systemforschung?* Frankfurt/M., 1974.

Michelli, Marco de. *Las vanguardias artísticas del siglo XX*. Córdoba. Universidad de Córdoba. 1970.

Pollmann, Leo. *Geschichte des lateinamerikanischen romans*. Berlín. Ed. Erich Schmidt (2 t., en prensa).

Wachtel, Nathan. *Sociedad e ideología*. Ensayos de historia y antropología andinas. Lima, IPP, 1973 (orig. cap. II. *La vision des vaineus*. París. E. Gallimard. 1971). Lateinamerika - Institut der Freien Universität Berlin.

JEAN FRANCO

# APUNTES SOBRE LA CRITICA FEMINISTA
# Y LA LITERATURA HISPANOAMERICANA*

"Sospecho que todo este palabrerío es tan sólo una forma de ocultar la
pobreza de mi relato", dice el narrador (masculino) de la novela *La hora
de la estrella* de Clarice Lispector. Para las críticas feministas no es tanto
la pobreza del material sino su escasez, lo que obliga a construir genealogías peregrinas saltando de Gertrudis Gómez de Avellaneda a Elena Garro,
de Sor Juana Inés de la Cruz a Rosario Castellanos. Igual hacen las escritoras —de allí las genealogías de mujeres eruditas que presenta Sor Juana o
la de una poeta contemporánea, Carmen Ollé, cuando escribe:

> *Clarice Lispector escribe rodeada de sus niños*
> *en el hogar.*
> *Sylvia Plath pensaba dejarlo todo en aquel caso.*
> *El occidente ha dado talentos como la Woolf cuya amistad*
> *con la Ocampo hizo decir a ésta: yo como toda subdesarrollada*
> *tengo el hábito de escribir.*

Todos sabemos que tales genealogías son estratégicas. Al señalar
sus afiliaciones, las escritoras obedecen a una tendencia generalizada en
toda la historia literaria latinoamericana que siempre ha sido no-canóni-
ca en relación con la literatura metropolitana y siempre ha proclamado
sus afinidades y diferencias con otras literaturas a manera de banderas o
consignas en la disputa de posiciones. Los que escribían las historias literarias latinoamericanas no encontraban correspondencias exactas con
las historias metropolitanas. No podían identificar un período clásico ni
tampoco precisar la "evolución" de la novela (the rise of the novel) como
hacían los críticos ingleses. Tenían forzosamente que incluir en la historia literaria géneros no canónicos, textos tales como los cuadernos de
bitácora de Colón, las crónicas de la conquista, las descripciones e historias del Nuevo Mundo, los libros de viaje y los programas políticos (por
ejemplo, *El dogma socialista* de Esteban Echeverría). Al no poder trazar

* *Hispamérica*, XV, núm. 45 (1986), pp. 31-43.

una historia del sistema literario, los autores se vieron obligados a cuestionar los límites de los géneros literarios, a crear unidades imaginarias a fin de enlazar el período de la conquista con la independencia. La "unidad" de la historia literaria se adscribía a su "originalidad" o a su "americanismo".

La teoría contemporánea parte de un examen consciente de la institucionalización de los géneros literarios, tarea de deconstrucción en la cual tiene particular interés el feminismo. Aquí quiero hacer hincapié en una distinción entre la teoría feminista y la crítica que rescata textos olvidados o reivindica el valor de textos del pasado. Esta crítica muchas veces define la literatura feminista en una forma muy general como "textos por mujeres". Por ejemplo, en la antología de Angel y Kate Flores, *The Defiant Muse,* se trata de "una crítica de las vidas de las mujeres y de las injusticias que las mismas han debido soportar, en distintos tiempos y lugares en virtud de su sexo". Esta versión de "la visión de los vencidos", como se ve, se limita al nivel "temático". *Other Fires* (otra antología reciente de escritura de mujeres latinoamericanas en traducción editada por Alberto Manguel) incluye un grupo heterogéneo de escritoras sin otro criterio que el hecho de que "su excelencia ha sido, hasta ahora, ignorada en Europa y EE.UU".

La teoría feminista, en cambio, tiene una meta más ambiciosa. Falla como teoría si no logra cambiar el estudio de la literatura de modo sustancial. Debe, por lo tanto, abarcar una lectura de la cultura que altere sustancialmente los marcos del sistema literario y nos dé, al mismo tiempo, nuevos instrumentos de análisis. De allí, la cuestión central que quiero plantear ahora es si la teoría feminista en nuestro campo ha contribuido realmente al estudio de la literatura latinoamericana, lo que justificaría el dedicar una sesión entera de LASA al análisis del estado de la teoría y la crítica feminista. Mi respuesta a la pregunta es obviamente sí; de no serlo, no estaría aquí.

En primer lugar, la teoría feminista latinoamericana tiene que partir de una crítica de las instituciones y antes que nada, del sistema literario en sí mismo. Para realizar esta tarea, no es necesario que parta de cero, ya que sus intereses confluyen con los de otras corrientes y tendencias intelectuales; particularmente la deconstrucción, la semiótica y las teorías marxistas de la ideología.

La crítica deconstructiva, por lo menos en la manera en que ha sido formulada por Jacques Derrida, contribuye de manera especial al análisis feminista porque demuestra lo arraigado que se encuentra lo binario en el pensamiento occidental y las oposiciones que produce: normal/anormal, serio/no serio, literal/no literal, lo central/lo marginado. Lo "femenino" siempre se alinea con el término "débil" de esta oposición. En segundo lugar, Derrida examina la imposición de límites y márgenes, de allí su cuestionamiento de "la ley del género", mostrando que en realidad no hay tal ley y que el principio del género es inclasificable. El género, por lo tanto, no es un límite esencial sino imaginario. La deconstrucción propuesta por Derrida implica un examen de las instituciones que apoyan tanto las jerarquías antes mencionadas, como los géneros —examen que no han continuado los discípulos americanos del crítico francés. De allí, la necesidad de una teoría feminista que estudie los géneros de discursos, la relación entre géneros de discurso e instituciones hegemónicas y se sumerja tanto en el estudio de los recursos que pueden establecer la autoridad textual, como en términos evaluativos tales como "dominio del lenguaje", "profesionalización de la escritura", etcétera.

El marxismo, por su parte, contribuye de modo esencial a la comprensión de la hegemonía, la contrahegemonía y las ideologías que se forman en relaciones de lucha. Soy consciente de que existen grandes diferencias entre la deconstrucción y el marxismo, entre semiótica y análisis de la ideología. Sin embargo no soy la única en enfatizar la conjunción "y" más que la disyuntiva "o" —como se puede constatar leyendo algunos libros recientes tales como *Marxism and Literary History*, de John Frow, *Marxism and Deconstruction* de Michael Ryan, *Formalism and Marxism* de Tony Bennett. Al igual que el marxismo, el feminismo no puede prescindir de estos aliados estratégicos. Sin embargo, tampoco es posible pensar el marxismo o la deconstrucción sin el feminismo, puesto que este último tiene por tarea investigar el sistema literario en relación con la jerarquización basada en la diferenciación entre lo masculino y lo femenino. La teoría feminista es, por lo tanto, una teoría que trata del poder expresado en términos analógicos a la diferenciación sexual que, a su vez, es determinada socialmente. La teoría feminista analiza la relación entre lo femenino y las instancias del poder y propone la misma pregunta que Derrida al decir: "¿Qué sucederá si tratamos un área de la relación con el Otro en el cual el código de señales sexuales no fuera ya determinante?"

Por otra parte, las feministas trabajan dentro de las instituciones académicas y tienen que enfrentar la manera mediante la cual la oposición masculino-femenino ha estructurado el conocimiento y ha enmascarado los propósitos de la evaluación académica. La teoría feminista, por lo tanto, no es simplemente el estudio de textos escritos por mujeres o el estudio de estereotipos de mujeres. No es lo mismo que la investigación de textos desconocidos escritos por mujeres, aunque tales investigaciones siguen siendo sumamente importantes. Cabe mencionar aquí las investigaciones llevadas a cabo recientemente en América Latina, en los talleres del Colegio de México, por ejemplo, en los centros de estudio de la mujer, como el centro Flora Tristán en el Perú, en las revistas dedicadas a escritoras latinoamericanas y los congresos sobre la escritura femenina, todos los cuales nos han dado cimientos, datos específicos y los principios de una polémica fructífera sobre la validez de los conceptos del feminismo norteamericano en relación con América Latina.

Quizás la más lúcida exposición de esta última ocurre en el artículo de Sara Castro Klarén, "La crítica literaria feminista y la escritora en América Latina", que se publicó en *La sartén por el mango*. En este artículo,

Castro Klarén advierte sobre los problemas de aceptar una identidad fija y universal para la escritora femenina, puesto que, en este caso, "tendríamos pues que aceptar que basándonos en el estudio de unas cuantas escritoras —las que viven y escriben como miembros de una clase y sociedad específica en un momento histórico determinado— podríamos establecer una categoría universal de análisis, la que no sólo describe sino que exige una serie de temas, imágenes y posiciones ideológicas en relación a) a la tradición escritural dominada por el hombre, y b) a la imagen de la mujer, en esa sociedad y esa literatura. El estudio de este tipo de crítica literaria temática, y orientada hacia valores de personificación, revela un abordaje ingenuamente representacional y a veces resulta ser contradictoriamente a-histórica". Partiendo del feminismo francés, especialmente de las teorías de Irigaray y Kristeva, Castro Klarén ataca la noción de "una identidad femenina como algo visible, fijo, constante y siempre igual a sí mismo". Más cuestionable, sin embargo, es la equiparación que hace entre la discriminación que sufre la mujer y otros tipos de opresión —la racial, por ejemplo. Señala que la supresión y la exclusión de las mujeres del discurso patriarcal no es diferente de la exclusión que deriva del racismo: "Lo eterno femenino" se parece a "lo eterno buen salvaje". Y añade, si como Gilbert y Gubar constatan, la misoginia patrista hace de "las mujeres monstruos sin habla, rellenos de un conocimiento indigesto, ¿no es ésta la misma imagen que Fernández Retamar reclama para América Latina en su rebelde Calibán?" Según Castro Klarén, por lo tanto, una teoría feminista latinoamericana tiene que partir de la premisa de que la lucha de la mujer está "cifrada en una doble negatividad; porque es mujer y porque es mestiza". Sin embargo no explica cómo se puede emprender esta lucha sin una teoría que aclare las diferencias entre la opresión de la mujer y la opresión (por ejemplo) de los indígenas. Tal teoría tendría que ir más allá del Calibán de Fernández Retamar que conserva acríticamente la noción "heroica" de la tradición intelectual.

Castro Klarén tiene razón cuando ataca las tendencias universalizantes del feminismo metropolitano que, al igual que la teoría literaria en general, todavía no ha hecho ninguna tentativa de dar cuenta de las diferencias que marcan la literatura periférica en general. Es verdad que recientemente se notan algunos gestos de críticos como Jameson, Raymond Williams y Edward Said. Sin embargo, fundir la teoría feminista en una teoría general del colonialismo tampoco sirve. No es suficiente decir con Julia Kristeva que la "mujer" como categoría discursiva está incluida entre los marginados de la sociedad y "es la misma lucha. . . nunca puede darse la una sin la otra". Definitivamente *no* es la misma lucha. La jerarquía que subordina lo femenino a lo masculino no solamente se encuentra profundamente implicada en el lenguaje, sino que afecta la constitución de la subjetividad. Aunque no hay nada que impida a un hombre biológico "leer como una mujer", ni a una mujer biológica "leer como un hombre" —desde la posición de autoridad, por ejemplo— esto no significa que la diferencia no está marcada tanto en los textos como en las evaluaciones propuestas por la institución literaria. Ahora bien, una vez que se empieza a entender que esta jerarquía está en la base de la misma institución literaria, cabe investigar la manera en que se ha constituido la autoridad textual no sólo en el presente sino en distintas coyunturas históricas.

Se suele dividir la historia cultural latinoamericana en tres períodos: el colonial, el nacional y el período post-nacional. Aunque demasiado amplia, esta periodización nos permite efectuar una primera hipótesis. Durante el período colonial, la exclusión de la mujer de la esfera pública y de la adquisición del poder encontraba su apoyo en el dogma. Con la emergencia de la *intelligentsia* laica durante el movimiento de la Independencia, el dogma deja de ser la justificación de esta separación entre la esfera pública (masculina) y la esfera privada (femenina) que entonces pasa a depender de la constitución más débil de la mujer y de su rol prioritario en la reproducción de la familia. Con el cuestionamiento de la ideología del nacionalismo que ocurre en la época "transnacional" contemporánea, es posible, por primera vez, cuestionar la jerarquía masculina/femenina. Al mismo tiempo, el poder difuso de las sociedades contemporáneas tiende a diluir el poder contestatario del feminismo que viene a sumarse a una pluralidad de grupos y movimientos. La cuestión consiste en saber si es posible salvar la posición contestataria.

En cuanto a la historia de la literatura, resulta evidente que tiene su origen en el período nacional. Es precisamente porque estamos situados en un momento histórico que ha visto el derrumbe de la alegoría nacional (o de la nación como articulación de sentidos) y sus correlativas problemáticas de identidad nacional y cultura nacional, que nos es posible examinar desde otro punto de vista todo lo que ha significado la diferencia masculina y femenina en la articulación de esta alegoría. Cabe hacer notar que antes que la crítica, novelistas como Augusto Roa Bastos, Rodríguez Juliá, Luisa Valenzuela, Rosario Ferré y Jorge Ibargüengoitia ya habían sometido esta alegoría a la parodia. De hecho, una vez que se deja de considerar a la nación como una entidad natural o como el edificio que corona una construcción ineludible, el camino está abierto para un análisis de cómo la ideología de la nación ha determinado el canon literario y cómo este canon siempre se ha basado en analogías sexuales.

La ideología laica y nacional de fines del siglo XIX fundamenta el modo en que la *intelligentsia* no sólo articuló la historia de la literatura como una continuidad imaginaria sino que al mismo tiempo rechazó selectivamente inmensas áreas de la escritura colonial, particularmente la literatura religiosa. Al buscar un período clásico, una épica, esta *intelligentsia* encontró en la conquista y el descubrimiento elementos heroicos, descartando la literatura religiosa a la cual la mujer había contribuido en forma sustantiva. Por ejemplo, en sus *Reseñas literarias* —que es un primer esbozo de una historia de la literatura mexicana— Ignacio Manuel Altamirano incluyó una carta en la que trata de guiar por el buen camino a una mujer que aspiraba a convertirse en escritora. Entre sus consejos se destaca una prohibición: no hay que leer a Sor Juana Inés de la Cruz, "nuestra décima musa a quien es necesario dejar quietecita en el fondo de su sepulcro y entre el pergamino de sus libros, sin estudiarla más que para admirar de paso la rareza de sus talentos y para lamentar que hubiera nacido en los tiempos del culteranismo, y de la Inquisición y de la teología escolástica. Los retruécanos, el alambicamiento, los juguetes pueriles de un ingenio monástico y las ideas falsas sobre todo, hasta sobre las necesidades físicas, pudieron hacer del estilo de Sor Juana el fruto doloroso de un gran talento mártir, pero no alcanzaron a hacer de él un modelo". A partir de esta prohibición (que los críticos católicos fueron los primeros en ignorar) se podía no sólo descartar la literatura colonial como obsoleta, sino también separar a las escritoras en potencia de una tradición propia.

Los elementos ideológicos estructurantes de las primeras historias de la literatura están dados por la idea de la nación, la originalidad de América y lo heroico. La originalidad americana y la formación de la nación justificaban la inclusión en el canon de textos no literarios, al mismo tiempo que aseguraban la exclusión de lo barroco y buena parte de la literatura colonial por su supuesta falta de originalidad. La historia de la literatura se convertía así en una genealogía de héroes de la emancipación cultural. En este sentido, la *intelligentsia* de América concordaba con Carlyle al decir que "la historia de lo que el hombre ha realizado en este mundo es básicamente la historia de lo que los Grandes Hombres han logrado aquí. Todas las cosas producidas en el mundo son propiamente el resultado material, la realización práctica y la encarnación de los Pensamientos de los Grandes Hombres". De acuerdo con este criterio Rodó incluyó a Bolívar, Montalvo y Juan María Gutiérrez en el Mirador de Próspero. Bolívar es el "insuperable héroe epónimo" de "América nuestra". "Porque la superioridad del héroe no se determina sólo por lo que él sea capaz de hacer abstractamente, valoradas la vehemencia de su vocación y la energía de su aptitud, sino también por lo que da de sí la ocasión en que llega, la gesta a que le ha enviado la consigna de Dios". De la misma manera, Pedro Henríquez Ureña pensaba que la historia de la literatura de la América Hispana tendría que tomar en cuenta principalmente algunos nombres esenciales: Bello, Sarmiento, Montalvo, Martí, Darío, Rodó.

Es interesante que entre quienes han empezado a cuestionar los criterios que sirvieron de fundamento a estas primeras historias literarias se cuentan principalmente los críticos que estudian la literatura colonial (por ejemplo, Walter Mignolo y Rolena Adorno). Efectivamente, cualquier discusión sobre la investigación literaria actual tiene que empezar necesariamente por el reconocimiento del auge de los estudios de la literatura precolonial y colonial que es consecuencia directa de la emancipación del nacionalismo cultural. La reevaluación del barroco, el cuestionamiento del canon y de los límites de los géneros, el problema de

Europa y su "Otro", los estudios de la semantización del discurso racista y colonial y el interés feminista tanto en la cultura de convento como en la principal figura de la literatura colonial, Sor Juana Inés de la Cruz, indican una reconfiguración extensiva de la historia de la cultura colonial. Las investigaciones de Josefina Muriel y Margarita Peña de la escritura feminista novohispana, los libros de historiadores como Asunción Lavrín, Silvia Arrom y Padre Martín; los estudios de Electa Arenal y Stacey Schlau sobre la cultura de convento, la nueva historia social que ha investigado las culturas de resistencia y que ha revelado una literatura satírica escrita durante la crisis de la colonia en el siglo XVIII, la catalogación de los archivos de la Inquisición que ha desenterrado poesía y teatro censurado —todo eso ha contribuido a la revisión de la historia cultural de la Colonia.

Desde el punto de vista feminista se destacan tres campos de investigación: la literatura mística, los procesos de brujas y los estudios sobre la escritura de Sor Juana Inés de la Cruz y otras poetas menos conocidas. La mística sobre todo constituía una "sabiduría" accesible a la mujer. Como lo ha demostrado Michel de Certeau en *La fable mystique,* el misticismo presentaba problemas de orden epistemológico puesto que la palabra del sujeto y sus manifestaciones exteriores —arrobo, levitación— representaban la única prueba de la experiencia. De allí el afán del clero por tener testimonios escritos de la experiencia mística. Por otro lado, la mujer mística se comunicaba directamente con Dios o con los santos sin necesidad de mediación humana y sin necesidad de conocimientos especializados o habilidad en manejar el lenguaje legítimo. La mujer con su escasa educación podía, por lo tanto, llegar a la sabiduría mística e, inclusive, era más fácil para ella recibir este tipo de "favores" de Dios gracias a su temperamento blando que, por otro lado, también la volvía más dúctil y susceptible a las seducciones del demonio. Por esta razón, y por la dificultad de verificar la experiencia mística, los confesores hacían escribir a las monjas y así descubrían este continente ignoto de los sentimientos y los arrobamientos. De tal modo se constituyó un vasto archivo del inconsciente colonial recogido en documentos cuya importancia para el estudio de la mujer empieza a ser valorada. Lo que interesa aquí no es la evidencia de una "escritura femenina" sino el estudio de la diferenciación ideológica entre la erudición racional a la cual sólo los hombres tenían pleno acceso y la sabiduría mística alcanzable aun por una mujer que no supiera latín.

Esta escritura recoge los sentimientos marginados del discurso oficial que no obstante buscaba la manera de controlarlos, oponiendo las verdaderas visiones a las visiones ficticias inspiradas por el demonio. El problema era distinguir la visión verdadera de la falsa y, como no existían pruebas objetivas, los confesores tenían que acudir al contexto. La vida de la monja o beata, su obediencia al confesor y al *statu quo* constituían la prueba de la verdad de sus visiones. Las que trataban de burlar la vigilancia del confesor, de conseguir adeptas, eran las más susceptibles de ser denunciadas al Santo Oficio.

El ejemplo de la literatura mística es particularmente interesante porque la ausencia de una regla que permitiera la verificación interna demuestra que el criterio para buscar la verdad era, en realidad, su conformidad con la ideología dominante. Cuando la Iglesia pierde su hegemonía en el siglo XIX, la religión entera queda desterrada de la verdad y tiene que apoyarse en la creencia, o sea, en la esfera desvalorizada de la mujer. Por el contrario, en el siglo XX, con la rebelión contra la razón positivista, son los hombres los que se apoderan de la esfera de la creación y la imaginación, dejando a las mujeres el rol de ser las Gekreptens de la literatura.

Las investigaciones sobre la escritura de Sor Juana nos enfrentan con el otro lado del misticismo. Si el misticismo es permitido a la mujer a condición de que confirme el dogma, el conocimiento racional constituye un terreno mucho más conflictivo. La ejemplaridad de Sor Juana y su reivindicación del derecho de la mujer a la sabiduría, subyace en una serie de estudios importantes —de Georgina Sabat de Rivers, de Octavio Paz *(Sor Juana Inés de la Cruz o las trampas de la fe)*, Fernando Benítez *(Los demonios en el convento)* y Marie Cecile Benassy Berling *(Humanisme et religion chez Sor Juana Inés de la Cruz)*. Este no es el lugar apropiado para una consideración detallada de estas investigaciones; se trata sencillamente de señalar la importancia de la escritura de Sor Juana como un camino totalmente opuesto al camino místico.

Por su contribución a la teoría feminista, quiero destacar el ensayo de Josefina Ludmer, "Las tretas del débil", publicado en *La sartén por el mango*. Usando el método estructuralista, Ludmer explica la generación del argumento de la "Respuesta a Sor Filotea" desde los términos "decir", "saber" y sus negativas. No puedo presentar en forma sucinta la densa argumentación de este ensayo, pero cabe subrayar sus conclusiones. Arguyendo que al emplear la carta y la autobiografía para desarrollar una tesis filosófica, Sor Juana derriba los límites de los géneros, Ludmer concluye: "ahora se entiende que estos géneros menores (cartas, autobiografías, diarios), escrituras-límites entre lo literario y lo no literario, llamados también géneros de la realidad, sean un campo preferido de la literatura femenina. Allí se exhibe un dato fundamental: que los espacios regionales que la cultura dominante ha extraído de lo cotidiano y personal y ha constituido como reinos separados (política, ciencia, filosofía) se constituyen en la mujer a partir precisamente de lo considerado personal y son indisociables de él. Y si lo personal, privado y cotidiano se incluyen como punto de partida y perspectiva de los otros discursos y prácticas, desaparecen como personal, privado y cotidiano: ése es uno de los resultados posibles de las tretas del débil". Apoyándose en un análisis de la lógica interna de la "Respuesta", Ludmer llega a señalar que la transgresión de los límites del género va mucho más allá de la literatura y constituye una subversión de la diferenciación entre la esfera pública (masculina) y la esfera privada (femenina).

Al pasar al período nacional se vuelve evidente que esta diferencia entre la esfera pública y la privada no cambia en su estructura fundamental, aunque ahora es la nación lo que justifica esta diferenciación. De ahí que el intenso esfuerzo realizado por la *intelligentsia* de principios del siglo XIX a fin de redefinir el lugar de la mujer nunca transgrediera esta separación. Las mujeres no sólo se encontraron excluidas del saber/poder sino que ahora ni siquiera tenían el espacio cultural del convento. La casa constituía su esfera, llámese ésta casa grande, casa chica o casa verde. Al mismo tiempo, se definía la novela en términos de su misión cívica. Altamirano la considera "la biblia" del "nuevo apóstol"; escribir es una "misión patriótica". La novela es la épica moderna. Según Rodó es "la épica inexhausta y proteiforme de nuestro tiempo, orbe maravilloso donde cabe todo el infinito de la realidad, con su abreviada imagen". No obstante la equiparación que se hacía entre estas aspiraciones épicas (que compartían tanto los naturalistas como los poetas modernistas) y la virilidad, escritoras como Clorinda Matto de Turner, Gómez de Avellaneda, Nelly Campobello y Juana M. Gorriti rechazaban el encasillamiento en una literatura doméstica. Aun así, hasta muy recientemente, la crítica seguía considerando a las escritoras como más aptas para explorar la vida interior. De esta manera, un crítico normalmente perspicaz –Angel Rama– en la introducción a su antología, *Novísimos narradores hispanoamericanos* (que incluye dos escritoras, Cristina Peri Rossi y Rosario Ferré) destaca los sentimientos (y no la sexualidad) como terreno propio de la escritora, citando como ejemplos, a Clarice Lispector, Armonía Sommers, Luisa Josefina Hernández y Beatriz Guido. Es aleccionador contrastar la manera en que Rama acepta implícitamente la división entre público y privado con un ensayo de Mary Louise Pratt sobre "Escritoras y nacionalismo literario". En este ensayo, Pratt advierte que los críticos han intentado minimizar la escritura de las mujeres en el período nacional mediante el artificio de relegarlas de nuevo a la esfera de lo personal y doméstico, a la cual ellas supuestamente pertenecen. Como demuestra Pratt, la poesía patriótica escrita por mujeres plantea un problema interesante porque "no se puede leer semejante poesía como si fuera generada en la esfera doméstica, puesto que toma como tema el mundo público de la nación. La voz poética es la de la ciudadana". A partir de allí, demuestra la posibilidad de analizar la poesía cívica de Gabriela Mistral destacando la forma en que glosa la alegoría nacional y el poema patriótico.

Este argumento lleva la discusión a otro terreno que trasciende la separación entre esfera pública y esfera privada. Sin embargo, no hay ninguna necesidad de restringirse a una discusión de poetas como Mistral, que deliberadamente escogen temas cívicos. Se pueden emprender lecturas transgresivas de las mismas autoras mencionadas por Rama – Armonía Sommers, María Luisa Bombal, Clarice Lispector– demostrando que la supuesta esfera privada es para ellas una esfera pública. Todo esto sin mencionar autoras como Teresa de la Parra, Elena Garro, Rosario Castellanos, Rosario Ferré *(Maldito amor)*, Isabel Allende, Elena Poniatowska, Marta Traba, Griselda Gambaro, Luisa Valenzuela, quienes han escrito parodias de la alegoría nacional o han transpuesto lo político en lo familiar.

Las escritoras latinoamericanas suelen negar que haya una escritura femenina. Muchas veces dicen que la escritura es neutral. Tenemos que entender esta negación como un rechazo al encasillamiento, recordando las Historias de Literatura que metían a las mujeres en un párrafo aparte al final del capítulo. La cuestión, sin embargo, está mal planteada. No se trata de averiguar si las escritoras tienen temas específicos o un estilo diferente a los hombres, sino de explorar las relaciones del poder. Todo escritor, tanto hombre como mujer, enfrenta el problema de la autoridad textual o de la voz poética ya que, desde el momento en que empieza a escribir, establece relaciones de afiliación o de diferencia para con los "maestros" del pasado. Esta confrontación tiene un interés especial cuando se trata de una mujer escribiendo "contra" el poder asfixiante de una voz patriarcal. En un artículo sobre Delmira Agustini, Silvia Molloy señala cuán diferente es esta confrontación en la vida real y en la literatura. En su correspondencia con Rubén Darío, Delmira Agustini "se aniñaba", disminuyéndose así en relación con su maestro. Sin embargo, según Molloy, al escribir, Agustini, "forzosamente tiene en cuenta —y corrige— el texto precursor de Darío". Cita como ejemplo los poemas sobre los cisnes en los cuales Agustini interrumpe en forma violenta la armonía rubendariana. Por ejemplo, "Yo soy el cisne errante de los sangrientos rasgos / voy manchando los lagos y remontando el vuelo". Utilizando la terminología de Riffaterre se puede considerar el "Nocturno" de Darío como el hipograma que glosa Agustini; su lenguaje poético "ensucia" el espejo transparente de contemplación narcisista con la mancha de la diferencia sexual, del mismo modo en que el pañuelo rojo de la Andaluza irrumpe en los sueños de inmortalidad de *Yo el Supremo* en la novela de Roa Bastos.

Podríamos inferir de estos ejemplos muy variados de la crítica contemporánea que no hay una escritura femenina pero sí que la intertextualidad es forzosamente un terreno de lucha donde la mujer se enfrenta con las exclusiones y las marginaciones del pasado. Tal como John Frow apunta en su discusión de la intertextualidad, "ésta comprende relaciones de dominación y de subordinación entre registros, y este choque, este antagonismo de lenguajes es una oposición de realidades —esto es, de universos éticos. El texto puede ser definido como un proceso de relaciones de contradicción discursiva, y es aquí donde se conforma y se desafía el valor ideológico y donde se genera la historicidad textual" *(Marxism and Literary History)*.

El otro aspecto del texto en que la relación de poder se patentiza es en la situación de la enunciación. En este sentido, es interesante el uso

273

del narrador masculino o de una voz poética masculina por escritoras como Rosario Ferré, Clarice Lispector y Cristina Peri Rossi. Estas escritoras desenmascaran la hegemonía genérica que ubica al narrador masculino en la posición de autoridad y de productor. Las mujeres "ventrílocuas" se instalan en la posición hegemónica desde la cual se ha pronunciado que la literatura es deicidio, la literatura es fuego, la literatura es revolución, la literatura es para cómplices, a fin de hacer evidente la jerarquía masculina/femenina.

No me parece accidental que en los últimos años se han publicado más obras literarias de mujeres que en todos los siglos anteriores. Estamos entrando en un período de crisis que ha visto el derrumbe de las "narrativas maestras" —las teorías globales y totalizantes basadas siempre en la exclusión de lo heterogéneo. Desde este punto de vista contemporáneo es relativamente fácil deconstruir los sistemas binarios del pensamiento colonial o nacionalista. Sin embargo, el pluralismo también tiene sus riesgos: si todo es válido, nada importa. Las mujeres, tanto escritoras como críticas, tienen mucho interés en cuestionar la validez de un pluralismo que no trasciende el nivel del consumo.

# OBRAS CITADAS

Rolena Adorno, *Guaman Poma. Writing and Resistance in Colonial Perú*, Austin, University of Texas Press, 1986.

Electa Arenal y Stacey Schlau, "Stratagems of the Strong, Stratagems of the Weak: Autobiographical Prose of the Seventeenth Century Hispanic Convent", de próxima aparición en Bella Brodzki and Celeste Schenck, *Life Lines*, Ithaca, Cornell University Press.

Silvia Marina Arrom, *The Women of Mexico City, 1790–1857*, Stanford, Stanford University Press, 1985.

Ignacio Manuel Altamirano, *La literatura nacional*, tomo I, México, Porrúa, 1945.

Fernando Benítez, *Los demonios en el convento. Sexo y religión en la Nueva España*, 1985.

Sara Castro Klarén, "La crítica literaria feminista y la escritora en América Latina" en Patricia Elena González y Eliana Ortega, comps., *La sartén por el mango*, San Juan, Ediciones Huracán, 1984.

Michel de Certeau, *La fable mistique*, Paris, Gallimard, 1982.

Angel & Kate Flores, *Poesía feminista del mundo hispánico (desde la Edad Media hasta la actualidad)*, México, Siglo XXI, 1984.

Asunción Lavrin, *Latin American Women, Historical Perspectives*, Westport, Conn., Greenwood Press, 1978.

Alberto Manguel, *Other Fires. Short Fiction by Latin American Women*, New York, Clarkson N. Potter Publishers, 1986.

Luis Martín, *Daughters of the Conquistadores. Women of the Viceroyalty of Peru*, Albuquerque, University of New Mexico Press, 1983.

Walter Mignolo, "Cartas, crónicas y relaciones del descubrimiento y la conquista", Luis Iñigo Madrigal, comp., *Historia de la literatura hispanoamericana, época colonial*, I, Madrid, Cátedra. pp. 57–116.

Josefina Muriel, *Cultura femenina novohispana*, México, UNAM, 1982.

Octavio Paz, *Sor Juana Inés de la Cruz o las trampas de la fe*, México, Fondo de Cultura Económica, 1982.

Mary L. Pratt, "Literary Women and Literary Nationalism", MS. inédito.

Angel Rama, *Novísimos narradores hispanoamericanos*, México, Marcha, 1981.

Georgina Sabat de Rivers, "El *Neptuno* de Sor Juana: Fiesta barroca y programa político", *University of Dayton Review*, vol. XVI, Nº 2 (Spring 1983), pp. 63–73.

BERNARDO SUBERCASEAUX

# TRANSFORMACIONES DE LA CRITICA LITERARIA EN CHILE: 1960-1982*

## 1. ACTIVIDAD CRITICA Y ORDEN CULTURAL

Visualizamos la crítica como un espectro amplio con dos vertientes. Una de ellas se aproxima a la teoría literaria y asume la crítica como una estructura de pensamiento en cierta medida autosuficiente, con relativa independencia de su objeto; la otra, en cambio, es más bien, en su grado extremo, una caja de resonancia, un epifenómeno que se aproxima al periodismo y en última instancia a la publicidad.

Dentro de ese abanico caben desde las formas de crítica trascendente que vinculan la obra con totalidades más amplias (ya sea de índole artística, moral o social) hasta formas de crítica episódica como la que suele practicarse en los medios masivos de comunicación; desde la teoría literaria que indaga en sus propios supuestos, o la crítica sistemática con ambición científica que propone nuevas lecturas, pasando por el comentario o la reseña de sesgo empirista, hasta la nota o la simple información: en buenas cuentas, lo que los alemanes llaman Literaturwissenchaft y lo que llaman Literaturkritik. Se trata, entonces, de una actividad múltiple y plural, que incluiría a los críticos universitarios, a los creadores que conciben la crítica como un subproducto de su actividad creadora, a los críticos "oficiales" de algún diario o revista, a los comentaristas, a los reporteros culturales, a la docencia e incluso a quienes trabajan en ciertas áreas de la actividad editorial.

No se nos escapa que nos estamos distanciando de la concepción que tienen de la crítica autores como Wellek o Frye[1], quienes la restringen a sólo una de estas vertientes. Hay varias razones que justifican, sin embargo, un enfoque amplio. Nadie discute, por ejemplo, que además de tener como objetivo básico la *comprensión* del fenómeno literario en toda su complejidad, la crítica es también un factor importante de

---

* Santiago de Chile: Cuadernos de CENECA, 1982.

*valoración* y *orientación* y que incide, por ende, en el gusto y en la moda literarios. Qué duda cabe que el comentario, la entrevista o la mera difusión, aunque intelectualmente viven en simbiosis, desempeñan en esta perspectiva un cierto rol. Nos guste o no, el hecho es que la información y la publicidad literaria contribuyen a crear un espacio de interés por ciertos autores y tendencias. Hay casos en la historia de la cultura en que lo artísticamente valioso no se impone por sí mismo, sino que sucede más bien al revés: aquello que se impone es lo que termina por considerarse de valor[2]. Si restringiéramos la crítica a lo que Northrop Frye entiende por tal, sólo nos quedaría despachar el tema de su transformación bajo el autoritarismo con un "no hay crítica en Chile", o bien emprender una reflexión sobre las posibles causas de ese vacío. Hay que considerar además que al interior del espectro se dan vasos comunicantes: crítico docente, comentarista o reportero cultural no son compartimientos estancos ni ontológicos, sino más bien segmentos de un tejido mayor, o incluso funciones, de modo que potencialmente una misma persona podría desempeñar una y luego otra. Desde otro punto de vista, el tomar en cuenta la vertiente autosuficiente y la parásita viene a poner de relieve —a pesar de Roland Barthes— el carácter de conocimiento radicalmente ambiguo que tiene la crítica.

En todo caso lo fundamental de esta comprensión de la crítica como actividad múltiple y plural es que nos obliga a tener en cuenta que las condiciones de su ejercicio no dependen sólo de la voluntad o lucidez de los críticos, sino que se insertan en las características del espacio cultural, en las condiciones de trabajo de los críticos y en los mecanismos de circulación de la cultura. Permite entender, por lo tanto, que la crítica, aun cuando tiene su especificidad, no sigue un curso autónomo, que no es del todo ajena a la pugna por las persuasiones ideológicas, que tiene que ver con la dirección intelectual y moral de la sociedad y que está inserta, en consecuencia, en un orden cultural e institucional que si bien no puede ser tratado con criterio reductivista tampoco es ajeno a relaciones sociales históricamente determinadas. La comprensión amplia permite, en definitiva, historiar la crítica e integrar los componentes de esa historia: sus contenidos concretos y los mecanismos sociales e institucionales que posibilitan esos contenidos. Es precisamente esta perspectiva la que nos aproxima a una idea que recorre estas páginas: aquélla de que los cambios que se producen en la crítica chilena durante la última década no son sólo explicables por la exoneración de las universidades o la salida del país de la mayoría de los críticos, sino que obedecen a un fenómeno más global (del cual la exoneración forma, por supuesto, parte): a la instalación de un modelo autoritario, que excluye y recompone —generando una dinámica alternativa— los espacios culturales pre-1973. Y que por lo tanto los desplazamientos y rupturas que se observan a partir de ese año, aun entendiendo que la crítica tiene su propio nivel de especificidad, deben ser comprendidos en el contexto de los cambios operados en la totalidad social y en sus distintos órdenes, uno de los cuales corresponde al de la cultura.

## 2. LA RENOVACION CRITICA HACIA 1973

La década que precede al quiebre de la democracia es quizás una de las etapas más importantes para la crítica en Chile, por primera vez esta actividad deja de identificarse con un par de críticos oficiales de algún periódico y ofrece en cambio un perfil variado y múltiple, un perfil que teniendo como eje a la Universidad, se proyecta a través de diversos canales por todos los pliegues del abanico. Son años de actividad crítica pluralista, abierta a distintas vertientes de pensamiento, con tensiones y polémicas, pero con el propósito común de superar el impresionismo subjetivista y constituirse en una disciplina más o menos sistemática. Crítica que se arriesga, que complejiza el discurso literario y su propio quehacer, que busca trascenderlo y que para bien o para mal se inserta y busca su anclaje en las opciones socio–políticas de la década. Vale la pena detenernos, entonces, en algunas de estas características y referirnos someramente a las condiciones que las hicieron posibles.

La Universidad, como señalábamos, es durante este período el eje fundamental de la actividad crítica. Por una parte funciona como canal de modernización, a través del cual se inserta y socializa el bagaje teórico analítico acumulado por la crítica europea en los últimos cuarenta años; por otra parte, especialmente a partir de la reforma, se constituye en un espacio dinamizador de persuasiones ideológicas en torno al cambio, espacio que tensiona, por lo tanto, a las distintas disciplinas respecto a su rol en un proyecto de transformación de la sociedad.

En la Universidad de Chile, en universidades de provincia y en menor medida en la Universidad Católica, ejercen la docencia, investigan o se forman por lo menos dos generaciones de críticos. Primero Félix Martínez Bonatti, Carlos Santander, Pedro Lastra, Cedomil Goić, Jorge Guzmán, Jaime Giordano, Juan Villegas, Guillermo Araya, Alfonso Calderón, Hernán Loyola, Wilfredo Casanova, Mario Rodríguez y luego una generación algo más joven en la que se cuentan Jaime Concha, Luis Vaisman, Ariel Dorfman, Luis Iñigo Madrigal, Antonio Avaria, Federico Schopf, Antonio Skármeta, Luis Bocaz, Nelson Osorio, Leonidas Morales, José Promis, René Jara, Mauricio Ostria, Lydia Neghme, Marcelo Coddou y Ramona Lagos. Todos ellos son influenciados, conocen o de una u otra manera entran en contacto con una constelación de corrientes críticas europeas, corrientes que en el Viejo Mundo se han dado con variación cronológica pero que aquí coexisten y se dan casi en forma simultánea. Entre ellas pueden señalarse la estilística de Spitzer y Amado Alonso; la corriente estructuralista, pasando por el protoestructuralismo de los formalistas rusos, de Roman Ingarden y Wolfgang Kayser, por el estructuralismo checo del Círculo de Praga, por el estructuralismo antropológico de Lévi–Strauss y por el estructuralismo semiótico francés de Barthes,

Todorov y Greimas. Entran en contacto, también, con la corriente feno-menológico-existencialista (Husserl y Heidegger hasta Sartre y Merleau Ponty), con la semiótica abierta de Umberto Eco, con la corriente so-cio-histórica (Lukács, Hauser y Goldmann) y con la variante sociológica vinculada a la Escuela de Frankfurt.

La modernización de la crítica que se da entre 1960 y 1973 (y que es paralela a la modernización en otras disciplinas humanísticas) hay que entenderla como un proceso a través del cual se asume todo este bagaje con el afán de darle mayor sistematicidad y rigor a los estudios de litera-tura, particularmente al análisis de texto; ello explica también el contac-to con otras disciplinas —como la lingüística— que aportan elementos teóricos y un paradigma de cientificidad. Se trata, además, de una reno-vación trabada polémicamente con la crítica anterior, con la escuela his-tórico-positivista de un Raúl Silva Castro, o con la crítica impresionista de un Alone o de un Ricardo Latcham.

Dentro de este proceso pueden distinguirse dos etapas: en la prime-ra predominan las corrientes que suponen una radical autonomía del fenómeno literario y que por lo tanto privilegian el texto como el único horizonte legítimo de la crítica, orientación en que coexisten una aproxi-mación formalista —que en términos de historia literaria se traduce en el uso y abuso del método generacional[3]— y otra fenomenológica-herme-néutica[4]. Más tarde, en una segunda etapa, empiezan a relevarse corrien-tes afines a una comprensión contextualizadora, corrientes que desde una perspectiva socio-histórica proveen un marco para captar la lógica de la presencia y desarrollo del fenómeno literario, o para el análisis de las obras como signos de una sociedad y una historia en transformación.

Se percibe además una utilización más ecléctica de las corrientes europeas, un esfuerzo por ajustar creadoramente a la situación nacional y latinoamericana enfoques y categorías pensados en otros contextos[5].

El momento inmanentista puede situarse cronológicamente desde 1960 hasta la Reforma Universitaria y el predominio de la orientación socio-histórica desde 1968 hasta septiembre de 1973. No se trata, sin embargo, de bloques; ambos momentos en cierta medida coexisten vía la incorporación de términos y categorías. Hay también varios profe-sores que evolucionan, pasando —como Nelson Osorio y Federico Schopf— de una etapa a otra. Hay además algunos puntos de vista com-partidos como el rechazo al antiguo método biográfico-histórico o al impresionismo, en lo que están de acuerdo casi todos los críticos, in-cluyendo algunos que no tienen su ámbito de trabajo en la Universidad como Yerko Moretic, Martín Cerda e Ignacio Valente. No podría, empe-ro, hablarse de un movimiento de renovación cohesionado, más bien habría que hablar de fenómenos extraliterarios que van condicionando la primacía de una etapa sobre la otra. El proceso de agudización de la lucha política y la presión social que ella ejerce en la Universidad, la ideologización creciente de los estilos intelectuales y su confluencia con las opciones políticas van perfilando la situación de cada crítico y el predominio –particularmente en la Universidad de Chile– de la perspectiva socio-histórica sobre la inmanentista. Paralelamente, procesos como la Revolución Cubana y el *boom* de la novela latinoamericana van relegando a un segundo plano a la literatura europea (y con ella a Roque Esteban Scarpa y al Instituto de Literatura Comparada), privilegiando en cambio, como objeto de estudio, a la literatura del continente, especialmente a la narrativa.

Interesa resaltar, en todo caso, que a lo largo y ancho de esta renovación, aun cuando la crítica es terreno de pugna ideológica y de presión social o institucional, no desaparece por ello la diversidad y el pluralismo, la sensación de pertenencia a una comunidad intelectual. Hasta en los años más álgidos encontramos todo un espectro de tonos: desde la voz "científica" y engolada de críticos como Félix Martínez Bonatti y Cedomil Goić hasta el vitalismo lírico y emancipatorio de Ariel Dorfman. Si se revisa un número cualquiera de la *Revista Chilena de Literatura* de 1972, se hallará, por ejemplo, junto a un artículo de Cedomil Goić en que analiza formalmente los exordios de *La Araucana*, otro de un crítico joven, que citando a Lenin con la fe del recién converso dispara flechazos contra Carlos Fuentes como prototipo del escritor pequeñoburgués.

Luego de la Reforma Universitaria de 1967 y particularmente entre 1970 y 1973, aunque el pensamiento y la renovación crítica siguen teniendo su eje en la Universidad, no se quedan, sin embargo, constreñidos a ese ámbito. Varios críticos tienen una participación importante en el aparato orgánico de la cultura, en los mecanismos institucionales de producción y circulación literaria. Pedro Lastra, por ejemplo, dirige la colección Letras de América de Editorial Universitaria, e introduce autores hispanoamericanos tan importantes como José María Arguedas y Ernesto Cardenal. A Lastra se deben también algunos títulos de la serie Teoría Literaria como *La partida inconclusa* de Alberto Escobar. Hernán Loyo crea y dirige la colección Biblioteca Popular de Editorial Nascimento en la que se editan antologías o reediciones de obras chilenas e hispanoamericanas precedidas por excelentes estudios. Nelson Osorio dirige la serie Teoría Literaria de Ediciones Universitarias de Valparaíso, que publica desde textos vinculados al estructuralismo del Círculo de Praga hasta una sociología del consumo literario. Jaime Concha y Alfonso Calderón participan en el Comité Selectivo de Quimantú, editorial que significó una verdadera renovación en las formas de distribución y en el número de ejemplares, alcanzando tirajes que jamás antes se habían logrado en Chile. Esta participación de estudiosos de la literatura en el aparato editorial hay que vincularla a una comprensión del trabajo crítico como parte de un proyecto cultural liberador y a ciertos rasgos estructurales de la canalización política, que para bien o para mal (nos referimos al "cuoteo") posibilitaron una proyección partidaria en algunas empresas editoras subvencionadas por el Estado; también contribuyó a la injerencia de los críticos la existencia de editoriales no regidas por una lógica comercial, sino más bien por el afán de contribuir al desarrollo de la cultura chilena en una perspectiva democrática y latinoamericanista.

Varios de los críticos mencionados escriben además para medios masivos. Luis Iñigo Madrigal tiene, por ejemplo, a su cargo la página literaria de *La Nación,* Federico Schopf y Antonio Skármeta lo hacen en *Ahora,* Hernán Loyola en *El Siglo,* Alfonso Calderón en *La Quinta Rueda,* etc. La crítica participa también en el medio masivo por excelencia: la televisión. Ariel Dorfman dirige y conduce un programa en Canal 9 en que el eje es la literatura, y José Promis dirige y anima otro similar en un canal de Valparaíso. Por cierto, paralelamente a estas actividades siguen haciendo lo suyo aquellos que T.S. Eliot llama los "supercríticos", los críticos titulares de diarios de larga tradición como Alone e Ignacio Valente. Sin embargo, en el conjunto del sistema no tienen ya ni el peso ni la autoridad que solían tener, debido sobre todo a que el horizonte de la crítica se ha ampliado ostensiblemente, tanto en número como en perspectivas. Interesa entonces resaltar que, hacia 1973, la crítica que tiene como eje la Universidad, vale decir crítica subvencionada, constituye el polo que alimenta las funciones editoriales, la del comentarista, la del reportero cultural e incluso la de quienes producen textos de enseñanza de literatura. Es cierto que el Ariel Dorfman televisivo no es el mismo que el Dorfman de *Imaginación y violencia en América Latina;* hay empero vasos comunicantes y el propósito común de una práctica crítica que oriente, que no sea una mera caja de resonancia y que se inscriba dentro de un proyecto cultural liberador.

Otro aspecto que interesa señalar es que gran parte de la crítica de esos años trasciende desde diversos ángulos el fenómeno literario tradicional; de partida se amplía el canon de lo estudiado, por una parte hacia géneros no prestigiados como la subliteratura o la literatura popular, y por otra hacia temas como la dependencia y la industria cultural o la transnacionalización de la cultura. La literatura chilena, asimismo, empieza a ser pensada como un sistema múltiple en que hay diversos subsistemas. No es casual, por ejemplo, que en 1972 se editen por primera vez, valorándolas estéticamente, las décimas de Violeta Parra, o que un profesor de literatura analice las revistas del Pato Donald. Son años en que la crítica tiende a ser culturológica y prospectiva, en que busca ser *orgánicamente nacional,* en que los críticos opinan acerca del género de la realidad en que viven y tienen un discurso activo sobre política cultural. Propuestas que se prolongan en su propio ejercicio, en las ópticas de análisis y hasta en los libros que seleccionan. Interesa también señalar que toda esta actividad crítica se hallaba, en 1973, en un proceso de maduración y decantamiento, en un plano de tanteos, buscando un equilibrio —no siempre conseguido[6]— entre los requerimientos de la ciencia y los de la sociedad. En ciertos momentos fue también una crítica precipitada, que no pudo abstraerse de una lucha que copaba día a día los diversos ámbitos de la vida social y que ponía un signo político estrecho a toda actividad que se desarrollase. Una crítica proclive a un cierto tipo de opiniones preconcebidas, una crítica voluntarista que envuelta como estaba en un agudísimo conflicto social solía establecer relaciones estereotipadas con el entorno, perdiendo de vista la especificidad y la complejidad de los fenómenos estéticos.

Pero tanto las limitaciones y desniveles como el perfil variado y múltiple que ofrecía la crítica hacia 1973 tienen que entenderse insertas en un orden cultural. Nos referimos al orden que se va gestando desde la década del 30 en adelante, a través de la incorporación paulatina, con intervención activa del Estado, de nuevos sectores en la vida económica, política y social del país. Puede hablarse en este sentido de una matriz histórico-cultural, en la medida que este proceso se traduce, por una parte, en lo que se ha llamado el Estado de Compromiso[7], y, por otra, en un orden cultural reivindicativo, un orden que en las décadas anteriores a 1970 buscaba incorporar (vía la extensión) a grupos desplazados de la cultura, y que en los años inmediatamente anteriores a 1973 pretendió que esos mismos grupos dejasen de ser meros receptores para convertirse en agentes de su propia cultura y confluir desde allí a una identidad nacional. Por supuesto esta matriz no determinó unívocamente los rasgos asumidos por la crítica. La cultura, como se sabe, no es un simple epifenómeno de lo histórico-social; una montaña no puede parir un ratón. Pero aun salvaguardando la especificidad de la crítica[8], hay que decir que la gran mayoría de los intelectuales y artistas (incluidos los críticos) obtuvieron ventajas (como estudios universitarios gratuitos, por ejemplo) y fueron ganados por esta matriz reivindicativa de la cultura chilena. Y fueron ganados asimismo por ciertas concepciones que acarreaba esta matriz, como la concepción del libro no como medio de entretención o esparcimiento sino como un bien social, como un vehículo de educación y de avance colectivo[9].

No es extraño, entonces, que un número importante de críticos se haya (subjetiva u objetivamente) identificado con esta dirección de la sociedad, avanzando o transformándose junto con ella.

Parafraseando a Levin I. Schücking[10] podría decirse que aunque el agua salada no hizo al pez, sin agua, en este caso, no habría habido peces. ¿Qué duda cabe, por ejemplo, que la existencia de un ámbito discursivo "abierto" y de un sistema comunicacional que permitió expresarse a diferentes grupos de opinión[11] fueron factores fundamentales en la irradiación que alcanzó la crítica universitaria antes de 1973?[12] ¿Qué duda cabe que la Reforma Universitaria jugó un papel decisivo en la apertura a nuevas vertientes de pensamiento y en la vinculación de la actividad crítica a la producción y circulación de la cultura? ¿Qué duda cabe, por último, que algunos excesos mecanicistas y la subvaloración de la especificidad estética tienen que vincularse a la agudización de la lucha política y al clima de "el que no salta es momio" que se vivió en los años, meses y días inmediatamente anteriores al 11 de septiembre de 1973?

## 3. TRANSFORMACIONES DE LA CRITICA Y REGIMEN AUTORITARIO

Una mirada somera a lo que es la crítica literaria hoy día nos arroja —con respecto al período anterior— las siguientes observaciones:

- Baja considerable, en términos cuantitativos, a lo largo de todo el espectro (Universidades, Televisión, Revistas, Periódicos, Ediciones Críticas, Conferencias, etc.).
- Desaparición o cuando menos desarticulación del fenómeno de "renovación crítica" que se venía perfilando hacia 1973.
- Persistencia y reciclaje del momento inmanentista.
- Encapsulamiento de la crítica universitaria.
- Vuelco de campana en la vertiente que orientaba el sistema crítico. Si antes era la Universidad (la teoría literaria, la crítica trascendente, prospectiva o culturológica) hoy es la vertiente periodístico-publicitaria, con predominio de la simple información o la reseña de sesgo empirista.
- Surgimiento de algunos enclaves de crítica sociológica y semiótica, confinada sin embargo a microcircuitos y a la autorreferencia.
- Predominio de críticos "oficiales" de periódicos oficialistas. Supervivencia de una crítica de corte impresionista que no fue afectada por la renovación.
- Sustitución de un universo literario predominantemente latinoamericano por otro de predominio euronorteamericano.
- Acentuación del carácter anacrónico de la crítica.

Llama la atención —suponiendo que este cuadro se aproxime a la realidad— la jibarización, la compartimentalización y la involución a microcircuitos de la crítica.

Estos y otros rasgos resultan difíciles de ser comprendidos a partir de la propia crítica, en un marco analítico que haga abstracción del cambio histórico. La situación de la crítica a partir de 1973 hay que entenderla, entonces, inserta en las transformaciones globales ocurridas durante el período autoritario. Entendemos, para este propósito, al autoritarismo no como una mera desarticulación del orden anterior por la vía represiva, sino como un modelo que intenta reorganizar el conjunto de la sociedad[13], y que a través de distintas estrategias busca fundar un nuevo orden social, un orden que asegure —en una perspectiva de largo aliento— la subsistencia y dominación del capitalismo en Chile.

Vinculados a esta lógica autoritaria ocurren algunas transformaciones que afectan el espacio social condicionante de la crítica y de la literatura, tanto de su producción como de su circulación y recepción. Aunque la profundidad y el calado de estas transformaciones es discutible, la articulación que se da en el discurso que las promueve indicaría que no estamos ante cambios casuales ni sectoriales, sino ante una lógica global que pretende afectar los diversos órdenes de la sociedad, y que puede patentizarse incluso en una instancia tan específica y tan distante de los fenómenos macrosociales como es la crítica literaria.

Siguiendo entonces estas transformaciones –como también la resistencia a ellas– intentaremos comprender los rasgos y el panorama que ofrece hoy la actividad crítica.

a) La exclusión de la vida pública de importantes sectores y la desarticulación de espacios sociales, con el consiguiente estrechamiento e inhibición del universo ideológico-cultural es en el caso chileno un fenómeno bien conocido[14]. En la Universidad, aparato institucional en que se asentaba la renovación crítica, las carreras humanísticas son virtualmente desmanteladas. De los 28 críticos que hemos nombrado, unos debieron salir del país luego de ser exonerados o de renuncias "voluntarias", uno que otro sobreviven fuera de la Universidad dedicados a tareas de gasfitería cultural y 7 debieron emigrar o permanecen en el exterior atraídos por un clima de libertad de cátedra y de compromiso con el conocimiento. Contribuyó también al estrechamiento intelectual la requisición, clausura o suspensión de algunos periódicos, revistas o casas editoriales. Todo esto en un ambiente mesiánico en que un espectro de corrientes de pensamiento eran calificadas lisa y llanamente como enemigas de la nación.

Las consecuencias de esta política de marginación –a la que podrían agregarse muchos otros antecedentes– son múltiples. El fantasma de la cesantía ilustrada, la censura y su contrapartida, la autocensura, se convierten en factores importantes de la vida académica, con la consiguiente neutralización de las universidades como centros generadores de pensamiento crítico e independiente. La censura previa a los libros y a las nuevas publicaciones, o la autocensura, son ya de por sí una forma de la crítica, por más que guarden con esta actividad una relación parecida a la que tiene el linchamiento con la justicia. Coercionada la vertiente de renovación y cercenados sus canales de difusión, la crítica universitaria que queda puede ordenarse en dos direcciones: por una parte, un tipo de crítica muy poco rigurosa que va desde la reflexión metafísica hasta los homenajes marmóreos, y por otra, una dimensión estructuralista y protosemiótica más rigurosa, pero mitigada con respecto al nivel alcanzado antes de 1973. En el primer caso nos encontramos con un alejamiento del particular-histórico y con frecuentes invocaciones al espíritu nacional o a una vaga naturaleza humana[15], y en el segundo, con una crítica restringida, en la medida que excluye ciertas instancias categoriales o metodológicas que venía incorporando la crítica estructuralista anterior a 1973. Prescinde, por ejemplo, del plano del lector y de la historicidad del exégeta como elementos constitutivos del texto, o de la relación del discurso literario con otros discursos, o de las categorías mismas de discurso y de producción de sentidos. Aun en sus mejores momentos esta crítica tiende a la fetichización del texto, debido a que lo supone como una entidad significante siempre idéntica a sí misma, y porque focaliza la articulación de la obra desde una perspectiva centrípeta, practicando una suerte de microanálisis que cierra toda posibilidad de conexión o cruce de ese texto con otros códigos (o lecturas) mayores[16].

Aunque en lo sustancial se trata de una repetición tardía de métodos de la década del 60, este reciclaje tiene —en las circunstancias del autoritarismo— la virtud de proporcionar herramientas para el análisis y de ejercitar a los alumnos en la capacidad de pensar y relacionar; tiene además la ventaja de una apariencia técnica, de aparecer como una materia no contaminada y que por lo tanto puede impartirse sin grandes riesgos de cesantía. Resulta ocioso, sin embargo, preguntarse si el reciclaje está motivado por razones de autocensura y subsistencia o si obedece a una opción elegida. Lo que sí puede afirmarse es que resulta adecuado a un proyecto universitario profesionalizante, a un proyecto que busca vaciar de historicidad a la literatura y el arte, especialmente cuando ellos ofrecen una visión de mundo que recupera la memoria histórica y que es alternativa a la del modelo vigente.

En medio de este clima de marginación e inhibiciones, que afecta tanto a personas como a espacios y a corrientes de pensamiento y que incide incluso en un aislamiento cultural con respecto al resto de Latinoamérica, en este clima, decíamos, se produce, sin embargo, en ciertos sectores vinculados a las ciencias sociales un desplazamiento interesante. Pensamos en algunos investigadores del Instituto de Sociología de la Universidad Católica y en lo que se ha llamado la Universidad Informal, en organismos como FLACSO y CENECA, instituciones en que cientistas sociales, particularmente sociólogos, reorientan sus preocupaciones, dejando en segundo plano aspectos más tradicionales de la disciplina para privilegiar una mirada cultural, incursionando a veces en aspectos directa o tangencialmente vinculados a la crítica literaria. Luis Barros y Ximena Vergara, por ejemplo, del Instituto de Sociología, publican en 1978 una investigación sobre "el modo de ser aristocrático"[17] en la que estudian el universo significativo de la oligarquía chilena de principios de siglo, utilizando como fuente a las novelas de Joaquín Edwards Bello, Tomás Gatica y Luis Orrego Luco, como también crónicas y memorias de la época. La visión del ocio, la valorización del dinero o del linaje que aparece en las obras los lleva a un análisis temático y desde esos temas a una lectura de la conciencia oligárquica de la época. Aunque no es propiamente una investigación literaria, al privilegiar la novela como manifestación de la conciencia social sobre otros aspectos tradicionalmente considerados estructurales por el análisis sociológico, los autores ofrecen indirectamente una posibilidad de lectura de esos textos al mismo tiempo que los articulan con otros códigos mayores.

En FLACSO, Enzo Faletto y Julieta Kirkwood llevan a cabo una investigación sobre la sociedad burguesa y el liberalismo romántico en el siglo XIX[18], que al igual que el trabajo de Barros y Vergara privilegia como fuentes a novelas del período. José Joaquín Brunner en una investigación sobre *La cultura autoritaria* (1981), aunque entendiendo cultura más bien como cultura política, proporciona un marco útil para el análisis de las transformaciones artístico-comunicativas en los últimos años. De toda esta vertiente sociológica, tal vez lo que con más propiedad podría considerarse como crítica son las investigaciones realizadas en CENECA, serie de registros o análisis interpretativos sobre el teatro de la última década[19], en los que se combina la investigación con la activación del medio, y en los que los investigados (que son también los destinatarios) son los grupos de teatro independiente o aficionados que portan una visión del mundo alternativa a la de la cultura oficial.

Este interés de las ciencias sociales por la cultura obedece en los primeros años a una estrategia de supervivencia en un medio hostil, pero también al convencimiento de que la cultura —entendida en su sentido antropológico que incluye lo artístico pero que no puede restringirse a ello— venía siendo ignorada o subvalorada como variable de la existencia social. Ahora bien, el discurso crítico vinculado a esta vertiente se encuentra hoy día, en la medida que historifica la cultura y encarna un potencial alternativo a la lógica coercitiva, se encuentra, decíamos, en situación de marginalidad, con pocas posibilidades de confrontación, obligado a generar su propio espacio y a vivir en microcircuitos, con escasos interlocutores en el mundo académico, suscitando incluso mayor interés en estudiosos extranjeros o críticos chilenos que viven fuera del país[20].

El clima de exclusión y coerción, un nuevo escenario que obliga a renovar los lenguajes poéticos y críticos del pasado, la ausencia de una utopía social pública y compartida, son, entre otros, algunos de los factores que explican el surgimiento de una corriente neovanguardista acompañada por una reflexión crítica que en algunos casos la precede y que casi siempre la nutre, la promueve o le abre espacios. Pensamos en ciertos núcleos independientes vinculados a la plástica y a la literatura (o más bien a ambas disciplinas a la vez), por ejemplo en el grupo C.A.D.E.[21], en publicaciones como *CAL* (1979), *La Separata* (1982) y *Ruptura* (1982), en Ronald Kay, Nelly Richards, Lotty Rosenfeld, Raúl Zurita, en aportes ocasionales de Enrique Lihn y Adriana Valdés, creadores y críticos cuyo pensamiento se apoya sobre todo en Walter Benjamin, en Roland Barthes y en una "lectura" de las obras de marcada inspiración semiótica. Se trata, en comparación con el reciclaje que se da al interior de la Universidad, de una reflexión menos acartonada y de mayor vuelo creativo. Por ser una reflexión marcadamente "escuelista", tiene, sin embargo, un fuerte sesgo autorreferente, que la lleva a tejer sus argumentos desde el interior de las pompas de jabón que ella misma ha contribuido a configurar. Propuestas de arte que son siempre críticas y críticas que entrañan siempre una propuesta. Por otra parte, en la medida que constituye un pensamiento rupturista y contestatario y que se sitúa fuera de los circuitos comerciales, su circulación está también restringida a pequeños grupos de iniciados, casi todos jóvenes creadores vinculados a la plástica y a la poesía.

En suma, la política de exclusión y estrechamiento del universo ideológico-cultural acarrea en la Universidad tradicional la involución y neutralización del pensamiento crítico, y en la Universidad Informal, que es ya de por sí un resultado de esa política, la presencia de una reflexión alternativa, que aunque crece y se desarrolla, por estar acosada desde varios ángulos, encuentra grandes dificultades para alcanzar una proyección amplia y significativa.

b) El amordazamiento y la marginación cultural no bastan, sin embargo, para explicar las transformaciones ocurridas en la crítica durante este período. La prescripción de una cultura abierta con el consiguiente confinamiento de vetas alternativas a microcircuitos, va acompañada por la creación de un espacio cultural artificial, o como lo llama José Joaquín Brunner, un "espacio público administrado" [22], que se caracteriza porque define "un amplio régimen de exclusiones, y reduce las oportunidades de participación" solamente a los agentes culturales o comunicativos "validados" [23]. Esto significa que sólo un grupo pequeño puede incursionar en ciertos tópicos y que existe un control de los temas con el propósito de lograr una integración política de la sociedad, un control que busca hacer aparecer como verdades universales a lo que no son sino interpretaciones afines al bloque autoritario. Los agentes culturales y comunicadores validados, como administradores de algunos temas que están clausurados para los demás, cumplen también la función de hacer invisible el control, de patentizarlo como un no-control, y desempeñan desde esta perspectiva un rol funcional al sistema. Para entender cómo opera este fenómeno en la actividad crítica vale la pena que nos detengamos brevemente en José Miguel Ibáñez Langlois, crítico oficial de *El Mercurio,* con el seudónimo de Ignacio Valente.

Hace algunos años al director de la revista cultural *Andrés Bello,* cuando se le preguntó por qué su revista carecía de una sección de crítica literaria, respondió que ello se debía a que "en Chile no había críticos, o más bien —dijo— hay uno y medio". Con el "uno" se refería a Ignacio Valente y con el "medio" a todos los demás. Ignacio Valente aparece, entonces, como el crítico literario por excelencia, con un peso que no tiene ningún otro crítico y que el mismo no tenía antes de 1973. En círculos intelectuales es esta una opinión bastante generalizada. Se trata, qué duda cabe, de un crítico con sensibilidad, bien informado, que argumenta con imaginación y perspicacia y que tratándose de poesía no titubea en reconocer valores nuevos y experimentales. Es además, en el contexto actual, uno de los pocos críticos que por sus condiciones de trabajo, por coincidir en lo sustancial con el régimen y con el diario en el que ejerce, no está sometido a los vaivenes del mercado, y puede por ende encarnar una postura ideológica y estética más definida y coherente, lo que le permite incursionar hasta en las tensiones que se dan al interior del propio espacio público administrado (por ejemplo, las contradicciones entre una lógica comercial y una espiritualidad superior).

Como agente cultural o comunicador validado, Ibáñez Langlois es el único profesor con autorización para enseñar marxismo en Chile, sus clases sobre este tema se dan nada menos que en el edificio Diego Portales y con alumnos tan selectos como los miembros de la Junta de Gobierno. Probablemente lo que enseña en esos cursos no guarda gran diferencia con los planteamientos que hace en su libro: *El marxismo: visión crítica* (difundido en varios países por editoriales españolas), libro en el que se explaya en lo que llama la contradicción fundamental del marxismo: "aquélla que se da entre su intención humanista de rescatar el sujeto de la alienación, para luego por su dialéctica materialista y atea, perderlo irremisiblemente en las fuerzas fatales de la materia". Es muy posible que Valente no perciba la incongruencia paralela que ofrece el mundo en que vivimos: aquélla que se da entre un régimen que se postula mesiánicamente como adalid de la tradición libertaria y cristiana de Occidente, pero que por otra parte tiene un documentado historial de atropellos a la libertad y a los derechos humanos, y, es muy posible que no perciba esta contradicción, precisamente porque se mueve en un espacio público artificial y administrado, en que a fin de cuentas, el principal cotejo de su discurso es —en materias en que no hay verdadera confrontación pública— su propio discurso.

Pero aproximémonos algo más, a través de un ejemplo, a la incidencia de este fenómeno en la crítica literaria. En 1981 circuló en Chile la novela *El jardín de al lado,* de José Donoso, novela en que el exilio chileno y más bien latinoamericano, aparece presentado como una mezcla de la "Revolución con Joda" de *El Libro de Manuel* de Cortázar y el hedonismo potencialmente trágico de *Bonjour tristesse* de Françoise Sagan. Cualquier lectura atenta de la obra de Donoso comprueba que el mundo del exilio es en este caso un recurso de escenario, que funciona como marco para explorar temas donosianos recurrentes (como el de la alteridad), tema que en esta ocasión a través de un *tour de force* en el punto de vista se conecta con otro tema central en la composición de la novela: el del feminismo.

Pues bien, ¿cómo lee Valente *El jardín de al lado?* (No hay que olvidar que Ibáñez Langlois ha sostenido una y otra vez que "la norma del juicio literario" debe provenir siempre del texto, que la vara del crítico debe ser la ley interna de la novela, lo que la obra misma trata de ser como lenguaje y que por ende la relación de la obra con una realidad externa que la precede es irrelevante). ¿Cómo lee, pues, este Valente la novela de Donoso?[24] La lee como un documento social fijándose en los aspectos más externos del escenario, la lee como una crónica verídica del exilio chileno, de un exilio degradado en que deambulan personajes viciosillos, en que se consumen psico-fármacos y cognac. Se trata de una lectura estereotipada, que desconoce el carácter polivalente del texto y que omite casi por completo los aspectos relativos al punto de vista narrativo, a la voluntad compositiva que rige la novela y a los diversos niveles de significación que porta la "legalidad interna de la obra". Negando entonces sus propios principios críticos y sus preconcepciones técnicas como exégeta, superpone a unos y otros los requerimientos del espacio público administrado. Porque ¿quién podría –tanto desde la realidad como desde la novela– contradecir esta lectura, cuando el exilio es un tema tabú, disponible solamente para unos pocos, un tema que públicamente sólo puede ser tratado con las connotaciones de una situación que tal vez ni siquiera merece los beneficios de la chilenidad? En el espacio administrado, y *El Mercurio* forma sin duda parte de ese espacio, sólo caben las lecturas del *Jardín* que no sobrepasen los límites que rigen lo público en el sistema comunicacional. Las otras lecturas, aunque respondan a la legalidad interna de la obra, están por el momento condenadas a la privacidad o a aparecer en medios de comunicación a los que por razones estructurales les es imposible alcanzar una difusión realmente masiva (bajo este régimen).

En este contexto de espacio público administrado los críticos que de alguna manera cumplen el rol de agentes culturales validados tienden a practicar una crítica no dialógica, una crítica de unificación a nombre de sí mismo en cuanto agentes legitimadores de ese espacio, vale decir, tienden a proyectar con mayor o menor sutileza[25] una postura ideológico–estética en la obra que leen, de modo que gran parte de los autores que comentan sirven para ilustrar o perfilar esa postura. El prisma del espacio público administrado –que responde en última instancia a la doctrina de seguridad nacional–, excluye también de la vitrina crítica a importantes sectores de la literatura latinoamericana y con mayor razón todavía a la literatura chilena que se produce en el exilio. El prisma promueve además, un espacio cultural amnésico, sin raíces, con zonas silenciadas, con un Neruda o una Mistral cercenados en todo aquello que excede los límites del espacio administrado[26]. El prisma se manifiesta asimismo en la selección de premios literarios[27], y en la proclividad de la crítica a reflexionar en un vacío histórico, a quejarse, por ejemplo, del apagón cultural o de la pérdida del hábito de lectura, como si estos problemas pudiesen resolverse en el nivel de la voluntad individual, como si no existieran espacios sociales condicionantes y una producción cultural manipulada por algunos mecanismos menos obvios que los de la represión y la censura.

c) El mercado es otro de los factores que inciden, y tal vez el de mayor importancia en los últimos años, en el perfil que ofrece hoy día el sistema crítico. El mercado es no sólo la piedra angular del modelo autoritario, sino uno de sus principales mecanismos de regulación social y cultural. Por su intermedio, y en función del consumo, una gran cantidad de individuos definen sus estrategias de vida, sus gustos y hasta sus líneas de creatividad[28]. Siguiendo el camino hacia el reino de la oferta y la demanda la sociedad se va haciendo cada vez menos social y sus componentes menos personas; en lo relativo a la cultura el mecenazgo que antes ejercía el Estado va desplazándose a la empresa privada o a la cultura con costos y beneficios; la concepción liberal e iluminista del libro como un bien social cede el paso a la concepción del libro-negocio, a una perspectiva en que los productos del espíritu tienden a ser reconocidos no como valores en sí, sino como valores de cambio, capaces de generar utilidades.

En este contexto, el polo periodístico publicitario adquiere, dentro del abanico crítico que distinguíamos al comienzo, un papel relevante. De partida, los pocos datos, referencias, comentarios y reseñas sobre la actividad literaria que se desarrolla en el país aparecen por lo general en medios masivos, y tienen el carácter de avisos, encuestas, entrevistas, crónicas o reseñas más o menos superficiales. Predomina, entonces, la concepción de la crítica como caja de resonancia, como mero epifenómeno y subproducto del acontecer artístico, como una actividad cercenada en sus posibilidades teóricas o en su papel orientador. Cuando decimos, entonces, que el polo periodístico-publicitario es el eje del sistema estamos diciendo que predomina el empirismo, vale decir, la práctica de comentar las obras sin asumir conciencia de la relación teórico-ideológica que ello implica. Este vuelco de campana con respecto a los rasgos sistémicos pre-1973, se manifiesta también en el hecho que el mundo literario y crítico empieza a ser afectado y a tener una relación de dependencia con respecto a los medios de comunicación hegemónicos y a la tríada de "ratings-publicidad-consumo" que los alimenta. Los grandes éxitos como las obritas de Jorge Sossia o la personalidad literaria de Enrique Lafourcade son directa o indirectamente tributarios de la Televisión. La imagen de "enfant terrible" que vendió Lafourcade alcanzó como producto una alta cotización en la pantalla, servía además —mientras se mantuviera dentro de ciertos límites— para dar la ilusión de un espacio público abierto a lo que no era sino un espacio administrado. Por otra parte el género liviano que practica Sossia es un subproducto de las estaciones sico-sociales (Festival de Viña del Mar, Teletón, etc.) por las que atraviesa el país y que tienen a la TV como su principal foco instigador. A su vez los personajes, géneros o temas literarios que son de una u otra manera validados por la TV, tienden a ser cada vez con mayor frecuencia recogidos por la crítica.

Prototipo de esta crítica alerta al mercado es la que practica Enrique Lafourcade. Crónicas o reportajes siempre atentos a lo que está de moda, a lo espectacular, al ángulo frívolo, a todo aquello que en definitiva contribuye a subir los ratings no tanto de los libros o autores que comenta, sino de su propia imagen. Tal como la del periodista, la estatura del crítico empieza a ser medida por la demanda, por su éxito en el mercado, y por tanto él mismo se convierte en un producto del mercado. Por medio de este mecanismo aun los críticos con independencia de juicio se van asemejando objetivamente a la tendencia dominante de la sociedad, por más que en privado se declaren contrarios a ella. Resulta interesante en este sentido comparar las críticas de Alfonso Calderón cuando escribe en un medio como la revista *HOY* con las críticas que escribe el mismo Calderón en medios alternativos que escapan a la lógica comercial como *Mensaje, APSI* o *Análisis.*

Salvo contadas excepciones (e Ignacio Valente, es una de ellas) en un ámbito comunicacional regido por la lógica de mercado el predominio en la crítica del polo periodístico publicitario acarrea consigo una carga extra de limitaciones ("extra" con respecto a las que ya implica el control "ideológico autoritario"). Para nadie es un misterio que los periódicos y revistas mantienen espacios literarios de mala gana y que lo hacen más por espíritu de tradición que por convencimiento. No es extraño, por ende, que los editores impulsados por la lógica comercial busquen fórmulas que les permitan obtener mayores beneficios en esos espacios y que terminen dedicándolos a promocionar best-sellers o licitándolos a librerías y editoriales. Sabemos del caso de un crítico literario a quien el director de un medio le sugirió (y en estos casos "sugerir" es "ordenar") que reseñara para la sección libros la *Guía dietética para perder peso durante el sexo* de Richard Smith. Sabemos también de un crítico joven que enjuició negativamente en *El Mercurio* uno de los libros de Sossia ocasionando el reclamo de Editorial Renacimiento, lo que significó algunos problemas para el crítico, fundamentalmente porque esa editorial era uno de los principales avisadores de los espacios licitados en la sección "Artes y Letras". Por otra parte, desde el punto de vista del mercado de trabajo (y en un contexto en que prácticamente han desaparecido las subvenciones indirectas a la crítica), la baja cotización de la literatura obliga a los críticos a diversificarse, a ejercer la gasfitería cultural, a un recargo de "pololos" que muchas veces no les permite la lectura completa de la obra comentada y menos aún intentos comprensivos más globales o totalizadores. La baja cotización ha obligado también a uno que otro escritor de talento a recuperar el género crónica, como en el caso de Jorge Edwards y de sus colaboraciones a la revista *Paula* y a *El Mercurio.*

El mercado, además de afectar la producción y circulación de la crítica, incide también en su recepción. Es lo que ocurre con la crítica impresionista más tradicional, aquélla que no fue afectada por el proceso de renovación y que encuentra su expresión más frecuente en diarios de provincia o en la página editorial de *Las Ultimas Noticias* (nos referimos, por ejemplo, a Andrés Sabella, Luis Sánchez Latorre, Gonzalo Drago, Víctor Castro, etc. etc. . . ).

En el contexto de un espacio cultural amnésico y de un país con canarios electrónicos (tipo Panamtur), esa crítica adquiere fuertes connotaciones éticas. Encarna la lealtad a un mundo periférico y desplazado, encarna también una utopía de continuidad histórica, una nostalgia del pasado que paradojalmente pareciera alimentarse del deterioro del presente. Sucede con ella como cuando uno entra a una habitación decorada a la antigua, con muebles sobrios, con un aire de partido radical o agrario-laborista, con una ecología íntima en que falta el plástico, los artefactos eléctricos y la televisión a color, se percibe allí también una postura ética, una significación que no deriva necesariamente de la intencionalidad "decorativa" sino más bien de los cambios en la sociedad y en el entorno y del modo en que esos cambios han alterado los códigos de valoración perceptiva.

Las transformaciones que ha experimentado la crítica estarían, en suma, condicionadas por tres variables estructurales: por la marginación cultural, por la mantención de un espacio público administrado y por la creciente mercantilización de lo artístico-comunicativo. A partir de ellas se explicaría un panorama en que prácticamente han desaparecido la reflexión teórica, la crítica trascendente que vincula la literatura con totalidades más amplias o la crítica prospectiva e incluso la hermenéutica. Situación que responde en gran medida al estado de la crítica universitaria, la que si en el período anterior solía alimentar el sistema, se encuentra hoy día jibarizada y constreñida a ámbitos académicos donde pareciera que la autocensura todavía ejerce su dominio.

En estas circunstancias, sobresale, por una parte, una crítica que con enormes desniveles cualitativos (Valente, Alone, Szmulevicz) porta instancias de persuasión ideológico-estética en el marco de una legitimación cultural del proyecto autoritario; y por otra, un polo periodístico-publicitario que, aunque es el eslabón más débil del sistema, pareciera imponerle su tónica; aquélla de una crítica episódica, empirista, desamparada institucionalmente y sujeta —en medio de una actividad editorial dramáticamente deprimida— a las leyes del mercado y a los vaivenes del tráfico espiritual.

Paralelamente, y condicionadas en parte por las tres variables, aparecen también en estos años islas de crítica contestataria, islas que o bien recogen algunos aspectos de la crítica del período anterior o bien abren nuevos derroteros.

Pensamos, por ejemplo, en la crítica sociológica vinculada a la Universidad Informal, en la reflexión que acompaña al neovanguardismo, en la crítica nostálgica y periférica, en la crítica que se publica en medios alternativos y también en la crítica que practican cerca de una veintena de críticos chilenos en el extranjero[29]. Se trata, sin embargo, de islotes sin verdadera proyección, entre los que hay vasos comunicantes todavía muy tenues y con respecto a los cuales incluso sería difícil hablar de un proyecto cultural en común.

## 4. ALGUNAS CONSIDERACIONES FINALES

Quisiéramos, para terminar, hacer algunas breves consideraciones:

1) Las transformaciones de la crítica que hemos esbozado se dan dentro de un cuadro en que las variables, aunque son constantes, tienen un dinamismo y una incidencia diversa. La coerción y marginación cultural, por ejemplo, que da origen a una crítica oficialista reactiva, tiene

fuerte incidencia en los primeros años post-1973. Los límites del espacio cultural administrado tienden en cambio, a medida que pasan los años y son desafiados y corroídos, a flexibilizarse. La mercantilización artístico-comunicativa es también un fenómeno gradual.

Una periodización más afinada de las transformaciones de la crítica distinguiendo subperíodos sería entonces una labor que apenas hemos esbozado.

2) Examinar las transformaciones de la crítica a partir de la matriz socio-política del autoritarismo pudiera aparecer como una operación reductivista, especialmente si se tiene en cuenta el caso de Brasil, donde si bien estas variables han estado presentes, ello no ha sido obstáculo para que en las últimas dos décadas se haya dado un proceso de renovación y un notable desarrollo de la crítica literaria. En el caso chileno la incidencia específica de estas variables se explicaría, por una parte, por la ortodoxia del modelo, y por otra, por el hecho de que la renovación crítica que buscaba ser *orgánicamente nacional* se dio junto con y afectada por el período pre-1973.

3) Sería, por último, ingenuo pensar que en Chile la crítica literaria está hoy inhibida o resulta anacrónica únicamente a causa del autoritarismo. No se puede perder de vista que ella se encuentra además acosada por un desafío histórico al que tendrá que afrontar con o sin autoritarismo. Los parámetros del mundo pretecnológico y decimonónico dentro de los cuales ella se desarrolló ya no tienen vigencia. Surgen en este sentido acerca de su futuro y su necesidad o no de especializarse, o de ser asumida en términos más amplios como crítica cultural, una serie de inquietudes, interrogantes que aunque escapan a los marcos de este trabajo no por ello dejan de relativizarlo.

# NOTAS

[1] Rene Wellek, *Concepts of Cristicism,* New Haven, 1975; Northrop Frye, *Anatomy of Criticism,* Princeton, 1973.

[2] Levin I. Schucking, *Sociología del gusto literario;* México, 1965.

[3] Véase, entre otros, Cedomil Goić, "La novela chilena actual. Tendencias y generaciones" *Estudios de lengua y literatura como Humanidades,* Santiago, 1960; Pedro Lastra Salazar, "Nota sobre el cuento hispanoamericano del siglo XIX", *Mapocho,* 2, Santiago, 1963; Mario Rodríguez Fernández, *El modernismo en Chile e Hispanoamérica,* Santiago, 1967; Cedomil Goić, *La novela chilena,* Santiago, 1968; Grinor Rojo, *Orígenes del teatro hispanoamericano contemporáneo,* Valparaíso, 1972. También se utiliza el método generacional en antologías y textos para estudiantes.

[4] Véase Félix Martínez Bonatti, *La estructura de la obra literaria,* Santiago, 1960; Jorge Guzmán, *Una constante didáctico-moral del Libro de Buen Amor,* Santiago, 1963; Jaime Giodano, *La edad del ensueño. Sobre la imaginación poética de Rubén Darío,* Santiago, 1971.

[5] Véase Mario Rodríguez Fernández y Hugo Montes, *Nicanor Parra y la poesía de lo cotidiano,* Santiago, 1970; Ariel Dorfman, *Imaginación y violencia en América Latina,* Santiago, 1970; Hernán Loyola, *Pablo Neruda: itinerario de una poética,* Santiago, 1971; Jaime Concha, *Neruda (1904-1936),* Santiago, 1972.

[6] Véase cierto mecanismo y relaciones estereotipadas entre origen social y producción literaria en Bernardo Subercaseaux, "Hechicerías de Carlos Fuentes" *Revista Chilena de Literatura,* 4, Santiago, 1972; Jaime Concha, *Novelistas y cuentistas chilenos,* Santiago, 1973; y Jaime Concha, *Poesía chilena,* Santiago, 1973.

[7] Véase Aníbal Pinto, "Desarrollo económico y relaciones sociales en Chile" *Infracción: raíces estructurales,* México, 1973; José Joaquín Brunner, "La cultura de compomiso en Chile" *La cultura autoritaria en Chile,* Santiago, 1981, 22-29.

[8] Para un estudio de la crítica desde el punto de vista de su especificidad véase John Dyson, *La evolución de la crítica en Chile,* Santiago, 1965.

[9] En la crítica chilena esta concepción se interioriza en una perspectiva austera, casi podría hablarse de un sentimiento de culpa y de autorrepresión con respecto al goce y disfrute estético.

[10] *Op. cit.* p. 28.

[11] Giselle Munizaga, *Políticas de comunicación bajo regímenes autoritarios: el caso de Chile,* CENECA, 1981.

[12] ¿Qué duda cabe, además, que este ámbito discursivo abierto estuvo en función, como ha señalado Giselle Munizaga, de un Estado de Compromiso que buscaba su equilibrio en la negociación de intereses diversos y que por lo tanto necesitaba de la participación de los más variados sectores sociales en el sistema de comunicación masiva?

[13] Seguimos en este aspecto a M. A. Garretón: "En torno a la discusión de los nuevos regímenes autoritarios en América Latina". Documentos FLACSO, Santiago, 1980.

[14] Martín Cerda en "Crítica literaria en Chile", *CAL* 2, 1979, escribe: "Hace diez años, aun cuando fuese como proyecto utópico, era posible hablar de una nueva crítica. Ariel Dorfman, Ana Pizarro, Luis Iñigo Madrigal, Jaime Concha en el exilio. Filebo, Alfonso Calde-

rón y yo dedicados en lo sustantivo a la marginalia. ¿Qué queda de esa utopía?" Véase también José Joaquín Brunner, "La política cultural del autoritarismo", *Op. cit.* 79-95.

[15] Véase Homenaje a Andrés Bello en *Revista Atenea* 1981; asimismo ponencias a Jornadas Culturales organizadas por Universidad Católica en 1981 (inéditas).

[16] Un ejemplo extremo de esta fetichización del texto es Berta López, "Altazor: hacia una verticalidad de la épica", *Revista Chilena de Literatura*, 14, Santiago, 1979. Desde una perspectiva teórica los intentos más serios corresponden a Roberto Hozven, *El estructuralismo literario francés*, Santiago, 1979 y Carmen Foxley, *Estilo-Texto-Escritura*, Santiago, 1981. Se trata, empero, de reciclajes centrípetos en la medida que son recuentos ordenadores carentes casi de la elaboración personal, y en la medida que excluyen las aperturas metodológicas del estructuralismo y la semiótica más reciente. También quedan afuera aportes como los de Hans Robert Jauss, Fredric Jameson, Iser y Michael Bakhtin, o la discusión que se ha dado en México y otros países. La perspectiva centrípeta hay que entenderla, por supuesto, inserta en una Universidad intervenida, con su autonomía intelectual en suspenso y definida como una institución volcada hacia adentro.

[17] Luis Barros y Ximena Vergara, *El modo de ser aristocrático: el caso de la oligarquía chilena hacia 1900,* Santiago, 1978.

[18] *Sociedad burguesa y liberalismo romántico en el siglo XIX* (mimeografiado), Santiago, 1974.

[19] M. L. Hurtado y C. Ochsenius, *La Feria,* 1980; *ICTUS,* 1980; *Taller de Investigación Teatral (TIT),* 1980; *Teatro Imagen,* 1980; *Seminario: Situación y alternativas del teatro nacional en la década del 80.* 1981; C. Ochsenius: *Encuentro interzonal de teatro poblacional,* 1982; *Teatro chileno: última década,* antología precedida por estudio del teatro de la última década de M. L. Hurtado y C. Ochsenius y por un análisis socio-textual de H. Vidal (en prensa).

[20] Fruto de este interés es, por ejemplo, la coedición entre CENECA y la Universidad de Minnesota sobre teatro chileno de la última década.

[21] Colectivo Acciones de Arte, integrado por Raúl Zurita, Diamela Eltit y Lotty Rosenfeld.

[22] José Joaquín Brunner, "El modo de dominación autoritaria". FLACSO, Santiago, 1980.

[23] *Op. cit.,* p. 15.

[24] Ignacio Valente, "José Donoso, El Jardín de al Lado" *El Mercurio,* 5 de julio, 1981.

[25] Un indicio de sutileza ofrece, por ejemplo, Efraín Szmulewicz en su *Diccionario de la literatura chilena,* Santiago, 1977, en el que incluye como destacado escritor al presidente Augusto Pinochet.

[26] Ejemplos de estos "cercenamientos" son las "biografías emotivas" de Efraín Szumelewicz sobre Gabriela Mistral (1974), Pablo Neruda (1975) y Vicente Huidobro (1977).

[27] Un hito en la arbitrariedad de estos premios lo constituye el Premio Nacional de Literatura de 1978, otorgado al lingüista Rodolfo Oroz.

[28] José Joaquín Brunner, *La cultura autoritaria en Chile, op. cit.,* 166-168.

[29] Entre otros han publicado en los últimos años aportes de diversa índole los siguientes críticos o estudiosos: Juan Durán, Jaime Concha, Juan Epple, Fernando Moreno, Luis Bocaz, Grinor Rojo, Nelson Osorio, Hernán Vidal, José Promis, Ramona Lagos, Carlos Santander, Ariel Dorfman y Federico Schopf.

HERNAN VIDAL

# CRITICA LITERARIA Y DERECHOS HUMANOS: UN FUNDAMENTO POSIBLE PARA LA RECANONIZACION LITERARIA EN EPOCAS DE CRISIS INSTITUCIONAL*

LOS PROFUNDOS QUIEBRES institucionales sufridos por los países del Cono Sur con el militarismo fascista claramente señalan que ellos han entrado en un período que demanda una reflexión sobre el modo en que se institucionalizan sus diferentes actividades culturales. Tal periodización se hace patente en la medida en que la intelectualidad se ha visto forzada a cambiar drásticamente sus formas ideológicas de concebir la comunidad nacional. Ineludiblemente esto afecta el entendimiento de la producción poética. En este sentido, la tarea principal que enfrenta la crítica literaria latinoamericana es la de recanonizar el corpus de obras poéticas con que se reproduce académicamente el estudio de la historia literaria, para así enfrentar el significado de ese quiebre dentro de la evolución cultural de nuestras naciones.

Recanonizar implica simultáneamente tanto la tarea de integrar las obras más representativas producidas en el período de la represión fascista como proponer nuevas lecturas del corpus anterior ya consensualmente establecido. Avanzar en esta tarea requiere, obviamente, la decantación de criterios que sustenten esa recanonización. Sin embargo, este aspecto se hace altamente escurridizo por el hecho de que los críticos latinoamericanos no acostumbramos a reflexionar sobre esta actividad, dando al corpus de obras recibido la calidad de campo formalmente constituido "ya desde siempre". Sería exagerado decir que esta actitud, en los hechos concretos, significa olvidar que el proceso de canonización ha sido un largo trayecto generacional de construcción social. Sin embargo, no cabe duda de que algo de esto es válido, si consideramos que, hasta el momento, nuestra profesión no ha tenido a bien impulsar estudios so-

---

\* En su *Cultura nacional chilena, crítica literaria y derechos humanos,* Minneapolis, MN, Institute for the Study of Ideologies and Literature, 1989, pp. 425-68.

ciológicos de nuestro propio quehacer. ¿Qué condicionamientos económicos, sociales, profesionales y políticos llevaron a la institucionalización académica de las obras que hoy en día y con tanta seguridad sindicamos como índices de una evolución cultural?

Responder esta pregunta tomará quizás varias generaciones de estudiosos, si es que finalmente los críticos literarios llegamos a reconocer la importancia de adquirir tal conocimiento sociológico. No obstante, en el momento presente nuestra propia generación debe abocarse a esa recanonización como necesidad urgente y no puede esperar a que esa sociología llegue a constituirse como guía de nuestra tarea inmediata. En respuesta a esta urgencia deseo indagar sobre la problemática involucrada tras uno de los criterios posibles que pudiera considerarse para esa recanonización: la defensa de los derechos humanos. En una época en que las disensiones sociales que abrieron camino a los fascismos distan de haber quedado solucionadas, la defensa de los derechos humanos ha servido y sirve como poderoso foco de cohesión y de movilización ciudadana consensual. Por tanto, en toda discusión conducente a una revisión de cualquier componente de las culturas nacionales, debiera tenerse en cuenta que la defensa de los derechos humanos contiene una carga de valores de recongregación nacional que debe ser considerada en virtud de dicha capacidad movilizadora.

A nivel teórico, creo que una indagación en este sentido indirectamente pone a prueba un concepto cuya aceptación, aun entre críticos literarios no preocupados del nexo literatura–sociedad, parece ser general, quizás por la popularidad de la obra de Michel Foucault. Me refiero a la idea de que toda institucionalización social está relacionada con la noción de poder. Tal aserto pone todo estudio de la institucionalización cultural en el plano correcto, el de la política. Sin embargo, para los efectos de una orientación de la crítica literaria, la actividad política debe ser entendida latamente, de manera que se respeten los ritmos de desarrollo propios de la producción poética que, ciertamente, no son los de la política entendida como actividad cotidiana. De acuerdo con esto propongo que, para nuestros efectos, la política debe ser entendida como lucha por la hegemonía y la liberación social y cultural por parte de las diferentes clases sociales y sectores dentro de una sociedad específica. No obstante, esta afirmación no puede ser dejada a nivel tan general y abstracto. Estimo que para que pueda tener valor como instrumento de creación de conocimiento es necesario conectarla más concretamente a la historia real latinoamericana para poder apreciar su valor y sus limitaciones.

Para no dilatar con largas disquisiciones preparatorias la entrada a los problemas que me interesa discutir, permítaseme sentar de inmediato dos órdenes de premisas que organizarán mis argumentos, uno histórico —en cuanto a la noción de poder— y otro sobre la institucionalidad de la crítica literaria académica. Más adelante se observará que el primero incide directamente sobre el segundo, dando lugar a una problemati-

zación que quizás expanda el entendimiento global de las tareas de recanonización como asunto político.

El primer orden de premisas afirma que las bases para una recanonización como la mencionada es, en última instancia, expresión de un poder social y político que de hecho es o tiene el potencial de ser hegemo-
nizante. Es decir, que las canonizaciones literarias responden a las diversas
propuestas hechas por los diferentes actores sociales masivos organizados institucionalmente en una sociedad en competición por la conducción de la cultura nacional –entendida ésta como el conjunto de identidades masivas capaces de plantear tales proyectos como programas de
desarrollo económico y social que mejoren la calidad de vida de la población en general. Como corolario, es también ineludible que, en el contexto de las luchas ideológicas, toda producción de conocimiento literario tiene sentido comunitario, bien sea consciente de ello o no el crítico
literario, en referencia a un actor social masivo que potencial o realmente pueda conducir la cultura nacional. Repito que en este momento pre-
sento estas premisas sólo como vía inicial e insuficiente hacia una problematización que posteriormente sea, espero, más adecuada.

El segundo orden es una descripción de las cuatro actividades fundamentales en que nos vemos involucrados como críticos literarios académicos: 1) asumir el corpus de obras poéticas institucionalizadas por
generaciones anteriores; 2) adquirir una teoría y una metodología que
permita narrar los rasgos de continuidad y relación existentes entre los
textos asumidos; 3) elaborar una institucionalización de obras representativas de la producción poética dada en el lapso de nuestras existencias
profesionales; 4) discutir colectivamente, en foros regionales, nacionales e internacionales, aquellos textos que consideramos de mayor relevancia en el canon o como candidatos para la consagración en él. La
importancia de los tres primeros acápites se hará notar en lo que sigue
de inmediato. Volveré al cuarto punto en las consideraciones que cierran este trabajo.

La incidencia del primer orden de premisas sobre el segundo está
en que es en esa primera actividad donde se hace más patente el vacío de
conocimiento sociológico en cuanto a los condicionamientos históricos
de la institucionalización del corpus literario académico. No obstante
ese vacío, las periodizaciones históricas sobre el desarrollo social latinoamericano aportadas por las ciencias sociales contemporáneas nos permiten hacer un número de suposiciones con un grado de certidumbre.

Por ejemplo, se puede afirmar que la promoción, producción y diseminación de literatura y de su conocimiento en el período anterior a
nuestra generación –los años que van de 1930 a mediados de los años
cincuenta– estuvo fuertemente influida por el interés de los movimientos y de los gobiernos populistas burgués–democráticos de la época por
moldear la opinión pública en consonancia con sus postulados ético–políticos. Componente importante en este conglomerado fue la crítica cultural aportada por la intelectualidad materialista histórica que perfilaba

su pensamiento en consonancia con el fortalecimiento de las organizaciones partidistas y sindicales del proletariado. A este diálogo obedeció la integración de la problemática del indio, de las aspiraciones de los sectores medios bajos, de la preocupación por la cotidianidad del proletariado y del campesinado[1]. Esa política ideológica llevó a esos movimientos y gobiernos a burocratizar estatalmente tanto a los literatos como a los canales de difusión de su obra. En esas décadas se instalaron las grandes empresas de masiva producción de libros al alcance del consumidor de limitados recursos económicos, así como se fomentó el teatro nacional, la incipiente producción de cine, las bibliotecas públicas, el folclor subvencionado y las orquestas sinfónicas en que los músicos pertenecían al escalafón de la burocracia estatal. Como hito de esta época se pueden considerar los esfuerzos de Luis Alberto Sánchez por institucionalizar una lectura de la literatura latinoamericana, en los cuales el referente aprista, índice del surgimiento de los sectores medios latinoamericanos como actores sociales masivos, es fácilmente detectable.

Acercándonos a la época presente, nuestra experiencia personal y generacional más directa puede avalar la impresión de que sobre nuestra propia actividad institucionalizadora de textos gravitó fuertemente la modernización de la enseñanza universitaria, en respuesta a las necesidades de la política del desarrollismo capitalista de los años sesenta. Los desafíos al sistema hechos por la Revolución Cubana, la respuesta técnico-financiera del capitalismo norteamericano a través de la Alianza para el Progreso y la creciente transnacionalización del sistema capitalista internacional bajo control de los conglomerados multinacionales se tradujo en una gran corriente de transferencia de personal y tecnología hacia y desde los países capitalistas avanzados, lo que, en última instancia, también provocó la modernización de los estudios literarios. Catedráticos de las humanidades pudieron viajar al extranjero para hacer estudios especializados; la industria internacional del libro puso a disposición de profesores y estudiantes obras teóricas y metodológicas a costo moderado. En la complejidad técnica de la llamada narrativa del *boom* esta nueva tecnocracia de la crítica literaria encontró la materia prima más apropiada para alimentar la maquinaria de sus nuevas concepciones teórico-metodológicas.

Con base en lo expuesto se podría postular que el desarrollo de la crítica literaria hispanoamericana sufrió un quiebre en su desarrollo en cuanto a que las preocupaciones ético-políticas de las décadas de 1930-1950 fueron paulatinamente desplazadas por la restricción del estudio de lo literario a los mecanismos y estrategias de la intratextualidad. Índice de esta tendencia fueron las polémicas anticriollistas que quizás todos hayamos atestiguado, que pedían la creación de textos más "universales". Tengo la impresión de que este término abogaba por una mayor complejidad técnica, más afín con una metodología crítica avanzada. Este proceso decantó un residuo histórico que creó actitudes todavía vigentes en nuestro quehacer actual, actitudes que, en muchos casos, se expresan fundamentalmente como un rechazo de la preocupación ético-política del pasado en aras de un profesionalismo que mira con sospecha la introducción de ese tipo de preocupaciones culturales más extensas como si fuera un "uso" indebido, mezquino y quizás conspiratorio de la literatura. Por el contrario, ese profesionalismo se abandera como la única postura legítima, suscitadora de estudios "imparciales" y "objetivos".

Si los argumentos anteriores son válidos, por lo menos en sus aspectos más esquemáticos, quizás podamos concordar en que la estrategia más adecuada para un proceso de recanonización, efectuado de cara a las necesidades surgidas de las rupturas culturales producidas por el fascismo, obliga a una asunción dialéctica de las contribuciones más valiosas hechas durante los dos períodos mencionados. La crítica literaria surgida durante los populismos sin duda fue clarividente en relevar las temáticas sociales que debían recibir atención prioritaria, dado su pensamiento enmarcado por preocupaciones ético-sociales.

No obstante, a pesar de tener la capacidad de validar sus propuestas críticas tomando como referente desarrollos de real trascendencia en la cultura latinoamericana, esa crítica literaria careció de una tecnología analítica que diera cuenta de lo literario como especificidad. Por el contrario, la riqueza de recursos especializados de que gozó la crítica literaria técnico-profesional surgida más adelante tuvo la debilidad de no contar con un anclamiento sólido en preocupaciones comunitarias trascendentales, como creo sucedió ya a partir de la estilística románica. Con respecto a los momentos de ruptura cultural a que debemos responder en la actualidad, es dudoso que la reiteración de estudios totalmente intratextualistas pueda hacer un aporte a una recanonización, puesto que la fundamentación de tal proceso obliga a atender problemáticas ético-políticas más globales, surgidas de los proyectos sociales dirimidos dentro de las colectividades nacionales.

Sin embargo, la encrucijada en que se encuentran los países del Cono Sur obliga a problematizar esta aseveración teórica, puesto que, en la actualidad, la capacidad real de esos actores sociales organizados para establecer una clara hegemonía social es débil o cuestionable. Ninguno de los procesos de redemocratización en Uruguay, Argentina y Brasil en el presente han ocurrido de acuerdo con dinámicas insurreccionarias en que se decante un bloque de poder incuestionablemente hegemónico. Por su parte, el estado actual de la oposición democrática chilena dista mucho de aportar claridades al respecto. De manera que la posibilidad de mantener una coalición de gobierno que conduzca el proceso redemocratizador y enfrente colectivamente los difíciles problemas económicos, legados por el neoliberalismo militarizado, es en extremo frágil y sujeta a postergaciones de intereses conscientemente asumidas por los diferentes actores de la oposición antimilitar con el objeto de protegerla.

Quizás dos sean los síntomas más importantes de este transaccionismo limitador de intereses: primero, la postergación total o la satisfacción muy parcial y ritual de las demandas de justicia contra la violación de los derechos humanos por los militares en Brasil, Uruguay y Argentina. La satisfacción cabal de estas demandas sería sólo posible en la medida que se reorganizara radicalmente la estructura de los institutos armados, tarea para la cual no existe una base de poder político y militar. Como consecuencia, el aparato de represión militar todavía está allí, incólume, presto a invadir nuevamente la sociedad civil si le fuera necesario.

El segundo índice es el debate entablado entre posturas socialdemócratas y marxista-leninistas en los sectores de la izquierda chilena sobre la naturaleza del actor popular de cambio social bajo la represión fascista en sus proyecciones hacia la redemocratización. Este debate es útil para mis argumentos en la medida en que ilustra dos aspectos cruciales del impacto militar sobre la cultura de izquierda, que en el pasado tuviera referentes tradicionalmente tan claros en el movimiento sindical y los partidos que se disputaban la vanguardia popular: 1) por sus fundamentos teóricos, el discurso de la izquierda siempre ha buscado perfilar con claridad los proyectos históricos planteados por las diversas clases y sectores sociales; 2) sin embargo, la polémica señalada demuestra que por lo menos un componente de la cultura de izquierda se ve llamado a cuestionar radicalmente las definiciones tradicionales de "lo popular" elaboradas en la cultura política chilena anterior al fascismo. Esto, sin duda, problematiza el aserto de que, como fenómeno social de aspiración redemocratizadora, la institucionalización de un canon literario tiene como referente consciente o inconsciente los proyectos sociales propuestos a la cultura nacional por agentes democráticos constituidos.

En el contexto chileno este debate se ha centrado sobre el diagnóstico del impacto militar sobre la cultura de izquierda. El Partido Comunista Chileno asigna al golpe militar la categoría de derrota momentánea, por lo que queda implícita la noción de que los núcleos institucionales más básicos del movimiento popular —la organización, teoría y línea partidista, sus nexos con las bases que tradicionalmente han dado sustancia a su organización, generando sus cuadros y mandos medios y superiores y, por tanto, su capacidad de movilización de masas— han quedado esencialmente incólumes. Esta visión permite al Partido Comunista la elaboración de propuestas organizativas para la oposición y la resistencia antimilitar con actitudes discursivas de gran certidumbre y convicción, además de continuar haciendo proposiciones globales para la futura conducción de la cultura nacional hacia el socialismo, asumiendo los intereses del proletariado chileno.

Por su parte, intelectuales portavoces de tendencias socialdemócratas han asignado a los objetivos políticos del modelo de represión militar una eficiencia mayor de la que le otorga el diagnóstico comunista. Para ellos la llamada "guerra interna" realmente logró desbaratar los tejidos institucionales más fundamentales de la cultura de izquierda chilena, por lo que hablar de una "derrota momentánea" impide la elaboración de un cuadro objetivo tanto de la situación política presente en Chile como de las opciones futuras. Según estos argumentos, no reconocer este hecho implica un retorno a los estilos de conducción de la política nacional anteriores a la intervención militar, en que los liderazos podían legítimamente arrogarse la calidad de portavoces de los sectores sociales representados de acuerdo con interpretaciones leninistas de los partidos de vanguardia, en circunstancias en que la atomización real del cuerpo social producidas por la represión militar no fundamentan una articulación homogénea de tal representatividad. Por tanto, esta tendencia socialdemócrata ha declarado una crisis de la izquierda chilena, cuestionando el modo en que el marxismo-leninismo ha sido asumido por los partidos Socialista (en algunas de sus tendencias), Comunista y MAPU, así como también se ha cuestionado la real capacidad de movilización consciente de las masas por el marxismo como ideología de lo popular. Como consecuencia de este razonamiento, intelectuales que en el pasado adhirieron a la Unidad Popular han proclamado la necesidad de un aperturismo teórico que pone en tela de juicio conceptos fundamentales del marxismo-leninismo[2].

Aunque el ejemplo es chileno, el problema es ampliamente latinoamericano, dada la gran influencia actual de la socialdemocracia europea en la región. Entre críticos literarios hispanoamericanistas conscientes de este debate y cercanos a la postura socialdemócrata, esta situación ha tenido un correlato directo en su interés por diversos escritos teóricos que dudan de la posibilidad del cambio histórico como producto de actores sociales institucionalmente centralizados —como Michel Foucault—; en escritos que fragmentan la noción de poder social reduciéndolo a una difusa relación molecular de nivel microcósmico —como Deleuze y Guattari, además del mismo Foucault—; o que buscan descentrar la noción de un ego psíquico centralmente constelado como foco de conciencia articulatoria del discurso cultural —como ocurre con el llamado desconstructivismo. En sus formas más agudas, estas posturas llegan a cuestionar o abandonar la categoría materialista histórica de totalización como eje articulatorio del conocimiento en cuanto fenómeno social, negando a veces que la crítica literaria esté asociada de algún modo a propuestas globales para la conducción de una cultura nacional.

En este debate —finalmente agrupado bajo la noción de "postmodernismo"— nos encontramos ante una paradoja porque, a pesar de todo, la recanonización de la literatura en la presente coyuntura cultural, en la medida en que requiere un anclamiento en valores de apelación colectiva —cualesquiera que ellos sean—, no puede ser sino entendida como propuesta cultural de aspiración epistemológica totalizadora. Sin embargo, tampoco puede ser desconocido el vacío de hegemonía social en que se la debe realizar. En medio de este impasse de dudas sobre la definición de lo popular y lo democrático, ¿existe alguna alternativa de fundamentación global para la reinstitucionalización literaria que reafirme una cultura democrática? Aquí está la razón para introducir e indagar en la problemática de los derechos humanos como eje de argumentación axiológica para la crítica literaria. Esto requiere, como acto preparatorio, discutir la naturaleza cultural del discurso en pro de los derechos humanos.

## LA PROBLEMATICA DE LOS DERECHOS HUMANOS COMO SIGNIFICACION CULTURAL

En el marco de estos argumentos, la introducción de los derechos humanos como eje axiológico de un proceso de recanonización literaria se justifica por un hecho del todo evidente: su defensa ha tenido una capacidad real y concreta de movilizar conjunta y organizadamente a los sectores sociales e ideológicos más disímiles, aun a pesar de que los agentes políticos de redemocratización eran del todo invisibles en el horizonte social y estaban institucionalmente fragmentados por la efectividad de la represión militar.

Lo anterior nuevamente lleva a comprender que algunas de las premisas primeras de esta argumentación necesitan una corrección fundamental: la referencialidad de todo proceso de institucionalización cultural en un agente social masivo específico —en una etapa de ofuscamiento del perfil de "lo popular"— puede llegar a adquirir un sentido restrictivo, por cuanto los intereses sociales existentes en sociedades pluriclasistas y organizados de manera ideológico–discursiva gastan la mayor parte de sus esfuerzos ideológicos en perfilar identidades excluyentes en relación con otros sectores, en la medida en que ellos no tengan inserción funcional clara en los proyectos sociales propuestos a la colectividad. Por el contrario, la forma masiva y pluriclasista en que se ha dado la defensa de los derechos humanos en situaciones de drástico quiebre institucional, de fuerte represión estatal y de neutralización de esos agentes conductores, señala que la lucha por mantenerlos y defenderlos tiene una capacidad de apelación colectiva más amplia e incluyente: responde a necesidades más difusas en su expresión ideológico–discursiva (latamente religiosas, morales, éticas, humanistas)[3], necesidades que, en situaciones de profundo quiebre institucional como las referidas, podemos sindicar como previas a las instituciones proponentes de proyectos de orientación de la cultura nacional. Esto se hace patente si atendemos a una definición nuclear de la problemática de los derechos humanos.

Los derechos humanos pueden ser definidos como una tarea generacional por hacer de la sociedad un ámbito para la vida de la especie en que pueda satisfacerse y concretarse la potencialidad máxima de necesidades y de impulsos hacia la creación material y espiritual de que sean capaces los seres humanos, dentro de los límites permitidos por la salubridad del espacio, las estructuras económicas, las relaciones sociales, la organización política y la capacidad de acumulación de representaciones ideológicas de la realidad existentes en su sociedad en cada momento de su historia.

En otras palabras, lo que en la coyuntura histórica actual llamamos derechos humanos es parte de un movimiento más vasto de aspiraciones y demandas de libertad y democracia humanas —hecho objetivamente comprobable en la historia—, movimiento ubicado en una situación previa a su institucionalización económica, social y política. Al respecto se pueden allegar palabras del jurista Hernán Montealegre, que confirman estos fundamentos en el plano del derecho internacional:

> De [los derechos humanos] se dice que son intangibles, anteriores y superiores al Estado. En verdad, ningún otro elemento del orden jurídico recibe tal consagración. Es esta misma preeminencia, por otra parte, la que también se invoca, además de su importancia para la paz y la seguridad, para justificar su protección internacional. Es así como la Convención Americana de derechos humanos establece que éstos 'no nacen del hecho de ser nacional de determinado Estado, sino que tienen como fundamento los atributos de la persona humana, razón por la cual justifican una protección internacional, de naturaleza convencional coadyuvante o complementaria de la que ofrece el derecho interno de los Estados americanos' (preámbulo, párrafo tercero)[4].

La institucionalización de los derechos humanos surge, entonces, de las necesidades de los grupos sociales por hacer concretas las libertades potenciales que les permiten la confrontación con la estructura de poder establecida en el horizonte social objetivo en que residen para así poder satisfacer sus potencialidades. Esto en la medida en que conscientemente puedan avizorar el agotamiento de las opciones permitidas por el estado histórico de las estructuras económicas, sociales, políticas e ideológicas de su sociedad, así como también en la medida en que sean capaces de organizar y movilizar un bloque de poder que funde la hegemonía social que posibilite la implementación de las nuevas libertades y derechos humanos que proponen como agentes históricos.

La cuestión fundamental es reconocer que todo aquello que llamamos cultura —instituciones, jerarquías, modos de conducta, programas de expresión emocional, imágenes, discursos, símbolos, herramientas— son resultado de un trabajo humano por superar el "reino de la necesidad", trabajo que ha creado, a través del tiempo, el ámbito que llamamos sociedad con el objeto de concretar ese máximo de potencialidades de acción y apropiación del mundo.

Reconocer —como es el caso de estos argumentos— que el proceso de institucionalización de un sector cultural llamado literatura tiene como referente el proyecto social de un poder real o potencialmente hegemónico requiere deslindar dos dimensiones temporales del problema: una inmediata y coyuntural para nosotros hoy en día en el Cono Sur —el hecho de que la clara definición del agente popular-democrático se ha hecho debatible—; y una mediata, a largo plazo, y que corresponde a la conciencia actual de que las opciones para la concreción real de los derechos humanos, como hoy en día los definimos, no puede darse latamente dentro de las estructuras del capitalismo contemporáneo. La limitación que señalamos se refiere, obviamente, a la implementación real de los derechos económicos y sociales (derecho al trabajo, a la educación, a la salud, a vacaciones pagadas, seguro contra el desempleo, etcétera).

Decimos que lo que hoy llamamos derechos humanos corresponde a un vasto movimiento objetivamente comprobable de demandas de libertad y de democracia. Esto puede fundamentarse aún con la más esquemática exposición del desarrollo de los derechos humanos.

La historia jurídica[5] de la creación de derechos humanos comienza con la limitación de los poderes absolutos de los monarcas medievales frente a determinados grupos sociales, hecho marcado por la Magna Carta inglesa de 1215 y los fueros ciudadanos logrados en diversos lugares de Europa de monarcas como Alfonso IX de León, Andrés II de Hungría y Pedro III de Aragón. La cláusula 39 de la Magna Carta prefiguró el recurso del *hábeas corpus* con la concesión monárquica de que: "Ningún hombre libre será arrestado o detenido en prisión, o desposeído de sus bienes, proscrito o desterrado, o molestado de alguna manera; y no dispondremos sobre él, ni lo pondremos en prisión, sino por el juicio legal de sus pares, o por la ley del país" (p. 718).

La segunda etapa de desarrollo histórico de los derechos humanos se da con la incorporación de la Declaración de los Derechos del Hombre, proclamada a fines del siglo XVIII, en las constituciones de los Estados nacionales durante los siglos XIX y XX.

> Su sentido es ahora defender al individuo no del poder permanente de los reyes sino del poder transitorio de los grupos que ejercen temporalmente el gobierno del Estado en los nuevos sistemas constitucionales. Mientras antes la persona se protegió de la soberanía absoluta del rey, ahora lo hace de la soberanía absoluta del pueblo invocada por gobiernos alternativos. La persona humana, específicamente considerada, se afirma como un fin irreductible de la organización política de la nación (p. 718).

La tercera etapa histórica está relacionada con los grandes cataclismos humanos ocurridos desde comienzos de siglo XX con las primeras crisis globales del sistema capitalista internacional, los movimientos revolucionarios iniciados para superarlo y los regímenes antidemocráticos surgidos para conservarlo, situación que

> . . .impone el convencimiento de que [al reconocimiento interno de los derechos humanos por los Estados nacionales] debe añadirse su reconocimiento internacional como forma complementaria de defensa de la persona frente a sistemas modernos esencialmente transgresores de los derechos humanos. La persona adquiere un status internacional y es defendida en sus derechos fundamentales contra las desviaciones de su propio Estado (p. 718).

Además se debe considerar la aparición gradual de los grandes conglomerados económicos transnacionales como actores cada vez más prominentes en la política a nivel nacional e internacional, lo cual finalmente trajo la inclusión de los derechos económicos a la acumulación de derechos humanos anteriormente creados:

> . . .la persona se enfrenta, especialmente hoy, a poderes sociales diversos del Estado que procuran convertirla en una pieza instrumental de sus intereses colectivos, tales como los grandes consorcios económicos y tecnológicos nacionales e internacionales, que forman parte de la estructura del mundo contemporáneo y que en aspectos vitales son adversarios de la vigencia de los derechos humanos (p. 719).

En una conclusión parcial, podemos afirmar que el desarrollo histórico de los derechos humanos es un acopio de prácticas sociales materiales y discursivas, que tiene la cualidad simultánea de no poder ser reducido a una estrecha identificación de clase, aunque, a la vez, puede ser apropiado por las nuevas clases que surgen en el relevo histórico de nuevos modos de producción. Esta asunción apropiatoria les permite legitimarse como herederos de una oportunidad para implementar real y materialmente los derechos recibidos de generaciones anteriores, a la vez que crean nuevos derechos humanos, enriqueciendo la concepción jurídica de la persona. El juicio histórico a ser resuelto en cada sociedad es determinar qué clase social ha tenido o tiene objetivamente la conciencia, la voluntad y la capacidad objetiva de implementarlos con la mayor latitud que le permiten sus definiciones de libertad y de democracia dentro de las estructuras sociales de su época.

## DERECHOS HUMANOS, DEMOCRACIA Y CRITICA LITERARIA EN EPOCAS DE CRISIS INSTITUCIONAL

Una época de crisis institucional en un país puede ser definida como aquella en que, por causa de la pérdida de cohesión del bloque de poder hegemónico que desde un largo plazo anterior ha estado orientando la administración de la cultura nacional, ha quedado suspendida la capacidad y la legitimidad de la autoridad gubernamental para administrar las instituciones del Estado y de la sociedad civil, a la vez que ningún sector social es capaz de proponer un proyecto social implementable por un amplio consenso de la ciudadanía. Estos períodos de vacío de poder son extraordinariamente dolorosos y destructivos, por lo que la colectividad necesita solucionarlos con la mayor prontitud posible. La propuesta que hago es que, en tales estados de excepción, los intelectuales progresistas independientes deberían considerar seriamente revertir el anclaje axiológico del proceso de canonización académica de textos literarios hacia la afirmación de los derechos humanos, necesidad previa a la constitución o reconstitución de agentes sociales democráticos masivos, suspendiendo momentáneamente el referente conectado con éstos. Tal proposición tiene evidentes implicaciones de adecuación teórica en cuanto a la función social de la representación literaria y de la crítica literaria.

En cuanto al primer término de esa adecuación, estimo que un referente axiológico para la crítica literaria, en el mantenimiento y defensa de los derechos humanos, requiere definir la naturaleza social de la literatura en torno a la esencia de la especie humana como fenómeno fundamentalmente histórico de producción y autorreproducción de sus condiciones materiales y espirituales. En este proceso la especie se transforma a sí misma con el acopio de la mayor cantidad de instrumentos materiales, espirituales y conductuales requeridos para satisfacer necesidades, dándose un ascenso espiral–progresivo de sus condiciones de vida. En última instancia, este ascenso implica una profundización cada vez mayor de su humanidad y de la conciencia de la propia humanidad.

¿De qué modo afecta este planteamiento las categorías sociales con que trabaja la crítica literaria, por lo menos en la variedad que represento?

Creo que la consecuencia principal sería la de modificar el entendimiento de la historia cultural latinoamericana y plantearla como la historia de las luchas de diversos sectores y clases sociales por rehumanizarse a sí mismos luego de la traumática entrada del continente a la historia europea como zona dependiente. Esta historia ha sido una prolongada serie de logros parciales, selectivos, no uniformes, discontinuos en su transcurso e implementación, incompleto, diferente en los diversos países latinoamericanos, en que esas clases y sectores, al luchar por concretar los proyectos político–económicos motivados por sus intereses corporativos, debieron desarrollar una conciencia de los límites con que los poderes coloniales y neocoloniales han impuesto o promovido mañosamente entre nosotros una larga serie de desastres humanos: necesidades falsas, instalando entre nosotros industrias que la propia salubridad les obligaba a exportar, envenenando y deformando cuerpos con su sometimiento a condiciones de trabajo sin higiene y descargando sobre nuestro medio ambiente toda clase de toxinas, han coartado a nuestras mayorías en sus posibilidades de vivir para hacer suya la muchas veces menguada acumulación cultural existente mediante las imposiciones del racismo y el etnocentrismo, degradando con ellos la dignidad y la autoestima de los seres humanos, minando su confianza en la capacidad de constituirse en agentes de la satisfacción de necesidades colectivas autónomamente definidas.

Al hablar del desarrollo de tal conciencia estamos ya hablando de las categorías literarias de *imaginación, deseo* y *discursividad para la proposición de tipificaciones* de modos de conducta necesarios y el *análisis de las opciones reales* existentes en cada coyuntura para la consecución de los *objetivos posibles* que se presentan a la colectividad como *aspiraciones universales y totalizadoras* del sentido de toda la estructura social. A través de la producción de estos discursos definidores del sentido de la acción humana se constituyen *horizontes sociales* caracte-rizados por una *plenitud de significación simbólica,* puesto que el uso de todo gesto, instrumento, emoción, espacio, tiempo y modos de rela-ción y comunicación tendrá su eje de sentido sólo en referencia a los proyectos sociales planteados por esas clases y sectores. En la medida en que los personajes enfrentan los desafíos que se interponen a su deseo de concretar materialmente las imágenes de un destino que hasta enton-ces ha estado relegado a lo utópico, de manera gradual y concurrente con las tareas y las luchas que llevan al triunfo o a la derrota de ese pro-yecto vital, los personajes —ya sea aliados u oponentes— quedan someti-dos a un *proceso de aprendizaje* por el que toman mayor conciencia de sí mismos como seres humanos al capacitarse en diversos aspectos del uso de todos los implementos materiales, espirituales y formas de com-portamiento que les entrega su cultura como instrumentos de elabora-ción de ese proyecto vital, en su capacidad personal para readecuarlos a las peripecias de la acción o crear nuevos implementos para enfrentar situaciones inesperadas o descubrir su incapacidad e ineficiencia en to-dos estos sentidos.

Las peripecias de la acción implican *etapas de equilibrio y desequi-librio* que llegan a su culminación bien sea con el triunfo o derrota defi-nitiva del proyecto. Las etapas de equilibrio implican estados de ánimo en que predomina la confianza en la capacidad y eficiencia de uso de los implementos necesarios para avanzar hacia los objetivos buscados, con-fianza súbitamente amenazada por las contingencias interpuestas por obstáculos, oponentes o enemigos. El paso de una etapa a otra está mar-cada por lapsos de calma, de *paz* que, al desequilibrarse, traen paroxis-mos de actividad compensatoria generalmente asociados con una *vio-lencia* física o emocional dirigida tanto contra los obstáculos y oponentes como hacia los propulsores mismos del proyecto por sus sentimientos de culpa o ira ante la incompetencia propia o de otros. Es especialmente en estas etapas de paz que se produce la reflexión sobre las enseñanzas adquiridas en esos momentos de desestabilización violentista. Una vez que el proyecto social ha triunfado y se entra en una etapa de paz sobre la base de la nueva hegemonía social es cuando se entra en el proceso de *institucionalización* de todas las enseñanzas culturales logradas. Esto se realiza mediante la reforma del Estado nacional y todas sus dependencias directas e indirectas. Esta institucionalización debe ser entendida como una catalogación de todas las formas de conducta material y espiritual apropiadas y creadas con la consecución del proyecto social. Como aho-ra pertenecen a una orientación cultural que se hace hegemónica a tra-vés del control del Estado, inescapablemente un gran número de los usos culturales logrados queda a disposición de todas las clases sociales, ya sean ellas hegemónicas o subordinadas. Por tanto, podemos colegir que el acceso a la cultura se hace más democrático en la medida en que la institucionalización de los usos culturales queda entendida ahora como derechos humanos universales.

Durante todo este proceso que termina en una nueva institucionalización de la cultura, la literatura puede ser entendida como la contribución de los poetas a la formación del *universo simbólico*[6] asociado con los proyectos sociales que buscan hegemonizarse. Aunque el poeta no tenga conciencia de ello, como artefactos que comunican conocimiento de mundo, sus textos sólo pueden tener sentido *como hecho social* en la medida en que se los conecte con las significaciones culturales propuestas por los diferentes proyectos sociales de potencial conducción de la cultura nacional, ya sea en el pasado o en el presente. Sus textos poéticos funcionan como máquinas que materialmente contienen un código de temas, metáforas y símbolos que en sí registran partituras de los comportamientos emocionales necesarios para que en la imaginación de los receptores se potencie la apropiación de todas las formas y programas de conducta, conocimientos y definiciones de identidades necesarios para que hagan suyas las plenitudes de significación social que proponen los diferentes proyectos sociales que se dirimen dentro de la sociedad. Es decir, en la medida en que el lector se somete a esas partituras emotivas, estará apropiándose de la historia de los derechos humanos ganados tanto por su pueblo como por la humanidad. El cúmulo de textos poéticos producido en un período histórico puede ser concebido, entonces, como un *sistema de significantes* que sólo tiene sentido en referencia a un *sistema de significados* englobantes que es el acopio de derechos humanos conquistados. Estos dos sistemas tienen como *mediación práctico–histórica* los diversos proyectos sociales de las clases y sectores sociales que los conquistaron y los pusieron a disposición de la especie humana. Así podemos considerar los movimientos sociales que terminaron en la Magna Carta, la Constitución Norteamericana, la Declaración de los Derechos del Hombre y la Declaración Universal de los Derechos Humanos de las Naciones Unidas, entre muchos otros documentos históricos.

De cara a la historia actual, esta adecuación de categorías de la crítica literaria a la problemática de los derechos humanos debiera llevarnos a introducir en nuestras meditaciones recanonizadoras el valor de *la paz y la violencia social* de manera que podamos desarrollar una *estrategia retórica* en cuanto a la forma de explicar académicamente los textos que privilegiamos. Dada la violencia desatada por el fascismo, es del todo comprensible un deseo de soslayar el tema de la violencia en circunstancias que hacen de ella un acto legítimo. Sin embargo, ya que la paz y la guerra son manifestación ineludible de los procesos de conquista de derechos humanos, su representación literaria debe ser discutida en referencia al modo en que promueven y amplifican el gozo de los derechos humanos. Al respecto podríamos tener en cuenta los siguientes pasajes de la obra de Hernán Montealegre:

> Las sociedades pasan por etapas a través de las cuales los conflictos sociales logran una relativa estabilización histórica. Mientras en un

momento se lucha por el reconocimiento de determinados derechos fundamentales, antes se bregó por otros y después se lo hará por nuevos derechos. Es natural que en este proceso se alcance el éxito sólo de manera parcial y gradual. Pero lo que no puede permitir una sociedad es que en un momento histórico posterior se vulneren colectivamente los derechos básicos consagrados en una etapa previa: ello es, además de una infidelidad a las generaciones pasadas, un retroceso que hace violencia al desarrollo histórico de un país. Los diversos Estados que hoy se encuentran comprometidos con el derecho internacional han alcanzado una evolución análoga en esta materia, de tal manera que la defensa, por el derecho internacional, de los derechos ya consagrados, contribuye al avance de los Estados hacia su futuro y dificulta los humillantes regresos de los países hacia etapas primitivas (p. 657).

Siempre en torno al problema de la legitimidad de la violencia, el pasaje siguiente, por otra parte, muestra que no es sólo la forma en que un gobierno llega al poder lo que le da legitimidad, sino su protección de los derechos humanos:

En este contexto debe mencionarse un tipo particular de conflicto interno difundido en América Latina: el que se produce por el aparecimiento de un régimen *de facto* que, desde luego en cuanto a su origen, contradice el principio interamericano de la democracia representativa. También en este problema se comprueba la importancia de la cuestión de los derechos humanos, como se informa en un Informe elaborado por el Comité Jurídico Interamericano en 1949, en el que se propone que el asunto esencial para calificar a un régimen de esta naturaleza no sea tanto la forma en que haya llegado al poder como su comportamiento respecto al ejercicio de los derechos humanos y libertades fundamentales de los ciudadanos. Basándose en dicho informe, el Instituto Interamericano ve como el punto capital el que tal régimen se consagre al "restablecimiento de un orden que garantice el respeto a los derechos humanos y libertades fundamentales, viabilizando así la reanudación de un proceso genuinamente constitucional y democrático" (p. 715).

## HACIA UNA AGENDA SOCIAL PARA UNA CRITICA LITERARIA SUSTENTADA EN LA DEFENSA DE LOS DERECHOS HUMANOS: FUNDAMENTOS HISTORICOS

De acuerdo con lo expuesto, creación poética y captación de la larga historia de la creación de los derechos humanos podrían ser considerados como un mismo proceso. El texto poético es la plasmación material de un legado material y espiritual a la vez inmediato y antiquísimo. Sin duda estos planteamientos corren el riesgo de quedar reducidos a las vaguedades de un humanismo idealista, sin asidero concreto en la historia real de nuestros países, puesto que hablar del desarrollo de los derechos humanos sin sindicar a los actores sociales constituidos que pue-

310

dan concretarlos sustancial y materialmente con su acción es mero juego lingüístico. Sin embargo, recordemos que la proposición positiva de este trabajo hablaba de la suspensión momentánea del referente crítico en un agente social específico durante una época de crisis institucional. Esto no significa que el crítico literario, en tales circunstancias, deba tomar una actitud contemplativa ante los sucesos de la historia que le toca vivir, sino contribuir activamente con su discurso crítico a la reconstitución de la identidad de los agentes sociales de democratización cultural capaces realmente de implementar los más vastos derechos humanos.

Dicho con una jerga más técnica, el foco de nuestro trabajo académico no sólo puede ser entendido como el de reconstructores y expositores de la historia literaria de los derechos humanos para preservar sus logros y memoria en épocas en que se ha desencadenado la barbarie del terrorismo estatal o todavía se viven sus efectos inmediatos, sino también el de auscultar a través de la producción poética la forma en que se perfilan los proyectos colectivos de nuevos o reconstituidos agentes sociales democratizadores. Asumir una tarea crítica tan vasta como ésta requiere, a su vez, plantear una agenda específica que le dé un contenido concreto y bien perfilado.

Esta agenda para la crítica literaria puede obtenerse mediante una lectura crítico-valorativa del análisis cultural contenido en un trabajo de José Joaquín Brunner intitulado "Cultura e identidad nacional: Chile 1973-1983"[7]. En él Brunner se refiere a las posibilidades de emergencia de lo que llama la "nación democrática" una vez que se dé término al neoliberalismo militarizado, que es interpretado como el intento malogrado de captura de la hegemonía cultural por la "nación burguesa". El paralelo que propongo entre la propuesta de una crítica literaria anclada en la defensa de los derechos humanos y el perfilamiento de la "nación democrática" se justifica en la medida en que tal defensa sólo puede realizarse en un medio social controlado por fuerzas democráticas. A través de esta lectura crítico-valorativa se puede establecer una imagen de las flexiones políticas más viables en la defensa de los derechos humanos como base de una crítica literaria en la actualidad latinoamericana. La discusión de esta viabilidad tiene sentido, por supuesto, sólo en la medida en que concordemos que la "nación burguesa" ha agotado ya su capacidad de refundar las culturas nacionales latinoamericanas para permitir un mejor acceso de las mayorías al acopio cultural. Por tanto, aunque estas consideraciones son hechas a partir del caso chileno, conviene considerarlo con un criterio más general por las similitudes que pueda captar en naciones como Brasil, Argentina y Uruguay, en que, dado su desarrollo económico y social contemporáneo basado en movimientos populistas, los valores e instituciones creadas por los sectores medios – la cultura mesocrática– han sido tan decisivos como en Chile en la articulación de la cultura nacional. Centraré la discusión de esa viabilidad en la sección final de este trabajo.

Antes de adentrarse en la discusión que nos interesa captar, Brunner hace un esbozo esquemático del desarrollo de la cultura moderna chilena. Es indispensable reproducirlo porque su reflexión posterior está orgánicamente relacionada con ese esbozo.

Brunner se refiere al hecho de que esta cultura moderna fue articulada mediante un corporativismo en que el Estado nacional, desde la década de 1930 hasta fines de la de 1960, tomó la función de agente central de desarrollo socio-económico de acuerdo con un proyecto de industrialización sustitutiva de la importación, difundiendo sus formas y contenidos sobre la sociedad civil "desde arriba", y adoptando un "estilo mesocrático" que adquirió una "forma no-burguesa pero no, necesariamente, un contenido antiburgués" (p. 5). Ya que en ese corporativismo fue el Estado el gestor fundamental de la producción, acumulación y distribución de la riqueza nacional, la orientación ética que prevaleció fue

> . . .aquella que consiste en regir el propio comportamiento según estrategias de maximación en la participación de los beneficios producidos por la acción del Estado. De allí no resulta una ética protestante en el sentido que le atribuye Weber, sino una ética transaccional, cuyo énfasis está puesto en la negociación de resultados, en el funcionamiento del esquema de distribución de beneficios y en el aprovechamiento de oportunidades públicamente creadas que pueden intercambiarse por la producción política de adhesiones y motivaciones de lealtad (p. 6).

La lógica de esta ética llevó gradualmente a grandes dislocaciones en la relación infra y supraestructural, dislocaciones que se manifestaron, por una parte, en el surgimiento de una gran heterogeneidad de identidades culturales y de demandas de reivindicación social y política en los actores sociales llamados a participar en ese corporativismo mientras que, por otra parte, fueron débiles las bases morales para incentivar una mayor productividad en la esfera pública de la economía, sostén de toda actividad reivindicatoria.

Esta dislocación entre amplias expectativas reivindicatorias y una productividad limitada no sólo erosionó paulatinamente la estabilidad de un sistema que acostumbraba a transar apoyo político por oportunidades de ascenso social y obtención de beneficios estatales, sino que también estableció profundas fisuras entre las identidades culturales de las diversas clases sociales:

> . . .la racionalización [corporativista] de la vida social no es, entonces, incompatible sino que induce la heterogeneidad cultural, puesto que la cultura mesocrática no puede expandirse al conjunto de la sociedad. Su estilo no burgués la vuelve ajena a la burguesía, la que mantiene y busca reproducir sus propias formas culturales, y las emplea crecientemente como un medio de *distinción* que se cristaliza en una *alta cultura* con su propio sistema institucional y sus

formas típicas de producción, circulación y reconocimiento. La cultura mesocrática buscará apropiarse las formas de la cultura burguesa, asimilándose en parte a ellas, pero por su propia lógica de constitución permanecerá extraña a ella y se verá obligada a competir con ella, reduciendo al efecto la integración por el mercado y expandiendo la esfera de la acción estatal [ . . . ] El clivaje entre una cultura católica y privada y una laica y pública recubrirá [también], en alguna medida, esa otra división entre cultura burguesa y cultura mesocrática, al mismo tiempo que ambas definen un conjunto complejo de relaciones y distancias con la cultura (o las culturas, mejor) de los grupos subalternos. Pues estas últimas [culturas] que se mueven fuera de los marcos de la alta cultura y de la cultura mesocrática, constituyen el factor más decisivo de la heterogeneidad de la cultura nacional, agregándole una heteróclita acumulación de componentes diversos según sea su origen urbano o rural, moderno o tradicional, laico o religioso; según sea su base de sustentación y según sea su variable integración de elementos provenientes de la cultura de masas o industria cultural [pp. 7-8].

Para Brunner, las causas de la crisis que llevó al golpe militar del 11 de septiembre de 1973 fueron dos: 1) en su estrategia de transición al socialismo la Unidad Popular continuó con la concepción mesocrática de que era el Estado el instrumento fundamental para la reorganización de la cultura nacional; 2) en la conducción de su política la Unidad Popular desconoció la heterogeneidad cultural incubada durante las décadas anteriores y, de acuerdo con un consenso de los sectores más importantes de la izquierda —ellos mismos disímiles—, se propició la restricción institucional e ideológica de la propuesta transición al socialismo en torno a lo que Brunner llama "un preciso *mito de izquierda*" (p. 11) no tan claramente definido como para que se le hubiera dado una función de pivote tan trascendental: "La existencia en Chile de una cultura popular y obrera alternativa pero latente, identificada con la concepción marxista cuya garantía de validez se hallaría depositada en los partidos que se proclamaban portadores de la conciencia revolucionaria de las masas" (p. 11). La interacción de estos dos aspectos habría acarreado la crisis, por cuanto un Estado creado para un proyecto social capitalista debía, simultáneamente, cumplir funciones extrañas a él y alojar una ideología que buscaba hegemonizar toda la producción y reconocimiento de sentidos en la sociedad:

Lo cual significaba, en breve, oponer la cultura como totalidad social compleja a la pretensión totalizante de un discurso popular y obrero único, desde el cual se podía y debía, simultáneamente, reescribir la historia nacional, extender el mundo físico, apreciar las expresiones del arte, someter a una crítica racional las experiencias religiosas, modificar los sistemas de clasificación de los conocimientos transmitidos por la escuela, analizar científicamente la sociedad, revalorizar la cultura popular, etc., hasta llegar —por ese camino— a la propuesta del "hombre nuevo" [p. 13].

El valor fundamental de tal análisis es proponer una base global para la discusión del desarrollo de la cultura chilena moderna. Obviamente, como toda propuesta global, puede ser firmemente cuestionada. Entre las muchas críticas que se le podría dirigir, la central podría concentrarse sobre su tendencia a analizar los actores de la política chilena como si fueran entidades estáticas, ya del todo constituidas en su identidad cultural, por lo que de allí resulta la tácita condena de la búsqueda de un lugar común en la cultura obrera y en el marxismo como exclusivismos que atentaron contra un pluralismo cultural que se debió haber respetado. Como argumentación alternativa podríamos, por ejemplo, traer a colación la experiencia revolucionaria de Cuba. En ella fue la dialéctica de cambio revolucionario —con sus debates, conflictos y confrontaciones para responder a coyunturas internas y externas— la que fue creando una conciencia y una voluntad consensual entre sectores democráticos de clase e ideologías diferentes, que más tarde sentó las bases para la fundación del nuevo Partido Comunista Cubano. Por lo demás, en Chile, en este sentido, quedan por hacerse trabajos de recopilación testimonial en relación con las profundas crisis de identidad de clase y familiar experimentadas por individuos que se sumaron al movimiento de la Unidad Popular o a otra de las instancias de la izquierda como es el MIR, abandonando conscientemente valores y símbolos de los estilos de vida burgueses y pequeñoburgueses.

Sin embargo, para los propósitos de este trabajo, el gran aporte de Brunner está más bien en sus sugerencias de que las futuras tareas culturales deben surgir de los efectos del triunfo fascista. Sus sugerencias parten de un análisis de la forma en que, mediante el neoliberalismo militarizado, la "nación burguesa" intentó refundar la cultura nacional homogeneizando su heterogeneidad sobre la base de un funcionamiento del mercado como mecanismo regulador de toda actividad social, proceso en el cual se reafirmaron antiguas jerarquías y se reorganizaron los circuitos de distribución de cultura:

> Sobre todo, se consagraba en la cúspide de la jerarquía una esfera específica y cerrada de alta cultura, cuyos contenidos debían regirse exclusivamente por la excelencia y el buen gusto. La imaginería de la *nación burguesa* volvía así por sus fueros, reclamando universidades de élite, arte por el arte, música seria, teatro clásico, literatura universal, prensa circunspecta y respetuosa (del régimen), religión limitada a los templos, calles limpias y orden en la ciudad [ . . . ] De otro lado se buscaba asegurar, mediante este proceso de rejerarquización y purificación de la cultura, un espacio no contaminado y no amenazado, seguro, a la cultura mesocrática. Las escuelas volverían a funcionar normalmente, al igual que las universidades. Se respetarían los criterios meritocráticos de ascenso social y el logro social sería valorizado. Sobre todo, se reservaría a la cultura de los grupos subalternos su espacio natural que es, en esta visión de la historia, el consumo y no la expresión [pp. 16-17].

El acceso a esta cultura homogeneizada de acuerdo con la capacidad adquisitiva individual produjo un marcado *estilo de vida estamentario,* entendido éste por la discriminación económica en la relación de los productos y los públicos a que están destinados. Sin embargo, los valores con que el militarismo ha legitimado esta estamentización no son cerrados, exclusivos de una sociedad rígida y convencional. A través de la televisión se han reforzado las expectativas de participación general en el consumo, promoviendo una *sensibilidad mundana* que valora por sobre todo el gozo despreocupado y sensual del consumo, ajeno a toda preocupación social. La ética ciudadana ideal en este esquema socializa un *conformismo pasivo* reforzado a su vez por la despolitización de la experiencia cotidiana y su restricción al espacio de lo íntimo y de lo privado:

> La base ético-cultural de la política y sus aportes en la vida cotidiana son de este modo erosionados, desapareciendo las formas autónomas de sociabilidad comunitaria que por lo general se expresan en formas de solidaridad y organización en torno a intereses vecinales, religiosos, culturales, sindicales, etc.

Para Brunner el impacto cultural del fascismo es, por tanto, el triunfo momentáneo de la "nación burguesa", mantenido con la fragmentación planificada y tecnocráticamente administrada de una identidad nacional ya antes problemáticamente articulada por la gestión social mesocrática en las décadas anteriores a 1973:

> Lo anterior ha dado lugar a que durante estos años se hable frecuentemente de la "fragmentación", del "aislamiento", de la "dispersión" y del bajo involucramiento de la población. Nada parece alcanzar a nadie, ni la esperanza. Se vive en medio de la sociedad civil opacamente; los horizontes son estrechos, la subsistencia consume la energía de la mayoría. Los "movimientos sociales" apenas apuntan sobre la superficie, débiles, vulnerables, intrascendentes [p. 35].

De acuerdo con esto, Brunner propone que la tarea central, presente y futura, en el trabajo cultural es el estudio de los modos en que se podría reformular "algo que puede llamarse la nación democrática".

Con este lato término Brunner se refiere a la necesidad de reconocer que el potencial de acción democrática en los grupos sociales no sólo surge de una identidad únicamente anclada en la división social del trabajo, como, según su juicio, lo hacen los partidos marxista-leninistas al sindicar a la clase obrera como principal agente hacia una más amplia democracia. Esa "nación democrática" sería un conglomerado de identidad extraordinariamente difuso en la actualidad debido a las transformaciones introducidas a la cotidianidad por el extremo *privatismo civil* inducido por la represión fascista. Este disciplinamiento obstaculizaría la constitución de estos grupos en actores de cambio social por la inexistencia de espacios de intercambio público en que puedan fundamentar su identidad en el proceso de interpelación colectiva con otros grupos sociales:

> La nación democrática, como principio alternativo de organización cultural, se halla entonces radicada en esa estructura extraordinariamente heterogénea, lábil y dispersa de sujetos emergentes o subsistentes, cuyas identidades son múltiples y cuya relación de continuidad y ruptura con el pasado genera, a la vez, un cúmulo de nuevos problemas [p. 37].

Aunque no queda del todo claramente explicitado, Brunner da mayor importancia a esos grupos de identidad difusa, frágil e inestable que a aquellos otros que, como el Partido Comunista Chileno, todavía conservan la memoria de una identidad forjada con anterioridad al advenimiento del fascismo y han logrado reconstituirse de acuerdo con ella en la clandestinidad. Es obvio detectar una ambigüedad entre esa preocupación por la necesidad de captar y sobrevalorar el posible significado de estos grupos a la vez que reconoce la permanente gravitación institucional de esas identidades anteriores:

> Solamente lograrán configurarse aquellos sujetos portadores de una identidad histórica extraordinariamente resistente a los cambios que ha experimentado la sociedad y la cultura, como pueden serlo ciertos partidos, por ejemplo, o, en otra dimensión, los grupos inspirados religiosamente, o pequeñas comunidades intelectuales, artísticas o profesionales, o bien grupos cuya definición se halla anclada en una sociabilidad que, por sí misma, genera algún tipo de solidaridad, como ocurre con los sindicatos, por ejemplo [pp. 36–37].

Es fácil observar que estas propuestas sobre la reconstitución de la "nación democrática" confluyen con nuestra propuesta de anclar las tareas futuras de una crítica literaria en estados de excepción sobre la base de un consenso en cuanto a los derechos humanos. Ambas reconocen la necesidad de un trabajo intelectual que ayude a perfilar —más allá de una identidad de clase exclusivista— a aquellos grupos sociales capaces de crear un consenso y un orden institucional democrático que, para nuestros argumentos, es base fundamental para el rescate, mantenimiento y expansión de los derechos humanos.

## ESTRATEGIAS PARA UNA CRITICA LITERARIA ANCLADA EN LA DEFENSA DE LOS DERECHOS HUMANOS

Estos criterios posibles para una recanonización literaria, no sólo deben sostenerse sobre consideraciones teóricas, históricas y culturales. También debe desarrollarse para ellos una serie de principios estratégicos que los hagan prácticamente operativos. Pero, por sobre todo, dado que esas estrategias corresponden a un programa del todo condicionado como respuesta a un momento específico de la historia cultural latinoamericana, deben señalarse con claridad sus flexiones políticas, que son diversas y conflictivas. En honor a la brevedad, a continuación presentaré los aspectos que considero más relevantes, a modo de acápites que determinan funciones, identidades, receptores y temas preferenciales.

### Función social de esta crítica literaria

Redefinir una crítica literaria como parte de un proyecto de defensa de los derechos humanos requiere que el crítico académico asuma su oficio primordialmente como producción de significaciones sociales de manera activa y no reactiva ante la cultura a que se dirige.

Función reactiva es aquélla que se basa en una estricta separación de especialidades disciplinarias, de modo que se busca crear categorías del discurso literario para lograr la identificación de una "esencia" diferencial ante otros discursos posibles. El resultado frecuente de esta postura es un formalismo que concibe "lo literario" como campo ya delimitado y constituido, a cuyos textos el estudioso debe prestar atención casi única desde el mismo inicio de su investigación, según el supuesto de que ellos contienen en sí todas las claves fundamentales y necesarias para su entendimiento. En cuanto a la labor misma de interpretación, así quedan excluidas variables condicionantes como la definición del intelectual como función social en el complejo de relaciones de clase, la institucionalización organizativa de la producción y diseminación de textos poéticos, entre otras variables sociales que deben ser consideradas simultáneamente con sus claves internas. En cuanto a la significación de su quehacer, este tipo de crítico tiende a considerar su oficio como elemento técnico complementario de "lo literario". Por tanto, el discurso que lo identifica como productor intelectual emerge como reacción secundaria y ancilar a los textos poéticos.

Por el contrario, al asumir una actitud activa como productor de significaciones sociales, el crítico literario debe comprender que su trabajo académico de canonización y explicación de textos poéticos es parte de la labor global de construcción del universo simbólico mediante el cual las generaciones adoptan una identidad nacional cohesiva que les permite compartir tareas y tematizar preocupaciones como comunidad de valores, símbolos, cúmulo de tradiciones y experiencias históricas heredadas, identidades de clase y absorber múltiples, dispares y diferenciadas formas de actividad en los diversos planos estructurales de la formación social, asumiéndola como unidad histórica de mayor o menor grado de organicidad, cuyo objetivo colectivo debe ser la defensa de los derechos humanos.

### Temáticas prioritarias para esta crítica literaria

Lo que llamo construcción de un universo simbólico para la nacionalidad, desde la perspectiva de Brunner

... tiene una especificidad propia: ésta radica en la posibilidad de elaboración de una identidad colectiva que sea capaz de contener la diversidad de los sujetos sociales, permitiendo su reconocimiento recíproco incluso a través del conflicto (y no a pesar de él) y que facilite el aprendizaje colectivo no sólo en el campo del desarrollo de las fuerzas productivas sino también en el de la acción comunicativa mediante la cual se negocian sentidos, se establecen normas y se definen proyectos de vida individuales y sociales [p. 32].

Esta afirmación contiene áreas de investigación que la crítica literaria debería sistematizar como zonas paradigmáticas de indagación futura para el entendimiento de la acción humana comunitaria en el tiempo y en el espacio, en el contexto de procesos redemocratizadores. Es en esas zonas donde posiblemente surgirán variaciones en la estructura de los sistemas temáticos, metafóricos y simbólicos de representación literaria existentes. Estas variaciones darán cuenta de los quiebres institucionales bajo el fascismo como experiencia histórica vivida, junto con formas de superarlos en el proceso de rearticulación cultural en términos políticamente más democráticos. Por tanto, serán variaciones conducentes al respeto y ampliación de los derechos humanos. Quizás ellas se manifiesten como nuevos motivos arquetípicos[8] referidos a los siguientes problemas de la representación poética:

1) La proposición de nuevos espacios materiales y espirituales en que el contacto entre las clases, fragmentado y obstaculizado por la represión fascista, volverá a darse fluidamente, de manera que ellas vuelvan a exhibir y a comunicarse sensual y mutuamente sus modos idiosincráticos de existir, sus aspiraciones e intereses como identidades culturales diferenciadas. La proposición poética de esos nuevos espacios de la fluidez social deberá desmantelar las reacciones anímicas interiorizadas por la ciudadanía a través de las prácticas públicas del fascismo: "*intervenciones* (por ejemplo, de las universidades), *censuras* (por ejemplo, para publicar escritos), *interdicciones* (por ejemplo, para acceder a los medios masivos de comunicación), *prohibiciones* (por ejemplo, para representar tal o cual obra de teatro), *ilicitudes* (por ejemplo, para difundir el marxismo), *impedimentos* (por ejemplo, para crear revistas o diarios), *exclusiones* (por ejemplo, de académicos y maestros, de arriba a abajo, en todos los niveles del sistema de enseñanza)" (pp. 15-16).

2) La observación y estudio de las formas de aprendizaje de nuevos modos de conducta para la interpelación mutua que deberán ser plasmados en las tipificaciones de personajes representativos de las diversas clases sociales sobre la base del consenso redemocratizador, en circunstancias en que el legado fascista ha sido el cultivo consciente y la promoción decidida de "un grado peligroso de intolerancia civil [que] extiende la lógica de la guerra y de la aniquilación del enemigo. . ." (p. 41).

3) La reelaboración del sentido de los programas emocionales normalmente estructurados en géneros retóricos como el melodrama, la

comedia, la épica, etc., para dirigirlos a tres órdenes de apropiación de la sociedad como ámbito para la vida, en que se consideren la relación cuerpo/espíritu, la intimidad individual, la privacidad familiar, doméstica y laboral, lo público: a) interpelar a la "ciudadanía" a una convivencia colectiva y pública que proteja la redemocratización en circunstancias en que el militarismo fascista que cercenó la vivencia social colectivista no ha sido desmantelado; b) generar una convicción íntima y privada para la participación pública del individuo en las temáticas de preocupación colectiva de su comunidad nacional —es decir, la participación en la política nacional— que supere los mecanismos de autocensura que interiorizara la represión fascista en su intento de despolitizar radicalmente la experiencia de la sociedad civil; c) reconstruir una ética colectivista que afirme la noción de la solidaridad en lo material y lo afectivo y lleve a repudiar la noción de que compartir la producción de cultura nacional es asunto exclusivo de distribución y acceso al consumo mercantil.

4) Observar y estudiar la forma en que los personajes que tipifican las diversas clases sociales revisarán el significado, los temas, metáforas y símbolos del universo simbólico de la cultura anterior para asumirla de acuerdo con las nuevas coyunturas de protección, profundización y mantenimiento a largo plazo del proceso redemocratizador.

5) Observar y estudiar las formas en que se representa poéticamente y se proyecta el futuro de las generaciones jóvenes que vivieron los períodos fascistas sin que su conciencia social estuviera desarrollada, en que fueron sometidos como seres inermes a las modificaciones del sistema educacional instauradas por el fascismo en su intento de refundación de las culturas nacionales.

6) Observar y estudiar las formas de conducta desarrolladas para absorber en el presente de la redemocratización el pasado traumático de las detenciones arbitrarias, las torturas y los desaparecimientos, de manera que se pueda llevar adelante una cotidianidad normal, pero sin que sean abandonados ni el principio de la justicia efectiva ni la memoria de la barbarie para educación de las generaciones futuras, en circunstancias en que todavía no existe un bloque político hegemónico que pueda realmente enjuiciar a los culpables.

7) Tener conciencia de que, en este nuevo período de la crítica literaria, la producción de conocimiento sobre el discurso poético está aún más estrechamente conectada a los grandes sucesos de la historia política de nuestras sociedades pero que, sin embargo, no se lo puede reducir simplemente a lo político. Coincidimos con Brunner en que es necesario apuntar "a un problema más vasto y más profundo que el de la mera transformación del régimen político, en la cual, de cualquier modo, se jugará sólo una parte de nuestra historia colectiva. El sentido más radical de ésta será, en cambio, producto de la cultura que seamos capaces de conformar, esto es, de los modos de integración social que adquiera la nación y de las formas de comunicación que ella haga posible, ampliando o no la construcción social de la realidad que compartimos, asegu-

rando o no una vida significativa para todos, transformando o no los sentidos con que investimos nuestras acciones, y las razones con que respondemos a las interrogaciones de nuestra existencia personal y social".

## Deslindes de identidad de los agentes sociales
### en esta crítica literaria

Ya que en la materialidad histórica la defensa y expansión de los derechos humanos requiere agentes sociales de cambio que los encarnen en su contexto social, estimo indispensable anticipar las zonas de conflicto ideológico presente y futuro contenidas en un campo simbólico como el propuesto. Sin duda el surgimiento de estas zonas conflictivas está directamente relacionado con el consenso posible entre las diferentes clases sociales en dos aspectos: 1) la mayor o menor voluntad de reconocer la amplitud de los derechos humanos pasando por la gama total de ellos —la seguridad del individuo frente al Estado, los derechos civiles y los derechos económicos y sociales; 2) la capacidad y voluntad de las diversas clases sociales y fracciones de clase para pasar de la postura de reconocimiento *formal* de los derechos humanos —que de manera ceremonial los incluye en la letra de la ley— al reconocimiento *positivo* de los derechos humanos, en que tanto la sociedad civil como la autoridad estatal deben asumir la obligación y responsabilidad de implementarlos activamente.

No hay duda de que todo sector social está dispuesto, por lo menos retóricamente, a la defensa de los derechos humanos tanto como afirmación de la propia dignidad moral y ética como también por la necesidad de legitimarse políticamente ante la colectividad, en cuanto sus intereses e identidad social y cultural no se vean amenazados. Como lo han demostrado los sectores directamente transnacionalizados de las burguesías o las clases y sectores ligados a ellas durante los fascismos latinoamericanos, en la medida en que necesiten renegociar la inserción de las economías nacionales en el sistema capitalista internacional y asegurar un libre flujo de capital, tienden a presionar por soluciones políticamente dictatoriales para así restringir las demandas organizadas de reivindicación económica y social de los otros sectores. Esto, obviamente, redunda en una restricción de todos los derechos humanos, particularmente los económicos y sociales. En el mejor de los casos, sus sectores más "iluminados" buscan aperturas y alianzas políticas con el objeto de formar coaliciones de centro-derecha para excluir a la oposición marxista-leninista en fórmulas tituladas "democracia protegida" o "democracia restringida".

Como ilustración de una posible argumentación afín a esta definición restringida de la democracia, consideremos palabras de Maurice Cranston, distinguido politólogo de la Universidad de Londres. En ellas se hace patente la noción de que la defensa de los derechos económicos y sociales es prácticamente una conspiración comunista:

Creo que un concepto filosóficamente respetable de los derechos humanos ha sido viciado, oscurecido y debilitado en años recientes por un intento de incorporar derechos específicos de una categoría lógica diferente. Los derechos humanos tradicionales son políticos y civiles tales como el derecho a la vida, la libertad y un procesamiento jurídico justo. Los que ahora se nos presentan como derechos humanos son los económicos y sociales, tales como el derecho al seguro contra el desempleo, pensiones para la vejez, servicios médicos y vacaciones pagadas. Hay tanto una objeción filosófica como política contra esto. La objeción filosófica es que la nueva teoría de los derechos humanos no tiene sentido. La objeción política es que la circulación de una noción confusa de los derechos humanos impide la protección efectiva de los que correctamente deben ser considerados como derechos humanos [ . . . ] La inclusión de derechos económicos y sociales en la Declaración Universal [de Derechos Humanos de las Naciones Unidas] representó una considerable victoria diplomática para los miembros comunistas de las Naciones Unidas, a pesar de que, cuando se entró de lleno en la cuestión, la Unión Soviética no votó por la Declaración Universal de 1948, sino que se abstuvo: de modo que la Declaración fue "aprobada y proclamada" *nemine contradicente* más bien que unánimemente[ . . . ] Los derechos económicos y sociales eran desconocidos para Locke y los otros teóricos de los derechos naturales en el pasado, y quizás se podría pensar que es un índice de progreso que hoy en día se los considere derechos humanos. Pero hay un peligro aquí de que el corazón de los hombres predomine sobre su cabeza; y argumentaré que [ . . . ] "los derechos económicos y sociales" no pueden ser considerados lógicamente como derechos humanos universales, y que el intento de hacerlo ha viciado totalmente la empresa de proteger los derechos humanos a través de las Naciones Unidas. Mucha gente, por supuesto, además de los comunistas, cree en el concepto de los derechos económicos y sociales; pero la ventaja diplomática que adquirieron los gobiernos comunistas con la inclusión de tales derechos en la Declaración Universal es que les permitió declarar, verídicamente, que una proporción sustancial de los derechos proclamados ya eran respetados por sus regímenes. Ciertamente, los gobiernos comunistas no podrían seriamente declarar que han respetado los derechos de libertad, propiedad, o seguridad de arrestos arbitrarios, juicios secretos o trabajo forzado; pero podrían justamente declarar que proveen educación, seguridad social, y "vacaciones periódicas pagadas"[9].

Se puede captar la afinidad posible de esta definición de los derechos humanos con la "democracia protegida" propuesta por el fascismo si extendemos las implicaciones de los pasajes citados para comprender que, por tanto, toda persona que enfatice la defensa de los derechos económicos y sociales, de acuerdo con la visión paranoica de la Doctrina de la Seguridad Nacional empleada por los militares, puede ser tildada de comunista aunque no lo sea, y por tanto, convertirse en blanco legítimo para los aparatos secretos de seguridad fascista, hecho que ha sido ampliamente documentado en todos los países del Cono Sur.

Por otra parte, en el examen de las opciones para la redemocratización y la restauración de los derechos humanos son claramente perceptibles actitudes de tipo conciliatorio ante los conflictos burgueses y proletarios, actitudes que han sido "tradicionalmente" asociadas con la situación de las pequeñas burguesías, en especial las profesionales. Los argumentos de José Joaquín Brunner en cuanto a la "nación democrática" son parte de este cuadro y conviene deslindar su identidad.

Ernesto Laclau ha tipificado la estrategia discursiva cultural de las pequeñas burguesías al constituirse en agentes políticos llamándola "apelación a lo popular–democrático"[10]. Respondiendo a su difícil supervivencia entre las dos clases sociales fundamentales del sistema capitalista por su función en el aparato productivo —la gran burguesía y el proletariado—, la pequeña burguesía profesional tiende a articular su discurso cultural soslayando identidades de clase originadas en su función estructural en el aparato productivo para aposentarlo en zonas de la argumentación en que tales perfiles se difuminan. El discurso cultural es desplazado hacia un terreno llamado "lo popular–democrático". Este término se refiere a la acumulación a través del tiempo de amplias y difusas aspiraciones de liberación y afirmación de derechos ante la opresión estatal y de clase expresadas a través de la historia por todas las clases sociales que han existido en una nación. A los argumentos de Laclau se puede agregar que definir lo popular y lo democrático, según esta estrategia, permite a las pequeñas burguesías constituidas en agentes político–culturales apelar simultáneamente a las grandes burguesías y al proletariado para convertirse en agencia mediadora de sus conflictos, arrogándose una funcionalidad político–institucional "volante". Es decir, esas pequeñas burguesías se convierten en agencias compensadoras de los desequilibrios coyunturales del poder político. Periódicamente cambian sus pactos y convenios con la gran burguesía y con el proletariado para alterar la balanza de juego, plegándose momentáneamente a la política de una u otra clase.

Esa función político–institucional "volante" condiciona una postura conciliadora entre las dos clases sociales fundamentales. En los argumentos de Brunner esa postura se advierte en el énfasis que hace sobre la posibilidad de una nueva cultura política prestando atención casi exclusiva a la superestructura de valores, restando importancia a la razón económico–infraestructural de la que surge la lógica política que necesita el terrorismo de Estado para fortalecer el capitalismo dependiente. Dos pasajes de su trabajo son claves para certificar esta conciliación:

> En este sentido puede decirse que la nación democrática tiene por base ético–cultural la elaboración comunicativa de sus conflictos y la definición negociada de los fines de la acción colectiva. El primer rasgo reclama un espacio público para la política, y supone condicio-

nes equitativas de acceso para la representación de todos los sujetos sociales; el segundo aspecto supone una conformación particular del Estado, que debe admitir el control y balance ante los poderes, la elaboración parlamentaria de las leyes y la defensa de los derechos de los individuos frente a la autoridad que es además responsable públicamente por sus decisiones [ . . . ] No se quiere decir con ello que las posiciones estructurales, por ejemplo aquellas ancladas en la división social del trabajo, carezcan de importancia en la conformación de los sujetos [político-culturales]. Más bien, se quiere indicar que ellos no logran constituirse por entero, ni siquiera de maneras decisivas, solamente sobre la base de las posiciones estructurales. Recién adquieren consistencia como sujetos sociales una vez que emergen al plano del reconocimiento intersubjetivo, que lo constituyen en la esfera comunicativa pues, otorgando sentido a una constelación específica de intereses que logra ser expresada bajo la forma de un proyecto (ideología) [p. 34].

Como se observa, no se dirige la discusión a la razón genética de los efectos cada vez más desintegradores del capitalismo transnacionalizado y sus agentes internos en el capital financiero sobre las culturas nacionales de las sociedades dependientes.

Como correlato de esa conciliación, se posterga la cuestión de la cultura proletaria y la transición hacia el socialismo como estructuración social más afín a la tarea de concretar la más amplia gama de derechos humanos. Brunner dice:

La pregunta que debemos formularnos es, por tanto, si existe en Chile y bajo qué formas culturales algo que pueda llamarse la nación democrática [ . . . ] Nótese que partimos de este punto y no de otro, que preferimos explicitar de inmediato. Pues podríamos preguntarnos si existe hoy y bajo qué formas culturales la nación proletaria. En verdad [ . . . ] este punto de partida fue el origen de profundos errores en la concepción de la política y de la propuesta cultural de la Unión Popular y estuvo en el origen de la derrota del año 1973. Pero no es sólo por eso que hemos descartado este punto de partida. Lo hacemos, también, porque nos parece teóricamente insostenible, tanto al menos como el sueño de la nación burguesa [pp. 30-31].

Indudablemente, este tipo de función político-cultural es de importancia e influencia en situaciones de redemocratización como las que han vivido Uruguay y Argentina y la que aparentemente se está perfilando en Chile. Luego del agotamiento emocional experimentado por la colectividad nacional, tanto en el curso de las luchas suscitadas por una hegemonía irresuelta en el período anterior a la toma del poder por los fascistas como durante la violenta represión ocurrida con la instauración del fascismo, las apelaciones políticas de un centrismo pequeñoburgués que asume una lógica conciliadora son de particular atractivo.

Por otra parte, dentro del contexto de la grave crisis internacional —marcada ella por el acentuado proteccionismo a la industria nacional impuesta por los países capitalistas centrales, las restricciones al libre comercio internacional y las depresiones económicas resultantes de ello, la dificultad en el pago de la deuda externa por los países del Tercer Mundo y la reducción de las importaciones–, el fracaso de la política económica neoliberal militarizada parece abrir nuevamente la posibilidad de un proyecto de desarrollo nacional anclado prioritariamente en la economía interna, con una mayor autonomía nacional de decisiones, en que el Estado recuperará otra vez funciones claves: administrar la política monetaria interna, controlar las tasas de interés, mantener el equilibrio de los pagos internacionales, habilitar mecanismos para promover la producción nacional junto con protegerla del impacto de la economía exterior, además de desarrollar programas para enfrentar la crisis económica mundial, aminorar los ciclos de recesión y aliviar el desempleo[11]. En estas circunstancias, esta conciliación –actualmente asociada con la socialdemocracia–, sin duda tendrá una función orgánica en la concertación de un pacto nacional que articule los sectores sociales más vastos dentro de un esquema económico capitalista en que el Estado volverá a tener una fuerte injerencia. A nivel cultural, quizás el Estado proceda nuevamente a institucionalizar y promover la producción ideológica necesaria para mantener esas articulaciones sociales, como ya se diera en los populismos anteriores.

Sin embargo, es preciso tener en mente dos tipos de consideraciones: como ya lo demostró la experiencia de los populismos anteriores, es limitada tanto la duración como la eficiencia de pactos políticos que, a través del Estado, promueven y protegen el capitalismo nacional controlando la injerencia del capital transnacional. Como condicionamiento de esa ineficiencia no solamente está el hecho de que se dejen intocadas las bases del poder del capital monopólico financiero transnacionalizado y sus relaciones de sostén político en el militarismo, sino que, además, sectores del mismo capital nacional surgidos en esos períodos de relativa autonomía económica tienden a buscar relaciones con el capital transnacionalizado para acrecentar su poder económico. Con ello están dadas las raíces futuras para nuevos ciclos represivos. Así, la defensa de los derechos humanos tendrá marcadas sus limitaciones desde el comienzo mismo del proceso de redemocratización porque, obviamente, la satisfacción de todos los derechos económicos y sociales no es compatible con la acumulación privada de capital.

Según planteábamos, vistas las luchas sociales desde la perspectiva de los derechos humanos, ellas girarán en torno a la forma en que las posturas conciliadoras mantengan los derechos económicos y sociales en una categoría formal, sin asumir la responsabilidad ni la obligación de implementarlos concretamente. La aspiración de convertir esos derechos en positivos sin duda hará que el perfilamiento de la identidad político–cultural del proletariado, como agente hegemónico capaz de establecer una democracia más afín con la defensa de los derechos humanos, volverá a plantearse con la misma intensidad que siempre ha tenido. En esas circunstancias la crítica literaria habrá entrado a otro ciclo de desarrollo, marcado por la nueva necesidad de problematizarse a sí misma en relación a ese referente social masivo para su tarea de institucionalización poética.

## Función de los foros internacionales

Para terminar, recuperemos la mención ya hecha en el segundo orden de premisas con que iniciáramos este trabajo de uno de los quehaceres de la crítica literaria: el significado de los foros internacionales.

Si se acepta el fundamento axiológico de una recanonización sobre la base propuesta, estos foros profesionales deberían considerar como núcleo ideológico orgánicamente manifestado en su formato de sesiones la relación entre crítica literaria y evolución histórica y actual de los derechos humanos; o por lo menos, integrar un cierto número de paneles a la discusión de esta problemática. Parte esencial de ese núcleo debería ser el reconocimiento de que la defensa de los derechos humanos es tarea que ha rebasado los límites nacionales, transformándose en deber internacional. Al respecto deberían tenerse en cuenta preceptos ya establecidos jurídicamente en el derecho internacional, que podrían ser trasladados analógicamente a nuestro quehacer académico.

Al respecto, sigamos consideraciones centrales en los argumentos del jurista Hernán Montealegre:

> No se repara suficientemente en que los derechos humanos son considerados por el derecho internacional desde un doble punto de vista. En primer lugar, el derecho de gentes ha introducido a sus normas un elemento sustantivo nuevo, cual es el reconocimiento de la dignidad de la persona, con lo que el individuo se incorpora progresivamente a un papel de sujeto del derecho internacional y se le reconocen problemas fundamentales que no pueden ser desconocidos por los otros sujetos del derecho internacional, en especial los Estados. Esta vía de asimilación de los derechos humanos es *por extensión,* ya que significa expandir las normas del derecho internacional a un campo nuevo, cual es la dignidad de la persona, antes no considerada temática y directamente como un objeto jurídico separado del derecho internacional. En segundo lugar, los derechos humanos se han convertido en materia del derecho internacional porque su vigencia o desconocimiento, en especial colectivos, repercuten en un objeto jurídico tradicionalmente considerado por el derecho de gentes, y que es la paz internacional. Esta perspectiva de interés en los derechos humanos es, pues, *por inclusión,* en cuanto se trata de un asunto que hoy se estima esencialmente envuelto en la preocupación del derecho de gentes por mantener la paz entre los Estados. Un conflicto interno que viola los derechos humanos afecta, pues, dos objetos jurídicos propios del derecho internacional: la dignidad de la persona humana y la paz internacional [p. 654].

En otras palabras, al convertirse el individuo en sujeto de tal importancia en el derecho de gentes e internacional, corresponde a todo intelectual, de toda sociedad, preocuparse del estudio, significación cultural y estado actual de los derechos humanos, más allá de toda diferencia nacional. Por tanto, los foros internacionales de intercambio intelectual en la crítica literaria deberían ser intensamente aprovechados en este sentido. Hacerlo solucionaría, por otra parte, uno de los problemas que enfrenta la crítica literaria académica realizada en el extranjero, tanto por críticos literarios exiliados de nuestros países como por nacionales de los países anfitriones: el peligro de que, en el enclaustramiento de su quehacer en sistemas universitarios en que hay tendencia a separar la producción de conocimiento humanista de preocupaciones sociales más amplias, las temáticas planteadas en el estudio sean de limitada trascendencia o sujeta del todo a la subjetividad aislada del investigador. Frente a las reverberaciones culturales de los hechos más señeros de la historia latinoamericana, la Revolución Cubana, el surgimiento de los fascismos: en Brasil y en el Cono Sur y el triunfo, iniciación y defensa de las revoluciones en Nicaragua y El Salvador, continuar en ese enclaustramiento pondría a una crítica literaria exclusivamente técnica y profesional en una situación enormemente debilitada *en lo social* por lo superfluo.

# NOTAS

[1] En cuanto a las consecuencias ideológicas de este diálogo para la concepción de la cultura nacional en un contexto populista ver: Mabel Moraña, *Literatura y cultura nacional en Hispanoamérica (1910–1940)*. Minneapolis, Minnesota: Institute for the Study of Ideologies and Literature, 1984.

[2] El ideólogo más importante dentro de Chile con respecto a este cuestionamiento es Tomás Moulián. Ver: "Lucha política y clases sociales en el período 1970–1973". Documento de Trabajo de FLACSO (Santiago de Chile), 1976; "Cuestiones de teoría política marxista: una crítica de Lenin". Documento de Trabajo, Nº 105, FLACSO (Santiago de Chile), diciembre, 1980; "Democracia, socialismo y soberanía popular". Material de Discusión Nº 20, FLACSO (Santiago de Chile), septiembre, 1981; "Por un marxismo secularizado" *Mensaje* (Santiago de Chile), octubre, 1981; "Desarrollo político en Chile". Estudios Cieplan (Santiago de Chile) Nº 8, julio, 1982.

[3] Considérense palabras de Jacques Maritain: "El ser humano posee derechos debido al hecho mismo de que es persona, un todo, amo de sí mismo y de sus actos, y que por consecuencia no es meramente un medio para un fin, sino un fin en sí mismo, un fin que debe ser tratado como tal. ¿La dignidad de la persona humana? La expresión no significa nada si es que no señala que por virtud de la ley natural, la persona humana tiene el derecho a ser respetada, es el sujeto de derechos, posee derechos. Estas son cosas que se deben al hombre debido al mismo hecho de ser hombre". *The Rights of Man,* London, 1944, p. 37.

[4] Hernán Montealegre Klenner, *La seguridad del Estado y los derechos humanos.* Santiago de Chile: Academia de Humanismo Cristiano, 1979, p. 720. La obra citada es un manual jurídico preparado con materiales que este jurista —uno de los más importantes en lo que respecta a la defensa de los derechos humanos y asociado largo tiempo con la Vicaría de la Solidaridad de la Iglesia Católica de Chile— usara en la defensa legal de prisioneros ante los tribunales militares que enjuiciaron a dirigentes sindicales y políticos de la Unidad Popular. Constantemente me referiré a este manual, por lo que, de aquí en adelante, señalaré número de página inmediatamente después del texto citado.

[5] *Ibid.*

[6] Tomo el término *universo simbólico* de la sociología constructivista. Ver: Peter L. Berger and Thomas Luckmann, *The Social Construction of Reality.* Garden City, New York: Anchor Books, Doubleday & Company, Inc., 1967: "Los orígenes del universo simbólico tienen su raíz en la constitución del hombre. Si el hombre en sociedad es un constructor de mundos, esto es posible por su apertura al mundo constitucionalmente dada, lo cual ya implica el conflicto entre orden y caos. La existencia humana es, *ab initio,* una permanente exteriorización. A medida que el hombre se exterioriza, construye el mundo *dentro* del cual se exterioriza. En el proceso de exteriorización, proyecta sus propias significaciones sobre la realidad. Los universos simbólicos, que proclaman que *toda* la realidad es humanamente significativa y requieren de la *totalidad* del cosmos que signifiquen la validez de la existencia humana, constituyen los límites más amplios de esta proyección". p. 104.

[7] Documento de Trabajo Nº 177, FLACSO (Santiago de Chile), mayo, 1983. Como antecedente de este trabajo debiera considerarse, además, por el mismo autor, "Autoritarismo y cultura en Chile". Material de Discusión Nº 44, FLACSO (Santiago de Chile), mayo, 1983; *La cultura autoritaria en Chile.* Santiago de Chile: FLACSO– Latin American Studies Program, University of Minnesota, 1982.

[8] Por motivo arquetípico se entiende uno que en su aparición continua tiene la capacidad de constelar en referencia a él una multiplicidad de motivos secundarios de la ficción poética. Toda tradición literaria, entendida como sistema simbólico, realmente está formada por una cantidad bastante pequeña de estos motivos arquetípicos. Ver: Hernán Vidal, *Sentido y práctica de la crítica literaria socio-histórica: Panfleto para la proposición de una arqueología acotada.* Minneapolis, Minnesota: Institute for the Study of Ideologies and Literature, 1984.

[9] Maurice Cranston, *What are Human Rights?* New York: Taplinger Publishing Co., Inc., 1973, p. 65; 54.

[10] Ernesto Laclau, *Politics and Ideology in Marxist Theory.* London: Verso Editions, 1979.

[11] Para un sucinto análisis de la situación económico-política latinoamericana actual, de donde he tomado los datos aquí usados, ver: Jaime Estévez, "América Latina: crisis económica y cambio político" Material de Discusión Nº 46, FLACSO (Santiago de Chile), julio, 1983.

FRANCOISE PERUS

# LA FORMACION IDEOLOGICA ESTETICO-LITERARIA*

## (ACERCA DE LA REPRODUCCION Y TRANSFORMACION DEL "EFECTO ESTETICO")

Sé lo que puede tener de un poco áspero el tratar los discursos no a partir de la dulce, muda e íntima conciencia que en ellos se expresa, sino de un oscuro conjunto de reglas anónimas. Lo que hay de desagradable en hacer aparecer los límites y las necesidades de una práctica, allí donde se tenía la costumbre de ver desplegarse, en una pura transparencia, los juegos del genio y de la libertad.

MICHEL FOUCAULT, *La arqueología del saber* [353]

¿Qué miedo es, pues, ése que le hace responder a Ud. en términos de conciencia cuando se le hable de una práctica, de sus condiciones, de sus reglas, de sus transformaciones históricas? ¿Qué miedo es, pues, ése que le hace a usted buscar, más allá de todos los límites, las rupturas, las sacudidas, las escanciones, el gran destino histórico-trascendental del Occidente?

A esta pregunta, estoy convencido de que la única respuesta que hay es política.

MICHEL FOUCAULT, *La arqueología del saber* [353]

## I. LA FORMACION ESTETICO-LITERARIA: PROBLEMAS DE DEFINICION

DEFINIREMOS A LA FORMACIÓN ideológica estético-literaria como el *lugar del proceso de producción y reproducción de las ideologías estéticas que rigen, conjuntamente, la conformación del ámbito de la literatura y "lo*

* *Revista Iberoamericana*, XLVII, núm. 114-115 (1981), pp. 255-75.

*literario", y las prácticas de la lectura y la escritura.* Este proceso se inscribe a su vez en el marco del aparato ideológico constituido por el conjunto de instituciones de carácter escolar, universitario y para–universitario que domina dicha formación y asegura su reproducción.

Formulado en estos términos, el planteamiento apunta pues al esclarecimiento del *funcionamiento* concreto de la formación ideológica estético–literaria, y al de los *mecanismos* en los que descansa la reproducción del llamado efecto estético. Apunta asimismo al examen de las condiciones de su posible y necesaria transformación.

Para el análisis de los problemas planteados –que por ahora no pretendemos llevar a cabo más que en términos generales– conviene partir del estudio de las ideologías de carácter idealista predominantes en el seno de la formación ideológica en cuestión, para mostrar la *función* que objetivamente cumplen tales ideologías con respecto a la práctica de la lectura y la escritura y al establecimiento de las fronteras entre "lo literario" y lo "no literario", y sus *efectos específicos* en cuanto a la reproducción de determinadas formas de la conciencia social.

El estudio que proponemos conlleva entonces la adopción de una perspectiva materialista que, junto con devolver a las posiciones idealistas dominantes su justa dimensión y perspectiva histórica, debería llevar a la *transformación* de los planteamientos impuestos por aquella filosofía, a la vez que el bosquejo de una política cultural concreta en este campo particular; política concreta sin la cual la transformación en cuestión corre el riesgo de permanecer en el plano de los puros enunciados.

Lo formulado hasta aquí muestra desde ya que la formación ideológica estético–literaria es, como cualquier otra, una formación esencialmente *contradictoria,* en la que debaten posiciones idealistas y materialistas, y en la que, por razones que veremos más adelante, predominan las primeras. Predominio que implica antes que nada que las posiciones materialistas tienen necesariamente que definirse frente a una problemática que no es propiamente la suya y, por consiguiente, que sus posibilidades concretas de desarrollo radican no tanto en sus esfuerzos por contestar con el materialismo histórico y dialéctico a las preguntas formuladas por el idealismo, cuanto en su capacidad (no abstracta, sino histórica y socialmente dada) para reformular y transformar dichas preguntas.

De esta confrontación se desprende asimismo que en las distintas ideologías encontradas que configuran la formación estético–literaria, las posiciones idealistas y materialistas *no se dan en estado puro,* sino que en unas y otras tales posiciones se encuentran contradictoriamente imbricadas dentro de una *relación desigual de dominación/subordinación,* la cual se define fundamentalmente por el modo peculiar en que cada una de ellas asume y "resuelve" las contradicciones inherentes a la formación ideológica en su conjunto. Contradicciones estas que giran en última instancia en torno a una oposición entre *esencia y existencia,* que en este campo particular ha asumido –al menos desde el advenimiento de la sociedad capitalista– la forma de una discusión en torno a la fundamentación del "valor estético", de las obras literarias y esto aun cuando cierto objetivismo positivista latente en algunas corrientes derivadas del estructuralismo lingüístico, conjugadas  —o no— con una sociología empirista de la lectura, puedan dar la impresión de que, de un tiempo a esta parte, los problemas del "valor" estético se han ido desplazando hacia los de la fundamentación "científica" de la "significación". Sobre ello volveremos más adelante.

## II. LAS IDEOLOGIAS ESTETICAS DOMINANTES

La literatura, o más bien lo que empíricamente consideramos como tal, no es como lo supone y a menudo lo afirma la filosofía idealista, una esencia siempre idéntica a sí misma, sino un campo de fronteras y contenidos fluctuantes que se constituye y reproduce histórica y socialmente.

Pero este campo tampoco se constituye de manera *lineal* en el sentido de que, separándose paulatinamente de la magia, los mitos o la religión, y posteriormente de otras formas de discursos como el filosófico o el político, la literatura se fuera acercando cada vez más a "su esencia", entendida ésta como una esfera totalmente autónoma, cuyo desarrollo —o más bien variaciones— no obedecieran más que a sus propias leyes internas.

Ciertamente, el desarrollo material de la sociedad se acompaña necesariamente de una creciente división y especialización del trabajo tanto material como intelectual, que redefinen las formas de aprehensión y representación de la realidad y las distintas esferas de aplicación del saber.

Pero la literatura, *que no es propiamente un saber sino una práctica específica en la ideología* situada en el nivel de lo "vivido", "sentido" y "percibido", no participa de la misma manera que las distintas disciplinas científicas de la creciente división social del trabajo intelectual: por cuanto aprehende la realidad en el nivel de los *efectos* objetivos y subjetivos de las estructuras y los procesos sociales sobre sus agentes, la literatura participa necesariamente no sólo del conjunto de formas culturales (imágenes, representaciones, símbolos) a través de los cuales tales efectos son vividos y percibidos, sino también de las contradicciones que, cimentándose en dichas formas culturales, definen a la lucha ideológica en su conjunto. Esta es, en efecto, la que en cada período determina las formas y los contenidos concretos de la conciencia social, y confiere sentido a los materiales culturales que reelabora, jerarquiza y desarrolla. Pero es además la que define —de modo siempre contradictorio— los ámbitos y niveles de la realidad susceptible de ser aprehendidos y representados por la literatura, la función social asignada a ésta y el funcionamiento concreto del hecho literario. Y por ello, precisamente, por el sesgo de las ideologías estético-literarias y el "aparato" que las sostiene.

331

Las corrientes *idealistas* actualmente dominantes en el seno de la formación estético-literaria se articulan fundamentalmente en torno a dos concepciones básicas, complementarias entre sí, aun cuando –como veremos más adelante– una y otra no funcionen exactamente en el mismo nivel.

### 1) La literatura como expresión de la subjetividad individual del autor

Concepción esencialmente basada en una doble separación: entre lo objetivo y subjetivo de una parte; entre lo individual y lo social de otra.

De acuerdo con ello:

a) Las representaciones literarias no guardan relación con la realidad histórico-objetiva, esto es con las estructuras sociales y los procesos históricos, ni por consiguiente con los *efectos* de ambos en la constitución de las formas de la conciencia social;

b) Por lo mismo, la subjetividad individual aparece desgajada del contexto histórico-social en cuyo marco se constituye como tal. El sujeto de la creación literaria tiene por tanto su principio en sí mismo, se agota en su creación y ésta con la sicología (o eventualmente el "inconsciente") del "sujeto creador".

Esta concepción no puede, por ello, más que desembocar en un tipo de crítica de carácter *especular* que, en el límite consiste en explicar la obra por la vida del autor, y ésta por aquélla.

En cuanto al "valor estético" propio de la obra, de acuerdo con estos mismos supuestos, radicaría en la peculiar "sensibilidad" del artista unida a la "originalidad" de su creación.

Sin embargo, esta misma concepción de cuño romántico –que nace y se desarrolla en consonancia con el individualismo propio de la era liberal, al cual prolonga hoy en día más allá de sus límites históricos objetivos– tiene, paradójicamente, su complemento en una práctica empiricista de la historiografía literaria, en la que las separaciones antes mencionadas (entre lo objetivo y subjetivo de una parte, y entre lo individual y lo social de otra) vuelven a fundirse en una suerte de "espíritu de época" que permea la "conciencia colectiva" de modo más o menos homogéneo, o en un "telón de fondo" sobre el que se destacan, por su "sensibilidad" y "genio" propios, unas cuantas individualidades singulares que recogen y sintetizan mejor que otras el "espíritu de la época" de que se trate. Con lo cual no hemos salido, ni de los espejismos, ni de la circularidad ideológica, ya que tanto la "época" como su "espíritu" y la "sensibilidad" del artista –y por tanto su obra– han sido concebidas *a priori* como totalidades homogéneas, y que la relación postulada entre esas totalidades sigue siendo una relación de *identidad.* Por lo mismo, lo que inicialmente se planteaba como la necesidad de llegar a dar cuenta de la "continuidad" y las "rupturas" en el desarrollo histórico de la literatura (sucesión de "movimientos", "escuelas", autores y obras se resuelve mediante una serie de oposiciones y semejanzas parciales, *no jerarqui-zadas* (unas veces temáticas, otras veces formales), y más o menos con-tingentes. En cuanto al papel motor en la evolución histórica de la litera-tura, se le atribuye más que nada a un imperativo de renovación interna, al que coadyuvan unas cuantas influencias internas o externas, cuya se-lección es asimismo más o menos arbitraria.

## 2) *La literatura como "lenguaje",*
### *o el lenguaje como materia, medio y fin del quehacer literario*

En el caso de estas "teorías", originalmente derivadas del estructura-lismo lingüístico, el problema fundamental radica no en la afirmación – incuestionable– de que toda literatura mantiene relaciones específicas con "el lenguaje", sino en la concepción misma del lenguaje que les sub-yace, concepción que descansa en fin de cuentas en una confusión de planos entre el *pensamiento* (apropiación y representación en la con-ciencia de una realidad exterior a ella) y la *materialización de éste en la lengua.* Lo cual, en el *límite,* permite no sólo proyectar el conjunto de reglas lógico-formales que organiza el sistema de la lengua sobre el pen-samiento y reducir éste a aquéllas, sino además convertir a dicha proyec-ción en "esencia" del discurso literario.

En efecto, si bien es cierto que *lenguaje y pensamiento son dos aspectos indisolublemente unidos en un mismo proceso,* y que por lo tanto no hay ni signos vacíos de contenido, ni pensamiento fuera de su materialización en un sistema de signos (en este caso verbales), ello sin embargo no autoriza a *reducir* el pensamiento al conjunto de operacio-nes lógicas implicadas en su formalización lingüística, aun cuando –como es generalmente el caso en la literatura y más concretamente en la poe-sía– el plano lingüístico formal llegue a adquirir especial relevancia. (Tanto más cuanto que, al no tratarse de un pensamiento causal-conceptual sino concreto-sensible y, por tanto, esencialmente articulado en torno a ejes metafóricos y metonímicos, la coherencia semántica del texto –que no necesariamente quiere decir univocidad– tiene a menudo que ser subrayada con procedimientos estrictamente formales.)

Antes que a una asimilación de ambos planos –que la corriente logi-cista-formalista actualmente predominante en el campo de la semántica concibe como proyección de las operaciones lógicas que rigen la organi-zación del "significante" sobre el "significado" (con la consiguiente eva-cuación de toda referencia a la historia concreta, a las circunstancias de la enunciación como a las condiciones de producción de los enunciados de que se trate, y por ende al "lugar" del sujeto con respecto a las contra-dicciones que lo determinan)–, la indisoluble unión de lenguaje y pensa-miento en todo proceso discursivo exige pues plantear el problema de la articulación entre ambos planos. Entre otros términos, en el campo de la semántica, haría falta desarrollar los instrumentos conceptuales que per-mitan deslindar y pensar dialécticamente un doble conjunto de relacio-nes: de una parte, las que existen entre el desarrollo de las formas ideológico-culturales y el proceso histórico global, y de otra, las que se hallan implicadas en la materialización de dichas formas en la base lingüística, entendida ésta como el conjunto más o menos homogéneo de reglas fonológicas, morfológicas y sintácticas que permiten, a partir de un léxico dado, la formulación de los enunciados requeridos.

Del carácter esencialmente dialéctico de esta *doble articulación del proceso discursivo con instancias que tienen cada una sus propias leyes de funcionamiento y desarrollo* (con las contradicciones ideológicas que se generan en el proceso histórico global, y con la base lingüística que les sirve de soporte) se desprende por otra parte que si bien la base lingüística (o sea el sistema de la lengua) es, en cuanto tal, ajena a la lucha ideológica, los recursos lingüístico-formales movilizados en el proceso discursivo, en cambio, no son indiferentes a la producción de determinados efectos de sentido (efectos ideológicos), y contribuyen por ende, y desde su nivel específico, a la reproducción/transformación de las formas de la conciencia social. Por lo mismo, con todo y su "trabajo sobre el significante", el "efecto estético" —que tampoco se reduce a dicho "trabajo"— tiene que ser considerado como una forma *específica* de intervención en la ideología y analizado como tal.

Huelga decir que, debido a las concepciones idealistas que siguen envolviendo a las llamadas "ciencias del lenguaje", ni la semántica ni la semiótica parecen por ahora ofrecer respuestas a este tipo de problemas. Por lo mismo, toda tentativa de "articulación" del materialismo histórico y dialéctico con aquellas disciplinas conlleva la necesidad de un riguroso examen crítico de los postulados en los que éstas descansan, a la vez que su reformulación.

En otros términos, y respecto a los pasos metodológicos a seguir en los estudios concretos, el análisis "textual" tal como lo conciben las disciplinas en cuestión no puede considerarse como el paso *previo* al establecimiento *posterior* de la relación entre "texto" y "contexto", ni tampoco como el simple "complemento" en el plano de "la forma" de la reconstitución del "contenido ideológico". Y ello, por la sencilla razón de que ni la relación entre "texto" y "contexto" puede pensarse en términos de *exterioridad,* ni la que existe necesariamente entre "forma" y "contenido" se plantea en términos de una *correspondencia* entre ambos planos, ya que de lo que finalmente se trata es de llegar a dar cuenta de los efectos ideológicos específicos que, bajo la modalidad "estética", produce el texto en el interior de un campo ideológico-cultural, cuyos márgenes *no* están definidos por "texto en sí" sino por las contradicciones de la formación histórico-social concreta en cuyo marco se produce y reproduce la "significación" de la obra de que se trate.

Sea de ello lo que fuere, los supuestos idealistas en los que descansan las teorías formalistas a las que nos venimos refiriendo son los mismos que, retomando y extrapolando la distinción *saussureana* entre lengua y habla, conducen a fundamentar —de manera más implícita que explícita— el valor estético de las obras literarias en la singular complejidad de sus estructuras formales. Estructuras formales abstractas, y como tales "universales", que por lo mismo son susceptibles de adquirir todas las significaciones que *desde fuera* se quiera proyectar sobre ellas.

En cuanto a la posibilidad de llegar a dar cuenta del proceso histórico concreto de la literatura –preocupación que está lejos de constituir el centro de las reflexiones de la corriente crítica en cuestión–, o bien queda postergada en espera de volverse estructura de estructuras en nombre de una prioridad de la "sincronía" sobre la "diacronía", o bien, trasladada al plano de la "lectura" y sus "pluralidades" –que no es sino otra manera de obviar las determinaciones concretas de las obras literarias–, desemboca en un relativismo subjetivista, paradójicamente asentado en la "objetividad" de las "estructuras significantes".

### 3) Funcionamiento de las ideologías estéticas dominantes: desigualdad y complementariedad de funciones

Después de poner de manifiesto los supuestos en los cuales descansan las dos tendencias críticas fundamentales que venimos examinando, queda por examinar su funcionamiento concreto en el marco del aparato ideológico que las sostiene. Mas no sin antes de recalcar que *en la práctica*, ni una ni otra se reducen a tales supuestos básicos que, de absolutizarse, podrían llevar a descartarlas de entrada por totalmente falsas. En sus aplicaciones concretas, contienen desde luego innegables *elementos* de conocimiento, aunque sólo fuera porque tienen que vérselas con una práctica concreta que tiende a resistir las reducciones a las que se la quiere someter, porque, aun a pesar de sus distorsiones, los problemas que recogen son sin lugar a dudas problemas reales: el del "lugar" del sujeto de la "creación" literaria en el primer caso, el de la especificidad del discurso literario en el segundo.

Además de que estas mismas corrientes tampoco son del todo impermeables a otras tendencias críticas que provienen de horizontes ideológicos y filosóficos distintos.

Rescatar lo que de válido puedan involucrar las corrientes idealistas en cuestión en sus prácticas concretas no es, sin embargo, lo que por ahora me propongo. Quisiera más bien destacar otro aspecto del problema, cual es el de la *complementariedad* de estas dos líneas críticas, aparentemente tan opuestas y desvinculadas ente sí que tienden incluso a circular y reproducirse en ámbitos distintos del aparato ideológico.

En efecto, mientras la primera constituye la corriente dominante en la enseñanza de nivel medio, la segunda es la que tiende a prevalecer en los ámbitos más altos de la docencia y la investigación universitarias.

Ligada al perfeccionamiento del aprendizaje de la lengua escrita, la primera es la que provee al alumno –que no necesariamente está destinado a convertirse ni en escritor, ni en crítico especializado– de "modelos" para aprender a "expresarse con estilo". Con lo cual, el acento está puesto, de una parte en la subjetividad individual –fuente implícita de la expresión literaria–, y de otra en la noción de estilo –entendida como "suplemento" o "adorno" en el plano de la concreción lingüístico- formal. Y como por otro lado se sienta como una evidencia que la subjetividad tiene su origen en la experiencia individual del sujeto –experiencia que por lo demás se confunde con la representación que éste pueda tener de ella–, bajo la vaga noción de "contenido", quedan entonces confundidos varios planos: el de las estructuras sociales con el de sus efectos objetivos y subjetivos sobre sus diferentes agentes y con el de las formas ideológicas y culturales en el marco de las cuales son vividos y percibidos dichos efectos. Correlativamente, ni estas formas ni los modelos lingüísticos y estilísticos puestos en juego en el trabajo propio de la escritura llegan jamás a ser considerados en sus dimensiones a la vez históricas y prácticas: generalmente sacados de la llamada literatura "universal" (esto es sacralizada, previa separación de todo contexto histórico concreto), los modelos en cuestión –que junto con ser modelos para "expresar-se" son modelos para sentir y pensar– están ahí desde siempre, y para siempre, en su hierática belleza.

Resulta pues claro que la práctica de la lectura que, con base en semejante concepción de la escritura ("transparencia" de la realidad con respecto a su representación, y "transparencia" del lenguaje con respecto a ambas), se va conformando y reproduciendo en este ámbito relativamente masivo de la enseñanza de la literatura, tiende más que nada a reforzar los mecanismos de *reconocimiento, identificación y sujeción ideológicas.* Y no podemos olvidar que es ahí donde se forma la gran masa del público lector, no sólo de *La* Literatura, sino también y sobre todo de sus subproductos.

Mientras tanto, en los niveles superiores de la enseñanza universitaria, mucho más selectivos y especializados, la literatura, cercenada de sus dimensiones vivenciales, tiende a convertirse en objeto de arduas manipulaciones, a las que una sofisticada terminología técnica presta visos de cientificidad. En efecto, no deja de resultar paradójico el que, tras amputar el signo lingüístico de su función referencial y postergar la *prise en compte* del significado, el análisis "textual", *centrado en la descripción formal del "significante",* pretenda reencontrar a la salida de sus inventarios lo que previamente se había encargado de evacuar: esto es, precisamente la significación.

Mientras no se defina el estatuto teórico del nivel de organización lingüístico-formal, toda tentativa de deducir la significación del texto del conjunto de operaciones lógicas que necesariamente lo articulan en cierto nivel –conjunto de operaciones que como tal no encierra más significación, precisamente, que su carácter lógico-formal– reduce de hecho el análisis literario a una *manipulación técnica* que convierte a la lectura en una suerte de ritual, el cual no es en fin de cuentas sino la forma más sofisticada de la sujeción ideológica. Fuera de su contribución a la fetichización de la obra literaria, esta corriente no hace por *ahora* más que mimar, en su ámbito particular, las exigencias de rigor científico que desde hace tiempo –y no precisamente bajo la forma de ideologías tecnocráticas– se han hecho presentes en el campo de las disciplinas humanas y sociales.

Ahora bien, la relación que existe entre las dos tendencias críticas fundamentales que venimos examinando no se reduce, desde luego, a una simple diferencia de especialización entre grados de enseñanza. Con la disparidad de sus enfoques y la divergencia de sus orientaciones con respecto a la estuctura social, estas tendencias determinan, como se acaba de ver, prácticas distintas de la lectura, y por lo tanto efectos ideológico-estéticos asimismo distintos.

Sin embargo, más allá de aquella disparidad de funcionamiento y funciones, lo que por ahora interesa mostrar es que ambas tendencias críticas contribuyen juntas, y desde un mismo campo particular –el de la literatura–, a la reproducción de formas de conciencia que vuelven difícil el cuestionamiento de la desigualdad de las relaciones sociales existentes, a la vez que de los distintos lugares y papeles que éstas asignan a los agentes sociales.

En efecto, sea que se *privilegie al sujeto* hasta convertirlo en principio y fin de la "creación literaria", o bien que *evacuando al sujeto* se convierta al lenguaje formalizado en materia, medio y fin del discurso literario, en ambos casos, lo que en torno a la pareja *singularidad/universalidad* se produce, no es en fin de cuentas otra cosa que la *ocultación del carácter histórico-concreto de las prácticas literarias.* Carácter histórico-concreto del que el sujeto es precisamente el "lugar", y que sólo puede aprehenderse poniendo de manifiesto las relaciones específicas que mantiene la literatura con la instancia ideológica, en el preciso sentido que confiere a este término el materialismo histórico.

Por lo ideológico, no se entiende desde luego aquí sólo a los sistemas de ideas articulados en forma conceptual, como pueden ser p.e. las ideologías políticas o los sistemas filosóficos, sino al conjunto *mucho más laxo* de ideas, representaciones, imágenes, símbolos, en el marco de los cuales los hombres viven, perciben y representan las *contradiccion-es* propias de la formación histórico-social en la que les ha tocado vivir, y su inserción concreta en ella.

Este conjunto de ideas, representaciones, imágenes, símbolos –históricamente dado puesto que recoge y plasma la experiencia histórica colectiva– tiene pues una existencia objetiva, y como tal es anterior a las conciencias individuales que en él se reconocen. Es asimismo *más o menos contradictorio,* o al menos susceptible de ser interpretado, elaborado y transformado en varios sentidos. Pero estos sentidos varios tampoco son arbitrarios: son función, en primera instancia, de la posición asumida por el sujeto con respecto a las contradicciones que lo constituyen como tal, y en última instancia de los distintos proyectos históricos de clase presentes y enfrentados en la formación social concreta de que se trate.

## III. EFECTOS ESPECIFICOS DE LAS IDEOLOGIAS ESTETICAS DOMINANTES

El ocultamiento de las relaciones que mantiene necesariamente la literatura con la instancia ideológica tal como la acabamos de definir conlleva una serie de correlatos importantes, que no están por demás precisar.

1) En primer lugar, la *distorsión* de los principales problemas que respecto de la significación, *el valor estético y su perennidad* se derivan del carácter histórico y socialmente determinado de las prácticas literarias.

En efecto, de este carácter *concreto* de las prácticas de lectura y la escritura, se desprenden antes que nada la *no-inmanencia del sentido y la no-universalidad del valor* de las obras literarias. De hecho, el sentido de las representaciones que articula una obra literaria dada no es ni unívoco, ni inmutable. Es decir, que no es necesariamente el mismo para todos en el interior de una misma formación social, y que no permanece idéntico a sí mismo a través de todos los tiempos. Y, si bien es cierto que el texto como tal organiza dichas representaciones de acuerdo a una lógica propia, ésta, sin embargo, no es puramente formal, sino que resulta de esta dialéctica particular que se establece necesariamente entre unos materiales ideológico-culturales (representaciones, símbolos, etc.) ya cargados de sentidos plurivalentes, y el sentido que, de acuerdo con un proyecto ideológico-estético dado, busca conferirles el texto al estatuirlos *como* su interior.

De modo que el famoso problema del "trabajo sobre el significante", en el que algunos quisieran ver la esencia del discurso literario, no es propiamente un trabajo sobre el *significante* sino más bien un trabajo al interior del *signo:* trabajo de disociación, reapropiación y transformación, *en un sentido determinado,* de los significados de los que viene indefectiblemente cargado el significante, y que provienen a la vez de la tradición cultural heredada y de las prácticas sociales en que se van formando y ello, por la sencilla razón de que, como ya lo dijimos antes, no hay signos vacíos de contenido —o más bien significante sin significado—, como tampoco hay significado fuera de un contexto concreto. Y también por lo que, no hay que olvidarlo, sobre el lenguaje "literario" pesa la fatalidad —¿al menos que ésa sea precisamente su suerte?— de no poder desprenderse del todo del lenguaje común en el que se plasma la experiencia histórica colectiva.

De ahí que el plano de la organización formal o sea independiente de la elaboración de determinados contenidos ideológicos, y que, aun a despecho de la ilusión que al respecto pueda alimentar el autor, este plano no sea tampoco la simple manifestación de su libre albedrío, ya que las mismas propiedades del "referente" —naturales, sociales o culturales— fijan determinados límites a las posibilidades de reapropiación/ transformación de los significados de los que el significante es el soporte lingüístico. De ahí también que la tenaz ilusión de *autonomía* que instaura el texto —y más que ningún otro el texto de ficción— tenga su contrapartida obligada en un no menos pertinaz efecto de exterioridad (que no necesariamente quiere decir "verdad") sin el cual no se explicaría la ciclópea labor de interpretación de críticos y aficionados, que no por casualidad en algo se parece a la maldición de las Danaides.

El que este efecto de exterioridad sea menos perceptible que su contrario por cuanto tiende a fundirse con la subjetividad del lector, y el que las ideologías actualmente dominantes en el seno de la formación estético-literaria busquen opacarlo o anularlo, es otro asunto que, de todos modos, no basta para suprimirlo.

Sea de ello lo que fuere, de lo anterior se desprende que el postulado de la inmanencia del sentido —en cualquiera de sus vertientes, empirista o logicista-formalista— y el de la universalidad del valor estético supuestamente inherente a determinadas obras literarias —que no es sino la prolongación del anterior— descansan en espejismos que convierten a dicha universalidad en una *universalidad abstracta:* sea que se quiera ver en cada individuo la manifestación de una supuesta "esencia humana", siempre renovada en lo singular y siempre idéntica en lo abstracto; o bien que se haga de los principios generales de la lógica formal y sus aplicaciones la manifestación de unas "estructuras universales del pensamiento", siempre renovadas en lo singular y siempre idénticas en lo abstracto.

Ahora bien, la no-inmanencia del sentido y el valor estético tampoco autoriza una salida hacia un relativismo subjetivista, ya que la lectura y los efectos ideológico-estéticos que produce no son arbitrarios: dependen conjuntamente de las propiedades de la obra de que se trate y de las ideologías estético-literarias que, en la práctica de la lectura, sobredeterminan la producción del llamado "efecto estético".

Respecto de lo primero, tiene que resultar claro que, contrariamente a la orientación de las indagaciones derivadas del estructuralismo lingüístico, la posibilidad de "lecturas plurales" que ofrece efectivamente la literatura no conduce a tratar de *aislar* una supuesta esencia polisémica del signo lingüístico "literario", cuyas "actualizaciones" —variables al infinito— dependerían de cada lector y su circunstancia particular. Pero tampoco consiste el problema en explicar a partir de qué condiciones sociales o culturales unas mismas estructuras lógico-formales adquieren significaciones distintas. En uno y otro caso, se sigue postulando que lo que preside a la estructuración de toda obra literaria es un modelo rigurosamente formal —esto es abstracto ya —histórico— que descarta toda determinación concreta de la obra, y convierte así a la tradición literaria —desprovista entonces de toda lógica histórica— en la yuxtaposición o acumulación arbitaria de unos cuantos artefactos listos para ser consumidos, de acuerdo con el gusto del momento, o de cada quien. . .

Siendo la polisemia un problema *semántico* y no propiamente *lingüístico,* la *relativa inestabilidad semántica* de los textos literarios (que por lo demás no es privativo de ellos) tiene necesariamente que ubicarse en las relaciones específicas que mantiene la literatura con la dinámica esencialmente contradictoria de la instancia ideológica y cultural, la cual no sólo constituye el horizonte semántico obligado del texto, sino también la "materia" que éste se apropia y estatuye *como* su interior, asumiendo al mismo tiempo una determinada perspectiva con respecto a ella. Y es precisamente en esta *relación* donde se definen las propiedades gnoseológicas, ideológicas e incluso estilístico–formales de toda obra literaria.

Ahora bien, dado que dichas propiedades no son cualidades intrínsecas sino instancias definibles en una *relación* que, sea dicho de paso, lleva necesariamente a invertir la prioridad teórica y metodológica del "texto" sobre el "contexto", resulta claro que la *relativa* inestabilidad semántica del primero proviene antes que nada de la naturaleza esencialmente dinámica y contradictoria del horizonte ideológico y cultural sobre el que se recorta. En otros términos, esta relativa inestabilidad semántica tiene que verse y analizarse como resultado de los efectos específicos de las contradicciones ideológicas presentes en el seno de la formación social en su conjunto y sus repercusiones en la formación estético–literaria. A ello se suma desde luego el hecho de que, como lo señalábamos antes, las prácticas discursivas que históricamente se han ido constituyendo como "literarias" se caracterizan antes que nada por situarse en el nivel de lo "vivido" de la ideología, esto es de los *efectos más que nada subjetivos de estructuras invisibles.* Por lo mismo el amplio margen de indeterminación con que aparecen generalmente estas vivencias tiende a *"universalizarlas",* dando pie al mismo tiempo para esas "interpretaciones" en donde se reproducen aquellos mecanismos de reconocimiento e identificación subjetiva, de los que la primera corriente crítica que hemos analizado no es sino una forma privilegiada.

Por otra parte, tampoco cabe duda de que la evocación de estas vivencias mediante la asociación de imágenes y símbolos que sacan su carácter polisémico de las cualidades sensibles del referente a la vez que de la red de connotaciones socio–culturales en que éste se halla inserto, contribuye a una configuración *relativamente laxa* e inestable del universo del texto, en el que los elementos articulados conservan cierta autonomía.

Sin embargo, una obra literaria no es una colección de imágenes y símbolos sueltos, sino que para que sea reconocida como tal y llegue efectivamente a formar parte de la tradición (institución) literaria existente, tiene que llegar a recoger, condensar y plasmar, en su aparente autonomía estética, un universo en el que puedan reconocerse y con el que puedan identificarse sectores sociales suficientemente amplios y duraderos. Es decir, que tiene que alcanzar una significación que rebase lo puramente singular y anecdótico, e incluso lo meramente coyuntural, para convertirse en soporte de una fuerza histórica capaz de "universalizarla" en el marco de un contexto histórico concreto, o sea de convertir-

340

la en expresión del sentir histórico colectivo. Lo cual desde luego es una cosa totalmente distinta de la que consiste, para el escritor, en instalarse de entrada en una universalidad abstracta.

A la luz de estos planteamientos, incluso la perennidad de las obras literarias —o si se quiere su pervivencia más allá de sus condiciones histó-ricas de producción (hecho que hoy por hoy constituye uno de los caba-llos de batalla de la estética idealista en contra de las explicaciones de tipo histórico social)— deja de ser un problema metafísico. Una vez "ins-titucionalizada" por obra de los factores histórico-concretos antes men-cionados, toda obra literaria se convierta de hecho en uno de los elemen-tos de la tradición cultural heredada, la cual, como se sabe, no es una colección de objetos listos para ser consumidos, sino la materialización de las distintas prácticas histórico-colectivas, como tal sujeta a una per-manente reelaboración y reapropiación a partir de las nuevas perspecti-vas abiertas por el proceso histórico global, y tratándose de la literatura a partir también de las consiguientes transformaciones de la formación estético-literaria y las ideologías que la configuran.

2) Además de las distorsiones antes mencionadas, de la ocultación del carácter histórico-concreto de las prácticas literarias, se desprende también, como primer corolario, la imposibilidad de llegar a reconstituir el proceso histórico real de la literatura a partir de las leyes generales que rigen la producción y reproducción de las prácticas de la lectura y la escritura, y el establecimiento de las fronteras entre lo "literario" y lo "no literario". El desconocimiento del funcionamiento de dichas leyes no sólo convierte este proceso en un proceso arbitrario, sino que deja libre cam-po a la actividad *normativa* de las estéticas idealistas. Actividad norma-tiva cuya función esencial consiste en reproducir indefinidamente un valor abstracto que, si bien tiene que ver con la generalización de las relaciones capitalistas de producción que convierten a la obra literaria en mercancía, no deja de guardar estrecha relación con la reproducción de determinadas formas de conciencia social: en particular, en el nivel de la enseñanza masiva, la *atomización* de la conciencia histórico-co-lectiva, bajo la forma de una *sujeción individual a condiciones de vida abstractas* y por consiguiente no modificables; y en el plano más selecti-vo, el desarrollo de una concepción tecnocrática de la "ciencia pura", desprovista de fines prácticos, que de paso se encarga también de neu-tralizar a su propio objeto de estudio.

No es por ahora mi propósito analizar los efectos concretos de di-chas ideologías sobre la reconstitución (o no reconstitución) del proce-so de la literatura latinoamericana y sus tergiversaciones —cosa que he emprendido por otra parte—, sino que quisiera subrayar que, en ausencia de una reconstrucción *objetiva* de tal proceso, resulta bastante difícil, para escritores (y críticos) imaginar las nuevas funciones y orientaciones posibles de sus prácticas, y más aún entender dicha actividad como un quehacer colectivo.

Con lo cual, llegamos al segundo corolario importante del soslayo de las determinaciones concretas de las prácticas literarias por parte de las corrientes idealistas dominantes. En efecto, el predominio de dichas concepciones en el seno de la formación ideológica estético-literaria constituye sin lugar a dudas un poderoso freno para que los mismos escritores pudieran llegar a concebir su propio quehacer como una forma específica de la práctica social. No es por tanto de extrañar que a menudo su "vocación" se les aparezca como una actividad esencialmente solitaria (exorcización de demonios personales), desvinculada de la realidad social en su conjunto, e incluso de la tradición cultural y literaria de la que son los herederos, la cual tienden a considerar como un repertorio de formas y técnicas antes que como un proceso dinámico y contradictorio, con posibilidades de desarrollo en múltiples direcciones.

El oscurecimiento sistemático de tales perspectivas para la conciencia de un sinnúmero de escritores "profesionalizados" —en el sentido de que han llegado a concebir a la literatura como una esfera totalmente autónoma y dotada de sustantividad propia— no puede en efecto más que coadyuvar para que el quehacer literario se encierre en el solipsismo y para que la escritura, convertida en tema de sí misma, vaya reproduciéndose en los márgenes cada vez más estrechos de un círculo de iniciados. Sin percatarse de que el desarrollo actual de la literatura latinoamericana —en la práctica muy por encima de las ideologías reduccionistas al uso— no pasa necesariamente por ellos, estos escritores compensan su aislamiento real con la (sospechosa) convicción de estar salvaguardando la pureza del arte de toda contaminación ideológica e instrumentalización política, sin advertir tampoco, desde su altiva soledad, que la mejor manera de someterse a las leyes del determinismo consiste precisamente en querer ignorarlas.

En fin, y en relación con lo anterior, la ocultación de las relaciones que mantiene la literatura con la instancia ideológica implica la imposibilidad de pensar el papel *activo y específico* que desempeña la literatura en la reproducción/transformación de las formas de la conciencia social, bajo la modalidad del llamado "efecto estético".

Si no me han traicionado las formulaciones anteriores del problema debería quedar claro que este papel no se desprende de las solas *intenciones* del artista, esto es, de la posición subjetivamente asumida por éste con respecto a las contradicciones que lo constituyen como tal y de las que éste es, por así decirlo, el centro, sin poder por ello, *con su sola práctica de escritor,* alcanzar las determinaciones últimas.

En este sentido, las extensas discusiones acerca del "realismo" y el "compromiso del escritor", en las que por tanto tiempo se dejaron encerrar las izquierdas latinoamericanas —y no sólo ellas—, representan sin lugar a dudas una prolongación, en el campo del marxismo, de la primera corriente crítica antes analizada que quiere ver en la obra literaria a la vez la expresión de la subjetividad del autor y un reflejo (mecánico) de la "época" que le tocó vivir. El reemplazo del "espíritu de la época" por la "realidad objetiva", y de la subjetividad del autor por su ideología (política) de clase, no basta para convertir en un análisis materialista a aquel tipo de planteamiento, cuyos reclamos descansan en un desconocimiento de la "materialidad" de la instancia ideológica y la especificidad de la literatura. El indudable voluntarismo que entrañan dichas posiciones, más la consiguiente conversión de los críticos en censores de la pureza ideológica de los escritores en la que no pueden más que desembocar, ha tenido una serie de consecuencias políticas nefastas que no es del caso analizar aquí, ni en sus causas ni en su efectos. Sin embargo, tal vez no esté por demás recalcar que tales planteamientos y todas las falsas disyuntivas y malentendidos que suscitaron no tienen su origen tanto en la filosofía materialista, cuanto en el desconocimiento de ella, o más exactamente en la importación en el campo de ésta de problemáticas que no eran propiamente suyas.

Sea de ello lo que fuere, en contraposición con los planteamientos antes mencionados, lo que aquí se ha intentado mostrar es que la contribución específica de la literatura en la reproducción/transformación de las formas de la conciencia social resulta por igual:

1) de su carácter de práctica específica en la ideología (práctica en la que el proyecto ideológico-estético del artista es sólo un elemento estructurador, que entra en relación dialéctica con la materia elaborada, y que, por consiguiente, no agota la significación de la obra), y de las propiedades (no intrínsecas) gnoseológicas, ideológicas y estilístico-formales que de ello se derivan; y

2) de las características concretas de la formación ideológica estético-literaria, y en particular de la naturaleza de las ideologías estéticas predominantes en ella que sobredeterminan la producción del efecto estético.

## IV. POSIBILIDADES DE UNA TRANSFORMACION DEL EFECTO ESTETICO

Si, como pensamos, las obras literarias no "significan" por sí solas, ni en virtud de una "esencia" supuestamente encerrada en ellas que la crítica tuviera por misión "develar", y si la significación —esto es la producción del efecto ideológico-estético— se halla sobredeterminada por las ideologías estéticas que rigen la práctica de la lectura, además de interrogarnos, como aquí se ha intentado, acerca de la función que objetivamente cumplen las corrientes críticas al uso, tenemos también que evaluar el tipo de lectura que queremos producir.

El afán nuestro por deslindar posiciones materialistas en este terreno no obedece, desde luego, a un prurito de pureza científica. Aun cuando el rigor científico constituya la condición necesaria para ubicar las contradicciones en que se hallan envueltas las teorías idealistas y medir los efectos específicos que objetivamente cumplen en la reproducción de determinadas formas de conciencia social, las tentativas por devolver a la literatura sus dimensiones histórico-concretas tampoco están desprovistas de fines prácticos. Estos, sin embargo, de ninguna manera pueden consistir en hacer tabla rasa con la producción literaria existente en nombre de valores ideológicos incólumes: antes que trasladar a otro terreno la función esencialmente normativa de la crítica idealista, los esfuerzos por sentar el análisis literario sobre bases materialistas tienen que dar lugar a la posibilidad de una *reapropiación crítica* de la tradición literaria heredada. Apropiación crítica que, a partir de la objetivación de las leyes generales que históricamente rigen la conformación y evolución de dicha tradición y el funcionamiento concreto del hecho literario, debería llevar al cuestionamiento de las funciones que las estructuras y los procesos sociales han ido asignando a las prácticas literarias. Pero no sólo eso: esta misma reapropiación crítica tendría que permitir devolver a las vivencias y representaciones artísticamente elaboradas por la literatura sus determinaciones histórico-concretas, es decir, mostrarlas como lo que realmente son: efectos objetivos y subjetivos de estructuras y procesos sociales concretos sobre sus agentes. En fin, tiene que llevar a analizar la relación forma/contenido como una dialéctica concreta, no sólo porque la "forma" siempre lo es de un "contenido" concreto, sino también porque es precisamente por esta relación concreta en donde se manifiestan los problemas de adecuación/no adecuación entre la realidad y su representación, que la escritura es susceptible (desde luego, no sin la intervención de una lectura determinada) de convertirse en un discurso *problemático,* con efectos distintos a los que pretenden asignarle las corrientes críticas idealistas al uso.

Mientras la reapropiación crítica de la tradición heredada representa la condición necesaria para llevar a imaginar las nuevas funciones que dentro de las actuales condiciones del desarrollo histórico de la lucha ideológica y política de clases podrían asumir las prácticas literarias, la evidenciación de la dialéctica concreta entre "contenido" y "forma" —en el preciso sentido que le hemos asignado— nos parece constituir la condición de posibilidad para la transformación del efecto ideológico-estético en un sentido más acorde con este mismo desarrollo histórico. En efecto, una lectura que restituya a las vivencias y representaciones estéticamente elaboradas sus determinaciones concretas suprime de hecho las bases en las que descansa la reproducción del efecto especular de reconocimiento, identificación y sujeción *individual del lector a universales abstractos,* que toda "lectura del texto en sí" contribuye a reforzar. Sin negar la existencia de tales efectos, esta otra lectura, asentada en bases materialistas, conduce de hecho a amputarlos de su dimensión metafísica y, al articularlos sobre el proceso histórico-colectivo, abre y amplía para el lector la posibilidad de analizar y cuestionar el "lugar" que, en cuanto sujeto de prácticas diferenciadas, le asignan las estructuras sociales vigentes, y la concepción que de sí mismo tiene como agente del proceso histórico.

Dicho de otra manera, para que la literatura pueda cumplir con su papel de agente transformador (y no sólo reproductor) de las formas de la conciencia social, es menester convertir a la lectura en la *de*-construcción —y no *re*-construcción (paráfrasis)— de esta unidad, tan ficticia como necesaria, en la que toda obra literaria busca aprisionar al lector incauto. Unidad ficticia que sólo se vuelve comprensible a partir de las *contradicciones* que la constituyen como tal, y de la *materialidad* de los elementos ideológico-culturales en que se asienta la ilusión que produce.

Si como piensan algunos, la función de toda ideología consiste en la "interpelación del individuo en sujeto", se habrá entendido que, de lo que con la lectura que proponemos se trata, no es obviamente de la supresión del sujeto en cuanto tal (y menos aún de la ideología), sino de abrir paso a la *transformación* de aquel *sujeto individual* que, en lo jurídico-político y en lo ideológico, siguen reproduciendo las instituciones burguesas, *en unos sujetos cualitativamente distintos, que se sientan parte y se sepan dueños de un mismo proceso histórico colectivo.*

Quedan sin embargo por puntualizar los mecanismos en los cuales descansa la reproducción de esta relación desigual entre posiciones idealistas y materialistas en el seno de la formación ideológica estético-literaria, a la vez que su razón de ser histórica.

Más allá del problema epistemológico de base, lo que a lo largo de la presente exposición hemos intentado recalcar, entre otras cosas, es que la fetichización de las obras literarias bajo la modalidad de la permanente reproducción de un valor estético abstracto —correlato de la conversión de la literatura en mercancía—, no se da en abstracto, como una pura emanación de la generalización de las relaciones capitalistas de producción y el intercambio mercantil, sino bajo formas concretas, que implican la intervención directa de la superestructura, y más específicamente de un aparato ideológico determinado. En otros términos, las tentativas por autonomizar el *valor de cambio* del producto literario de acuerdo con los requerimientos de la base económica, van acompañadas, simultáneamente, de un intenso trabajo sobre el *valor de uso* (ideológico) del producto; trabajo que junto con contribuir a la mistificación de este último, apunta al propio tiempo a la *producción de efectos ideológicos y políticos concretos.*

Ahora bien, aun cuando, como hemos visto, tales efectos distan mucho de ser homogéneos —y no podría ser de otra manera, siendo que la estructura social tampoco lo es, y en este sentido afirmar simplemente que contribuyen a la "reproducción de la ideología dominante" es decir bien poca cosa—, su unidad fundamental radica en que impiden pensar no tanto la historicidad del valor estético, cuanto la de las relaciones sociales imperantes y la de los lugares y las funciones concretas que éstas asignan en todos los órdenes de la vida a sus agentes. Y si cuestionar dichos lugares y funciones lleva necesariamente al conocimiento de su dialéctica profunda, y por consiguiente a replantear la significación y el alcance de nuestras prácticas –literarias o no– con respecto al devenir histórico colectivo no resulta demasiado difícil entender las razones del *bloqueo* al que se hallan sometidas las posiciones materialistas en el sino del aparato ideológico que domina la formación estético-literaria.

Este bloqueo descansa ante todo en la aséptica *separación* mantenida, en la mayoría de los centros de educación superior (en donde se forman también los maestros de enseñanza media), entre las ciencias sociales propiamente dichas y las llamadas ciencias "humanas".

En consecuencia, los intentos por sentar al análisis de las manifestaciones artísticas sobre bases materialistas han partido por lo general de la filosofía antes que de las ciencias sociales, evocándose más que nada el establecimiento de los fundamentos de una "estética marxista". Sólo que, contrariamente a los que hubiera sido de esperar de planteamientos que se reclamaban del materialismo histórico y dialéctico, la profusa reflexión teórica en este campo no ha desembocado en la recuperación de las prácticas artísticas concretas, ni en la reconstitución del proceso de la literatura o las artes latinoamericanas.

Sin menospreciar la importancia de la reflexión *epistemológica* en un terreno en el que, más que en ningún otro, ha florecido el idealismo, personalmente pienso, sin embargo, que esta paradójica ausencia de estudios concretos no es del todo casual. Y no sólo por lo que la reflexión en cuestión se da en el interior de la filosofía, sino porque al partir de la tradición especulativa para negarla no ha logrado todavía romper completamente con ella: el mismo postulado de una "estética marxista" sigue siendo una tentativa de respuesta a una pregunta equivocada: antes que seguir interrogándose acerca de una presunta esencia del arte (implícita en formulaciones tales como "¿qué es el arte?" incluso por encima de las distintas prácticas (literaria, pictórica, musical, etc.) agrupadas bajo una categoría empírica tan ambigua como la de "arte", corresponde al materialismo histórico y dialéctico desarrollar los instrumentos teóricos y metodológicos que permitan llegar a dar cuenta de la materialidad de las diferentes prácticas que histórica y socialmente se han ido constituyendo en "artísticas". Más que ir en busca de lo que por encima del tiempo y el espacio supuestamente las unifica, conviene inquirir sus especificidades e indagar su razón de ser histórica. En ello radica la posibilidad de sus transformaciones, a la vez que la condición de su libre desarrollo.

Por otro lado, mientras la reflexión sobre los fenómenos artísticos y literarios permanece enfrascada en discusiones teóricas, cuyos alcances resulta muy difícil medir mientras no se confronten con las prácticas y los procesos reales de los que se supone están llamados a dar cuenta, en el campo de las ciencias sociales han ocurrido otros fenómenos no menos extraños.

Esencialmente orientadas hacia el análisis de los niveles económico y político y hacia la formulación de alternativas concretas en uno y otro campo, hasta ahora las ciencias sociales han tendido a pasar por alto la importancia de los factores ideológicos y culturales, no sólo en sus tentativas por reconstituir el proceso histórico global, sino incluso en sus investigaciones acerca de las transformaciones de las mismas estructuras económicas y políticas, como si éstas caminaran solas, independientemente de las fuerzas sociales que constituyen sus soportes a la vez que los agentes concretos de su reproducción y transformación. Sin embargo, la reproducción y transformación de las estructuras sociales no son el simple resultado de una implacable lógica natural del capital, sino el efecto contradictorio de prácticas sociales concretas, en las que las concepciones ideológicas y culturales que las rigen tampoco dejan de tener su peso específico. Tan es así que es precisamente *en* ellas y en gran medida *por* ellas que los distintos agentes sociales son susceptibles de constituirse en una fuerza histórica capaz de formular alternativas concretas al estado de cosas existente. Y si bien es cierto que la formulación de dicha alternativa pasa necesariamente por la racionalidad *política* del proceso, tampoco se reduce a ésta: lo mismo que las relaciones sociales de producción y las relaciones de poder tienen sus efectos específicos en todos los órdenes de la vida (pública y privada), para ser viables las alternativas planteadas tienen obligadamente que recoger y analizar en sus relaciones específicas con lo político, aunque sin reducirlo todo a ello, las distintas problemáticas abiertas por el desarrollo sumamente complejo de las contradicciones en el seno de la formación social en su conjunto. Fuera de ello, no hay fuerza social alguna capaz de convertir a su propio proyecto histórico en el interés general de la nación, y por lo tanto de lograr una acumulación de fuerza suficiente como para permitir una transformación irreversible de las relaciones sociales existentes.

Mientras las leyes económicas (acumulación capitalista, reproducción ampliada, etc.) se nos sigan apareciendo tan inexorables como la voluntad divina, y el Estado se nos siga presentando como el ministro de aquel nuevo dios todopoderoso (encarnado en el imperialismo, la oligarquía o la burguesía dominante), las ciencias sociales, olvidadas de que tienen que ser ante todo "portadores de acción" (y de acción concreta), podrán seguir siendo reputadas ajenas a los grandes problemas del "Hombre", mientras, por otro lado, la literatura (entre otras manifestaciones culturales) también podría seguir reputada ajena a los grandes problemas sociales.

# HISTORIOGRAFIA LITERARIA:
# ¿PERIODOS HISTORICOS O CODIGOS CULTURALES?*

## 1. CONSIDERACIONES TEORICAS

EXISTE YA UNA SUFICIENTE teorización sobre la historia literaria general y sobre la hispanoamericana en particular. Algunos trabajos apuntan al cuestionamiento de la ordenación lineal y cronológica de los hechos literarios[1]. También se han planteado reparos a la agrupación generacional de los autores, que en América Latina expusieron Enrique Anderson Imbert y José Juan Arrom. Las historias literarias latinoamericanas marcadas por el historicismo positivista o los enfoques intrínsecos implantados por las estilísticas románicas parecen ya envejecidas o al menos ineficaces cuando se desarrollan en forma unilateral. Los ordenamientos por corrientes literarias tuvieron ejemplar mostración en Pedro Henríquez Ureña, a quien ha reivindicado, entre otros, Rafael Gutiérrez Girardot[2]. Ciertas teorías más recientes proponen, en cambio, la posibilidad de una historia literaria por escribir, con carácter actual, desde el punto de vista de aprovechar los aportes comprobados de tendencias como el formalismo ruso, la semiología checa de Mukarovski, la moderna semiótica –especialmente italiana y soviética– y la novísima estética de la recepción crítica del texto[3]. Esa historia se concibe como social[4] pero no determinista. Aspira a ser un verdadero ordenamiento científico de los procesos literarios entendidos desde la perspectiva de una teoría de la producción textual[5], con una periodización secuencial donde sean registradas las rupturas y los avances y donde se analicen los tres términos básicos de la comunicación artística: el autor (productor), el texto (mensaje) y el receptor (público).

En el riguroso territorio de la historiografía asistimos a un movimiento de revisión crítica sobre la linealidad de las periodizaciones. El aporte más espectacular ha sido el que promovió la escuela francesa de *Annales*[6]. Más que historia social hay quien propone hoy una historia de las

---

* En Ana Pizarro, coord., *La literatura latinoamericana como proceso*, Buenos Aires, CEAL, 1985, pp. 99-112.

sociedades como conjunto[7]. De ahí que apoyarse por transferencia en las periodizaciones de la historia general no sólo es un riesgo sino un contrasentido que ya había entrevisto José Carlos Mariátegui para Latinoamérica. Con mayor razón, al tratarse de historiar la literatura, todo parece indicar la necesidad de diseñar un modelo capaz de concebir la praxis creadora de las artes verbales como función de un sistema cultural más amplio y, éste, como proceso global de la producción social donde el texto literario asume condición de macro-signo[8].

Parece necesario establecer un marco teórico que, a tiempo de rendir balance de las historias anteriores, desemboque en la adopción precisa de un método eficiente para acometer la tarea de historiar la literatura del continente. Ese método debería estar en condiciones de incorporar el análisis textual a la inserción en los contextos cultural y social.

Dentro de lo que Haroldo de Campos ha llamado una "enciclopedia imaginaria" de la literatura general[9], esa teorización y ese método tienen como tarea primaria determinar el espacio preciso que ocupa la literatura de Latinoamérica en el contexto de las literaturas mundiales y, al mismo tiempo, señalar los niveles específicos de analogía y contraste, lo que se denominó en otra oportunidad la *historia contrastiva* de nuestra literatura[10]. Sería una historia que estudiase la literatura en función de todo el continente, sin descartar las variaciones nacionales que se dan no sólo en el plano de la dialectología discursiva, sino también en el de las concepciones y corrientes culturales que rebasan las barreras lingüísticas para constituir un universo trans-verbal común. Ya no se trata de continuar elaborando listados suplicantes para el acceso a una *universalidad* abstracta cuando no arbitraria. Se procura señalar la diferenciación dialéctica de nuestra literatura como integrante del sistema literario general.

En lo correspondiente a autores, ya no se intentaría efectuar el inventario biográfico anecdótico de cada escritor, labor más específica de un diccionario general de la literatura latinoamericana, que es tarea por realizar. Se pude concebir al autor individual como hombre-signo histórico dentro de un contexto social en el cual se comporta como un productor de signos literarios (textos) y dentro del cual evoluciona dialéctica o diacrónicamente. Un autor conceptuado con referencia a la dinámica de los cambios y las contradicciones en los modos de conceptuación de la literatura. Es decir, un autor no insertable de una vez para siempre en una sola corriente o movimiento literario, sino reiterable en el estudio de sus productos, cambiante en sus concepciones, cuando así ocurra. Por ejemplo, el Neruda de los *Veinte poemas de amor,* el Neruda de *Residencia en la tierra,* el Neruda de *Canto general* o de *España en el corazón* y el de las *Odas elementales* y los *Sonetos de amor* no podrá ser codificado por un solo nivel de respuesta de su escritura. Como no será un mismo Octavio Paz el productor de *Libertad bajo palabra* que el de *Aguila o sol* y menos el ensayista de hoy. Esto indica que un autor es función literaria sujeta históricamente a cambios y variaciones en su visión del mundo; y una historia moderna está obligada a registrar tales cambios para superar la tendencia a singularizar la producción de un individuo como autor de una sola obra: Gallegos, el autor de *Doña Bárbara*, García Márquez, el autor de *Cien años de soledad*, etcétera.

Desechada la historia biográfica estática se entra en la dimensión de la historia de la textualidad literaria, mejor de la literariedad *(literaturnost)* que también está sujeta a transformaciones y variantes históricas *(diacrónicas)*, espaciales o geográficas *(diatópicas)*, de estratificación incluso en una misma clase social *(diastráticas)*, y de uno a otro género según el grado de afianzamiento y frecuencia de los autores en un *oficio* literario *(diafásicas)*. Tales cambios se implican en la evolución y transformación no sólo del sub-sistema literario sino del sistema cultural en su conjunto. En todo caso se trata de la historia de los textos y su sentido artístico, pero también social en un determinado momento de su aparición, como en el grado de vigencia proyectada hacia la actualidad. Llegado a ese nivel, es imposible soslayar la historia de la lectura literaria que, en última instancia, es la condicionante de la *literariedad* o no literariedad de un texto concreto. Pero se trata de una lectura realizada desde la óptica de América Latina, respecto a las producciones de autores que vivieron o conceptuaron la realidad latinoamericana en un determinado momento. Ya no es entonces la transposición de modos de producción conceptual europocéntricos respecto a una literatura "sub-desarrollada" o que siempre llega tarde al festín intelectual del resto del mundo cuando se aplican las periodizaciones diseñadas para Europa.

Metodológicamente estamos obligados a asimilar con riguroso sentido crítico los aportes de la historiografía y el análisis, no importa donde se originen, siempre que resulten eficaces para el objetivo trazado por el marco teórico propio. En este sentido, para la lectura y difusión comunicativa de los textos, parece importante tomar en cuenta las revisiones críticas que con respecto a la sociología del consumo literario está adelantando la estética de la recepción crítica del texto. En tal caso ya no es necesario entrar a dirimir el problema cuantitativo de un *público* abstracto, tan resbaladizo en su sentido como el concepto de *pueblo*. Es más bien la historia de la recepción cualitativa del texto (como se leyó una obra en su momento) y del lector actual (como se lee esta misma obra desde la perspectiva presente). Son lecturas que responden a marcos de referencia comunes o contrapuestos a los del autor histórico, en tanto productor de una determinada textualidad, en un determinado momento de su evolución como intelectual.

## 2. EL PROBLEMA DE LA PERIODIZACION

En las líneas anteriores quisimos plantear que para una historia literaria que dé cuenta de la literatura como una *semiótica de la comunicación textual*, con carácter pragmático, parte de una semiótica de la cultura, las periodizaciones convencionales de la historia general y de la historia literaria tradicional son inoperantes. Puesto que ya no se trata de escribir una historia literaria desmembrada de la historia cultural en su conjunto, sino del capítulo literario de una historia cultural y del capítulo cultural de una historia social, el problema de mayor urgencia es diseñar un modelo de ordenamiento que rebase las cronologías lineales, sin detrimento de la ubicación de autores y obras en los contextos temporales y espaciales donde se insertan dinámicamente. Creemos en la posibilidad de diseñar un modelo de estilos semióticos que se aproximan lo más posible a la realidad de la evolución cultural latinoamericana, en lugar de repetir los siete errores históricos que señala Rodolfo Stavenhagen[11] y algunos más, a la hora de configurar el marco histórico sobre patrones tradicionales. Angel Rama ha hablado de la posibilidad de ordenar la historia literaria por "secuencias"[12]. Sería interesante un desarrollo teórico más amplio de la noción de secuencia, para evitar confusiones con un término que ya tiene una denotación definida operativamente en el análisis del texto[13]. Tal vez en lugar de secuencias convendría hablar de estilos culturales donde las obras literarias se articulan como signos de un sistema literario que forma, por supuesto, secuencia y que, al mismo tiempo, es subsistema de un sistema cultural, como éste lo es del sistema de producción ideológico-social. Esta modalidad haría factible el estudio de los "géneros" literarios en sus particularidades específicas como "subtipos" de discursos literarios, y también en las afinidades respecto a otros subtipos coexistentes dentro de una misma corriente o estilo cultural. En el caso latinoamericano consideramos que la heterogeneidad misma de nuestra cultura, estudiada con un método flexible para su decodificación, aceptaría insertar, con características diferenciales, algunas variantes de tipos literarios como las que ha señalado Carlos Rincón en la producción literaria reciente[14].

Dentro de los estilos culturales y las codificaciones literarias es posible observar la coexistencia, dentro de una misma época, de códigos institucionalizados —erigidos en norma—, códigos emergentes y códigos en desgastes. Al diferenciarlos la tarea del historiador se torna menos rígida y exclusivista. Los listados llenos de olvidos involuntarios se obvian, el criterio de gusto de época se supera. Como también la marcada tendencia de hacer una historia y un ordenamiento de la literatura sólo según el código dominante ideológicamente en una determinada época. Tal vez a este fenómeno alude Angel Rama cuando habla de la discontinuidad, superposición o desfase entre "secuencias" de un mismo período.

Más que cerrar los períodos históricos en unidades cronológicas como sucede con la historia política y social (Conquista, Colonia, Independencia, República, etc.) parece conveniente un modelo abierto cuyos puntos de señalización estén representados por obras o autores-época, sin detrimento del entorno de autores y obras periféricas. Obras y autores ordenados según el grado de aceptación o rechazo respecto de un determinado código cultural responden mejor dentro del modelo abierto que si se ubican en las consabidas "escuelas" que, cuando más resaltan la función de un autor-época como signo de máxima relevancia.

En el diseño de dicho modelo habrá que tomar en cuenta, por supuesto, la referencia a los códigos culturales europeos en las épocas de mayor acercamiento (neoclasicismo, romanticismo), pero para señalar las dialectizaciones regionales que tales codificaciones sufren al insertarse en el contexto latinoamericano: arcadismo brasileño, nativismo, regionalismo, costumbrismo, tradicionalismo o colonialismo (en México). Ello implica señalar una terminología cuyas redefiniciones están planteadas. No siempre la respuesta nuestra es un mimetismo retrasado de los códigos europeos. En el caso del simbolismo es obvia la proliferación de variantes terminológicas —y por lo tanto conceptuales— que acercan o alejan de Europa: mundonovismo, "rubendarismo", modernismo, americanismo. Y más notoriamente se plantea el problema en el caso de las vanguardias, no necesariamente periodizadas para Latinoamérica con el dadaísmo: creacionismo chileno, ultraísmo español, modernismo brasileño, estridentismo mexicano, etcétera.

El modelo de periodización abierta supone, pues, una reformulación conceptual de estilos culturales y de tendencias intelectuales dentro de esos estilos.

### 3. UNA TENTATIVA DE ORDENAMIENTO

Cuando hablamos de modelos abiertos parecería contradictorio proponer ordenamientos como los que siguen. Entiéndase entonces como *lo menos cerrado* y como respuestas a criterios no cronológicos sino culturales. Desde la conceptuación o cosmovisión misma de toda cultura donde se operan los cambios se pueden trazar líneas demarcatorias que no responden a criterios geográficos nacionales hermetizados ni a un sometimiento de los hechos literarios a determinados acontecimientos datables en la historia político-social.

Uno de esos ordenamientos posibles lo enumeramos a continuación para ser considerado, sometido a críticas y ampliado o reducido si es necesario. En lugar de períodos proponemos considerar "grandes épocas".

*3.1. Epoca prehispánica, precolombina o anterior al descubrimiento.*
*3.2. Epoca de la europeización de América o de la organización colonial.*
*3.3. Epoca de la Ilustración y la Independencia.*
*3.4. Epoca del surgimiento de las nacionalidades.*
*3.5. Epoca de acceso a la contemporaneidad.*

Con todo lo discutible que implica cualquier ordenamiento, esos cinco grandes capítulos podrían quedar abiertos o señalados —como propone Angel Rama— como el espacio temporal donde transcurren las *secuencias* o se gestan los estilos culturales. No tienen un hermetismo cronológico. Cada vez se comprueba más que no hay isocronismo entre la historia político-social y la evolución de los procesos culturales y, por ende, literarios.

### 3.1. EPOCA PREHISPANICA, PRECOLOMBINA
### O ANTERIOR AL DESCUBRIMIENTO

La primera designación es restrictiva porque implica por oposición el proceso "hispanizador", pero excluye las exploraciones desarrolladas por los portugueses y los enclaves coloniales establecidos por otros países europeos. La designación precolombina parece la más exacta. Sin embargo puede quedar aún más abierta hacia *otros descubrimientos* complementarios con la tercera designación.

El primer rasgo cultural de esta época es la presencia de literaturas fonemizadas. Se conocen y proyectan al ser grafemizadas en las lenguas europeas, especialmente el español. Su mayor grado de conocimiento data de finales del siglo XIX y del siglo XX. Los modos de codificación cultural son heterogéneos como lo fueron las sociedades indígenas diseminadas por todo el continente y aculturadas por los procesos de europeización. La expresión del Inca Garcilaso de la Vega, "trocósenos el reinar en vasallaje" tiene una vigencia contundente al enfocar el problema de tales culturas: fueron desarrolladas en tanto literaturas por los sectores de las teocracias dominantes. Eran, pues, literaturas "cultas", pero no encajaban en la concepción europocéntrica. Por lo tanto su marginación reiterada hasta ahora sigue siendo herencia nefasta de los criterios coloniales del estudio cultural. Dentro de ellas pueden distinguirse por lo menos tres grandes subgrupos:

*3.1.1. Culturas mesoamericanas:*
  *3.1.1.1.  Mayenses*
  *3.1.1.2.  Nauhuenses*
*3.1.2. Culturas andinas*
  *3.1.2.1.  Aymara*
  *3.1.2.2.  Quechua*
*3.1.3. Culturas pampeanas*
  *3.1.3.1.  Tupí-guaraní*
  *3.1.3.2.  Caribe-amazónica*

Estos subgrupos sólo tienen razón de ser en la medida que ellos produjeron textos literarios diferenciados. Dentro de cada subgrupo existe cuando menos una tipología de signos literarios épico, lírico y dramático. Cada una de esas literaturas reviste particularidades bien conocidas y documentadas, como ocurre con los textos investigados y traducidos por Angel María Garibay K., para la literatura náhuatl; los trabajos de Adrián Recinos, Miguel Angel Asturias, Demetrio Sodi y otros, para las literaturas mayenses, como las antologías y traducciones de Jesús Lara y

353

José María Arguedas para las literaturas andinas y las de Natalicio González, entre otros, para las literaturas guaraníes. En cuanto a las caribe-amazónicas los rescates han sido más recientes: en Venezuela, los de Basilio Barral, Cesáreo de Armellada y Marc de Civrieux, entre otros.

La omisión de estas literaturas tendría quizá justificación menos endeble si se tratase de antologías literarias, pero no en el caso de una historia de la literatura latinoamericana en cuyo contexto el plurilingüismo es un escollo de hecho. La condición fonémica y no grafémica de los textos no los invalida, sino que los diferencia. En las literaturas nahuenses han sido estudiados por lo menos trece poetas de calidad admirable[15]. La lírica náhuatl llega incluso a presentar reflexiones metalingüísticas de excepcional originalidad. La incorporación de tales literaturas llena un vacío recurrente en la historiografía literaria latinoamericana. Existen los textos, las historias parciales[16], los especialistas aptos a acometer el trabajo. Falta sólo la decisión como acto de objetividad.

### 3.2. EPOCA DE LA EUROPEIZACION DE AMERICA O DE LA ORGANIZACION COLONIAL

Consideramos que este capítulo traumático de la cultura latinoamericana ha sido subdividido para la historia política en tres segmentos: Descubrimiento, Conquista y Colonia. Los límites siguen siendo imprecisos. Las últimas periodizaciones conservan un carácter altamente discutible[17]. En un excelente ensayo, el joven investigador venezolano Alberto Rodríguez señala:

> En los estudios históricoliterarios de América Latina se ha impuesto durante años una óptica predominantemente hispanizante cuya mediación ha manipulado la literatura colonial de tal manera que ésta se nos muestra simplificada, estandarizada, según el modelo ideal del sector conquistador, el cual privilegiaba la lengua castellana y la escritura en caracteres latinos como únicas alternativas para la producción literaria en sus dominios americanos. Para el sector dominante *la* literatura debía ser escrita en *su* grafía y en *su* lengua, según *sus* gustos y ajustada a *su* ideología[18].

En ese enjuiciamiento, tal vez el más lúcido realizado hasta ahora sobre la época colonial, está una de las claves deformadoras aplicadas a un período controversial como ninguno.

Creemos que para la producción literaria es más importante reseñar los *tipos* literarios y los conceptos de *literaridad* que surgen en esa época fundacional de una literatura latinoamericana escrita en lenguas europeas, de cuya textualidad surge la primera visión histórica pero también fantástica del continente. Así como hay una visión fabuladora desde la perspectiva de una concepción "occidental", hay también una *visión trágico fantástica de los vencidos*[19]. Contraponerlas desde la perspectiva de un referente común, conceptuado en formas opuestas, enriquece altamente el panorama literario que, hasta ahora, en el período, ha enfatizado en la *historicidad* más o menos exacta de los textos y no en la especificidad literaria que imprime a esa producción la vigencia para un lector de hoy. Hay recientes intentos, muy valiosos, por rectificar enfoques y establecer un ordenamiento moderno de la *formación discursiva*[20]. No obstante, queda mucho por ahondar.

Mignolo se ha ocupado de estudiar las cartas, crónicas y relaciones que hasta ahora han sido agrupadas con falsos criterios de homogeneidad. No se ha distinguido, por ejemplo, la fabulación europea que rige la escritura de autores como Francisco López de Gómara, José de Acosta, Gonzalo Fernández de Oviedo, Juan de Castellanos, incluso Bernal Díaz del Castillo con todo y su variación diastrática —la visión del soldado— como oposición con el discurso dilemático de encabalgamiento cultural que traspasa el texto del Inca Garcilaso de la Vega, o la versión diferenciada conceptualmente por el punto de vista mestizo de Huamán Poma de Ayala, Hernando Alvarado Tezozómoc, Felipe de Alva Ixtlixóchitlil y, menos aún, la visión indígena más intensa que fluye en los trabajos realizados por los informantes nahuas de Sahagún, a más de otros textos indígenas que configuran la *cultura de resistencia* como la califica Alberto Rodríguez en su citado ensayo. Aquí priva la visión europea más que el criterio científico capaz de establecer una taxonomía de mayor validez.

En lo ideológico no se han trazado las diferencias de códigos coexistentes como el humanismo neoplatónico —estudiado sólo en tanto reflejo tardío del Renacimiento europeo en América—, con la visión medieval vigente en las cartas del Almirante y otros textos de descubridores y exploradores.

Genéricamente se ha hablado y discutido sobre una *epopeya* de la conquista para catalogar las obras de Alonso de Ercilla y Pedro de Oña, sin trazar las correlaciones con la historia narrativa versificada también por Juan de Castellanos, entre otros. Después de las investigaciones de Mijail Bajtín[21] las confusiones sobre una presunta épica parecen baldías. Sin embargo, el punto sigue siendo discutible. Mignolo establece otras precisiones que vinculan a Alonso de Ercilla con la épica paródica del Renacimiento.

El Barroco merece capítulo aparte como *secuencia* o estilo cultural de *larga duración*, cuyas resonancias alcanzan quizá hasta imbricarse en el Neoclasicismo. Hasta ahora su estudio se ha centrado predominantemente en la figura-época de Sor Juana Inés de la Cruz. Pero se han soslayado otras obras como las producidas por el Lunarejo, peruano, y Sigüenza y Góngora, mexicano. Tampoco se puede estudiar el Barroco sin reinsertarlo en una codificación cultural que abarcó lo más importante de la arquitectura así como buena parte de la pintura colonial, o sin analizar las proyecciones en la escritura teatral del mexicano Ruiz de Alarcón y en el discurso ensayístico o la oratoria de muchos humanistas e ilustrados hasta el siglo XVIII.

Por último, el problema del plurilingüismo no afecta sólo la relación entre lenguas indígenas y lenguas vivas europeas, sino que se vuelca hacia el latín, por la necesidad de incorporar una obra con la importancia de la *Rusticatio Mexicana* de Rafael Landívar.

Aceptado el aplastamiento y *vasallaje* de las culturas indígenas como un acto de ruptura —como señala Alberto Rodríguez— y visto el fenómeno de europeización desde una perspectiva más actual y objetiva, esta época deja de estudiarse en las polaridades de período oscuro por la dominación, o de período dorado por la cristianización. Asume sus justas proporciones como hecho sociohistórico y cultural, para encuadrar el nacimiento de una literatura con instrumento lingüístico moderno, en coexistencia con otros instrumentos lingüísticos que han sobrevivido a pesar de los marginamientos: las lenguas indígenas mesoamericanas y del Altiplano.

### 3.3. EPOCA DE LA ILUSTRACION Y LA INDEPENDENCIA

Los estudios cada vez más abundantes sobre esta época, en el aspecto ideológico-político de la historia, señalan con claridad que es muy difícil realizar un corte preciso entre la adopción de ideologías no hispánicas, procedentes de la Enciclopedia y la Ilustración francesas, tanto como de la filosofía norteamericana para la gestación de las independencias nacionales. Los antecedentes de este proceso de lucha están en los alzamientos de negros cimarrones, o en rebeliones indígenas como la de Túpac Amaru, antes que en los proyectos ilustrados. Ideológicamente la toma de una conciencia anti-monárquica y la búsqueda de unas raíces unitarias de lo americano se expresan en una literarura que señala el tercer bloque de ruptura respecto de la Colonia, pero no entre Ilustración y Emancipación.

El concepto de movimientos *precursores,* válido para la historia política, es resbaladizo en el terreno de la historia literaria. En todo caso tales precursores señalan la fase emergente de un código intelectual en vías de institucionalización.

Esta época ha sido estudiada como de producción de discursos políticos, pero no de una literatura politizada en su conjunto. Algunos esquemas endebles han indicado dicotomías un tanto pintorescas referidas a los autores para subagruparlos en escritores-próceres y próceres-escritores[22]. Se ha dejado al margen la posibilidad de encontrar un punto de arranque de la ensayística en la obra de los ideólogos de un período muy rico. Con excepción de los trabajos realizados pioneramente por Luis Alberto Sánchez, o el reciente volumen de la Biblioteca Ayacucho[23], se ha mantenido muy arrumbado el estudio de la poesía. Junto a los textos de máximo relieve producidos por Andrés Bello, José María Heredia, Juan Cruz Varela, Bartolomé Hidalgo, José Joaquín de Olmedo, está por estudiar la presencia de una literatura popular carnavalizadora.

En la misma época es difícil establecer cortes drásticos entre la pervivencia del Barroco –¿en extinción?–, el neoclasicismo poético, especialmente valioso en la variante nativista de autores como Manuel Justo de Rubalcava en Cuba, antes de Bello y Olmedo, y los primeros pasos de un código romántico emergente.

Señalar el nacimiento del Romanticismo a partir de Esteban Echeverría por su carácter nativista y olvidar la gestación coexistente con la discusión neoclásica sigue siendo uno de los puntos oscuros de la época. ¿No son románticos prosistas políticos como Miranda o Bolívar? En el otro extremo sucede algo parecido al decretar la *muerte del Romanticismo* con la fase emergente del Modernismo. "¿Quién que es no es romántico?" ¿Quiénes dejaron de serlo y quiénes se opusieron desde su postura institucionalizada al nuevo estilo modernista?

La posibilidad apuntada de los estilos abiertos permite estudiar como variantes románticas manifestaciones tan peculiarmente latinoamericanas como el costumbrismo, el tradicionismo peruano cultivado por Ricardo Palma, pero también por Juan Vicente y Simón Camacho, venezolanos fundadores del romanticismo peruano, y cuya data se inserta incluso en positivistas como Arístides Rojas o en románticos epigonales como Tulio Febres Cordero, para mantenerse vivo bajo forma de "colonialismo" en pleno siglo XX mexicano con Artemio de Valle Arizpe.

En estos casos las secuencias de larga duración resultan categorías útiles, en tanto enuncian el nacimiento de un proceso y permiten estudiarlo en su totalidad, más allá de las cremalleras cronológicas.

También es necesario comprender cómo todavía los autores del período o la época ilustrada y emancipadora conciben el proceso de la cultura con vocación unitaria continental, antes del nacimiento de las nacionalidades.

### 3.4. EPOCA DEL SURGIMIENTO DE LAS NACIONALIDADES.

Esta época, heredada de la historia política, señalaría el fin de los proyectos continentales que, como el de la Gran Colombia, trataban de mantener la unidad americana más allá de la unidad colonial. No ocurría igual con los países no hispanizados. La historia política ha señalado 1830 como el comienzo de este período. La caracterización en el plano de la historia social está marcada por las guerras civiles y los caudillismos dictatoriales derivados de las luchas emancipadoras. Aquí vuelve a surgir el problema de cómo no pueden establecerse simetrías absolutas entre la historia política y la historia social de la cultura. Políticamente es una regresión. Culturalmente es un avance.

Si se entiende tal época como la de énfasis en el paso de un Romanticismo exotizante a un Romanticismo nacionalista sentimental, estaríamos en presencia de variaciones dentro de un mismo estilo, como lo es también la aparición del socialismo utópico –o Romanticismo social– en Argentina, con la Asociación de Mayo, pero también en Venezuela con el

357

grupo de *El Liceo Venezolano*. Si se considera el tránsito hacia un localismo temático de base romántica, entonces es posible romper la dicotomía de regionalismo vs. modernismo, porque esa oposición no sería sino la prolongación de una tendencia −localista− en el tiempo.

Entre el auge y la institucionalización romántica y la emergencia del código ideológico positivista, hay otro caso de coexistencias y emparentamientos cuyo estudio sigue pendiente.

La presencia del costumbrismo como derivación romántica recurrente en América Latina, con Esteban Echeverría en Argentina, Jotabeche en Chile, Plácido en Cuba, José María Baralt, Fermín Toro, Juan Manuel Cajigal, Daniel Mendoza, Nicanor Bolet Peraza, etc., en Venezuela, señalaría un nivel de frecuencia elevado pero sin mucho rigor en la atención a las cronologías que organizaron primeras, segundas y hasta terceras generaciones románticas. Otra rectificación necesaria sería la que afirma que el costumbrismo es el *germen* de la novela regional, cuando ésta venía escribiéndose desde la Colonia, en cuya prosa hay una riqueza ficcional casi intacta en su estudio. La rectificación afecta los enfoques temáticos de la historia literaria.

Sería necesario observar la larga prolongación de estructuras narrativas románticas como el idilio de la novela sentimental, que rebasan la época y se insertan aún en narradores modernistas y criollistas.

Si se concede validez a la aseveración de Eric Hobsbawn[24] en el sentido de que la idea de nación es una "invención histórica de los últimos doscientos años" −y la afirmación se refiere a la historia de Europa−, entonces la época de organización nacional en América Latina no es más que la del surgimiento de una *conciencia de nación* entre las clases oligárquicas, con voluntad escisionista y cuya repercusión en la historia literaria sería la expresión de esa conciencia en el localismo o el regionalismo de los temas, que estudiados como referentes identifican lo nacional con lo rural solamente. En el plano discursivo se manifiesta como una tendencia a diferenciar diastráticamente los registros de habla entre el autor (culto) y el personaje (popular−rural). Esa heurística de "lo nacional" tiene como contradicción en la historia literaria las omisiones de primeras tentativas de literatura urbana porque no respondían a la norma impuesta. El hecho rige buena parte de la producción narrativa hasta llegar a insertarse en el código modernista bajo forma de *criollismo,* lo cual lleva a Urbaneja Achelpohl, por ejemplo, a aceptar la estética modernista siempre que se nutra de la materia nacional (rural) o, a la inversa, induce a Manuel Díaz Rodríguez a asumir el subcódigo criollista rural en su novela *Peregrina* para poder *nacionalizarse* escritor, después de la recepción crítica adversa o fría de sus novelas no rurales: *Sangre patricia* e *Idolos rotos.*

Otras veces ese *nacionalismo* rural induce francas rupturas con el código romántico y a una inserción en el realismo objetivo, como sucede con el colombiano Tomás Carrasquilla, pero también, en pleno siglo XX, con el argentino Benito Lynch y el grupo de los narradores indigenistas.

El carácter rural del nacionalismo literario estableció fronteras arbitrarias incluso con la narrativa indigenista, como ocurre en los casos venezolanos de José Ramón Yépez —*Anaida* e *Iguaraya*— novelas un tanto olvidadas o menospreciadas por ser "románticas" pero no rurales y, también, mucho antes, con la narración alegórico-romántica de Fermín Toro; *La sibila de los Andes,* minusvalorada por desarrollarse fuera de la Venezuela rural.

Sin duda que al historiar este período no se pueden omitir las diferencias nacionales, pero habría que incorporarlas como regionalizaciones o dialectalizaciones del código común a toda Latinoamérica, el cual, por supuesto, está pendiente de precisar.

### 3.5. EPOCA DE ACCESO A LA CONTEMPORANEIDAD

¿Qué es realmente? ¿Cuándo comienza la contemporaneidad en América Latina? ¿Existen rasgos de la historia social o política que la establezcan con precisión? Sin duda es esta última la más esquiva de las unidades a estudiar.

Si convencionalmente se admite que tal período coincide con la época del afrancesamiento arquitectónico auspiciado por los despotismos civilizadores para modernizar algunas ciudades, entonces el inicio de esta contemporaneidad absorbe el Positivismo, cuyo comienzo, como propone Leopoldo Zea, habría que datarlo en 1886[25]. Y con fecha más o menos variable es también la época de consolidación de las oligarquías políticas en partidos modernos. Habría que añadir que es el comienzo de la afirmación de un capitalismo mercantil y de las primeras penetraciones económicas neocoloniales tanto europeas como norteamericanas. En lo literario sería la fase emergente de Positivismo y Modernismo, pero no el desgaste absoluto del Romanticismo. La trayectoria de los dos primeros es difícil deslindarla. El Positivismo se manifiesta en lo literario —además de la ensayística social— con la presencia del Naturalismo y del Realismo. El Modernismo con el desarrollo de las estéticas del arte por el arte. Uno incrementa la presión regionalista de los temas. El otro, la aspiración de universalidad y de cosmopolitismo como antídotos a la expresión nacionalista parroquiana de la época de la organización nacional. Tanto uno como el otro proyectan su longevidad sobre el siglo XX, por lo menos hasta la aparición de las vanguardias y, ya en desgaste, incluso coexisten con éstas.

Tal ordenamiento permite eliminar términos imprecisos como preromanticismo, precursores del modernismo, postmodernismo, etc. Y hace notar, de otra parte, que tendencias como el regionalismo, por ejemplo, despuntan en el nativismo neoclásico, atraviesan el romanticismo en su versión rural costumbrista. Se emparenta con el modernismo bajo forma de criollismo, se impone casi dictatorialmente en lo que Fernando Alegría designa como *super–regionalismo* y se filtra en las vanguardias bajo ciertas formas del realismo mágico. Entonces más que una corriente es una constante de carácter temático que diferencia en bloque nuestra literatura, pero no la caracteriza en el tiempo. En todo caso se mantiene como línea de continuidad o reiteración del plano del contenido literario, pero no en el plano de la expresión discursiva, donde los códigos culturales se van manifestando como neoclásico, romántico, modernista, naturalista, etcétera.

El escollo mayor en el estudio de la contemporaneidad seguramente habrá de presentarse cuando haya necesidad de buscar coherencia en la diáspora de las vanguardias. Aún sigue repitiéndose la *impuntualidad* de América Latina, su retraso, respecto a las corrientes europeas adoptadas como patrón. En el caso de las vanguardias habría que replantear los términos respecto al creacionismo de Vicente Huidobro y su polémica con Paul Reverdy, estudiada por Guillermo de Torre; el primer ultraísmo trasvasado de Madrid a Buenos Aires por Jorge Luis Borges; el encabalgamiento de Tablada entre un vanguardismo caligramático y las consabidas "resonancias postmodernistas". El problema, visto así, con referencia a Europa se complica. Tal vez la idea de la *muerte de los estilos* tenga posibilidad de dar salida fácil a la cuestión. Tal vez ordenar y reordenar obras y observar en dinámica contradictoria a los autores sea un camino más complejo pero más efectivo. Tal vez aquí se encuentre la mejor demostración de que es necesario apelar a la inserción de los textos en los sistemas de codificación y mirar la diacronía intelectual a través de la cual un autor va evolucionando en su cosmovisión literaria e ideológica del mundo. Esta es, a nuestro muy modesto modo de ver, la tarea inminente.

Caracas, agosto de 1983.

# NOTAS

¹ Entre otros, Angel Rama, "Sistema literario y sistema social en Hispanoamérica" en Fernando Alegría y otros, *Literatura y praxis en América Latina,* Caracas, Monte Avila, 1974, págs. 81-109.

² "Pedro Henríquez Ureña y la historiografía literaria latinoamericana" en Fernando Alegría y otros, *Literatura y praxis...* págs. 29-47.

³ Quizás uno de los teóricos latinoamericanos que más ha contribuido últimamente a la clarificación sea Walter Mignolo, *Elementos para una teoría del texto literario,* Barcelona, Crítica, Grupo Editorial Grijalbo, 1978.

⁴ Cfr. Luis Iñigo Madrigal, "Introducción a una posible historia social de la novela hispanoamericana", en *Acta del simposium internacional de estudios hispánicos,* Budapest, 1976, págs. 59-64. Y también Alejandro Losada, *La literatura en la sociedad de América Latina,* Frankfurt, Verlag Klaus Dieter, 1983.

⁵ Cfr. Iuri M. Lotman y otros, *Semiótica de la cultura,* Madrid, Cátedra, 1979. Y también Iuri M. Lotman, *Estructura del texto artístico,* Barcelona, Istmo (Col. Fundamentos), 1978.

⁶ Germán Colmenares ha trazado un buen balance de *Annales,* en "La historiografía científica del siglo XX", Nº 192, Bogotá, oct. 1977, págs. 561-622.

⁷ Cfr. Eric Hobsbawn, "De la historia social a la historia de la sociedad" en *Eco,* Nº 240, Bogotá, oct. 1981.

⁸ "Si definimos la cultura como todo el conjunto de la información no genética, como la memoria común de la humanidad o de colectivos más restringidos nacionales o sociales, tendremos derecho a examinar la totalidad de los textos que constituyen la cultura desde dos puntos de vista: una comunicación determinada, y el código mediante el cual se descifra dicha comunicación en el texto". Iuri M. Lotman, "El problema del signo y del sistema sígnico en la tipología de la cultura anterior al siglo XX" en *Semiótica de la cultura,* pág. 41.

⁹ "El crítico pondrá ahora, la cabeza en alto y sin pedir excusas, reivindicar, dando voces, todo lo que nos es debido, el tributo de información original que tenemos que reclamar como cosa propia en la evolución de las formas de la literatura universal, en la, por decirlo de algún modo, 'enciclopedia imaginaria' de esa literatura". ("Texto e historia" en *Eco,* Nº 220, Bogotá, febr. 1980, pág. 385).

¹⁰ Cfr. Actas del Primer Simposium de Especialistas en Literatura Latinoamericana. Caracas, noviembre de 1982 (en proceso de impresión). Véase especialmente las intervenciones de Antonio Candido.

¹¹ Rodolfo Stavenhagen, "Siete falacias sobre América Latina" en *América Latina: ¿reforma o revolución?* (Selección de Jaime Petras y Maurice Zetlin), Buenos Aires, Tiempo Contemporáneo, 1970, págs. 15-32.

¹² "La determinación de las secuencias (discontinuas, superpuestas y a veces desfasadas dentro de un mismo período histórico) se deberá alcanzar desde el ángulo restricto de la especificidad literaria, que constituye la petición de principio del campo operativo propuesto, o sea que se deberá llegar a delimitarlas y definirlas atendiendo exclusivamente a sus manifestaciones artísticas y no a razones extra-literarias (autores, clases sociales, ubicaciones geográficas, etc.). Pero como mal podrían desglosarse las secuencias literarias del

universo cultural al que pertenecen sin condenarlas a una existencia coherente, sólo pueden hallar su significación absoluta al coordinarse con otras secuencias, éstas culturales, no literarias, a través de distintos grados de mediación". (Angel Rama, "Sistema literario y sistema social en Hispanoamérica", *op. cit.* págs. 85-86).

[13] Cfr. Roland Barthes y otros, *Análisis estructural del relato,* Buenos Aires, Tiempo Contemporáneo, 1970.

[14] Carlos Rincón, *El cambio en la noción de literatura,* Bogotá, Instituto Colombiano de Cultura, 1978.

[15] Cfr. Miguel León-Portilla. *Trece poetas del mundo azteca.* México, Universidad Nacional Autónoma de México (UNAM), Instituto de Investigaciones Históricas, 1967.

[16] Excelentes historias de la literatura náhuatl, de la quechua y del conjunto precolombino han sido escritas respectivamente por Angel María Garibay K. (náhuatl), Jesús Lara (quechua), Miguel León-Portilla y Abraham Arias Larreta (historias de conjunto).

[17] Benito Sánchez Alonso, *Historia de la historiografía española,* Madrid, Gredos, 1964. Su periodización es seguida todavía por Walter Mignolo (véase nota 20).

[18] Alberto Rodríguez, "Marginalidad de la literatura colonial en Venezuela", en *Araisa,* Anuario del Centro de Estudios Latinoamericanos Rómulo Gallegos, Nº 2, (1976-1982) págs. 115-142.

[19] Cfr. Miguel León-Portilla, *Visión de los vencidos,* La Habana, Casa de las Américas, 1969.

[20] Cfr. la *Historia de la literatura hispanoamericana,* dirigida por Luis Iñigo Madrigal, Madrid, Cátedra, 1982, vol. I: Epoca colonial. Especialmente valiosos son los trabajos de Walter Mignolo: "Cartas, crónicas y relaciones del descubrimiento y la conquista" y el de Cedomil Goić sobre "La novela hispanoamericana colonial".

[21] Mijail Bajtin, "Epopeya y novela", en *Eco,* Nº 193 (parte 1) y Nº 195 (parte 2), Bogotá, noviembre de 1977 y enero de 1978 respectivamente.

[22] Cfr. Emilio Carilla, "Cronología de la literatura hispanoamericana: la literatura de la independencia" en *Actas de la primera reunión latinoamericana de lingüística y filología* (Viña del Mar, Chile, enero de 1964), Bogotá, Instituto "Caro y Cuervo", 1973, págs. 122-148. Reimpreso con el título *La literatura de la independencia hispanoamericana,* Buenos Aires, Eudeba, 1964, y como prólogo al volumen de Biblioteca Ayacucho (véase nota 23).

[23] *Poesía de la Independencia,* Compilación, prólogo, notas y cronología de Emilio Carilla, Caracas, Biblioteca Ayacucho, 1979.

[24] "La'nación', una invención histórica de los últimos doscientos años, cuyo inmenso significado práctico apenas requiere discusión hoy, suscita varios problemas cruciales de la historia de la sociedad, por ejemplo, el cambio en la escala de las sociedades, la transformación de sistemas sociales pluralistas, indirectamente eslabonados en sistemas unitarios, con eslabonamientos directos (o la fusión de sociedades preexistentes más pequeñas en un sistema social más grande), los factores que determinan los límites de un sistema social (como el político territorial) y otros de igual significación". (Eric Hobsbawn, "De la historia social a la historia de la sociedad", *op. cit.,* pág. 612).

[25] Cfr. Leopoldo Zea, *El pensamiento latinoamericano,* 2 ed., Barcelona, Ariel, 1976.

ENRIQUE BALLON AGUIRRE

# HISTORIOGRAFIA DE LA LITERATURA EN SOCIEDADES PLURINACIONALES (MULTILINGÜES Y PLURICULTURALES)*
### (UN ESCORZO)

> La lengua, en tanto sistema simbólico, es el lugar donde sucede la historia.
>
> A. J. Greimas[1]

> Sólo hay Historia porque las palabras se corrompen.
>
> R. Barthes[2]

En el conjunto de cursos programados para la enseñanza secundaria y universitaria en nuestra América Latina ¿cuáles son las disciplinas o áreas de conocimiento que no inciden especialmente en la instrucción técnico-informativa de un determinado campo, sino en la "formación cultural" de las jóvenes generaciones? Ellas son principalmente dos disciplinas concretas gracias a su institucionalización, pero cuyo dominio de estudio específico es siempre laxo, poco preciso[3]: la historia y la literatura. Son materias cuyo contenido programático tiende a ser totalitario, es decir, a abarcar —por referencia— la totalidad de las significaciones humanas[4]; en otras palabras, son disciplinas humanísticas institucionalizadas y dedicadas, ante todo, a la conservación de ciertos valores ideológicos y a su transmisión[5]. Su proyecto didáctico se ve así continuamente urgido por hacer explícitas —según el vaivén de las políticas educativas y sus cambios de superficie— esas formas literarias e históricas consolidadas (los autores literarios y los héroes históricos "de programa" suelen ser casi inamovibles).

Por esta razón, entre otras, tanto la enunciación histórica como la enunciación literaria de los acontecimientos y su explicación, se "despegan" de la "verdad objetiva" de los *hechos* incluidos en los textos de

* *Filología*, XXII, núm. 2 (1987), pp. 5-25.

historia y de crítica literaria. En ellos, la disparidad de redacciones que exponen un mismo *hecho* histórico o literario, demuestra bastante bien el llamado conflicto de las interpretaciones. Efectivamente, la historiografía –arte de escribir la historia– y la crítica[6] literaria –arte de comentar la literatura– carecen de un régimen de control enunciativo, de una axiología capaz de regular los juicios que construyen las evidencias históricas y literarias.

De ahí también que los *hechos* (eventos o acontecimientos) históricos y literarios descritos en esos textos, sean seleccionados con una buena dosis de arbitrariedad, pues si en uno y otro caso, donde se trata de compendiar esos *hechos,* nos decidiéramos por seguir una pauta de rigor y coherencia enunciativa, deberíamos saber por lo menos en qué consisten y cuáles son los criterios de circunscripción unívoca y comparable puestos en juego. Pero no basta con esto; también el encadenamiento secuencial de los *hechos* elegidos debería prever su sistema de constantes y variables. Preguntémonos: ¿qué pautas o parámetros permiten establecer, por ejemplo, un correlato espacio-temporal entre ciertos *hechos* históricos revolucionarios como la "larga marcha" de Chang Kuo-Tao y Mao Tse-Dong de 1934-35 y la "revolución cultural" de 1966-76 en la República Popular China, de un lado, con el levantamiento armado del Partido Comunista-Sendero Luminoso en el Perú durante la década de los 80, del otro, dado que el segundo se inspira declaradamente en el primero? Y en el campo literario ¿cuáles son las coordenadas epistemológicas que justifican el establecimiento de equivalencias espacio-temporales entre la serie romanticismo–realismo–modernismo–posmodernismo europeo de los siglos XIX y XX y los movimientos literarios hispanoamericanos que, en principio, siguen al mismo proceso? ¿Cuáles son los criterios que determinan, no obstante los desfases espaciales y temporales, las correspondencias de influencias y confluencias, de escuelas y géneros?

La convergencia implícita o declarada de un procedimiento, la *analogía* intuitiva, y un arrimadero institucional, el *consenso* de los que "saben", acostumbran decidir y luego apoyar la articulación de las inferencias empíricas heteróclitas, más allá –o más acá– de los sistemas que en ciencias sociales ordenan las estructuras de parentesco, económicas, sociales, lingüísticas (o linguales), políticas y culturales propias de la producción histórica y literaria de aquel grupo social directamente concernido. Ahora bien, si por lo común los discursos historiográficos y crítico-literarios sustituyen la intervención de esas estructuras en aras de las analogías y el consenso de quienes dicen "saber", ¿cuáles son las principales coerciones ideológicas que dirigen su enunciación?

Hemos visto que los *hechos* históricos y literarios son seleccionados, esto es, elegidos y escogidos del conjunto de procesos que constituyen la vida de los grupos sociales. Este acto de seleccionar *hechos* dentro de ese conjunto, como un paso previo a la redacción histórica o crítico-literaria, está coactado por una primera restricción, los llamados *escotomas*[7] *epistemológicos,* o sea los límites de comprensión sobre el objeto de conocimiento que se estudia. Así, observamos que los acontecimientos históricos o literarios son presentados uno tras otro según una secuencia de compatibilidades e incompatibilidades (guerras, gobiernos, revoluciones, etc.; géneros, escuelas, generaciones, etc.) organizados desde la competencia del enunciador: no existe, no hay un criterio reglado que funcione independientemente de esa competencia localizada del enunciador y en ella los límites de comprensión son clavados, en especial, por el cúmulo de *hechos* solidificado a través de la tradición pedagógica[8].

Tan es así que la inserción de un autor "fuera de programa" o la descripción de un *hecho* histórico que escape al enfoque consuetudinario, son recuperados inmediatamente pero sólo como "agregados" o "variantes" del canon oficial; hay una resistencia inmensa a abrir las fronteras de comprensión de los fenómenos literarios e históricos consabidos, cosa que sucede, por ejemplo, al proponerse un discurso crítico–literario en que se sustituya al sujeto individual por el sujeto colectivo o la invención literaria del autor por la producción literaria del grupo. La escenografía histórica y literaria de este tipo de discursos funda y al mismo tiempo delimita la educación de los niños y jóvenes de tal modo que, en cierto sentido, queden ciegos para apreciar otros estímulos fuera de las fronteras establecidas, es decir, lo que F. Pérus denomina, con propiedad, "la ocultación del carácter histórico–concreto de las prácticas literarias"[9].

Allí se origina, ciertamente, ese rasgo compartido por ambas clases de discursos pedagógicos: la afluencia, en ellos, de enunciados estereotipados. Dichos enunciados tienen por función, como se sabe, transmitir valores que han perdido toda elasticidad, maleabilidad e incluso volumen significativo, reduciéndose entonces, por lo general, a comunicar *clichés* de saber reproducidos de modo mecánico. Son cursos que terminan no por ampliar un campo de comprensión histórica o literaria en el alumno sino, al contrario, por contraerlo en forma de ciertos dogmas cristalizados.

No todo es achacable, desde luego, al discurso pedagógico escolar de la historia y de la crítica literaria. La insuficiencia todavía vigente hoy en día de los instrumentos metodológicos para estudiar la realidad histórica y literaria, deja al descubierto márgenes de incertidumbre relativamente amplios por donde se precipitan —como en insaciables agujeros negros— los juicios de valor del historiador y del crítico. La falencia de unos y la interferencia de los otros ocasionan, sin dudas, ese rasgo característico de la enunciación histórica y crítica.

\* \* \*

Por lo tanto, si la escritura histórica, la historiografía, y la escritura crítica de la literatura sirven para inscribir *hechos* históricos y literarios, dichas escrituras no son los *hechos* mismos. Y ampliando la cuestión, quiero decir que la historicidad de un *hecho* literario citado por un historiador de la literatura, es constituida por el acto mismo de su enunciación: esto que se describe y explica es un *hecho* histórico-literario y punto. Pero como no hay método de descripción ni de explicación "inocente", la determinación de las condiciones históricas de producción[10] de los discursos literarios, es decir, de los "circunstantes" del *hecho* histórico-literario, puede ser —corrientemente lo es— una arbitrariedad de partida (el espíritu descriptivo y explicativo del estudioso, sin más) que, al ser retomada por otro estudioso por medio de una evaluación polémica o sin ella, no sólo crea la "tradición" literaria sino que esos "circunstantes" se densifican nocionalmente: lo que en un principio no pasa de ser una simple insistencia, se convierte al poco tiempo y se naturaliza en una consistencia. Un claro ejemplo de esto es la interpretación textual que emplea la analogía entre la obra y la biografía del autor[11] para establecer la "correspondencia" que, en principio, funda y genera el *hecho* histórico-literario.

El procedimiento indicado suprime en nombre de una entidad individual[12], la *autoría*[13], una entidad sociológica, el sujeto colectivo (las formaciones socio-económicas y discursivas en la producción textual), entrando por fuerza en contradicción directa con la historiografía marxista de los modos de producción. Allí los *anclajes* histórico-literarios (a imitación de los militares-héroes que conducen la marcha de la historia burguesa) son los autores-héroes y los autores-mártires del arte cuya materia es el texto; por eso los estudios tradicionales aplicados al texto literario resaltan el habla del escritor (su idiolecto o sistema de valores individualizados) y posponen la lengua del texto (el sociolecto o las expresiones de las axiologías colectivas).

El *hecho* histórico-literario es definido positivamente como *denotación de la realidad literaria* cuando, en verdad, no es más que un constructo ideal caucionado por los historiadores guardianes (y conservadores vigilantes) de la institución literaria; el *denotatum* histórico-literario es, por eso, un proceso psíquico e ideológico y no la realidad literaria exterior a la institución literaria misma. A todo esto se agregan los procedimientos de presentificación del pasado literario de una sociedad, esto es, los llamados *procedimientos de mediación* histórico-literaria que son, ciertamente, muy diversos: desde las múltiples versiones de un texto, hasta las cartas y otros documentos privados del escritor, testimonios anecdóticos —a menudo contradictorios— de las personas que lo conocieron, partes médicos, cuentas de hoteles, etc. Dejando de lado la insuficiencia de tales registros (la documentación jamás es exhaustiva: los documentos son objetos cronológicos, no "acontecimientos" históricos)[14] y los riesgos de su interpretación[15], excluyendo asimismo el hecho de que toda memorización presupone una elección de secuencias de lo "real" a conservar, el hacer presentes los sucesos literarios del pasado no resuelve el problema de la segmentación de la "reali-

366

dad literaria" ni de su selección en cuanto acontecimientos histórico-literarios: menos aún el problema del reconocimiento de los *hechos* históricos-literarios mismos.

Para los historiadores tradicionales de la literatura, aunque la "realidad literaria" es su *dato* de trabajo, esa realidad les es inaprehensible mientras descartan de su labor la *mediación* de los objetos de conocimiento (lengua, economía, política, etnicidad, etc.) que manejan las ciencias sociales[16], cuando se trate de circunscribir el *hecho* histórico-literario. En cambio, la historiografía marxista de la literatura no sólo acepta estas mediaciones sino la hipótesis según la cual los textos literarios expresan el pensamiento, las ideas, los intereses de un grupo social, una concepción del mundo que es la respuesta de ese grupo a la situación histórica que vive. Todo ello presupone una evidencia: la existencia y la presencia de un *logos* común a todas las manifestaciones sincrónicas de una cultura y de una sociedad dadas, donde las imágenes de un poema o las figuras de un relato etnoliterario no han sido elaboradas pese a ese *logos* en función de él, en servicio de la *logósfera* que las legitima.

Es únicamente aceptando esta hipótesis de partida que podemos plantearnos preguntas como las siguientes: ¿cuáles son las relaciones de una novela, de un relato etnoliterario, de un poema, de una leyenda campesina, de un cuento escolar, de una tragedia, con la cultura, con la sociedad donde se han producido? ¿Cómo definir la relación entre los contenidos de esos (y otros) textos literarios y las formaciones ideológicas que rigen al grupo y a la época en que se inscriben? ¿Y cómo descifrar en el interior de esos textos los índices de "quiebra", de "ruptura" (de "escándalo", de "oposición", de "escarnio"), la suma, de *desgarramiento* que dan al texto literario su valor de excepción en el contexto histórico y cultural en el que se produce, índices que pemitirán escindir los períodos de una historia de la literatura científico-social?

Sin hacer referencia por ahora a la cientificidad de la escritura histórico-literaria tradicional, la mediación de los objetos de conocimiento y la hipótesis aludida le proporcionarían a esa escritura, además de un oxigenamiento temático vivificante, a lo menos ciertos criterios (por muy frágiles que pudiesen resultar al comienzo) que posibiliten el reconocimiento de los diferentes discursos literarios y su instalación particular en el discurso histórico. Podría sugerirle, en efecto, los lineamientos cognoscitivos para fundar una *tipología* de las estructuras discursivas —orales y escritas— susceptibles de asumir las representaciones histórico-literarias (relato, lírica, escenificación, etc.) o un lenguaje descriptivo que si bien no constituiría desde un principio una axiomática depurada, fuese suficientemente operativo para sus propios fines, en otras palabras, la determinación de las propiedades y características de los enunciados histórico-literarios capaces de enunciar aquellos *hechos* histórico-literarios realizados sea por sujetos colectivos, sea por sujetos individuales, en cuanto agentes de ese *hacer programado* ( = actividades humanas literarias) previamente definido y denominado *acto literario* capaz, a su vez, de recibir el vertimiento de ciertos contenidos semánticos específicos de "historia literaria modelizante".

En esta vía y a modo de ejemplo, uno de los puntos más sensibles de esa futura axiomática es sin duda la distinción *funcional* en dos niveles: a) el de las actividades humanas programadas como actos literarios por un grupo humano dado en un momento de su devenir y b) la selección controlada, por el historiador de la literatura, de algunos de esos actos literarios en tanto actos históricamente representativos para ese grupo y ese momento. La distinción funcional de esos dos niveles en el discurso histórico-literario presupone que la *literatura* en tanto objeto de conocimiento debe ser entendida como *un macrovalor socioideológico de representación manifestado en lengua y/o escritura, susceptible de ser evaluado y apropiado como un bien de cultura por la sociedad que lo produce.* ¿Y cómo definir, desde esa perspectiva, la naturaleza conceptual del macrovalor socioideológico de representación mencionado en una definición operatoria? Dicha naturaleza conceptual es, ciertamente, de orden *taxonómico* dependiente al mismo tiempo de la estructura social que se trata y de su modo de producción literaria: etnoliteratura, literatura académica, literatura obrera, literatura de reclusión, etcétera[17].

A partir de la determinación del (o de los) modo(s) de producción literaria para la formación socio-económica y discursiva elegida, procede la operación de selección: toda historia de la literatura es, por fuerza de las cosas, una antología; quiero decir con ello que una manifestación literaria cualquiera es *históricamente significativa* y por lo tanto enunciable como *hecho* histórico-literario, gracias a la inscripción de uno o más *enunciados de estado*[18] encargados de manifestar la densidad semántica[19] del valor literario predeterminado por cada modo de producción específico.

Pero ciertamente la historia de la literatura no registra sólo el aspecto estático del *hecho* literario escogido; es, ante todo, el registro de su aspecto evolutivo, del cambio de los valores literarios en el transcurso temporal y en la movilidad espacial de los modos de producción literaria. Lo que en buen romance quiere decir que en la historiografía literaria, además de los enunciados de estado definidos por la presencia en la estructura profunda de la modalidad sustantiva (ser y/o estar), se encuentran los enunciados encargados de enunciar las *transformaciones*[20] de los valores (y no sólo su reproducción) y consecuentemente se hallan modalizados, siempre en la estructura profunda, por la modalidad operatoria (hacer).

La narratividad historiográfica de la literatura participa, pues, de las mismas restricciones enunciativas de cualquier discurso narrativo; lo fundamental, lo propio de la narratividad histórico-literaria radica en la determinación semántica del *acto literario* elegido en su doble dimensión –sincrónica y diacrónica– que reúne "el aspecto evolutivo de la historia y su aspecto estático de contrariedad valorativa"[21], en el marco de la categoría taxonómica cualitativa[22] que le corresponde. El acto literario, una vez puesto de manifiesto por el respectivo enunciado de estado, será relacionado *a fortiori* —causal (lo que excluye el azar) y temporalmente— por enunciados de transformación dinámica y dialéctica a la vez, a un enunciado de estado *precedente (propter hoc)* y a otro *consecuente (post hoc),* ambos regidos por el mismo modo de producción literaria.

Ahora bien, mientras el enfoque tradicional de la secuencialidad de los *(micro-, macro-) hechos* literarios propuesto por el historiador de la literatura es *integrativo,* vale decir que para él los *hechos* literarios se suceden unos a otros organizados y diferenciados (pero coexistentes) por rasgos reproductivos e institucionalizados académicamente (escuelas, estéticas, influencias, epígonos), la visión de la historiografía literaria materialista sobre la secuencialidad histórico-literaria deberá considerar los *cortes epistemológicos* (Foucault) que dialectizan socio-ideológicamente el fenómeno literario, fenómeno que se ubica en el centro de los enfrentamientos culturales y de la trama de las relaciones entre las entidades constituidas como grupos sociales, por efecto de cierto transcurso histórico específico. Es decir que el enfoque *integrativo* debe ser sustituido por las implicancias lógicas de una *visión polémica* que rescate las crisis y los enfrentamientos discursivo-literarios entre los estados precedente, presente y consecuente no sólo al interior del canal temporal del modo de producción literaria que los rige, sino también en relación a las otras temporalidades históricas[23] propias de aquellos otros modos de producción literaria concurrentes y discordantes (por ejemplo, la concurrencia en un momento dado de la historia literaria de un país de dos o más modos de producción literaria discordantes: etnoliteratura y literatura académica) e incluso desviantes o suplantables (por ejemplo, como efecto de la conquista y colonización de un pueblo, la perversión de su modo de producción literaria ancestral). En coyunturas semejantes a éstas, el instrumento de descripción y explicación proporcionado por el análisis de la *desemantización* y la *resemantización* discursivas, no es nada desdeñable.

\* \* \*

El deslinde del *acto literario* a ser enunciado como un *hecho* de la acción histórico-literaria[24] depende en última instancia, como se ha visto, de la determinación del modo de producción literaria, del juego de los rasgos sociales, económicos, políticos e ideológicos pertinentes (el acto literario está siempre dotado con características dependientes de las categorías que pertenecen al dominio de la estructura social de donde procede) y de las connotaciones culturales particularmente significativas en dicho acto para la historia literaria[25]. Los contenidos semánticos y semióticos de naturaleza colectiva e individual que se encuentran vertidos en cada texto literario oral o escrito se supeditan infaltablemente a ese deslinde previo puesto que no son comparables, por ejemplo, las variantes idiolectales producidas por la discursivización de un mismo texto etnoliterario por cada informante[26], de un lado, y las versiones idiolectales que resultan de las modificaciones –por lo general estilísticas– de un poema, del otro; la participación del receptor del mensaje etnoliterario difiere notablemente de la lectura practicada sobre una novela de Vargas Llosa, etcétera.

A manera de corolario, se podría sostener entonces que los distintos modos de producción, difusión y recepción de los textos literarios dependen en mucho del grado de cohesión de los grupos sociales productores y receptores del mensaje literario: así mientras, por ejemplo, la literatura escrita procura independizar su código de interpretación y trata de circunscribirlo a cada texto, el código de interpretación de un texto de literatura oral trasciende esos límites hasta abarcar prácticamente el código semántico del grupo cultural que lo produce.

Dicho esto, y para ilustrar brevemente la mediación de un objeto de conocimiento, la lengua, y su respectiva disciplina, la lingüística, en la historiografía literaria, se deberá tener presente el postulado por el cual "toda formación discursiva depende de *condiciones de producción* específicas"[27]. De esta manera, la primera tarea será el reconocimiento de la naturaleza linguo–cultural de la sociedad cuya literatura va a ser estudiada y la identificación de los valores literarios que definen el modo (o los modos) de producción literaria: historiarse, siempre en correlación estrecha con las formaciones socio–económicas e ideológicas (y sus aparatos) en una relación –y lucha– de clases. Sin embargo, a continuación sólo abordaré a título de hipótesis el reconocimiento y la identificación señalados, dejando para otra oportunidad la imprescindible correlación de los resultados obtenidos con las formaciones socio–económicas e ideológicas y la lucha de clases.

La producción literaria y las formaciones discursivas literarias de una macrosociedad pluriétnica (o plurinacional), multilingüe y pluricultural son particularmente complejas debido a que, como señala Le Goff, "en una misma época y un mismo espacio humano puede darse la coexistencia de varias mentalidades. La historia de estas mentalidades estará necesariamente ligada a la historia de los sistemas culturales".[28] Tal es el caso de la producción literaria de la pluriétnica sociedad peruana, cuya materia linguo–escritural se reparte fuera de la jerarquización obligada por la Carta Constitucional[29], en una serie de lenguas, familias de lenguas y dialectos no normalizados y distribuidos, hasta donde se sabe, de la siguiente manera:

a) el castellano del Perú se divide en dos tipos, *castellano andino* y *castellano ribereño,* el primero con tres variedades dialectales (*andino* propiamente dicho; *altiplánico*; y del *litoral y Andes occidentales)* y el segundo con dos *(litoral norteño y central; amazónico);*

b)  el quechua peruano también se divide en dos tipos, *quechua norteño-sureño* y *quechua-central,* comprendiendo el primero siete variedades dialectales (de *Pacaraos, Lincha, Cajamarca, Ferreñafe, Chachapoyas, Ayacucho, Cusco)* y la segunda seis (de *Huaylas, Conchucos, Huayhuash* –subdividido en *occidental, medio y oriental–, Valle del Mantaro, Huánuco-Marañón y Huánuco-Huallaga);*

c)  la familia aru que comprende tres lenguas: *aimara, jacaru y cauqui;* y

d)  las lenguas selváticas que han sido reunidas en doce familias lingüísticas denominadas *Arawak, Cahuapana, Harakmbet, Huitoto, Jíbaro, Pano, Peba-Yagua, Quechua, Tacana, Tucano, Tupí-Guaraní y Záparo,* subdivididas de acuerdo a la distribución de los grupos en el territorio amazónico (45 recensionados) más seis sub-grupos para la familia *Arawak* y tres para la *Quechua;* quedan por clasificar otras tres, *Cholón, Ticuna y Urarina.*

Desde el punto de vista sociolectal[30], el castellano del Perú es el vehículo linguo-cultural que en esa sociedad plurinacional, multilingüe y pluricultural cumple la tarea de difundir y reproducir (imponer) los valores ideológicos occidentales dominantes y dominados[31], mientras que a las lenguas ancestrales les toca el papel de mantener y hacer sobrevivir los valores mítico-ideológicos ancestrales y sometidos[32]. Ambas funciones sociales señalan, de partida, los *roles categoriales*[33] de los productores de discursos literarios correspondientes a las formaciones socio-económicas que tipifican a cada nación (dominante/sometidas), según el siguiente esquema:

| castellano del Perú | / | lenguas ancestrales |
|---|---|---|
| /autoría/ | | /anonimidad/ |
| "sujeto individual" | vs | "sujeto colectivo". |

La oposición categorial *ámbito individual vs ámbito social* funda desde la mediación sociolingüística, como se ve, el primer orden de restricciones en la producción literaria de la sociedad peruana. En seguida, cada una de estas categorías dirime la *clase* de materia en la cual se manifiestan los discursos literarios en forma de textos; son dos las articulaciones textuales resultantes:

| "sujeto individual" | vs | "sujeto colectivo" |
|---|---|---|
| *escrita* | | *oral* |

371

clases que, desde luego, discriminan la producción literaria *preferente* mas no exclusiva en cada ámbito (un texto literario cuyo modo original de producción es oral puede, en una segunda instancia, ser transcrito y entonces presentado en forma de libro). La escritura y la oralidad acogen, a su vez, los *prototipos* de discursos literarios que prevalecen en las formaciones ideológicas —socioculturales y etnoculturales— de las respectivas naciones:

| *escritura* | *vs* | *oralidad* |
|---|---|---|
| /ideológico-occidental/ | | /ideológico-ancestral/ |
| institucional/parainstitucional | | intercultural/intracultural |

Estos prototipos se subdividen según la variación institucional de la parainstitucionalidad en las formaciones ideológicas socioculturales de predominio occidental; y según la mayor o menor densidad semántica de la combinatoria de los valores occidentales y ancestrales en las formaciones ideológicas etnoculturales. Ello da lugar a los siguientes *tipos:*

| parainstitucional | *intercultural vs intracultural* | |
|---|---|---|
| semiinstitucional/desinstitucional | tradicional | etnoliterario |
| | oral | |

En las formaciones ideológicas socioculturales, los discursos literarios desinstitucionalizados admiten una división por el grado de aceptación (valores dominantes y dominados) que les confieren los aparatos ideológicos del Estado (AIE) y una subdivisión por el orden del soporte escriturario en que se sustentan.

| *desinstitucional* | | |
|---|---|---|
| marginado | / | clandestino |
| impreso | /no-impreso | |

Finalmente, la aplicación de todas estas coerciones culmina en la clasificación taxonómica hipotético-deductiva de los *subtipos* de discursos literarios producidos por la pluralidad de naciones que componen a la sociedad peruana, a partir de multilingüismo y la pluricultura que la definen. (Véase cuadro, p. 374.)

En lo referente a la impronta de la dominación impuesta especialmente por los aparatos ideológicos del Estado (Ministerio de Educación, Universidades, Academia, etc.) sobre la producción de los discursos literarios, ella opera efectivamente, sea para consolidar la institucionalidad, sea para jerarquizar la parainstitucionalidad de esos discursos literarios escritos, pero no es categorial sino gradual y escalar entre los términos de la dominación: dominante/semidominante/dominado. A título hipotético, es posible prever la siguiente escala de acuerdo a las fuerzas de dominación que habitualmente obran en las formaciones discursivas durante la evolución de la historia peruana:

a) Discursos literarios dominantes:
    1. Académicos
    2. Formales

b) Discursos literarios semidominantes:
    1. De quiosco
    2. Infantiles
    3. Escolares

c) Discursos literarios dominados:
    1. Obreros
    2. Campesinos
    3. De reclusión
    4. Privados
    5. Pornográficos

Los discursos literarios orales ocupan, en el Perú, el escalón más bajo de la opresión cultural, el *sometimiento* (la subordinación y segregación, al mismo tiempo). Por lo demás, cada uno de los subtipos de discursividad literaria[34] mantiene su respectiva alteridad cultural en sus respectivos auditorios de origen, lo que obliga a considerar en el trazado de la historia de la literatura peruana no sólo el registro de los distintos "ritmos cronológicos" al observar la evolución de cada subtipo de discurso literario, sino también su trenzado con los otros subtipos coetáneos (las correspondencias mutuas, las interferencias, etc., que prefiguran una autonomía relativa para cada uno) y sus soluciones de continuidad[35]: por un accidente sociohistórico determinado, cierto subtipo de discurso literario puede quedar en suspenso para retomar nuevo impulso tiempo después. A la manera de las lenguas que no viven ni mueren, sino que están en uso o dejan de usarse (la historia de la lengua hebrea es un ejemplo), algunos subtipos de discurso literario pueden quedar en estado de "hibernación".

Así, los actos literarios que mantienen la supervivencia de los subtipos de discursos son, en cuanto *hechos* significativos para la historia

# PRODUCCION LITERARIA PERUANA

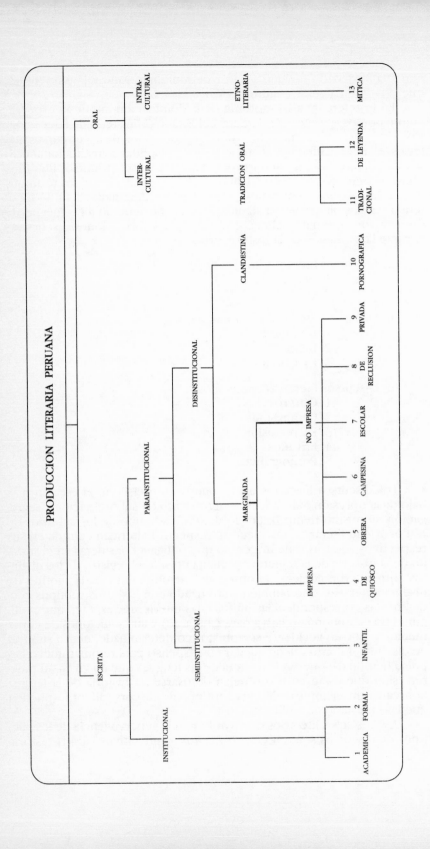

literaria, *actos necesarios* que deben ser distinguidos de los actos literarios contingentes. Sin embargo, la continuidad histórica de un subtipo cualquiera de discurso literario, depende de la redundancia de sus coerciones fundadoras (*valores axiológicos* o categorías generales que los definen) las cuales, al permanecer diacrónicamente (su "tendencia secular"), constituyen la *historia literaria fundamental,* a partir de la cual se diseña la *historia literaria modelizante*[36], es decir, la historia construida con la participación de los procedimientos de mediación filológica, lingüística, etnológica, etc., procedimientos que facultan decidir los *algoritmos ideológicos* de la producción literaria según la oposición categorial directriz *conformismo/inconformismo.* En esta historia modelizante se localizan y despliegan, por último, los productos de los actos literarios necesarios, los textos–muestra o corpus textual literario encargado de representar la *literariedad* (= calidad literaria) constituyente de la *historia literaria manifestada* por la sociedad peruana.

Si atendemos ahora a la organización de la "dialéctica de la duración"[37] histórica de la cual la historia literaria es sólo una parte, podemos ordenarla siguiendo los tres planos indicados, todo de la siguiente manera:

| Historia literaria | Dialéctica de la duración histórica |
|---|---|
| Fundamental | *Larga:* permanencia de los subtipos literarios. |
| Modelizante | *Media*: participación de la interpretación filosófica, lingüística, etnológica, etc. |
| Manifestada | *Corta:* serie de textos literarios significativos. |

Estas "duraciones", solidarias entre sí, permiten la fragmentación de la historia literaria en períodos[38], épocas, etapas, que no son los mismos para todos los subtipos de discursos literarios dado que, por ejemplo, los escritos no tienen la "solidez teatral, casi eterna" de los orales: los primeros son más sensibles "a los incidentes y rechazos, a las intemperies múltiples de la historia"[39].

A tales alturas, soy plenamente consciente de la pobreza esquemática de las propuestas apenas esbozadas. No he buscado aquí otra cosa que formular, lo repito una vez más, una hipótesis para acceder a la comprensión regulada de algunos aspectos de la compleja producción literaria propia de las sociedades plurinacionales como la peruana; es éste sólo un alto, una "pascana" (como decimos en los Andes), en el camino reflexivo ya iniciado hace algún tiempo[40] y que debe proseguir afinando y ahondándose sobre todo en el plano operatorio. Este trabajo que, por cierto, no será obra de una sola persona antes que postular la reforma de la historiografía tradicional –lo que va de sí– quiere contribuir con su esfuerzo a la reivindicación de los productos alienados (*alienatus, lat.* "que no es dueño de sí") de la cultura ancestral, tarea en la que están hoy decididamente comprometidas las disciplinas sociales.

# NOTAS

[1] Citado por J. C. Coquet, "Eléments de Bio-bibliographie" en H. Parret y H. G. Ruprecht (editores), *Exigences et perspectives de la sémiotique–Recueil d'hommages pour Algirdas Julien Greimas*, Amsterdam/Philadelphia, John Benjamins Publishing Co., 1985, vol. I, p. LV.

[2] *Pretexte: Roland Barthes*, Colloque de Cerisy, Paris, Union Générale d'Editions, 1978, p. 307.

[3] Además, ninguno de estos estudios ha sentido la necesidad de distinguir terminológicamente entre el nombre de la disciplina y su respectivo objeto de conocimiento: ¿Qué estudia la historia? Pues, la historia. Esta tautología surgida del empleo de una misma palabra para designar a la disciplina y a su objeto de conocimiento no existe, por ejemplo, entre la lingüística (disciplina) y la lengua (objeto de conocimiento), la sociología y la sociedad, etc.

[4] Cfr. A. J. Greimas, *Sémiotique et sciences sociales*, Paris, Seuil, 1976, p. 162.

[5] Estas instituciones permanecen aún sujetas a "un humanismo retrógrado, insidioso, que no puede servirles más de marco referencial". (F. Braudel, *Ecrits sur l'histoire*, Paris, Flammarion, 1969, p. 41) y por ello son la manifestación visible de la formación ideológica a que pertenecen. F. Pérus define la formación ideológica estético-literaria "como el lugar del proceso de producción y reproducción de las ideologías estéticas que rigen, conjuntamente, la conformación del ámbito de la literatura y 'lo literario', y las prácticas de la lectura y la escritura. Como el proceso al cual da lugar, esta 'formación' descansa en un conjunto de instituciones de carácter escolar, universitario y para–universitario, que, en su aparente dispersión, constituyen el 'aparato ideológico' que domina esta formación ideológica particular y garantiza su reproducción" (*Historia y crítica literaria*, La Habana, Ediciones Casa de las Américas, 1982, p. 23; subrayado en el original).

[6] Gr. Κρίνω: 1. Separar, escoger, entresacar; 2. distinguir, discernir; 3. decidir, zanjar; 4. juzgar, acusar, condenar; 5. explicar una cuestión, interpretar; 6. estimar, apreciar; 7. decidir, resolver un litigio; 8. interpretar (Mnemotecnia lat. *cerno*: crítica). Fuera de estos heterónimos que suelen caer en el olvido, véase las relaciones entre crítica e historia de la literatura en los "Conceptos elementales" planteados por P. Macherey en *Pour une théorie de la production littéraire*, Paris, Francois Maspero, 1966, pp. 9-122.

[7] El término "escotoma" fue empleado originalmente para designar la "zona del campo visual en que los estímulos luminosos son ineficaces" (H. Piéron, *Vocabulaire de la psychogie*, Paris, PUF, 1968, p. 391.

[8] Cfr. E. Galeano, "Literatura y cultura popular en América Latina: diez errores o mentiras frecuentes", en A. Colombres (comp.), *La cultura popular*, México, Premia Editora, 1983, pp. 93-109.

[9] *Op. cit.*, p. 33.

[10] Las condiciones históricas de producción literaria se definen, según F. Pérus, "por los efectos específicos del desarrollo ideológico y político de la lucha de clases en el ámbito concreto de la literatura, cuyas formas de existencia material se inscriben en el marco de una ausencia de mercado literario y por ende de 'autonomía' de la forma como 'valor en sí', y en el de un descentramiento de los aparatos ideológicos y del público que hasta entonces sostenían su existencia" (*ibíd.*, p. 165).

¹¹ L. Goldmann caracteriza con nitidez este *quid pro quo* cuando escribe que "el más burdo y, sin embargo, más extendido de los malentendidos que quisiéramos señalar es el que confunde el materialismo dialéctico con las teorías de Taine, y pretende explicar la obra por la biografía de su autor y por el medio social en que éste ha vivido. Sería difícil imaginar una idea más extraña al materialismo dialéctico [ . . . ] Para el materialismo histórico, el elemento esencial del estudio de la creación literaria reside en el hecho de que la literatura y la filosofía son, en planos distintos, *expresiones de una visión del mundo, y que las visiones del mundo no son hechos individuales, sino sociales* [ . . . ] Ella [la visión del mundo] es el sistema de pensamiento que, en ciertas condiciones, se impone a un grupo de hombres que se encuentran en situaciones económicas y sociales análogas, es decir, a ciertas clases sociales" (*Recherches dialectiques,* Paris, Editions Gallimard, 1959, pp. 46-47; subrayado en el original).

¹² P. Haidu sostiene que la noción de individuo "es una categoría social, determinada por su posición epistémica e ideológica en el interior de un sistema de valores sociales dado" ("Considérations théoriques sur la sémiotique socio-historique" en H. Parret & H. G. Ruprecht (editores), *Exigences et perspectives de la sémiotique-Recueil d'hommages pour Algirdas Julien Greimas,* Amsterdam/Philadelphia, John Benjamins Publishing Co., 1985, vol. I, p. 222) y en relación a la historia de la literatura L. Goldmann precisa que "el individuo es un ser demasiado complejo, sus funciones en el conjunto de la vida social son demasiado múltiples y las mediciones entre su pensamiento y la realidad económica demasiado numerosas y variadas para que se le pueda reducir al esquema pobre de una sociología mecanicista y simplista" (*op. cit.,* p. 48).

¹³ Cfr. M. Foucault, "Qu'est ce que un auteur?", en *Bulletin de la Société Française de Philosophie* (París, julio-septiembre, 1969).

¹⁴ El historiador Paul Veyne advierte que "en ningún caso eso que los historiadores llaman un acontecimiento es aprehendido directa y enteramente; sólo puede serlo de modo incompleto y lateral, a través de los documentos o los testimonios, digamos, por medio de los *tekmeria,* las huellas" (*Comment on écrit l'histoire,* Paris, Seuil, 1979, p. 14) y F. Braudel señala la excesiva confianza en el empleo masivo de los documentos: esa masa documental y su autenticidad han hecho "creer al historiador" que allí "estaba la verdad entera" (*op. cit.,* p. 47).

¹⁵ R. Barthes, en la última clase que dictara en el Colegio de Francia, mencionó un símil característico de este género de interpretaciones: así como los arqueólogos "convierten" en ruinas los monumentos que perduran, del mismo modo los críticos e historiadores de la literatura "arruinan" los textos literarios del pasado.

¹⁶ Como veremos más adelante, los valores semánticos axiológicos que definen las categorías, clases, tipos y subtipos de discursos literarios, pertenecen a las dimensiones fundamentales de la sociedad y constituyen el campo-base de referencia de lo que podríamos llamar la "historia literaria fundamental", frente a la cual la "historia literaria modelizante" selecciona los *hechos* literarios a ser historiados gracias a la sistematización de los valores económicos, políticos, étnicos, etc., realizados por el enunciador del discurso histórico-literario; de ahí nace la necesidad de que la historia de la literatura sea redactada por historiadores de formación científico-social.

¹⁷ En este caso, los conceptos de "subliteratura" o "literatura menor" que presupone la existencia de la institución literaria como paradigma frente al cual otra producción literaria es subvaluada, no tienen cabida en esta taxonomía.

¹⁸ Según A. J. Greimas, "los algoritmos históricos se presentan como estados, en otras palabras, como estructuras estáticas" (*Du sens,* Paris, Seuil, 1970, p. 104; cfr. pp. 108 y 112).

¹⁹ L. Goldmann llega, incluso, a sostener sobre este punto que "antes de buscar las relaciones entre una obra literaria y las clases sociales del tiempo en que ella ha sido

inscrita, es necesario comprenderla a ella misma en su significación propia [ . . . ] La tarea del historiador dialéctico es de obtener, por medio de un análisis [ . . . ] inmanente, la *significación objetiva* de la obra, significación que puede, sólo en seguida, tratar de poner en relación con los factores económicos, sociales y culturales de la época" (*op. cit.,* pp. 48 y 50).

[20] Cfr. A. J. Greimas, *ibíd.*, pp. 112-115.

[21] P. Haidu, *op. cit.,* p. 224.

[22] En este sentido, A. J. Greimas apunta que "la descripción histórica, en la medida en que manipula sólo acontecimientos significativos y no cualquier acontecimiento, no puede ser en definitiva otra cosa que la organización de las categorías cualitativas" ("Sur L'histoire événimentielle et l'histoire fondamentale" en *Geschichte-Ereignis und Erzählung,* Munich, Wilhelm Fink Verlag, 1973, p. 152).

[23] C. Lévi-Strauss hace notar al respecto que "de hecho, todas las sociedades humanas tienen una historia, igualmente larga para cada una, puesto que esta historia se remonta a los orígenes de la especie. Pero, mientras que las sociedades llamadas primitivas se bañan en un fluido histórico al cual se esfuerzan por permanecer impermeables, nuestras sociedades interiorizan, valga la expresión, la historia para convertirla en el motor de su desarrollo" (*Arte, lenguaje, etnología,* México, Siglo XXI Editores S.A., 1969, p. 34); de ahí la incongruencia denunciada por A. Colombres sobre las historias de la literatura que sólo mencionan la literatura ancestral precolombina y no su continuidad histórica: ellas pretenden "fijar las culturas indígenas en el estado en que se hallaban al ser sojuzgados, negándoles la paternidad de todo cambio posterior, [ésta] ha sido la forma de neutralizarlas, de convertirlas en objetos de una acción histórica ajena, en meras lacras del presente, sin puertas al futuro" ("Elementos para una teoría de la cultura de Latinoamérica" en A. Colombres (comp.) *La cultura popular,* México, Premia Editora, 1983, p. 126).

[24] "La obra misma es para el artista y sobre todo para el pensador –dice L. Goldmann– no sólo una acción, sino incluso la más eficaz de las acciones que le sean accesibles" (*op. cit.,* p. 53).

[25] Yuri Lotman ha demostrado que lo que finalmente decide las propiedades literarias (u otras) de un texto cualquiera no son sus cualidades literarias intrínsecas, sino las actitudes connotativas de quien lo evalúa a partir de un contexto cultural dado (obrero, campesino, ancestral, institucional, etc.).

[26] Con el agregado que, según el conocido criterio de C. Lévi-Strauss, el relato etnoliterario no se encarna en un texto (en una variante ) único, sino que se constituye por la serie de correlaciones entre todas sus variantes conocidas.

[27] M. Pécheux y C. Fuchs, "Mises au point et perspectives a propos de l'analyse automatique du discours" en *Langages,* 37 (Paris, mars 1975), p. 11 (subrayado en el original).

[28] Citado por A. Colombres en "Introducción" a A. Colombres (comp.) *La cultura popular,* México, Premia Editora, 1983, p. 15.

[29] El artículo 73 de la Constitución Peruana (1979) jerarquiza las lenguas peruanas de la siguiente manera: "El castellano es el idioma oficial de la República. También son de uso oficial el quechua y el aimará en las zonas y en la forma que la Ley establece. Las demás lenguas aborígenes integran, asimismo, el patrimonio cultural de la Nación"; cfr. E. Ballón Aguirre, "Multiglosia y poder de expresión en la sociedad peruana" en A. Corbera (comp.) *Educación y lingüística en la Amazonía Peruana,* Lima, Centro Amazónico de Antropología y Aplicación Práctica, 1983, pp. 17-27; "Política linguopedagógica peruana", en R*evista Andina,* IV, 2, Cusco (diciembre de 1986), 479-499.

[30] El "sociolecto" entendido como categoría que implica hipotácticamente al término "idiolecto", es definido por A. J. Greimas y J. Courtés como "la manera específica, pro-

pia de cada sociedad, de interpretar y asumir tanto el universo colectivo como el universo individual" (*Semiótica-Diccionario razonado de la teoría del lenguaje*, Madrid, Gredos, 1982, p. 392; no puedo dejar de reconocer que F. Pérus (*op. cit.*, p. 29 y ss.; p. 64 nota 19; pp. 103-154; 130-133) desarrolla en este aspecto criterios muy estrechos sobre la "base lingüística" de la producción literaria e incluso una reducción inaceptable de los aportes al problema por la disciplina semiótica (por ejemplo la caricaturización de la obra de R. Barthes en *op. cit*, pp. 61-62, nota 15); tampoco deja de sorprender, además, la falta de mención a los aportes de la sociolingüística, de la diglosia literaria de la lingüística del discurso (o del texto), de la semiótica narrativa y discursiva, etc., que, dentro del marco de la historiografía marxista de la literatura, han proporcionado criterios de conceptualización y análisis altamente rentables.

[31] En cuanto a la producción de los valores literarios dominados frente a los dominantes, L. Goldmann opina que "el arte proletario, por ejemplo, es aquél que ve sus creaciones con los ojos de un obrero revolucionario y no aquél que quiere probar la justeza de la doctrina socialista o comunista; el arte burgués, es aquél que crea un mundo con cierto aspecto, cierta estructura, y no aquél que se propone defender el orden social existente" (*op. cit.*, p. 56).

[32] Cfr. nota 23.

[33.] El término rol designa "un modelo organizado de comportamiento, ligado a una posición determinada en la sociedad y cuyas manifestaciones son ampliamente previsibles" (A. J. Greimas-J. Courtés, *op. cit.*, p. 344).

[34] Estos subtipos de discursividad literaria han sido definidos, comentados e ilustrados por E. Ballón Aguirre, "La producción narrativa peruana: de la Academia al graffiti", en A. Escobar, E. Ballón y L. Millones, *Antología general de la prosa en el Perú*, vol. III, Lima, Edubanco, 1986, pp. 555-574.

[35] P. Veyne observa que "nada prueba que la manera occidental de escribir la historia como relato continuo perdurable, sea la única concebible o la mejor" (*op. cit.*, p. 63).

[36] En criterio de F. Braudel "los modelos son sólo hipótesis, sistemas de explicación sólidamente ligados según la forma de la ecuación o de la función: esto igual a aquello o determina aquello. Tal realidad no aparece sin que tal otra la acompañe, y de ésta a aquélla, se revelan relaciones estrechas y constantes" (*op. cit.*, p. 64).

[37] F. Braudel, *ibíd.*, p. 44 y ss.

[38] Para A. J. Greimas, "el corpus, sea colectivo sea individual, es comprendido como una sucesión discontinua de elementos de significación que pueden ser sometidos a lo que, en historia, se llama *periodización* (*Sémantique structurale*, Paris, Larousse, 1966, p. 150).

[39] F. Braudel, *op. cit.*, p. 73.

[40] Cfr. E. Ballón Aguirre, "El discurso de la historia de la literatura peruana" en *Socialismo y participación* 33, Lima, Centro de Estudios para el Desarrollo y la Participación (marzo de 1986), 65-82; "Lenguas, literaturas y discursos: la multiglosia peruana" en E. Yepes (editores), *Estudios de historia de la ciencia en el Perú*, vol. II, Lima, Consejo Nacional de Ciencias y Tecnología-Sociedad Peruana de Historia de la Ciencia y la Tecnología, 1986, pp. 1-39.

RAUL DORRA

## SEMIOTICA Y ESTUDIOS LITERARIOS: LA PROXIMIDAD Y LA DISTANCIA*

CON ESTE CAPÍTULO quisiera hacer un recuento de ciertas reflexiones que me han servido de puntos de partida para el análisis de las relaciones de la semiótica con los estudios literarios. Por lo tanto, más que en la exposición de algún descubrimiento, este trabajo consistirá en la descripción del panorama —obligadamente incompleto— de aquellas relaciones tal como ese conflictivo panorama se ha presentado ante mis ojos.

Observemos, para empezar, que las relaciones entre ambas disciplinas han sido desde el comienzo tan intensas y, por decirlo así, tan "naturales", que todavía hay muchos que piensan que la semiótica es sólo un método para el análisis de las obras literarias. Esta suerte de espontánea confusión, que ha resultado perjudicial para una disciplina tanto como para la otra, obedece por un lado a una circunstancia relativamente anecdótica y por otro a un conjunto de razones más profundas. En efecto, es necesario notar que las filas de los estudiosos de la semiótica han sido inicialmente engrosadas —al menos en nuestros países— por investigadores graduados en carreras de letras que, insatisfechos con los métodos de la crítica literaria, optaron por interesarse en una disciplina que ofrecía mayores garantías de rigor e incluso la posibilidad de hacer de sus afanes algo como un saber científico. Y, en segundo lugar, que siendo la semiótica una disciplina preocupada por la producción de los discursos, era lógico que viera en las obras literarias un campo privilegiado para explayar sus propósitos. Así, el discurso literario fue rápidamente preferido por el interés semiótico y tenemos que pensar que esto se debió por lo menos a tres razones: *a)* porque se trata de un discurso que presenta un grado excepcional de elaboración y complejidad y que ofrece las marcas de una conciencia lingüística, de una voluntad constructiva, de un hacer significante y de un trabajo estilístico tan desarrollados que ha permitido la afirmación de que en esta clase de discursos el mensaje consiste en la forma misma; *b)* porque se

* En su *Hablar de literatura*, México, FCE, 1989, pp. 272-83.

381

trata de un discurso que está, diríamos, "a la mano" del investigador, en obras reconocidas y coleccionadas, incluso en muchos casos ya leídas; trabajar sobre ellas, por lo tanto, supondrá no distraer esfuerzos en buscarlas y conjuntarlas, el *conocer* tendrá visos de un platónico *recordar,* es decir, de un descenso a la propia intimidad del estudioso; *c)* porque se trata de un discurso favorecido por una larga tradición de análisis y reflexiones, del único discurso que ha sido desde la Antigüedad estudiado como tal (si aceptamos que la oratoria terminó por ser tratada como un género literario), de modo que, al escogerlo, el semiótico tiene ante sí un campo abonado por disciplinas tan fecundas como la retórica, la poética y la estilística.

Las razones anotadas pueden explicar, entonces, tanto el interés del literato —o ex literato— por los métodos de la semiótica, como el interés del semiótico por las obras literarias. Sin embargo, en cuanto el investigador, llevado por la decisión de rigor que lo ha hecho abrazar la disciplina semiótica, comienza a preguntarse cómo definir la literatura, cómo, al menos, circunscribir su campo, las dificultades no se hacen esperar; el propio investigador ha de reconocer en seguida que estas dificultades están generadas precisamente por la naturalidad y la evidencia misma con que la literatura se presenta ante sus ojos. ¿Qué es, a qué se opone, dónde exactamente comienza y dónde termina la vigencia de *eso* que sin esfuerzo convenimos en llamar *literatura?*

El vocablo "literatura" pertenece a la lengua natural y designa un conjunto siempre vasto y siempre indeterminado de composiciones verbales pero, aún más que ese conjunto, designa una zona de la actividad cultural o, si se quiere, de las operaciones del espíritu. *Litteratura* es la traducción latina de *grammatica,* vocablo griego que, según Heinrich Lausberg, "significa literalmente 'enseñanza de las letras'"[1]. En su origen, este vocablo aludía en primer término al estudio de la lengua y en segundo término al arte de leer y escribir. Por lo tanto, enseñar las letras consistió para la tradición clásica en enseñar la teoría gramatical y en analizar los modelos literarios, dominios cognoscitivos que modernamente se transformaron en lingüística y ciencia de la literatura. En cuanto a los modelos para el análisis, ellos eran extraídos de las obras poéticas, pero también de las didácticas, historiográficas, filosóficas, etc., es decir, de todas aquéllas que se sitúan en el campo de lo que hoy preferiríamos llamar humanidades. El campo de las letras fue durante siglos —no exhaustiva pero sí bastante aproximadamente— el campo de las humanidades y este reconocimiento, si bien atenuado por variadas confusiones, sigue vigente en la conciencia contemporánea. Esta conciencia admite para el término "literatura" dos definiciones extremas: una generalizante, como la que acabamos de señalar, y otra restrictiva, que reduce la literatura a ciertos conjuntos textuales en los que el trabajo artístico ocupa un lugar proponderante: el dilatado ámbito de las "letras" se habría reducido en este caso al de las "bellas letras". De acuerdo con cierto canon clásico, esos conjuntos textuales, o géneros, que cubren el campo de la literatura, serían básicamente tres, el épico, el lírico y el dramático; pero lo cierto es que la conciencia literaria de cada época es la que determina las clasificaciones específicamente vigentes, pues los géneros entendidos como agrupaciones de obras por familias no son en definitiva sino instituciones históricas. Siendo así, cada época decide o rectifica trazos, organiza familias, conviene denominaciones y jerarquías a través de ciertas instancias arbitrales también elaboradas socialmente. Por ejemplo, a juzgar por las revistas literarias, por los programas de estudio, por las convocatorias a certámenes y talleres, por la administración oficial de becas y de premios, los géneros literarios en la actualidad, y hablando en sentido muy restringido, serían para nosotros básicamente dos, cuya denominación y cuya agrupación son ciertamente difusas y heterogéneas: poesía (más o menos en el sentido de *lírica*) y narrativa (que comprendería especies como la novela y el cuento). Aunque nadie quebraría lanzas por la legitimidad de esta clasificación, ella funciona de hecho y hasta imperativamente. Es notable que los jóvenes escritores se esfuerzan por producir textos que puedan inscribirse en uno de ambos géneros, pues la adhesión a uno de esos géneros, además de atenuar los inevitables conflictos de la vocación, abre para ellos la posibilidad de un reconocimiento y aun una protección a su talento: ¿cómo ganar becas, cómo obtener premios, cómo asistir a concursos o publicar en revistas si se es aún un desconocido y no se está en condiciones de entregar algo que pueda ser identificado como un poema o un relato? Sin embargo, y utilizando los mismos elementos de juicio, podemos notar que entre estos dos "géneros" y otros que la conciencia literaria aproxima más o menos inmediatamente no existe interrupción: drama, crónica, testimonio, comentario, ensayo son otros tantos "géneros" cuyo ingreso gradual al campo de la literatura entendida en sentido restringido nunca queda suficientemente explicado. Así, entre la literatura entendida como restricción y la literatura entendida como generalización, la continuidad no se quiebra. El campo de sus operaciones tiende siempre a crecer abarcando un conjunto siempre in-finito no sólo de obras sino también de géneros o familias.

Para mostrar esta conciencia de la literatura como in-finitud (o sea como continuidad sin solución), bastaría con abrir cualquier historia literaria, sobre todo cualquiera de las que se escribieron hasta el siglo XIX y aun a principios del XX. Citaré un solo ejemplo en el que la idea de in-finitud encuentra su realización en la forma que le es más apropiada: la del círculo. Me refiero a la *Historia de la literatura francesa* de Gustave Lanson. Ojeando tal *Historia* se advierte de inmediato que ella reúne la restricción con la generalidad en un movimiento que no encuentra límite; en efecto, en ella se pasa gradualmente de la poesía al drama, del drama a la novela, de la novela a los ensayos históricos, a los tratados morales o filosóficos y todavía a los tratados científicos... y todavía a los estudios de crítica literaria con lo que el metadiscurso termina por convertirse él también en discurso-objeto. Pero la tendencia a la circularidad no termina ahí: la historia escrita por Lanson llega hasta 1850, y luego esta historia ha sido retocada y alargada por Paul Tuffrau, que se ocupó del período comprendido entre 1850 y 1950, siguiendo la línea trazada por el maestro. Precisamente, por seguir este trazo, el apéndice de Tuffrau incluye, en un capítulo dedicado a "La crítica y el ensayo", los trabajos de Lanson y en especial su gran obra, la *Historia de la literatura francesa*. Todo el libro, incluido su apéndice, es conocido como *La historia de la literatura francesa* de Lanson no sólo —creo yo— por decisión de la Librería Hachette, que así lo hace circular, sino porque esa atribución de la totalidad a su ejecutor principal es profundamente verdadera. De modo que en esta gran obra de la literatura, como si ella siguiera el más atrevido movimiento de las metáforas gongorinas, o como si anticipara la imaginación borgeana, vemos realizada una perfecta imagen del infinito circular: la *Historia* de Lanson contiene en sus páginas la *Historia* de Lanson. . . Si nos preguntáramos cuál es la peculiaridad o "diferencia específica" capaz de reunir todas las obras citadas por la *Historia* de Lanson, sería difícil no pensar que tal peculiaridad, de resultar postulable, no debe buscarse en la estructura del discurso. ¿Qué estructura lingüística o semiótica podría ser tan comprensiva y a la vez tan estricta que reuniera un anónimo sermón del siglo XIV, un ensayo de Montaigne, una demostración de Claude Bernard, un soneto de Mallarmé y un capítulo de la *Historia* de Lanson y que a la vez los opusiera a otros conjuntos de textos? Es de suponer que no nacerá un teórico suficientemente entusiasta como para dedicar su tiempo a imaginar una estructura semejante.

Y bien: ante este panorama de la variación y la continuidad debe situarse, por lo menos momentáneamente, nuestro teórico interesado en los estudios literarios. ¿Podría él optar por introducir sus propias determinaciones y su propia clasificación para limitar el campo de análisis? En realidad no, puesto que la literatura es una institución social; es, digamos, *cosa pública*. Lo que identifica a una obra verbal como "literaria" son en principio ciertas convenciones sociales de reconocimiento, convenciones que tienen una vigencia histórica. Obras literarias son aquéllas a las que una sociedad en un momento dado reconoce como "literarias". Más descriptivamente: obras literarias son aquéllas a las que ciertas instancias socialmente reconocidas como autoridad (el crítico y el escritor de prestigio, la escuela, las publicaciones especializadas, las editoriales, la tradición) señalan como literarias. Y si esto es así, rápidamente advertiremos que esa pluralidad de instancias suele ejercitar criterios de inclusión también plurales, y que lo que para una autoridad es obra literaria para otra puede no serlo, con lo cual esa zona de la producción verbal que llamamos "literatura" está constantemente dilatándose y contrayéndose y por lo mismo constantemente tocándose y confundiéndose con otras igualmente indeterminadas a las que damos el nombre de discurso filosófico, discurso religioso, discurso político, conjuntos que asimismo resultan de convenciones sociales que tienen su apoyo en la actividad de la ideología.

En esta cambiante marea el semiótico debe aprender a sobrellevar sus afanes teóricos soportando la tenacidad de las confusiones, pues él menos que nadie —menos que el simple lector— está socialmente autorizado para determinar qué obras deben ser reputadas de literarias. La literatura no se produce para el teórico sino para el lector, y es éste, y no aquél, quién está naturalmente incluido en el circuito de la comunicación literaria. La indeterminación, la continuidad no son problemas del lector, y por lo tanto no lo son tampoco de la producción literaria, sino del teórico: es éste el que necesita operar con magnitudes discretas y construirse un metalenguaje. La literatura, entonces, en tanto discurso natural, resiste constantemente a sus afanes. ¿Cómo discriminar o discretizar lo continuo? ¿Cómo apoyar sobre bases estructurales —o sistemáticas— aquello que se identifica por su función social? Los estudios teóricos de la literatura reducen —creo que legítimamente— esta dificultad por la vía de dos opciones complementarias: *a)* operan con un criterio de fuerte restricción que, sin ser una negación, es por lo menos una resistencia o una crítica a la idea de que la literatura tiene una naturaleza excluyentemente sociológica; *b)* proponen, si bien a veces de manera aún embrionaria, una tipología de los discursos que permita ubicar al discurso literario en relación de oposición estructural con respecto a otras clases de discursos. Dos ejemplos, espero, bastarán. En su célebre conferencia sobre *Lingüística y poética,* Roman Jakobson terminaba reconociendo que sus propuestas tenían plena validez sólo para las "composiciones literarias versificadas", y que la posibilidad de extender el mismo principio estructural a la "literatura no versificada" (es decir, a casi todo lo que en sentido amplio es la literatura) debía seguir estudiándose. Antes de esa afirmación, como se sabe, había expuesto su cuadro de tipos discursivos basándose en la teoría de las seis "funciones de la lengua". Más próximo a nosotros en varios sentidos, José Pascual Buxó, en un libro de reciente aparición[2], propone otro modelo explicativo del principio de literariedad, modelo más abarcador que el de Jakobson, pues está apoyado en una teoría de la ideología antes que en una morfología literaria. Al mismo tiempo, dicho libro diseña las bases de una tipología discursiva, tipología que, desarrollando el esquema de Hjelmslev, concibe a los textos como semióticas y ordena a éstas, de acuerdo con su grado de complejidad estructural, en una escala que va de las semióticas denotativas a las semiologías artísticas, pasando por las semióticas connotativas y las metasemióticas. De todos modos, el libro muestra que el concepto de literatura utilizado por su autor sigue siendo severamente restrictivo, y es obvio que de no haber optado por ese criterio tampoco habría podido construir su modelo.

Así, si queremos hacer lugar a los estudios semióticos de la literatura, debemos aceptar la necesidad de un criterio de fuerte restricción. Con este criterio quedará reducido su campo de estudio y es en este campo donde la semiótica elaborará su propio objeto, pues si es obvio que sin utilizar un criterio restrictivo no se puede elaborar un modelo semiótico de explicación, no menos obvio es que la semiótica sólo puede describir los objetos que ella misma constituye y para fines que significan el desarrollo de la propia disciplina, pues debemos aceptar, como un axioma, que método y objeto tendrán siempre una naturaleza homogénea. Obviamente también, ante el objeto constituido semióticamente y el objeto identificado socialmente, la distancia será siempre no sólo considerable sino irreductible. En realidad, los discursos que podemos llamar "naturales" (discursos que forman un conglomerado heteróclito donde podemos señalar conjuntos textuales tan disímiles como el literario, el humorístico, el deportivo, el militar, el pedagógico, etc.) no pueden ser, en cuanto tales y en toda su extensión, objetos de la semiótica. La semiótica no trabaja con seres naturales sino con propiedades abstractas, útiles para elaborar modelos o entidades finitas que resultan de oponer unidades discretas. Para referirse a la discursividad "natural", la semiótica debe aspirar a una tipología discursiva, tipología que, en cuanto queda constituida, revela en el acto su falta de coincidencia con la discursividad "natural". Por lo tanto, lo que la semiótica puede hacer es aproximarse a estos discursos para explicar principios y procedimientos de la significación que darán cuenta de ellos siempre y sólo en un sentido preestablecido. Entre el cuadro de las clasificaciones semióticas y la marejada de las designaciones sociales habrá siempre la esencial diferencia que va de lo discreto a lo continuo. Así, el semiótico trabajará en su red y la hundirá en un agua que ha de seguir irremisiblemente corriendo más aquí y más allá sin detenerse nunca. ¿Debemos decir entonces que es inútil que la semiótica se ocupe del discurso literario? Creo que no, si la semiótica reconoce su propio territorio y su finalidad propia.

Al cabo, las disciplinas que más nos han enseñado sobre el discurso literario presentan su misma extensión y su misma relatividad. La retórica, por ejemplo, ha descrito y enseñado principios de construcción artística que pueden ser encontrados en cualquier texto elaborado con un cierto grado de deliberación. Toda composición verbal que reconozca su adscripción a un género discursivo tiene su *inventio* y su *dispositio*. En cuanto a la *elocutio* —entendida como el hablar con figuras— ella despliega su actividad prácticamente sobre toda la masa discursiva. Las *figuras del discurso,* a veces abusivamente llamadas *figuras literarias,* brotan por doquier y especialmente en las conversaciones callejeras o de mercado, como ya bien lo observara Du Marsay. Estrictamente hablando, ni siquiera las figuras fónicas, ni siquiera la rima o la aliteración, ni siquiera el verso, son formas exclusivas del discurso literario. La retórica tiene en realidad como objeto todo el arte de la discursivización, pero eso no ha impedido que durante siglos diese las mayores lecciones sobre el arte literario. . . Por lo que hace a los alcances de la poética, sólo me limitaré a señalar que cada vez que se ha tratado de abordar el fundamental problema de los géneros canónicos de la literatura para explicarlos, ya no sobre criterios historicistas o pragmáticos sino sobre estructuras de la enunciación más permanentes, ha sido forzoso reconocer que se está ante un problema que desborda ampliamente a la literatura. Explicar los modos dramáticos, épico y lírico como una expresión de las "facultades" o "fundamentos" del alma —que serían la moral, la inteligencia y la afectividad, según propuso Kant— o explicarlos, con criterios lingüísticos, según el sistema de los pronombres o los modos de enunciación, es avanzar sobre todo el espacio del psiquismo o de la lengua. ¿Diremos por eso que la poética es inútil para el conocimiento de la literatura?

Hemos venido hablando de las posibilidades de conocer la literatura desde una perspectiva semiótica, pero aún no hemos formulado directamente la pregunta central: ¿qué es el conocimiento de la literatura? Pregunta nada fácil de interpretar, pues de inmediato nos conduce a diferentes proyectos de respuesta. Decir de un texto que es literario implica realizar, por lo menos, dos operaciones: una clasificatoria y otra valorativa. Esto es, implica postular que tal texto pertenece a una determinada clase y al mismo tiempo que tiene un cierto grado de excelencia artística y de virtud estética. Tales afirmaciones no por simultáneas dejan de representar procesos diferentes y aun de apuntar a objetos de conocimiento diferentes. En el primer caso quedamos situados frente a un objeto inteligible y al que concebimos como susceptible de una descripción positiva; en el segundo caso quedamos situados frente a un objeto sensible y generador de un cierto efecto que concebimos como efecto estético. Conocer el texto es en el primer caso decir cómo está hecho, qué principios actualiza, qué leyes lo presiden, y en el segundo caso es decir qué calidad tiene, cuánto más o cuánto menos vale en relación con otros textos, cuál es su virtud irrepetible. En el primer caso se infiere lo general a partir del examen de los particulares y en el segundo caso se juzga lo particular a partir de un conocimiento explícito o implícito de las leyes del género. Este segundo conocimiento, valorativo, es el conocimiento estético, y debemos observar que para la conciencia literaria éste es el verdadero conocimiento porque se trata de una apropiación y, sobre todo, de un acto. Conocer, según esta conciencia, es poner en acto la capacidad de apropiarse de un objeto concreto y único mediante la evaluación de sus virtudes. Conocedor, aquí, quiere decir exactamente *catador*. . . Pues bien, aunque la semiótica no ha ignorado la importancia, y aun la necesidad, del desarrollo de un conocimiento de índole estética, su propio método disciplinario la ha obligado a avanzar sobre un saber clasificatorio dejando los difíciles problemas del conocimiento valorante para una etapa ulterior de su desarrollo.

¿Es posible recuperar las preocupaciones de la estética en términos semióticos? O, mejor dicho: ¿es posible tratar semióticamente el tema de la valoración? La pregunta es más bien un desafío, pues el tema de la valoración como forma legítima del conocimiento del texto literario induce a asumir, al menos como hipótesis, una serie de supuestos problemáticos. Tales supuestos serán: *1)* el texto a conocer es un objeto concreto, de formas sensibles y definido como acontecimiento histórico; *2)* el hecho literario es un acto de conocimiento y este acto se produce en el momento en que el texto se hace objeto de contemplación para una conciencia estética; *3)* la lectura –si llamamos *lectura* al encuentro de la conciencia con el texto– es una actividad constitutiva de lo literario, tanto como el texto mismo; *4)* la literatura es resultado de una historia por lo menos tanto como de una estructura.

La semiótica no puede proponerse la realización del conocimiento valorante, pues en él intervienen factores tales como la subjetividad y la variabilidad de los gustos, y tiene como agente a una sensibilidad conformada por una educación estética. Pero si desde la semiótica no es posible formular el juicio de valor, tal vez sí resulte posible estudiar las condiciones en que este juicio se produce, esto es, analizarlo y explicarlo desde una perspectiva teórica como elemento constitutivo del hecho literario.

Recapitulando lo que hasta aquí llevamos dicho, si ello es verdadero debemos suponer, entonces, que cuando señalamos un texto como literario lo adscribimos simultáneamente a dos universos: por un lado, al de los discursos verbales que circulan en el medio social estableciendo formas diferenciales de la comunicación, y, por otro lado, al de los sistemas artísticos que se organizan según sus peculiares formas de significación. De acuerdo con la primera adscripción, los textos literarios establecen asociaciones con esos conjuntos textuales o corrientes enunciativas que hemos llamado discursos naturales (el filosófico, el político, el publicitario, etc.), y según la segunda aquellos textos se asocian al conjunto de organizaciones significantes cuyos mensajes responden a códigos estéticos y cuyas señales son estímulos sensibles, ordenados mediante reglas de la producción artística (la música, la danza, la pintura, etc.). Lo peculiar de la literatura restrictivamente entendida consistiría en que es un discurso verbal tratado como forma sensible para un efecto estético, y en que lo es en tanto es leído según esa disposición. En consecuencia, desde una perspectiva teórica como la que estamos considerando, y para un estudio que se quiera completo, el texto literario debería ser abordado como un hecho discursivo inteligible y a la vez como una organización concreta y material regulada estéticamente. Este segundo abordaje supone, a su vez, la consideración de dos series de operaciones, las de la producción artística y las de la recepción estética. Introduciendo este último factor, tendríamos que convenir en que lo literario no reside en un texto como estructura positiva sino en el encuentro de éste con una lectura orientada a su vez literariamente. Lo literario, entonces, sería más bien un acto, el acto que pone en una cierta relación y en una cierta sintonía a la estructura con la historia. Y una historia de la literatura tendría que ser una historia de esa relación.

Admitiendo que la lectura es una actividad significante tendríamos que aceptar que ella es también, o puede ser, un objeto semiótico. Podríamos pensar asimismo, aun por vía de hipótesis, que la lectura responde a códigos específicos, que conforma textos, que se organiza en géneros o tipos y que compone un universo correlativo al de la escritura. Y, finalmente, que de todas las formas de lectura debe interesarnos una en especial, a saber: la lectura literaria, lectura cuyo presupuesto es la capacidad de reconocimiento de un género y de evaluación de un texto mediante un juicio de valor que es al mismo tiempo un acto de apropiación estética.

Todo esto supone que el estudioso de la literatura no puede ignorar los problemas artísticos y estéticos que su discurso–objeto plantea, y que debe estar en condiciones de reconstruir teóricamente la actividad significante de la lectura a fin de asignarle la función que le corresponde en la produción literaria. Esto no podría ocurrir, desde luego, si el investigador no tuviera él mismo una formación estética y no fuera él mismo capaz de una lectura literaria.

La exigencia de que el semiótico dedicado a los estudios literarios se apoye en una formación estética no es extraña ni tampoco nueva. He dicho al comienzo que no me proponía exponer descubrimientos sino elaborar un panorama de reflexiones. Reflexionando, debemos sin embargo advertir que pedirle al investigador una formación estética quiere decir pedirle no sólo conocimientos y capacidad reflexiva sino incluso –o quizá sobre todo– sensibilidad estética. Pedirle lo que podríamos concebir como una educación estética, pues ella será fuente de sus propias especulaciones. No se trata entonces de una exigencia nueva, pero bien mirado, se trata de una exigencia radical cuyas consecuencias debieran ponderarse. Una consecuencia sería la de conducirnos a una visión más integrada de la literatura. Otra, complementaria, sería la de que, lejos de conducirnos hacia la seguridad, nos llevaría hacia el centro mismo de la incertidumbre, hacia el origen de la esencial fragilidad de nuestros propósitos. Creo, pero esto es ya un acto de fe, que los estudios literarios nunca podrán ser otra cosa que la persecución de un objeto continuamente desplazado –y desplazado por nuestra propia mirada–, del que sólo conoceremos las huellas que va dejando en su fuga. Creo que esta afirmación de ningún modo vuelve inútiles los esfuerzos por conocerlo, pues el conocimiento no es una empresa para buscadores de éxito sino para hombres ganados por la intuición de que la inteligencia o, si se quiere, el espíritu, es empeño sin fin.

1985

# NOTAS

[1] H. Lausberg, *Manual de retórica literaria,* Gredos, Madrid, 1966.

[2] *Las figuraciones del sentido,* FCE, México, 1985.

JUAN VILLEGAS

# LA ESPECIFICIDAD DEL DISCURSO CRITICO
# SOBRE EL TEATRO HISPANOAMERICANO*

EN ENSAYOS ANTERIORES he propuesto una serie de ideas para renovar y transformar sustancialmente la crítica de los textos teatrales hispanoamericanos. Recientemente he estado interesado en demostrar las limitaciones, deformaciones y consecuencias negativas que origina en la lectura e historia del teatro hispanoamericano la utilización exclusiva o predominante de modelos teóricos fundados en el discurso crítico y textos teatrales no hispanoamericanos[1]. Aunque el peligro de la deformación de estos textos al proyectarle indiscriminadamente los códigos culturales, estéticos e ideológicos de otros espacios culturales es válido para todos los textos producidos en las culturas marginales, el teatro hispanoamericano evidencia con mayor notoriedad las consecuencias de la potencial inadecuación. En esta ocasión, me limitaré a comentar un aspecto que sirve de fundamento y justificación para muchos de los planteamientos de mis escritos más recientes: la especificidad del discurso teatral hispanoamericano y la posibilidad de proponer un modelo teórico capaz de aprehender esa especificidad.

Aunque la exigencia de un discurso *literario* independiente de Europa ha sido parte de la lucha de los intelectuales desde los tiempos de la Independencia, la conciencia con respecto a la necesidad de un discurso *crítico* no-dependiente es relativamente reciente.

La percepción de que todo discurso crítico es una práctica discursiva y que, como tal, es una práctica ideológica, conduce a aceptar que todas las "lecturas" de los textos hispanoamericanos son lecturas "ideologizadas" desde la perspectiva del emisor del discurso crítico, por lo tanto de validez dentro del sistema que sustenta esa ideología, pero no necesariamente aceptables para los juicios fundados en una ideología diferente. Por otra parte, si aceptamos que todo discursos crítico se sustenta en una ideología dada y que todo discurso literario, a su vez, configura un modelo del mundo que pone de manifiesto la ideología del gru-

---

* *Gestos*, núm. 2 (1986), pp. 57–73.

po social al cual pertenece su emisor, es posible inferir que ideologías discrepantes enjuicien con valores distintos los productos culturales. El predominio o hegemonía de un sistema estético es, por consiguiente, un fenómeno cuyas raíces son históricas y contextuales.

No entendemos el término "ideología" en el antiguo sentido marxista de "falsa conciencia". Lo usamos como un término descriptivo que representa un conjunto de "discurso" de valores, representaciones y creencias relativamente coherentes que constituyen finalmente un modelo de la "realidad". Desde esta perspectiva una "ideología" se sustenta en determinadas estructuras de producción, de modo que, en el fondo, pone de manifiesto las experiencias de sujetos individuales dentro de las experiencias sociales y las condiciones económicas en que éstas se producen. Ideología la entendemos como una "construcción", como un modelo del mundo, en el sentido usado por Lotman. Es una codificación discursiva de lo real desde la perspectiva de un grupo social y en relación conflictiva con los modelos del mundo elaborados por otros grupos sociales en un determinado momento histórico.

Esta lectura ideologizada de los discursos críticos y de los textos literarios permite proponer que el rechazo, la marginación o valoración de los textos hispanoamericanos poco tiene que ver con supuestos valores "estéticos" o "universales". Por el contrario, los desplazamientos críticos con respecto a la literatura hispanoamericana se vinculan con las transformaciones políticas e ideológicas de los grupos emisores del discurso crítico en relación con Hispanoamérica.

Ha habido períodos en los cuales los textos latinoamericanos han sido "reconocidos" o aceptados por el discurso crítico hegemónico en los Estados Unidos o Europa. Generalmente, se explica ese reconocimiento por la "calidad estética" o el "mejoramiento estético" de algunas obras. En realidad, no se trata de "calidad artística" sino del potencial de algunos textos hispanoamericanos de ser leídos desde la perspectiva de los códigos culturales y estéticos norteamericanos o europeos, o, simplemente, porque factores de orden político o económico –ajenos a los textos en sí– motivan la lectura de esos textos. Ha sido señalado, por ejemplo, que el descubrimiento de la novela latinoamericana en Estados Unidos en el llamado *boom* se produjo en la misma época de la Revolución Cubana y del nuevo interés de los Estados Unidos en América Latina, interés condensado en la expresión "Alianza para el Progreso". Estos cambios de actitud y valoración son productos tanto del desplazamiento ideológico del emisor del discurso crítico como de la transformación de los códigos estéticos de la novela latinoamericana cuyos autores han buscado, conscientemente, internacionalizarse. El discurso crítico producido en los Estados Unidos con respecto a los textos latinoamericanos ha tendido a desideologizar y deshistorizar los textos, sacándolos del contexto social e histórico en que fueron producidos. Un examen de los escasos textos hispánicos o latinoamericanos seleccionados, por ejemplo, para los cursos de literatura comparada en las universidades norteamericanas evidencia que los textos elegidos tienden a ser aquéllos que cumplen con los códigos estetizantes de Europa. Este proceso de marginación de textos ha sido especialmente intenso con respecto a los textos teatrales hispanoamericanos.

Estas observaciones nos hacen volver al planteamiento inicial:

a) el discurso crítico de raigambre europeizante no es necesariamente válido para los textos latinoamericanos producidos por ideologías diferenciadas;

b) se hace necesario formular modelos teóricos capaces de aprehender los textos literarios hispanoamericanos como conformadores específicos de una pluralidad de modelos del mundo.

Desde este punto de vista aceptamos los planteamientos de Jurij Lotman cuando señala que[2]: "Toda cultura determinada históricamente genera un determinado modelo cultural propio" (p. 67). O "la cultura nunca representa un conjunto universal, sino tan sólo un subconjunto con una determinada organización" (p. 68). Por ello la utilización irrestricta y no refuncionalizada de los modelos fundados en la "cultura" europea ha de ser necesariamente deformante de los productos culturales hispanoamericanos. La propuesta de modelos específicos es tal vez la tarea más significativa del discurso teórico en el mundo hispánico en la actualidad[3].

Hace ya algunos años (1972) Fernández Retamar hacía notar la inadecuación de estudiar la literatura hispanoamericana con los métodos elaborados para otras literaturas[4]:

> En los últimos años, a medida que la literatura hispanoamericana encontraba acogida y reconocimiento internacional, se ha hecho cada vez más evidente la incongruencia de seguir abordándola con un aparato conceptual forjado a partir de otras literaturas ["Algunos problemas teóricos de la literatura hispanoamericana", p. 68].

Más explícita es la afirmación siguiente:

> Las teorías de la literatura hispanoamericana, pues, no podrían forjarse trasladándole e imponiéndole en bloque criterios que fueron forjados en relación con otras literaturas, las literaturas metropolitanas. Tales criterios, como sabemos, han sido propuestos —e introyectados en nosotros— como de validez universal. Pero también sabemos que ello, en conjunto, es falso, y no representa sino otra manifestación de colonialismo cultural que hemos sufrido, y no hemos dejado enteramente de sufrir, como una secuela natural del colonialismo político y económico [p. 62].

La propuesta de Fernández Retamar, al parecer, no fue realmente tomada en serio en el plano de los estudios literarios y pocos se han decidido a seguir en la exploración de la posibilidad o la necesidad proclamada. Las causas pueden estar en que él mismo no desarrolló su planteamiento de modo más extenso o que se le asoció esencialmente con motivaciones políticas. La necesidad de independencia en el discurso teórico se vinculó con independencia política y económica desde una perspectiva cubana y, en consecuencia, con principios revolucionarios de orden marxista. Por otra parte, en el plano político, pese a las diferencias nacionales, las tendencias dominantes en los grupos hegemónicos se orientaban a la integración, tanto de los países latinoamericanos entre sí para constituir un bloque de poder político y económico, como la integración política y económica con los centros de poder no latinoamericanos. Una de las consecuencias de estas perspectivas se manifiesta en que no se da la necesidad de aprehender lo diferenciador o lo marginal de los discursos literarios. Junto a lo anteriormente señalado hay que agregar que uno de los factores para esta falta de atención fue que la propuesta de Fernández Retamar implicaba que el discurso crítico hegemónico autoconcientizase su propio sustrato ideológico. A comienzos de la década del 70 no se daba aún en los practicantes del discurso crítico en América Latina la instrumentalización teórica que justificase o permitiese llevar a cabo la desconstrucción ideológica o el cuestionamiento de los códigos estéticos desde el interior del discurso teórico europeizante, hegemónico entre los practicantes del discurso crítico teórico en América Latina[5]. Las tendencias fenomenológicas, el predominio del estructuralismo o los remanentes de la estilística no fomentaban el interés por la utilización ideológica o política de los discursos literarios o los discursos teóricos. En los últimos años, sin embargo, dentro de la pluralidad de los discursos europeos se han venido advirtiendo tendencias que, en última instancia, desraízan los discursos teóricos europeizantes de sus fundamentos de hegemonía y proclaman la necesidad de considerar la diferencia. Los discursos que proclaman la validez de la diferenciación, asignan relevancia a los discursos marginales o del "otro", postulan la heteroglosia, directa o indirectamente, vienen a justificar la postulación y modelización de un discurso específico para los discursos literarios marginales[6].

Uno de los principios que manejamos es que el discurso teórico no se funda en la existencia de universales, sino que se construye desde la perspectiva de un modelo del mundo —en sí mismo histórico— y sobre la base de textos producidos en determinadas condiciones históricas, los que son leídos desde el enmarcamiento del modelo del mundo. Este principio involucra postular que no hay fundamento de validez universal para conceder primacía o exclusividad a ciertos modelos del mundo, excepto por factores externos al modelo mismo, tales como primacía política, religiosa o económica. Consideramos a la vez que el discurso crítico hegemónico tiene grandes dificultades —a veces, imposibles de superar— para analizar y enjuiciar objetivamente los productos teatrales de los discursos marginales con los cuales no coincide en códigos estéticos, culturales o ideológicos. Creemos, además —como apuntamos al principio de este ensayo– que la necesidad de proponer nuevos modelos surge de que la mayor parte de los discursos críticos fundados en códigos estéticos e ideológicos de los grupos hegemónicos son insatisfactorios o deformantes para el análisis e interpretación de los discursos sustentados en códigos estéticos e ideológicos de grupos marginales.

Una consecuencia de estos planteamientos es la necesidad de proponer modelos teóricos fundados en la especificidad del modelo del mundo hispanoamericano –definible dentro de las posibilidades actuales de las investigaciones antropológicas, filosóficas o sociológicas– y de la posible especificidad de la producción de los textos en Hispanoamérica.

## TIPOS DE DISCURSO CRITICO Y TIPOS DE DISCURSOS TEATRALES

La ampliación de la dicotomía postulada por Foucault entre discursos hegemónicos y discursos subyugados a cuatro formas discursivas, desde la perspectiva de su relación con las fuentes de poder, permite pluralizar y diversificar los modelos y la práctica de los discursos críticos y de los discursos teatrales[7]. Proponemos considerar, en principio, la siguiente clasificación: hegemónicos, desplazados, marginales y subyugados.

a) *Hegemónico:* Corresponde a la práctica discursiva del poder cultural dominante dentro de una formación social. Generalmente se sustenta en el sistema de valores y los códigos culturales e ideológicos que corresponden al del grupo cultural dominante, el que no es necesariamente el grupo político o económico dominante. En el plano de los discursos críticos sobre el teatro en América Latina, por ejemplo, ha predominado un discurso teórico fundado en los llamados "grandes textos teóricos" de Occidente, desde Aristóteles hasta nuestros días. En cuanto al discurso teórico práctico[8] ha tendido a predominar un discurso sustentado en los códigos estéticos y culturales de los llamados sectores urbanos cultos, de orientación cultural europeizante. El discurso crítico hegemónico, por su parte, ha privilegiado los textos teatrales que corresponden o pueden identificarse con las tendencias teatrales europeas. Tanto el emisor del discurso como su destinatario tienden a pertenecer a los sectores medios urbanos cultos[9].

b) *Desplazado:* El tipo de discurso que solía ser hegemónico en un momento histórico, pero cuya vigencia ha desaparecido dentro de los sectores culturalmente hegemónicos, desplazamiento que lo transforma en un modelo arcaico o pasado de moda. En algunas circunstancias se constituye en el hegemónico dentro de sectores sociales o culturales marginales.

En cuanto a los discursos teatrales, el discurso realista o naturalista de comienzos de siglo constituye en Hispanoamérica en la actualidad un discurso desplazado. En el plano de los discursos críticos, por ejemplo, el llamado "historicismo" o "método histórico" —como se le entendía a comienzos de siglo— es un discurso desplazado.

c) *Marginal:* El discurso o los discursos que, coexistiendo con los discursos hegemónicos, es considerado por éstos como de menor valor o significado. Generalmente, esta marginalidad del discurso emerge de la marginalidad del productor o la marginalidad de los destinatarios potenciales[10]. Esta marginalidad puede surgir, además, de la falta de actualidad o vigencia de los códigos estéticos predominantes en el discurso teatral. No consideramos marginal al teatro que incorpora, por ejemplo, personajes de sectores sociales marginales, pero caracterizados o sustentados en el sistema de valores de los sectores hegemónicos[11].

En la historia del teatro hispanoamericano, el discurso anarquista fue, obviamente, un discurso teatral marginal tanto en su dimensión de marginalidad ideológica como de la marginalidad de sus productores y potenciales destinatarios. Formas de teatro marginal lo son también las formas de teatro poblacional, teatro campesino, teatro obrero. Naturalmente, su distancia con respecto al centro hegemónico varía —como hemos apuntado— con las transformaciones de los intereses de estos grupos.

d) *Subyugado:* Discurso que ha sido declarado oficialmente por las autoridades como un discurso prohibido o contraproducente para el sistema social desde la perspectiva del grupo social en el poder, ya sea en lo cultural o lo político. Esta subyugación puede ser tanto explícita como implícita, y no tiene que ver necesariamente con los discursos crítico o teatral hegemónico.

En un determinado momento histórico, no se da sólo uno de ellos sino que coexisten con diversa presencia e influencia, según sean las condiciones históricas y culturales del espacio en que se utilizan. La pertenencia de un discurso teatral o crítico a una u otra categoría está determinada por las relaciones de fuerza y poder en las formaciones sociales. Por lo tanto estas categorías son cambiantes de acuerdo con los cambios sociales y las estructuras y prácticas de poder en las diversas situaciones históricas. Un discurso crítico marxista, por ejemplo, puede en algunas instancias históricas constituirse en discurso hegemónico y en otras en discurso subyugado. Un discurso crítico marxista es hegemónico en Cuba y es subyugado en Chile después de 1973. Un discurso *teatral* sustentado en un sistema de valores marxistas, por otro lado, constituía un discurso de aspiración hegemónica en Chile entre 1971 y 1973.

La aceptación de estas categorías permite repensar y reescribir la historia del teatro hispanoamericano, por cuanto las "historias" han sido elaboradas desde la perspectiva del discurso crítico hegemónico, el cual ha establecido los sistemas de valores con los cuales se han seleccionado los textos teatrales producidos en Hispanoamérica y, a la vez, ha propuesto las categorías que fundan las clasificaciones o periodizaciones propuestas hasta el momento. Desde este punto de vista, la selección y la valoración de los textos teatrales llamados "clásicos" en el teatro hispanoamericano ha sido hecha desde el punto de vista del sistema de valores del discurso crítico hegemónico. Por lo tanto, de una manera u otra, es funcional a los intereses ideológicos de los grupos sociales a los cuales pertenecen los emisores del discurso crítico.

En el caso del teatro hispanoamericano, además, la primacía de ciertos sectores nacionales entre los productores de discursos críticos da origen al predominio o supervaloración de zonas geográficas o nacionales. Un ejemplo interesante –indicio a la vez de una tendencia– es el número de *Caravelle 40* dedicado al teatro latinoamericano, en el cual prácticamente un volumen dedicado al teatro "hispanoamericano" se centra en Chile y Argentina. Este privilegiar surge, entre otras razones, de la relativa abundancia de profesores e investigadores producidos por las universidades de estos países, a lo cual se une la salida de muchos de ellos de sus países de origen por razones políticas o económicas y su asentamiento en centros de poder cultural. Dentro de la misma perspectiva, son escasos los libros dedicados al teatro de otros países latinoamericanos. Una vez más, creemos, esta ausencia se debe parcialmente a los textos teatrales en sí y parcialmente a los intereses de los productores de las historias o críticas del teatro hispanoamericano. El teatro de países como Bolivia, la República Dominicana, Ecuador y otros, hasta hace poco carecían de estudios o de historias.

Dentro del teatro chileno, por ejemplo, los discursos teatrales destinados a los sectores obreros ha sido un discurso teatral marginal. Los críticos de orientación marxista hacia los años sesenta, sin embargo, al revisar la historia del teatro chileno tendieron a darle una mayor importancia de lo que le habían asignado las historias tradicionales[12]. Por otro lado, durante los últimos años, críticos de la misma orientación viviendo fuera del país han tendido a privilegiar discursos teatrales que dentro del contexto nacional no han sido considerados como textos realmente significativos, excepto para un grupo reducido.

Un análisis sistemático de las categorías mencionadas podría conducir a una lectura diversificada y plural de la historia literaria hispanoamericana. A la vez, puede permitir proponer una serie de coordenadas, tanto entre los discursos críticos como en los discursos literarios.

Aunque nos hemos referido al discurso crítico europeo como una tendencia general, es preciso reconocer la pluralidad del mismo y la diversa presencia de sus distintas manifestaciones dentro del mundo hispánico o sus diferentes modos de aproximación a los textos hispanoamericanos. Es decir, aun algunos de los discursos críticos de raigambre europea pueden constituirse en marginales o subyugados, hegemónicos o desplazados en Hispanoamérica o dentro de los estudiosos de la literatura latinoamericana. Los emisores del discurso crítico seleccionan aquellos que corresponden o se aproximan a sus propios sistemas de valores o modelos del mundo y los adecuan a sus propios intereses. Por lo tanto, la categoría de hegemónico o marginal, por ejemplo, de un discurso crítico en Europa no significa que pertenezcan a la misma categoría en

América Latina. Uno de los aspectos por estudiarse, precisamente, es el fundamento ideológico que conduce a algunos teóricos, críticos o escritores a seleccionar determinados movimientos teóricos europeos y su posible adecuación a los textos hispanoamericanos. No es difícil observar, por ejemplo, cómo los escritores de izquierda han tendido a usar los planteamientos brechtianos, ya sea por afinidad política o la posibilidad de utilizar el modelo brechtiano como instrumento político o de denuncia de los males sociales de las estructuras económicas y políticas del Tercer Mundo. Otro de los aspectos por estudiar es la preferencia de teóricos hispanoamericanos por la estilística, por ejemplo, o el estructuralismo hacia los años sesenta. Nadie ha examinado, por otra parte, la fuerte presencia intelectual alemana en América Latina y sus consecuencias para los métodos empleados en la lectura de textos hispanoamericanos. El predominio de un modelo europeo no se limita al plano de la "superestructura" o la "alta cultura". Por el contrario, corresponde a una de las dimensiones del modelo cultural impuesto por ciertos grupos en el poder o seleccionado por los productores de los discursos críticos hegemónicos.

## EL DISCURSO TEATRAL LATINOAMERICANO COMO DISCURSO MARGINAL. LA MARGINALIDAD DENTRO DE LA MARGINALIDAD

El discurso teatral latinoamericano es un discurso marginal desde la perspectiva de las historias del teatro de Occidente, marginalidad que se refiere a la producción teatral de textos hispanoamericanos fuera del espacio hispanoamericano y a la consideración del mismo por parte de los discursos críticos hegemónicos. Cualquier mirada sobre estas historias "universales" o generales del teatro evidencia la ausencia total de referencias al teatro producido en Hispanoamérica. Esta marginalidad no es sino una acentuación de la marginalización de la cultura hispánica por parte de los discursos teóricos y críticos hegemónicos en Occidente.

La marginalización del teatro latinoamericano se da aun dentro de la propia cultura hispanoamericana, aunque, en este caso, según algunos, ésta no vendría a ser sino una manifestación más de la actitud de los sectores "cultos" con respecto a toda la literatura hispanoamericana:

> If we examine Latin American literature [ . . . ] we can see that not only has the literature of the oppressed majority class been excluded from participation in the national culture, but that the literature of the national bourgeoisie has taken a traditional second place to the literature of the dominant nations (which of course represent their respective ruling class). For more than four centuries the literature of Spain took precedence in Latin America over the national literature. Gradually the literature of France and England became available to Latin American readers and gained a position of respect. And in the 20th century, North American literature has acquired importan-

ce in Latin American culture and academic contexts. All these foreign literatures have been at the expense of national bourgeois literature which, although it did exist through the centuries of foreign domination, was never regarded with the same importance as was the foreign literature [p. 10][13].

Si aceptamos las hipótesis anteriores, nos encontramos una vez más con la necesidad de cuestionar la "historicidad" del fenómeno y suponer una discrepancia de sistema de valores estéticos entre el discurso crítico y el discurso teatral o la utilización insatisfactoria de los códigos estéticos hegemónicos por parte del discurso teatral hispanoamericano.

En términos generales, consideramos que la aplicación de los códigos estéticos del discurso crítico hegemónico, idealista o formalista dominante hasta hace poco tiempo en América Latina, o de los discursos críticos aplicados al teatro hispanoamericano ha conducido a una serie de consecuencias que, finalmente, resultan negativas para la posibilidad de lectura de los textos hispanoamericanos dentro de la propia contextualidad de la práctica discursiva teatral. Entre éstas se podrían mencionar algunas que he comentado brevemente en otras ocasiones: la descontextualización, desideologización, la pluralidad, prescindencia del destinatario, la validez del mensaje dentro de la situación comunicativa particularizada, etcétera.

El discurso teatral latinoamericano presenta un caso interesante desde el punto de vista que hemos asumido porque dentro del contexto de las producciones teatrales de Occidente debe ser considerado como un discurso marginal con respecto a los discursos teatrales producidos por los centros culturales de Europa y Estados Unidos, especialmente[14]. A su vez, sin embargo, se constituye por una serie de discursos catalogables dentro de lo marginal, lo subyugado o lo desplazado, a los cuales el discurso crítico hegemónico, dentro y fuera de América Latina, no les presta atención, los desvaloriza o, simplemente, los ignora[15].

El teatro destinado a los sectores cultural o socialmente marginales, ha quedado fuera de la historia del teatro. Las transformaciones políticas en América Latina, el esfuerzo o las posibilidades de ciertos grupos marginales por formar parte de la historia nacional, o los intentos de los grupos políticos por incorporarlos a la historia nacional oficial, ha llevado, en diversas instancias y con distintos grados de éxito, a asignar importancia a los textos teatrales producidos para ellos[16]. La conciencia política de ciertos grupos de que es imposible producir la transformación política de América Latina sin contar con la activa participación de algunos de los sectores marginales —campesinos, lumpen, proletariado, "desposeídos", etc.— ha conducido a transformaciones tanto de las estructuras y prácticas teatrales como de las áreas de interés de los discursos críticos.

Pese a estos intentos, sin embargo, no se ha configurado aún una teoría de modelos capaces de aprehender la individualidad, especificidad e historicidad de los tipos marginales, subyugados o desplazados. En el caso de Boal, que es quien se ha interesado por los discursos marginales, sus teorías están más dirigidas a los directores teatrales y a los actores que a la formulación de los modelos que preconizamos[17]. Sus recomendaciones, además, no toman en cuenta las posibilidades requeridas por la clasificación postulada.

## LA ESPECIFICIDAD DE ESTAR EN EL MUNDO DEL HISPANOAMERICANO

La propuesta de fundar un discurso teórico y un discurso crítico sustentados en un modelo diferenciado implica como primera instancia el reconocimiento de la validez de esta posibilidad por parte del emisor del discurso teórico. Es decir, aceptar que hay un modo de vida y un modo de relaciones sociales específicos de América Latina y que esa especificidad se pone de manifiesto en los modelos del mundo configurados en los textos literarios, y, en nuestro caso, los textos teatrales.

Aunque no vamos a discutir en esta instancia esta especificidad, y, simplemente, la vamos a asumir como hipótesis de trabajo, es preciso recordar que la "latinoamericanidad" o la "universalidad" del hacer teórico o filosófico ha sido tema de discusión de filósofos y sociólogos en América Latina desde los inicios de nuestra historia y que su problematicidad ha recurrido y se ha intensificado en los últimos años, casi coincidiendo con los planteamientos de Fernández Retamar.

Una síntesis del problema en el plano de los estudios filosóficos, fácilmente trasladable al tema de este ensayo, es el diálogo que recuerda Francisco Miró Quesada con Leopoldo Zea en el Prólogo a *Despertar y proyecto del filosofar latinoamericano*[18].

> Porque este primer contacto nos hizo tomar conciencia de que nuestra concepción de lo que debía ser la filosofía latinoamericana difería de manera irreconciliable. Para él, la única manera de hacer filosofía auténtica en América Latina era meditar a fondo sobre nuestra propia realidad para tratar de desentrañar el sentido de nuestra historia, el significado de nuestro proyecto existencial. Para mí la única manera de hacer filosofía auténtica era meditar sobre los grandes temas de la filosofía clásica y actual y tratar de hacer aportes interesantes a la solución o al tratamiento de los problemas correspondientes [pp. 7–8].

Desde la perspectiva propuesta en este ensayo, la disyuntiva implicaría que la función del discurso teórico es plantear la búsqueda de los universales, la inserción de los textos literarios hispanoamericanos en el discurso literario de Occidente o la investigación de los "grandes temas" de la teoría literaria. El teórico aspira a contribuir con su "granito de arena" en el gran discurso universal. La paradoja de este planteamiento emana de la futilidad del esfuerzo en cuanto al reconocimiento o la posibilidad de reconocimiento que este discurso filosófico "contribuidor" se constituya realmente en texto leído y aceptado por los emisores del discurso filosófico "universalista" fuera de Hispanoamérica[19]. La propuesta de Zea, sin embargo, supondría "meditar a fondo" sobre nuestros textos literarios y "desentrañar su sentido" dentro de *nuestra* historia. En el plano de la "teoría literaria" la tendencia dominante ha sido semejante a la posición de Francisco Miró Quesada.

Aunque no entendemos esta dualidad en el plano filosófico como irreconciliable, como una disyuntiva en la cual la elección de una dirección anula la posibilidad de la otra, en el terreno del discurso teórico sobre el discurso literario y teatral hispanoamericano nos inclinamos por aquélla que sustenta la necesidad de proponer la especificidad del pensar y del ser latinoamericano, especificidad en la cual su relación e interrelación con lo europeo o lo no latinoamericano es una dimensión funcional de la misma. Lo particular de la estrategia, sin embargo, radica en la enfatización de lo diferente, en la focalización de lo particular diferenciado o la utilización o respuesta a lo general que particulariza la respuesta latinoamericana.

Para nuestros propósitos es sugerente recordar el cuestionamiento propuesto por Mario Carla Casalla, quien, después de apuntar que todo filosofar es un reflexionar sobre lo *universal situado* concluye[20]:

> Habrá "filosofía latinoamericana" en el momento y en la medida en que el pensar latinoamericano logre articular *su propio discurso universal situado,* encontrar el lenguaje inherente a *su propia* situación histórica, en una palabra, habrá filosofía latinoamericana" en el momento y en la medida en que el latinoamericano logre efectivizar su propio discurso de lo universal, en cuanto pieza indisoluble del proceso general de emancipación que sacude a su ser [p. 16].

Desde otra perspectiva, la de los estudios sociales, las conclusiones o, por lo menos, los planteamientos son semejantes. Juan Manuel Ospina, por ejemplo, habla de que "toda cultura es enraizada" y explica[21]:

> La Cultura, como causa y efecto del proceso social, como elemento necesario en la constitución de la vida social e individual, está ligada esencialmente a procesos enmarcados en un espacio y un tiempo determinados, aun en lo que a los intercambios se refiere. Es un fenómeno con características propias, diferenciadoras, a pesar de que existan elementos generales, universales. Esas características le dan su peculiar fisonomía, su especificidad nacional y regional, tanto en los períodos de avance equilibrado —la cultura jamás es estática— como en los de transición y crisis.

Esta es precisamente nuestra perspectiva, desplazando el problema desde el hacer filosófico —el existir situado del ser en Hispanoamérica— al hacer de la reflexión sobre el discurso teatral latinoamericano. Postulamos como una de las tareas del discurso teórico el reflexionar sobre los modos particulares de producción teatral y la aprehensión de la especificidad del discurso teatral tal como se pone de manifiesto en Hispanoamérica. Dicho en otras palabras, la necesidad de construir un modelo particularizado, del cual ha de emerger un sistema o una pluralidad de códigos estéticos.

La respuesta en el plano del discurso crítico sobre el teatro hispanoamericano contribuirá a la posibilidad de definir o caracterizar la especificidad del discurso literario hispanoamericano. Consideramos que este objetivo en el plano de los estudios literarios ha de fundirse con la tarea que los filósofos se han propuesto: lo *universal situado* en el contexto de Hispanoamérica. Para llegar a la propuesta general se hace preciso primeramente planteárselo como problema dentro de disciplinas específicas, cuyos resultados proveerán los antecedentes necesarios para la generalización. La aprehensión de esta especificidad, por último, puede conducir a la especificidad de respuestas políticas o modelos políticos para América Latina. Parte constitutiva del modelo tendrá que ser la interrelación y funcionalidad de la pluralidad de discursos teatrales dentro de los tipos antes mencionados y la utilización o reutilización de los modelos europeos.

***

La propuesta de nuevos modelos implica una serie de investigaciones previas que permitan liberarse de los "métodos" tradicionales y proporcionen materiales, datos, textos, informaciones que hagan posible la sustanciación de los nuevos modelos sobre bases empíricas y teóricas firmes. Con este objetivo en mente, por el momento, propondré varias estrategias conducentes a la posibilidad de describir el o los modelos funcionando dentro de las producciones teatrales en Hispanoamérica.

1. Aceptar como hipótesis de trabajo la existencia de lo específico latinoamericano −inferible de los estudios de filosofía y sociología latinoamericana, en los cuales se han propuesto modos específicos− y proyectar esa posible especificidad a los textos teatrales. El texto teatral, en este caso, no sería sino la prueba o la contraprueba de lo propuesto por otras disciplinas. Aunque esta vía de acceso apuntaría esencialmente a probar la "latinoamericanidad", se perdería en el proceso de lo específico de lo *teatral* hispanoamericano o las formas de plasmación de esa especificidad en las distintas zonas o formaciones sociales de Hispanoamérica. Dicho en otros términos, aunque sería útil y tributaria de filósofos, sociólogos o políticos −y, en último caso, de gran significación− esta orientación no nos revelaría lo específico del teatro latinoamericano o lo teatral hispanoamericano o sus realizaciones específicas en cada uno de los países, si es que hay una especificidad nacional.

2. Describir textos teatrales hispanoamericanos y compararlos con los textos teatrales no latinoamericanos de la misma época, descripción en la cual el énfasis debería estar no en las semejanzas sino en las diferen-

402

cias. Es decir, el análisis estructural y dramático de los textos ha de permitir advertir los rasgos peculiares de estos textos siempre que la preocupación del crítico sea percibir la diferencia. Sobre la base de estas diferencias proponer lo específico teatral latinoamericano y, como consecuencias, el modelo teórico, los códigos estéticos, teatrales y culturales que sustentan la diferencia.

3. Asumir la especificidad del objeto —en este caso "teatro" o "texto teatral" y las consecuencias de esa especificidad, dentro del contexto hispanoamericano. Esta estrategia implica —por ejemplo, entre otros factores— aceptar la importancia del destinatario y las variedades del mismo como elemento integral del texto y factor condicionante de los estudios sobre el mismo. Esta estrategia supone toda una serie de estudios que, con respecto al teatro hispanoamericano, prácticamente no se han realizado, ya sea en lo que se refiere a los públicos como a las compañías teatrales y a los escenarios en que las obras se representaron, si es que alguna vez fueron representadas. Esta estrategia supone aceptar la "representación" frente a un público como definidor de lo teatral, con lo cual se excluyen de la historia del teatro aquellas obras no representadas —sólo textos dramáticos—, algunas de las cuales han sido consideradas por los críticos como las "obras maestras" del "teatro" hispanoamericano. Este vendría a ser el caso de una historia del teatro en la cual el tipo de destinatario debería constituir un elemento esencial del modelo de periodización.

Componente esencial de esta perspectiva es aceptar el discurso teatral como una actividad discursiva cuyo mensaje supone una contextualidad inmediata, es decir, mensaje cuyo descifrador ideal o potencial pertenece a la circunstancia inmediata del acto comunicativo.

4. Utilización de las tendencias del discurso crítico hegemónico que justifican o sustentan la necesidad de buscar las diferencias y la especificidad de los discursos marginales, subyugados o desplazados, y proyectar esos planteamientos a los textos teatrales latinoamericanos. Esta estrategia nunca debe ser considerada la fundamental ni definitoria, sino sólo contribuyente parcial. Asignarle excesiva importancia llevaría a percibir la realidad teatral latinoamericana con anteojeras que forzaría a ver sólo fragmentos o parcialidades de la realidad teatral.

5. Descripción, análisis e interpretación de los discursos metateatrales, tanto de autores como de grupos teatrales dentro del contexto histórico social y en su relación de dependencia o independencia con respecto a los discursos teóricos o metateatrales no hispanoamericanos. Esta descripción ha de permitir tanto aprehender con claridad los códigos estéticos, culturales, teatrales, ideológicos, sustentadores de los diversos discursos teatrales, desde la perspectiva del por qué, para qué, para quién y en qué condiciones fueron los textos creados originalmente. El entender estos discursos metateatrales es esencial a la historia del teatro hispanoamericano. Sin embargo, han sido escasamente estudiados, con excepciones parciales y nunca muy en profundidad en relación·

a ciertos movimientos o sectores, los cuales han sido cubiertos limitadamente y sin integrarlos en una visión general de los discursos metateatrales en Hispanoamérica y sus relaciones con los discursos metateatrales de las llamadas metrópolis culturales o teatrales.

6. Análisis del sustrato ideológico de los diversos discursos críticos, sus transformaciones y las relaciones entre esas transformaciones y los cambios históricos y sociales en los diversos países de América Latina.

7. Descripción de los diversos modelos funcionando dentro de los tipos de discursos teatrales que hemos descrito previamente, la historia de cada uno de ellos y su interdependencia con los otros.

Sólo esta diversidad de investigaciones proporcionará los fundamentos empíricos para el proyecto propuesto en estas páginas: la conformación de modelos teóricos que permitan aprehender la especificidad de lo latinoamericano y la especificidad de las formas teatrales producidas en América Latina. La respuesta a su vez viene a formar parte de un problema teórico más general: la necesidad de desplazar los modelos de los discursos críticos hegemónicos para poder "leer" dentro de la contextualidad de los códigos culturales de los textos marginales, subyugados o desplazados, ya sean textos teatrales latinoamericanos, discursos líricos femeninos o discursos narrativos campesinos[21].

# NOTAS

[1] Véanse mis ensayos recientes, especialmente "El discurso dramático-teatral latinoamericano y el discurso crítico: algunas reflexiones estratégicas". *Latin American Theather Review* (Fall, 1984) pp. 5-12; "El discurso teatral y el discurso crítico: el caso de Chile". Anales de la Univesidad de Chile. *Estudios en honor a Rodolfo Oroz.* Quinta Serie, núm. 5 (agosto, 1984), pp. 317-336. Este ensayo forma parte de un grupo de ensayos escritos casi simultáneamente, los cuales se complementan. Este es el planteamiento más general. En "Historia del teatro hispanoamericano: tipos de discursos críticos y discursos teatrales" trabajamos especialmente los discursos marginales y la marginalidad del teatro hispanoamericano. En "Utilización y refuncionalidad de los discursos críticos hegemónicos" examinamos la posibilidad de usar el discurso crítico como instrumento para los planteamientos de este ensayo, europeo.

[2] Jurij M. Lotman y Boris A. Uspenskij, "Sobre el mecanismo semiótico de la cultura" en *Semiótica de la cultura.* Madrid: Ediciones Cátedra, 1979.

[3] Sobre el discurso crítico hispanoamericano véase Hernán Vidal "Para una redefinición culturalista de la crítica literaria latinoamericana". *Ideologies and Literature*, IV núm. 16 (May-June 1983), pp. 121-132; René Jara, "Crítica de una crisis: los estudios literarios hispanoamericanos", *Ideologies and Literature,* IV, núm. 16 (May-June, 1983) pp. 330-352. Véase también José Antonio Portuondo, "Situación actual de la crítica literaria hispanoamericana,", y "Crisis de la crítica literaria hispanoamericana" en *Teoría y crítica de la literatura,* México: Editorial Nueva Imagen, 1984; Carlos Rincón, "Para un plano de batalla de un combate por una nueva crítica en Latinoamérica", *Casa de las Américas,* año XI, núm 67 (julio-agosto, 1971), pp. 39-60; Emir Rodríguez Monegal "El ensayo y la crítica en la América Hispánica", F, 39, 221-228; Marc Zimmermann, "Latin American Literary Criticism and Immigration", *Ideologies and Literature* (1983) pp. 172-196; Fernando García Cambeiro (edit.) *Hacia una crítica literaria latinoamericana.* Buenos Aires: Centro de Estudios Latinoamericanos, 1976; Alejandro Losada, "Los sistemas literarios como instituciones sociales en América Latina", *Revista de Crítica Literaria Latinoamericana,* núm. 1 (1976), pp. 39-60.

[4] Roberto Fernández Retamar, "Para una teoría de la literatura hispanoamericana" y "Algunos problemas teóricos de la literatura hispanoamericana" en *Para una teoría de la literatura hispanoamericana.* México: Editorial Nuestro Tiempo, 1977.

[5] Este tema lo hemos desarrollado extensamente en el ensayo "Utilización y refuncionalidad del discurso crítico hegemónico: el caso del teatro hispanoamericano" que será publicado en el Homenaje al Profesor Bluher. Una descripción sumaria de las tendencias de la crítica literaria en Hispanoamérica en este tiempo se incluye en el ensayo de Alejandro Losada, "Discursos críticos y proyectos sociales en Hispanoamérica", *Ideologies and Literature*, 1, núm. 2 (Feb.-April, 1977), pp. 72-75.

[6] Este aspecto lo hemos desarrollado en "Utilización y refuncionalidad de los discursos críticos hegemónicos".

[7] Sobre algunas de las ideas de Foucault que manejaremos en este ensayo véase especialmente *La arqueología del saber*, México: Siglo XXI Editores, 1970; *Historia de la sexualidad,* Madrid: Siglo XXI Editores, 1978; *Power/Knowledge. Selectec Interviews and Other Writing*, edit. por Colin Gordon, New York: Pantheon Books, 1980.

[8] Aunque en este ensayo hablamos en general de "discurso crítico" no se nos escapa su pluralidad o la serie de categorías que se puede establecer dentro de la expresión. En otro

ensayo hemos hablado de "discurso crítico teórico", "discurso crítico práctico" y "discurso metateatral".

[9] Entre los muchos estudios que hacen falta para una investigación cabal del teatro latinoamericano están aquellos referentes a los espectadores o el público teatral, tanto en el pasado como en el presente, especialmente estudios de carácter empírico. Un interesante y sugestivo trabajo en este sentido es el de María de la Luz Hurtado y María Elena Moreno, *El público del teatro independiente*. Santiago: CENECA, 1982. También hay varios ensayos dedicados al tema del público en el volumen colectivo *Dos generaciones del teatro chileno* (Santiago: Publicaciones de la Escuela de Teatro, Universidad de Chile, 1963).

[10] Desde una perspectiva un poco diferente, algunos podrían considerar dentro de esta categoría los textos que Hernán Vidal incluye como "Teatro testimonial de la contingencia" en *Teatro chileno de la crisis constitucional*. 1973-1980 (Minnesota: Minnesota Latin American Series, 1982). Véase, además, Gerardo Luzuriaga (Ed.) *Popular Theater for Social Change in Latin American*. Los Angeles: UCLA Latin American Center Publications, 1978. En este volumen, para nuestros intereses, resulta sugerente el ensayo de Domingo Piga, "El teatro popular: consideraciones históricas e ideológicas".

[11] Creemos que es semejante la situación con la mayor parte de las obras "reconocidas" en el cual se incorporan personajes campesinos, indios o del lumpen. La visión de mundo sustentadora del texto, las connotaciones ideológicas de los motivos, el lenguaje y comportamiento de los personajes son más indicios o signos de intelectuales de los sectores medios dirigiéndose a destinatarios de los mismos sectores.

[12] Véase, por ejemplo, *Teatro chileno del siglo xx* de Orlando Rodríguez y Domingo Piga (Santiago: Publicaciones de la Escuela de Teatro, Universidad de Chile, 1964) y el volumen colectivo *Dos generaciones del teatro chileno* (Santiago: Publicaciones de la Escuela de Teatro, Universidad de Chile, 1963) en el cual se le dedican extensas secciones a discursos teatrales no hegemónicos. Un libro interesante, pese a la falta de rigurosidad o sistematicidad con respecto a este tema es el de Mario Cánepa *El teatro en Chile* (Santiago: Editorial Arancibia Hermanos, 1966) por cuanto al ser escrito por un hombre de teatro más que una historia sistemática o académica del teatro chileno es un recuento de "acontecimientos" teatrales, con lo cual prescinde de los códigos estéticos académicos como criterio de selección o referencia y opta por la reacción del público como criterio de selección de los textos. De este modo se refiere en numerosas ocasiones a obras que no constituyen las llamadas "grandes obras" del teatro chileno. Al mismo tiempo, hay numerosas referencias a "temas" esencialmente "teatrales", tales como los actores o actrices, su popularidad, su efecto en los éxitos o fracasos de las obras representadas, etc. El libro de Pedro Bravo-Elizondo, cuyo título —*Teatro hispanoamericano de crítica social*— podría sugerir la incorporación de estudios de formas teatrales marginales, trabaja esencialmente textos del discurso crítico hegemónico.

[13] M. J. Fenwick, *Dependency Theory and Literary Analysis: Reflections on Vargas Llosa's: The Green House*, Minneapolis: Institute for the Study of Ideologies and Literature, 1981.

[14] La afirmación que el teatro hispanoamericano ha sido representado en diferentes partes del mundo no quita validez a esta hipótesis por cuanto esas representaciones tienden a ser para grupos minoritarios, muchas veces en universidades —en el caso de Estados Unidos— o en festivales. Pocas veces obras teatrales hispanoamericanas han logrado un "triunfo teatral" en metrópolis teatrales. Quien ha trabajado la presencia del teatro hispanoamericano en Francia, por ejemplo, ha sido Osvaldo Obregón.

[15] Desde este punto de vista se presta de modo excepcional para la realización práctica de un modelo en el cual se proponga la interrelación y funcionalidad de esa interrelación entre discursos teatrales marginales y discursos críticos hegemónicos. Un interesante y valioso conjunto de ensayos en los cuales se tocan algunos de los puntos aquí propuestos es

*América Latina en su literatura* con la coordinación e introducción de César Fernández Moreno, patrocinado por la Unesco y editado por Siglo XXI, 1972, especialmente en la Primera Parte: "Una literatura en el mundo".

[16] Uno de estos casos hemos estudiado en el ensayo recientemente publicado "Los marginados como personajes" teatro chileno de la década de los sesenta", *Latin American Theatre Review* (Spring, 1986), pp. 85-95. Véase María de la Luz Hurtado "El melodrama, género matriz en la dramaturgia chilena contemporánea; constantes y variaciones de su aproximación a la realidad", *Gestos*, 1 (1986), pp. 121-130. Carlos Oschsenius. *Encuentro de teatro poblacional*. Santiago, CENECA, 1982. También el ensayo de Juan Vera, "Aproximación al teatro poblacional" en la colección de documentos *Seminario. Teatro chileno en la década del 80*. Santiago: CENECA, 1980.

[17] Véase Boal, *Teatro del oprimido y otras poéticas políticas* (Buenos Aires: Ediciones de la Flor, 1974) y *Técnicas latinoamericanas de teatro* (Buenos Aires: Ediciones Corregidor Saici y E., 1975). Un excelente análisis de la utilización del modelo brechtiano en América Latina desde una perspectiva muy diferente a la utilización de Brecht por parte de Boal es el de Fernando de Toro, *Brecht en el teatro hispanoamericano contemporáneo* (Girol Books: Ottawa, 1984).

[18] Francisco Miró Quesada, *Despertar y proyecto del filosofar latinoamericano*. México: FCE, Tierra Firme, 1974. Situación que, desde la perspectiva postulada en este ensayo, resulta trágica. Muchos de los pensadores latinoamericanos han dedicado gran parte de su existencia a elaborar teorías dentro de la línea del pensamiento europeo y muy pocos –si es que alguno lo ha logrado– ha sido reconocido por los "grandes pensadores de su tiempo" como su igual o su equivalente. En primer término, para adquirir ese reconocimiento tiene que escribir en uno de los idiomas "reconocidos" en el plano filosófico o teórico con los cuales podrían estar familiarizado, y, al hacerlo, su destinatario deja de ser el latinoamericano –con quien tiene una experiencia común en términos generales– para pasar a ser los europeos, formados dentro de su propia tradición, en la cual –muchísimas veces– uno de los principios es la no validez del español para esa clase de problemas. Por lo tanto, si escribe en español debe esperar ser traducido y, aun en estos casos, deben darse condiciones especiales en la sociedad en que viven los lectores potenciales en el idioma al cual el trabajo puede ser traducido, condiciones una vez más que no tienen que ver con la calidad o la profundidad del pensamiento sino con la "receptividad" de instituciones, público, editoriales dispuestas a invertir. Es muy extraordinario encontrar que un "filósofo" latinoamericano, por ejemplo, sea estudiado en relación con los grandes filósofos de Occidente. De este modo, he visto profesores en América Latina, por ejemplo, dedicados a estudiar a Heiddeger, Nietzsche o Vico durante años, ser admirables conocedores y exégetas y no ser reconocido más allá de las fronteras de su país o de su idioma. No niego con este comentario la significación y el valor de compenetrarse de la cultura europea de Occidente. Lo que cuestiono es la posibilidad de superar la barrera de la marginalidad cultural para "contribuir" al "entendimiento" de la "cultura hegemónica".

[19] Mario Carlos Casalla, *Razón y liberación. Notas para una filosofía latinoamericana*. Buenos Aires: Siglo XXI, 1974.

[20] Juan Manuel Ospina, "Transición social y culturas regionales", *Boletín cultural y bibliográfico XXI,* núm. 1 (1984), p. 32.

[21] Aunque nos hemos limitado al caso del teatro hispanoamericano, muchos de estos planteamientos son proyectables al teatro español. Por ejemplo, sería sugerente examinar las relaciones entre los discursos críticos de habla inglesa y su perspectiva con respecto a la literatura española. Bien se podría examinar, por ejemplo, desde un punto de vista ideológico y político las variantes de actitudes de los practicantes del discurso crítico británico desde los siglos XVI y XVII. En términos generales la literatura española ha tendido a ser rechazada o interpretada fuera del contexto o de un modo satisfactorio para los emisores del discurso crítico. Será difícil concebir, por ejemplo, en el siglo XVII una "valoración"

positiva del teatro español, por cuanto éste representa una concepción de mundo católica, elogios de la Monarquía Absoluta, elogios de la historia de España, siendo España la enemiga de Inglaterra. Por otro lado, un estudio que hace falta es examinar la contextualidad ideológica e histórica de los críticos alemanes que "descubrieron" o "revaloraron" a los dramaturgos de la llamada Edad de Oro en España, cuáles son los valores que se destacan en cada uno de los casos y de qué modo esos valores se relacionan con los intereses ideológicos o los sistemas de valores de los grupos sociales a los cuales pertenecían los emisores del discurso crítico. Por otro lado, obviamente, el discurso teatral hegemónico en España es el escrito en español y producido teatralmente en Madrid y Barcelona. Poco se estudian los discursos teatrales en las otras lenguas de la península.

ANTONIO ALATORRE

# CRITICA LITERARIA TRADICIONAL Y CRITICA NEO-ACADEMICA*

A LA HORA DE PONERME a escribir este discurso**, teniendo ya delante la primera hoja, aún en blanco, me vinieron a la cabeza unos versitos juguetones, y tan persistentes, que las frases iniciales que yo trataba de elaborar, frases serias, ajustadas a la retórica del exordio, se negaban a cuajar. Decidí entonces hacerles caso a los versitos, que dicen así: *soy niño y mochacho,/nunca en tal me vi.* Y la experiencia de hacerles caso, de analizarlos, o sea de percibir sus resonancias, era una experiencia grata. Por algo no podía sacudírmelos: eran ellos el comienzo de mi discurso. Una a una, las etapas de su análisis se convertían, sin violencia, en razones para adoptarlos como exordio.

Una primera razón es ésta: la confesión del estado de ánimo en que se encuentra el orador es una forma clásica de exordio (en Cicerón hay ejemplos excelentes), y forma honrada, relativamente inmune a la mentira. Lo primero que me dicen esos versos es que el trance de la recepción en el Colegio Nacional me asusta, lo cual es absolutamente cierto. Revive en mí, intensificada, la sensación de hace años al llegar a una primera hora de clase o al dar una conferencia a oyentes raros: un temblorcillo especial, ganas de estar en otro lado. La idea que tengo del Colegio Nacional hace sentirme poco serio, mal preparado, fuera de mi atmósfera, niño y mochacho que nunca en tal se vio.

Segunda razón: esos versitos están trabados con la memoria de Alfonso Reyes, lo cual me permite poner con toda naturalidad, y ya en esta primera hoja, el nombre de uno de los miembros fundadores del Colegio Nacional, que el año de su toma de posesión (1943) tenía una obra escrita aterradoramente más amplia que la mía. El homenaje a los grandes está muy en las normas retóricas del exordio, pero mi homenaje es tan espontáneo como mi confesión de miedo, porque lo que hubo entre don Alfonso y yo, con todas las limitaciones impuestas por mi inmadurez, fue una auténtica amistad literaria.

* *Revista de la Universidad de México.*
** Leído el 26 de junio de 1981 en la ceremonia de mi entrada en El Colegio Nacional.

Tercera y decisiva razón: esos versos me gustan. Las palabras *soy niño y mochacho,/nunca en tal me vi* tienen para mí eso placentero que se llama chiste, que se llama gracia. Son, para mí, palabras vivas sugerentes, y de lo que voy a hablar en mi discurso es de cómo entiendo mi profesión de filólogo, puesto que evidentemente es esa profesión lo que me ha traído aquí, y "filología", como se sabe, significa afición a las palabras.

Explicaré el chiste de los versitos. En sus últimos años, Alfonso Reyes solía platicar conmigo un rato cada día, en el Colegio de México. Y a él, que era un sibarita del verso, le oí decir más de una vez eso de *soy niño y mochacho,/nunca en tal me vi,* que sonaba especialmente gracioso en sus labios. Pero además del placer de la situación estaba el placer de la evocación, pues se trata de una cita literaria. Abundan en la literatura de los Siglos de Oro las menciones de "La niña de Gómez Arias", historia trágica basada al parecer en un hecho real y cantada en el siglo XV en un romancillo del cual no se recordaban ya, a mediados del XVI, sino los cuatro versitos del momento más patético, cuando el desalmado Gómez Arias se apresta a degollar a la tierna doncellita y ella implora, toda llorosa:

> *Señor Gómez Arias,*
> *doléos de mí:*
> *soy niña y mochacha,*
> *¡nunca en tal me vi!*

En los siglos XVI y XVII hubo una serie de reconstrucciones cultas de la historia original —entre ellas una comedia de Vélez de Guevara y otra de Calderón—, y estas reconstrucciones incluyen, como joya, los cuatro versitos que se salvaron (todo lo demás, y hasta el nombre de la desventurada niña, se olvidó). Por otra parte, los cuatro versos sobrevivientes se hicieron proverbiales, y, desligados de la historia a que pertenecían, pudieron aplicarse a muy otras circunstancias, y ponerse, por ejemplo, en labios de una inocente (o pseudo-inocente) muchachita en su noche de bodas: "Señor Gómez Arias, / doléos de mí: / soy niña y mochacha, / ¡nunca en tal me vi!".

Claro que los chistes explicados acaban por perder el chiste. Pero quería poner de relieve, aunque fuera a través de este ejemplo miniatura, el flujo y reflujo que hay entre experiencia literaria y placer literario. Cada placer vivido se queda, se sedimenta y se hace parte del humus de la experiencia, nutridor a su vez de placeres. Uno de los libros más populares de Alfonso Reyes se llama justamente *La experiencia literaria,* y una de las lecciones de ese libro es que la literatura tiene más que ver con el placer que con la solemnidad y el aburrimiento. En el caso que he evocado, una parte de mi placer consistía en sentirme amigo literario de don Alfonso, saber que él sabía que yo, aprendiz de filólogo, era buen captador de su chiste, de su parodia de "La niña de Gómez Arias".

Y es que hay —no cabe duda— chistes que sólo entienden los profesionales, los conocedores, los que se han dedicado a algo, los que han puesto su vida en algo. Los chistes que metió Bach en su *Ofrenda musical* son para los músicos, no para todo el mundo. Y aquí entra, además, la otra cara de la palabra *chiste,* ya no la "gracia" que por sí sola —mágicamente, se diría— nos pone la sonrisa en los labios, sino la "gracia" derivada o refleja que procede por ejemplo de algún espectáculo de chambonería humana y que, como nada humano nos es ajeno y somos parte del espectáculo, nos hace sonreír también, aunque de otra manera, o nos provoca la carcajada. También en este segundo sentido, cada profesión tiene sus chistes. Es un derecho inalienable de los profesionales, de los conocedores, reírse, no de la torpeza en sí, sino de la torpeza que pretende teñirse de pericia. Horacio, un poeta en quien la palabra *chiste* sonríe equilibradamente con sus dos caras, comienza el *Arte poética* dándoles a sus amigos una idea del esperpento, del mamarracho, y lanzándoles la famosa pregunta: "Si ustedes lo ven, ¿serán capaces de aguantar la risa?" (Alfonso Reyes hubiera podido ser un gran escritor satírico: contaba chistes muy regocijantes en que entraban poetas malos, versos cacofónicos, profesores dogmáticos, críticos torpes y otras varias encarnaciones de lo literario risible).

Yo me declaro gustador de estos chistes, y partidario, además, de que trasciendan los círculos profesionales y se difundan lo más posible entre el público. Los chistes de matemáticos difícilmente funcionarán entre los legos, pero los profesionales del estudio literario no debiéramos olvidar que el gusto por la literatura es tan propio de la gente común y corriente como de nosotros. Un lector común y corriente del *Quijote,* capaz de sonreír ante las múltiples gracias de Cervantes, está capacitado como yo para encontrar chistosa la siguiente historia oída en un círculo profesional: el profesor fulano, en la universidad zutana, les dice a los alumnos al llegar a Cervantes: "Las razones que hacen del *Quijote* un libro inmortal son catorce. Las diré despacito para que ustedes las copien sin equivocaciones". (Es uno de esos chistes que llevan la coletilla "Te juro que es verdad, yo estaba allí".)

La risa puede ser amarga. Yo confieso que la mía no lo es tanto. Cierto es que en mis tiempos de estudiante universitario había esos mismos profesores que hoy siguen preguntando, en examen semestral, dónde nació César Vallejo y de qué murió Juan de Mena y de cuándo es la primera edición de *La vorágine.* Pero no me hicieron daño, no alcanzaron a frustrarme. Muchos no han tenido mi suerte. Por eso me han llamado siempre la atención esos pasajes de autobiografías, de memorias, de "Bildungsromanen", de novelas autobiográficas, en que tantos hombres de letras, a través de los siglos, se refieren a sus maestros de literatura; me impresiona la vividez con que suelen evocar alguna de las mil formas de la inepcia, y es raro que estas evocaciones no vayan rodeadas de un aura de risa, a veces pura, a veces más bien amarga.

Voy a detenerme en uno de esos pasajes "literario–autobiográficos". Es un par de páginas que se lee hacia la mitad de *Paradiso* de José Lezama Lima, allí donde se toca la fase "universitaria" de la formación de José Cemí y se inicia su relación con Ricardo Fronesis. La escena transcurre en el patio de la facultad de filosofía y letras de la Universidad de La Habana, pero lo mismo podría transcurrir en un lugar análogo de cualquier facultad de letras del mundo hispánico, pues a pesar de su extraño vocabulario (por ejemplo, llamar "Upsalón" a la universidad), a pesar de sus metáforas inesperadas y de sus acumulaciones de ideas, a pesar de todos esos rasgos irrealizadores y casi frenéticos de su lenguaje, Lezama expone una realidad muy reconocible y muy concreta, aparte de que él mismo, de cuando en cuando, incrusta expresiones en que el pan es pan y el vino vino, dice llanamente que en Upsalón "las clases eran tediosas y banales", además de "tontas", y habla de un "vulgacho profesoral". Los pobres estudiantes, "obligados a remar en aquellas galeras", acaban de salir de una clase acerca justamente del *Quijote*. Por fortuna está allí Fronesis, el ingenioso, el elocuente Fronesis, que, después de resumirles a sus compañeros, en rápida caricatura, los lugares comunes soltados por el profesor (la cárcel de Cervantes, el ataque a los libros de caballerías, todos esos "escudetes contingentes", como él los llama), se lanza en seguida a lo alto para iluminar, como en relámpagos, algunas de las muchas zonas invitadoras del *Quijote* que el rancio cervantismo profesional sistemáticamente ignora.

El coro de estudiantes, mientras tanto, hace gestos de interés y de asentimiento. Hay un ambiente de "aleluya". Pero José Cemí, que no está allí como miembro del coro, revienta por hablar: quiere lucirse, y sólo espera el momento en que Fronesis tenga que tomar resuello para robarle la palabra y, como dice Lezama, "colocar una banderilla".

Por fin hay un respiro, y Cemí se lanza al ruedo. *"La crítica –dice– ha sido muy burda en nuestro idioma"*. Y con esta frase se adueña del silencio de todos. El esquema de su discurso reproduce el de Fronesis, pero Cemí no habla de Cervantes, sino de la poesía barroca, "que es –dice él– lo que interesa de España, y de España en América". También él empieza con el chiste y la caricatura, para luego mostrar, como en relámpagos, algo de lo mucho que no saben ver los profesores y críticos al uso. ¡Pobre Cervantes, sí! Pero también ¡pobre poesía barroca, en qué manos ha caído! Primero Menéndez Pelayo, esa "brocha gorda" que cubrió su ignorancia con descaro y hasta con arsénico, y ahora "la influencia del seminario alemán de filología", cuyos devotos "cogen desprevenidos a uno de nuestros clásicos y estudian en él las cláusulas trimembres acentuadas en la segunda sílaba". No cabe duda: la crítica ha sido muy burda en nuestro idioma.

La banderilla del adolescente Cemí me parece espectacular. Es un buen "chiste para profesionales" metido en una novela que cualquiera puede leer. Y como es un chiste que cala hondo, merece su glosa.

Las páginas en que Menéndez Pelayo llora la vergüenza nacional que es el barroco, y dice horrores de Góngora y de Sor Juana, son clásicas por su cerrazón y su bilis negra. Pero, salvo a uno que otro trasnochado, ya no le hacen daño a nadie. Los críticos, los investigadores, los maestros de literatura, los profesionales todos, hasta los más respetuosos de la memoria de don Marcelino, saben que sus páginas sobre la poesía barroca no cuentan ahora sino como ejemplo insigne de un mal que a todos nos aqueja: la ignorancia. Menos prudente que otros, don Marcelino exhibía con la misma euforia lo mucho que sabía y lo mucho que su cerebro atropellado le impedía convertir en verdadera experiencia literaria. Pero las páginas en que muestra lo experto que era en ciertos terrenos se leen aún con provecho y hasta con gusto. En 1966, cuando se publicó *Paradiso,* llamar "brocha gorda" a Menéndez Pelayo sobre la sola base de su cerrilidad frente a la poesía barroca era un chiste casi obvio. "A moro muerto gran lanzada", se le podría decir al iconoclasta y exhibicionista Cemí.

Pero no olvidemos que el chiste es artificio, hechura de arte, abstracción o parcialización de la realidad, no espejo liso y directo, sino cóncavo o convexo como los del callejón del Gato, o estrellado, o espejo de otro espejo. El chiste tiene la misma impunidad o irresponsabilidad que la ficción literaria. ¿Cómo decidir si el que escribió que "*todas* las gaviotas tienen cara de llamarse Emma" hizo un chiste o un poema miniatura? La equivalencia entre lluvia y llanto que encontremos en una poesía no significa que la lluvia, así sola, sea melancólica. El chiste de la "brocha gorda" funciona cuando hacemos las debidas abstracciones. Santo Tomás diría que nada es cómico *per se,* sino que las cosas son cómicas *secundum quid.* Más simple: para entender un chiste, para saber a qué viene, hay que estar en antecedentes.

He llegado a esta perogrullada para glosar más cómodamente la segunda parte del chiste, la de los críticos que, por influencia del seminario alemán de filología, cogen desprevenidos a uno de nuestros clásicos y le estudian sus cláusulas trimembres acentuadas en segunda sílaba. Algo ocurre aquí, algo se atraviesa. Yo, que me he presentado como filólogo, debo añadir ahora que buena parte de mi formación procede justamente del seminario alemán de filología.

En efecto, el seminario alemán de filología (de filología románica, habría que aclarar) tenía, durante mis años formativos, bastante influencia en no pocos ámbitos críticos del mundo de habla española. Su prestigio era internacional porque sus elementos eran internacionales. Karl Vossler, Ernst Robert Curtius y Leo Spitzer estaban en contacto con el ancho mundo: eran grandes lectores de los clásicos, pero leían también a los lingüistas, teóricos y críticos literarios, filósofos, historiadores, sociólogos y psicólogos de su tiempo. Cada uno a su manera, porque son muy distintos entre sí, Vossler, Curtius y Spitzer son parte de mi educación porque me dieron lecciones perdurables. Y, sobre todo, el hombre que más sólidamente me guió en el estudio de la lengua y la literatura, Raimundo Lida, espíritu apasionado y lúcido, maestro que había descubierto sus propios caminos y estimulaba al discípulo a encontrar los suyos, poniéndolo socráticamente en guardia contra lo que es moda, pedantería y bla–bla, fue en el mundo hispánico uno de los más altos conocedores de esa escuela alemana de filología romance, y tradujo en un español muy fino varios de sus productos. Estoy, para decirlo gráficamente, tan dentro de la tradición de ese seminario alemán, que la expresión "cláusula trimembre acentuada en segunda sílaba", tan cómica en el contexto de *Paradiso,* a mí, por sí sola, no me hace reír en modo alguno: la encuentro clara, la encuentro potencialmente seria y significativa.

Parecería que, en vez de celebrarle su chiste a Cemí, le estoy dando un tirón de orejas. Pero no: el chiste de las cláusulas trimembres es bueno, es eficaz. En mi interior se lo aplaudo a Cemí tal como antes le he aplaudido a Fronesis sus sarcasmos sobre el profesor que hablaba de Cervantes, me río igual de regocijado, igual de no aludido por la pulla.

La explicación de la paradoja importa para mi propósito. Y como la mejor manera de explicar un fenómeno de orden literario y lingüístico es acudir a un ejemplo, tomaré algo breve, un soneto, y tomaré también un grupo no muy grande de críticos, de lectores amantes de la poesía, todos ellos "filólogos" en el sentido básico de la palabra, que es el que me importa, y pondré a este grupo en contacto con el soneto, y trataré de dar una idea de lo que entonces ocurre.

Sin mucho cavilar, encuentro un soneto que viene como anillo al dedo, y anillo de oro. Es el soneto de Lope de Vega "A la Noche", que empieza "Noche, fabricadora de embelecos. . . " Son tantos, entre los sonetos innumerables de Lope, los que siguen vivos y frescos, que a cualquiera se le olvida si ha leído tal o cual de ellos. El soneto "A la Noche" puede no ser de los más leídos, pero yo lo encuentro bellísimo.

Aquí voy a ir más despacio. A mí me alarma la desconfianza que ciertos críticos muestran por aquello que debiera ser la fuerza del crítico, a saber, la experiencia. Y me preocupa que ciertos profesores transmitan a los inocentes alumnos esa actitud de apocamiento y desconfianza frente a las reacciones personales de lectura so pretexto de implantar lo que llaman "posturas científicas" y eliminar lo que llaman "impresionismo". Sé muy bien qué clase de mal quieren combatir. Recuerdo cierto trabajo de un estudiante acerca de Garcilaso, en que de la manera más entusiasta y más inexplicada se decía y se repetía que la *Egloga I* es una "sinfonía en blanco". Es natural que esa clase de balbuceos impaciente a muchos, pero el remedio drástico que ciertos profesores recetan es peor que la supuesta enfermedad. Prefiero las sinfonías en blanco, prefiero las simples conversaciones en que se habla de lo bonito de unos versos, de lo emocionante de una novela, de lo decepcionante del desenlace de un cuento, etc., a los productos de cerebros robotizados en que la impresión producida por una obra literaria, su resonancia íntima, ha sido escrupulosamente raspada. Deberían saber, esos timora-

414

tos, que el verdadero antídoto contra lo que llaman "impresionismo" lo llevamos todos los seres humanos en la psique, tal como en la sangre llevamos esos anticuerpos que se encargan de nuestro equilibrio biológico. Desde que la humanidad descubrió eso que por brevedad llamamos belleza, desde que hizo consciente eso tan abarcador que llamamos poesía, siempre se ha oído cómo un ser humano le dice a otro: "Esto es bellísimo: ¿no lo sientes también tú así?" A veces hay una como urgencia de confirmación, y la pregunta puede adquirir tono dramático: "Dime, por lo que más quieras, ¿ves lo que yo veo, o me engañan mis ojos?" Pero muchas otras veces se trata de una simple necesidad de comunicación, y entonces hasta sobra la pregunta: implícitas en la declaración están todas las preguntas posibles. Un estudio literario normal aspira siempre al diálogo. La experiencia literaria es negocio de muchos.

Declaro, pues, que el soneto de Lope de Vega me parece bellísimo, y en seguida me nace un deseo de despersonalizar mi impresión, o más bien de interpersonalizarla, no por miedo de ser motejado de impresionista, sino por gusto "instintivo" de saber lo que sienten los demás, que es como un episodio de la eterna y gozosa lucha por explicarnos objetivamente eso tan subjetivo que es la sensación de lo bello.

No me cuesta trabajo reunir un grupo perfecto de lectores de ese soneto, tan dignos de él como digno él de ellos. A ningún estudioso de la literatura debiera costarle trabajo convocar un grupo así. Son los maestros que nos han enseñado a ver las cosas, no importa si en el aula, en un trato más íntimo o a través de su obra escrita, ni importa si viven o ya murieron, ni tampoco si sus lecciones son técnicas o líricas, sistemáticas o esporádicas. Y son también, indistinguibles de los maestros, los amigos con quienes hablar de literatura —comentar una novela, por ejemplo— significa lo mismo que hablar de la vida, porque los mecanismos de comprensión y de respuesta que entran en juego son los mismos.

Por gracia de los dioses, mi grupo es muy bueno, y debo presentarlo con cierta solemnidad. Tres de los dialogantes han muerto, pero los vamos a imaginar vivos y activos a todos, y además contemporáneos, aunque cronológicamente no lo sean. Todo es ideal. Vamos a imaginar un lugar muy propicio para el diálogo: la casa de Cicerón en Túsculo, la de Erasmo en Basilea, la de Goethe en Weimar. Y no nos olvidemos de imaginar una biblioteca maravillosa: que si entablado ya el diálogo en torno al soneto se le ocurre a alguien, por ejemplo, ver de cerca la palabra "embeleco" del primer verso, "Noche, fabricadora de embelecos", esté a la mano el *Diccionario etimológico* de Corominas, que dice que es un arabismo propio sólo del español y el portugués, y esté también a la mano el *Tesoro de la lengua castellana* de Covarrubias, contemporáneo de Lope, que dice que "embeleco" es "engaño o mentira con que alguien nos engaña divirtiéndonos (o sea distrayéndonos, robándonos el tiempo) y haciéndonos suspender el discurso (o sea volviéndonos locos) por la multitud de cosas que enreda y promete". Como la biblioteca es ideal, tiene todos los libros y revistas imaginables, aunque no vayan a necesitarse. Todos los dialogantes se tratan como amigos, porque todos son amigos míos. Pero yo me abstendré de hablar. Me limitaré a oírlos.

El primer convocado es Raimundo Lida, hombre de estudio, serio, cauteloso, que sabe por qué dice lo que dice. Viene en seguida Juan José Arreola, el que no pasó de tercer año de primaria, el repentista, el improvisador. ¿Contraste forzado? No, nada de forzado. Lida y Arreola (que, por cierto, no sólo se entienden entre sí, sino que se admiran) son mis dos grandes maestros, y a título igual, pues los dos me transmitieron por igual algo de su experiencia literaria y de su amor a las palabras. Después de ellos se agolpan los nombres: mis otros maestros, mis otros amigos, mis otras lecturas. Nunca he pertenecido a una capilla literaria, ni tampoco he sido un lector muy sistemático, pero es enorme mi gratitud con los muchos autores que me han hablado de literatura, desde Platón —Platón más que Aristóteles— hasta los de este siglo, Antonio Machado, John Middleton Murry, Edmund Wilson, Roman Jakobson, Albert Béguin y tantos más. Decido rápidamente quedarme con tres: Tomás Segovia, Dámaso Alonso y Leo Spitzer. (Elijo a Spitzer por el recuerdo de su análisis de otro soneto de Lope, el intitulado "Al triunfo de Judit".) Segovia, Alonso y Spitzer, con Lida y Arreola, bastan y sobran para animar la tertulia. Quien la preside es, por acuerdo unánime, Alfonso Reyes. Una circunstancia afortunada es que ninguno de los seis ignora lo que es la tradición del seminario alemán de filología. Pero Spitzer, el único representante real de esa escuela, aparte de no ser un monomaníaco, es sólo una de las seis voces. Y, como la tertulia esté hecha de mi experiencia, de lo que en mí han dejado esos maestros–amigos, puedo hasta ver las reacciones físicas de algunos a la hora de leer el soneto y de captar sus gracias, sus chistes diversos: los ademanes efusivos de Arreola, los ojos brillantes de don Alfonso, o la sonrisa de Lida, una sonrisa como vuelta hacia dentro.

No hace falta decir que el soneto les gusta a todos:

*¡Noche, fabricadora de embelecos,*
*loca, imaginativa, quimerista,*
*que muestras al que en ti su bien conquista*
*los montes llanos y los mares secos;*
*    habitadora de cerebros huecos,*
*mecánica, filósofa, alquimista,*
*encubridora vil, lince sin vista,*
*espantadiza de tus mismos ecos!*
*    La sombra, el miedo, el mal se te atribuya,*
*solícita, poeta, enferma, fría,*
*manos del bravo y pies del fugitivo.*
*    Que vele o duerma, media vida es tuya:*
*si velo, te lo pago con el día,*
*y si duermo, no siento lo que vivo.*

Don Alfonso pondera el arte que tiene Lope de "entrar con pie derecho". Ese primer verso, "Noche, fabricadora de embelecos", es como la primera frase de ciertas obras musicales que fluyen como agua. Y además del comienzo feliz, la concentración. En catorce versos no puede haber desperdicio. Como mago que es, Lope se saca de la manga, casi jugando, esos versos preñados y fuertes con que caracteriza los embelecos de la Noche, y hace así caber en un endecasílabo, como en una cápsula muy cargada, dos imágenes sobrecogedoras: "manos del bravo y pies del fugitivo": la noche, ocasión irresistible para el asesino; la noche, encubridora del malechor a quien persigue la justicia.

Arreola confiesa que de sólo imaginar lo que serían de noche las calles del Madrid de Lope de Vega se le pone la carne de gallina. Pero no es ése el peor de los terrores. Lo peor de la noche son los terrores solitarios del insomnio. En el insomnio cabe todo, y el valium no vale de nada. Lope compuso su soneto en una noche de insomnio, y lo único que puede hacerse con una noche así es maldecirla. De ahí ese verso, "loca, imaginativa, quimerista", y sobre todo ese otro, "solícita, poeta, enferma, fría", cuatro insultos como latigazos, y el peor de los cuatro es "¡poeta!"

Como movido por la palabra "poeta", Segovia interviene y recita, despacio, el segundo cuarteto:

> *habitadora de cerebros huecos,*
> *mecánica, filósofa, alquimista,*
> *encubridora vil, lince sin vista,*
> *espantadiza de tus mismos ecos.*

No son —dice Segovia— insultos ingenuos o de primera intención. Lope es un romántico que ha experimentado la poesía de la noche (incluyendo en la poesía lo quimérico, lo traicionero, lo enfermizo de la noche, incluyendo también el puñal solapado y la huida entre tinieblas); sólo que en vez de escribir una absorta ponderación del hechizo nocturno o un enloquecido drama de sangre y de muerte, como se hará muchos años después, Lope se pliega al gusto de la época y artificiosamente convierte su experiencia de la noche en una irónica sarta de improperios, en una especie de poético berrinche.

Sin alzar la voz, Lida observa que no hay contradicciones entre lo que dice Arreola y lo que dice Segovia. El soneto es todo eso, y más. Se entiende de golpe, se goza de golpe, pero deja también un apetito de reflexión, de ahondamiento en las palabras. No porque sean palabras difíciles, pues todos estamos de acuerdo en que el barroquismo de Lope es terso en comparación con el de Góngora. Pero esa tersura merece atención, "Espantadiza de tus mismos ecos", le dice Lope a la Noche, y después de un momento comprenderemos que somos nosotros los que en la calle nocturna y desierta nos asustamos del eco de nuestros propios pasos. La llama "solícita" y "poeta", y, claro, somos nosotros los que en la noche nos ponemos "solícitos", o sea nerviosos, inquietos, nosotros los que de noche nos volvemos poetas. Preguntas: ¿Es Lope más "moderno" que Góngora, más "universal" por más accesible? ¿Es un poeta más "humano" que Góngora? ¿Qué significaba "humano" en la España de los Felipes? ¿Y qué tenía Lope en la cabeza al llamar "mecánica" a la Noche, al llamarla "filósofa"?

Spitzer quiere comentar que las resonancias de palabras como "mecánica" y "filósofa" son casi las mismas en toda la Europa heredera del humanismo, pero sobre todo quiere señalar cómo el diálogo sobre el soneto se ha movido en círculo: de la intuición global al sentido de una palabra, y de aquí otra vez al sentido total, que queda así vigorizado (o tal vez corregido). A él le divierte enormemente el girar de este "círculo filológico", como él lo llama. Arreola ha tenido la intuición del insomnio, y este aspecto vivencial tiene su correlato en el aspecto retórico: la hechura del soneto es la hechura del insomnio febril. Las ideas que se agolpan en la cabeza forman unas letanías negras a Nuestra Señora la Noche, letanías "incantatorias", sin respiro entre advocación y advocación. Los versos más representativos son los que corresponden a los movimientos más veloces de la maquinaria del delirio insomne: "solícita, poeta, enferma, fría", "mecánica, filósofa, alquimista".

Dámaso Alonso ha estado oyendo a Spitzer con una sonrisa que yo siento levemente irónica. Pero está de acuerdo con él, y le propone que el círculo filológico se extienda más allá de las palabras y abarque también su ritmo. Por ejemplo, la fuerza de un verso como "mecánica, filósofa, alquimista" no está en sólo las palabras, sino también en su contraste rítmico con los otros tres, que tienen un comienzo tan uniforme, "habitadóra", "encubridóra", "espantadíza". Entre el verso "habilitadora de cerebros huecos" y el verso "espantadiza de tus mismos ecos", de ritmo calmado, el verso "mecánica, filósofa, alquimista" es como una cuña violenta, y su fuerza está no sólo en esas voces dactílicas que parecen despeñarse, "mecánica", "filósofa", únicos esdrújulos del cuarteto, sino en su ritmo todo de cláusula trimembre acentuada en segunda sílaba.

Así como suena: cláusula trimembre acentuada en segunda sílaba: ¡el chiste de *Paradiso*! Pero ninguno de los dialogantes se ha reído.

Mi imaginario diálogo ha llegado adonde yo quería traerlo. No perderé tiempo en excusarme por su esquematismo y sus demás torpezas, pero sí diré que, aunque sea esquemáticamente, les he guardado el decoro a los personajes. No hay inverosimilitudes. Spitzer es capaz de concebir el soneto "A la Noche" como una "fleur du mal" *avant la lettre,* Arreola bien puede hablar de insomnio, Dámaso Alonso bien puede hablar de cláusulas trimembres. Los seis interlocutores saben que cada experiencia poética evoca otras experiencias, y que las resonancias se incorporan sin violencia a la sustancia de la lectura. Ver el lado "romántico" de Lope, como hace Segovia, o su lado "simbolista", como hace Spitzer, es todo lo contrario de un disparate crítico: es una manera de entender a Lope. Así también, nadie pestañea al oír el tecnicismo de

Dámaso Alonso: a todos les consta que la eficacia de muchos versos está, más allá de las palabras, en su acomodo, su ritmo, su distribución silábica, sus acentos, y les consta asimismo que desde siempre, desde que hay noticias de indagación sobre el lenguaje, en la India, en Grecia, en todas partes, el estudio de esa clase de fenómenos se hace, por elementales necesidades de precisión, a base de términos técnicos. La expresión "cláusula trimembre acentuada en segunda sílaba" es, en este momento, seria y significativa.

¿Y el chiste, entonces? Obviamente, falta un séptimo personaje. No lo conozco como a los otros seis, pero algo le sucede: o no ha asistido a todo el diálogo en torno al soneto, o apenas lo ha entreoído porque en realidad no le interesa, o tiene una afición muy especial a los esquemas y a las fórmulas, o ha encontrado irresistiblemente seductora la última observación de Dámaso Alonso; el caso es que el séptimo personaje truena los dedos, corre en busca de una biblioteca de autores de lengua española y se dedica a coger desprevenido a "uno de nuestros clásicos", no para robarle el fuego celeste, sino para contarle sus cláusulas trimembres acentuadas en segunda sílaba. Y entonces sí relampaguea la pregunta horaciana: si alguien ve eso, ¿será capaz de aguantar la risa?

El chiste de Lezama Lima, chiste doble, chiste bipolar, no es nada bobo. ¿Valía la pena sustituir la brocha gorda por la pistola de aire? Entre polo y polo, entre uno y otro extremo de ignorancia, el chiste deja espacio para las maneras intermedias y para las maneras híbridas. Digo "ignorancia" en el más aséptico sentido etimológico. Ignorar es no conocer. Conocer un soneto de Lope de Vega significa responder a lo que pide, que es ser captado, y captado en lo que tiene de gracia propia. Sin esto, hablar de él es exhibir ignorancia.

Lezama, que es cuidadoso, no dice en qué consiste el seminario alemán de filología; lo que dice, y muy claramente, es que el disparate no está en el seminario, sino en su *influencia,* palabra apta por su imprecisión. Para ser preciso, hubiera tenido que hacer una frase kilométrica: "casos exagerados y risibles de pseudo-cientificismo causados por la aceptación dislocada de una parte de una de las corrientes de estudio técnico a que ha dado lugar la influencia, mal asimilada, del seminario alemán de filología" —y el chiste se habría perdido.

Ya he rendido homenaje al seminario alemán de filología, y ahora se lo rendiré, muy conciso, al movimiento intelectual de nuestros tiempos. Las escuelas críticas de hoy son de una riqueza deslumbrante. Enumero algunos de sus rostros: lingüística neo-saussuriana, sociolingüística, psicolingüística, gramática transformacional, *rhétorique nouvelle, poétique nouvelle* y *nouvelle critique,* estructuralismo, marxismo, psicoanálisis, crítica del texto, análisis funcional, semiótica. Rostros que se entrecruzan, atrayéndose aquí, rechazándose allá: el neo-cartesianismo de Chomsky es luz para unos, escándalo para otros, y decir "anti-psicoanálisis" puede ser una manera polémica de decir "psicoanálisis", tal como decir "antinovela" era hace poco una manera polémica de decir "novela". La filología, el amor a las palabras, está adquiriendo, en los países que se llaman desarrollados, formas nunca antes vistas ni oídas. Hay filósofos y lógico-matemáticos que hacen de la palabra humana el objeto de su estudio. Hay vidas dedicadas a la investigación de los aspectos neurológicos del lenguaje y vidas dedicadas a la computación electrónica del estilo literario, terrenos en verdad alucinantes. Y lo que siempre se ha hecho, se hace ahora en condiciones maravillosas. Sin gastar el tiempo en política ni en pleitos, Roland Barthes, eslabón de una larga y admirable cadena de individualidades críticas francesas, hizo escuela, y escuela numérica y geográficamente impresionante, con una velocidad que no se usaba en tiempos de Sainte-Beuve y de Brunetière. Roman Jakobson (a quien conozco personalmente) es, para mí, tan maestro como Leo Spitzer (a quien no conocí): ¡qué espíritus agudos, punzantes, qué ingenios provocadores, qué expertos del lenguaje, los dos! Pero el nombre de Spitzer nunca sonó como suena y resuena hoy el de Jakobson. Hace treinta años, la única manera que teníamos en México de informarnos acerca de los formalistas rusos era platicar con Raimundo Lida, que los leía en alemán. Hoy los formalistas rusos son triviales. Es pasmosa la cantidad de traducciones que hay de toda esta clase de productos del ingenio. Se traducen las grandes obras críticas y teóricas, pero se traducen también cosas cuyos equivalentes, hace treinta años, no abandonaban la discreta penumbra de las revistas y colecciones especializadas, por no ser sino detalles episódicos o marginales de la vieja historia de atracciones y rechazos entre lingüística y literatura, entre gramática y poesía. Ningún crítico, ningún profesor del mundo de habla española puede hoy quejarse de falta de acceso a la información. En las editoriales y en las librerías reina la bonanza.

Pero. . . Aquí viene el pero. No hace mucho observaba Félix Guattari, hombre de mucha experiencia, que las grandes "modas teóricas" de hoy (y enumeraba el althusserismo, el estructuralismo, el lacanismo y varias más) son utilizadas por los universitarios "como si fueran dogmas religiosos", y recibidas con el mismo embeleso con que las colonias de tiempos pasados recibían lo producido en las metrópolis, todo lo cual, según él, está causando "más mal que bien". Yo siento lo mismo. Toda esa floración a que me he referido, esas grandes aventuras teóricas, esos brillantes documentos analíticos de la eterna lucha de Jacob con el ángel, todo, todo eso está causando más mal que bien, por la manera como se recibe. Ciertas manifestaciones de la adopción embelesada de esas grandes modas me parecen casos diáfanos, no ya de progreso improductivo, sino de progreso contraproducente. *Corruptio optimi, pessima.* Del mejor vino se hace el peor vinagre. Ante ciertos resultados, dan ganas de enviarle un mensaje a Lezama Lima: *"La crítica sigue siendo muy burda en nuestro idioma".*

Aquí debo precisar las fronteras de mi alarma. Nada menos burdo que los ensayos críticos de Borges: no se parecen mucho a los de Nabokov, pero no les ceden un punto en diafanidad y en inteligencia. La visión de Octavio Paz es distinta de la de Edmund Wilson, pero el placer de quien lee a Wilson no es muy distinto del placer del lector de *Cuadrivio*. Lezama no lo dijo en su novela, pero bien sabía que en 1966 había ya una levadura muy fuerte en la crítica de la lengua española, y él era parte del fermento. Estoy seguro, además, de que no es México el único país de idioma español en que hay buenos críticos jóvenes, de esos que saben, con Ezra Pound, que la labor del crítico "consiste en velar porque la literatura sea noticia y siga siendo noticia", y no en guardar un museo ni en vestirse a la moda. La que me alarma es cierta crítica universitaria que parece nutrirse exclusivamente (y por lo común a través de traducciones no muy esmeradas) de eso que Guattari llama "productos de la metrópolis", sin abandonar por ello su condición de burda. A ésa, la llamaré en adelante, por comodidad, "crítica neo-académica". El adjetivo "académica", aplicado al sustantivo "crítica", siempre ha tenido matices peyorativos. Pues bien: si lo que hace el profesor que dicta las catorce razones de la inmortalidad del *Quijote* es crítica "académica" cruda, lo que hace el que dicta los métodos y los pasos que se siguen para el análisis dizque científico del relato es crítica "neo-académica" en su forma más descarnada.

Pero me es preciso entrar en detalles para poder presentar al crítico neo-académico tal como honradamente lo veo. Lo haré mediante cierta estilización o abstracción, pues, aparte de que no tengo nada contra las personas, el crítico neo-académico existe en otros países de lengua española y no sólo en México. Mi "crítico neo-académico" es un *compositum*, un abstracto.

Cualquier lector ordinario de Proust se da cuenta de que su ritmo narrativo, su manera de evocar el ayer, dista mucho de ser uniforme: hay en su escritura pasajes rápidos y pasajes lentos; a veces el relato es derecho y a veces tortuoso, porque dentro de él se meten otros relatos, etc. Se comprende que un lector francés nada ordinario, uno de los representantes de la escuela moderna, muy inteligente, muy alerta, se haya puesto a analizar el fascinante uso proustiano de los tiempos verbales, y a delimitar, caracterizar y clasificar (con su correspondiente terminología técnica, por supuesto) los diversos tipos de relatos y las diversas maneras de relato dentro del relato. Entonces, en uno de los países de lengua española, el crítico neo-académico decide hacer otro tanto con "uno de nuestros clásicos", con el *Lazarillo de Tormes*. El hecho de que el estilo del *Lazarillo* carezca de las complejidades del de Proust no arredra al crítico neo-académico. Además, el crítico neo-académico ni siquiera ha leído a Proust. No le hace falta. Lo que le interesa es hacer caber en su análisis "científico" del *Lazarillo* el mayor número de los tecnicismos recién admirados y recién aprendidos. Y a esta labor se entrega con entusiasmo, sin otra contrariedad que la de hallar que el único caso de "relato dentro del relato" que hay en el *Lazarillo*, allí donde el hidalgo muerto de hambre le cuenta a Lázaro su vida, no es muy lúcido desde el punto de vista estructural, porque está al final de un capítulo debiendo estar mejor hacia el centro.

El crítico neo-académico tiene mucho de apóstol. En el trabajo semestral que les pide a los alumnos, sobre *Pedro Páramo,* pone como obligación citar a Tzvetan Todorov, a Lucien Goldmann, a Julia Kristeva y a otros veinte críticos de hoy, y citarlos de tal manera que la cita quede bien zurcida en el trabajo. Como cada uno de esos autores tiene sus ideas, como cada uno anda metido en su aventura personalísima (y quizás episódica), lo que menos cuenta en tan tremenda hazaña es la lectura personal de *Pedro Páramo.* El estudiante estrella, el que promete ser el mejor "profesional" es el que más íntimamente se ha identificado con esa clase de sustitutos de la experiencia literaria.

Y cuanto más variados y aerodinámicos los sustitutos, tanto peor. En el siglo XVIII, los alumnos de retórica estaban obligados a tener en la punta de la lengua el nombre de todas las figuras de dicción y de pensamiento, y cuando el profesor les leía un texto, ellos iban gritando a coro: "Aquí hay metonimia", "Aquí hay hipérbole", "Aquí preterición", "Aquí epanadiplosis", pero algún canal les quedaba libre para enterarse de lo que se leía. Si lo que hoy sucede fuera sólo eso, no me alarmaría. Que el crítico neo-académico deje de llamar "personajes" al cura y al barbero del *Quijote* y los llame —prosaicamente, para mi gusto— "elementos del sistema", me es indiferente. Que se ría de quienes hablan del "misterio" o del "chiste" de un poema, y él lo llame "la problemática", me es indiferente también. Pero que el diccionario de términos *imprescindibles* que un foco neo-académico preparaba no hace mucho para uso de críticos modernos rechace "emoción", "imaginación", "belleza de lenguaje", "coherencia", "fuerza de convicción" o "sensación de vida" y en vez de eso incluya "intertextualidad", "red actancial", "red actorial", "reducción accional" y cosas por el estilo, ya no me es tan indiferente. Las docenas de términos con que se quiere construir semejante diccionario-vademécum son polvos secos de esa efervescencia intelectual europea y norteamericana de cuya complejidad he tratado de dar una idea, y es asombrosa la desenvoltura con que el crítico neo-académico se echa a hablar de intencionalidades filosóficas, de actitudes epistemológicas, de posturas ideológicas y de paradigmas psicoanalíticos sin haberse metido realmente en tales honduras, e increíble la facilidad con que cita citas o citas de citas de Marx y Freud, de Wittgenstein y Adorno. Por lo demás, la fascinación del tecnicismo se extiende, incontenible, a toda clase de cartelitos y signos taxonómicos: en los análisis del crítico neo-académico pululan las clases y subclases, los niveles y sub-niveles, los ejes, las instancias, los núcleos, las polarizaciones, los gráficos, las fórmulas, las mayúsculas con exponentes, los signos cuasilógicos-matemáticos, las flechitas, las rayitas de línea continua y las de línea punteada, todo lo cual es el agigantamiento del vacío, puesto que todo se hace (no lo olvidemos) a expensas de la experiencia literaria.

Las oportunidades para el brote de lo risible han aumentado desmesuradamente. Las modas se adoptan de manera maquinal y, sin necesidad de Bergson ni de Chaplin, sabemos la fuerza cómica que emana del hombre que se comporta como máquina. Para encontrar hoy un chiste equivalente al de las cláusulas trimembres, el joven José Cemí tendría que sudar. Yo, sin mucho sudar, he elegido ya el mío, y con él voy a terminar mi discurso. Pero se me atraviesa un río patético que no puedo sortear, y necesito un puente. Pienso en las generaciones y generaciones de estudiantes "obligados", como dice Lezama, "a remar en esas galeras". Cuando yo era estudiante se contaba el chiste del pobre diablo que hizo una tesis llamada "Las alas en el *Libro de buen amor*", en la cual recogía con todo esmero cuantas menciones hace el Arcipreste de seres con alas: pájaros, ángeles, moscas, etc., —chiste que, como todo lo surrealista, tiene su realidad permanente. ¡Cuánto tiempo y cuánta buena fe se han malgastado, durante años, en esas descoloridas tesis sobre el adjetivo de color en la poesía de fulano o el paisaje acuático en la "novelística" de mengano! El mismo tiempo y la misma buena fe desperdiciados hoy en un seminario destinado a decidir, con fundamentación "científica", cuáles cuentos de zutano son los auténticamente "fantásticos" y cuáles los "sobrenaturales", los "inverosímiles", los "maravillosos" y los meramente "extraordinarios". Y es preciso añadir otra consideración. Las tesis universitarias de hace veinte o treinta años se redactaban en una atmósfera de oscuridad, de provisionalidad, de modestia; rara vez conocían los honores de la imprenta, y en cambio no era raro que los autores, si eran cuerdos y se interesaban de verdad en la lectura y en la crítica, se olvidaran muy pronto de ellas. Hoy, la crítica neo-académica trabaja en el entusiasmo y en la seguridad. Las tesis se convierten en libros, y hasta las tareas escolares de un seminario se imprimen sin pérdida de tiempo en revistas a que la gente puede suscribirse. Se tiene la impresión de una colmena en actividad, y se siente curiosidad por saber quiénes son los compradores de una mercancía que no es sino la versión moderna del estudio sobre cláusulas trimembres acentuadas en segunda sílaba.

Este zumbar de colmena es lo que más me alarma. ¡Con qué rapidez un profesor neo-académico le hace tragar al alumno tantas y tan gruesas pastillas culturales! ¡Con qué fluidez un aprendiz recién adiestrado se hace indistinguible de su adiestrador! ¡Con qué ancha sonrisa sale el crítico neo-académico de la fábrica, ya listo y dispuesto a todo! Porque el crítico neo-académico es capaz de cualquier cosa: puede averiguar que la estructura "profunda" de *Muerte sin fin* consiste en una relación de sujeto y predicado; puede demostrar que el núcleo de *Cien años de soledad* está en el entrecruzamiento semiótico de las preposiciones *a, de* y *en,* puesto que todo, en la novela, depende de quiénes van *a* Macondo, quiénes salen *de* Macondo y quiénes se quedan *en* Macondo; puede descubrir que la escritura de Rubén Darío revela estructuralmente un modo de producción de tipo capitalista; puede lanzarse a aclarar la "problemática" del verso libre con tal intrepidez, que ni él ni sus colegas caen en la cuenta de que el paradigma de verso libre que ha escogido es un poema de Machado en cuartetas ortodoxas y ortodoxamente rimadas, sin *nada* de verso libre.

Mi historieta final, cuyos materiales proceden de fuentes impresas, pretende mostrar en acción a ese crítico neo-académico íntimamente seguro de la solidez de sus adquisiciones. Ha leído un texto literario y se dispone a tratarlo profesionalmente. Ese texto es un pequeño poema en prosa que dice así:

> *Por las noches mi mano izquierda vaga por el cuarto. Me molesta decirlo, pero algunas veces, con miedo de ser visto, he tenido que recogerla de un polvoriento rincón. Otras veces la encuentro tendida sobre el escritorio, entre libros de historias fantásticas y malogrados poemas.*

Un texto muy sencillo, como puede verse. La imaginación, la ocurrencia poética, es muchísimo menos densa que la del soneto de Lope de Vega. Tiene gracia el tono apenado con que el poeta confiesa la inutilidad y haraganería de su mano izquierda, pero el poemita, que se llama justamente "Confesión", es incapaz de entretenernos mucho tiempo. De ninguna manera se me ocurriría convocar una tertulia como la otra. Arreola sería suficiente. Es seguro que también Arreola encontrará simpática pero delgadita esa "Confesión", y la charla se nos irá probablemente a otras fantasías de manos separadas del resto del cuerpo, como cierto poema de Benedetti, ciertos cuentos de Alfonso Reyes y de Virgilio Piñera, y aun cierta película de Peter Lorre. Pero lo que Arreola y yo podamos tener en común con el crítico neo-académico es un misterio. Lo que el crítico neo-académico va a decir no es qué tanto le gusta el poemita, ni siquiera si le gusta, ni mucho menos qué sensaciones experimenta al leerlo, qué cuerdas hace resonar en él. El va a decir qué es ese texto, en qué consiste desde el punto de vista científico.

Antes de mostrar la perla, necesito dar una idea de la concha en que la perla ha cuajado. El crítico neo-académico parte aquí del siguiente postulado básico: existen dos categorías de textos: primera categoría, los de frases simples, directas, fáciles de entender, correspondientes a significados simples y cotidianos; segunda categoría, los de frases extrañas, dificultosas, sintácticamente torturadas, correspondientes a significados raros, insólitos. Se dirá, y con razón, que desde siempre se ha usado también representar lo extraño mediante un lenguaje simple, como es constante asimismo lo inverso, no llamar pan al pan ni vino al vino, sino designarlos mediante metáforas y perífrasis, rebuscadísimas a veces. Pero esta idea parece ausente de la cabeza de nuestro crítico: él conoce sólo las dos primeras categorías, y apenas ahora, al analizar el poemita, descubre el Mediterráneo. Lo propio —piensa—, lo *peculiar* y *específico* de este texto, lo que lo *caracteriza* frente a cualquier otro, es que dice una cosa muy extraña —¡una mano que anda por ahí separada del resto del cuerpo!– con frases nada contorsionadas, sino muy lisas. Es verdad que la primera frase comienza con un complemento circunstancial, "Por las noches", que lógicamente debiera ir a la cola, pero –y aquí uso la terminología del crítico neo-académico–, él no cree que ésa sea una "distorsión violenta de la dominante lingüística". En su conjunto, el texto es bien claro. Constituye pues, en sí y por sí, una tercera categoría que hay que añadir a las dos conocidas. Y no queda sino poner por escrito el descubrimiento.

Transcribo de nuevo el poemita para que se aprecie mejor su definición científica:

"Confesión"

*Por las noches mi mano izquierda vaga por el cuarto. Me molesta decirlo, pero algunas veces, con miedo de ser visto, he tenido que recogerla de un polvoriento rincón. Otras veces la encuentro tendida sobre el escritorio, entre libros de historias fantásticas y malogrados poemas.*

Ahora, he aquí la perla:

Este texto presenta como elemento *caracterizador* un juego dialéctico entre el nivel semántico y el sintáctico. En efecto, si se observa la estructura sintáctica se advierte que la organización es regular y tersa. Dicho de otra manera, lo *peculiar* y *específico* de este texto no se ofrece en el nivel de la estructura sintagmática, que fluye sin sorpresas [aquí me salto la observación sobre el complemento circunstancial "Por las noches"], sino a nivel semántico, en virtud de que todo el texto constituye una metonimia. Ahora bien, el juego dialéctico aludido consiste precisamente en presentar según un orden estructural regular una constelación semántica inédita, de tal modo que se restablece así la unidad indisoluble del complejo forma-contenido, ya que ese contraste tiene un carácter funcional y viene a destacar la metonimia sustantivadora de la mano.

El descubrimiento del Mediterráneo, sí ¡pero contado en qué forma, con qué redundancia y sonoridad, con qué aplastante contundencia y a la vez con qué exquisitez científica, "juego dialéctico entre niveles", "constelación semántica inédita"!

El crítico dedica también unas líneas al "plano interpretativo". Dice que, "por una precisión semántica", él nunca usa "el término *relator* aplicado a un poema", sino que usa el término *locutor* (a lo cual no me opondré). El locutor, pues, que naturalmente no posee en la realidad una mano de conducta tan rara, algo se propone con ese "desplazamiento semántico" que es la separación de la mano izquierda por su lado y el resto del cuerpo por el suyo. El "desplazamiento semántico", dice con cierta cautela el crítico, "*puede* proponerse como una forma de expresar el desdoblamiento de la personalidad poética, que al mismo tiempo

425

que indaga y crea, es inteligencia vigilante y crítica". Muy bonito, en verdad. Sólo que nos asalta una duda: qué parte de la personalidad poética del locutor corresponde, según el crítico, a la mano izquierda: puesto que esa mano vagabunda, dormida entre poemas abortados y libros de historias inútiles, o tirada en el polvo de un rincón, no se impone como modelo de "indagación y creación", ¿será posible que represente la "inteligencia vigilante y crítica"?

Hago aquí, como el poeta, una pequeña confesión. El haber tomado a risa el texto crítico anterior se lo debo a Juan José Arreola. El fue quien me lo dio a leer. Si me hubiera venido de otro lado, seguramente no habría pasado de la primera línea, ni me habría reído, ni nada. Cosas así las conozco bien, me vengo topando más y más con ellas en los últimos años. Gracias a Arreola, el botón de muestra de inepcia crítica se convertía en uno de esos chistes que sabrosamente se comunican los profesionales entre sí. Y nada más cómico que una quimera bombinando en el vacío.

Detrás del chiste está, por supuesto, la alarma. Ya he precisado los límites de la mía. Quisiera, sin embargo, que mi voz fuera lo bastante poderosa para llegar a todos los centros de estudios lingüísticos y literarios del mundo hispánico y lo bastante persuasiva para ser escuchada y ponderada por todos los estudiantes. A ellos me dirijo con un mensaje muy sencillo: "Lean mucho, y no dejen que nadie les imponga restricciones en sus lecturas. Lean todo cuanto quieran, pero no dejen que nada ni nadie les haga perder el tiempo". Perder el tiempo es una inmensa desgracia.

Y aquí regreso, con cariño, al final del pasaje de *Paradiso* que he glosado. Anota Lezama Lima que, mientras Fronesis oía la perorata de Cemí sobre lo burdo de la crítica en nuestro idioma y sobre cuánto importa la poesía barroca, "estaba en su rostro, aunque no se le vio, el signo invisible de una alegría no manifestada" (rara frase, muy de Lezama: "estaba, aunque *no* se vio, un signo *in*visible", manifestador de "una alegría *no* manifestada"). ¿Y qué era esa alegría de Fronesis, tan íntima, tan de dentro? Era, dice el novelista omnisciente, "la alegría de saber que una persona que está en nuestro ámbito, que es nuestro amigo, *ha ganado también su tiempo,* ha hecho también del tiempo un aliado que lo robustece y lo bruñe, como la marea volviendo sobre las hojas del coral".

Hojas del coral, imagen no muy científica, me temo, pero sí sugerente. En un agua intelectual inmóvil y estancada, las hojas se quedan blandengues y de color mortecino. Lo que las hace sólidas y de color brillante es el mar en movimiento de las muchas lecturas, el flujo y reflujo que hay entre el placer literario y la experiencia literaria, negocio de toda la vida.

# LECTURA CRITICO-HISTORICA

AMOS SEGALA

# SOBRE LITERATURA NAHUATL*

## PRECISIONES METODOLOGICAS PRELIMINARES

Es UNO DE LOS LUGARES comunes más difundidos, aceptados y fecundos en el ejercicio concreto de la crítica, el que la literatura latinoamericana debe estudiarse según parámetros y enfoques profundamente diferentes de los que se han utilizado hasta épocas muy recientes y que adoptaban sus categorías de las literaturas europeas[1].

A medida que el mundo descubría, maravillado, la grandeza "autónoma" de la literatura latinoamericana, búsqueda y vehículo de una identidad laboriosamente procurada, las clasificaciones tradicionales revelaron su insuficiencia y profundo desplazamiento en relación con una realidad escrituraria cuyas leyes e itinerarios tenían otros puntos de apoyo, otras memorias históricas y culturales.

Las periodizaciones profundamente artificiales, las escuelas literarias que escondían obras distintas bajo denominaciones conocidas, el estatuto tradicional del escritor y del público, razón de ser del trabajo literario, finalmente aparecieron como obstáculos (y a veces máscaras) en lugar de ser instrumentos eficaces para comprender el sentido y los mecanismos de esta gran literatura que exigía, pues, otro procedimiento y precauciones metodológicas totalmente liberadas (aunque sin olvido) de las interdependencias euroamericanas[2]. Ahora bien, si esta premisa debe intervenir como uno de los criterios principales para apreciar correctamente la naturaleza del hecho literario latinoamericano en general, debe adoptarse como referencia metodológica obligada cuando nuestra atención se concentra en la historia de la literatura náhuatl que también, a nuestro juicio, ha padecido una apreciación categorial ajena a su realidad efectiva. Por consiguiente, nos parece oportuno precisar, al inicio, el sentido que damos a los términos mismos de su título: esto nos evitará explicaciones demasiado frecuentes y polémicas inútiles.

---

* En su *Literatura náhuatl. Fuentes, identidades, representaciones;* Mónica Mansour, trad., México, Grijalbo, 1990, pp. 11-29.

Examinemos ante todo el término *historia*. Las fuentes que tenemos no nos permiten utilizar este término en el sentido tradicional. Escribir la historia quiere decir, en líneas generales, restituir las etapas de un itinerario, el sentido de una duración, la aparición de un cambio, o sea toda esta dialéctica entre tendencias generales y acontecimientos particulares que caracterizan la dinámica compleja y espaciotemporal del devenir histórico.

Las fuentes de la literatura náhuatl, de las que disponemos —tanto indígenas como españolas— dan una imagen instantánea y fija de la cultura náhuatl, sin perspectiva, sin retroceso, sin otra dimensión que la del momento y el lugar donde fueron recogidas. Esta es una razón indiscutible que siempre se evoca, pero que se tiende a olvidar cuando se trata de hacerlas hablar.

Cuando los españoles llegaron a México y se encontraron con los aztecas, quisieron, al mismo tiempo y por distintas razones que analizaremos más adelante, conocer su cultura; la misma que veían vivir y deshacerse ante sus propios ojos con una rapidez impresionante. Ya fuese por un esfuerzo de defensa, de proselitismo, de negación o de celo científico (con frecuencia los cuatro a la vez, en un encabalgamiento consciente e inconsciente difícil de desenredar), los españoles del siglo XVI, antes de la desaparición de un mundo que les inspiraba horror y admiración a la vez, quisieron representarlo e inventariarlo. Lo que nos legaron es una admirable descripción de los lugares, un informe extraordinariamente detallado de una situación dada, cuya dimensión y perspectiva históricas están casi ausentes. Lo que fijaron los españoles y sus informantes es el estado en que se encontraban tales o cuales aspectos de la cultura azteca, sus rituales, su lugar y su función dentro del cuerpo social[3].

Constituyeron grandes repertorios sincrónicos en los que hoy investigamos y a los que con frecuencia queremos restituir una profundidad histórica que desafortunadamente no tienen, debido a la naturaleza misma y la finalidad de los testimonios recogidos. Esta extrapolación, esta dinamización de las fuentes no sólo son arriesgadas, sino que se alejan de los textos.

Por otra parte —todas las fuentes coinciden en ello— el inmovilismo paralizante de la historia azteca no sólo es el fruto de las preocupaciones inmediatas de los investigadores españoles, sino también el de la ideología de los mismos informantes indígenas; para éstos, la historia de Tenochtitlán no tenía más que 100 años y cuya génesis —de la que la arqueología nos ofrece, por su parte, testimonios asombrosos— no era sino un antecedente prestigioso y legitimador (leyenda, recuerdo poético), un elemento que no entraba en los cuadros sintéticos que nos ofrecen. En todo caso, si esta dimensión arqueológica se hubiese tomado en cuenta, ya no sería mensurable por nosotros en la actualidad[4].

Si insistimos en estos dos puntos igualmente convergentes hacia un aplanamiento espaciotemporal de la cultura azteca, se debe a que ilustres publicaciones se esfuerzan por rastrear genealogías literarias, individualizar escuelas, establecer periodizaciones y dar un movimiento desde el exterior a testimonios que, ellos sí, están sólidamente anclados en la realidad azteca de la primera mitad del siglo XVI. En esas condiciones existiría la tentación de exagerar en sentido contrario y afirmar, que las únicas historias de esta cultura que nos parecen posibles no son tanto las de su pasado, sino más bien la de su estado en el momento del contacto, y la otra, vertiginosa y terrible, de su degradación y su metamorfosis. La obra realizada por los españoles, con todas las limitaciones y precauciones que se mencionarán más adelante, es el intento más asombroso de preservación que se haya emprendido en la historia de la cultura mundial; hacerles decir algo distinto de lo que dicen es una tentación cuyas motivaciones son fáciles de comprender, pero que es una manipulación que los textos desmienten.

En lo que se refiere al término *literatura,* nos parece necesario precisar que en relación con el mundo azteca debe asumir una connotación muy distinta de la que se le atribuye por lo general. Los aztecas tenían una actividad "literaria" de la que afortunadamente poseemos testimonios importantes; pero, al igual que la pintura, la escultura, la arquitectura, la orfebrería y la medicina, se trataba de una actividad social reglamentada y codificada, con atribuciones y rituales bien definidos. La palabra "literaria" no era una acción laica, sino un acto sacramental que ligaba al individuo con la comunidad y a ésta con los dioses. No se trataba de una actividad autónoma e individual, sino de una modalidad religiosa que era fundamental y, por ello, estrictamente controlada. Las fuentes y la información al respecto no podrían ser más claras y concordantes[5].

En esas condiciones es difícil aceptar —a menos que sea como hipótesis de trabajo o como punto mnemotécnico para individualizar una producción anónima *per se* (a la manera de los poemas homéricos)— que fuese la expresión de algunos personajes muy precisos, de centros específicos y corrientes de pensamiento disidentes de la ideología dominante o ajenas a ésta. Este nos parece un problema típicamente occidental dentro de la gran tradición clásica grecolatina: la identificación del autor y de la escuela a la que pertenecen los testimonios que tenemos; en realidad, son patrimonio colectivo, repertorio paradigmático y canto general. Desde luego existen indicaciones diversas, notas al margen o al principio de cada composición, noticias de los informantes e historias largamente desarrolladas por los historiadores indígenas de la segunda generación[6]. Estos elementos han dado la posibilidad de construir una historia literaria que, a imagen de las otras, enumera sus poetas, sus aedas, etcétera. Es un procedimiento discutible que tropieza con dos dificultades mayores: la primera, la noción misma de literatura con su técnica de "fabricación" y de conservación, sus reglas que no eran impuestas sino que interpretaban con rigor y continuidad esa noción funcional de la poesía; la otra dificultad se descubre en la lectura de los textos en que las diferencias que separan la producción de un "autor" de la de otros son invisibles o nulas. Probablemente los investigadores y también los informantes, en virtud de un reflejo de promoción cultural, habían orientado sus preguntas y sus respuestas hacia una individualización, una personalización de los autores que nos parece totalmente contraria a una praxis literaria dada y a un contacto efectivo con los textos. Es por ello que algunas historias literarias, que privilegian el papel de los autores y se esfuerzan por acumular una información exhaustiva acerca de sus hechos y sus acciones, cuando llegan a una caracterización *a mínima* de su producción, se encuentran ante dificultades insuperables. Regresaremos sobre este problema, pero es importante que el lector sepa, de una vez, en qué acepción utilizamos aquí el término "literatura".

Hemos llegado ahora al término *náhuatl,* la lengua en la que hemos recibido los testimonios que serán el centro de nuestra reflexión. Los aztecas tenían una lengua cuyo carácter y posibilidades expresivas conocemos bastante bien. Para escribirla utilizaban cinco sistemas diferentes, en función de la naturaleza del documento, del destinatario y del contenido. Estas cinco posibilidades que presentaban ventajas semánticas y atestiguan una jerarquización predeterminada de los documentos escritos, confirman no sólo el uso social sino también el carácter sagrado y esotérico de la palabra náhuatl. Los aztecas no tuvieron un Champollion ni una piedra de Rossetta; tuvieron más, porque desde el principio los españoles (franciscanos en su mayoría) tradujeron los fonemas nahuas al alfabeto latino, y ahora tenemos un patrimonio de información sobre ellos y en su lengua que supera todo lo que poseemos sobre los otros países de América. Parecería, pues, que su situación fue privilegiada en todos los aspectos y que un discurso sobre la literatura náhuatl, aun en la acepción antes señalada, no sólo fue posible sino que tiene bases científicas. Sin embargo, existen algunas dificultades que cabe mencionar en este preliminar, ya que arriesgan poner en duda las apreciaciones y las conclusiones a las que pretendemos llegar.

Por el momento, nos abstendremos de abordar los problemas específicos de las fuentes —intervenciones orientadoras de los investigadores, omisiones y ocultamientos de los informantes, su aculturación progresiva— para centrarnos en el problema fundamental que plantea la traducción integral de una cultura a otra, el paso de un sistema de signos a otro[7]. Esta dificultad, que el intenso comercio indoespañol de los primeros años de contacto logra reducir más allá de toda esperanza, no eliminó dos escollos prácticamente insuperables. Los lingüistas de la primera generación, la más importante y la más empírica, no tuvieron el cuidado, ¿cómo podían tenerlo?, de fijar reglas claras y uniformes capaces de trasladar a la grafía latina el sonido exacto de palabras bastante parecidas, pero con significados totalmente distintos, y en muchos casos opuestos. Los lexicógrafos del siglo XVI, aunque lograron verdaderos triunfos de clasificación (baste pensar en los 24 000 vocablos censados por Molina), no pudieron registrar más que una parte del patrimonio lingüístico náhuatl porque ignoraban la existencia misma de los referentes que habrían debido traducir. Sus investigaciones estaban limitadas por el horizonte europeo, a saber, medieval y español, que los inspiraba. Cuando entraban en dominios específicamente aztecas, se esforzaban por presentar una "traducción" occidentalizante aproximada (José María Muriá ha realizado un excelente trabajo de confrontación acerca de los desplazamientos y los desfasamientos terminológicos del lenguaje político o social); o bien no se le daba ningún equivalente, ya sea debido al secreto que rodeaba ciertas zonas del lenguaje, o por la imposibilidad de imaginar y, por lo tanto, de solicitar explicaciones sobre asuntos y nociones absolutamente ignoradas[8]. Rogers y Anderson han señalado al respecto que ciertos términos metafóricos ligados a la antigua cosmovisión ni siquiera llegan a los "vocabularios"[9]. Por ejemplo "cuauhnochtli", tuna del águila, corazón; y "chalchíhuatl", líquido de piedra verde, líquido precioso, sangre. El problema aparece aún más claro y más dramático si se comparan las fuentes principales de información lingüística. López Austin ha constatado estadísticamente que Molina proporciona el 63,36 por ciento de las variantes formales que existen para cada término del cuerpo humano, mientras que Sahagún proporciona el 64,59 por ciento. Pero el conjunto de los términos comunes a los dos, no es sino del 27,95 por ciento. Esto se explica, por una parte, porque en ambos casos las encuestas fueron parciales y sólo de acuerdo con las orientaciones y los intereses de los encuestadores que, deliberadamente, dejaron de lado toda una sección del interrogatorio; por otra parte, la gran plasticidad de la lengua náhuatl, debido a su gran facilidad de composición, logró presentar traducciones inmediatas de los términos sobre los que preguntaban los franciscanos.

## LA LITERATURA NAHUATL Y EL PROBLEMA DEL OTRO

Tres dificultades mayores hacen difícil un balance riguroso de la literatura náhuatl:

1. Las condiciones materiales e históricas de su transmisión.

2. Las vicisitudes de orden ideológico y político que conformaron su imagen.

3. La situación muy precaria, aún hoy, de los estudios de orden filológico y lingüístico que la conciernen.

Ahora bien, cada uno de estos condicionamientos no es sino el revés y el derecho de una misma realidad, la de la comprensión del Otro, que habrá que considerarse, no como una curiosidad erudita o *topos* cultural que desde hace poco está de moda de manera sistemática, sino como una premisa que rige el contenido y el sentido mismo de nuestro análisis.

Se ha dicho muchas veces que el descubrimiento de América fue un acontecimiento mayor en la historia del planeta. Todorov, en un libro reciente que hace un hito tanto por sus procedimientos como por

433

sus resultados, muestra las dificultades de tipo semántico, es decir, ontológico, a las que se enfrentaron unos y otros, los conquistadores y los conquistados, cuando se encontraron por primera vez[10]. Mundos autónomos, con historia y cultura diferentes y recíprocamente ignoradas, igualmente convencidos de la legitimidad divina y del destino de sus pueblos, debieron buscar soluciones mediante duros ejercicios de diálogo, por lo menos para comprender los arcanos más aparentes de los extraños interlocutores que la Providencia o el Quinto Sol los obligaba a mirar a la cara y a comprender. Preludio cognoscitivo necesario y milagroso que se despliega unos 50 años antes de que la *real politik* amputara a la conquista española su dimensión y sus curiosidades espirituales más fecundas, aun cuando éstas tuvieran las motivaciones y las limitaciones que llevaron a Leopoldo Zea, al preparar el V Centenario, a hablar de *encubrimiento* más que de *descubrimiento*[11].

Sin embargo, hay que reconocer un hecho capital: si los aztecas hablan, se debe a la curiosidad, al método y a la perseverancia de los españoles. Son ellos quienes hoy permiten un discurso, parcial si se quiere, pero de todas maneras un discurso sobre un mundo que todas las desgracias de la historia pronto habrían hecho desaparecer. Realmente parece casi milagroso que el trabajo y la pasión de un puñado de españoles hayan conservado, aun distorsionado y mutilado, un patrimonio que podía haber desaparecido sin dejar rastro, como ha sucedido con la historia de tantos imperios de Africa, Asia y América misma, de los que no nos quedan más que piedras mudas y enigmáticas.

La literatura náhuatl nunca está separada de lo religioso, lo social y lo político, de los que no es sino una epifanía y una síntesis; por ello, los textos que citaremos para apoyar nuestro propósito serán significativos respecto de la imagen de la Coatlicue que es, a la vez, una revelación de orden estético y una explicación analógica de orden global, como bien lo explica Bonifaz Nuño en su reciente libro dedicado a Tláloc.

Al contrario de otras literaturas, el mundo y la historia aztecas así como su cosmovisión están en el centro del discurso literario náhuatl y no se podrá hablar de "literatura" sin la condición de hablar antes de otra cosa, ya que este discurso se inserta dentro de un asunto más general, del cual es una ilustración o una confirmación. Una prueba suplementaria de la justeza de esta opción metodológica se encuentra en el hecho de que el discurso literario náhuatl no puede derivarse sino a partir de testimonios y de obras que hablan ante todo de otra cosa: de inventarios, de fiestas, de circunstancias históricas o míticas, de rituales, pero nunca de una actividad literaria autónoma e ideológicamente independiente. Ahora bien, esto se debe a la naturaleza de la actividad artística en general, y literaria en particular, de los aztecas, y al canal por el cual la conocemos[12]. Si, a pesar de nuestras convicciones respecto del conjunto social y cultural de la vida azteca, existió la literatura como una actividad autónoma, su modo de transcripción y la ideología dentro de la cual ha podido ser *tradita,* la ha incluido dentro de un marco referencial en el que no es más que una actividad vicaria e ilustrativa[13]. Por otra parte, su recepción, su exégesis o su falta de exégesis, en tanto que fenómeno autónomo sólo han confirmado su función y su sentido dentro de esa cosmovisión.

Por eso no se puede hablar pura y simplemente de literatura, sino de tres prismas a través de los cuales nos llegó esta literatura y que gracias a ellos podemos leerla, a saber: su función, su transmisión y la apreciación que se ha realizado. Esta última no proviene de la historia literaria, sino del sistema de aceptación y de rechazo del que fue objeto el mundo azteca desde el momento del contacto hasta nuestros días.

La apreciación de la cultura náhuatl y, naturalmente, la de sus expresiones literarias depende, por una parte, de una visión clara de su función dentro del mundo azteca y, por otra, de las características muy particulares de su transmisión y de nuestra posibilidad concreta de acercarnos auténticamente a ella. Estas dos premisas están estrechamente ligadas a otra que rige y condiciona nuestros análisis. Esta premisa se refiere a lo que conocemos como la teoría de la recepción de la obra literaria. Sabemos que ésta puede ser aceptada o rechazada, puesta entre paréntesis o bien interpretada en relación directa con sus interferencias en el conjunto de ideas, situaciones, mitos y factores sociales, políticos, históricos y aún económicos de los que es una manifestación inseparable.

## ARQUEOLOGIA, ANTROPOLOGIA SOCIAL Y LITERATURA

La historia de la literatura náhuatl nunca ha sido un problema autónomo: siempre ha sido una de las piezas en juego en el gran debate a propósito de los aztecas. Ha seguido paso a paso la evolución que dos obras magistrales y complementarias han descrito con pertinencia, erudición y una gran inteligencia respecto de los conflictos y de las contradicciones que la han enriquecido hasta nuestros días. Por ello, estudiar y hacer un balance de la literatura náhuatl no es tarea sencilla e inocente. En términos generales, la teoría de la recepción es un instrumento hermenéutico cuyo uso es fecundo y revelador, y que en nuestro caso constituye la clave que ha sostenido y orientado hasta ahora nuestros diagnósticos.

Luis Villoro y Benjamin Keen han trazado, con finalidades y acercamientos muy distintos, los grandes momentos de lo que A. Gerbi ha llamado "la disputa del nuevo mundo". Sus métodos disciplinarios y sus campos de investigación responden a diversas interpelaciones de orden filosófico. Para Villoro, se trata de comprender y definir, en tanto que mexicano, lo que el indígena ha sido y es para el ser nacional, mostrando la riqueza y las ambigüedades de su presencia indudable dentro del proyecto histórico mexicano[14]. Keen se interesa, como observador apasionado pero externo, en la evolución del mismo proceso, con un punto de vista ampliado y relativizante, que implacablemente registra cómo fue vivido y escrito, no sólo por los primeros interesados, los mexicanos, sino por todos los que, desde el principio, lo consideraron como un desafío y una revelación de envergadura universal[15]. No resumiremos sus obras, ya que son clásicos que nos acompañan junto con el gran fervor franciscano del siglo XVI, la ambigüedad fecunda de los historiadores mestizos del siglo XVII, divididos entre la aculturación hispanizante y la orgullosa afirmación de la identidad nativa, el silencio o las conceptualizaciones filosóficas de la época barroca y de la Ilustración.

La historia del indigenismo es verdaderamente un ejemplo concreto de la teoría de Vico: *dei corsi e ricorsi.* A cada época de negación sucede una de doble renacimiento: erudita, con los padres jesuitas y los primeros encuentros arqueológicos del siglo XVIII; romántica con los pensadores de la Independencia que debieron reemplazar rápidamente el modelo español repudiado por una versión heroica y transfigurada del pasado indígena. A partir de ese momento, los mismos mexicanos y muchos estudiosos franceses, alemanes, ingleses y norteamericanos retoman las investigaciones y el debate del siglo XVI y lo enriquecen no sólo con hipótesis, controversia y disfraces literarios, sino también con instrumentos e iniciativas que, poco a poco, llevarán a plantear el problema de la naturaleza de la herencia azteca de manera más rigurosa y documentada.

No obstante, la función simbólica del mundo indígena es innegable[16]. Siempre es con la consideración de este elemento que se determinan a sí mismos los mexicanos; gente de cultura, políticos e historiadores. Los comportamientos individuales y colectivos se refieren constantemente a esto, tal vez sin medir conscientemente la calidad y el alcance de esta reflexión dialéctica permanente. En tales condiciones, habría sido natural que la expresión literaria de la identidad azteca hubiese recibido una atención privilegiada y hubiese sido uno de los instrumentos de descodificación más usados y confiables de la especificidad tenochca. Por el contrario es sorprendente, que, lejos de ser uno de los campos más explorados y fecundos en sus resultados, el estudio de las fuentes literarias náhuatl y maya, debido a varias circunstancias que no necesariamente son casuales, haya quedado al margen de las preocupaciones y del esquema cultural de la sociedad mexicana.

Muchos factores han llevado a esta situación profundamente nociva: la dispersión de los documentos en numerosas bibliotecas de América y de Europa que no ha permitido ni su utilización crítica ni su comunicación entre los especialistas extranjeros; la penuria de las estructuras de enseñanza y de tradición pedagógica de nivel superior y, por lo tanto, el número relativamente modesto de investigadores y especialistas en esta disciplina; la falta de coordinación entre los distintos centros de todo el mundo que se ocupan de esta literatura, impidiendo así la circulación de las investigaciones, el trabajo de equipo y el estímulo para iniciativas importantes. Pero extrañamente, lo que ha disminuido los estudios literarios nahuas (y mayas) fueron los resultados espectaculares de la arqueología y las prioridades de la antropología social. Entre los dos protagonistas de lo imaginario y lo cotidiano mexicano, la literatura náhuatl, encerrada en los misterios de su lengua marginada, de sus documentos olvidados y dispersos, de sus cursos universitarios minimizados, no supo ni pudo imponerse como un instrumento capaz de explicar el *ethos* azteca, de ayudar a leer las piedras arqueológicas y a comprender los arcanos de un pueblo, al cual los esfuerzos persistentes de integración nunca podrían hacer olvidar su pertenencia primera.

Dentro del fervor generalizado que, en el siglo XX, acompaña la resurrección del indigenismo, pueden distinguirse objetivos privilegiados y omisiones inquietantes. Se recordará que ya el rey Carlos III (el mismo que descubrió y puso en circulación a Herculano y Pompeya) había dado la orden de que se realizaran exploraciones en Palenque, y que Carlos IV, después de la emoción estética que provocó el descubrimiento en México, por casualidad, de la gran Coatlicue y de la Piedra del Sol en 1790 por Antonio de León y Gama, ordenó a principios del siglo XIX que las investigaciones arqueológicas se extendiesen a todo el territorio mexicano.

Después de la guerra de Independencia por instigación de Carlos María de Bustamante, discípulo tan excesivo en su visión romántica de los aztecas como su maestro fray Servando Teresa de Mier, se fundó en los locales de la Biblioteca Universitaria de México un "museo de antigüedades". En 1865, el emperador Maximiliano hizo que se transportaran esas colecciones al Palacio Nacional, donde permanecieron hasta 1964. Benito Juárez no olvidó el nuevo museo, símbolo palpable y visible de la grandeza mexicana; en general, todos los regímenes, desde Porfirio Díaz hasta los de la Revolución, dedicaron un constante interés al rescate, la conservación y el estudio de los monumentos arqueológicos, que culminó en 1964 con la inauguración del Museo Nacional de Antropología e Historia, que no tiene rival en su campo en todo el mundo. Cabe señalar que todas las escuelas e instituciones destinadas a estudiar arqueología se fundaron a principios de este siglo, por ejemplo, la Escuela Internacional de Arqueología Americana en 1911, presidida primero por E. Seler y después por A.N. Tozzer y Manuel Gamio.

En general, esta obra de exhumaciones y de valoración de las antigüedades precortesianas tenía poco que ver con los textos literarios o históricos y puede decirse que el siglo XIX mexicano no tiene el equivalente de un Rémi Siméon, de un Seler y Jourdanet y de un De Charencey. Por su parte, apenas la Revolución puso en práctica sus proyectos, intentó unificar los métodos y los objetivos de la arqueología con los de una generosa y clarividente recuperación social y económica de las zonas indígenas. El programa piloto de Teotihuacán, dirigido y concebido por Gamio en 1922, sigue siendo un modelo. A partir de ese momento, aunque se podría regresar aún más, las campañas de excavaciones se unían con los programas de integración cultural de las poblaciones indígenas y, desde entonces, se acentuó casi exclusivamente el estudio y el análisis del pasado arqueológico y de las técnicas de inserción de las etnias indígenas, mucho más que los medios para comprender la especificidad cultural, transmitida por un patrimonio lingüístico, gestual y musical, directamente ligado a las tradiciones prehispánicas y todavía vigente. Esta opción, que algunos como Fernando Benítez han fustigado con frecuencia, explica en parte los retrasos y las orientaciones de las escuelas mexicanas de lengua y literatura náhuatl. De hecho, ésta ha llegado a ocupar el último lugar de los honores en los programas académicos, ha acumulado retrasos bastante sorprendentes y parece apoyarse, por una parte, en las adquisiciones cada vez más espectaculares de la arqueología y, por otra, en las teorías de un sector del indigenismo.

Las fechas de las enseñanzas y los trabajos prácticos de la arqueología y la antropología natural se sitúan a fines del siglo XIX y principios del XX, mientras que las que se refieren a la enseñanza universitaria, las investigaciones y las publicaciones de las fuentes literarias y lingüísticas nahuas son mucho más tardías. De hecho, con la excepción de Rubén Campos, quien publicó en 1936 una interesante antología de poesía azteca, debe esperarse hasta los años 50 y 60 de nuestro siglo para encontrar una serie de publicaciones, cátedras universitarias, institutos de investigación y revistas que dedican todos sus esfuerzos a este'campo. Hay que recordar aquí, sobre todo, la obra del padre Garibay y la de su discípulo y continuador, Miguel León Portilla. Sus investigaciones y sus interpretaciones se hicieron de acuerdo con un sector del indigenismo mexicano. No es que se trate de filiación o de obediencia, sino de participación en una opción respecto de la naturaleza y la secuencia de la historia azteca, que se mantuvo vigente durante mucho tiempo y que responde a los proyectos cíclicos de "rehabilitación" de la cultura azteca frente a negaciones y repudios de los que ha sido objeto.

Es público y notorio que, a partir del contacto, todas las fuentes favorables o desfavorables a los aztecas tropezaban con el problema, a la vez terrible e irrefutable, de los sacrificios humanos. Es imposible saber a qué ideas religiosas y cosmológicas respondían estos ritos, el cuadro de los horrores perpetrados por millares y del cual existía incluso una teorización lógica que recogieron los etnógrafos del siglo XVI de boca de los sabios; esto llevó a los especialistas a una afirmación "pura y simple" de este aspecto de la cultura azteca: o bien se le encontraban circunstancias atenuantes que podían ir desde la negación de estos delitos hasta una interpretación totalmente simbólica; o bien (y ésta es la tesis que prevaleció cada vez más) estos sacrificios humanos se consideraban como el fruto de una desviación, de una degeneración del sistema mesoamericano, de una desmesurada sed de poder de los jefes aztecas[17].

Se oponía el mundo de Tenochtitlán a los antiguos toltecas, a los ideales que Teotihuacán y Quetzalcóatl habían transmitido a los tenochcas y que éstos reclamaban con orgullo, aunque los alteraban. Dentro de este proceso surgieron dos interpretaciones diferentes. Por una parte, las interpretaciones globales del mundo azteca, presentadas por Alfonso Caso, Ignacio Bernal, Manuel Moreno, Arturo Monzón y Paul Kirchhoff, quienes pusieron al desnudo la especificidad dramática y sangrienta, muy real, de ese mundo, explicado y comprendido dentro de sus características propias. Por la otra, las divagaciones historiográficas de quienes sostenían un indigenismo, o más bien un indianismo, idílico. Estas transformaban y deformaban los datos básicos sobre los cuales, sin embargo, están de acuerdo la historia y la arqueología. Entre estas dos representaciones, los especialistas de literatura náhuatl intentaron introducir un tercer camino, fundándose sobre una interpretación ingeniosa de la historia azteca, que se expresa con fuerza en la obra de Laurette Séjourné. Muy hábilmente y mediante argumentos que el análisis histórico posterior se encargó de desmentir o de relativizar, esta autora transfirió el interés que hasta entonces se prestaba casi exclusivamente a Tenochtitlan, hacia una revaloración de Teotihuacán: ciudad de los dioses, sede de Quetzalcóatl, capital de las artes y de los comercios mesoamericanos, continuamente citada en las fuentes como el origen y la legitimidad del poder tenochca. Según Séjourné, los aztecas habían traicionado, en un acceso de ciego imperialismo, el sentido y el fundamento mismo de su cultura que se inspiraba en el ideal humanitario de Quetzalcóatl, desviado por el proyecto cruelmente militarista e ideológicamente psicópata de los tlahtoani de Tenochtitlan.

## SIMBOLISMO LITERARIO E IDENTIDAD

Dentro de este contexto conflictivo, que plantea problemas de orden científico y patriótico, emotivo y nacionalista, se inserta cronológicamente la contribución de los especialistas mexicanos en literatura náhuatl. Una de sus funciones, además de la obra de traducción y de explicación de las fuentes indígenas que emprendieron con una fecundidad y resultados absolutamente excepcionales, fue incorporar nuevos elementos al *corpus* controvertido de las doctrinas sobre los aztecas, aclaraciones textuales muy apreciadas y pronto adoptadas.

Estas contribuciones pueden resumirse en tres puntos básicos:

1. La literatura náhuatl es a la vez la expresión y la prueba de la complejidad y de la venerable antigüedad mesoamericana de la "fachada azteca".

2. La literatura náhuatl es el lugar en que mejor se expresa la oposición entre las opciones militaristas e imperiales de Huitzilopochtli y las del humanismo que vienen de Quetzalcóatl. En el Estado mexica, junto al proyecto del Pueblo del Sol, existía el de los sabios, de los tlamatinimeh, lo cual restituye así a los aztecas el beneficio de la duda metodológica e histórica frente a su leyenda negra.

3. La literatura náhuatl, por medio de sus autores, muestra la organización social de la actividad poética, sus recursos retóricos y, naturalmente, sus temas específicos, una existencia real y autónoma que con-

forma una manifestación separada y completa y no una actividad ancilar del proyecto religioso y político social mexica.

Estas adquisiciones, laboriosamente discutidas y lentamente teorizadas, constituyen de facto hoy en día una de las piezas maestras del debate indigenista y se integran casi institucionalmente a la discusión nunca interrumpida y cada vez más matizada que, al hablar de los aztecas de ayer, considera, juzga y acompaña a los de hoy.

Podría decirse que, frente a los triunfos de la arqueología que alcanzó un discurso a la vez diversificado y diacrónico, los literatos sintieron la necesidad del mismo proceso. Por extrapolación, hicieron hablar a los textos más bien de acuerdo con su proyecto, que según lo que decían en realidad. Así, mientras que los textos aztecas sólo hablan de la realidad azteca, ésta se remonta hacia otra protohistoria, considerada más noble y más presentable. Se buscan sus testimonios en un sentido que, a nuestro juicio, traiciona su alcance y su naturaleza. Sin embargo, debe reconocerse que los estudios recientes y las tendencias que manifiestan nos llevan a pensar que esta etapa ha sido superada. Dentro de poco, los textos literarios nahuas se estudiarán por lo que son, es decir, como la expresión de un momento de la historia azteca. Esta no tiene por qué ser artificialmente envejecida, dulcificada o interpretada a la luz de otras preocupaciones y de otras culturas. Eso sería otra manifestación de las innumerables enajenaciones y escamoteos que ha sufrido durante los últimos 500 años. Esta historia sólo necesita que se le aprecie dentro de la lógica y el rigor de su verdadera personalidad.

Pero el valor simbólico de la literatura náhuatl ha sido muy importante para la definición de la identidad mexicana. Todo cuestionamiento de sus contenidos, de su realidad específica y de su mensaje se relaciona ahora con un crimen de lesa patria que pocos especialistas e historiadores de la cultura mexicana están dispuestos a enunciar. Pero el tiempo de las revisiones parece no sólo acercarse sino ocupar ahora el frente del escenario. No es sorprendente que los filósofos cierren el paso a los literatos y que éstos se conviertan finalmente en el eco de los innumerables llamados que el padre Garibay repitió casi en cada página de sus obras, pidiendo rigor, exhaustividad y una metodología actualizada para tomar en consideración los documentos disponibles y olvidados, único recurso para ampliar, aclarar de otro modo y restituir su autenticidad.

El conjunto de especialistas lanza ahora ese mismo llamado con una vehemencia cada vez más justificada, a partir de que tres grupos de iniciativas recientes han sacudido algunos puntos que parecían definitivamente establecidos y han mostrado la fragilidad de algunas hipótesis:

1. La publicación de ciertas obras de lingüística náhuatl (Karttunen y Lockart, Launey, Changerer) que enriquecen y modifican nuestra sistematización y, por lo tanto, nuestros procedimientos lingüísticos ante las fuentes.

2. La publicación en edición crítica del *Códice Florentino* por Dibble y Anderson, la publicación de los textos nahuas sobre el cuerpo hu-

mano por López Austin, la edición crítica de los *Cantares mexicanos* por Bierhorst.

3. La exigencia frente a los problemas cada vez más espinosos que plantean la textología y la traducción de las fuentes, expresada por los más ilustres especialistas de los estudios nahuas (León Portilla, López Austin, Martínez) en una serie de reuniones que pretenden discutir, normalizar y hacer científicamente inatacables los acercamientos utilizados hasta ahora de manera demasiado subjetiva y reiterativa.

## *TRADUTTORE, TRADITORE* O LOS ESCOLLOS DE LAS "TRADUCCIONES"

El tiempo, pues, en esta víspera del V Centenario del encuentro de dos mundos, parece propicio para que el patrimonio que yace mudo y olvidado en las bibliotecas y los archivos de nuestro planeta por fin pueda recibir el tratamiento que la investigación internacional tiene reservado y reserva progresivamente para las grandes culturas de la humanidad.

Durante el siglo XV se dio el gran retorno renovador de los clásicos grecolatinos; en el XIX fue el surgimiento de Egipto, de las civilizaciones de la cuenca mediterránea y del Medio Oriente; en el XX, Africa, Oceanía, India, China y Japón encontraron o reinterpretaron las fuentes principales de sus escrituras milenarias. En este fin de siglo debemos responder al desafío que los indígenas del Anáhuac y los españoles del XVI nos legaron, conformando conjuntamente los archivos escritos de la memoria americana. La primera tarea es reunir todos los manuscritos publicados e inéditos que se encuentran diseminados por todo el mundo[18]. La segunda es hacer ediciones críticas de ellos, que tomen en cuenta las enseñanzas y el saber recientemente codificado de la manuscriptología, para que se conviertan en instrumentos de trabajo confiables y rigurosos. La historia reciente nos ha mostrado que, para hablar de literatura y del mensaje particular del que es vehículo, hay que hacerlo a partir de un apoyo lingüístico bien establecido o restablecido en su integridad e integralidad. Los análisis que se han realizado sobre textos inciertos, deteriorados o francamente falsos transforman el discurso crítico en una especie de falsificación o en una pura y simple invención. Los ejemplos abundan, aun en el campo de lo náhuatl, por lo cual esta operación de limpieza y de establecimiento definitivo es especialmente deseable para aquellos textos cuyo primer objetivo fue desviado con frecuencia por las intervenciones de los copistas y los comentarios de los escoliastas.

Por otra parte, este tipo de problemas es una constante en la manuscriptología y, en un momento u otro, algunas literaturas, las clásicas en primer lugar, debieron realizar reajustes hermenéuticos porque las investigaciones pacientes de los especialistas habían llegado a descubrimientos, reorganizaciones y modificaciones textuales fundamentales. Al respecto, cabe citar los casos de la *Antología palatina,* los poemas homéricos, Píndaro, Lucrecio y los evangelios sinópticos y apócrifos, cuya interpretación sufrió trastornos mayores a raíz de los nuevos equilibrios textuales que tuvieron estas obras, aun siendo canónicas.

Llegados a esta etapa, debe recordarse lo que sigue siendo "el problema" por excelencia: la traducción de los textos nahuas a una lengua occidental.

El náhuatl se caracteriza, entre otras cosas, por toda una serie de posibilidades lingüísticas de las que nuestras lenguas están alejadas (sobre todo las lenguas neolatinas), y son incapaces de restituirlas con la misma economía polisémica. Muchas dificultades provienen del hecho de que el náhuatl, al igual que el sánscrito, el hebreo y el griego antiguo, usa y abusa de las palabras compuestas, de las que hay que desmontar las partes para comprender y después restituir su sentido exacto. Ahora bien, esta operación es difícil y delicada, y favorece una trivialización de la palabra, que pierde su complejidad y se convierte en una expresión en que lo descriptivo, lo decorativo o lo exótico triunfan indefectiblemente. ¿Habrá que recordar cuánto tiempo y cuántas investigaciones fueron necesarias para comprender las connotaciones prehelénicas de la lengua de Homero, reducidas durante siglos a traducciones convencionales que empobrecen su dimensión mítica en beneficio de una fraseología digna de los repertorios de los arcadios italianos del siglo XVIII? Las traducciones recientes del libro más traducido del mundo, la *Biblia,* nos han mostrado los sorprendentes resultados que se pueden alcanzar si se confronta el texto de acuerdo con sus reglas internas, sus leyes y su sistema lingüístico propio (como hizo Bierhorst recientemente para la edición crítica de los *Cantares. . .),* al contrario de las soluciones tradicionales que, aunque tienen su legitimidad y sus justificaciones históricas, lo traicionan y lo empobrecen con el fin de ponerlo al alcance del lector.

En resumen, el estudio y la apreciación del patrimonio literario náhuatl no es sólo un problema de orden "literario" para el México del pasado y el actual. Así como para la Italia del *Quattrocento* y la Alemania romántica, esta búsqueda de las fuentes es una exigencia de autenticidad y de arraigo que va de la mano con el itinerario de su historia, de toda su historia. Las etapas de esta exigencia, tanto en sus momentos fuertes como en los débiles, son tal vez uno de los indicios más reveladores de su proceso. En este sentido, hacer o rehacer su historia es, sin duda, una manera pertinente de estudiar y de comprender la formación, a veces conflictiva, de la nacionalidad pluriétnica y pluricultural mexicana. Lejos de ser un discurso aséptico y especializado o únicamente literario, como a veces se dice, se trata de redescubrir los testimonios de la cultura náhuatl en una doble perspectiva: la de su significado precortesiano y la de su vigencia el día de hoy.

# NOTAS

[1] Este es el leitmotiv metodológico teorizado y puesto en práctica en los distintos ensayos que componen el libro que la Unesco le ha dedicado, bajo la dirección de César Fernández Moreno, *América Latina en su literatura,* México, 1972.

[2] Charles Minguet con frecuencia ha trabajado en esta dirección; cf. "Del realismo social al realismo mágico", *Historiografía y bibliografía americanistas,* vol. XVIII, núms. 2-3, Sevilla, 1974, pp. 225-248.

[3] Las grandes recopilaciones de donde hemos tomado lo esencial de nuestros materiales literarios (informantes de Sahagún, *Cantares mexicanos, Romances de los señores de la Nueva España, Anales de Cuauhtitlán, Huetlahtolli*) contienen, al mismo tiempo y de manera asistemática, textos de tipo histórico, lírico, religioso y dramatúrgico. Ahora bien, sólo si se procede a realizar separaciones que no existen en los *corpus* examinados se puede esbozar una historia literaria en que los elementos, los componentes indisolubles, tendrían una existencia retóricamente autónoma. El ejemplo mejor logrado pedagógicamente es la *Historia de la literatura náhuatl* del padre Garibay (México, 1953-1954) en que los mismos repertorios se consideran y se utilizan para ilustrar distintos capítulos que se refieren a la poesía, el teatro, la historia, etcétera. Esta fragmentación del discurso de cada texto lo despoja precisamente de su dimensión global y desfigura su sentido y su función.

[4] Recientemente la arqueología ha logrado plantear una hipótesis, con un grado bastante satisfactorio de aproximación, acerca del juego complejo de los desafíos históricos, los intercambios y las apropiaciones culturales que "hicieron" el mundo azteca. Pero también ahí, el margen de las profundidades históricas, desde el punto de vista de los mismos arqueólogos, es muy restringido y, por ello, su desciframiento es bastante arduo y controvertido. Las reinterpretaciones recientes provocadas por las excavaciones del templo Mayor en la ciudad de México, son un llamado a un acercamiento menos conceptual y teórico de la realidad azteca. Cf. I. Bernal y M. Simoni-Abbat: *Le Mexique, des origines aux Aztèques,* París, 1985 (sobre todo pp. 256-260).

[5] Toda la tradición mesoamericana de la que los aztecas heredaron y a veces acentuaron algunas caraterísticas, tenía como eje una noción exclusivamente religiosa del trabajo artístico. Es casi imposible o muy raro encontrar monumentos u objetos cuya función y significación no estuviesen estrechamente ligadas a lo sagrado, ya que eran su manifestación o su instrumento. Esto lleva a consecuencias precisas: especialización y anonimato de ejecución, control estricto de su composición estructural, testimonio de la colectividad y para ella. Esta constante va desde los olmecas hasta los aztecas, pasando por Monte Albán, Teotihuacán, Tula, etcétera, con realizaciones estilísticamente diferentes pero con una coherencia de intención que tiene muy pocas excepciones.

[6] Más adelante examinaremos las fuentes "indígenas" de la segunda generación posterior al contacto, a saber, la que se encontraba en la incómoda situación de tener que defender o reivindicar la identidad precortesiana y, al mismo tiempo, hacerla aceptable, y aceptarla ellos mismos, dentro de la cosmovisión judeocristiana. Sin embargo, los aztecas tenían una tendencia muy marcada hacia el sincretismo, dado que su ideología era un ejemplo de ello; esto explica, en parte, la rapidez con la que aceptaron las presiones directas e indirectas de las nuevas doctrinas, la expresión fundamental del nuevo poder. Si bien es cierto que Ixlilxóchitl, Chimalpahin y Tezozómoc representan respectivamene la voz específica de los centros principales de la Triple Alianza: Tenochtitlan, Tezcoco y Acolhuacan; también es cierto que los tres habían sido educados o influidos por el convento franciscano de Tlatelolco. Eran latinistas y sus lecturas piadosas y clásicas ayudaron a organizar y a

jerarquizar sus testimonios, por otra parte auténticamente indígenas, dentro del espíritu de la enseñanza franciscana y de los textos de su biblioteca.

[7] Este problema se ilustra admirablemente en los estudios de Alfredo López Austin, sobre todo los de *Cuerpo humano e ideología,* México, 1980, en que el autor logra demostrar, dentro de un territorio lingüístico aparentemente "científico", la ambigüedad y las lagunas de la obra de traducción emprendida por los etnógrafos del siglo XVI y que, en las omisiones, la adaptación aproximada y la censura *utriusque partis* se enfrentan en realidad las prohibiciones de ambas culturas (cf. sobre todo pp. 40 ss).

[8] Toda encuesta o descripción de tipo histórico o antropológico está dirigida por las categorías del encuestador. Este es uno de los problemas que pusieron en crisis la legitimidad misma de los procedimientos antropológicos, más allá de su utilización política y económica. J. M. Muriá realizó un trabajo precursor cuando en 1973, al publicar su libro *Sociedad prehispánica y pensamiento europeo,* México, p. 222, compara las distintas traducciones que los españoles y sus informantes habían atribuido al conjunto de términos que denotaban el poder entre los aztecas. Evidentemente, su brillante demostración de semántica comparada es aterradora, no sólo por los desvíos y las manipulaciones a los que dio lugar esta traducción , sino también por las especulaciones ulteriores que autorizó y por sus usos actuales.

[9] Rogers y Anderson, *La terminología anatómica de los mexicas precolombinos,* Sevilla, 1970, II, p. 74.

[10] Tzvetan Todorov, *La conquête de l'Amérique, la question de l'autre,* Paris, 1982, y más recientemente, pero con el mismo tipo de preocupación: *Recits aztèques de la conquête,* en colaboración con Georges Baudot, París, 1983. (Hay edición española: *Relatos aztecas de la conquista,* trad: Guillermina Cuevas, México, 1990, Consejo Nacional para la Cultura y las Artes/Grijalbo, 485 pp., Los Noventa.) La crítica mexicana recibió con bastante frescura las dos obras dedicadas a las dificultades no sólo de tipo lingüístico sino también semántico de los primeros intercambios euroamericanos. Esta reacción, además de algunas debilidades que los especialistas pronto denunciaron, parece característica de una tendencia que se ha esforzado siempre por comprender y explicar la especificidad precolombina y azteca en particular dentro de un marco referencial universalizador. Desde luego, se proclama la gloriosa "alteridad" de la cultura azteca pero también se la ilumina con un saber y una conceptualización que le son ajenas: en el fondo, los dilemas que Todorov pone en evidencia arriesgaban relegar a los aztecas, una vez más, a la periferia del mundo occidental, siendo éste un pecado mortal que algunos no están dispuestos a perdonar, sobre todo a los extranjeros. En realidad, Todorov ha hecho para los sistemas lingüísticos confrontados lo mismo que Rubén Bonifaz Nuño hace poco explicó dentro de la plástica azteca respecto de una de sus obras maestras más impenetrables, la Coatlicue, proporcionando por primera vez una explicación de su sistema de signos, no desde fuera sino desde dentro de su vocabulario. *Imagen de Tláloc,* México, 1986, p. 185.

[11] Habrá oportunidad más adelante de describir la mística cósmica de los aztecas, pero no hay que perder de vista que la España que en 1492 llegó al llamado "nuevo mundo", era la misma España que ese año concluía la reconquista y echaba a los judíos de su territorio. Esto supone una reserva de seguridad y de agresividad excepcional, así como la necesidad, casi fisiológica de un nuevo despliegue; pero también, y esto no es sino una contradicción aparente, potencialidades de composición cultural que ningún otro país europeo de la época tenía en esa medida. Esta es una de las razones para que España escuchara y cuestionara, lo cual distinguió su aventura imperial de las de todos los otros países de Europa.

[12] A pesar de sus triunfos espectaculares, no hay día en que un nuevo descubrimiento o nuevos indicios no atraigan nuestra atención sobre la importancia y la cantidad de culturas americanas que siguen siendo verdaderos enigmas históricos.

Unicamente en la zona mesoamericana, puede citarse por lo menos el caso de las nuevas excavaciones tanto en Teotihuacan como en Tula y la ciudad de México que han modificado profundamente las tesis que parecían definitivas hasta hace sólo algunos decenios (cf. Bernal-Simoni Abbat, *op. cit.,* pp. 23-35).

[13] Sahagún, que organizó en 40 años de trabajo ininterrumpido la enciclopedia más vasta del mundo náhuatl, no citó ningún ejemplo de textos literarios aztecas, mientras que describe a fondo la organización y las características de sus cantos.

Cuando transcribe los textos, es porque aclaran zonas que le interesan y, por eso, disponemos de *Veinte himnos sacros* y numerosos *Huetlahtolli,* que son testimonios de la cosmovisión azteca más que expresiones literarias. Esto es aún más sorprendente y determina la posición subalterna que, a sus ojos, ocupaba la literatura, puesto que sus descripciones del trabajo del artista y del poeta son de las más interesantes y de las más trabajadas de su legado. Su interés se concentraba sólo en el aspecto social y estructural de esta actividad y no en el de su apreciación autónoma y autosuficiente; en esto, su opción coincide extrañamente con la de los mismos aztecas.

[14] Luis Villoro, *Los grandes momentos del indigenismo en México,* México, 1950.

[15] Benjamin Keen, *The Aztec Image in Western Thought,* Nueva Brunswick, 1971, traducción y edición del FCE de México en 1986.

[16] Luis Villoro, "De la función simbólica del mundo indígena", en *Terzo Mondo e Comunità Mondiale,* Génova-Columbianum, 1965, p. 184.

[17] La obra más conocida de Laurette Séjourné es sin duda *Pensamiento y religión en el México antiguo,* México 2ª reimpresión, 1970, pero todo su magisterio se desvió rápidamente de sus anteriores intereses arqueológicos para concentrarse en esta interpretación del mundo azteca. Curiosamente sus detractores más eficaces son sus antiguos colegas quienes, al continuar sistemáticamente las excavaciones de Teotihuacàn, descubrieron que la tesis que ella había sostenido con fuerza ya no tenía validez, pues se convertiría en una obra de ficción más que de síntesis histórica.

[18] Es afortunado que, finalmente, en julio de 1988, la Unesco haya tomado la iniciativa de proceder, en la víspera del V Centenario, a un estudio profundo de lo que debe hacerse para recuperar y hacer accesible y funcional el inmenso patrimonio manuscrito disperso en las bibliotecas de América y Europa. Esto se lleva a cabo, entre otras razones, como consecuencia de un proyecto que presentamos en 1986 a la secretaría de la organización, que fue aceptado y que es el fruto directo de las reflexiones contenidas en este libro.

MIGUEL LEON-PORTILLA


## INTRODUCCION A *CANTOS Y CRONICAS DEL MEXICO ANTIGUO* *

### LOS GENEROS LITERARIOS EN NÁHUATL

EL EXAMEN de un considerable número de composiciones, que con fundamento pueden atribuirse a la tradición prehispánica, lleva a distinguir dos tipos principales de géneros literarios. Por una parte están los *cuícatl,* vocablo que se ha traducido como *canto, himno* o *poema.* Por otra parte se hallan los *tlahtolli,* término que significa *palabra, palabras, discursos, relación.* Si se quisiera establecer, con todas las limitaciones del caso, una cierta comparación con las producciones literarias en lenguas indoeuropeas, diríamos que los *cuícatl* corresponderían a las creaciones poéticas, dotadas de ritmo y medida, en tanto que los *tlahtolli* serían comparables a las expresiones en prosa. Pero como, por encima de comparaciones, interesa precisar los principales rasgos característicos de los *cuícatl y tlahtolli,* a ellos atenderemos a continuación. Después trataremos de las diferentes especies de composiciones que integran la gama de variantes, tanto de *cuícatl* como de *tlahtolli.*

Los *cuícatl,* como dijo el forjador de cantos Ayocuan Cuetzpaltzin, *del interior del cielo vienen,* son inspiración y también sentimiento. En ellos afloran los recuerdos y el diálogo con el corazón. El ritmo y la medida, y a veces asimismo la entonación acompañada por la música, son sus atributos exteriores. En las culturas antiguas fue frecuente que las composiciones sagradas, conservadas por tradición oral, tuvieran en la medida y el ritmo auxiliares poderosos que facilitaban su retención en la memoria. Entre los nahuas fue muy amplia la gama de creaciones con estas características, implícitamente evocadas por la voz *cuícatl.*

Categoría literaria distinta es la que, con otro concepto también genérico, describieron los nahuas como *tlahtolli:* palabra, discurso, rela-

* Madrid, Historia 16, 1986, pp. 26-46.

to, historia, exhortación. En el término *tlahtolli:* se comprendía todo aquello que, no siendo pura inspiración o recordación poética, se ofrecía como fruto de inquisición y de conocimiento en diversos grados sistemáticos. Entre las principales maneras de *tlahtolli* que cultivaron los nahuas pueden percibirse marcadas diferencias, expresadas por ellos con vocablos distintos: los *huehuehtlahtolli,* palabras o discursos de los ancianos; los *teotlahtolli,* disertaciones divinas o acerca de la divinidad, incluidas muchas veces en los mismos *huehuehtlahtolli;* los *yeinuecauh thahtolli,* relatos acerca de las cosas antiguas, o también *ihtoloca, lo que se dice de algo o de alguien,* versión nativa de lo que llamamos historia; los *tlamachilliz–tlazolzazanilli,* que literalmente significa *relaciones orales de lo que se sabe,* es decir leyendas y narraciones ligadas muchas veces con tradiciones de contenido mitológico; los *in tonalli itlatalhtollo,* conjunto de palabras acerca de los destinos en función del *tonalámatl* (calendario adivinatorio), los *nahuallahtolli* (de *nahualli* y *tlahtolli*), conjuros, aquéllos que pronunciaban los que se dedicaban a la magia.

## PRINCIPALES ATRIBUTOS DE LOS CUICATL

Entre los rasgos más característicos de este género de expresión en náhuatl sobresalen los siguientes:

a) Distribución de su texto en varios conjuntos de palabras que cabe designar como *unidades de expresión.*

b) Existencia de varias formas de ritmo y metro.

c) Una estilística que abarca tanto las formas de estructuración interna como ciertos procedimientos, entre ellos los paralelismos, empleo de determinadas metáforas y otros rasgos que hacen inconfundibles estas formas de composición. A continuación pasaré a describir cada uno de estos atributos.

En lo que toca a las *unidades de expresión,* varían éstas en la extensión con que aparecen en manuscritos como los ya mencionados de la *Colección de Cantares Mexicanos, Romances de los Señores de la Nueva España, Códice Florentino...* En algunos casos las unidades de expresión están constituidas por una sola línea; en otros, por dos o tres, o aun por más líneas. Hay un elemento que ayuda mucho a distinguir las diferentes unidades de expresión de los *cuícatl.* Este es la presencia de varias sílabas no–léxicas que ostentan el carácter de exclamaciones o interjecciones. Entre esas sílabas no–léxicas son frecuentes éstas: *aya, iya, huiya, ohuaya...* Otro elemento que marca, de modo más tajante, el término de una unidad de expresión está constituido por el signo que indica párrafo distinto o por una sangría o indentación de la línea que sigue a la unidad anterior.

Teniendo a la vista unos y otros indicadores de las unidades de expresión de los *cuícatl,* importa preguntarse por los criterios seguidos generalmente en la traducción de estas composiciones, sobre todo cuando se fraccionan las unidades de expresión que aparecen en los manuscritos y se las convierte en versos y estrofas al modo de los poemas en las distintas lenguas europeas. Quizás la mejor forma de ejemplificar esto sea aducir el texto de la primera unidad de expresión de un *cuícatl*, incluido al comienzo de los *Romances de los Señores de la Nueva España*. Se transcribe primero, sin cambio alguno en su unidad de expresión, y en seguida tal como lo incluyó el doctor Angel María Garibay, especialista en este campo, en su edición de ese manuscrito. Ofrezco en ambos casos el texto en náhuatl con su traducción castellana:

> Tla oc tocuicaca tla oc tocuicatocan in xochitonalo calite za ya atocnihuani catliq y ni quinamiqui can niquitemohua ya yo ca qon huehuetitlan ye nica non ohuaya ohuaya·

> Cantemos pues, sigamos el canto, en el interior de la luz y el calor floridos, oh amigos, ¿Quiénes son? Yo los encuentro, allí donde los busco, así, allá junto a los tambores, ya aquí están. Ohuaya, ohuaya[1].

Veamos ahora la presentación que de este texto hace Garibay:

| | |
|---|---|
| *Tla oc toncuicacan,* | *Cantemos ahora,* |
| *tla oc toncuicatoacan,* | *ahora digamos cantos* |
| *in xochitonalo calitec, aya* | *en medio de la florida luz del sol,* |
| *antocnihuan,* | *oh amigos,* |
| *¿Catlique?* | *¿Quiénes son?* |
| *in niquic namique* | *Yo los encuentro* |
| *canin quintemohua:* | *en dónde los busco:* |
| *quen on huehuetitla* | *allá tal cual* |
| *ye nican ah. Ohuaya ahuaya* | *junto a los tambores[2].* |

Como puede verse, la distribución en *versos* introducida por Garibay en lo que constituye una unidad de expresión en el manuscrito original está guiada por un criterio que, en este caso, es fácilmente perceptible. Para distribuir el texto en líneas o *versos* se ha atendido al paralelismo que existe en varias de sus frases.

Esto es visible en las líneas 1-2, 4-5, 6-7, 8-9 que, de un modo u otro, expresan ideas paralelas o de complementación. Excepción sería la línea 3 que, al aparecer entre dos pares de frases paralelas, queda por sí misma diferenciada. Como el mismo Garibay notó en su célebre obra *Historia de la literatura náhuatl,* el paralelismo, con otros rasgos estilísticos, ha sido el criterio para esta distribución en versos que facilita la comprensión y el disfrute de los *cuícatl*.

Pasando ahora a la existencia de ritmo y medida en estas composiciones, importa señalar que hay dos elementos en los manuscritos, que abren la posibilidad de un acercamiento a estas características. Uno ha sido ya mencionado: las sílabas no-léxicas, de carácter exclamativo. El otro, menos frecuente, se presenta antes de la primera unidad de expresión de un *cuícatl* o intercalado en las unidades de que consta.

Daré algunos ejemplos de este género de anotación. Veamos el siguiente, tomado de *Cantares Mexicanos,* fol. 39v.:

> *Toco tocoti, auh ynic ontlantiuh cuícatl, toco toco*
> *tocoto ticoticotico ticoticoticoti toco toco tocoti.*
> *Tocoto tocoti, y cuando va a terminar el canto,*
> *toco toco tocoto ticoticoticoti toco toco tocoti.*

A otra anotación más amplia, en el folio 7 r., del mismo manuscrito, atenderemos ahora. El interés de ella deriva de que establece varias precisiones sobre las sílabas con que, según parece, se marcaba el tono:

> Aquí comienzan los cantos que se nombran genuinos *huezotzincá-yotl.* Por medio de ellos se referían los hechos de los señores de *Huexo-tzinco.* Se distribuye en tres partes: cantos de señores o de águilas *(teuccuícatl, cuauhcuícatl),* cantos floridos *(xochicuícatl)* y cantos de privación *(icnocuícatl).* Y así se hace resonar al tambor *(huéhue-tl):* una palabra [¿o conjunto de palabras?] se van dejando y la otra palabra [¿o conjunto de palabras?] caen con tres *ti,* pero bien así se comienza en un solo *ti.* Y se vuelve a hacer lo mismo hasta que en su interior vuelva a resonar el toque del tambor. Se deja quieta la mano y, cuando va a la mitad, una vez más en su labio se golpea de prisa al tambor.
>
> Ello se verá en la mano de aquel cantor que sabe cómo se hace resonar. Hace poco, una vez este canto se hizo resonar en la casa de don Diego de León, señor de Azcapotzalco. El que hizo resonar fue don Francisco Plácido en el año 1551, en la Natividad de nuestro Señor Jesucristo[3].

Como ha notado Garibay, *es evidente que se trata de indicaciones para medir el ritmo de la música*[4]. El mismo autor admite la posibilidad de que cada una de las mencionadas sílabas pudiera corresponder a una nota, dentro de una escala pentáfona, aceptada por varios investigadores de la música indígena. Según esto, *ti* correspondería a *do* octava, *qui* a *la* natural; *to* equivaldría al *sol* natural; *co* equivaldría a *mi* natural. Al decir del mismo Garibay, *puede conjeturarse que la* do *inicial no se notaba.* Ello completaría la escala pentáfona a que se ha hecho alusión.

Una interpretación distinta se debe a Karl A. Nowotny que identificó en *Cantares Mexicanos* 758 arreglos diferentes de las mencionadas sílabas en las que entran las consonantes *t, c (qu–)* y las vocales *i, o*[5]. Consideró que se trata de indicadores de tonos distintos, ascendentes y descendentes. Señaló además que las combinaciones más complejas de dichas silabas acompañan a algunos *cuícatl,* cuya fecha de composición se sitúa en el período colonial.

Por mi parte recordaré que hay en la amplia obra poética de la célebre Sor Juana Inés de la Cruz (1648–1695) un villancico en el que se incluye una composición suya en náhuatl, descrita por ella misma como un tocotin:

> *Los mexicanos alegres*
> *también a su usanza salen...*
> *y con las cláusulas tiernas*
> *del mexicano lenguaje,*
> *en un* tocotin *sonoro*
> *dicen con voces suaves...*

Viene luego a cantar en veinticuatro líneas, de las que al menos copio las cuatro primeras:

> *Tla ya tinohuica,*　　　*Si te vas,*
> *totlazo Zuapilli*　　　*amada señora nuestra,*
> *maca ammo, Tonantzin*　*no, Madrecita nuestra,*
> *titechmoilcahuiliz...*　*de nosotros no te olvides...*[6]

Al calificar de *tocotin* a esta composición suya, alude Sor Juana a las anotaciones con las sílabas *to, co, ti, qui,* que acompañaban a algunos de los *cuícatl* de la tradición prehispánica de la temprana época colonial. Al expresar además que se trata de *un* tocotin *sonoro,* confirma lo que, por los textos indígenas, conocemos sobre el acompañamiento musical y el canto, expresión de estos poemas. No pudiendo adentrarnos aquí en una comparación de la métrica del *tocotin* de Sor Juana con la de algunos *cuícatl* que van precedidos de una anotación semejante, dejamos al menos registrado este interesante testimonio de la gran poetisa del siglo XVII.

El tema de los *cuícatl* estaba relacionado, según parece, con las formas de acompañamiento musical. De los instrumentos que podían emplearse mencionaré las *tlapitzalli,* flautas; los *tecciztli* caracoles, tan relacionados con Quetzalcóatl; las *chicahuatztli,* sonajas, y las *omichicahuaztli,* sonajas de hueso; las *ayotapálcalt,* conchas de tortuga, así como una gran variedad de *tzitzilli,* campanillas, y *coyolli,* cascabeles. Como han mostrado varios estudiosos de la música prehispánica de Mesoamérica, los recursos de algunos de estos instrumentos eran muy grandes. Es el caso de las *tlapitzalli* o flautas que dan una escala pentáfona del género do–re–mi–sol–la. Ya hemos visto que Garibay señaló la posibilidad de que cada una de las sílabas o anotaciones *to co ti...* pudiera corresponder a una nota dentro de esa escala pentáfona.

## LO MÁS SOBRESALIENTE EN LA ESTILÍSTICA DE LOS CUÍCATL

Rasgo que conviene destacar, como muy característico, es el de una estructuración en la que se perciben repeticiones con variantes de un mismo tema. La reiteración de las variantes existe no sólo entre frases contiguas sino también entre las diversas unidades de expresión. De hecho es frecuente encontrar no pocas composiciones distribuidas en cuatro pares de unidades que expresan conceptos y metáforas afines. Se percibe así, más que un desarrollo lineal de ideas o argumentos, procesos convergentes en el acercamiento que se dirige a mostrar, desde varios ángulos, lo que se tiene como asunto clave en la composición.

Son además frecuentes otras formas de paralelismo dentro de la misma unidad de expresión. Un examen de un *cuícatl* sobre la guerra de Chalco nos permite encontrar ejemplos de esto último. Así, en su segunda unidad de expresión hallamos: *sobre nosotros se esparcen, / sobre nosotros llueven, las flores de la batalla.* En este caso el paralelismo es tan estrecho que una y otra oración tienen el mismo sujeto. Otra muestra nos la da la siguiente unidad de expresión del mismo *cuícatl: / ya hierve /, ya serpentea ondulante el fuego/.* En este caso la segunda oración, que tiene también el mismo sujeto, amplifica la imagen del fuego que hierve encrespado. Explicitación de cómo se alcanza el prestigio en la guerra la proporciona la segunda oración de estas dos que son paralelas: *se adquiere la gloria /, el renombre del escudo/.* Por vía de complemento, contraste, disminución o referencia a una tercera realidad, los paralelismos, tan frecuentes en el interior de la unidad de expresión, son elemento estilístico que, como atributo, comparten los *cuícatl* en náhuatl con los de las otras literaturas del mundo clásico.

A otros dos elementos estilísticos debemos hacer referencia. Uno es el que describe Garibay con el nombre de difrasismo: *Consiste en aparear dos metáforas que, juntas, dan el simbólico medio de expresar un solo pensamiento*[7]. Para ilustrarlo aduciré al difrasismo de los nahuas para expresar una idea afín a la muestra de poesía: *in xóchitl, in cuícatl, flor y canto.* Precisamente en *Cantares Mexicanos* (fol. 9v. 11v.) se transcribe una larga composición en la que aparecen diversos forjadores de cantos, invitados por el señor Tecayehuatzin, para discutir y dilucidar cuál era en última instancia el significado de *in xóchitl, in cuícatl.*

Debemos notar que, aunque es frecuente en los *cuícatl* el empleo de difrasismos, tal vez lo sea más en algunas formas de *tlahtolli, conjuntos de palabras, discursos, relatos.* Por eso nos limitaremos aquí a otros pocos ejemplos tomados de *Cantares Mexicanos* y de *Romances.* De este último procede el siguiente:

> *Chalchihuitl on ohuaya in xihuitl on in motizayo in moihuiyo, in ipalnemohua ahuayya, oo ayye ohuaya ohuaya.*
>
> *Jades, turquesas: tu greda, tus plumas, Dador de la vida. [Romances, fol. 42 v.]*

El interés de este ejemplo se desprende de que en él se entrelazan dos formas distintas de difrasismo. Por un lado tenemos las palabras *chalchihuitl* y *xihuitl, jades, turquesas,* que, juntas, evocan las ideas de *realidad preciosa.* Por otra parte, *mo–tiza–yo, moihui–yo,* formas compuestas de *tiza–tl, greda* e *ihui–tl, pluma* son evocación del polvo de color blanco para el atavío de los guerreros, así como de las plumas, adorno de los mismos. Juntas, *tzatl, ihuitl,* evocan la guerra. El sentido de los dos difrasismos es reafirmar que la lucha, el enfrentamiento es, por excelencia, realidad preciosa.

Atenderemos ahora a otra característica, mucho más peculiar y frecuente en los *cuícatl:* el empleo de un conjunto de imágenes y metáforas que tornan inconfundiblemente el origen de este tipo de producciones. Aunque hay grandes diferencias en la temática de los *cuícatl,* muchas de estas imágenes aparecen y reaparecen en la gran mayoría de composiciones. Las más frecuentes evocan el siguiente tipo de realidades: flores y sus atributos, como las coronas al abrirse; un gran conjunto de aves, asimismo y, de modo especial, las mariposas; también dentro del reino animal, águilas y ocelotes. Conjunto aparte lo integra la gama de los colores portadores de símbolos. Del reino vegetal aparecen con frecuencia, además de las ya mencionadas flores, diversos géneros de sementeras, el maíz con semilla, mazorca, planta y sustento del hombre. Se mencionan también el *teonanácatl, la carne de los dioses* (los hongos alucinantes), así como el tabaco que se fuma en cañutos y en pipas de barro, el agua espumante de cacao, endulzada con miel, que se sirve a los nobles.

Objetos preciosos son también símbolos. Entre ellos están toda suerte de piedras finas, los *chalchihuitl,* jades o jadeítas y *teoxíhuitl,* piedras de color turquesa. También los metales preciosos, los collares, las ajorcas, y los distintos instrumentos musicales, el *huéhuetl,* tambor, el *teponaztli,* resonador, las *tlapitzalli,* flautas, las *ayacachtli,* sonajas, los *oyohualli,* cascabeles. Una y otra vez se tornan presentes, como sitios de placer y sabiduría, las *xochicalli, casas floridas, las tlahcuilolcalli, casas de pinturas, las amoxcalli, casas de libros.* Las metáforas de la guerra, como *el humo* y *la niebla, el agua* y *el fuego,* la *filosa obsidiana,* encaminan al pensamiento a revivir en el canto el sentimiento vital del combate.

En el ámbito de los colores el simbolismo es igualmente muy grande y variado. Por ejemplo, en el canto con que se inicia el texto de los *Anales de Cuauhtitlán* se nos presentan variantes de gran interés en la interrelación de los colores y los rumbos cósmicos. El verde azulado connota allí el oriente; el blanco, la región de los muertos, es decir el norte; el amarillo, el rumbo de las mujeres, o sea el poniente, y el rojo, la tierra de las espinas, el sur. Los colores aparecen, además, calificando y enriqueciendo la significación de realidades que son ya de por sí portadoras de símbolos. De este modo, cuando se expresan los colores de flores, aves, atavíos y, en fin, de otros muchos objetos cuya presencia es símbolo, puede decirse que la imagen se torna doblemente semántica.

Con estos y otros recursos estilísticos, los forjadores de cantos expresaron la gama de temas que constituían la esencia de su arte. A continuación nos ocuparemos de los distintos géneros en que se distribuyen los *cuícatl.*

En primer lugar deben mencionarse los múltiples *teocuícatl,* cantos divinos o de los dioses. De ellos se dice que constituían material principal en la enseñanza que se impartía en los *calmécac* o escuelas de estudios superiores. Atendiendo a los textos que han llegado hasta nosotros, puede afirmarse que fueron auténticos *teocuícatl* los antiguos himnos en honor de los dioses, como los veinte que recogió Bernardino de Sahagún, y que se incluyen en este libro.

Se conservan otros *teocuícatl* –himnos sagrados– que se entonaban, con acompañamiento de música, en las correspondientes fiestas religiosas. El análisis literario de estas composiciones pone de manifiesto algunas de sus características: además del ritmo y el metro, existe en ellas el paralelismo, la repetición con variantes de un mismo pensamiento. La expresión propia del *teocuícatl* es de necesidad solemne, muchas veces esotérica. Podría decirse que no hay palabras que estén de más. Son la recordación de los hechos primordiales o la invocación por excelencia que se dirige a la divinidad.

Aunque en la mayor parte de las composiciones que genéricamente recibían el nombre de *cuícatl* solía estar presente el tema de las realidades divinas, de ninguna manera debe pensarse que todas ellas eran himnos sagrados, *teocuícatl,* en sentido estricto. La serie de designaciones que se conservan, y el contenido mismo de muchos cantares y poemas, confirman la variedad de expresiones. Así, *teponazcuícatl* era voz que designa, también en forma general, a los cantos que necesariamente requerían el acompañamiento musical. Precisamente en muchos de ellos estuvo el germen de las primeras formas de actuación o representación entre los nahuas. *Cuauhcuícatl,* cantos de águilas; *ocelocuícatl,* cantos de ocelotes; *yaocuícatl,* cantos de guerra; eran diversas maneras de nombrar a las producciones en las que se enaltecían los hechos de capitanes famosos, las victorias de los mexicas y de otros grupos en contra de sus enemigos. También estos poemas eran a veces objeto de actuación, canto, música y baile, en las conmemoraciones y fiestas.

En contraste con estas formas de poesía, eran asimismo frecuentes los conocidos como *xochicuícatl,* cantos de flores; *xopancuícatl,* cantos de primavera; *icnocuícatl,* cantos de tristeza; todas composiciones de tono lírico. Unas veces eran ponderación de lo bueno que hay en la tierra, la amistad de los rostros humanos, la belleza misma de las flores y los cantos; otras, reflexión íntima y apesadumbrada en torno a la inestabilidad de la vida, la muerte y el más allá. Precisamente la existencia de estos poemas, en los que, no una sino muchas veces, se plantean preguntas semejantes a las que formularon, en otros tiempos y latitudes, los primeros filósofos, ha llevado a afirmar que, también entre los *tlamatinime* prehispánicos, hubo quienes cultivaron parecidas formas de pensamiento al reflexionar sobre los enigmas del destino humano, la divinidad y el valor que debe darse a la fugacidad de lo que existe. Y como en los manuscritos en náhuatl se ofrecen en ocasiones los nombres de quienes concibieron estas lucubraciones o aquellas otras más despreocupadas y alegres, ha sido posible relacionar algunos poemas con sus autores, desterrando así un supuesto anonimato universal de la literatura prehispánica. Lo dicho acerca de las distintas formas de *cuícatl,* cantos y poemas, deja ver algo de la riqueza propia de esta expresión en la época prehispánica.

## PRINCIPALES ATRIBUTOS DE LOS TLAHTOLLI

Ya dijimos que bajo el concepto de *tlahtolli* se abarca una gama de producciones, relatos, crónicas, exhortaciones y otros discursos, doctrinas religiosas... A diferencia de los *cuícatl,* en los que predomina la expresión portadora de sentimientos de fruto de inspiración, los *tlahtolli* suelen presentarse como elaboraciones, de diversas maneras más sistemáticas, en las que se busca exponer determinados hechos, ideas y doctrinas. No significa esto, sin embargo, que las metáforas y otras formas de simbolismo estén ausentes en los *tlahtolli.* De hecho, en no pocos textos que de este género se conservan, se emplean tales recursos de expresión. La descripción de algunos rasgos más sobresalientes en los *tlahtolli* nos permitirá una más adecuada comprensión de ellos.

Es cierto, por una parte, que el tono narrativo o de expresión lógica, más característico en los *tlahtolli,* implica un desarrollo lineal en el sentido de las frases que los integran. Pero, por otra parte, también es verdad que es frecuente hallar en ellos una tendencia a estructurar cuadros, escenas o exposiciones como sobreponiendo unas a otras, cual si se deseara correlacionar, ampliar e iluminar, en función de una secuencia, lo que se está comunicando. El ejemplo que en seguida aduciré, tomado del *Códice Florentino,* donde se refiere aquella reunión de los dioses en Teotihuacán, *cuando aún era de noche* para volver a poner en el cielo un sol y una luna. Veamos las superposiciones y la secuencia de significaciones.

Una primera escena, en la que se establecen referencias temporales y espaciales, nos introduce en el tema del relato, mostrándonos una preocupación de los dioses que mucho iba a importar a los seres humanos:

> Se dice que, cuando aún era de noche, cuando aún no había luz, cuando aún no amanecía, se juntaron, se llamaron unos a otros los dioses allá en Teotihuacán. Dijeron, se dijeron entre sí: —¡Venid, oh dioses! ¿Quién tomará sobre sí, quién llevará a cuestas, quién alumbrará, quién hará amanecer?[8]

Los dioses, que desde un principio aparecen preocupados e interrogantes, mantendrán la secuencia y el sentido que dan unidad al relato. Aparte del conjunto de los dioses aquí aludidos, entre los que figura Ehécatl, Quetzalcóatl, Zólotl, Tezcatlipoca, Tótec, Tiacapan, Teyco, Tlacoyehua y Xocóyotl, otros dos personajes, también divinos, aparecen como interlocutores y actores de extrema importancia. Tecuciztécatl y Nanahuatzin se ofrecerán para hacer posible que un nuevo sol alumbre y haga el amanecer. En una segunda escena, superpuesta a la anterior, se oye el ofrecimiento de uno y otro, en tanto que el conjunto de dioses se mira y dialoga y se pregunta qué es lo que va a ocurrir. La tercera escena no implica cambio de lugar ni fisura en el tiempo: aún es de noche, allí en Teotihuacán. Los personajes son también los mismos, pero hay una secuencia lineal del acontecer. El narrador se complace en los contrastes:

> En seguida empiezan a hacer penitencia. Cuatro días ayunan los dos, Nanahuatzin y Tecuciztécatl. Entonces es también cuando se enciende el fuego. Ya arde éste allá en el fogón divino. . .
>
> Todo aquello con que Tecuciztécatl hace penitencia es precioso: sus ramas de abeto son plumas de quetzal, sus bolas de grama son de oro, sus espinas de jade. . .
>
> Para Nanahuatzin, sus ramas de abeto son todas solamente cañas verdes, cañas nuevas en manojos de tres, todas atadas en conjunto son nueve. Y sus bolas de grama sólo con genuinas barbas de acote [una pinacea]; y sus espinas también verdaderas espinas de maguey. Lo que con ellas se sangra es realmente su sangre. Su copal [incienso] es por cierto aquello que se raía. . .

En el mismo escenario de Teotihuacán adquiere luego forma otra secuencia de escenas. El texto recuerda lo que sucedió cuando han pasado ya cuatro días, durante los cuales ha estado ardiendo el fuego alrededor del cual han hecho penitencia Tecuciztécatl y Nanahuatzin. Los dioses vuelven a hablar incitando a Tecuciztécatl a arrojarse al fuego para salir de él, convertido en sol. El acontecer en el mismo espacio sagrado deja ver los intentos frustrados del dios arrogante Tecuciztécatl, incapaz de consumar el sacrificio del fuego. Muy diferente, como lo había sido la penitencia ritual, es la acción del buboso Nanahuatzin. Pronto *concluye él la cosa,* arde en el fuego y en él se consume.

Escena de transición es la que nos muestra al águila y al ocelote que también entran al fuego. Por eso el águila tiene negras sus plumas y por eso el ocelote, que sólo a medias se chamuscó, ostenta en su piel manchas negras.

De nuevo, quienes marcan el hilo y el destino del relato, el conjunto de dioses allí reunido, protagoniza el acontecer en el tiempo sagrado. Los dioses aguardan y discuten el rumbo por donde habrá de salir el sol. Los que se quedan mirando hacia el rumbo del color rojo hacen verdadera su palabra. Por el rumbo del color rojo, el oriente, se mira al sol. La escena se completa con la aparición de Tecuciztécatl que, transformado en la luna, procedente también del rumbo del color rojo viene siguiendo al sol.

Imágenes superpuestas, siempre en el mismo espacio sagrado, son las que se van sucediendo hasta el final del relato. El sol y la luna alumbran con igual fuerza. Los dioses tienen que impedir tal situación.

> Entonces uno de esos señores de los dioses, sale corriendo. Con un conejo va a herir el rostro de aquél, de Tecuciztécatl. Así oscureció su rostro, así le hirió el rostro, como hasta ahora se ve. . .

La escena siguiente nos muestra que la solución intentada no fue respuesta completa. Aunque la luna iluminó ya menos, ella y el sol continuaban juntos. De nuevo los dioses se preocupan:

¿Cómo habremos de vivir? No se mueve el sol. ¿Acaso induciremos a una vida sin orden a los seres humanos? ¡Que por nuestro medio se fortalezca el sol, muramos todos!

El cuadro en el que aparece el sacrificio primordial de los dioses, que con su sangre hacen posible la vida y el movimiento del sol, es destino cumplido y anticipo de lo que corresponderá realizar a los seres humanos. El señor Ehécatl da muerte a los dioses. En ese contexto, y a modo de discrepancia que refleja una dialéctica interna en el mundo de los dioses, Xólotl, el doble de Quetzalcóatl, se resiste a morir. Xólotl huye de Ehécatl que va a darle muerte y una y otra vez se transforma, primero en caña doble de maíz, luego en maguey y finalmente en *ajolote* (salamandra), hasta que al fin es también sacrificado.

Los dioses consuman su ofrenda de sangre. Ello y el esfuerzo de Ehécatl, deidad del viento, hacen posible el movimiento del sol. Cuando éste llega al lugar donde se oculta, entonces la luna comienza a moverse. Cada uno seguirá su camino. El *tlahtolli* que, en secuencias de imágenes, evoca e ilumina el escenario sagrado de Teotihuacán, concluye recordando que es ésta una historia referida desde tiempos antiguos por los ancianos que tenían a su cargo conservarla.

Como éste, otros *tlahtolli* de la tradición prehispánica, en una amplia gama de variantes pero con la presentación insistente de los conceptos e imágenes que unifican y mantienen el sentido, se estructuran también en escenas que se superponen con sus cargas semánticas hasta alcanzar plenitud de significación.

Pasando a la descripción de otros rasgos frecuentes en los *tlahtolli,* cabe preguntarse si hay en ellos alguna forma de ritmo y metro. Desde luego que en este punto se distinguen en alto grado de los *cuícatl* o cantos. En los manuscritos en que se transmiten los *tlahtolli* no hay anotaciones como aquellas de *to, co, ti, qui. . .* que hallamos en el caso de los *cuícatl.* Tampoco se dice que los *tlahtolli* se pronunciaron como acompañamiento musical. Siendo verdad todo esto, importa notar, sin embargo, que en algunos *tlahtolli* es perceptible alguna forma de estructuración métrica. Un ejemplo lo tenemos en los textos que hablan de la vida de Quetzalcóatl en el *Códice Florentino* y en los *Anales de Cuauhtitlán,* parte de los cuales se reproducen en este libro.

En la estilística de los *tlahtolli* sobresalen otros elementos que importa mencionar. Entre ellos, las expresiones paralelas y los *difrasismos,* descritos ya en su estructura al hablar de los *cuícatl.* Ahora bien, en el caso de los *tlahtolli* estos recursos suelen tener un carácter muy definido. En gran parte coadyuvan a hacer más fluida la superposición de escenas e ideas con que, según ya vimos, se expresa frecuentemente lo que se está comunicando.

Gracias al empleo de paralelismos y difrasismos la secuencia se vuelve, no sólo más fluida sino también de más fácil comprensión. En el siguiente ejemplo —tomado de la historia de Quetzalcóatl— se habla de uno de los portentos que ocurrieron como prenuncio de la ruina de la

456

metrópoli de Tula. En él las reiteraciones paralelas ayudan a captar más hondamente lo que se dice que estaba ocurriendo:

> *Dizque un monte llamado Zacatépetl ardía por la noche;*
> *de lejos se veía, así ardía; las flamas se elevaban a lo lejos...*
> *Ya no se estaba con tranquilidad; ya no se hallaba la gente en*
> *paz...*

En lo que toca a difrasismos, son sobre todo frecuentes en los *huehuehtlahtolli*, los testimonios de la *antigua palabra*. En ellos se repiten expresiones como éstas, que les confiere un tono inconfundible:

> *Ca otlapouh in toptli, in petlacalli*
> *Porque se ha abierto el cofre, la petaca*

(significa *se ha revelado lo oculto, el misterio*).

> *In petlatl, in icpalli*
> *la estera, el sitial*

(significa *lugar del mando* o, genéricamente, *el poder, la autoridad*).

> *In tlatconi, in tlamahmaloni, in impial, in innepil.*
> *Lo que se lleva a cuestas, lo que es la carga, lo que se ata, lo que se*
> *guarda.*

(significa *el pueblo del que son responsables los que gobiernan*).

Un último rasgo en la estilística de los *tlahtolli* consiste en la frecuente atribución a un mismo sujeto u objeto gramaticales de varios predicados que, en forma sucesiva, van siendo enunciados. A veces dichos predicados están formados por diversas estructuras verbales. Cada una de ellas en ocasiones puede describirse como una oración convergente en la que se expresa o predica algo con referencia simple al mismo sujeto. Veamos un ejemplo tomado de la historia acerca del sabio gobernante de Tetzcoco, el señor Nezahualcóyotl (1402–1472):

> In tlacatl, intlatoni, in mitznotza, in mitztazalzilia, in momatca in mitzmaca, in mixpan quitlalia, in mixpan quichaiaoa in chalchibtli, in teuhxiuhlih ...

> El señor, el que gobierna, el que te llama, el que levanta para ti la voz, el que por ti, a ti te entrega, el que delante de ti coloca, delante de ti esparce jades, turquesas...

Con recursos estilísticos como los aquí descritos —estructuras que se sobreponen para correlacionar e iluminar en función de una secuencia lo que se está expresando; paralelismo y difrasismos; atribuciones múltiples a un mismo sujeto u objeto...— los *tlahtolli* de esta literatura se tornan fácilmente reconocibles como producciones a otras lenguas de los nahuas prehispánicos. Por eso, cuando al traducirlos a otras lenguas se busca transmitir, hasta donde es posible, sus características de expresión, sus paralelismos, reiteraciones, explicitaciones y en general la estructuración de sus secuencias, las versiones pueden sonar extrañas y aun exóticas. La realidad es que, por el camino de la traducción que se esfuerza por apegarse al original en náhuatl, se intenta comunicar lo más característico en la sintaxis y la estilística de la antigua expresión en náhuatl.

## LAS DISTINTAS CLASES DE TLAHTOLLI

Fijémonos en unos textos que cuentan entre los más significativos de la tradición prehispánica: los *huehuehtlahtolli,* testimonios de *la antigua palabra.* Numerosas son, relativamente hablando, las muestras de este género que han llegado hasta nosotros. Las transcripciones que de ellos hicieron principalmente Olmos y Sahagún permiten valorar esta peculiar forma de expresión náhuatl. En opinión del mencionado fray Bernardino, aquí podía hallarse el mejor testimonio *de la retórica y filosofía moral y teología de la gente mexicana, donde hay cosas muy curiosas, tocantes a los primores de su lengua, y cosas muy delicadas tocantes a las virtudes morales.*

En varios *huehuehtlahtolli* hay exhortaciones paternas o maternas, henchidas de enseñanzas para los hijos que han llegado a la edad de discreción. También se conservan diversas formas de pláticas como las que se dirigían al *tlahtoani* recién elegido, *demandándole,* como escribe Sahagún, *favor y lumbre para hacer bien su oficio,* al igual que otros discursos clásicos de los mismos *tlahtoque, señores,* que, como modelo de expresión, conservó el recuerdo.

Los consejos e invocaciones de la partera ante el niño recién nacido, las palabras de enhorabuena con motivo del nacimiento, las consultas de los padres con los *tonalpouhque, astrólogos,* que debían interpretar los destinos del nuevo ser, la promesa de llevar a los niños, cuando tengan edad para ello, a las escuelas de la comunidad, los discursos de los maestros, de tono moral o dirigidos a enseñar las artes del bien hablar o de la cortesía, las palabras de preparación para el matrimonio y, finalmente, determinadas formas de oración o imprecación a modo de discurso, todo esto integraba el contenido de los distintos *huehuehtlahtolli.*

Atendiendo ahora a la peculiaridad de los *huehuehtlahtolli,* a aquello que muestra, como dice Sahagún, *los primores de su lengua,* aparecen varios rasgos dignos de ser notados. Primeramente puede afirmarse que, de todas las formas de *tlahtolli,* es ésta una de las más refinadas, que en rigor podía merecer el título de *tecpillahtolli, lenguaje propio de gente noble.* Toda la gama de las fórmulas de respeto, en las que abundó tanto esta cultura, se hacen presentes en los *huehuehtlahtolli.* Hay en ellos proliferación extraordinaria de metáforas: al ser humano se le nombra casi siempre *dueño de un rostro y de un corazón:* de la suprema deidad se dice siempre que es *Yohualli, Ehécatl, la Noche y el Viento;* la niña pequeña es *chalchiuhcózcatl, quetzalli, collar de piedras finas, plumaje de quetzal.* Y también en los *huehuehtlahtolli,* como en muchos *cuícatl,* es frecuente el paralelismo, o sea la repetición de un mismo pensamiento con ligeras variantes; indicio del propósito de que estas palabras más fácilmente pudieran conservarse en la memoria. A no dudarlo, el estudio de los *huehuehtlahtolli* es uno de los mejores caminos para acercarse a la cultura intelectual del hombre prehispánico.

Se conocen asimismo otros discursos a los que, por su contenido, debe aplicarse la designación más específica de *teotlahtolli,* disertaciones acerca de la divinidad. Es el caso de varios de aquéllos que, a modo de oración, se dirigen a *Tloque Nahuaque,* el dios supremo, dueño de la cercanía y la proximidad, y en los que se precisan sus distintas advocaciones y atributos. *Teotlatohlli* —con ritmo y medida— fueron aquellos textos que recordaban la serie de creaciones de las distintas edades o soles. Igualmente es muy conocido acerca del origen del quinto sol en Teotihuacán o aquéllos en los que se refieren las actuaciones de Quetzalcóatl, el dios o el sacerdote entre los toltecas.

Relativamente abundantes son los testimonios nahuas de contenido histórico. Por una parte existían, como es sabido, determinados libros, principalmente los *xiuhámatl, papeles de los años,* en los que, en forma de anales, se inscribían y pintaban en la correspondiente fecha de los sucesos más dignos de recuerdo. Ya dijimos que algunos de estos manuscritos han llegado hasta el presente, bien sea de origen prehispánico o en copias que datan de los primeros tiempos de la Nueva España. Pero, una vez, también la relación oral fue complemento esencial de lo que se consigna en los códices. En los centros de educación, sobre todo en los *calmécac,* tenía lugar importante la memorización de los *ye uehcaub tlahtolli,* relatos sobre lo que sucedió en tiempos antiguos. En ellos se fijaba a modo de *ihtoloca, lo que permanentemente se dice de alguien o de algo,* el gran conjunto de los *tlahtóllol,* la esencia de la palabra, recordación del pasado. Y como hasta hoy se conservan algunos códices nahuas de contenido histórico, lo mismo puede decirse de varios textos que, memorizados en la antigüedad prehispánica, se transcribieron más tarde con el alfabeto latino.

En contraste con lo escueto de anales como éstos, los *yeuehcauh tlahtolli* se enriquecieron también muchas veces con narraciones y leyendas, verdaderos *tlamachilliz–tlahtol–zazanilli, relatos de lo que se sabía,* que permitían conocer con más detalles la vida y la actuación de los gobernantes y lo que había acontecido a la comunidad entera en las distintas épocas. Ejemplo de esto son las célebres leyendas de Quetzalcóatl, incluidas en el *Códice Matritense* de Sahagún y en los *Anales de Cuauhtitlán,* o lo que refiere esta última acerca de la vida del señor de Tezcoco, Nezahualcóyotl.

Otras formas de *tlahtolli*, además de las que se han mencionado, hubo en el mundo prehispánico. Entre las más importantes estuvieron los *in tonalli itlatlatollo*, discursos de los *tonalpouhque* o *astrólogos*, que hacían la lectura de los destinos. A esta materia se dedica íntegramente el libro IV del *Códice Matritense de la Real Academia*, donde aparecen los testimonios en náhuatl que recogió Sagahún de sus informes. Hay asimismo vestigios de otra forma de expresión esotérica que se designó con el vocablo *nahuattahtolli*, el *tlahtolli* de los *nahualli, lenguaje encubierto o mágico, propio de los brujos.* Material para su estudio lo ofrece el *Tratado de las supersticiones de los naturales de esta Nueva España* de Hernando Ruiz de Alarcón (1954). Allí se conservan en su original algunos conjuros que recogió éste, entre los brujos nahuas que aún ejercían sus funciones a principios del siglo XVIII. Aunque literatura por esencia esotérica, el *nahuallahtoli* encierra sorpresas del mayor interés.

Variada y rica, más de lo que pudiera sospecharse, fue la producción literaria en náhuatl. Mucho es lo que de ella se perdió, pero también son numerosos los textos que se conservan.

El elenco que hemos ofrecido de las fuentes en las que se incluyen antiguos textos literarios de los pueblos del México antiguo, pone de manifiesto que no es fantasía hablar de una rica tradición literaria, o si se prefiere, de literatura en los tiempos prehispánicos.

## LOS MODERNOS ESTUDIOS SOBRE ESTA LITERATURA Y LA DIFUSION DE LA MISMA

Durante muchos años la expresión de la palabra en náhuatl quedó en la penumbra y sólo fue conocida de unos pocos. Así, después de la etapa que hemos descrito como de *rescate* —sobre todo en el siglo XVI—, las persecuciones de las *idolatrías,* tuvieron, entre otras consecuencias, el ocultamiento de estos testimonios y, en no pocos casos, la pérdida total de ellos.

A lo largo de los siguientes siglos novohispanos —el XVII y el XVIII— tan sólo unos cuantos estudiosos pudieron atesorar algunos viejos manuscritos y consultarlos a solas. Fue el caso, entre otros, de varios cronistas indígenas como Chimalpahin Cuauhtehuanitzin (1578—1650). En tanto que el primero cita en sus *Relaciones* varios códices y otros textos que consultó, el segundo, además de acudir a tal género de fuentes al escribir sus obras históricas, llegó a formar una importante colección de antiguos manuscritos nahuas.

Varias de estas fuentes de primera mano pasaron luego a ser posesión del humanista criollo Carlos de Sigüenza y Góngora (1645–1700). Escribió algunos trabajos sobre historia prehispánica, hoy perdidos, en los que al parecer tomó en cuenta los testimonios que había reunido. A su muerte, su biblioteca y archivo pasaron por disposición testamentaria de Sigüenza a poder de los jesuitas. De este modo, ya en el siglo XVIII en la principal biblioteca de los jesuitas —en el Colegio Máximo de San Pedro y San Pablo—, al igual que en las de los miembros de otras órdenes religiosas, en especial los franciscanos, se conservaron los principales conjuntos documentales en los que se incluían los testimonios de la literatura indígena.

Durante el mismo siglo XVIII sobresalieron dos estudiosos que mucho contribuyeron al ulterior rescate, preservación e incipiente difusión del conocimiento de estas fuentes. Por un lado estuvo el milanés Lorenzo Boturini Benaducci (1702-1770?). Llegado a México en 1736, durante su estancia, hasta su salida en 1744 con rumbo a España en calidad de prisionero, se dedicó a hacer pesquisas que culminaron con la formación de una extraordinaria colección de documentos que designó como su *Museo indiano.* Propósito original de Boturini fue promover el culto y la coronación de Nuestra Señora de Guadalupe. En busca de apoyos documentales para aprobar la veracidad de las apariciones y milagros de la misma, amplió luego el campo de su interés hasta reunir un gran cúmulo de testimonios indígenas.

Cuando, por obrar sin autorización real, siendo además extranjero, se le apresó y envió a España, su *Museo indiano* sufrió grandemente. La mayor parte de sus documentos quedó semiolvidada en habitaciones bajas del Palacio Virreinal. Con el transcurso del tiempo, en tanto que algunos desaparecieron, otros fueron adquiridos subrepticiamente y pasaron a poder de coleccionistas, varios de ellos extranjeros. De todas formas, lo emprendido por Boturini no fue del todo estéril. Por una parte quedó su obra, *Idea de una nueva historia general de la América Septentrional,* impresa en Madrid, 1746, y, por otra, muchos de sus manuscritos, aunque a la postre pararon en el extranjero (Biblioteca Nacional de París y no pocas de Estados Unidos y Alemania), habrían de ser más tarde objeto de estudio.

El otro estudioso digno de muy especial mención fue Francisco Xavier Clavijero (1731-1787). Jesuita, tuvo amplia ocasión de consultar los documentos que Sigüenza había donado a la Compañía de Jesús. Cuando en 1776 salió exiliado de México con los otros miembros de esa orden religiosa, se estableció en Bolonia, dentro de los Estados Pontificios. Allí escribió una obra que le dio gran celebridad: su *Historia antigua de México,* publicada primeramente en italiano, en Cesena, 1780. Recordando cuanto le fue posible las fuentes que había consultado en México y otras, como el llamado *Códice Cospi* —uno de los del *grupo Borgia,* conservado precisamente en Bolonia—, destacó en su obra la existencia de testimonios históricos y literarios en náhuatl.

No fue sino hasta el siglo XIX, y más plenamente en la presente centuria, cuando algunos conocedores de lo aportado por estudiosos como los aquí mencionados —Alva Ixtlixóchitl, Sigüenza, Boturini, Clavijero y otros, entre ellos fray Juan de Torquemada, cuya *Monarquía Indiana* se había publicado dos veces en 1615 y 1723— se sintieron atraídos por la palabra indígena. No siendo mi intención hacer aquí un elenco de los cada vez más numerosos investigadores que han venido ocupándose de estos testimonios, mencionaré tan sólo aquéllos cuyas aportaciones han sido de mayor significación.

Punto de partida del moderno interés parece haber sido un hallazgo de don José María Vigil, al hacerse cargo de la dirección de la Biblioteca Nacional de México en 1880. Fortuna suya fue encontrar *entre muchos libros viejos amontonados,* como él mismo escribe, el códice o manuscrito que se conoce como *Colección de cantares mexicanos*[9].

Es cierto que ya había algunos pocos estudios acerca de otros códices indígenas de tema histórico y mitológico, redactados con glifos principalmente pictográficos e ideográficos, pero hasta entonces habían quedado olvidadas las recopilaciones de textos con poemas prehispánicos como los que se contenían en el recién descubierto manuscrito. Otros documentos de transcripciones de poemas, discursos, narraciones e historias en lengua náhuatl, conservados en bibliotecas y archivos principalmente en Europa, iban a atraer bien pronto la atención de los estudiosos. Tomaron éstos nueva conciencia del valor de estos textos gracias sobre todo al redescubrimiento del manuscrito de la Biblioteca Nacional.

Mérito fue del americanista Daniel G. Brinton publicar por vez primera una obra en inglés en la que incluyó una selección de la *Colección de cantares mexicanos,* a la que dio el título de *Ancient Nahuatl Poetry*[10]. Contó con el auxilio de don Faustino Galicia Chimalpopoca, que preparó para él una versión parcial al castellano de los poemas. Y si es verdad que son deficientes las dos traducciones, reconozcamos que fue de éste el primer ensayo en dar a luz una muestra de la literatura del México prehispánico.

Recordaré ahora los nombres de otros investigadores que, con diversos criterios, se han ocupado también de las fuentes documentales en las que se conserva la literatura náhuatl. Incansable descubridor y compilador de textos fue don Francisco del Paso y Troncoso. De él puede decirse que, gracias a sus hallazgos y a las reproducciones de códices y documentos que alcanzó a publicar, abrió mejor que nadie este campo casi virgen para provecho de los futuros estudiosos. Entre los extranjeros hay que mencionar al menos al francés Remi Siméon, autor de un magno diccionario náhuatl francés y asimismo traductor de algunos textos; al iniciador de este tipo de investigaciones en el ámbito alemán, doctor Eduard Seles, estudioso de buena parte de los *Códices matritenses* y comentador del *Códice Borgia,* así como a sus seguidores Walter Lehmann, Leonhard Schultze Jena, y a los investigadores más recientes Gerdt Kutscher y Günter Zimmermann.

En México, y esforzándose por superar innatas formas de resistencia que pretendían desconocer la autenticidad de los textos prehispánicos, no pueden dejar de citarse los nombres de Cecilio Robelo, Luis Castillo Ledón, Mariano Rojas, Rubén M. Campos y el del distinguido lingüista y filósofo Pablo González Casanova.

En fecha más cercana y destacando entre otros varios que podrían citarse, ha sido precisamente el doctor Angel María Garibay K. (1892-1967), quien con un criterio hondamente humanista y a la vez científico ha dado a conocer no poco de lo que fue la riqueza literaria del mundo náhuatl. Gracias a sus numerosas publicaciones, entre ellas su *Historia de la literatura náhuatl,* es posible afirmar ahora que las creaciones de los poetas y sabios del México antiguo han despertado enorme interés en propios y extraños. Antes, las pocas ediciones que había de textos prehispánicos sólo atraían la atención de especialistas arqueólogos, etnólogos e historiadores. Hoy, la literatura náhuatl ha traspuesto los límites de un interés meramente científico y comienza a ser valorada, al lado de otras creaciones indígenas en el campo del arte, desde el punto de vista estético que busca la comprensión de las vivencias e ideas de hombres que, básicamente aislados del contacto con el Viejo Mundo, fueron también a su modo creadores extraordinarios de cultura.

En la actualidad, el estudio de la rica documentación al alcance se prosigue con renovados métodos en México y en otros países. Para no incurrir en el peligro de omitir nombres de distinguidos investigadores, a quienes considero colegas y amigos, me limito a señalar que tales estudiosos laboran en universidades e institutos de los siguientes países: Estados Unidos, Canadá, España, Francia, Alemania Occidental, Italia, Holanda, Bélgica, Dinamarca, Suecia y Japón. De los textos literarios nahuas han aparecido versiones directas a la mayor parte de las lenguas habladas en los referidos países. De este modo, el legado de la antigua palabra ha comenzado a difundirse y disfrutarse en los cuatro rumbos del mundo. El que aquí y ahora se incluyan muestras del mismo en esta prestigiada serie de las *Crónicas de América* que publica *Historia–16* es otra prueba, bastante elocuente, del interés que empieza a desarrollarse en España por saber lo que pensaron, sintieron y expresaron aquellos hombres con los que, hace ya más de cuatro siglos y medio, se enfrentó Hernán Cortés.

Añadiré, para concluir, que esta antigua palabra se difunde también ya entre los descendientes más directos de los forjadores nahuas de cantos y crónicas, es decir entre los modernos hablantes del náhuatl y sus variantes. Son cerca de millón y medio de personas para las que este antiguo legado comienza a ser fuente de inspiración. Como lo están empezando a hacer asimismo otros grupos de mesoamericanos, también entre los nahuas se cultiva una *nueva palabra,* portadora de sus inquietudes, aspiraciones, mensajes y esperanzas. Coincidencia oportuna es ahora cuando hablamos del ya cercano Quinto Centenario, la palabra antigua, raíz de cultura, vuelva a ser tomada en cuenta entre los descendientes de los protagonistas en el primordial *encuentro* de los *hombres* de Castilla y los hombres de Mesoamérica.

# NOTAS

[1] Manuscrito de los *Romances de los Señores de Nueva España*, Nettie Lee Benson Latin American Collection, Biblioteca de la Universidad de Texas en Austin, fol. 1 r.

[2] Angel María Garibay K., *Poesía náhuatl I*, Romances de los Señores de la Nueva España [y] Manuscrito de Juan Bautista de Pomar, Tezcoco, 1582. México. Universidad Nacional, 1964, p. 1.

[3] Aparece esta anotación en el fol. 7 r. de *Cantares mexicanos*. Aquí la he traducido del náhuatl al castellano.

[4] Angel María Garibay K., *Poesía náhuatl II, op cit.*, XXXVIII - XL.

[5] Karl A. Nowotny —Die Notation des Tono in den astekischen Cantares— *Baessler Archiv*, Neue Folge, IV/2 vol. XXIX, 1956, pp. 186-198.

[6] Sor Juana Inés de la Cruz, *Obras completas*, México, Editorial Porrúa, 1969, pp. 187-188.

[7] Angel María Garibay, *Historia de la literatura náhuatl, op. cit.*, I, p. 19.

[8] Se incluye este texto en el libro VII del *Códice florentino*.

[9] La historia de este descubrimiento nos la da el doctor Antonio Peñafiel en el prólogo a su edición facsimilar del manuscrito *Cantares en idioma mexicano*, Ms. de la Biblioteca Nacional, copia fotográfica, México, 1904.

[10] Brinton, Daniel G. *Ancient Nahuatl Poetry*, Philadelphia, 1887.

BEATRIZ PASTOR

# EL DESCONOCIMIENTO DE UN MUNDO REAL*

EL PESO DE AQUEL ARQUETIPO que suplía con imaginación y conjeturas el conocimiento de las tierras que Colón se proponía descubrir fue considerable durante todo el período de preparación y formulación del proyecto colombino. Pero su mayor importancia corresponde, paradójicamente, al período histórico posterior al momento del descubrimiento de 1492, y, más concretamente, al que abarca los cuatro viajes del Almirante con sus sucesivas exploraciones y formulaciones de la realidad del Nuevo Mundo.

El contacto con el Nuevo Mundo debería haber disipado progresivamente los errores que se contenían en el modelo colombino de lo que tenían que ser aquellas tierras, y el descubrimiento y la exploración deberían haber iniciado un proceso de conocimiento de las nuevas realidades. Lo que sucedió realmente fue muy distinto. Desde el primer momento del contacto entre las tierras inexploradas y Cristóbal Colón, no se canceló el arquetipo sino que se aplazó simplemente su realización plena mientras comenzaba a funcionar como mecanismo de reducción, deformación y ficcionalización de la nueva realidad.

La supervivencia del arquetipo frente a las realidades tan diversas, que irían negando su validez a lo largo de las expediciones descubridoras de los cuatro viajes, se explican por varias razones. En primer lugar, por el contexto cultural y científico de la época que permitía y asimilaba fácilmente la supervivencia de esquemas teóricos en clara contradicción con acciones empíricas que los desmentían. Ejemplos de este fenómeno son algunas de las teorías cosmográficas vigentes mucho después de que las exploraciones portuguesas hubieran demostrado su falsedad. Es el caso de la inhabitabilidad de las zonas que se encontraban por debajo del ecuador, aceptada muchos años después de que los portugueses hubieran llegado hasta el cabo de Buena Esperanza. En segundo lugar, la supervivencia del modelo imaginario que tenía Colón de lo que serían las tierras que pensaba descubrir se explica por algunos aspectos de la

---

* En su *Discurso narrativo de la conquista de América,* La Habana, Casa de las Américas, 1983, pp. 41-81.

concepción del mundo que poseía el Almirante y que se expresan de forma consistente a lo largo de todos sus escritos. Más específicamente, por unas formas de irracionalismo que se concretaban en el particular mesianismo del personaje.

Las Casas recoge y elabora hasta la saciedad la cuestión de la elección divina de Colón y de su misión evangélica y descubridora como parte de un plan divino anterior al hombre y a su época. En su *Historia de Indias*, las referencias eruditas se conjugan con las opiniones personales de Las Casas que intentan demostrar de forma irrefutable que Colón era ni más ni menos que el enviado de Dios para el descubrimiento y cristianización del Nuevo Mundo. Con el celo más apasionado que objetivo que lo caracteriza, Bartolomé de Las Casas se aplica a desenterrar profecías, comentarios de las Escrituras o de los clásicos, que anuncian, según él, de forma incuestionable el descubrimiento de América por Cristóbal Colón[1].

Esta argumentación de Las Casas tendría un interés simplemente anecdótico si no fuera porque viene a reforzar toda una línea de razonamiento que *recorre* el discurso colombino desde el Diario de su primer viaje hasta la *Lettera Rarissima* que escribió desde Jamaica en 1503. Ya en el Diario de navegación del primer viaje se señala a Dios como verdadero realizador, a través de las acciones colombinas, de hechos tan diversos como el embarrancar las naves junto a la Navidad o el indicar la situación exacta de las minas de oro de Babeque[2]. A primera vista, esta utilización divina del Almirante parece reducirlo a la categoría de simple instrumento, restándole considerable mérito a sus acciones y elecciones. Pero esto es así desde una perspectiva moderna, no en el contexto religioso de la época.

Dentro de aquel contexto el hombre que era instrumento divino no perdía por ello honra ni mérito sino que ganaba un prestigio y una credibilidad que lo volvían poco menos que incuestionable. La pérdida de responsabilidad e iniciativa, que comporta el ser definido como simple instrumento de la voluntad de Dios, quedaba ampliamente compensada y hasta superada por la reducción de cualquier posibilidad de error que implicaba el hecho de que cada una de las acciones del sujeto estuviera inspirada y avalada por el propio Dios[3].

Es indudable, a la vista de sus propias declaraciones, que Colón se veía a sí mismo como instrumento de la voluntad divina y que se consideraba guiado y protegido por Dios en sus acciones más diversas. La carta que narra el descubrimiento a Santángel comienza refiriéndose a dicho descubrimiento como "la gran victoria que Nuestro Señor me ha dado en mi viaje"; y sólo al final de la carta se decide Colón a incluir, como miembros honorarios de esa especie de sociedad que ha formado con Dios, a los propios reyes cuando menciona que "nuestro Señor dio esta victoria a nuestros Ilustrísimos Rey y Reina"[4].

En el segundo viaje, la seguridad que tiene Colón de contar con el apoyo divino se expresa en las continuas referencias a una misericordia que debe resolver todos los problemas, sinsabores y decepciones de la nueva experiencia descubridora. La reducción, durante el segundo viaje, de la relación entre Dios y Colón a la de misericordia de un dios caritativo con un hombre sufridor supone un paréntesis en el optimismo mesiánico colombino y funciona dentro del discurso narrativo como signo que apunta a un contenido semántico que nunca se nombra explícitamente. Se trata del fracaso, lo inmencionable por excelencia dentro de unas coordenadas ideológicas que garantizan el éxito de cualquier proyecto inspirado y dirigido por Dios. Las invocaciones constantes a la misericordia divina que encontramos en la narración del segundo viaje aluden una y otra vez a los términos concretos y siempre elípticos de una realidad problemática cuyo carácter decepcionante hace necesaria de forma especial tal protección.

En el tercer viaje de Colón se cierra ese paréntesis de vacilación y vulnerabilidad. En él, Colón reafirma su condición de protegido y elegido de Dios que lo "lleva milagrosamente (a Isabela)" y que le "dio victoria siempre"[5]. Y su confianza en tal condición es tan sólida que en la cuestión de las acusaciones de Roldán se coloca explícitamente de un lado con Dios, frente a cualquiera que incurra implícitamente en un pecado de blasfemia acusándolo. "Ellos me levantaron mil testimonios falsos y dura hasta hoy en día. Mas Dios Nuestro Señor, el cual sabe mi intención y la verdad de todo, me salvará como hasta aquí hizo; porque hasta ahora no ha habido persona contra mí con malicia que no la haya él castigado"[6]. La alianza entre Dios y Colón parece más sólida que nunca ya que le permite a Colón amenazar con la divina venganza a un "ellos" que puede hacerse fácilmente extensivo a los reyes según que éstos se sitúen del lado de Dios —y Colón— o del de sus enemigos.

La percepción de sí mismo como instrumento divino que presenta Colón a lo largo de su discurso de descubrimiento y la concepción mesiánica de sus hazañas culmina en el cuarto viaje, en una visión entre angélica y delirante, en la que Colón oye voces que simultáneamente le afirman la realidad de su conexión especial con Dios, la lealtad de éste para con sus emisarios (en flagrante contraste con la ingratitud de los reyes para con los suyos) y el sentido oculto de las tribulaciones colombinas dentro de los designios siempre insondables de la providencia. La visión se cierra con una promesa explícita de apoyo y de tiempos mejores[7].

El problema de fondo que plantea la presencia de este esquema ideológico providencialista, que articula, en parte, la percepción colombina de la empresa de descubrimiento, es la disminución del alcance de la razón como instrumento de conocimiento. En el contexto de un esquema que prevé desde el origen de los tiempos unos acontecimientos realizados por la voluntad divina a través de un hombre iluminado y dirigido por Dios, cualquier intuición cobra sentido de profecía y cualquier interpretación personal es percibida como verdad objetiva. Este mecanismo explica en parte la persistencia con la que Colón se mantuvo fiel, frente a las realidades más contrarias, a su intuición de lo que serían las nuevas tierras; es decir, a la visión intuitiva que se plasmó, durante la fase de formulación de su proyecto de descubrimiento, en el modelo imaginario de las tierras desconocidas.

Por otra parte esta misma persistencia da la medida de la ceguera que caracterizó la percepción de la realidad americana que tuvo Colón, así como del grado de distorsión a que fue sometida en sus escritos una realidad que era caracterizada básicamente por defecto y cuya revelación en los relatos y descripciones de Colón fue con demasiada frecuencia una ficcionalización que se ajustaba a los términos de las formulaciones de modelos anteriores y ajenos a ella.

Dentro del discurso colombino, la oposición central entre un proceso de ficcionalización distorsionadora, como el que se da en la representación de la realidad del Nuevo Mundo que encontramos en los diarios y cartas de Cristóbal Colón, y un proceso posible de descubrimiento y conocimiento objetivo de la realidad americana se resuelve en la sustitución implícita de un acercamiento analítico y racional por un proceso de identificación. Desde el momento mismo del descubrimiento, Colón no dedicó sus facultades a ver y conocer la realidad concreta del Nuevo Mundo sino a seleccionar e interpretar cada uno de sus elementos de modo que le fuera posible identificar las tierras recién descubiertas con el modelo imaginario de las que él estaba destinado a descubrir. Colón se aplicó a llevar a cabo este proceso de identificación con una voluntad y una constancia mucho más notables si se tiene en cuenta la gran diferencia que existía entre su fabuloso arquetipo y la realidad que contemplaba cotidianamente en sus recién descubiertas Indias. Esta voluntad de identificación del Nuevo Mundo con las míticas tierras mencionadas por Ailly, Marco Polo y las demás fuentes de su modelo, se manifiesta en los escritos colombinos desde los primeros relatos y descripciones del Nuevo Mundo que aparecen en el Diario del primer viaje y en la carta a Santángel hasta la última descripción que hizo de América en la carta a los reyes que escribió desde Jamaica al final de su cuarto viaje.

Existe ya una certeza aceptable acerca del itinerario que siguió Colón en cada uno de sus viajes. S.E. Morison llevó a cabo una travesía en 1939 en la que saliendo de las Canarias y con los diarios de navegación de Colón en mano se aplicó a seguir el itinerario de viaje de Colón. El Almirante tocó tierra en San Salvador, de donde prosiguió hasta Santa María de la Concepción, Fernandina, Isabela, Juana y Española, por este orden, emprendiendo su regreso a España desde la última[8].

La impresión que le produjo la primera visión de San Salvador no fue precisamente entusiasta, a juzgar por la forma en que aparece narrada en la entrada correspondiente al 11–12 de octubre del Diario del primer viaje. En ella, Colón toma nota escueta del aspecto de la tierra señalando sus "árboles muy verdes y aguas muchas y frutas de diversas maneras" y mencionando un escuálido botín de "ovillos de algodón filado y papagayos y azagayas y otras cositas que sería tedio describir"[9]. Y acto seguido se apresura a mencionar que, aunque hay pequeños indicios de oro, le dicen los indios que debe ir al sudeste a buscar el oro y las piedras preciosas. Decide que está al noroeste de las tierras que busca, y, dejando caer de pasada que también en San Salvador hay oro —nunca lo hubo, pero de acuerdo con su idea tenía que haberlo— se propone "ir a topar la isla de Cipango", que supone muy próxima a San Salvador.

A partir de ahí, la composición de lugar de Cristóbal Colón será clara. Cree encontrarse ya en aguas cercanas al Cipango y, por lo tanto, se trata de ir explorando cada una de las islas con las que se vaya tropezando para hacerse una idea de cómo son, que le permita decidir si son o no las mismas que él busca, y, muy particularmente, el Cipango. El proceso de descubrimiento se convierte en uno de eliminación en el que Colón se limita a anotar brevemente unos cuantos rasgos aparentes de las islas antes de descartarlas como posibles Cipangos. Para cada isla, un pequeño inventario: tierra fértil, gente desnuda, grado de civilización, indicios de metales preciosos. En la Fernandina expresa impaciencia ante lo hallado y confía en que Dios lo dirija hacia su objetivo: "y es oro porque les amostré algunos pedazos del que yo tengo, no puedo errar con la ayuda de Nuestro Señor que yo no lo falle adonde nace"[10]. Y en la Isabela se anima ante las noticias que recibe de los indígenas que parecen indicarle que está cerca de su objetivo:

> . . .veré si puedo haber el oro que oyo que trae (el rey de la Isabela) y después partir para otra isla grande mucho, que creo que debe ser Cipango según las señas que me dan estos indios que yo traigo, a la cual ellos llaman Colba. . . y según yo fallare recaudo de oro o especiería determinaré lo que he de facer. . . tengo determinado de ir a la tierra firme y a la ciudad de Guisay, y dar las cartas de vuestras altezas al Gran Can[11].

Al día siguiente vuelve a insistir en la misma idea:

> Quisiera hoy partir para la Isla de Cuba, que creo debe ser Cipango según las señas que me dan estas gentes de la grandeza della y riqueza, y no me detendré mas aquí. . . pues veo que aquí no hay mina de oro [ . . . ] Y pues es de andar a donde haya trato grande digo que no es razón de se detener salvo ir camino y calar mucha tierra fasta topar en tierra muy provechosa[12].

Colón confirma aquí implícitamente la existencia del proceso de eliminación. Todas las tierras que lo separen de su objetivo prefijado son para él "ir camino y calar tierra". No despiertan su interés más que en la medida en que puedan constituir un indicio de la proximidad de las islas fabulosas del Asia Oriental descritas por Marco Polo.

El día 30 de octubre de 1492, Colón, que lleva ya dos días en Cuba, modifica por primera vez su identificación Cuba–Cipango. Pero no para reconocer la existencia de una tierra nueva y distinta, sino para sustituir la primera identificación por la de Cuba–Catay.

El primero de noviembre cambia de nuevo de parecer y pasa a identificar Cuba con la tierra firme y Quinsay: "Y es cierto –dice el Almirante– que esta es la tierra firme y que estoy ante Zayto y Quinsay, 100 leguas"[13]. Consecuentemente decide enviar por tierra una embajada para establecer contacto con el Gran Can y entregarle la carta de presentación firmada por los Reyes Católicos que había traído para la ocasión. En ese momento, Colón está tan seguro de hallarse en los dominios del Gran Can que habla con optimismo de "las ciudades del Gran Can, que se descubrirán sin duda, y otras muchas de otros señores que habrán en dicha servir a vuestras altezas"[14]. Esta confianza es particularmente reveladora del funcionamiento de Colón. Hay que recordar que en ese momento –un mes después de haber llegado a San Salvador– Colón no ha encontrado *nada* de lo que esperaba. Pero esto no le preocupa porque, una vez decidida, de forma voluntarista, la identificación entre lo que va descubriendo y lo que esperaba descubrir, la realización total de sus deseos es sólo cuestión de tiempo. Por eso afirma su seguridad en que lo que busca se "descubrirá sin duda".

Como los vientos contrarios le impiden rodear Cuba, Colón sale de allí convencido de que su identificación de Cuba con la tierra firme de Asia es válida. Y a la llegada a la última isla descubierta en el primer viaje –Hispaniola– decide que esta vez sí que se encuentra en el Cipango porque le parece oír que los indígenas hablan del Cibao, que es una región del interior de la Española; y él decide que el Cibao no puede ser otra cosa que el famoso Cipango que anda buscando. La necesidad de identificación entre modelo imaginario y realidad descubierta es tan grande para Colón que, aparte de llevarle a ignorar sistemáticamente la mayoría de los aspectos concretos de la nueva realidad, y de impedirle comprender o ver el Nuevo Mundo tal como es, es capaz de hacerle admitir la posibilidad de que el Cipango, que él siempre había situado, con Marco Polo, a unas 1.500 millas de la tierra firme asiática, se encuentre a escasa distancia de Cuba–Catay. Y esto, por no mencionar el hecho mismo del nombre. De Cibao a Cipango va un trecho, pero para Colón esto no cuestiona la identificación sino que indica simplemente que los indígenas no saben pronunciar el nombre de su propia isla.

Por fin el día 4 de enero de 1493, después de dos semanas de exploración de la Española, Colón decide que efectivamente el Cipango está allí. La transcripción de su diario hecha por Las Casas dice: "Concluye que Cipango estaba en aquella isla y que hay mucho oro y especiería y almaciga y ruibarbo"[15]. El mecanismo es claro y su conclusión lógica: si el Cibao es Cipango, *tiene* que albergar esas riquezas, y el que hasta ese momento Colón no las haya encontrado es secundario. El problema está en que la identificación es errónea: que en la Española *no* han sido descubiertas ni especias ni oro; y que, consecuentemente al enumerar la existencia de esos productos, Colón no está informando sino ficcionalizando, de acuerdo con sus propias ideas preconcebidas, una realidad que no es capaz de percibir en términos reales.

La extraordinaria identificación de la Española con el Cipango se complementa con la identificación de una región de la misma isla con las míticas Tarsis y Ofir. Pedro Mártir señala en su primera Década que Colón le contó que había encontrado la isla de Ofir, que identificaba con la Española[16]. Y Las Casas confirma esta última identificación colombina del primer viaje citando una carta de Colón a los reyes en la que "Aquella isla de Ophir o Monte de Sopora (adonde iban las naves de Salomón en busca de tesoros), dice aquí el Almirante ser aquesta isla Española que ya tenían sus Altenas". Colón vuelve sobre esta identificación del primer viaje en el resumen de sus descubrimientos que hace en la carta que escribe a los reyes desde Sevilla en 1498, donde habla de "Salomón que envió desde Hierusalem a fin de Oriente a ver el monte Sopora en que se detuvieron los navíos tres años, el cual tienen vestras altezas agora en la Isla Española"[17].

Desde la isla Española, Colón emprende el viaje de regreso a España y se lleva consigo una percepción de la realidad que tiene mucho más de invención que de descripción. Las islas recorridas han sido o bien ignoradas como simples indicios o pasos intermedios no significativos hacia el objetivo fundamental —éste fue el caso de San Salvador y Concepción entre otras— o bien distorsionadas en el esfuerzo por identificarlas con el arquetipo colombino de las tierras desconocidas del otro lado del Mar Tenebroso. La verdadera identidad natural y cultural de las islas del Caribe sigue por descubrir después de un largo viaje en el que Colón se ha limitado a "reconocer" El Cipango, el Catay, Quinsay, los reinos del Gran Can y de Mangui, y las regiones míticas de Tarsis y Ofir. El sentimiento de triunfo del Almirante ante los "Hallazgos" del primer viaje está condenado a ser de corta duración. Porque, desgraciadamente para él, la realidad se resiste a coincidir con sus esquemas e intuiciones, y se le irá haciendo progresivamente más difícil materializar la verdad de sus fantásticas apreciaciones.

A lo largo de todo el segundo viaje, en el que Colón recorrerá las islas que se encuentran entre la Dominica y Cuba, así como la isla de Jamaica, todos los esfuerzos del Almirante no resultan suficientes para aportar pruebas aceptables de la validez de sus identificaciones. Por ello, en el Memorial que les envió a los Reyes por conducto de Antonio Torres, el tono y el lenguaje de Colón son ya muy diferentes de los que se encontraban en sus diarios y cartas del primer viaje. El triunfalismo característico de la Carta a Santángel ha desaparecido por completo. En el Memorial, Colón ha pasado a expresarse en estos términos:

> . . .a Dios ha plazido darme tal gracia para en su servicio, que hasta *aquí no hallo yo menos* ni se ha hallado en cosa alguna de lo que yo escrebí, dije e afirmé a sus Altezas en los días pasados, antes por gracia de Dios *espero que* aun muy mas claramente y muy presto por las obras *parecerá,* porque las cosas de especiería en solas las orillas del mar sin haber entrado dentro de la tierra se halla tal *rastro e principios* della que es razon que se *esperen* muy mejores fines, y

esto mismo en las minas del oro, porque con solo dos que fueron a descubrir cada uno por su parte [ ... ] *se han descubierto* tantos rios tan poblados de oro que cualquier de *los que lo vieron* e cogieron solamente con las manos por muestra, vinieron tan alegres, y *dicen tantas cosas* de la abundancia dello que yo tengo empacho de las decir e escribir a sus Altezas; [ ... ] pero porque allá va Gorbalán que fue uno de los descubridores, el dira lo que vió aunque aca queda otro [ ... ] que sin duda y aun sin comparación descubrió mucho mas segun el memorial de los ríos que el trajo diciendo que en cada uno de ellos hay cosa de no creella; por lo cual sus altezas pueden dar gracias a Dios, pues tan favorablemente se ha en todas sus cosas[18].

Los rasgos más característicos de este párrafo son su extraordinaria ambigüedad, la vaguedad de los datos y la delegación y el reparto de responsabilidades. De entrada, los hallazgos se caracterizan no en forma afirmativa –he hallado más– respondiendo a lo que Colón prometió en el primer viaje y a lo que los reyes esperan de él, sino en forma negativa –no he hallado menos: las riquezas se indican sin datos específicos de ningún tipo. Hay "rastros" de especiería y "principios" de ella, pero el optimismo de la evaluación se justifica afirmando que si sólo ha encontrado rastros es porque no ha podido detenerse para penetrar y explorar más allá de las orillas. El oro también "se espera" abundantísimo, pero no por testimonio directo de Colón sino por las afirmaciones de los que han descubierto tantos ríos, tan abundantes en dicho metal. A partir de ese momento, las transferencias de responsabilidad se multiplican. Colón, que había llevado a cabo desde su "yo" narrativo cada una de las acciones relevantes del primer viaje, cede repentinamente el protagonismo, y con él la responsabilidad de error, a Gorbalán –que dirá lo que vio *él*– y a Hojeda –que afirma a su vez que en los ríos que ha recorrido hay una cantidad de oro que al propio Colón, se puntualiza, le parece "de no creella".

Todo el estilo y la construcción del Memorial de Torres cuyo primer párrafo se acaba de comentar, indican que la realidad de las nuevas tierras estaba haciendo vacilar la seguridad del Almirante con respecto a las identificaciones que llevó a cabo con tanta certeza durante su primer viaje. Pero hay dos documentos que nos revelan que, incluso ante los problemas cotidianos que le planteaba a Colón, la falta de correspondencia entre lo que iba descubriendo y lo que él "sabía" que había de descubrir allí, Colón no había renunciado un ápice a su modelo. El primero es una referencia a una nueva identificación –esta vez entre una isla del Caribe y el fabuloso reino de Saba– que aparece en la carta que le escribió Michele de Cuneo a Hieronymo Annari en octubre de 1495, narrando el segundo viaje del Almirante, en el que él, Cuneo, participó. Dice Cuneo: "anti che iustrassimo a la isola grossa ne disse (Columbo) queste parole: "Signori miei, vi voglio conducere in uno loco di unde si parti uno dei tre magi le quali veneron adorare Christo, il quale loco si chiama

472

Saba"[19]. Esta "isola grossa" que el Almirante identifica sin vacilar con el reino de Saba, parece haber sido –según demuestra largamente J. Manzano– la isla de Jamaica. El segundo documento que demuestra la vigencia, durante el segundo viaje, de la determinación colombina de ignorar la realidad geográfica del Nuevo Mundo en todo aquello que pudiera poner en tela de juicio su modelo previo, es todavía más sorprendente. Se trata del texto de un juramento firmado por toda la tripulación, con la excepción de Michele de Cuneo y algún otro, que dice así:

> . . .veia ahora que la tierra tornaba al Sur Suduest y al Suduest y Oest, y que ciertamente no tenía dubda alguna que fuese la tierra firme antes lo afirma y defendería que es la tierra firme y no isla, y que antes de muchas leguas, navegando por la dicha costa, se fallaría tierra adonde tratan gente política de saber y que saben del mundo, etc.[20]

La toma del juramento tuvo lugar al dar por terminada Colón la exploración de parte de la costa de Cuba. La necesidad de dicho juramento revela la resistencia no sólo de la geografía del Caribe sino también del buen juicio de buena parte de la tripulación a aceptar las interpretaciones de la realidad de Cristóbal Colón. Cuneo, por ejemplo, se refiere con considerable escepticismo a esa decisión del Almirante de identificar Cuba con Catay, y señala que la mayor parte de la tripulación estaba de acuerdo con el abate Lucena que defendía a bordo la insularidad de Cuba. En todo caso, lo indudable a la vista del juramento es que Colón seguía, a aquellas alturas de su segundo viaje, firmemente decidido a mantenerse aferrado a su modelo imaginario del Nuevo Mundo, y a forzar la realidad y la percepción de los demás cuanto fuera necesario para que ambas coincidieran con aquél. La tierra firme a la que se alude en el documento citado no es cualquiera, sino la del Catay Mangi o extremo oriental del Asia que se hallaba "al comienzo de las Indias y fin para quien en estas partes quisiere venir de España por tierra"[21].

En el tercer viaje de descubrimiento, Colón llega al punto máximo de su delirio identificador del que deja constancia minuciosa en unos textos que son magníficos ejemplos de literatura fantástica, aunque él los presente como descripciones objetivas del continente sudamericano.

A las identificaciones del primer y segundo viajes, el Almirante va a ir añadiendo durante el tercero: la de las islas de la costa de Venezuela con las islas perlíferas de Asia descritas por Ailly en su *Imago Mundi*[22]; la del Monte Christi con el Monte Sopora de Salomón[23]; y, sobre todo, la del golfo de Paria y la costa venezolana con el Paraíso Terrenal.

El procedimiento es sencillo. Colón se encuentra ante unos fenómenos inexplicables que no puede ignorar: las turbulencias producidas en el mar por el caudal de agua dulce de la desembocadura del Orinoco. La habitabilidad de una zona que suponía habitable con gran dificultad, el color claro de la piel de los habitantes de la zona, y la inclinación de las

473

aguas que le parecían hacer pendiente entre Paria y las Azores. Ante esta realidad Colón tiene dos alternativas posibles a explotar: la desembocadura y la tierra firme para averiguar qué es realmente todo aquello, o buscar la explicación de lo que ve identificándolo con información contenida en alguno de sus modelos literarios. Escoge lo segundo, y se apoya en sus fuentes habituales, desde las Escrituras hasta la *Imago Mundi*, para demostrar: 1. Que la Tierra no tiene forma de esfera, sino de pera o de teta de mujer. 2. Que el pezón de la teta está situado en la región de Paria. 3. Que en ese pezón se encuentra el Paraíso Terrenal con las fuentes originarias del Tigris, Eufrates, Ganges y Nilo. Siguiendo el mismo razonamiento, Colón atribuirá la suavidad del clima, la amabilidad de las gentes y la exuberancia del paisaje a su proximidad con respecto al Paraíso. Y verá en los remolinos que causa el Orinoco en la bahía de su desembocadura el caudal de agua dulce originario de los cuatro grandes ríos que nacen, según Ailly, en el Paraíso, para descender luego, del pezón (alta montaña en Ailly), llegando con estruendo y ruido terribles, que a Colón le explica el del choque entre agua dulce y salada de la desembocadura, a formar un gran lago: naturalmente, el de la zona de agua dulce que se resiste a mezclarse con la salada de fuera de la bahía[24].

De nuevo, el modelo literario previo se impone a la realidad que Colón pretende estar descubriendo y explorando, y el resultado es la deformación del Nuevo Mundo de acuerdo con los términos del modelo en un proceso de ficcionalización que sustituye una realidad concreta, la tierra firme de América del Sur, por otra imaginaria: el Paraíso Terrenal encaramado al pezón famoso de la fantástica teoría colombina. Dos años más tarde, después de las tribulaciones y los sinsabores en que concluyó su tercer viaje, Colón recapitularía los éxitos de su labor de descubridor en su carta a Doña Juana de Torres, ama del príncipe Don Juan. En ella, el Almirante: no se animaba ya a insistir sobre esta última y extraordinaria identificación de su tercer viaje, como no fuera a través de la alusión velada que implicaba la expresión "nuevo cielo e mundo"[25], que, aludiendo a las nuevas tierras, se relacionaba con la de "otro mundo", utilizada por primera vez por el Almirante para describir las tierras en que se hallaba el Paraíso, en la carta que escribió a los reyes desde Paria el 15 de octubre de 1498.

Cuando finalmente consiguiera lo necesario para emprender un último viaje, Colón decidiría ir en busca de unos objetivos muy diferentes de su fantástico Paraíso Terrenal venezolano. En su cuarto viaje, Colón buscaba el estrecho que le permitiría pasar de un océano a otro. Pero, en el proceso de localización, Colón llevaría a cabo una última serie de identificaciones erróneas. América Central se identificaría en términos generales con Asia; los habitantes del Cariay con los que mencionaba Eneas Sylvio en su Historia; Quiriquetana, que era el nombre que daban los indígenas a la región interior de la bahía del Almirante, se identificaría con Ciamba, que era el nombre dado por Marco Polo a la Conchinchina. Sin embargo, poco después Colón decidiría, sobre la base de la información que le iban proporcionando los indígenas, que en realidad Ciamba era la provincia del Ciguare, también situada en el interior del istmo. Y, finalmente, el Almirante terminaría por identificar la costa asiática, que creía estar recorriendo, con la del Quersoneso Aureo y la península de Malaya. Ahí debían encontrarse pues las fabulosas minas de oro de las que Salomón sacaba enormes cantidades de oro para su tesoro. Y, en virtud de la identificación voluntarista de Cristóbal Colón, aquellas minas, que ni siquiera se encontraron situadas jamás en el continente que Colón estaba explorando, pasaban a ser la más reciente y fantástica propiedad de la corona española, ya que, según afirmaba el Almirante: "Aquellas minas de la Aurea son unas y se convienen con estas de Veragua".

Del optimismo triunfalista de la Carta a Santángel no queda nada en la carta que escribe Colón mencionando estas últimas identificaciones desde la isla de Jamaica en 1503. Casi todas las ilusiones de Colón de alcanzar fama y nobleza en recompensa por su empresa han desaparecido. En su exilio forzoso de Jamaica, a mediados de 1503, Colón es un hombre enfermo que se siente física y mentalmente acabado. Pero las ideas centrales que han ido dando forma a su equivocada percepción del Nuevo Mundo siguen en pie hasta el final. Todavía cree encontrarse junto a Asia; todavía cree que los elementos centrales de su arquetipo han sido corroborados por la realidad americana desde las identificaciones de Cuba–Catay hasta la de Veragua con el Qersoneso Aureo; todavía es incapaz de acercarse al Nuevo Mundo con una objetividad que le permita verlo en lo que le es propio, sin transformarlo sistemáticamente en la confirmación y proyección de su modelo imaginario.

La sustitución de un proceso de aprehensión objetiva de la realidad americana por otro de identificación del Nuevo Mundo con modelos literarios previos se expresa, dentro de los textos que integran el discurso colombino, en una serie de rasgos que organizan los modos de descripción y caracterización de dicho discurso. Se trata fundamentalmente del uso de la "verificación descriptiva" como modo de caracterización, modo inseparable de un proceso de selección de datos cuya consecuencia lógica e inevitable será la distorsión de la realidad por eliminación de toda una serie de aspectos concretos. La realidad que emerge de las descripciones que ofrecen los textos de este discurso es una realidad que aparece simultáneamente ficcionalizada por identificación y mutilada por reducción. El modo de caracterización del Nuevo Mundo dentro de estos textos corresponde a una percepción selectiva que sólo se propone aprehender los elementos que sostienen el proceso de identificación de América con Asia; su resultado será una representación de la realidad que se ajusta a los términos del código de representación que se desprende del primer objetivo teórico del proyecto de descubrimiento colombino: el código de identificación de América con las tierras del Asia Oriental descritas por las fuentes y modelos literarios del Almirante.

El primer elemento de la nueva realidad con el que entró en contacto Cristóbal Colón fue la naturaleza, y la descripción de esa naturaleza ocupa un espacio importante en el Diario del primer viaje a partir de la entrada correspondiente al 11 de octubre. Sin embargo, un análisis cuidadoso de todas las descripciones de la naturaleza que hace el Almirante durante este primer viaje revela muy pronto la tipificación extraordinaria de tales descripciones. En ellas, con muy pocas excepciones, la caracterización aparece reducida a una serie de motivos fijos. Los elementos centrales en los que hace hincapié la percepción de Colón durante este primer acercamiento a la naturaleza americana son el Aire, la Tierra, el Agua, la Fauna y la Vegetación.

Cada uno de estos elementos aparecerá dentro del discurso colombino calificado por una serie de adjetivos constantes cuya función primordial no será el describirlos sino el fijar en ellos las cualidades que los ligan, por identificación al modelo literario previo.

Habla Colón del Aire con insistencia, y en su descripción lo asocia siempre a dos cualidades: suavidad y calidez. Otras muchas cualidades posibles del aire son ignoradas con igual constancia —luminosidades, transparencia, sequedad, humedad, etc.

Esto no se debe a que estas cualidades no se encuentren presentes en los aires del Nuevo Mundo, sino a que no es sobre ellas, sino sobre la suavidad y calidez (es decir sobre la temperatura) donde se apoya la validación de un modelo de la tierra desconocida —el de Colón— que se oponía a otros muchos que, en la misma época, defendían la inhabitabilidad de la zona tórrida y de las regiones desconocidas de más allá del Atlántico. Colón estaba convencido de lo contrario, y es este convencimiento el que se expresa textualmente en la reducción de la caracterización del aire a las cualidades verificadas: su temperatura y respirabilidad.

En la caracterización colombina del primer viaje, la Tierra aparece reducida a dos aspectos. El primero se concreta en su fertilidad y extensión: las islas son "grandes", "extensas", "extensísimas" y "grandísimas", y también son "verdes" y "fertilísimas", sin que falten los adjetivos citados en ninguna de las descripciones de las nuevas tierras. El segundo aspecto es topográfico: Colón señala insistentemente la ausencia o presencia de montañas en las nuevas tierras. Hasta la llegada a la Española, el relato califica de llanas a cada una de las islas descubiertas, y en algunos casos llega a reiterar "muy llana sin montaña alguna"[26].

De nuevo, la reducción de la caracterización a dos aspectos principales —el topográfico y el de riqueza natural— que se expresan en el texto en la utilización de una lista muy limitada y repetitiva de adjetivos, lejos de ser arbitraria está dictada por elementos concretos del modelo imaginario de Cristóbal Colón. La riqueza y exuberancia natural son dos de los elementos constantes de las tierras que las fuentes de Colón describen en el extremo oriental de Asia; la presencia o ausencia de montañas está ligada a una serie de identificaciones fundamentales de este primer viaje: la de las islas del Caribe con las islas del Asia, que según Ailly estaban cubiertas de montes que encerraban cantidades fabulosas de oro;

con el monte Sopora, que se levantaba sobre la región mítica de Tarsis y Ofir; y con el Cipango de Marco Polo.

Consecuentemente, la mención en el texto de montañas o zonas montañosas indica siempre una identificación positiva, como la Española con el Cipango o la del Caribe con el archipiélago asiático oriental descrito por Ailly. Colón les anuncia a los reyes esta última identificación en un párrafo que ilustra con claridad la subordinación de cualquier mención de montañas al proceso de identificación de las islas del Caribe con las del Asia Oriental:

> . . .certifica a los reyes que las montañas que desde antier ha visto por estas costas y las destas islas, que le parece que no las hay más altas en el mundo ni tan hermosas y claras, ni niebla ni nieve y al pie dellas grandísimo fondo; y dice que cree que estas islas son aquellas innumerables que en los mapamundos al fin del Oriente se ponen; y dijo que creía que había grandísimas riquezas y piedras preciosas y especiería en ellas que duran mucho al sur y se ensanchan a toda parte[27].

El agua, tercer elemento en que se concreta la descripción de la naturaleza en el primer viaje de Colón, aparece reducida a un solo rasgo fundamental: la abundancia. Hay "aguas muchas", "ríos hondos", "lagos grandes", etc. El sentido de esta reducción es doble, ya que por una parte liga estas tierras surcadas de ríos y salpicadas de abundantes aguas al modelo de Ailly que destacaba la extraordinaria abundancia de aguas en el Oriente asiático; y, por otra, refuerza el aspecto de fertilidad y exuberancia que enlaza estas tierras con las del Asia de Marco Polo a través de su riqueza natural.

La fauna americana se caracteriza por reducción a uno de sus rasgos: el exotismo. Los papagayos, simios y peces disformes que menciona escuetamente el Almirante subraya la diferencia entre estas tierras y el mundo occidental, confiriéndoles un carácter exótico que las liga a las descripciones de flora y fauna compiladas en la *Historia Natural* de Plinio y en los diversos bestiarios medievales.

El último elemento de esta primera caracterización de la naturaleza llevada a cabo por el Almirante es la vegetación. La vegetación es una realidad insoslayable y sorprendente para cualquier europeo que se encuentre de pronto en un espacio natural tropical. Sin embargo, en mi opinión —y muy al contrario de S.E. Morison que afirma ver en ellas toda suerte de resonancias e inspiraciones poéticas—, las descripciones de la vegetación tropical que ofrece Colón son de una gran pobreza y se reducen a la repetición tipificada de unos pocos rasgos fundamentales que se expresan en una serie aún más limitada de adjetivos. La percepción colombina reduce la vegetación tropical a dos cualidades: la exuberancia y el valor material. La exuberancia se expresa en dos series de adjetivos que se refieren respectivamente a la fertilidad y a la abundancia. La fertilidad se expresa en la repetición obsesiva de lo "verde" y en la equivalencia implícita entre "verde" y "fermoso". La expresión reiterada de la abundancia se concreta en la utilización repetitiva de "espeso", "grande", "numeroso", "innumerable", etc. El valor material de la vegetación, segundo aspecto que agrupa la adjetivación de la vegetación en esta presentación del Almirante, pasa por la atribución de la capacidad de producir especias. Ante cada espécimen de árbol desconocido —es decir, ante casi cada uno de los árboles que va viendo— Colón sigue el mismo proceso mental. O bien lo identifica, con frecuencia erróneamente, con árboles muy buscados como la almáciga o el linaloe[28], o bien elude su descripción precisa, reduciéndolo a su verdura y a la exuberancia de sus hojas y fruto, y sustituyendo a cualquier caracterización específica la atribución general de la capacidad de producir especies abundantes y extraordinarias, nuez moscada, clavo, pimienta, etc.

De nuevo, el proceso de reducción de la vegetación natural, que Colón pretende estar describiendo, a dos rasgos fundamentales no es arbitrario. Tanto la exuberancia como la capacidad de producir especias eran elementos fundamentales a la hora de proceder a identificar lo que Colón veía con lo que intentaba verificar —en este caso las descripciones de Ailly y Marco Polo, principalmente[29].

El oro, las piedras preciosas y las perlas merecen, dentro del examen de esta primera caracterización de la realidad americana que resulta del método de verificación descriptiva empleado de forma sistemática por el Almirante, una mención separada aunque formen parte de la naturaleza. La razón de esta separación está en que éstas ocupaban para el propio Colón un lugar especial, al funcionar como ejes centrales de todo el proceso de verificación. Esto no implica que Colón siguiera un método más exacto o diferente a la hora de describir y caracterizar esas riquezas, sino todo lo contrario. Para Colón se trataba de afirmar su existencia como condición necesaria para la validación y confirmación definitivas de todo el proceso de verificación que estamos analizando. La identificación final de América con el modelo asiático colombino dependía fundamentalmente del hallazgo de esas riquezas. De ahí que su valor fuera no sólo material sino también simbólico. Eran la clave de la confirmación de la validez de toda la interpretación colombina y del éxito de su empresa; sin ellas, ni interpretación ni empresa podían sostenerse. En el oro y las piedras preciosas del Nuevo Mundo tenían que materializarse las riquezas míticas descritas por Marco Polo, anunciadas por Pierre d'Ailly y Aeneas Sylvio, y prometidas por Colón en su proyecto de navegación y descubrimiento. De ahí que la urgencia de su búsqueda se superpusiera a todo lo demás para el Almirante que "no buscaba salvo el oro"[30].

Durante el primer viaje, la descripción de las riquezas en oro y piedras preciosas se concreta en la enumeración de indicios y en la afirmación repetida y voluntarista de su existencia (voluntarismo que se refuerza con las invocaciones a una Providencia que, Colón asegura, va a revelarle la situación exacta de tales objetivos en cualquier momento). El problema reside en que la existencia de cantidades fabulosas de oro, plata y piedras preciosas, que el Almirante certifica una y otra vez, no se da como resultado de la exploración de las islas sino de forma totalmente apriorística. No es que América sea Asia porque se han encontrado en ella las riquezas anunciadas por el modelo sino que esas riquezas *tienen que estar* en algún lugar de las nuevas tierras ya que, para el Almirante, éstas forman con toda seguridad parte de Asia.

De todas las islas que recorrió el Almirante durante su primer viaje sólo una –la Española– contenía realmente minas de oro. Sin embargo, en cada una de ellas irá verificando Colón la existencia inequívoca de indicios claros e indiscutibles de la presencia de ese oro que tan afanosamente busca, a la vez que irá caracterizando, dentro de sus textos, la riqueza material de la isla de acuerdo con ellos. Así, el 12 de noviembre, después de explorar la isla de Cuba, anota el Almirante: "Sin duda es en estas tierras grandísimas sumas de oro. . . y también ha piedras y perlas". El proceso de verificación descriptiva, característico del modo de acercamiento de Colón a la realidad del Nuevo Mundo, ya no aparece aquí limitado a seleccionar y reducir la percepción de la realidad y su descripción en los textos a elementos que permiten ligarla al modelo con el que Colón la quería identificar sino que Colón miente e inventa, cuando ello es necesario para mantener ese proceso de identificación de América con el modelo imaginario, enumerando y destacando elementos que jamás formaron parte de aquella realidad que el Almirante pretendía estar describiendo fielmente en el Diario y las cartas del primer viaje.

En el resumen que hizo Colón al principio del Memorial que les escribió a los reyes el 30 de enero de 1494, desde la Isabela, la caracterización de los múltiples aspectos de la realidad americana aparecería reducida a sólo tres de los aspectos que había destacado la verificación descriptiva del Diario del primer viaje: las especias que se reducen a indicios ("rastros" y "principios" los llama Colón): el oro que se reduce a la cualidad de abundancia ("*tantos* ríos *tan* poblados de oro"); y la tierra cuya descripción aparece reducida a la cualidad de fertilidad, o sea a la capacidad de producir: "somos ciertos como la obra lo muestra que en esta tierra así el trigo como el vino nacerá muy bien. . . que parece muy maravillosa. . . que ninguna otra tierra que el sol es caliente puede ser mejor al parecer ni tan fermosa"[31]. Y la equivalencia que se va estableciendo progresivamente en el texto entre "productiva" y "fermosa" hasta llegar a una identificación total de los dos términos ilustra perfectamente la ideología que subyacía en los criterios estéticos y descriptivos de Colón.

La utilización del método de verificación descriptiva que organiza el modo de caracterización de la naturaleza del Nuevo Mundo dentro de los textos que narran el primer viaje no se circunscribe a ella. Sigue organizando la caracterización de un elemento central de la realidad americana: sus habitantes. En el primer viaje, esta población aparece caracterizada fundamentalmente por defecto. El referente principal de la caracterización es de nuevo Marco Polo. Al revés de los habitantes descritos por él, los indígenas del Caribe no iban vestidos, no eran ricos, no poseían armas y no eran comerciantes. Colón los caracterizará como "pobres", "desnudos", "sin armas" y "sin comercio", reduciéndolos, por inversión, a los términos del modelo descriptivo establecido por Marco Polo y asimilado por él. Todos los elementos concretos de esta primera caracterización de la población del Caribe se pueden reducir a dos características centrales: su valor material —que viene dado por el nivel de civilización, cultura y riqueza— y sus posibilidades de utilización dentro del contexto de la economía occidental —posibilidades que se concretan en el texto en su voluntad de comerciar y en su incapacidad de agredir y defenderse.

Al revés de lo que sucedía en el Diario del primer viaje, en las cartas y documentos del segundo viaje el proceso de ficcionalización del discurso colombino no se centra en la caracterización de la naturaleza del Nuevo Mundo, sino en la de las relaciones entre el hombre europeo y la nueva realidad. Colón crearía, al narrar su segundo viaje, una fábula en la que colonos industriosos y modélicos se aplicaban, rodeados de buenos salvajes, a conocer y utilizar una naturaleza paradisíaca y fertilísima que sólo esperaba la mano española para convertirse en tesoro envidiable[32].

La realidad era otra si comparamos con su versión la de otros dos testigos presenciales de los acontecimientos del segundo viaje: el Doctor Chanca y Michele de Cuneo. El primero socavó la ficción que constituía, dentro del discurso de Colón, la primera caracterización positiva de los habitantes del Caribe, hecha desde una perspectiva contemporánea, y, más consecuente y honesto con su propia ideología que el Almirante, redujo la caracterización a una cualidad que, dentro del contexto del descubrimiento, englobaba toda diferencia: la bestialidad. "La costumbre desta gente de caribes es bestial" dice Chanca, y añade: ". . .es gente tan bestial que no tiene discreción para buscar lugar para habitar. . . que es maravilla ver cuan bestialmente edifican"[33].

Michele de Cuneo, por su parte, desmitificó la ficción de la caracterización colombina de la naturaleza americana, de los colonos y de su verdadera relación con el Nuevo Mundo y sus habitantes naturales. La expresión con la que Michele de Cuneo suele resumir las extraordinarias virtudes imaginarias que atribuía el Almirante a cada planta desconocida con la que se topaba es que "no saben bien" o que "son buenas para alimentar cerdos", aunque los indios se las comieran.

El celo colonizador que se da por sentado en los relatos colombinos aparece seriamente cuestionado en la versión de Michele de Cuneo, quien puntualiza que los españoles ni plantaban ni cosechaban "porque nadie quiere vivir en estas tierras". Según Cuneo. el único objetivo de los expedicionarios era el oro y su único motor la codicia. Ambos están en la base de la caracterización que presenta Cuneo de las relaciones entre españoles e indígenas, relaciones que aparecen reducidas a distintas formas de violencia: violaciones, robos, abusos, mutilaciones y castigos injustos y brutales. Por último, la narración de Cuneo revela la ficcionalización del propio personaje de Colón que se da en los textos del Almirante. Los motivos religiosos, científicos, filosóficos y siempre desinteresados del personaje de Colón creado por él mismo se resumen en uno solo en el relato de Michele de Cuneo: la codicia. Dice Cuneo: "Después de descansar durante varios días en el campamento, creyó el Almirante que ya era hora de llevar a la práctica su deseo de descubrir oro, que era el motivo principal por el que se había embarcado en un viaje tan largo y lleno de peligros"[34].

El método de verificación descriptiva como modo de caracterización y reducción de la realidad americana que Colón utilizó en el primer y segundo viajes siguió funcionando en los dos viajes siguientes, adecuándose al carácter específico del objetivo respectivo. Así, en la percepción y descripción de las islas de la costa de Paria, de la desembocadura del Orinoco y la costa de América del Sur, Colón destacaría únicamente los elementos que le iban a permitir argumentar la identificación de aquella nueva tierra con las islas perlíferas del Oriente de Marco Polo y con el Paraíso Terrenal tal como lo describió Ailly en su *Imago Mundi*. El resultado de este nuevo proceso de selección e interpretación fue una de las ficciones más extraordinarias entre todas las que aparecen en los textos colombinos: la de la identificación entre la costa de Venezuela y el Paraíso Terrenal.

En las descripciones del tercer viaje, las islas se caracterizan exclusivamente por poseer perlas en cantidades que permitan su identificación con las islas perlíferas del Asia Oriental mencionadas por Ailly y Marco Polo. La descripción del resto de los descubrimientos se reduce a unos pocos elementos centrales: el agua dulce, caracterizada por "abundancia" y "ruido" como cualidades únicas —la una y la otra iban a sustentar la identificación de la desembocadura del Orinoco con el Paraíso y con las fuentes del Nilo, Tigris, Eufrates y Ganges[35]; el mar, o "mar océana del fin del Oriente", aparecía caracterizado únicamente por su elevación hacia el cielo, pues, dice Colón, "van los navíos alzándose hacia el cielo suavemente". Esta característica única le serviría al Almirante para elaborar su teoría de la pera e identificar el lugar en que se encontraba con el Paraíso de Ailly. La caracterización de la tierra cumpliría la misma función, ya que todos sus rasgos tipificados —fertilidad, hermosura y temperancia— se explicaban por estar "más alto en el mundo", es decir, en el extremo de la protuberancia de la pera. Y lo mismo sucedería con la caracterización de los habitantes que, en sus dos cualidades destacadas —color claro de piel y vestidos de telas "como de seda"—, vendrían a confirmar, relacionándose con las gentes descritas por Marco Polo, la situación asiática de las tierras recién descubiertas, subrayando así la validez de los otros rasgos de caracterización que sustentaban la identificación de Sudamérica con el Paraíso Terrenal de Pierre d'Ailly[36].

El objetivo del cuarto viaje del Almirante —llamado también el Alto Viaje— siguió siendo el Asia Oriental. Aunque Colón sospechaba ya que había descubierto tierras desconocidas para sus propios modelos literarios, todavía las situaba en el extremo oriental del Asia, imaginándolas como un gigantesco apéndice peninsular, o como una prolongación de la masa continental hacia el Oeste, que venía a confirmar la teoría colombina de la proporción de tierra y agua en el globo.

Pretendía Colón en aquel cuarto viaje descubrir el estrecho que comunicaba el Atlántico con el Indico —el que utilizó Marco Polo para su regreso— e identificar de una vez por todas las tierras de Centroamérica con el Asia fabulosa de Marco Polo. En los textos referentes al cuarto viaje, la caracterización se apoya en dos elementos centrales de la realidad descubierta: los habitantes y las señales anunciadoras de oro y pedrería. Los demás elementos de la realidad o desaparecen totalmente o se mencionan reducidos a un motivo escueto que nos refiere al código descriptivo del primer y segundo viajes. El centro obsesivo de la percepción colombina fue en este cuarto viaje el oro. Se menciona de forma casi alarmante por su frecuençia: "oro infinito", "oro y minas", "más oro", "todos con oro", "una mozada de oro", "tejidos de oro", "infinito oro", etc. La mención del oro, cuyo descubrimiento es el eje central de la identificación que pretende probar Colón entre Centroamérica y el Quersoneso Aureo de Salomón, sustituye en el proceso de verificación descriptiva a todos los demás aspectos concretos de la nueva realidad. El coral y otras piedras preciosas cumplen la misma función, aunque son mencionadas con menor frecuencia.

En cuanto a los habitantes, aparecen descritos en relación con una serie de elementos centrales de la caracterización asiática de Marco Polo, que es aquí nuevamente el modelo constante de referencia. El primero de estos elementos se refiere a la ropa. Estas gentes "andan vestidas" y "traen ricas vestiduras" dice Colón. El segundo, a la riqueza: además de las "ricas vestiduras" dice que "tienen buenas cosas" y forran de oro arcas y sillas. El tercer elemento es el comercio: señala que estos indígenas "usan tratar en ferias y mercancías". El último son las armas; éstos "usan de la guerra" y "traen bombardas, arcos y flechas, espadas y corazas". La verificación de la existencia de estos cuatro elementos sostiene la identificación que hace Colón del Ciguare y el Cariay con la Ciamba o Cochinchina de Marco Polo[37]. Para Colón, la suma de estos cuatro elementos —ropa, riquezas, comercio y armas— es igual a Civilización, y la caracterización positiva de la gente descrita en el cuarto viaje con respecto a ellos los define como civilizados. La caracterización negativa de los indígenas descritos en el primer viaje —desnudos, pobres, no comerciantes, no guerreros— los define consecuentemente como salvajes: los habitantes de Centroamérica tenían que caracterizarse positivamente en relación a estos cuatro elementos si Colón quería ver confirmada de una vez por todas su identificación de la tierra firme del istmo con las culturas avanzadas que Marco Polo situaba en el oriente de Asia.

La atribución que hace Colón a las tierras recién descubiertas de una identidad prefijada en sus modelos literarios descansa sobre el proceso de selección que se ha analizado, denominándolo de "verificación descriptiva". La percepción de la realidad, reduciéndola a los elementos constituyentes del modelo, supone un proceso de reducción y deformación de la realidad. Su caracterización verbal dentro del discurso colombino, de acuerdo con los términos dictados por aquel modelo literario, implica la sustitución de un discurso informativo historiográfico de carácter supuestamente objetivo, por un relato ficcional y mitificador, que sólo incorpora algunos elementos y datos reales, integrándolos en unas coordenadas de percepción y representación fundamentalmente imaginarias y que se apoyan sobre la supuesta identidad de Asia y el Nuevo Mundo.

Por otra parte, el uso constante del método de verificación descriptiva, como modo de aprehensión y caracterización de la realidad, plantea una cuestión fundamental con respecto al problema de la comunicación y del lenguaje.

En la narración de sus descubrimientos de islas y tierras del Nuevo Mundo, Colón selecciona, transforma, interpreta y elude, creando verbalmente una representación de la realidad americana en la que lo imaginario y ficcional tienden a predominar claramente sobre lo real. Colón argumenta cuidadosamente cada una de sus identificaciones e impone a los elementos de la realidad descubierta las modificaciones necesarias para que confirmen su percepción y demuestren la validez de sus razonamientos. La naturaleza, las tierras, el mar, los habitantes, la flora y la fauna emergen verbalmente del proceso de verificación descriptiva, convenientemente transformados para demostrar la validez del modelo y la exactitud de los cálculos cosmográficos que apoyaban el proyecto del Almirante. Pero lo que interesa ahora es que ese proceso de verificación descriptiva se hace extensivo a un elemento particularmente irreductible de la nueva realidad: el lenguaje de sus habitantes.

Colón no estaba solo en el Nuevo Mundo. América no estaba desierta, sino habitada por unas gentes que —al contrario de lo que le sucedía a Colón— conocían la naturaleza de aquellas tierras a través de una larga experiencia personal y de una historia colectiva. Sabían, por ejemplo, si había oro, perlas, especias; sabían si las islas que habitaban eran grandes o pequeñas, islas o tierra firme; conocían las costumbres de sus propios pueblos, sabían si comerciaban, con qué y con quién; si hacían la guerra y cómo la hacían. Estas gentes hablaban entre sí —aunque no fuera cierto que poseían todas la misma lengua, como afirmó simplista y optimistamente el Almirante en su primer viaje— y también con Colón y con los demás españoles. Colón les enseñó muestras de las mercancías que buscaba, los interrogó, los utilizó como guías e informantes. Y sin embargo, la información que estos poseían sobre sus propias tierras y culturas nunca llegó a las páginas de la narración colombina.

Colón pregunta y los indígenas contestan, pero, sorprendentemente, la información que según Colón proporcionaban los habitantes de las tierras que iba explorando siempre venía a coincidir con las fantasías del Almirante, siempre corroboraba la exactitud de las identificaciones que iban deformando la realidad de cada nuevo descubrimiento. Y esto, en contradicción flagrante con los elementos concretos de esa realidad que ellos forzosamente conocían.

El problema que explica esta aparente contradicción es el de la sustitución que se operaba, dentro del discurso colombino, del proceso de comunicación verbal entre dos interlocutores —Colón y los indígenas— por un monólogo en el que el interlocutor real había sido reinterpretado y transformado hasta convertirse en simple signo de confirmación de las percepciones del sujeto narrador. La utilización que hace Colón de lo que dicen los indígenas, interpretándolo sistemáticamente como más le conviene, es tan flagrante que el propio Bartolomé de las Casas, que estaba generalmente dispuesto a defender al Almirante más allá de lo defendible, comenta con ironía la facilidad con la que Colón se convencía de que oía y le decían precisamente aquello que quería oír y esperaba que le dijeran: "Habíase ya persuadido a lo mismo, así todo lo que por señas los indios le decían, siendo tan distante como lo es el cielo de la tierra, lo enderezaba y atribuía a lo que deseaba"[38].

Así analizaba Las Casas el proceso de interpretación que caracterizaba la comunicación verbal entre Colón y los indígenas.

La expresión verbal del proceso de interpretación varía a lo largo del discurso colombino. En el Diario del primer viaje, la mayoría de los resúmenes de información supuestamente dada por los indígenas —y siempre corroborante de las identificaciones del Almirante— va precedida de formas de cautela o relativizadoras, explícitas o veladas. "Entendió que", "cree que decían", "parecióle que", "sentía que", "creía que", "cognosci que me decía", "según podía entender", son todas expresiones que cumplen la función de relativizar la verdad de lo que se narra, subordinando la validez de la información a la capacidad de comprensión del narrador. Esta capacidad de comprensión y de interpretación exacta de las palabras de los indígenas era mínima en términos reales, porque Colón no hablaba en absoluto la lengua indígena. Pero dentro del discurso narrativo esto no es así, ya que, si bien la validez de la información parece relativizarse con las fórmulas de introducción que se enumeraban más arriba, las conclusiones firmes que presentaba el Almirante sobre la base de esas informaciones indígenas no tenían nada de relativo. Colón "creía entender" que Juana era tierra firme y de ahí concluye que, con toda seguridad, está en Catay y Mangi. La no correspondencia entre la subjetivización de los datos y la objetivización de las conclusiones señala la verdadera función de las formas de cautela dentro del discurso de Colón: la de simples fórmulas retóricas que no afectan en absoluto el contenido del mensaje final.

En otros casos, y sobre todo a partir del principio del segundo viaje, el Almirante ni se preocupa de suavizar retóricamente la arbitrariedad de sus categóricas afirmaciones. En estas ocasiones, interpreta, anuncia y afirma, basándose en señas, gestos y palabras cuyo significado real no conoce, y pasando por alto cualquier referencia a su propio desconocimiento de las formas de comunicación verbales y no verbales de los hombres a los que asegura citar con tanta seguridad. Este voluntarismo interpretativo se hace más agresivo hacia el final de los relatos colombinos, en el tercer y, sobre todo, en el cuarto viaje, muy particularmente en la *Lettera Rarissima*. "Dicen" es la forma que introduce largas series de afirmaciones: que hay comercio, oro, plata, perlas y piedras preciosas; que tienen armas como las de los europeos y que recubren las sillas y mesas de oro. . . y tantas otras. Al ser reinterpretada voluntaristamente, la información que le van dando los indígenas al Almirante no amenaza el proceso de verificación descriptiva sino que se subordina a él. De hecho, Colón se sirve de esa pretendida información para corroborar la validez y exactitud de sus identificaciones. Cuando la discrepancia entre lo que dicen los indígenas y lo que Colón quiere que digan es demasiado clara para ignorarla o dejarla de lado, Colón sigue una táctica muy simple: la enmienda. Este proceso de enmienda es particularmente llamativo en el caso de los nombres propios. Cuando Colón, por ejemplo, llega a la Española y decide que el Cipango se encuentra en ella, tiene que resolver de algún modo el hecho de que sus habitantes se refieran al Cibao y no al Cipango cada vez que señalan la región que él identifica con el Cipango. Y el mismo problema surge cuando, ante la Isola Grossa de la que habla Michele de Cuneo en su carta a Annari[39], Colón promete a la tripulación que los va a conducir a Saba, la región de la que partieron los tres magos para adorar a Cristo. Al desembarcar, preguntan Colón y sus hombres el nombre de la tierra en cuestión a sus habitantes, quienes les responden que se llama Sobo. Ante esto —dice Cuneo— "el Almirante afirmó que era la misma palabra, pero que los indígenas 'no sabían pronunciarla' "[40].

La conciencia de lo ridículo que pudiera ser el que un europeo corrigiera la pronunciación de las palabras que los indígenas pronunciaban en su propia lengua no parecía existir en Colón. Para él, si los habitantes del Caribe hablaban de Cibao y Sobo en lugar de hablar de Saba y el Cipango era porque no sabían pronunciar correctamente el nombre de las islas mismas que habitaban.

La descalificación por parte de Colón de la información concreta que le podían dar los indígenas se completa dentro de su discurso con la descalificación global de los mismos como hablantes de sus propias lenguas. El mensaje indígena, que desaparecía en las sucesivas distorsiones a que lo sometía Colón para adecuarlo a sus esquemas de interpretación y representación, se borra definitivamente cuando se pasa a cuestionar su propia autenticidad verbal.

La implicación de las enmiendas colombinas no es ya que a los habitantes del Nuevo Mundo no se les comprende porque hablan lenguas distintas de las europeas, sino que son ininteligibles porque no saben hablar correctamente ni las propias. La visión indígena, que hasta aquí era ignorada, será a través de esta última forma de enmienda, rechazada global y explícitamente.

De cuestionar la capacidad de los habitantes de América de pronunciar sus propias lenguas a cuestionar la capacidad indígena de *hablar* no hay más que un paso. Y Colón lo da con una facilidad asombrosa. Dice Colón en su Diario del primer viaje que a su regreso a España llevará consigo una partida de indios. La razón que esgrime para explicar tal decisión es que lo hace "para que desprendan fablar"[41]. En el Memorial que les escribe a los Reyes en enero de 1494, Colón indica la necesidad de que los indígenas aprendan el español. Ni una sola vez se refiere al español como "nuestra lengua" o la "lengua española": lo que el Almirante declara repetidamente es que los indígenas tienen que aprender "la lengua", como si no tuvieran otra. Por supuesto, la posibilidad de que los españoles aprendan la lengua de los indígenas ni se plantea.

Las implicaciones de la extensión del método de verificación descriptiva al lenguaje de los indígenas, falseándolo, enmendándolo e inventándolo, para acabar finalmente cuestionando su misma existencia, son considerables: negándole al indígena la palabra, el Almirante se arroga el monopolio del lenguaje y, con él, el de la representación verbal de la nueva realidad. De acuerdo con esto, las primeras representaciones de la realidad americana tal como se dan en el discurso colombino no se presentan como interpretaciones subjetivas y parciales sino que adquieren una autoridad de representación objetiva y totalizadora. Colón se concede, frente a los habitantes del Nuevo Mundo, el poder exclusivo de *crear* América, siguiendo las coordenadas establecidas por su modelo literario y presentando la ficción que resulta como fiel e incuestionable descripción de la realidad del Nuevo Mundo.

El proceso de eliminación de la capacidad verbal de los indígenas que se da en el contexto del discurso colombino implica la eliminación de cualquier forma de pluralidad cultural. Del mismo modo que una lengua –la hablada por Colón– se convierte dentro de ese discurso en La Lengua frente al mutismo impuesto por el narrador a los nativos, la cultura occidental que el Almirante representa se presentará como La Cultura frente a un implícito vacío cultural indígena. Colón habla La Lengua y representa La Cultura, y, por ello, es el que conceptualiza, formula y define Lengua, Cultura y Hombre. El que impone y determina formas de intercambio y de relación entre España, como representante concreto de la civilización occidental, y América, como futuro apéndice económico y cultural de Europa.

Por todas estas implicaciones, la apropiación absoluta de la lengua que lleva a cabo Cristóbal Colón a lo largo del discurso narrativo que constituyen sus diarios y cartas, de una forma que a fuerza de sutil e insidiosa parece inocente, prefigura la introducción de una relación de poder y explotación entre dos continentes: Europa y América. Y, simultáneamente, inicia una larga tradición historiográfica, filosófica y literaria de representación y análisis de la realidad americana que se caracterizará por una perspectiva histórico–cultural exclusivamente europea y por la eliminación sistemática de la percepción indígena de esa realidad.

# NOTAS

[1] Lionel Cecil Jane, *Select Documents ilustrating the life and voyages of Columbus,* London 1930. L. Cecil Jane examina este aspecto de la religiosidad de la época en su ensayo de introduccion a esta obra. En la pág. XLIX del primer volumen dice así: *"In that age many were readily inclined to imagine that the Deyti was both continually forming their thoughts and continually determining their actions"* y en la página L del mismo volumen concluye: *"in effect they considered themselves as so many missionaries of Heaven".* El único problema es que L.C. Jane utiliza esta idea para explicar muchos de los puntos oscuros y discutibles del comportamiento de Colón, más allá de lo aceptable y demostrable a la vista de la documentación existente.

[2] Cristóbal Colón. *Carta a Luis de Santángel anunciando el descubrimiento del Nuevo Mundo,* 15 de febrero a 14 de marzo de 1493, editada y anotada por Carlos Sanz, Madrid, 1961.

[3] Bartolomé de las Casas, *Historia de las Indias,* vol. I, p. 426.

[4] Bartolomé de las Casas, *op. cit.,* vol. I, p. 425: *Carta de Cristóbal Colón a los Reyes.*

[5] Cristóbal Colón, "Lettera Rarissima" llamada también *Carta de Jamaica.* Colón se la escribió a los reyes el 7 de julio de 1503 desde su destierro en Jamaica. Reproducida en Navarrete *op. cit.* pp. 232-240. Incluida por De Lollis en la *Raccolta,* I, vol. 2, pp. 175-205.

[6] Los nombres actuales de estas islas son, por orden, Wattling Island, Long I, Crooked I, Cuba, Sto. Domingo. Véase S.E. Morison *Journals and other documents of the life and voyayes of C.C.,* Mapa del Caribe e islas.

[7] Cristóbal Colón, "Diario del primer viaje", en Navarrete, *op. cit.,* vol. I, p. 96.

[8] *Ibídem,* p. 99

[9] *Ibídem,* p. 103.

[10] *Ibídem,* p. 104.

[11] El manuscrito de esta carta se conserva en el archivo de la Corona de Aragón. La carta contiene un saludo formal, expresa la alegría de los reyes españoles ante el interés mostrado por el príncipe oriental por los asuntos de España, introduce a Colón como un embajador y le señala la misión de contactar con él y de darle toda la información necesaria. Lo más divertido del caso, aparte del segundo punto del contenido que acabo de resumir, es que Colón llevaba varios ejemplares de esta carta, con el nombre del príncipe en blanco, para que pudiese presentar la misma embajada a los otros príncipes con los que pudiera toparse. Véase la declaración que hace al respecto Bartolomé de Las Casas en su Historia, vol. I, cap. XIII, p. 123, y también S.E. Morison *Admiral of the Ocean Sea* vol. I, p. 142.

[12] Cristóbal Colón, "Diario del primer viaje", en Navarrete, *op. cit.,* p. 112.

[13] *Ibídem,* p. 146.

[14] Pedro Mártir de Anglería, *Décadas del Nuevo Mundo,* Buenos Aires, 1944.

[15] Resumen de una carta de Colón a los reyes reproducida por Bartolomé de las Casas en su *Historia*; y "Carta de Colón a los Reyes" del 18 de octubre de 1498, en Navarrete, *op. cit.,* vol. I, p. 207.

[16] Cristóbal Colón, "Memorial enviado a los Reyes" con A. Torres, 30 de enero de 1494. En Navarrete, *op. cit.,* p. 196. El subrayado es mío.

[17] Juan Manzano Manzano. "Colón y su secreto", en la *Raccolta* III, vol. 2, p. 515.

[18] "Información y testimonio de cómo el Almirante fue a reconocer la isla de Cuba quedando persuadido de que era tierra firme" (original en el Archivo de Indias de Sevilla, legajo 5 del Patronato Real). Reproducido en Navarrete, vol. I. *op. cit.,* p. 386 y ss.

[19] *Ibídem,* p. 387.

[20] Carlos Manzano, *Colón y su secreto,* p. 565.

[21] Cristóbal Colón, "Carta a los reyes" del 18 de octubre de 1498, en Navarrete, vol. I, p. 207.

[22] El pasaje de Ailly se encuentra en la *Raccolta* I, vol. 2, p. 401. La traducción citada es de J. Manzano que la incluye en *Colón y su secreto,* p. 222.

[23] Cristóbal Colón, "Carta a Doña Juana de Torres", ama del príncipe Don Juan, octubre de 1500: reproducida en Navarrete, vol. I, p. 217.

[24] "Lettera Rarissima", escrita por Colón a los reyes desde Jamaica el 7 de julio de 1503. Reproducida en Navarrete, *op. cit.,* vol. I, p. 232.

[25] Todos los adjetivos que se han ido citando en esta primera caracterización general de la naturaleza americana corresponden a las descripciones de S. Salvador, Concepción, Isabela, Juana, St. Tomás y Española, que aparecen en el "Diario del primer viaje", entradas correspondientes al 11 de octubre–22 de diciembre; en Navarrete, *op cit.,* pp. 92-136.

[26] O con el lentisco de Plinio que había visto en la isla de Xío Cristóbal Colón, "Diario del primer viaje", *op. cit.* p. 112.

[27] Cristóbal Colón, "Diario del primer viaje", Navarrete, vol. I, pp. 95-97, y 111, 112, 116, entre otras.

[28] *Ibídem,* p. 108.

[29] Cristóbal Colón, "Memorial a los Reyes Católicos", 30 de enero de 1494, escrito desde Isabela; en Navarrete, *op., cit.,* vol. I, pp. 197-198.

[30] *Ibídem,* p. 198.

[31] "Narración del Doctor Chanca al Cabildo de Sevilla", reproducida en Navarrete, *op. cit.,* p. 183 y ss.

[32] "Carta de Michele de Cuneo a Hyeronimo Annari", 15 de octubre de 1495. En Raccolta III, vol. 2, pp. 95-107. Reproducida por S. E. Morison en *Journals and Documents, etc.* La traducción es mía.

[33] Cf. Supra: identificaciones del tercer viaje.

[34] Todas las citas y referencias textuales provienen de dos documentos principales: La "Carta de Colón a los Reyes" del 18 de octubre de 1498. Y la "Carta de Colón a Doña Juana de Torres" de fines de 1500. Ambas se encuentran reproducidas en Navarrete, *op. cit.,* vol. I, pp. 206-222.

[35] Todas las citas y referencias textuales provienen de la "Lettera Rarissima" escrita por Colón a los Reyes desde Jamaica el 7 de julio de 1503. Reproducida en Navarrete, *op. cit.,* vol. I, pp. 232-240.

[36] El análisis que Bartolomé de Las Casas hace de este párrafo se refiere explícitamente a Martín Alonso Pinzón, pero lo incluyó para ilustrar el caso de Colón, por dos motivos: en primer lugar porque el propio Las Casas hace extensivo a él el método de Pinzón en el párrafo siguiente de su *Historia;* en segundo lugar porque la identidad del proceso de

interpretación que se da en ambos descubridores se demuestra con toda claridad en lo que sigue, Las Casas, *Historia de las Indias,* vol. I, p. 156.

[37] "Carta de Michele de Cuneo a Hyeronimo Annari", *Raccolta* III, vol. 2, pp. 95–107.

[38] Cristóbal Colón. "Diario del primer viaje", en Navarrete, *op. cit.,* vol. I, p. 96.

[39] Cecil Jane, S.E. Morison y Juan Manzano, entre otros señalan el componente ideológico mercantil de Cristóbal Colón, aunque en mi opinión, subestiman su importancia al no percibirlo como causa de fondo de muchas interpretaciones y actitudes colombinas, que, de otro modo, resultan irracionales o difícilmente explicables, como por ejemplo, su terquedad a la hora de negociar los acuerdos previos al primer viaje de descubrimiento.

[40] "Capitulaciones de Sta. Fe", del 17 de abril de 1492. En Navarrete, *op. cit.,* vol. I, pp. 302–304. Véase también el *Título* expedido por los Reyes a Cristóbal Colón, el 30 de abril de 1492, y las "Provisiones" referentes a la preparación de la armada, de la misma fecha. En Navarrete, *op. cit.,* vol. I, pp. 304–307.

[41] Jaime Vicens Vives, *Historia económica y social de España y América,* vol. II, pp. 454–465.

JOSE JUAN ARROM

## GONZALO FERNANDEZ DE OVIEDO, RELATOR DE EPISODIOS Y NARRADOR DE NAUFRAGIOS *

Es JUSTO QUE en el recuento de los iniciadores de la narrativa hispanoamericana figure Gonzalo Fernández de Oviedo. El es, con Las Casas, el otro gran cronista de su generación. Igual que Las Casas, vive y escribe en el alucinante contexto de la conquista. E igual que Las Casas, en no pocas ocasiones su pluma se desliza hacia ese mundo, impreciso y ambiguo, entre la historia y la ficción.

De las múltiples empresas en las cuales Oviedo participó, Pedro Henríquez Ureña ha dejado este brillante resumen:

> ...cortesano desde su infancia, soldado después, "fue testigo presencial de la toma de Granada, de la expulsión de los judíos, de la entrada triunfal de Colón en Barcelona, de la herida del Rey Católico, de las guerras de Italia, de las victorias del Gran Capitán, de la cautividad de Francisco I" abandonó luego la Europa turbulenta por la América recién descubierta, cruzó doce veces el Atlántico, y en las islas y tierra firme en torno del Caribe "conquistó, gobernó, litigió, pobló, administró justicia"; fue jefe de fortalezas y de tropas, veedor de minas, regidor en los primeros municipios, gobernador de provincias; y todavía escribió inmensas crónicas históricas, sin que le faltara tiempo para componer un libro místico, otro de caballerías y otro de verso[1].

Posteriores pesquisas han sacado a relucir que también participó en empeños menos merecedores de renombre. Y que ocultando unos pormenores, alterando otros y añadiendo algunos de su propia cosecha, logró inventarse a sí mismo como personaje de ficción. Había comenzado por novelar su propia vida[2].

No me detendré a señalar todo lo que hay de fantasía en ese paradigma del conquistador recio, temerario y de noble estirpe. Pero sí debo

\* *Casa de las Américas*, XXIV, núm. 141 (1983), pp. 114-23.

puntualizar algunos hechos que definen la ideología de Oviedo y determinan su manera de reaccionar ante la realidad social de las Indias. A ese fin observemos que cuando llega al Nuevo Mundo en 1514 era un hombre de treintiséis años, que había servido de secretario a varios personajes, y que desde 1507 desempeñaba en Madrid un insignificante cargo de escribano. Y es como escribano que zarpa en la armada de Pedrarias Dávila rumbo a Castilla del Oró –hoy Panamá– con las funciones de la "fundición e marcación, la escribanía de minas e del crimen e juzgado, y el oficio del hierro de los esclavos e indios"[3].

Desde el momento de su llegada, y por todo el resto de su vida, fue incondicional servidor del imperio. Y por eso, y por los gajes que le tocaban en el lucrativo "oficio del hierro de los esclavos e indios" bien se explica la postura que adoptó en sus escritos.

Puntualizada esa postura, procedamos al examen de su obra narrativa. Es de admirar que Oviedo dedicara al ejercicio de las letras el tiempo libre que le dejaron sus ocupaciones como funcionario de la metrópoli. Con pasión de pendolista incansable escribió un número considerable de libros, de los cuales sólo tres atañen a este estudio[4]. El primero de estos pertenece estrictamente al campo de la ficción.

Es la novela de caballerías que lleva por título *Libro del muy esforzado e invencible Caballero de la Fortuna, propiamente llamado Claribalte, que según su verdadera interpretración quiere decir felix o bienaventurado.* Esta obra se imprimió en Valencia en 1519. Y si hemos de dar crédito a la explícita declaración del autor, fue en América donde la escribió. Expone Oviedo:

> Estando yo en la India y postrera parte occidental que al presente se sabe, donde fui por veedor de las fundiciones del oro por mandado y oficial del católico rey don Fernando [ . . . ] escribí más largamente aquesta crónica, sin olvidar ninguna cosa de lo sustancial de ella[5].

Ahora bien, aunque la escribiera en América, no es un libro americano. Y si lo traigo a colación en este recuento es porque un apresurado profesor estadounidense, ateniéndose al mero hecho de que se redactase en las Indias en fecha tan temprana, la ha proclamado "la primera novela americana"[6]. Y de novela americana no tiene nada. Exclusivamente europea es la visión que refleja. Europeos son el marco geográfico, el asunto, los personajes y la tradición caballeresca que exalta. Y para lectores europeos es la velada defensa –muy del momento político europeo– que hace de los derechos imperiales de Carlos V[7]. Por otra parte, no contiene ni un solo rasgo lingüístico, ambiental o mental que acuse una experiencia americana. Lo cual es comprensible si se tiene en cuenta que, de haberse escrito en este hemisferio, sería entre 1514, año en que llega a las Indias, y 1515, fecha en que regresa a España y permanece en Europa hasta después de la publicación del libro. Tiempo en verdad muy breve para experimentar el proceso de adaptación y arraigo que generalmente resultaba en un mejor conocimiento del Nuevo Mundo y hasta en entrañable apego a estas tierras. El *Claribalte*, empero, es ya indicio de la propensión de Oviedo a mezclar la historia con la ficción y la política. Más importante aún, es prueba de que entre España y las Indias no existía una infranqueable barrera a las corrientes literarias.

Si el *Claribalte* ha permanecido relativamente ignorado, no ha ocurrido lo mismo con dos obras suyas de verdadera proyección americana. Estas son el *Sumario de la natural historia de las Indias* (Toledo, 1526) y la *Historia general y natural de las Indias* (primera edición, Sevilla, 1535; nuevo texto, muy ampliado, publicado en cuatro tomos, Madrid, 1851-55). El *Sumario* lo escribió durante una corta estancia en España. En la dedicatoria al Emperador anuncia que, imitando a Plinio, "quiero yo, en esta breve suma, traer a la real memoria de Vuestra Majestad lo que he visto en vuestro imperio occidental de las Indias, islas y tierra firme del Mar Oceano". Su objetivo fue cabalmente cumplido. Siguiendo el modelo del naturalista latino describió al hombre americano y sus costumbres, y también las extrañas plantas y animales que había conocido en aquellas lejanas tierras. Sus sorprendentes descripciones, en una prosa sin artificios ni retoques, le ganaron el inmediato reconocimiento del Emperador y de un vasto público. El libro resultaba, en cierto modo, una nueva arca de Noé para la imaginación europea. Y para la historia de nuestras letras, el *Sumario* tiene un mérito no menor: ensanchaba el espacio narrativo abierto por Colón, y lo llenaba con exóticas imágenes de una flora y una fauna salidas de un mundo todavía ignoto. Daba a la emergente narrativa hispanoamericana lo que siglos después pediría Carpentier a nuestros novelistas: "Nombrarlo todo", todo lo que nos define, envuelve y circunda; todo lo que opera con energía de contexto, "para situarlo en lo universal".

La *Historia general y natural de las Indias* ha tenido resonancia aún mayor. Su inmediato éxito se debió en parte a las propias circunstancias del momento en que apareció. En 1535 sólo existía una historia del descubrimiento y conquista de América, y para eso en latín: las *Décadas del Nuevo Mundo,* de Pedro Mártir de Anglería. Terminadas, pero todavía inéditas, estaban, la *Vida del Almirante don Cristóbal Colón* por su hijo Fernando y la *Historia de la invención de las Indias* de Hernán Pérez de Oliva[9]. Y en cuanto a las *Historias de las Indias* de Las Casas, acabada dos décadas después, no se publicaría hasta 1875. La de Oviedo fue, pues, la primera en circular en español.

Por mucho tiempo se tuvo a la *Historia. . .* de Oviedo como la más amplia y autorizada sobre aquellos trascendentales sucesos. Su valor documental hoy ha mermado al comprobarse cuán inconfiables suelen ser algunos de sus testimonios. Unas veces oculta tanto como lo que expone: la captura y muerte de Caonabó, por ejemplo (lib. III, cap. 1)[10]. Otras veces se cubre de una falsa autoridad para opinar sobre cuestiones que desconoce: tal es su explicación del origen del vocablo *manatí* (lib. XIII, cap. 9)[11]. En ocasiones da por ciertos hechos que son puras lucubraciones suyas: alega en cuanto al descubrimiento: "Es verdad que estas tierras estaban olvidadas, pero [Colón] hallolas escritas e para mí no dudo haberse sabido e poseído antiguamente por los reyes de España" (lib. II, cap. 3)[12]. Y las imágenes que propala del indio antillano son deliberadamente tendenciosas. Por ejemplo:

> Esta gente de su natural es ociosa e viciosa e de poco trabajo, e melancólicos e cobardes, viles y mal inclinados, mentirosos e de poca memoria e de ninguna constancia. Muchos de ellos, por su pasatiempo, se mataron con ponzoña por no trabajar, y otros se ahorcaron por sus manos propias. . ." [lib. III, cap.6][13].

La dudosa objetividad de Oviedo puede igualmente documentarse en este otro pormenor, quizás de interés para los estudiosos de la antropología física:

> Tampoco tienen las cabezas como otras gentes, sino de tan recios e gruesos cascos que el principal aviso que los cristianos tienen cuando con ellos pelean e vienen a manos, es no darles cuchilladas en la cabeza, porque se rompen las espadas. Y así como tienen el casco grueso, así tienen el entendimiento bestial y mal inclinado [lib. V, proemio][14].

No obstante las inexactitudes y prejuicios de Oviedo, su *Historia*. . . constituye un ingente esfuerzo de tesón y perseverancia que, usada con la debida cautela, sirve de vasta fuente de información y consulta. Y es en la *Historia*. . . precisamente, donde aparecen sus principales aportes como narrador.

Igual que Las Casas y otros cronistas, Oviedo interpola en esa obra anécdotas, leyendas e imaginativos relatos que en conjunto pueden agruparse bajo el rótulo de narraciones. Una de esas narraciones es el episodio de Becerrillo y la india borinqueña (lib. XVI, cap. 11), que también fue contado por Las Casas[15]. Tal como es de esperarse, los respectivos puntos de vista resultan diametralmente opuestos. Consecuente con su ideología, para Oviedo el héroe es el perro. Centra el interés narrativo en el animal, lo describe con todos sus pelos y señales, se explaya en elogios del mastín y exalta su extraordinaria inteligencia. Y para ejemplificar el entendimiento sobrehumano —o sobreperruno— de Becerrillo, cuenta que al echarle al perro "una vieja india de las prisioneras", éste se llegó a ella, "e alzó una pierna e la meó". Y como no le hizo mayor mal, los cristianos lo tuvieron "por cosa del misterio".

Menos misterioso, pero más entretenido, es otro de los casos, "convinientes al discurso de la historia", que ocurrió en Tierra Firme (lib. XVII, cap. 24). Los conquistadores habían hecho algunas prisioneras. Pero las de este caso, "son tales que una india tomó a un bachiller, llamado Herrera, que quedaba solo con ella e atrás de otros compañeros, e asiole de los genitales y túvolo muy fatigado e rendido, e si acaso no pasaran otros cristianos que le socorrieran, la india le matara, puesto que él no quería haber parte en ella como libidinoso, sino que ella se quería libertar e huir". Lo que oculta el cronista son las intenciones del bachiller al quedarse en la retaguardia, a solas con la india, y las circunstancias que le permitieron a la india asir con tanto denuedo al casto bachiller. Obnubilado por sus prejuicios, para justificar la desairada postura del galán, Oviedo incurre en palmarias contradicciones. Y desaprovechó un asunto que se hubiera prestado para convertirlo en un jocundo cuento a la manera de Boccaccio.

Para no detenernos en minucias, examinemos a continuación el más celebrado de sus relatos. Es aquél en que narra la muerte de Salcedo (lib. XVI, cap. 8). Dice:

> Por las cosas que habían oído los indios de la isla de San Juan de la conquista y guerras pasadas en esta isla Española, e sabiendo, como sabían ellos, que esta isla es muy grande y que estaba muy poblada e llena de gente de los naturales della, creían que era imposible haberla sojuzgado los cristianos sino porque debían ser inmortales, e que por heridas ni otro desastre no podían morir; y que como habían venido de hacia donde el sol sale, así peleaban; que era gente celestial e hijos del sol, y que los indios no eran poderosos para los poder ofender. E como vieron que en la isla de San Juan ya se habían entrado y hecho señores de la isla, aunque en los cristianos no había sino hasta doscientas personas, pocas más o menos, que fuesen hombres para tomar armas, estaban determinados de no se dejar sojuzgar de tan pocos, e querían procurar su libertad y no servirlos; pero temíanlos e pensaban que eran inmortales.
>
> E juntados los señores de la isla en secreto, para disputar de esta materia, acordaron que antes que se moviesen a su rebelión, era bien experimentar primero aquesto, y salir de su duda, y hacer la experiencia en algún cristiano desmandado o que pudiesen haber aparte e solo. Y tomó cargo de saberlo un cacique llamado Urayoán, señor de la provincia de Yaguaca, el cual para ello tuvo esta manera.
>
> Acaesciose en su tierra un mancebo, que se llamaba Salcedo e pasaba a donde los cristianos estaban, y por manera de le hacer cortesía e ayudarle a llevar su ropa, envió este cacique con él quince o veinte indios, después que le hubo dado muy bien de comer e mostrándole mucho amor. El cual yendo seguro e muy obligado al cacique por el buen acogimiento, al pasar de un río que se dice Guarabo, que es a la parte occidental, y entra en la bahía en que agora está el pueblo e villa de San Germán, dijéronle: "Señor, ¿quieres que te pasemos, porque no te mojes?" Y él dijo que sí, e holgó de ello: que no debiera, siquiera porque, demás del peligro notorio en que caen los que confían de sus enemigos, se declaran los hombres que tal hacen, por de poca prudencia. Los indios le tomaron sobre sus hombros, para lo cual se escogieron los más recios y de más esfuerzo, y cuando fueron en la mitad del río, metiéronle debajo del agua y cargaron con él los que le pasaban e los que habían quedado mirándole, porque todos iban, para su muerte, de un acuerdo, e ahogáronle. Y después que estuvo muerto, sacáronle a la rivera y costa del río, e decíanle: "Señor Salcedo, levántate y perdónanos: que caímos contigo, e ire-

mos nuestro camino". E con estas preguntas e otras tales le tuvieron así tres días, hasta que olió mal, y aún hasta entonces ni creían que aquel estaba muerto ni que los cristianos morían.

Y desque se certificaron que eran mortales, por la forma que he dicho, hiciéronlo saber al cacique, el cual cada día enviaba otros indios a ver si se levantaba el Salcedo; e aún dudando si le decían verdad, él mismo quiso ir a lo ver, hasta tanto que pasados algunos días, le vieron mucho más dañado e podrido a aquel pecador. Y de allí tomaron atrevimiento e confianza para su rebelión, e pusieron en obra de matar los cristianos e alzarse y hacer lo que tengo dicho en los capítulos de suso.

Recuérdese que Oviedo nunca estuvo en la isla de San Juan y que los sucesos que narra habían ocurrido varios años antes de su llegada a las Indias. No expone un testimonio personal, sino que cuenta lo que le contaron que en Puerto Rico se contaba que habían contado los indios. Es decir, un cuento de cuentos que al pasar de boca en boca había sido alterado y conformado según las inclinaciones o los prejuicios de quienes lo contaban.

Esa es la informe materia narrativa que Oviedo recoge, organiza y configura imaginativamente. En el párrafo inicial amplifica el mito de la invencibilidad e inmortalidad de quienes épicamente describe como "gente celestial e hijos del sol". La reiteración de esos infundios le sirve no sólo de exordio al relato de un caso presuntamente histórico, sino que con ello procura propalar ideas contrarias a la realidad: desde 1493, los taínos de la Española habían comprobado que los pálidos invasores eran vulnerables a un lanzazo certero o a un macanazo bien asestado. El épico exordio es mito, ficción, pero no historia. Y su propósito va más allá de la mera función introductoria de la *narratio* clásica.

En el segundo párrafo Oviedo desarrolla la acción. Ahora se vale de todos los artificios que le brinda su imaginación para insinuar la duplicidad, ignorancia, perfidia y cobardía de los del bando contrario: los señores se juntan "en secreto", ignoran si los extranjeros son mortales, el cacique designado para que lo compruebe finge hospitalidad a la víctima, y para ejecutar el experimento no bastan ni tres ni diez sino "quince o veinte indios". De igual manera, para conferirle la irreprochable veracidad que exigía el discurso histórico, acuden a una estrategia narrativa de singular eficacia: consignar pormenores precisos y nombres reales de personas y lugares. El cacique elegido se llama Urayoán, es señor de la provincia de Yaguaca, la víctima se llama Salcedo y el hecho ocurre al vadear el río Guarabo, que "entra en la bahía en que agora está el pueblo e villa de San Germán". Y con el mismo tono de imperturbable veracidad inventa los discursos que pone en boca de los indios.

Concluida la acción, en el tercer párrafo cierra el relato extrayendo las debidas conclusiones. "Desque se certificaron que eran mortales [ . . . ] tomaron atrevimiento e confianza para su rebelión e pusieron en obra de matar los cristianos". Con lo cual gana a tal punto la simpatía del lector destinatario que apenas nos habíamos dado cuenta de que nos ha presentado la visión de un mundo al revés. Que los indios quisieran conservar su integridad de hombres libres es "atrevimiento", que buscaran expulsar de su tierra a los invasores es "rebelión" y "poner en obra de matar los cristianos", crimen contra Dios y los hombres. Si por más de cuatro siglos todo esto ha pasado por "historia verdadera", ello demuestra el éxito de Oviedo como creador de ficciones.

Consecuencia de tal éxito es la huella que esta narración ha dejado en las letras y en las artes plásticas de Europa y de América. A fines del siglo XVI se publicó en traducción alemana y la ilustró Theodor de Bry con un escelente grabado que representa los tres momentos de mayor dramaticidad: el instante de la caída al agua, el cuerpo exánime tendido junto al río y la posterior vigilia bajo los árboles[16]. Y en 1975, al parecer en traducción inglesa, se ilustra con una sugerente estampa en colores, obra de Jack e Irene Délano[17]. Y en cuanto a nuestras letras, baste mencionar que, además de reproducirse en casi todas las historias de Puerto Rico, ha servido de motivo tangencial en la novela *Isla cerrera,* de Manuel Méndez Ballester, y constituye el núcleo narrativo central del antológico cuento *Tres hombres junto al río,* de René Marqués. Sólo que como los tiempos ya son otros —aunque la amenaza es la misma–, Marqués vuelve el tema del revés al derecho: lo cuenta, no desde el punto de vista de un narrador omnisciente, defensor de la postura imperial, sino desde la perspectiva del joven, cacique borinqueño que protagoniza la acción. Y es esa voz en tercera persona la que refiere lo que ocurre mientras se vela al ahogado, y en monólogos interiores retrospectivamente declara las causas que han conducido al fatal desenlace. De modo que el ducho cronista en efecto fundó, con el episodio de la muerte de Salcedo, uno de los temas más fecundos de la narrativa antillana.

A manera de contraste exhumemos otro episodio, apenas conocido, en el cual Oviedo acude a experiencias propias y las cuenta desde el punto de vista del narrador testigo (lib. VI, cap. 41). Dice así:

> Estando yo por capitán e justicia en la ciudad de Santa María de la Antigua del Darién, el cacique de Vea e sus indios mataron al capitán Martín de Murga, a quien estaban encomendados e le servían, e sobre seguro e buena amistad fingida, así al capitán como a otros cristianos, los mataron estando comiendo, habiéndoles mostrado mucho amor e hécholes buen acogimiento. E desde a pocos días se rebeló otro cacique de la comarca, llamado Guaturo, e se confederó con los malhechores, e tenían acordado de venir sobre aquella ciudad, e quemarla e matar a todos los cristianos que allí vivíamos.
>
> Este cacique de Guaturo tenía un capitán que se llamaba Gonzalo, y era bautizado, aunque no de buena voluntad, según pareció por el odio que en su pecho tenía con el nombre cristiano; pero era muy valiente, e el cacique no hacía más, ni su gente toda, de lo que este capitán Gonzalo quería e mandaba. Y como yo tuve noticia de su rebelión, salí a buscarlos, como más largamente se dirá en la segunda parte, en el libro XXIX, capítulo 16. Y dime tal recaudo, que los pren-

dí con parte de su gente en una sierra muy áspera donde estaban alzados. E en un monte que llaman el cerro de Buenavista fue ahorcado aquel capitán Gonzalo, porque era en un paso, e cerca de las lagunas de Vea, donde habían muerto al capitán Martín de Murga e otros españoles que con él padecieron.

Y al tiempo que se estaba fijando la horca, la mujer de aquel capitán Gonzalo, con muchas lágrimas, me estuvo rogando que ahorcase a ella y perdonase a su marido. Y desque vido que yo negué su petición e la justicia se ejecutó en él, comenzó a me rogar e importunar mucho, e dijo que, pues no había querido hacer lo que me había pedido, que a lo menos le concediese que en la misma horca quedase ella con su marido ahorcada de la una parte, e que de la otra pusiesen dos hijos que tenían, muchachos de ocho hasta diez años, e que a par de ella se pusiese colgada una niña de cinco o seis años, su hija. E como vido que yo respondí que no se había de hacer, e que ella ni sus hijos no tenían culpa ni habían hecho por que muriesen [ . . . ] ni les fuese hecho mal, cesaron sus lágrimas e limpiose los ojos e dijo:

—Capitán, sábete que yo consejé a mi marido que hiciese rebelar al cacique y que matase a todos los cristianos, y que yo tengo más culpa que todos, e mi marido en todo se consejaba conmigo e no hacía más de lo que yo le decía.

Y como su deseo era morir e no querer vida sin su marido, e conoscí que ella se levantaba aquello por cumplir su deseo e dar al diablo su ánima, no quise venir en aquellos partidos, e proseguí mi camino dando la vuelta para el Darién donde se hizo la misma justicia del cacique, con lo cual se aseguró la provincia. Pero es de notar que después que aquella mujer vido que no pudo conseguir sus peticiones, tornó a sus lágrimas primeras; e visto que los indios de aquella entrada yo los mandé repartir entre los españoles que en esto se hallaron, como se dio cargo a dos hidalgos que hiciesen el repartimiento, cupo la india e su hija a un compañero e los muchachos sus hijos a otros, entonces la madre, dando gritos, vino a mí e me dijo estas palabras:

—Tú, señor, ¿no me dijiste que yo ni mis hijos no teníamos culpa? Pues si eso es así, ¿por qué me quitas mis hijos e los das a otros e los apartas de mí?

Entonces yo tuve forma como ella e sus hijos e hija quedasen con un dueño y en un buen vecino de aquella ciudad, porque fuesen bien tratados.

Conste que Oviedo ha interpolado esta narración en un capítulo cuyo propósito explícito es entretener al lector, y por ello anuncia en el título: "En el cual se trata un caso notable del amor que una india tuvo a su marido [ . . . ] y pónense otras comparaciones del amor excesivo que unas personas han mostrado por otras". Hagamos, empero, una lectura menos entretenida que la esperada por el autor, y preguntémonos: si al principio los indios estuvieron anuentes a recibir el bautismo y servir a los cristianos, ¿qué les llevó a sublevarse y huir a lo más remoto de la sierra? No sería, desde luego, porque los cristianos les habían "mostrado mucho amor". Cuando afirma que los fugitivos: "tenían acordado de venir sobre aquella ciudad, e quemarla e matar a todos los cristianos", ¿quién bajó de la sierra a contárselo? ¿O serían rumores, inventados por no se sabe quién, para justificar los consiguientes eventos? Y si la viuda e hijos del cacique no tenían culpa alguna, ¿por qué fueron repartidos como bestias de trabajo?

Sean cuales fueren las respuestas que estas preguntas susciten, lo cierto es que la verdadera protagonista del relato es la pobre india a quien le ahorcan al marido, la separan de sus hijos y luego, por gran clemencia, los reúnen para sumirlos en servidumbre perpetua. Ufanarse de tal comportamiento es mirar los hechos a través de anteojos invertidos que restan grandeza a la acción trágica. Y resulta paradójico que la lectura que el autor daba por entretenida a otros les parezca de repulsiva crueldad. De modo que Oviedo, condicionado por su ahora innegable "oficio del hierro de los esclavos e indios", apenas se percató del patetismo de la figura de la esposa y madre, de la fuerza de sus vehementes súplicas y el denuedo con que le increpa su estólido proceder. Ni se dio plena cuenta de que ha pasado de narrador ominisciente a relator inconfiable. O que se pinta a sí mismo, no como gallardo capitán, sino como apologista de la esclavitud y de la expoliación del hombre americano.

Otros lectores habrá que difieran de esta lectura. Es natural. En todo caso, sirva esta narración para precisar el sentido que entonces se le daba a "alzarse", "ejecutar justicia", "asegurar" la tierra, hacer "entrada a indios" y "repartir" los prisioneros. Porque esos términos reaparecerán, comentados con cristiana entereza, en la obra de un humanista de Alcalá a quien más adelante estudiaremos.

El grueso de la obra narrativa de Oviedo no se halla, empero, en los dispersos episodios que intercala en la *Historia general y natural de las Indias.* Lo constituye la serie de sucesos con que la cierra, en extenso libro aparte. En el quincuagésimo de la edición ampliada, y con justificada razón lo titula *Infortunios e naufragios acaecidos en los mares de las Indias, islas y tierra firme del mar Oceano.* Desde el proemio explica que los narra tanto porque

> . . .son cosas para oír e notarse, como porque los hombres sepan con cuántos peligros andan acompañados los que navegan. E si los que yo no he sabido ni aquí se escriben todos se hubiesen de decir, sería uno de los mayores tratados que en el mundo están escritos.

El tema era, en efecto, de singular interés en la España de entonces. Recuérdese el éxito de Alvar Núñez Cabeza de Vaca al contar su odisea en el libro que también había titulado *Naufragios.* Y en el ámbito de la pura ficción, de esa época data el redescubrimiento y traducción de *Teágenes y Cariclea,* la novela bizantina de viajes y aventuras —e infortunios y naufragios— que tan hondas huellas dejaría en las letras peninsulares. Y volviendo a América, por las transitadas rutas del Mar Caribe navegarían luego, entre tormentas y naufragios, la fantasía de José de Acosta y del Inca Garcilaso. El momento, en verdad, no podía ser más propicio.

Sospecho que a Oviedo le movía, además, otro objetivo. Los peligros a que se exponían los que pasaban a las Indias le servirían para justificar que después disfrutasen de tierras y servidores, de prebendas y riquezas. No sin causa comienza, pues, por relatar en el proemio sus padecimientos en dos de sus viajes. Del primero refiere que la travesía de Santa Marta a la isla Española la hizo en una pequeña carabela suya,

> la cual estaba tan comida de la broma que nos anegábamos los que en ella íbamos, e con las camisas que teníamos íbamos atapando algunos agujeros por donde entraba el agua; e hacía tanto viento e mar, que nos cubrían muchas veces las ondas. Finalmente, nos vimos en tanto peligro, que de hora en hora esperábamos la muerte; e yo más que otro, porque además de lo que he dicho, iba muy enfermo: tanto que queriendo un marinero aprovecharse de un serón de esparto, que allí estaba debajo de un colchón en que yo iba echado, le dijo un criado mío:
> —No tomés el serón, que ya veis que el capitán está muriéndose, e muerto, no hay otro en que envolverlo y echarlo a la mar.
> Lo cual yo oí y entendí muy bien, e asenteme en la cama enojado con mi criado, e dije:
> —Sacá ese serón de ahí e dáselo a ese hombre: que no tengo de morir en la mar, ni querrá Dios que me falte sepultura en su sagrada iglesia.

Del otro viaje cuenta que sufrió asimismo grandes padecimientos, pues tardó casi cinco meses en ir de Nicaragua a Panamá. Y añade:

> Pero dejado esto aparte, que es común lo que por mí ha pasado e cosas cuasi ordinarias a los que navegan e cursan la mar, pasemos a otras mayores e particulares, que cada una de ellas es miraculosa, e para mucho loar a Dios los que tales naufragios oyeren o leyeren [ . . . ] como se verá y parece por los ejemplos y capítulos siguientes.

Al llamarlos "ejemplos" ¿pensaba acaso en los de *El Conde Lucanor* y otros textos medievales? ¿Se proponía, con mentalidad y gustos medievales, inscribirlos en aquella tradición y ganar con ellos un sitio perdurable en la narrativa hispánica? Lo cierto es que les concede tal importancia a estos ejemplos que los once de este libro en la edición de 1535 se aumentaron a treinta en la versión de 1547.

Los treinta ejemplos son variantes de un mismo modelo catastrófico. Hay en ellos huracanes, carabelas batidas por olas inmensas, naos que se destrozan entre arrecifes, incendios a bordo que se extinguen cuando mayor es el peligro e intervenciones de seres divinos que realizan espectaculares salvamentos.

En uno de los referidos ejemplos (el IX), los personajes protagónicos son dos mujeres, quienes con sus oraciones logran que cada vez que estaban al parecer "cuasi anegados, otras tantas la Madre de Dios los sacó de debajo del agua". Y los que con ellas iban, luego contaban que

. . .vieron diablos muy fieros e espantables puestos en la proa e popa de la nao, e oyeron en el aire que decía uno de ellos: "Turce la vía"; como que debiera otro tal estar sobre el timón e gobernalle, dando estorbo a la salvación de aquella gente para que se anegasen. El cual respondió: "No puedo". Y desde a poco oyeron otra voz que decía: "Echala a fondo, anégala". Respondió otra voz diciendo: "No puedo, no puedo". E tornó a replicar el que parecía que mandaba:

"¿Por qué no puedes?" E aquella maldita voz dijo: "No puedo, que va aquí la de Guadalupe".

Entonces fue tan grande el alarido e lágrimas de todos aquellos pecadores cristianos, llamando a Nuestra Señora de Guadalupe y encomendándose a ella, que pareció que abrían el aire e llegaban al cielo sus clamores. E así fue ello: porque en aquel paso iba el navío ya muy cerca de tierra, o junto a ella, pensando todos que se había de hacer mil pedazos en aquella costa brava. E vino una ola muy sin comparación alta e mayor que las otras, e por encima de los roquedos de la costa brava levantó la carabela e la echó en tierra más de cien pasos fuera del agua, sin que persona de todos los que en el navío estaban peligrase ni muriese.

Otro de los ejemplos (el X) es aún más dilatado y lleno de peripecias. El éxito a que aspiraba Oviedo puede colegirse del título que le dio. Dice así:

Cómo el licenciado Alonso Zuazo se perdió en las islas de los Alacranes con una carabela en que iban hasta cincuenta e cinco o sesenta personas, e de las cuales milagrosamente escaparon con él diez e siete; e de muchas cosas que en ese viaje e naufragio acontecieron. El cual capítulo, por quitar cansancio a los que le leyeren, terná treinta e nueve párrafos o partes.

En efecto, navegaban de Cuba a México cuando les sorprende una espantosa tempestad. Arrastrada por los vientos, la carabela se destroza contra unos arrecifes y perecen muchos de los viajeros. Al amainar el viento y sosegarse las olas, los sobrevivientes se hallan sobre unas peñas, desprovistos de todo. Semienterrada en la arena descubren una canoa con la cual cruzan a una de las islas. Cazan allí lobos marinos cuya sangre beben para calmar la sed y cuya carne, cruda, les sirve de sustento. Luego vuelcan cinco grandes tortugas, de las cuales beben y comen de la misma manera. Pasado algún tiempo, cruzan a la próxima isleta y descubren un criadero de miles de aves marinas, y de sus huevos y carne se nutren. Recordando el licenciado la manera en que los indios hacían fuego, frota unos leños y obtiene lumbre para cocer los alimentos. Pero seguían careciendo de agua potable. Después de muchos días una niña tiene una visión: "a ella había venido una señora anciana, muy resplandeciente como el sol [ . . . ] e le dijo que era Santa Ana, madre de la Madre de Dios" y que le anunciara al licenciado que pasease "a la otra isla que parece a la banda del poniente e que allí yo le daré agua que se pueda beber". Cruzan en la canoa, plantan una cruz, y al cavar brota una fuente de agua dulce. Teniendo ya "lumbre y agua y de aquellas tortugas e huevos e aves", cobran nuevas fuerzas, recogen los restos de la destrozada carabela y comienzan la construcción de un barquichuelo. Un día el licenciado preguntó "a los hombres de la mar que allí había si sería posible tomar algún tiburón de los muchos que andaban en torno de la isleta". Ello da a Oviedo la oportunidad de narrar la consiguiente proeza de Zuazo: metido en el agua, con un garfio hecho de un pedazo de metal pescó uno de aquellos "fieros animales". Arrastrado a tierra, resultó ser hembra, "e sacáronle del vientre treinta e cinco tiburoncillos", los cuales sirvieron de "muy buen manjar". Al fin terminan el barquichuelo, parten en él tres hombres y un muchacho, arriban a Nueva España, Cortés les proporciona otra carabela, vuelven a las islas de los Alacranes y salvan a los que allí habían quedado.

Sería presuntuoso querer fijar los límites entre lo que pueda haber de historia y lo que hay de fantasía tanto en este ejemplo como en los demás. Lo que realmente nos interesa son los resultados de su esfuerzo creador: la selección de los acontecimientos, la secuencia y sentido al articularlos en el texto, los elementos descriptivos que aprovecha a manera de materia aglutinante y los diálogos que inventa a fin de lograr mayor animación —diálogos que van desde el desplante colérico con su criado por el asunto del serón hasta las diabólicas voces que se escuchan por sobre el fragor de la tempestad. Estos intentos, empero, no alcanzaron la meta deseada. Si alguna que otra vez aparece una frase feliz o logra momentos de expectación, por lo general el desarrollo es monótono y el estilo prolijo, incoloro y lleno de repeticiones. Le faltaba a Oviedo el asombro de Colón, la ternura de Pané, la compasión y la ira de Las Casas. Pero cabe asimismo destacar que si los ejemplos en los que tanto confiaba no han tenido la difusión del episodio de Salcedo o el patetismo del caso de la mujer del cacique Gonzalo, con ellos llevaba hacia rumbos inéditos el tema de los naufragios iniciado por Colón y lo enriquecía con motivos inusitados. Es Oviedo, por ejemplo, quien instaura el de los temidos tiburones. Ese motivo, como es sabido, da pie a un episodio de la *Sonata de estío*, la bien lograda aventura americanista de Valle-Inclán. Y reaparece en narraciones caribeñas tales como *La agonía de "La Garza"* de Jesús Castellanos, *Aletas de tiburón* de Enrique Serpa *y Relato de un náufrago* de Gabriel García Márquez. Desconocer sus empeños pioneros sería patente injusticia, como injusto sería ver sólo sus flaquezas e ignorar sus méritos. De los modestos oficios que desempeñó a su llegada a América, su tesón lo llevó a ocupar cargos de importancia en la jerarquizada sociedad colonial. Tenaz defensor de la conquista, hacia el fin de su vida llegó a preguntarse qué derecho había para avasallar al indio y reconoció que la codicia y el afán de lucro eran los males que desde dentro corrompían al imperio[18]. Y su libro de caballerías, los episodios que intercaló en su *Historia...* y los relatos de naufragios con que la concluyó evidencian su persistente designio de alcanzar un lugar perdurable en la narrativa hispánica.

# NOTAS

[1] Pedro Henríquez Ureña: *Plenitud de España,* Buenos Aires, Editorial Losada, 1940, p. 40.

[2] Sobre lo que Oviedo fue y lo que pretendió haber sido véase la fundamental monografía de José de la Peña y Cámara: "Contribuciones documentales y críticas para una biografía de Gonzalo Fernández de Oviedo", *Revista de Indias,* año XVII, Nº 69-70, julio-diciembre 1957, p. 603-705. Recoge algunos de los nuevos datos Juan Pérez de Tudela Bueso en el estudio preliminar de la edición de la *Historia general y natural,* Madrid, Ediciones Atlas, 1959, I, VII-CLXXV.

[3] El documento está citado en la monografía de Peña y Cámara, p. 691, y también en Pérez de Tudela, p. XLVI-XLVII, con otros pertinentes documentos.

[4] La bibliografía completa, y el lugar donde se hallan los manuscritos respectivos, aparece en Pérez de Tudela, p. CLXXI-CLXXIII.

[5] Cito por la edición facsímil: Madrid, Real Academia Española, 1956, Prólogo, fol II. He resuelto las abreviaturas modernizando la grafía y salvado la errata accidental por occidental. De paso, obsérvese la destreza de Oviedo para ocultar cuáles fueron sus otras funciones además de las de veedor de minas.

[6] Raymond Turner: "Oviedo's *Claribalte:* The First American Nobel", *Romance Notes,* VI, 1964, p. 65-68. La misma declaración de Oviedo ha de tomarse con cierta reserva. Como bien ha observado Antonello Gerbi, "nella seconda parte del romanzo sono cosi frequenti i toponimi geografici di localita vistate da Oviedo nel 1516 che sembre estremamente verisimile lo abbia scritto dopo quel suo viaggio nelle Fiandre": *La natura delle Indie Nove,* Milano, Napoli, Riccardo Ricciardi editore, 1975, o. 289-90.

[7] En cuanto a las circunstancias políticas europeas en el momento de redactarse el *Claribalte,* así como su reflejo en el texto, véase el acucioso estudio de Juan Bautista Avalle Arce: "El novelista Gonzalo Fernández de Oviedo y Valdés, alias de Sobrepeña", en Andrew P. Debicki y Enrique Pupo-Walker, eds., *Estudios de literatura hispanoamericana...* Chapel Hill, North Carolina Studies in Romance Languages and Literatures, 1974, p. 23-35.

[8] Alejo Carpentier: "Problemática de la actual novela latinoamericana", en *Tientos y diferencias,* Montevideo, Editorial Arca, 1967, p. 37.

[9] La de Fernando se publicó, en traducción italiana, en Venecia, 1571, y nada ha vuelto a saberse del texto original en español. El manuscrito de la de Pérez de Oliva también se extravió por estos mismos años, y no se ha recobrado hasta el siglo XX. He publicado la edición crítica de dicho texto en Bogotá, Instituto Caro y Cuervo, 1965.

[10] En contraste con el extenso relato de Las Casas, lo que Oviedo refiere es breve y ambiguo: "Fue preso Caonabó con mucha parte de los suyos principales; puesto que se dijo que Hojeda no le había guardado la seguridad que el cacique decía que le fue prometida, o no lo habiendo entendido [ ... ] Después que este cacique o rey fue preso y su hermano, acordó el adelantado don Bartolomé de lo enviar a España con otros indios [ ... ] En dos carabelas que estaban puestas para España mandó el Adelantado que los llevasen; pero así como Caonabó e su hermano supieron que habían de ir al Rey e a la Reina Católicos, el hermano se murió desde a pocos días, y el Caonabó, entrado en la mar, desde a pocas jornadas que navegaron también se murió; y de esta manera quedó pacificada toda la tierra de este Caonabó por los cristianos".

[11] Cf. "Manatí: el testimonio de los cronistas y la cuestión de su etimología", en mis *Estudios de lexicología antillana,* La Habana, Casa de las Américas, 1980, p. 63-71.

[12] Tales afirmaciones llevaron a Las Casas a llamarlo "el primero imaginador de esta sotileza" (*Historia de las Indias,* lib. I, cap. 15).

[13] Sobre la causa de estos suicidios fray Diego de Córdoba escribe al Rey desde Santo Domingo: "Por los quales males y duros trabajos los mismos indios escogían y han escogido de se matar, escogiendo antes la muerte que tan extraños trabajos, que vez ha venido de matarse cientos juntos por no estar debajo de tan dura servidumbre" (*Colección de documentos inéditos de Ultramar,* 1a. ser. tomo XI, Madrid, 1869, p. 218). Y Las Casas reitera en cuanto a los de Cuba: "Después que todos los indios de la tierra de esta isla fueron puestos en la servidumbre y calamidad de los de Española, viéndose morir y perecer sin remedio todos, comenzaron unos a huir a los montes, otros a ahorcarse de desesperados. Y ahorcábanse maridos y mujeres y consigo ahorcaban los hijos" (*Brevíssima relación de la destruyción de las Indias,* Sevilla, Sebastián Trugillo, 1552. fol. b. IIII). A los que se escapaban a los montes y arcabucos, al principio se le llama *huidos, alzados, fugitivos o rebeldes.* Luego, adoptando un término indoantillano, *cimarrones.*

[14] En 1526 Oviedo suministraba observaciones aún más precisas. Dice: "También me ocurre una cosa que he mirado muchas veces en estos indios, y es que tienen el casco de la cabeza más grueso cuatro veces que los cristianos" (*Sumario,* cap. X).

[15] Ver: "Bartolomé de las Casas, iniciador de la narrativa de protesta", *Revista de Crítica Literaria Latinoamericana,* Lima, año VII, Nº 16, 1982, p. 27-39.

[16] Theodor de Bry: *América,* vol. I, parts. 1-3, Frankfurt, 1590-1593, lam. V.

[17] Gonzalo Fernández de Oviedo: *The Conquest and Settlement of the Island of Puerto Rico. . .* Translated and edited by Daymond Turner. Ilustrated by Jack and Irene Délano. Avon Connecticut, Limited Editions Club, 1975, entre las p. 38 y 39.

[18] Alberto Salas: "Fernández de Oviedo, crítico de la conquista y de los conquistadores", *Cuadernos Americanos,* año XIII, vol. 74, Nº 2, marzo-abril 1954, p. 160-70. Juan Pérez de Tudela Bueso también comenta el significativo cambio operado en Oviedo en las postrimerías de su vida, y concluye: "He aquí, pues, en lo que realmente ha venido a parar el trompetero de las glorias imperialistas de su nación, después que el patriotismo se ha decantado en él de la soberbia y del instinto de provecho comunitario". (En el "Estudio preliminar", a la referida edición de la *Historia,* p. CLV).

JAIME CONCHA

# OBSERVACIONES ACERCA DE *LA ARAUCANA**

> *Nunca el hablar dejó de dar indicio.*
> *Ni el callar descubrió jamás secreto.*
> XVII, 3

LA GRANDEZA DE LA POESÍA épica reside en la vastedad del mundo contemplado. La visión asombrada de la naturaleza que impera en el rapsoda primitivo y el enérgico movimiento de los esfuerzos humanos pierden espontaneidad en una epopeya culta como *La Araucana*. En ella se percibe un desgarramiento entre lo impresionante del asunto y una forma, que por lo fija y convencional es incapaz de adoptar el tono y la movilidad que aquél demanda. La rebeldía araucana, hostil a toda realeza, se resiste a dejarse apresar en el molde estrecho de las octavas reales, nacidas para otros menesteres. De esta repulsión mutua entre el asunto y una forma que le queda indefectiblemente externa, proviene la mayor parte de las claudicaciones estéticas de la obra. Señalarlas y meditarlas, sería el paso necesario para una justa valoración de esta epopeya. De hecho, la influencia ejercida por ella en la formación del espíritu nacional ha impedido casi siempre su jerarquización estética objetiva. El enfoque crítico parece permanecer obnubilado ante los arquetipos heroicos creados por la epopeya, precisamente porque ellos desde la Independencia, han sido interpretados como veraces símbolos de los valores de la raza. En este sentido, la estela educativa de *La Araucana* puede compararse al influjo de los poemas homéricos sobre el hombre griego, según lo ha puesto de relieve Jäger. Mutatis mutandis, desde luego, y salvaguardando las justas proporciones.

A este explicable impedimento para el enjuiciamiento de *La Araucana* como obra literaria de un género determinado, debe sumarse la ausencia de un efectivo análisis de su estructura. Ni siquiera los elementos mínimos del contenido han sido precisados. El tema y el asunto, desde luego, son evidentes; pero hay motivos y *leit motiv* que no muestran a

---

* *Estudios Filológicos*, núm. 1 (1964), pp. 63-79.

simple vista su existencia. Y es claro que sólo una vez que estén bien determinados los componentes de que hablamos, será posible justipreciarla con un criterio intrínseco, dentro del campo mismo de su proyecto épico. El trabajo que sigue tiene este modesto designio.

1. El verdadero inicio de la acción épica debe fijarse en el final del Canto I. Siguiendo una ordenación común a las epopeyas tradicionales, Ercilla dedica lo grueso del cuerpo de este Canto a propósitos introductorios e informativos, con un claro predominio de la vena descriptiva.

Recordemos, en primer término, que el comienzo de la narración propiamente tal da ya por supuesta la sumisión de los araucanos, pues se parte del hecho de que la dominación establecida por Valdivia ha quedado definitivamente asentada[1]. Conviene sopesar este factor, que no es de ningún modo usual en la concepción del plan épico. En efecto, la pugna entre las fuerzas beligerantes se la ha narrado siempre en un marco de relativo equilibrio, por lo menos inicial. Esto parece indispensable para que cobre un justo dinamismo la acción de la epopeya, que es, esencialmente, energía de superación. La disidencia de *La Araucana* a esta norma anticipa inmediatamente que la responsabilidad de desatar el proceso bélico no recaerá en los españoles, ni su empresa constituirá el impulso épico primordial; antes bien, el estado de cosas favorece y determina la tensión heroica del pueblo aborigen.

Sin embargo, el poeta da algunos antecedentes que explican la circunstancia preliminar descrita, ya que el "motivo" que provoca la insólita obediencia de los indios consiste en lo que en la obra se llama "ignorante engaño":

> *Ayudó mucho el ignorante engaño*
> *de ver en animales corregidos*
> *hombres que por milagro y caso extraño*
> *de la región celeste eran venidos:*
> *y del súbito estruendo y grave daño*
> *de los tiros de pólvora sentidos,*
> *como a inmortales dioses los temían,*
> *que con ardientes rayos combatían*[2].

Es, pues, la condición híbrida de los conquistadores (su aspecto de hombres y caballos, a la vez) y el uso de la pólvora lo que produjo la primitiva subordinación de Arauco. Pero retengamos lo siguiente: a lo menos para los ojos de los espantados y supersticiosos aborígenes, los invasores se les aparecen como "dioses inmortales", como proviniendo "de la región celeste". De este modo, éstos llegan apoyados en una altísima autoridad, por cuanto, para la mirada india, su lugar de origen no es España, sino el cielo.

Esta situación de dominación absoluta se rompe, sin embargo. Y es aquí donde debemos ubicar la instauración efectiva del proceso narrativo. Es éste, a nuestro juicio, el motivo central (e inicial, al mismo tiempo) que abre las puertas a todo el largo desarrollo posterior. Podemos desglosar el motivo en los siguientes rasgos:

a) la prevaricación de los españoles, y especialmente de su jefe, Pedro de Valdivia, al dejarse atrapar en las redes de la codicia:

> *Crecían los intereses y malicia,*
> *a costa del sudor y daño ajeno,*
> *y la hambrienta y mísera codicia*
> *con libertad paciendo iba sin freno. . .*[3]

Aquí se ve ya insinuarse, o mejor apersonarse en todo su tamaño, el lascasismo ercillesco, pues la visión de las relaciones entre invasores e indígenas como regidas por la codicia se inspira, sin duda, en Las Casas y en sus escritos. Parece fácil suponer que el poeta conociera la Brevísima Relación y que se impusiera de la controversia de Valladolid entre el dominico y Juan Ginés de Sepúlveda[4].

b) el castigo que emprende Dios de la falta de los conquistadores:

> *pero el Padre del Cielo soberano*
> *atajó este camino, permitiendo*
> *que aquél a quien él mismo puso el yugo*
> *fuese el cuchillo y áspero verdugo*[5].

Tenemos, entonces, que la potencia soberana que rige los destinos de los hombres elige, para castigar el pecado español, a los mismos subyugados, los cuales pasan a ser, de ahí en adelante, instrumentos providenciales de la voluntad divina.

Vale la pena fijarse en esto, por cuanto sólo unas estrofas antes Ercilla ha visto a los araucanos como representantes de Lucifer, en una suerte de teología ad hoc que traduce en un plano sobrenatural el conflicto entre los dos pueblos[6].

> *Gente es sin Dios ni ley, aunque respeta*
> *a aquél que fue del cielo derribado,*
> *que como a poderoso y gran profeta*
> *es siempre en sus cantares celebrado*[7].

c) el modo concreto como se empieza a producir el castigo de los españoles por manos indias es el descubrimiento de su error:

> *Por dioses, como dije, eran tenidos*
> *de los indios los nuestros; pero olieron*
> *que de mujer y hombre eran nacidos*
> *y todas sus flaquezas entendieron:*
> *viéndolos a miserias sometidos,*
> *el error ignorante conocieron,*
> *ardiendo en viva rabia avergonzados*
> *por verse de mortales conquistados*[8].

506

2. Se hace necesario describir con amplitud las consecuencias que en el mundo heroico de la obra determina el planteamiento lascasiano. El cambio anotado en el esquema teológico no se detiene en eso. Produce una inversión absoluta en la perspectiva sobre el español, a la par que una plena valoración del indígena no calcada, desde luego, en la imagen de inocencia auténticamente lascasiana, sino de acuerdo con los patrones épicos vigentes.

La positiva dimensión heroica de los araucanos se abre con el conocido pasaje del Canto II, en que Caupolicán participa y triunfa en la prueba del madero. Como se sabe, el adalid indio aparece como un paradigma humano, tanto por su fuerza física como por su fortaleza moral; casi con las dotes de un estadista y de un estratego[9]. Este realzamiento del personaje se extrema deliberadamente con la designación evangélica dada a Cristo

*varón de autoridad*[10].

La presentación heroica de Caupolicán, como figura señera del bando araucano, debe ser contrastada con la subestimación de Valdivia:

*Valdivia, perezoso y negligente,*
*incrédulo, remiso y descuidado,*
*hizo en la Concepción copia de gente,*
*más que en ella, en su dicha confiado...*[11]

*A Valdivia mirad, de pobre infante*
*si era poco el estado que tenía,*
*cincuenta mil vasallos que delante*
*le ofrecen doce varas de oro al día:*
*esto y aún mucho más no era bastante,*
*y así la hambre allí lo detenía;*
*codicia fue ocasión de tanta guerra*
*y perdición total de aquesta tierra*[12].

Esta subestimación no es esporádica; se prolonga a lo largo de todo el Canto III, hasta el momento de la muerte del conquistador español. A la pereza y codicia ya indicadas, se agrega luego la cobardía, manifiesta en tres momentos:

a) el temor a la muerte que lo asalta en su expedición a Tucapel:

*sólo Valdivia calla y teme al punto*[13].

*Valdivia, de la réplica sentido*
*enmudeció de rabia y de corrido*[14].

b) cuando se fuga, en compañía de un clérigo:

*Sólo quedó Valdivia acompañado*
*de un clérigo que a caso allí venía:*
*y viendo así su campo destrozado,*

*el mal remedio y poca compañía,*
*dijo: "Pues pelear es excusado,*
*procuremos vivir por otra vía".*
*Pica en esto el caballo a toda prisa*
*tras él corriendo el clérigo de misa*[15].

c) en el momento de su prisión, en que suplica humildemente a sus aprehensores:

*Valdivia, como mísero cautivo,*
*responde y pide, humilde y obediente,*
*que no le dé la muerte, y que le jura*
*dejar libre la tierra, en paz segura*[16].

Lo importante es que esta visión negativa de Valdivia se hace extensiva a todos los españoles. En el instante en que Valdivia manifiesta un temor interior, varios jóvenes soldados hacen gala de su valor. Pero su actitud la ve Ercilla a esta luz desfavorable:

*La poca edad y menos experiencia*
*de los mozos livianos que allí había*
*descubrió con la usada inadvertencia*
*a tal tiempo su necia valentía* [ . . . ][17].

Como es visible, la condenación es total: se censura la cobardía de uno, y la valentía de los otros se califica de "necia"[18]. La extremación irónica de lo que describimos puede observarse en el episodio en que las mujeres indias persiguen y hacen huir a terribles guerreros españoles. ¡Difícilmente cabría imaginar un escarnio más intenso![19] Si a este menosprecio general del partido español, se contrapone el simultáneo desempeño heroico del joven Lautaro, que se resuelve a luchar contra sus amos

*del amor de su patria conmovido,*

tendremos claro el cuadro de preferencias y oposiciones dentro del mundo humano de Ercilla.

3. Al desglosar los rasgos del motivo principal en la estructura de la obra, señalábamos la existencia del elemento providencialista. Esto no es extraño, si se tiene en cuenta que uno de los componentes estructurales de mayor constancia histórica del género es esa voluntad soberana que rige el acontecer humano, a los héroes y a sus acciones. La proyección de la voluntad divina en la esfera de lo terreno es lo que aquí, en *La Araucana*, corresponde a la Providencia. Lo que sí es extraño, sin embargo, es que poco después de la primera irrupción providencial, ya descrita (Canto I, pág. 17: ver arriba, p. 4), el Canto II de la epopeya se inicie con una meditación filosófico–moral sobre la Fortuna[20].

En efecto, no se trata de una presión momentánea del tópico de las "mundanzas de la Fortuna", lo cual podría justificar la evidente contradicción entre esa diosa ciega, de origen pagano, con la Providencia cristiana, apenas un poco antes aludida. Todo lo contrario: Ercilla va a desarrollar sostenidamente esta dualidad destinal, en una suerte de vaivén o movimiento pendular entre el Destino pagano o Fortuna y el Destino cristiano o Providencia[21]. Así las cosas, no se trata de una ambigüedad[22], que podría tener su explicación en el hecho de que Ercilla no logra conciliar en una síntesis superior el cristianismo suyo y de su tiempo y su paganismo literario. Lo que sucede es que el poeta establece deliberadamente una doble ley metafísica para el mundo narrado, asignando a cada una significación diversa. Detengámonos aquí.

Puede reconocerse en el episodio del fin de Lautaro uno de los escasos aciertos de Ercilla en configurar una situación humana dotada de fuerza patética. Su dramatismo es auténtico. Por lo conocido del episodio, nos circunscribimos a recordar su composición estructural: el tema amoroso, que aparece por primera vez en la obra, y el motivo del presentimiento trágico a través del sueño[23]. Desde el punto de vista de la técnica, este motivo genera el procedimiento de la anticipación épica. Para que se pueda *presentir* lo inminente, o para que se pueda *prever* algo, es necesario, sin embargo, que exista una firme legalidad en la sucesión de los hechos humanos que se narran. La anticipación épica descansa y se funda, por tanto, en la vertebración metafísica del mundo. Y esto aparece enunciado, precisamente, en el instante mismo de la muerte de Lautaro:

> *Oh pérfida fortuna, oh inconstante,*
> *cómo llevas tu fin por punto crudo,*
> *que el bien de tantos años en un punto*
> *de un golpe lo arrebatas todo junto[24].*

Retengamos entonces el papel que ha jugado en este episodio la Fortuna: como siempre, una función de fatalidad, de destino trágico. La Fortuna señala los momentos de desgracia en la vida de los seres humanos[25].

Caso totalmente distinto es el de la muerte de Caupolicán (Canto XXXIV) quien, a pesar de su continente y serenidad de ánimo, es condenado a ser empalado. Su prisión y su muerte se atribuyen al poder de la Fortuna; en cambio, su bautismo y cristianización se adjudican a "Dios", es decir, a la Providencia o sabiduría divina:

> *...luego a empalar y asaetarle vivo*
> *fue condenado en pública sentencia.*
> *No la muerte y el término excesivo*
> *causó en su gran semblante diferencia,*
> *que nunca por mudanzas vez alguna*
> *pudo mudarle el rostro la fortuna.*
> *Pero mudóle Dios en un momento,*
> *obrando en él su poderosa mano,*
> *pues con lumbre de fe y conocimiento*
> *se quiso baptizar y ser cristiano[26].*

De modo, pues, que mientras la Fortuna es la divinidad de la desgracia, la Providencia introduce los sucesos felices y venturosos. Todo ocurre entonces como si Ercilla dispusiera de un doble teclado para expresar el orden de los hechos que nos narra: los negros y amargos se adscriben a la diosa pagana; lo bueno y luminoso pertenece y es obra de la potencia soberana del cielo.

Pero aún más: Ercilla se refiere específicamente a las relaciones entre los dos poderes superiores que presiden la acción épica. Entre ellos hay una relación de subordinación, que los jerarquiza:

> *más lo que el Padre Eterno ordena y quiere*
> *allí en su excelso trono y hierarquía,*
> *al cual está sujeto lo más fuerte,*
> *el hado, la fortuna, el tiempo y muerte*[27].

4. Hemos indicado, de pasada, tres episodios fundamentales en la estructura narrativa de la epopeya: la muerte de Pedro de Valdivia, la de Lautaro y, por último, la de Caupolicán. De algún modo, *La Araucana* se arquitectura sobre esta trinidad de muertes de los personajes protagónicos. La primera, la del jefe español, que no cumplió con el deber cristiano encomendado a su pueblo, cayendo en el pecado capital de codicia; la segunda, corresponde a la de un indio que sí cumplió con el deber guerrero y patriótico de su pueblo, pero nada más. En cambio, Caupolicán representa la conjunción sintética del deber libertario de Arauco y el ideal cristiano. En efecto, luego de adherir al mensaje evangélico, el jefe indio muere transfigurado en mártir: empalado y asaetado.

Como un significativo *leit–motiv* que acompaña al personaje, se presenta el elemento del madero: manifiesta el apogeo de su gloria, su elección como adalid araucano. Pero al fin de su curso vital, señala también su incorporación al orbe cristiano, su elección como miembro del cuerpo católico. De ahí que no sea aventurado pensar que el valor sacrificial del suplicio ha sido deliberadamente aproximado al modelo máximo del sacrificio humano. A su modo, el empalamiento de Caupolicán es una suerte de crucifixión del bárbaro[28].

Lo anterior se concilia perfectamente con la tesis sostenida por Fernando Alegría acerca del "mensaje" de *La Araucana*:

> En *La Araucana* no hay vencedores ni vencidos; en ella mueren ciertos hombres; ciertas batallas regalan de gloria a un bando hoy y a otro mañana. El resultado final de esa lucha es una maravillosa unión, el nacimiento épico de un nuevo pueblo hecho con la sangre hispana y la sangre india, cuya mentalidad y cuyo destino mostrará el sello de quienes lo engendraron[29].

Es de hecho, su confirmación estructural, pues muestra cómo se integra el ideal ercillesco a la composición misma de la epopeya. Si nos representamos gráficamente el esquema arquitectural de *La Araucana*, tenemos lo siguiente:

| C. III | C. XIV | C. XXXIV |
|---|---|---|
| Muerte de Valdivia | Muerte de Lautaro | Muerte de Caupolicán |
| | III + XIV = 17 | 17 |

Es posible advertir entonces un cierto equilibrio, una cierta organización simétrica de la materia narrativa. La relación de los guarismos podría interpretarse en el sentido del predominio de la figura de Caupolicán y de la significación de su muerte. Dobla el espacio que suman los otros dos. Tal predominio se justifica, como hemos establecido, por el hecho de su conversión.

No se nos escapa lo débil de este mecanismo para conferir unidad a la epopeya. Damos a priori razón a los críticos que han censurado la falta de unidad y lo desorganizado del plan épico que Ercilla se trazó, o que, más bien, no se trazó. No hay unidad de acción en *La Araucana*, de modo que todo se reduce a una yuxtaposición abierta de episodios bélicos. Pero eso mismo no nos debe impedir reconocer que existen rudimentos, conatos de unificación en esta obra épica. Ya hemos mencionado uno. Señalaremos ahora el que nos queda.

Como se sabe, Ercilla no respeta el tema bélico que se había propuesto inicialmente, pues introduce frecuentes episodios amorosos. Con todo, las interrupciones que más desorganizan el material épico son las siguientes, todas ellas ajenas al asunto propio de *La Araucana*: la batalla de San Quintín (Cantos XVII–XVIII), el combate de Lepanto (Canto XXIV), la guerra de Felipe II con el rey de Portugal (Cantos XXXIV y XXXVII).

Estudiemos las dos primeras. En forma regularmente simétrica, el poeta adscribe nexos introductorios a estos episodios que se le dan como *visiones* suyas, en cuanto personaje que participa en el mundo narrado. Así, la contemplación de la batalla de San Quintín le es posible gracias al poder de Belona:

> *Estaba medio a medio de este asiento*
> *en forma de pirámide un collado,*
> *redondo en igual círculo y exento,*
> *sobre todas las tierras empinado:*
> *y sin saber yo cómo, en un momento,*
> *de la fiera Belona arrebatado,*
> *en la más alta cumbre de él me puso,*
> *quedando de ello atónito y confuso*[30].

*Arrebatado* vale aquí por cogido en un rapto, raptado hacia lo alto. Es visible, además, que los valores de altura del lugar en que se sitúa el poeta-personaje para observar el espectáculo son insistentemente subrayados.

Por el contrario, es Fitón, el mago de las profundidades, quien concede al poeta la oportunidad de contemplar el combate de Lepanto, imaginado en el transcurso de la acción de la epopeya como futuro. La brusca interrupción del asunto araucano se justifica así:

> *Sólo te falta una naval batalla*
> *con que será tu historia autorizada,*
> *y escribirás las cosas de la guerra*
> *así de mar, también como de tierra*[31].

Las intenciones complementarias son, pues, explícitas. Pero no cabe duda que Lepanto, ese acto de pasión que terminó en victoria —como lo llamara un célebre historiador—, compensa la conducta desmedrada de los españoles en Arauco. Por otra parte, la inclusión de Lepanto muestra, dentro de la concepción ercillesca, que la energía guerrera de su pueblo encuentra su justo cauce contra los infieles otomanos más que contra los indios americanos.

En resumen: mientras para asistir a la acción de San Quintín el poeta es levantado hacia una elevada cumbre por Belona, para contemplar la victoria de Lepanto, a través de un planisferio mágico, el poeta debe aprovechar los poderes subterráneos de Fitón:

> *Debajo de una peña socabada,*
> *de espesas ramas y árboles cubierta,*
> *vimos un callejón y angosta entrada,*
> *y más adentro una pequeña puerta* [ . . . ][32]

La cumbre de Belona y la cueva de Fitón son, desde luego, espacios irreales. Pero lo que nos interesa destacar es la función que ellos cumplen, que no es otra, como estamos viendo, que introducir algunos episodios ajenos a la materia épica predominante.

Además de este detalle, conviene advertir que en ambos casos el eje organizador de la narración, el centro que vincula la materia araucana con estos episodios extraños a ella es la figura del personaje-poeta. Es, pues, necesario tener en cuenta este segundo factor de unificación. Y esto no vale sólo para los episodios mencionados, sino que rige asimismo para las parejas amorosas que dan motivo a episodios idílicos o elegíacos: Tegualda-Crepino (Cantos XX-XXI) y Glaura-Cariolano (Canto XXVIII).

La presencia de Tegualda cruza fugazmente por las páginas de *La Araucana*, como una imagen de belleza desdichada. Si Guacolda, como Casandra, predice la próxima muerte de Lautaro, Tegualda ronda por el campamento español en busca de su esposo, con quien había contraído bodas hacía muy poco tiempo. Ronda como Antígona en la noche, y, descubierta por el personaje-narrador, encuentra el cadáver de Crepino.

Diferente es el desenlace del episodio de Glaura, quien sí encuentra el esposo buscado, que, por venturosa anagnórisis, resulta ser el servidor del mismo personaje-poeta. La intención de Ercilla, al presentar diversas soluciones a las situaciones amorosas, no puede ser otra que ofrecer una gama alternativa de desdicha y felicidad. En el amor, como en la guerra, formas extremas de la vida humana cantada por Ercilla, hay siempre vicisitud entre la dicha y la desgracia. La posibilidad de la muerte como de la felicidad[33].

Ambas narraciones, la de Tegualda y la de Glaura, se posibilitan por el encuentro del poeta con las heroínas. Encuentro que se produce durante la noche o en el alba, mientras él permanece de centinela. Tenemos, pues, que la introducción de pasajes amorosos, alejados de la vena narrativa central, se efectúa cuidadosamente en un momento especial del tiempo que confiere particular misterio y solemnidad a la aventura.

Si recapitulamos los conatos de unificación de la epopeya que nos ocupa, tenemos los siguientes:

a) el material que corresponde al asunto central se unifica, en parte, mediante la secuencia triple de muertes, secuencia que posee un sentido determinado y que otorga una disposición equilibrada a la sucesión de los Cantos.

b) el material ajeno —ya épico, ya amoroso— se trae a un centro de unión mediante las *visiones* y la actuación caballeresca del propio poeta, en cuanto personaje.

c) como detalles significativos que ponen de relieve lo anormal de la vinculación, operan los rompimientos dinámicos de la espacialidad natural (lo alto y lo hondo) o las determinaciones peculiares del tiempo (la noche y el alba).

Con todo, el poeta-personaje no sólo se conecta con esos espacios irreales que son sólo sus atalayas épicas. Pues cobra especial significación en el decurso épico su progresiva apropiación del espacio virgen americano, su adelantamiento en explorar el sur y las islas de Chiloé. Todo esto permite mirar desde otra perspectiva la ya bastante estudiada intromisión del autor en su propia obra.

5. Se pueden mencionar aún —lo que haremos con brevedad— dos aspectos más que comprueban fehacientemente el estado apenas germinal de algunas intuiciones de *La Araucana*.

Maniqueo por su doble condición de católico y soldado, Ercilla necesita un sujeto o un grupo humano en que se concentren valores de adversario. Lo necesita y lo encuentra. En efecto, el respeto por el indio y la admiración por sus ideales de lucha no significa que esté totalmente ausente del poeta un ánimo hostil. Seducido por la causa del araucano, halla en el negro un objeto adecuado para liberar su energía bélica. Sobre él se ejerce el desprecio racial de todo conquistador. Veámoslo:

Glaura cuenta al poeta sus pesares:

*Cuando por unos árboles saliendo*
*vi dos negros cargados de despojos,*
*que luego en el instante que me vieron*
*a la mísera presa arremetieron.*

*Fui de ellos prestamente despojada*
*de todo cuanto allí venía vestida,*
*aunque yo triste no estimaba en nada*
*el perder los vestidos y la vida;*
*pero el honor y castidad preciada. . .*[34]

Fresia, fugitiva, es aprehendida:

*Pero alcanzóla un negro a poco trecho,*
*que tras ella se echó por la ladera,. . .*

*Trújola el negro suelta, no entendiendo*
*que era presa y mujer tan importante. . .*[35]

Pero el episodio más conocido es la ira de Caupolicán contra su verdugo:

*Luego llegó el verdugo diligente,*
*que era un negro gelofo, mal vestido,*
*el cual viéndole el bárbaro presente*
*para darle la muerte prevenido,*
*bien que con rostro y ánimo paciente*
*los afrentes demás había sufrido,*
*sufrir no pudo aquella, aunque postrera. . .*[36]

Violador, aprehensor y verdugo, el negro posee, sin disputa, un cierto aspecto de antagonista en la epopeya de Ercilla. Pero es un seudoantagonista, en abierta contradicción con las relaciones colectivas imperantes.

La semejanza que exhibe esta actitud de Ercilla con la del padre de Las Casas nos informa sobre lo extendido del prejuicio racial en el conquistador. Es éste un elemento histórico–social que el estudioso de *La Araucana* no debe olvidar. Pero como aquí nos interesa específicamente el plano literario de la obra, sólo nos cabe constatar lo siguiente: lo mismo que Las Casas se arrepiente públicamente de su primitivo plan de esclavización de los negros, el poeta español deja en cierne su visión del negro como personaje maléfico. Con la diferencia de que mientras la decisión del clérigo es de las más positivas éticamente, la actitud de Ercilla es literariamente improductiva. Es nociva para la coherencia de su mundo heroico.

Cosas así, verdaderos cabos sueltos en el plan épico, hay muchas en *La Araucana*. Señalaremos uno más, bastante curioso, a nuestro juicio. Se ha dicho siempre que el paisaje en *La Araucana* es un paisaje idealizado, un paisaje renacentista que se inserta en la tradición topológica del "locus amoenus". Se ha agregado luego —con observación que profundiza el simple hecho anterior— que esa visión idealizada de la naturaleza corresponde a una proyección de la propia armonía de la persona. Todo esto es verdad. Pero si de eso se concluye que Ercilla *no vio* nuestro paisaje[37], eso ya deja de ser verídico. De hecho, se dan en *La Araucana* dos líneas paisajísticas: una, consagrada y cabalmente definida por la crítica, a la que acabamos de referirnos; otra, débil y leve, que apenas puede ser ejemplificada, pero que debe ser escrupulosamente mantenida como intención diferente. Cuando el poeta nos dice, por ejemplo:

> *a la banda del leste va una* sierra
> *que el mismo rumbo mil leguas camina. . .*[38],

no se puede negar que trata de percibir con realismo el objeto mentado. Lo que le sucede es que el instrumento léxico de que dipone carece de la dimensión denotativa que el paisaje requiere.

Igualmente, al decirnos en el Canto XXXVI, en estrofa famosa:

> *en un pequeño barco deslastrado*
> *con sólo diez pasó el* desaguadero. . .[39],

la tentativa realista está, pero fracasada. Tentativa, al menos. Lo que resulta es un *paisaje depreciado:* la cordillera de los Andes se ve desprestigiada como *sierra*, y el canal de Chacao aparece también desprestigiado como *desaguadero.* No pudiéndosele exigir a Ercilla, por razones claras de cronología histórico–literaria, una sensibilidad para el paisaje al modo romántico, sí que conviene que no pase inadvertido este menudo germen descriptivista.

6. Las constataciones y materiales de análisis que hemos reunido nos permiten aquilatar el valor literario de *La Araucana* desde el punto de vista de la coherencia interna del mundo creado.

*La Araucana* exhibe, en su factura, dos rasgos evidentes de epopeya culta: la contemplación tópica del paisaje, lo que, en rigor, equivale a la ausencia de contemplación. Como escribe Hegel, en el verdadero poema épico "el hombre tampoco debe aparecer como habiendo roto el lazo que le une a la naturaleza"[40]. Este lazo no existe en nuestra epopeya o, mejor, no llega a constituirse. Pues, como recién recordábamos, hay en ella un embrión ínfimo de pintura del contorno geográfico. Y, por otra parte, cuando el medio físico se convierte en obstáculo para la disposición heroica, como ocurre en el viaje de exploración hacia el sur del país, no logra adquirir la estatura requerida.

Otra nota culta consiste en que el poeta no se vincula interiorizadamente con el estrato de lo divino. "Si, además, se coloca en lo más alto del poema un mundo de dioses que dirigen los acontecimientos, es particularmente necesario en este caso que la creencia del propio poeta sea de lo más vigorosa y viva, puesto que son los dioses principalmente quienes suscitan los obstáculos. De otro modo, estas potencias superiores sólo serían consideradas como simples máquinas sin realidad y sin vida, cayendo al nivel de un simple instrumento del poeta"[41].

Estas palabras de la Estética hegeliana parecen pensadas a propósito de *La Araucana* que, como cualquiera epopeya, comienza también en el cielo[42]. Ya hemos señalado, sin embargo, que el poeta no logra poblar, en forma móvil y sensible, este estrato superior de su propio mundo. Ni las jerarquías angélicas de Tasso ni la superestructura mitológica de Camoens aparecen en la obra de Ercilla.

Debido a este alto vacío, la Providencia se reduce a una fórmula puramente abstracta. Más que la libre voluntad divina, ella representa apenas una mecánica miracular. Porque Dios, en *La Araucana*, interviene sólo por inercia en el curso de los sucesos humanos. Análogamente, la Fortuna posee el mismo carácter de ley conceptual, cuya presencia se circunscribe a mero comentario meditativo que sanciona un acontecimiento desventurado. Aunque necesidad interna del mundo, no se percibe en la Fortuna su significado de justicia inmanente. Es verdad que el fin de Valdivia lo sentimos como castigo divino; no así los demás episodios trágicos. Ni la Fortuna ni la Providencia, por tanto, gobiernan el acaecer terreno con efectivo poder de dirección. Y su misma coexistencia duplica y complica ese gobierno, pues su dualidad resulta excesiva frente a un panteón deshabitado.

Contra estos rasgos de epopeya culta, el "estado propio de civilización" que *La Araucana* narra y describe pertenece a la especie de la épica primitiva. El tema guerrero[43], su asunto: el choque entre españoles y araucanos; los usos materiales y formas espirituales de la vida que se describen, todo corresponde al mundo poetizado en las epopeyas primitivas. Lo que antes presentábamos puramente como contradicción entre el asunto y la forma, se precisa entonces con estas nuevas categorías. En esto consiste la escisión no solucionada en la factura de esta epopeya, y de su nivel estéticamente insatisfactorio.

Creemos que lo dicho en las consideraciones anteriores abona este enjuiciamiento. Descansa, como hemos visto, en tantas cosas que quedan sin plasmar en *La Araucana*, en sus numerosos aspectos embrionarios. A los recientemente señalados, deben sumarse los conatos de una unidad de composición nunca consumada y un adversario épico lateral, asaz inoportuno.

Este conjunto de deficiencias opacan los méritos literarios legítimos del poema, comentados con exactitud por los críticos desde el s. XVIII.

Pueden reducirse al firme trazado de los caracteres heroicos, a la capacidad narrativa del poeta y a su estimación del enemigo[44]. Virtudes incapaces, como es notorio, de conducir el todo de la obra a su justo centro de constitución estética.

Pero la crítica a la obra no debe impedirnos ver con simpatía a su autor. ¡Tras la obra, una vida por sobre toda crítica! Precisamente, la de un español venido a Chile y que, aunque volvió a su tierra, dejó una obra para nosotros. Veámoslo a través de ésta, en el momento final de su intensidad biográfica, en que disminuye cristianamente la valía de sus hechos:

> *Y yo que tan sin rienda al mundo he dado*
> *el tiempo de mi vida más florido,*
> *y siempre por camino despeñado*
> *mis vanas esperanzas he seguido,*
> *visto ya el poco fruto que he sacado,*
> *y lo mucho que a Dios tengo ofendido,*
> *conociendo mi error, de aquí adelante*
> *será razón que llore y que no cante.*

La tradición épica española comienza con la figura de un héroe que llora. Con idéntica actitud, con la misma imagen, cierra un poeta el ciclo heroico de su patria.

Será razón que llore y que no cante.

# NOTAS

[1] Para mayor claridad de lo que afirmamos, esquematizaremos el contenido del Canto I:

a) presentación del tema. Se omite la tradicional invocación a las Musas o a los dioses. (octavas 1-2);

b) dedicatoria a Felipe II (3-5)

c) descripción física de Chile (6-12)

d) descripción de sus habitantes;
   - organización política y usos militares (13-32);
   - asamblea general o concilio (33-39);
   - religión y ritos (40-44);
   - retrato de los indios (45-47);

e) historia sumaria de las invasiones (48-54) (de los Incas y de D. Diego de Almagro);

f) acción conquistadora de Pedro de Valdivia (55-72).

[2] Citamos por la ed. Medina, Santiago de Chile. Imprenta Elzeviriana, MCMX, pág. 13. No nos corresponde, como es obvio, juzgar la veracidad histórica de esta octava. Del valor histórico general de *La Araucana* se han preocupado, sobre todo, Barros Arana, el mismo J. T. Medina y D. Tomás García Guevara.

[3] Ed. Medina, pág. 16.

[4] Aunque no podamos suscribir la totalidad de las afirmaciones de Alberto Cruchaga Ossa, es innegable que suministra muchos datos valiosos que confirman lo que exponemos. Esta es una de sus conclusiones: ". . . las cuestiones de Derecho Internacional suscitadas por el descubrimiento y conquista de América, y planteadas en Chile en forma ruda e insistente por Fray Gil González de San Nicolás, a la vista y alcance de los oídos no sordos del poeta, impresionaron vivamente a éste, y en su obra quiso plantearlas y resolverlas en términos que en su época llaman necesariamente la atención, porque revelan conocimientos de los que por entonces no era en la materia fácil poseer y que estaban muy distantes de ser generales" ("Ercilla y el Derecho Internacional". En: *Homenaje de la U. de Chile a su ex Rector don Domingo Amunátegui Solar,* en el 75 aniversario de su nacimiento. T. II, pp. 153-175. Santiago, Imprenta Universitaria, 1935). Recuérdese que el padre del poeta, Fortún García de Ercilla, fue también magistrado experto en cuestiones relativas al ius belli. Por lo demás, la extensa digresión concedida por el autor en el último Canto a "cómo la guerra es derecho de gentes", prueba a las claras su familiaridad con estos lugares comunes de la época. Todo esto no es incompatible, desde luego, con el carácter de tópico de este rasgo de codicia". María R. Lida habla de "la retórica execración de la codicia" (Juan de Mena, poeta del prerrenacimiento español. NRFH, El Colegio de México, 1950, pág. 511). Pero es un tópico fecundado por la situación histórica que constituye el asunto de Ercilla.

[5] Ed. Medina, pág. 16.

[6] Un breve antecedente de esta curiosa teodicea puede hallarse en Pedro de Valdivia, Carta VIII. Mientras los españoles luchan "con el ayuda de Dios e de Nuestra Señora e del Apóstol Santiago", atribuye a los indios "el diablo, su patrón" (*Cartas*, Edit. Pacífico, pp. 149-150). Antes (pág. 125) habla de la "superba luciferina" de los aborígenes.

[7] Ed. Medina, pág. 10.

[8] *Ibíd.,* pág. 21.

[9] Dado el estrecho parentesco entre *La Araucana* y el "Arauco Domado", las observaciones que se hagan sobre este último iluminan aspectos de la epopeya de Ercilla. Oña expresa este parentesco en el prólogo de su poema heroico, donde dice que lo escribió "al

olor de su rastro" (de *La Araucana*). Pero la intención panegírica que dirige al canto de Oña determina la inversión total de la perspectiva ercillesca sobre los araucanos. Oña es el anti–Ercilla y el Arauco Domado es la réplica que de un modo sistemáticamente paralelístico opone y deshace (o mejor, contrahace) toda la configuración de la lucha tal como se da en *La Araucana*. Esto podría comprobarse de manera larga y pormenorizada. Sólo en lo que se relaciona con la figura de Caupolicán, lo polar de las perspectivas se sensibiliza ya en la imagen inicial que de él nos ofrecen los dos poetas. En el pórtico de *La Araucana*, Caupolicán aparece realizando una portentosa hazaña (Canto II); en el Arauco Domado, en cambio, se lo muestra jugueteando como un amante frívolo y libidinoso, olvidando sus obligaciones de jefe. Su figura guerrera es, pues, eróticamente disminuida. Este hecho supone que el juego erótico es concebido como actividad inferior y deleznable frente al oficio de las armas. Y es éste el mecanismo general que utiliza Oña para rebajar en dignidad a los héroes de su antecesor.

[10] La "autoridad" es un atributo de la doctrina y enseñanza de Jesucristo. San Marcos, I, 22; I, 27.

[11] Ed. Medina, pág. 38.

[12] *Ibíd.,* pág. 40.

[13] *Ibíd.,* pág. 41.

[14] *Ibíd.,* pág. 42.

[15] *Ibíd.,* pág. 52.

[16] *Ibíd.,* pág. 53.

[17] *Ibíd.,* pág. 42.

[18] Desde este respecto, el despectivo verso que Ercilla dedica a Hurtado de Mendoza: *mozo capitán acelerado,* es más que un producto de su resquemor personal. Se integra, como apéndice final, a la visión del español que venimos detallando.

[19] Canto X, Ed. Medina, pp. 159, 160 y 161.

[20] Medina interpretó los pasajes relativos a la Fortuna como manifestación autobiográfica, lo cual, por supuesto, no tiene ningún asidero real. "Entre ellos (los contemporáneos de Ercilla y él mismo) no ocupa escaso lugar el culto que se rendía a la Fortuna. A tanto llevaron esos hombres su confianza en la veleidosa divinidad, que, al paso que reconocían sus repentinos e inmotivados cambios, excitados por su celo religioso, no se detuvieron en esa pendiente y muy pronto se hicieron fatalistas" (*Vida de Ercilla*. Bibliot. Americana, México, 1948, pág. 155). La Fortuna es, en Ercilla, un tópico, que parece inspirarse directamente en Ariosto:

> *Quanto più su l'instabil ruota vedi*
> *di Fortuna ire in alto il miser uomo,*
> *tanto più tosto hai da vedergli i piedi*
> *ove ora ha il capo, e far cadendo il tomo.*
> *Di questo esempio e Policráte, e il Re di*
> *Lidia, e Dionigi, et altri ch'io non nomo,*
> *che ruinati son da la suprema*
> *gloria in un dí ne la miseria estrema.*

> *Cosí all'incontro, quanto più depresso,*
> *quanto è più l'uom di questa ruota al fondo. . .*

> *Si vede per gli esempi di che piene*
> *sono l'antiche e le moderne instorie,*
> *che'l ben va dietro al male, e'l male al bene,*

*e fin son l'un de l'altro e biasmi e glorie;*
*e che fidarsi a l'uom non si conviene*
*in suo tesor, suo regno e sue vittorie,*
*né disperarsi per Fortuna avversa,*
*che sempre la sua ruota in giro versa.*

(Orlando Furioso, Canto XLV).

La ubicación en comienzo de Canto, la presencia emblemática de la rueda, la insistencia entre lo alto y lo bajo y el mal y el bien como estados en la vida pueden autorizar para hablar de un influjo directo de este texto sobre el inicio del Canto II de *La Araucana*.

[21] Aunque como noción teológica estricta la Providencia no implica determinación destinal, en cuanto proyección sobre el mundo épico opera con ese valor.

[22] Sí que es ambiguo, por ejemplo, el panteón ercillesco, que es una mezcla de figuras antiguas —menos préstamos homéricos— y divinidades cristianas. Como epopeya culta que es, carece *La Araucana* de poder intuitivo para plasmar al mundo de lo maravilloso.

[23] Canto XIII y XIV. Ed. Medina, pp. 222-231.

[24] *Ibíd.*, pág. 230.

[25] El trágico final de Pedro de Valdivia se atribuye, como es natural, al mismo poder fatal que entraña la Fortuna.

[26] *Ibíd.*, pág. 555.

[27] *Ibíd.*, pág. 301.

[28] Como se sabe, staurós, designación novo-testamentaria de la cruz, significa originalmente "madero", "palo".

[29] Fernando Alegría: *La poesía chilena. Orígenes y desarrollo del siglo XVI al XIX*. Col. Tierra Firme. FCE. 1954, pág. 39.

[30] *Ibíd.*, pág. 291.

[31] *Ibíd.*, pág. 382.

[32] *Ibíd.*, pág. 377. También 375 y passim.

[33] Charles Aubrun ha estudiado detenidamente la deuda del episodio de Glaura con la novela pastoril y con Ariosto ("Poesía épica y novela: el episodio de Glaura en *La Araucana* de Ercilla". Rev. *Ib.*, XXI, 1956, Nos. 41-42, págs. 261-273).

[34] Ed. Medina, pág. 458.

[35] *Ibíd.*, pág. 547.

[36] *Ibíd.*, pág. 556.

[37] "Se ha repetido que Ercilla no comprendió la naturaleza americana; en realidad, sería más exacto decir que *no la vio*" (E. Solar C.: "Alonso de Ercilla". *Semblanzas Literarias de la Colonia*. Edit. Difusión Chilena, 1945, pág. 32). Ver, asimismo, M. Latorre: *La Literatura de Chile*. Buenos Aires, 1941.

[38] Ed. Medina, pág. 4.

[39] *Ibíd.*, pág. 583.

[40] Hegel: *Poética*. Trad. de Manuel Granell. Col. Austral, pág. 86.

[41] *Ibíd.*, pág. 102.

⁴² Véase arriba, pág. 4. Para citar solamente otros poemas contemporáneos al de Ercilla: Los Lusíadas (Canto I) y La Jerusalén Libertada (Canto I).

⁴³ Hegel analiza con pormenor por qué el valor guerrero se convierte en la materia fundamental del epos. Sus observaciones merecen ser consignadas: "pues la bravura es una cualidad del alma y un modo de actividad que no se presta bien ni a la expresión lírica ni a la dramática, mientras que conviene eminentemente a la expresión épica". Como "en la epopeya nos interesa el lado natural del carácter", "la bravura halla su verdadero lugar en las empresas nacionales". Y esto, por dos razones: porque "es algo innato y natural que se alía muy bien con lo moral, pero más espontáneo que reflexivo"; y porque "por otra parte, para manifestarse, necesita perseguir fines prácticos, más propios para describir que para expresar sentimientos y pensamientos líricos" (Ibíd., pág. 89).

⁴⁴ Sorprenderá esto último con seguridad. Van Horne dice textualmente: "Desde luego el mérito más grande de La Araucana es la apreciación del enemigo" ("El mérito de La Araucana". Rev. Ib., vol. XXII, Nº 44, 1957). A su vez, Frank Pierce habla de "praise of the enemy" ("Ercilla's Jrish translator, Henry Boyd". En: Homenaje a D. Alonso. T. II, págs. 609-619. Edit. Gredos, Madrid, 1961). Pero este aspecto de la epopeya aparece más bien, en estos artículos, como cualidad moral del hombre Ercilla. La verdad es que sólo pasa a constituir virtud literaria cuando se lo incorpora coherentemente en el plan épico, permitiendo, según vimos, la organización del estrato heroico.

JOSE DURAND

# EL INCA, HOMBRE EN PRISMA *

ANTE EL DUALISMO espiritual de Garcilaso Inca, el conocedor del Siglo de Oro pensará que ello caracteriza también al español de entonces. Aquel conflicto entre idealidad y realidad, entre el *debe ser,* y el *así es,* entre el más allá y la vida práctica, adquiere significación tan generalizada que parece abarcarlo todo: nada más natural que inscribir allí cuanto resulte dual entre gentes hispánicas. Y el Inca, hijo de conquistador que vive cincuentiséis años en la España filipina, parece caber también; aunque, bien mirado, según su propia dualidad de primer mestizo. Y los planos del prisma se multiplican.

Garcilaso Inca, recordemos, se mueve entre Nuevo y Viejo Mundo, entre apogeo y decadencia de España, entre Renacimiento y Barroco, entre lo humanístico y lo indígena, entre el Perú incaico y el de la Conquista, entre la pujanza de los conquistadores y la nueva maquinaria colonial. Claro que hablamos mediante categorías históricas impuestas por la posteridad, las cuales, al aplicarse sobre un hombre tan de carne y hueso como cualquiera, habrán de forcejear entre las máximas generalidades y el individuo concreto. Baste ahora aceptar que la obra y la existencia del Inca se proyectan sobre mundos muy diversos y en momentos sumamente cambiantes; que se trata además de una vida azarosa y de un personaje íntimamente intrincado. Las obras maestras nacerán como fruto de aquel dramático cruce de circunstancias, tan ligadas a su vida.

Quizás por tal singularidad, al estudiar la figura y la obra del Inca, la crítica se ha visto llevada a ensayar las más varias explicaciones. Valga un ejemplo: ante la belleza de los *Comentarios* y ante los problemas críticos que ello acarrea, ya sabemos que se intentó reducirlo todo a "utopismo renacentista", pero también, disparando al otro polo, a fantasía india. Contrariamente, se ha insinuado que aquel "estado indio perfecto" pudo tener bases reales. Por otra parte, los mejores conocedores del autor han señalado que en los *Comentarios* existe un "triple proceso de idealización": el Inca recibió las versiones "oficiales" de la historia incaica que le

* *Studi di letteratura ispano-americana*, 1 (1967) pp. 41-57.

daban quipocamayos y amautas según viejas tradiciones. Garcilaso pasó su niñez junto a sus parientes indios que evocaban elegíacos los tiempos idos, lo cual debió dejarle honda huella; añádase a ello que el Inca escribía ya viejo y desde España, bajo el efecto poético de la distancia y el recuerdo[1]. También podría observarse que, en el mundo de la América fabulosa, a cada paso fértil en nuevas maravillas, ese prodigio incaico aparecía en contexto propicio. De otro lado, ateniéndonos al aspecto hispánico del Inca, no resulta ocioso insistir en que las corrientes utópicas tomaron en España carta de ciudadanía. Y en fin, si recordamos la traducción que hizo del León Hebreo, descubriremos en el Perú de Garcilaso rasgos francamente neoplatónicos.

Digamos que para interpretar la obra del humanista mestizo caben, a fin de cuentas, tres actitudes fundamentales: podemos cancelar incógnitas, proclamando que Garcilaso pertenece exclusivamente a la cultura europea, aun cuando –como los españoles– maneje materiales indios; sus preocupaciones proindígenas, quizás un tanto verbales o interesadas, tampoco lo distinguen de los europeos que quieren entender el mundo americano; la hispanización obrada en el personaje no resulta así sólo importante, sino cuasi absoluta. Con semejante resolución cabe advertir, opuestamente, que si Huaman Poma o Santa Cruz Pachacuti hubiesen escrito en buen castellano, presentando sus ideas según una ordenación cuidadosa, no dejarían por ello de ser indios genuinos. Toda obra histórica culta en lengua española se incluye de hecho en la civilización occidental, pero no forzosamente de manera exclusiva. ¿Bastaría el paso por Alcalá o Salamanca para que un indio o un mestizo dejasen radicalmente de serlo? Garcilaso, aunque no aborigen auténtico a la manera del *lamque* Santa Cruz sino mestizo criado en un Cuzco todavía muy quechua, podría entonces mirarse como el americano para quien la cultura europea es simple medio; imposibilitado de volver al Perú, sigue recordándolo, fiel a tierra y casta. Según desarrollemos una de ambas ópticas encontradas, tendríamos a un Inca que explota la historia patria y el color de su piel para triunfar egoístamente en España, o bien al americano que, orgulloso de dominar la cultura vencedora, se vale de ella para enaltecer e inmortalizar la cultura vencida. Lo curioso, para quien conozca la obra de Garcilaso, será que parece haber bastante de lo uno y lo otro. Lo cual invita a buscar una tercera actitud: dentro de ella cabría estudiar la relación del hombre y de la obra con sus dos mundos, así sepamos hoy muchísimo más del español renacentista que del inca prehispánico. Parecerá quizás solución de *compromiso*: quizás parezca también la perspectiva más lógica ante la realidad física, psíquica e histórica del personaje, y ante la intención misma de la obra[2].

## ACTITUDES ENCONTRADAS

No hay partido posible, y hasta se diría que todo ello se reduce a puro juego conceptual. Sin duda en cierta medida, pero veamos que el

523

personaje siempre aparece en esa posición encabalgada en varios planos, la cual lo lleva a crear un libro que, siendo humanístico y español, aspira a interpretar por primera vez el mundo incaico –y el de la conquista. En última instancia, parece tratarse de una obra en la que el autor –por indio– busca el sentido *desde dentro* a la vez que para un público de cristianos cultos –como él– *y para* las gentes venideras. Intención meditada, sutil y, como siempre, jugando en encrucijada. Si queremos entender algún día lo que hay de indio en esta obra, literaria e históricamente hispánica, será preciso meditar, pese a riesgos y dificultades, en la íntima situación del autor, en su más honda actitud frente a su obra. No olvidemos se trata de una extraña existencia desarraigada, de un hombre que en la *Florida* parece sentirse español y que en los *Comentarios* se afirma indio y no–español. Más aún: sinceramente. Del mismo modo se siente ajeno al mundo colonial, sobre el que se niega a escribir. A este peculiar asirse y desasirse, continuamente reflejado en sus escritos, se añaden las consabidas dualidades entre el pensamiento espontáneo de hombre común y las ideas humanísticas que acepta y cree. Así al referirse al oro de su patria, a la vez se enorgullece de él, como peruano[3], y cuida mostrar la dramática inutilidad de esos tesoros[4].

Hay en lo último una doble actitud muy española y, en definitiva, muy humana. Así como esos rasgos nada exclusivos pueden resultar típicos de aquel Siglo de Oro hispánico, atormentado entre realidades e idealidades, así también pueden caracterizar a un individuo. Sólo que en Garcilaso, repitamos, sobre aquel dualismo se halla el suyo: como mestizo y personalizado como él mismo. Leyendo estas páginas, el profesor Raimundo Lida me señala ciertas analogías que de alguna manera existen entre la situación del Inca y la de algunos cristianos nuevos, quienes conviven dobles tradiciones –culturas– a medias conjugadas. Tales semejanzas permiten advertir matices diferenciales. Garcilaso no poseía en la cultura incaica la fuerza viva y presente que un converso podía hallar en el pueblo elegido; de otro lado es obvio que, católico como era, no sufría resquemores religiosos, ni tampoco viejas rencillas históricas. Tenía en cambio en su carne el drama reciente de la conquista. Garcilaso participaba sin reservas del humanismo cristiano y desde él contemplaba el Perú de sus recuerdos, el de sus libros, el de su sangre materna y parte de su educación. Queda por saber, si saberse puede, qué diferencia había entre *ese* mestizo hispanizado o europeizado y un español o europeo a secas. La adquisición de una cultura avanzada no implica, repitámoslo, el lavado total de una personalidad y de los influjos culturales que obraban en ella. Bien vale meditar, por difícil que resulte, en la impronta que dejó en Garcilaso el mundo materno, el Perú de sus primeros años y, no temamos decirlo, el de su nostalgia india.

Garcilaso no va a intentar la quimérica restauración de esa cultura vencida y destrozada; quiere salvar su memoria y en todo caso su ejemplo. Será lógico en él que tiña de cristianismo humanista el mundo incaico; también será natural que el espíritu indio influya secretamente en su personalidad de escritor. Cómo, ya habrá tiempo de indagarlo. Atendamos por ahora a aquella peculiaridad fundamental que se nos antoja llamar *armónica inestabilidad*. Armonía buscada y formalmente lograda; inestabilidad oculta cuya íntima presencia se da más allá de toda inteligencia, de toda voluntad. El desasimiento de Garcilaso no radica en que sea indio a la vez que español, sino en que a fin de cuentas no era del todo ni lo uno ni lo otro; tampoco existían maneras de ser mestizo. Sin que olvidemos la historia individual del autor, hay aquí un desajuste social que aparece en la generalidad de los mestizos del XVI y en particular, como se ha observado, entre los mestizos de sangre imperial incaica. Habrá conflictos psicológicos, como no podía ser menos, y habrá en definitiva la búsqueda a tientas de nuevos caminos para quienes nacían de ese choque de culturas. Drama vivo hoy, cuánto más entonces. Garcilaso no pertenecía al tipo genérico de los mestizos inadaptados y frustrados, sino al de los poquísimos que penosamente lograron su lugar. Y sin embargo, el Inca no alcanzó la solución de su desasimiento íntimo.

El Inca, autor difícil: no sólo por su particular manera de decir y callar, sino en la misma médula. Atengámonos siempre a ese aspecto inequívoco, el de su doble herencia india y española, inmejorable para ilustrar el punto. Esa radical divergencia que intenta conciliar en su obra, dejándonos al fin un resultado ecléctico armónico, pero lleno de ocultos enigmas. Toda esa lucha interior aparece de un golpe cuando descubrimos su doble posición frente a las doctrinas del padre Las Casas. Allí veremos cómo aquella lucha íntima, aquel desasimiento, puede documentarse con certeza. La importancia del asunto crece si pensamos que el tema de la guerra justa, capital entonces, resultaba particularmente incómodo para un mestizo de la primera generación, hijo de aquella guerra cuya justicia había que ventilar. Y el Inca opinará simultáneamente en ambos sentidos, aun cuando a primera vista todo invita a pensar que censura al padre Las Casas. Pero no. Otra vez sus ideas, aunque claras y elegantes, nos obligarán a conformarnos con un característico *quién sabe*.

## LA DISPUTA OBLIGADA

Recordemos: en 1511, tras los famosos sermones de los dominicos fray Antonio de Montesinos y fray Pedro de Córdoba, se emprendió la defensa del indio y empezó a discutirse la legitimidad del dominio español en América[5]. El punto primero estaba en saber si el rey católico, gracias a cierta bula de Alejandro VI, podía conquistar las Indias. La conciencia real tomó inmediatas providencias y al punto se compusieron tratados en que, por primera vez en la historia, se debatían el derecho de conquista y la guerra justa. Sin duda por influjo del doctor Palacios Rubios, célebre jurista, se dispuso que, antes de tomar las armas en el Nuevo Mundo, se leyese a los indios un *pacífico requerimiento*. Aun cuando en la práctica tal institución no diera resultados, su existencia implicaba el reconocimiento oficial del gran problema. Bien pronto, fray Bartolomé de las Casas pasó a ser la gran personalidad que, durante largos decenios, luchó en favor de los indios.

Se trataba de establecer si, como lo sostenían Las Casas y otros, la bula papal sólo permitía entradas pacíficas de predicación y comercio, sin quitar a los señores indios su soberanía, aunque sobreponiéndoles la del emperador católico[6]. Otros famosos dominicos, como fray Francisco de Vitoria y fray Domingo de Soto, escribieron lúcidos tratados, parientes próximos de los de fray Bartolomé. Vitoria estudió además si en casos muy determinados las guerras podían resultar instrumento lícito; más tarde el jesuita Acosta lo siguió en este camino.

Cuando, por influjo de las ideas reinantes, las *Leyes nuevas* suprimieron en 1542 las *encomiendas* de indios, ocurrieron en América grandes trastornos, culminados en el Perú en la gran rebelión de Gonzalo Pizarro. Todo encomendero, a cambio de la obligación de adoctrinar a los indios, disfrutaba del práctico vasallaje de ellos, a más de una extensión de tierra. Los graves abusos que ocurrían en la práctica de esa institución constituían la raíz del conflicto. La polémica teórica continuó en las Juntas de Valladolid, cuyos principales participantes fueron el doctor Sepúlveda, quien afirmaba la servidumbre natural de los indios, y su opositor Las Casas (1550-1551). El conocimiento de tales ideas se extendió mediante impresos y copias manuscritas, cuando no por referencias verbales, pues los sucesos acarreaban el conocimiento del aspecto teórico. Claro o confuso, amplio o resumido, todo ello se supo y vivió en Indias, y llegó hasta los últimos rincones de España en grado mucho mayor de cuanto pudiera parecer a primera vista.

Había tantas implicaciones políticas, tanta pasión, tantos intereses de por medio, que la llama sobrevivió a la muerte del nonagenario Las Casas. Nada más natural que Garcilaso, hijo de india y de encomendero, conociera y meditara el tema.

Desde sus años cuzqueños debió escuchar disputas al respecto: al cabo, buena parte de su infancia la pasó en medio de la terrible guerra pizarrista. Fuera de ella, los temas de la defensa del indio y legítima soberanía española continuaban en plena y ardorosa vigencia. Las Casas tuvo en el Perú corresponsales notorios: fray Domingo de Santo Tomás, fray Marcos de Niza, el *buen seglar* impropiamente llamado *Molina el chileno,* quien más bien debió ser el clérigo Bartolomé de Segovia[7]. Estos y otros lascasianos removieron la opinión por largos años, hasta mucho después del viaje de Garcilaso a España. Lewis Hanke recuerda que el virrey don Francisco de Toledo hizo recoger en el Perú escritos de Las Casas, y que pidió a la Corona prohibieran el paso a ellos[8]. Por entonces, años después de la partida del Inca, el jesuita mestizo Blas Valera menciona al Obispo de Chiapas, sin duda por un manuscrito de la *Apologética historia* que debió circular entre los varios *lascasianos* de la Compañía[9]. Las crónicas toledanas atacan abiertamente a fray Bartolomé: así el memorial de Yucay y la *Historia índica* de Sarmiento de Gamboa[10]. Es evidente que, aparte la edición clandestina de los *Tratados,* corrieron en América copias de la inédita *Apologética*, pues ella sirvió de fuente a Dorantes de Garranza. Aún más: como lo ha señalado Bataillon, las *Repúblicas* de Román y Zamora, aparecidas en 1575, sirvieron de vehículo de difusión a la *Apologética*, de la cual proceden en cuanto toca a América[11].

En este ambiente se encuadran las preocupaciones de los viejos conquistadores que quieren morir con la conciencia en paz, temerosos de sus bienes fueran mal habidos. A algunos de ellos conoció Garcilaso: a Mancio Sierra, a Juan de Pancorvo. El cronista Cieza, amigo de fray Domingo de Santo Tomás, cuenta haber tratado al capitán Garcilaso, padre del Inca[12]. Aunque no conste que Cieza difundiera sus preocupaciones entre los conquistadores, existe al menos esa lógica posibilidad. Hubo sin duda muchos casos análogos, entre eclesiásticos y seglares defensores del pueblo vencido. Tenemos así que un ilustre franciscano, fray Antonio de San Miguel, futuro obispo de La Imperial, fue amigo y confesor del conquistador Garcilaso. Al menos cuando obispo, fray Antonio se señaló por su amor a los indios y sus denuncias contra los abusos que sufrían[13]. Sin duda, pues, cuando el Inca dejó al Perú en 1560, sus oídos habían escuchado muchas veces discutir aquel tema, tan grave para él.

Treinta y cuarenticinco años después, cuando el Inca escribía en España ambas partes de los *Comentarios*, todavía la guerra justa continuaba inquietando en el Perú. Claro que la discusión no podía mantener el vigor antiguo, muerto ya Las Casas, muertos sus principales continuadores, gastado el tema por tanto debate; hasta en los dominicos hubo conocidos antilascasistas, como el padre Toledo, o bien el fraile hereje Francisco de la Cruz[14]. Aún así, no faltaban quienes mantuvieran la llama. Hacia 1603, fray Francisco de Morales escribe en España un dictamen a Su Majestad y opina que "por ninguna vía ni color se puede dar entrada ni conquista ni población", en la región de Quijos; "y a poblar —añade— cuando los indios lo pidieren"[15]; piensa asimismo que los españoles "ha setenta años que viven en peligro". Si esto se escribía en la Península sobre el Perú, en el Perú mismo se mantenía la misma actitud, con la misma energía, por hombres como el jesuita Diego de Torres Bollo. Años después de muerto el Inca Garcilaso, fray Buenaventura de Salinas y Córdoba recordaba en el Perú al "santo Obispo de Chiapa, en aquellas divinas y abrasadas *Apologías* que hizo contra Ginés de Sepúlveda en favor de los indios". Y en carta al rey, el fraile pide "que las entradas a los indios no las hagan soldados, sino los predicadores, convirtiéndolos con la paz de Dios". Llora también "las calamidades de los indios", a quienes llama "miserables lesos y agraviados"[16]. Todavía resonaban los debates de un siglo atrás. Y aún mucho después, ya en el XVIII, cuando las *entradas* en tierra indígena habían prácticamente terminado si bien no se predicaría ya la conquista pacífica, siempre continuaría la denuncia de abusos. Valga un ejemplo, tomado del doctor don Juan Bautista de Toro, en Bogotá, hacia 1755.

> Yo tengo para mí —escribe—, por lo que estoy viendo en las Indias, donde esto escribo, que por la mayor parte vienen sólo a condenarse los que con cargos y oficios de judicatura vienen a ellas. Lágrimas quisiera tener de sangre para llorar la perdición de tantos presidentes, gobernadores, oidores y corregidores de indios como se pierden por la ambición, por la codicia, por la crueldad, etc.[17]

Claro que libros como los *Comentarios reales*, escritos en España y aparecidos en 1609 y 1617, podían muy naturalmente volver sobre tan viejos y tan vitales asuntos; claro también que el autor hubiera podido evitarlos si lo hubiera querido: en Córdoba y por entonces todo quedaba sujeto a la voluntad del autor. No vaya a creerse, eso sí, que no bien pisó la Península el Inca pudo fácilmente olvidar la gran polémica. Al llegar en 1561 a Montilla sin duda conoció al maestro Juan de Avila, fallido apóstol de Indias[18], antiguo alumno de Domingo de Soto y hombre al parecer informado de aquellas grandes cuestiones. Es curioso que discípulos jesuitas del maestro Avila, como el padre Barzana, u hombres con quienes trató, como el padre Juan de la Plaza, se distinguiesen en el Perú en la defensa de los conquistados[19]. Plaza, justamente, fue rector de la Compañía en Córdoba, años antes de viajar a Indias; no bien llegó a ellas, Plaza expresó sus dudas sobre el legítimo señorío español. Debió llevarlas pues desde la Península, tal como sus hermanos de religión Bartolomé Hernández y Luis López. Ya en la segunda mitad del XVI el debate no se reducía en España a problemas de algún teólogo dominico, de juristas indianos o de consejeros del rey. Se percibe la magnitud del debate al comprobar cómo se hallan sus trazas en cada lugar de España, lo mismo en Valladolid o Salamanca que en la Córdoba y la Montilla del Inca. Al cabo fue cordobés el doctor Sepúlveda, como también el dominico fray Juan Guerrero, celoso compañero de Las Casas. Justamente el defensor de la esclavitud del indio, Ginés de Sepúlveda, tuvo estrecha relación con maestros y amigos de Garcilaso, como el doctor Ambrosio de Morales, el licenciado Fernández Franco y sin duda el abad de Rute[20] para quien Sepúlveda se hallaba entre las más altas glorias locales: "racionero de esta iglesia, cronista del invicto Emperador Carlos Quinto, y del mismo Rey, de quien también lo fue" Ambrosio de Morales[21]. Como hijo distinguido de la ciudad lo recuerda asimismo la *Historia* de García de Morales. ¿Inclinaría este ambiente a un cierto antilascasismo? Es posible, si bien el *Demócrates alter* jamás merecería la adhesión de Garcilaso; y aunque parece lógico que los *Comentarios* jamás hablen de Sepúlveda, es evidente que su nombre debía resultarle familiar.

Tantos lazos unían España e Indias que sólo entre los dominicos de San Pablo de Córdoba figuran fray Juan Guerrero, ya nombrado, compañero de Las Casas, muerto en olor de santidad en 1554, tras vasta obra evangelizadora; de allí salieron también tres mártires de Indias; de allí partió al Perú el famoso fray Tomás de San Martín, luego Obispo de Charcas[22]. Y a San Pablo volvió un dominico perulero, según cuenta el propio

Inca, "el cual, por saber que yo era natural de aquella tierra, me comunicó, y yo lo visité muchas veces"[23]. Y aunque los dominicos de fines del XVI no tuvieran ya el ardor lascasiano de sus antecesores, parece evidente que en el colegio cordobés había sobradas razones para que se recordara a fray Bartolomé y para que se tuviera presente al Perú. Los tiempos de agitación habían pasado, pero las ligaduras con ellos se mantenían[24].

Libre, pues, el Inca, de tocar u orillar el tema, tal libertad no le ahorraba curiosos rodeos. Si los *Comentarios reales* fingen ignorar a Sepúlveda, fingen ignorar también los *Tratados* de Las Casas, los cuales poseyó. No olvidemos además que Garcilaso pudo aprovechar la *Apologética* indirectamente, a través de las *Repúblicas del mundo*, del agustino fray Jerónimo de Román y Zamora[25]. Entre los libros que dejó el Inca al morir, figuran obras de Vitoria y de Soto; y aunque no fuesen las tocantes a Indias, se ve al menos que ambos teólogos le eran familiares. Por esos libros, por esos autores, por las muchas opiniones verbales que fue oyendo desde el Perú y que sin duda volvió a escuchar en España quizás también por copias manuscritas, Garcilaso supo muy bien muchos aspectos del gran tema de la *guerra justa*.

Jamás proclamará, ni siquiera indicará tal conocimiento, pero lo usará sistemáticamente a lo largo de su obra.

## ACEPTACION DE LA CONQUISTA

Cuando el Inca se refiere a Las Casas, su posición parece categórica. Hay un ataque directo cuando lo culpa de las desastrosas revueltas que provocaron las *Leyes nuevas,* esas guerras civiles que Garcilaso vivió en su infancia. El propio demonio, afirma, inspiró aquellas leyes contra la "prosperidad de la paz, quietud y bienes espirituales y temporales que indios y españoles del Perú gozaban"[26]. Bien mirado, sorprende cómo el Inca, resuelto enemigo del virrey Toledo, coincide aquí con el texto toledano por excelencia del *anónimo de Yucay:* tanto al relacionar al demonio con fray Bartolomé y con las *Leyes nuevas* como al escribir esas palabras, que implican una justificación de la conquista[27]. Luego añade: "y el que más insistió en esto fue el fraile llamado fray Bartolomé de las Casas". Para historiar tales sucesos, el Inca advierte que seguirá las crónicas de Gómara, el contador Zárate y el *Palentino.* Cuenta que en 1539 vino Las Casas a la Corte, "y en sus sermones y pláticas familiares se mostraba *muy celoso del bien común de los indios y gran defensor de ellos.* Proponía y sustentaba cosas que, aunque parecían santas y buenas, por otra parte se mostraban rigurosas y dificultosas de ponerlas en efecto"[28]. Bien mirado, el Inca no se lanza contra la doctrina de Las Casas, sino que aquí la juzga impracticable y, más aún, aciaga, culpable de infinitas desgracias. Para narrar todo ello, advierte, se vale de esos tres cronistas, lo cual no deja de salvar un margen de reserva; y en vez de darnos su opinión personal, prefiere alegar la ajena. He aquí un matiz que en otro autor resultaría insignificante y que en él hasta parece sintomático.

Aun así, es un hecho que Garcilaso recoge violentísimas páginas contra Las Casas, a quien por lo demás conoció en persona. "Yo lo alcancé en Madrid —escribe— año de quinientos y sesenta y dos, y porque supo que yo era de Indias, me dio sus manos para que se las besase, pero cuando entendió que era del Perú y no de México, tuvo poco que hablarme"[29]. Así, insinuándolo muy de paso, muestra conocer la actitud de fray Bartolomé frente a asuntos de su tierra; sobre todo si, como era lógico, supo que el Inca era hijo de un capitán conquistador y encomendero. No se olvide que las *Doce dudas* sobre el Perú fueron obra de la ancianidad de Las Casas, escrita poco después del encuentro[30]. Sin duda esas ideas y las de sus llamados *Tesoros del Perú* corrían ya por su mente. Lo interesante será ver que, llegado el momento de alegar la opinión de Las Casas, aluda a él sin nombrarlo. Cierta vez que denuncia la "inhumanidad y crueldad" que sufrieron los indios, Garcilaso habla de "los autores" que lo atestiguan: "españoles *muy calificados,* que *yo conocí* alguno de ellos, pero dejémoslo de decir por *no hacer odiosa* nuestra historia"[31]. Creemos que la referencia apunta al padre Las Casas, único defensor caracterizado de los indios que sabemos conoció, quien por lo demás incurría en crudeza y apasionamiento "odiosos". Una mención de fray Bartolomé, como autoridad alegada, tenía que resultar sumamente incómoda, aun hacia 1610, para un mestizo que vivía en España y en la Córdoba del doctor Sepúlveda. Insistamos en un hecho importante: Garcilaso no censura jamás *los escritos* de Las Casas, sino en todo caso los errores políticos *personales* cometidos por influjo de fray Bartolomé, sin contar con la fatídica complicidad del Enemigo.

Tema complicado: inequívocamente, Garcilaso se aleja del gran dominico en multitud de aspectos, inclusive de gran monta. Recordemos para empezar la enemistad que Las Casas tuvo por los Pizarro y por Hernando de Soto. Es decir, por los protagonistas de las jornadas del Perú y la Florida, a quienes el Inca va a glorificar en sus libros con el mayor énfasis. Hijo de extremeño pizarrista, amigo de extremeño como Silvestre, fiel al extremeño Soto: los lazos son bien firmes y aquí la actitud no admitirá equívoco. Lejos de ocultarla, o de mostrarla con reserva, la proclama: "Extremadura —escribe el Inca—, madre extremada que ha producido hijos tan heroicos que han ganado los dos imperios del Nuevo Mundo, México y Perú"[32]. Y hasta cuando Silvestre y el Inca se equivocan al afirmar que Soto nació en Villanueva de Barcarrota (cuando la patria era Jerez de Badajoz), designan una tierra grata para el Inca, pues Barcarrota, en la misma provincia, pertenecía al señorío de sus antepasados los Sánchez de Badajoz. Si Garcilaso logró intuir, como intuyó, la unidad del Perú incaico, continuaba firme en su cuzqueñismo; lo mismo, pues, le ocurría con la patria española. Basta recordar su *Genealogía de Garcipérez* o leer despacio las obras mayores, para advertir hasta dónde llegaba el rigor de su extremeñismo. Quien quiera mirar dos versiones opuestas de un hecho, lea la muerte del adelantado Soto, orillas del Río Grande o Misisipí, según la *Florida del Inca* y según uno de los *Tratados* lascasis-

530

tas, la *Brevísima*: "Grandísimas y extrañísimas —concluye Las Casas— son las maldades que allí cometieron aquellos infelices hombres hijos de perdición. Y así el más infelice capitán [Hernando de Soto] murió como malaventurado, sin confesión, y no dudamos sino que fue sepultado en los infiernos". Inútil decir que el bueno y ladino Garcilaso, muy dentro de su habitual sistema de silencios, para nada aludirá a la *Brevísima* cuando la *Florida* nos presente a ese "heroico caballero" y "buen padre" de los suyos; el cual, al entender que su mal "era de muerte", como "católico cristiano" se "apercibió para ella" y, luego de testar, "con dolor y arrepentimiento de haber ofendido a Dios", se confesó. De tan edificante manera "dio el ánima a Dios este magnánimo y nunca vencido caballero, digno de grandes estados y señoríos"[33].

Ni rastro de lascasismo, y ello se corrobora en otros muchos aspectos. Hijo de conquistador, Garcilaso se precia "muy mucho" de serlo y, según tal condición, escribe la *Historia general* para "celebrar" las "heroicas e increíbles hazañas de los españoles que ganaron aquel gran imperio", el Perú[34]. Allí elogiará a Francisco Pizarro como "famoso entre los famosos"[35] y, llegadas las sublevaciones de encomenderos, mostrará con ellos blandura "extraña en un inca", según palabras de Riva-Agüero. Así era: la doble deuda lo obligaba también con el mundo paterno, cuyas proezas de armas lo tocaban en lo vivo. Al cabo, Garcilaso, que vivió un tiempo en la milicia, que siempre recordaba las hazañas familiares, se veía llevado al aprecio del puro esfuerzo bélico. La espada, clásica fuente de la honra, debía perennizarse merced al historiador; más si éste era hijo de un actor importante de aquellos hechos.

Defiende y elogia, pues, a incas y a conquistadores: rasgo bien conocido. Justifica la conquista por el cristianismo y piensa —como Acosta entre otros— que los incas, providencialmente, civilizaban a sus bárbaros vecinos, preparándolos para la religión verdadera. Tan clara intención de relacionar conquista y Evangelio confirma sus indudables conocimientos sobre la *guerra justa*[36]. En el proemio de su *Historia general del Perú*, el Inca afirma que los conquistadores "*han con su virtud allanado el paso* y abierto la puerta a la *predicación y verdad evangélica* en los reinos del Perú, Chile, Paraguay y Nueva España y en la tierra magallánica". La *Florida del Inca* no había pretendido otra cosa. Hacia 1568 —rezan las últimas palabras del libro—, veinticuatro religiosos "han muerto en la Florida por predicar el santo evangelio, sin los mil y cuatrocientos seglares españoles que en cuatro jornadas fueron a aquella tierra, cuya sangre espero en Dios que está clamando y pidiendo, no venganza como la de Abel, sino misericordia como la de Cristo nuestro Señor, para que aquellos gentiles vengan en conocimiento de su Eterna Majestad, debajo de la obediencia de nuestra madre la santa Iglesia romana. Y así es de creer y esperar —concluye— que esta tierra, que tantas veces ha sido regada con tanta sangre de cristianos, haya de fructificar conforme al riego de la sangre católica que en ella se ha derramado". Poco atrás había escrito: "cuando Dios fuere servido que se gane aquella tierra. . ."; y también "de mí sé decir que si conforme al ánimo y deseo hubiera dado el Señor la posibilidad, holgaría gastarla, juntamente con la vida, en esta heroica empresa; más ella se debe guardar para algún bien afortunado, que tal será el que la hiciera". Si continuase el peligro hugonote en la Florida, sería grave culpa, piensa, para "la nación española", que había recibido de *"Jesucristo nuestro Señor, y la Iglesia romana,* [ . . . ] *la semilla de la verdad, y la facultad y poder de la sembrar,* como lo han hecho y hacen [ . . . ]en todo lo más y mejor del Nuevo Orbe", desde su descubrimiento. Alude, pues, a la famosa bula de Alejandro VI y, aunque no discuta su interpretación, pide allí a los españoles "se esfuercen y animen a ganar y poblar un reino tan grande y tan fértil"[37]. La misión providencial de la hueste ibérica resulta en todo ello un supuesto evidente[38]. Ya en el proemio de la obra, escrito en la misma época que este capítulo, Garcilaso quiere "se esfuerce España" a "ganar y poblar" la Florida. Y aunque evite las ingratas palabras *guerra y conquista, este ganar y poblar* las implican bien a las claras; recuérdese que la misma Corona evitaba *conquistadores* y usaba *pobladores.* Este manifiesto fin práctico de la *Florida* lo recuerda el autor hasta el fin de sus días, al componer el proemio de su última obra. También cuando va a terminar la misma *Historia general,* al narrar la visita que recibe en Córdoba del franciscano Oré, expresa su viejo deseo de que esos "idólatras salgan del abismo de sus tinieblas", por medio de los veinticuatro misioneros que debía encaminar Oré[39].Y aunque en este caso no hable de *conquista,* ya lo iba a hacer en el proemio.

Más aún: al referir en la *Florida* la tentativa frustrada de fray Luis de Cáncer, quien quiso convertir a los indios entrando sin armas, cuenta que los naturales "dieron en ellos y mataron a fray Luis y a otros dos de los compañeros. Los demás se acogieron al navío y volvieron a España afirmando que gente tan bárbara e inhumana no quiere oir sermones"[40]. Aunque la referencia está calcada de Gómara, lo cierto es que el Inca ridiculiza la apostólica empresa misionera, narrada muy distintamente en las fuentes directas, como fray Gregorio de Beteta, compañero del padre Cáncer que logró escapar[41]. Justamente Las Casas, en la *duodécima réplica* de su *Disputa* contra el "reverendo doctor Sepúlveda", narra el mismo hecho, y ya sabemos que Garcilaso poseyó estos *Tratados.* Para fray Bartolomé, los indios, agraviados por "las guerras injustas que les habían los españoles, hecho, estaban, con mucha razón y justicia", bravísimos y alteradísimos. "Y el primero que entró" y apaciguó a esas gentes, "fue el bienaventurado fray Luis, que mataron en la Florida". Era, dice, "gran siervo de Dios"; y grandes los "merecimientos de felicísimo fray Luis"; los cuales ayudarán a "la conversión y salud de aquellos que la muerte le dieron". Sólo en esto último parece coincidir con el Inca, pues en el relato del malogrado intento de Cáncer, que Gómara y el Inca ridiculizan, Las Casas mantiene la actitud opuesta: "ésta es la vía divina y forma real de predicar el Evangelio y convertir las ánimas"[42].

Al cabo, según lo dirá él mismo, Garcilaso era "indio cristiano católico, por la infinita misericordia"[43]. Nadie va a ignorar cuánto había de español en ese peruano. Justamente como otros muchos mestizos americanos, se sentía fascinado por caballos y arcabuces, símbolos de la victoria paterna. Si en la portada de su primer libro el Inca se preciaba de "capitán de Su Majestad", también firmaba como tal en documentos notariales. Criado "entre armas y caballos", el espíritu castrense significaba para él su ilusión juvenil; ese viejo amor rebosa a cada instante cuando elogia el valor guerrero o la buena milicia. Resultaba imposible que quien era capitán español e hijo de capitán indiano desdeñase el descomunal esfuerzo de los conquistadores, más allá de cualquier controversia. Esta admiración por las virtudes soldadescas no sólo lo lleva al elogio de Francisco Pizarro o Diego de Almagro, sino a la ponderación de los méritos del rebelde Gonzalo Pizarro: "gran sufridor de trabajos. . . , lindo hombre de a caballo, de ambas sillas; diestro arcabucero y ballestero, con un arco de bodoques pintaba lo que quería en la pared. Fue —en fin— la mejor lanza que ha pasado al Nuevo Mundo"[44]. Y añadirá que a la genealogía de los Pizarros se le debe "dar la gloria y honra de haber ganado aquellos dos imperios", inca y mexicano.

De otro lado, también los españoles habían reportado beneficios al Perú. Cuando recuerda que la embriaguez "fue uno de los vicios más notables que estos indios tenían", se regocijará de que "el día de hoy, por la misericordia de Dios, y por el buen ejemplo que los españoles en este particular les han dado, no hay indio que se emborrache"[45]. Claro que limita el *buen ejemplo* a *este particular* y que en otras ocasiones les reprochará la introducción de males; pero aun así, aquí el lado positivo queda en pie. Ello se repite en diversos pasajes, como cuando recuerda el dicho de un inca: "si los españoles, vuestros padres, no hubieran hecho más que traernos tijeras, espejos y peines, les hubiéramos dado cuanto oro y plata tenemos en nuestras tierras"[46]. Se reconoce pues el adelanto que suponen los nuevos utensilios, las nuevas herramientas, los nuevos procedimientos de trabajo. Todavía más: siempre providencialmente, la llegada de los españoles impide las grandes matanzas que los generales del usurpador Atahuallpa realizaban entre la familia imperial cuzqueña, vale decir, entre los parientes de Garcilaso. "Pasaran adelante sus crueldades —afirma— si no las atajaran los españoles, que acertaron a entrar en la tierra en el mayor horror de ellas"[47]. Los lados positivos de la conquista se subrayan y hasta parece verse en ellos la mano de Dios[48].

Las ideas providencialistas, tan comunes entonces entre los historiadores españoles, no iban a faltar allí. Se ha observado una tesis central de los *Comentarios,* la justificación del dominio español por el Evangelio. La misma se halla en una fuente del Inca, el padre Acosta, el cual, como se sabe, coincide con el anónimo de Yucay[49]. Personalmente creemos posible que el Inca también pudiera conocer esa relación, la cual corrió en varias, quizás muchas copias manuscritas (hoy se conservan

533

por lo menos cuatro). En todo caso le bastaba Acosta para autorizar su tesis providencialista.

Cuando el Inca reproduce una oración fúnebre en honor de su padre, transcribe: "Más ¿quién podrá referir lo que en esta jornada padeció para aumentar la fe en Jesucristo, por extender el patrimonio real y monarquía de España, y por ilustrar más el nombre de su persona y descendientes?"[50] Estas palabras concuerdan con las del propio Garcilaso sobre las hazañas castellanas. Esa posición, que llega a las últimas páginas que escribe, se inicia en las primeras que de él conocemos, la dedicatoria a Felipe II de los *Diálogos de amor,* fechada en enero de 1586. Entre las causas que halla por vanagloria, subraya, "sino para mayor majestad vuestra, por que se vea que tenemos en más ser ahora vuestros vasallos que lo que entonces fuimos dominando en otros; porque aquella libertad y señorío era sin la luz de la doctrina evangélica, y esta servitud y vasallaje es con ella". En esa fecha no había visto luz la obra en español de Acosta, la que usan y citan los *Comentarios.* Curiosa actitud del mestizo que se proclama representante de los indios al preciarse de vasallos del rey católico y al recordar en primera persona que "fuimos dominando" a los pueblos vecinos. También elogiará la conquista guerrera: "Que mediante las invencibles armas de los Reyes Católicos, de gloriosa memoria, vuestros progenitores, y del Emperador nuestro señor, se nos comunicó, por su misericordia, el sumo y verdadero Dios, con la fe de la santa madre Iglesia romana, al cabo de tantos millares de años que aquellas naciones, tantas y tan grandes, permanecían en las tristísimas tinieblas de su gentilidad". Y concluye: "el cual beneficio tenemos en tanto más cuanto es mejor lo espiritual que lo temporal". Dentro del estilo epistolar renacentista, que tan bien conocía y tanto le importaba cultivar[51], cuidando adoptar el tono que corresponde al vasallo que se dirige al rey para pedir mercedes, lo substancial de su pensamiento resulta idéntico al de quince y treinta años más tarde: entusiasmo por las armas españolas, ponderación por sobre todo de los beneficios espirituales de la conquista, la cual alcanza así, de una vez por todas, resuelta aceptación.

¿Aceptación? Sí, por mucho que sorprenda. Lo prueban docenas y docenas de textos, así como otros muchos ejemplos de óptica crítica. El hecho parece tan claro que bien se podría dar vuelta a la página si otros tantos textos, otras tantas actitudes, no proclamaran exactamente lo contrario. A *la vez,* sí, lo contrario. Si en el Inca tuviéramos al hombre común y corriente, su justificación de la conquista, y aún un cierto antilascasismo, nos ahorraría la incómoda perplejidad de saberlo *también* bastante de acuerdo con fray Bartolomé, inclusive en aspectos de "restitución". Y aunque no resolvamos el enigma, él nos permitirá conocer la dimensión oculta de este primer mestizo, venido al mundo con su doble deuda.

Digámoslo de una vez, aun cuando el examen detenido del tema merece un estudio extenso: consta, por testimonio de testigos directos, que Garcilaso alegaba verbalmente a Las Casas para demostrar que los españoles le habían quitado el Perú a los incas "contra derecho"[52]. Consta asimismo que poseyó y leyó los *Tratados* lascasistas, impresos clandestinamente. Entonces se advertirá que, sistemáticamente, para el viejo mestizo sus antepasados incas fueron legítimos señores; que no se llamarán *bárbaros,* sino *gentiles,* lo cual refuerza la calidad de su señorío; que las acusaciones de destrucción del Perú, frecuentes en Cieza, son igualmente frecuentes en los *Comentarios,* contra los españoles. Y en fin, no una sino muchas veces, hablará de "la legítima" que a él le correspondía por su madre inca, y de la "restitución" que se debía a sus parientes imperiales[53].

Faculté des Lettres, Toulouse.

# NOTAS

[1] Es la conocida tesis de Riva-Agüero, que Porras Barrenechea amplía y que recoge también Aurelio Miró Quesada.

[2] *Historia general del Perú,* lib. VIII, cap. 1.

[3] *Comentarios reales,* lib. I, cap. 5; ibid, IX, 1; *Historia general,* I, 2-6.

[4] *Comentarios,* VIII, 24; *Historia general,* I, 7.

[5] Cf. Lewis Hanke, *La lucha por la justicia en la conquista de América,* trad. de Ramón Iglesia, Buenos Aires, 1949, parte I; Silvio Zavala, *Filosofía de la conquista,* México, 1946; etc.

[6] Cf. Marcel Bataillon, *Etudes sur Bartolomé de Las Casas,* ed. de Raymond Marcus, París, 1966, Introduction; cf. también los diversos trabajos lascasistas de Manuel Giménez Fernández.

[7] Cf. Raúl Porras Barrenechea, *Los cronistas del Perú,* Lima, 1962, pp. 249 ss.

[8] Cf. Lewis Hanke, *op. cit.,* pp. 406 ss.

[9] Blas Valera cita a Las Casas (apud Inca Garcilaso, *Comentarios,* II, 6); cuando el jesuíta escribía, creemos aún no circulaban las *Repúblicas* de Román; hay por lo demás testimonios de que corrieron por América copias de la *Apoloyética*; por lo demás, se conocen las preocupaciones en torno al legítimo señorío español entre varios jesuitas importantes del Perú, como el visitador Juan de la Plaza, su socio Luis López y el padre Bartolomé Hernández, primer confesor en Indias del virrey Toledo (cf. *Monumenta Historica Societaris Iesu; Monumenta Peruana,* ed. de Antonio de Egaña, S. J. Roma, 1934-1961, vols. I-III; Francisco Mateus, S. J., *Introducción a la historia general de la Compañía de Jesús en el Perú,* Madrid, 1944).

[10] Cf. Pedro Sarmiento de Gamboa, *Historia de los incas,* ed. y nota preliminar de Angel Rosenblat, Buenos Aires, 1942, pp. 30 ss, 78 ss., 276 ss., Hanke, *op cit.,* pp. 406.

[11] Lo señaló con toda precisión, en sus cursos de 1957, Marcel Bataillon; un resumen de ellos puede verse en *Annuaire du College de France,* 1957-1958, p. 502.

[12] Cf. Pedro Cieza de León, *La crónica del Perú,* cap. 50.

[13] El ilustre franciscano San Miguel aparece dos veces en los *Comentarios,* junto con el padre del Inca; en el testamento de éste, sin duda por haberlo acompañado en sus últimas horas, figura como testigo (Cf. Luis E. Valcárcel, Garcilaso el Inca, Lima, 1939, pp. 52 ss.). El historiador chileno Crescente Errázuriz trata largamente la actuación proindígena del padre San Miguel, Obispo de La Imperial (Cf. también Lewis Hanke, *La lucha española por la justicia en la conquista de América,* Madrid,1960, notas finales).

[14] Cf. Marcel Bataillon, *op.cit.,* pp. 308 ss. Para el dominico fray García de Toledo, pariente del virrey y al parecer nada lascasista Cf. Antonio de Egaña S. J., *El virrey don Francisco de Toledo y los jesuitas del Perú,* Bilbao, 1956, sobretiro de *Estudios de Deusto,* IV, 7.

[15] Acad. de la Historia, Madrid, Colección Muñoz, 42, ff. 12 ss.

[16] Cf. Salinas y Córdoba, *Memorial. . .,* Lima, 1631, pp. 269.

[17] Cf. Juan Bautista de Toro, *El secular religioso*, Madrid, 1788, pp. 247 ss.; vaya este ejemplo entre otros muchos posibles.

[18] Cf. Marcel Bataillon, *Jean d'Avila retrouvé*, en *BHi*, LVII, 1-2, pp. 5 ss.

[19] Cf. Juan de Avila, *Obras completas*, ed. de Luis Sala Balust, Madrid, 1952, vol. I, pp. 23, 123, 231 y 1.025, para la relación con Plaza; para Barzana, cf. pp. 145 y s.; cf. también F. Mateos, *loc. cit.;* en la *Historia* editada por el P. Mateos, y en los *Monumenta Peruana* puede seguirse la actuación de ambos jesuitas en Indias; para el padre Plaza en México, Cf. los *Monumenta Mexicana*, ed. de Félix Zubillaga, S. I., vols. I y II, Roma, 1956-1959.

[20] Cf. Eugenio Asensio "Dos cartas desconocidas del Inca Garcilaso", en NRFH, 1954, VII, pp. 593 ss., Miguel Artigas, Don Luis de Góngora y Argote, Madrid, 1925, pp. 10 ss, Teodomiro Ramírez de Arellano, *Paseos por Córdoba, o sean apuntes para su historia*, Córdoba, 1873, vol. I, p. 360 ss.

[21] Cf. *Francisco Fernández de Córdoba*, Historia de la casa de Córdova, Biblioteca Nacional, Madrid, ms. 3271, fol. 8 vº.

[22] Cf. T. Ramírez de Arellano, *loc. cit.*

[23] *Comentarios*, II, 5.

[24] Debieron mantenerse en el caso del jesuita Luis López, posible autor de la relación llamada del *Jesuita anónimo;* tratamos el punto en "Blas Valera y el Jesuita anónimo", en EstAm, 1961, Nº 109-110, pp. 73 ss. López murió en Sevilla, en 1599.

[25] Cf. supra, nota 11; como se sabe, las *Repúblicas* se expurgaron, pero casi siempre la de las *Indias Occidentales* quedó intacta; luego se reeditó en tres volúmenes, siempre en Alcalá, ya a fines del XVI.

[26] *Historia general*, III, 19-20; cf. L. G. Alonso Getino, *Influencia de los dominicos en las Leyes Nuevas*, Sevilla, 1945.

[27] Para el memorial de Yucay, Cf. Bataillon, *op. cit*, pp. 275, 285 ss.

[28] *Historia general*, III, 20.

[29] *Ibíd*, IV, 3.

[30] *La Respuesta a las doce dudas sobre la conquista del Perú*, planteada por fray Bartolomé de Vega, es de enero de 1564; cf. Las Casas, *Obras escogidas*, ed. de Juan Pérez de Tudela, BAAEE, Madrid, vol. CX; cf. Marcel Bataillon, *op. cit.*, pp. 259 ss.

[31] *Historia general*, VIII, 19; cuando trata de las *Leyes nuevas*, advierte que seguirá a sus fuentes a la letra, salvo "solamente en la materia odiosa" (*Historia general*, III, 19).

[32] *Ibid*, V, 43.

[33] *Florida*, lib. V, parte 2a., cap. 7.

[34] Son textos bien conocidos que citan Riva-Agüero, Porras Barrenechea y otros; cf. Miró Quesada, *El Inca Garcilaso*, Lima, 1947, p. 209.

[35] *Historia general*, III, 7.

[36] Lo ha observado Rafael Martí-Abelló en "Garcilaso Inca de la Vega, un hombre del Renacimiento", en RHM, 1951, XVI, pp. 94 ss.

[37] *Florida*, VI, 9.

[38] Cf. Ramón Menéndez Pidal, "La moral en la conquista del Perú y el Inca Garcilaso de la Vega", en *Seis temas peruanos,* Colección Austral, Nº 1.297.

[39] *Historia general,* VII, 30.

[40] *Florida,* 1, 4; Martí-Abello señala el pasaje, y lo alega en prueba del antilascasismo de Garcilaso.

[41] Acad. de la Historia, Madrid, Col. Muñoz, 85.

[42] Cf. *Tratados,* ed. facsímil, Buenos Aires, 1924, ff. 226 c. y s.

[43] *Comentarios,* II, 2.

[44] *Historia general,*V, 43.

[45] *Comentarios,* VI, 22.

[46] *Ibid,* I, 23.

[47] *Ibid,* IX, 23.

[48] Cf. supra, nota 38; Menéndez Pidal desarrolla su tesis en *El padre Las Casas, su doble personalidad,* Madrid, 1963; cf. pp. 78 s. y 298 ss.

[49] Cf. Baitaillon, *op. cit* (supra, nota 27). *La Historia natural y moral* de Acosta es de Sevilla, 1590; parte de ella se adelantó en latín en *De natura Novi Orbis,* Salamanca, 1588; ambos impresos son posteriores a la carta-dedicatoria del Inca de los *Diálogos.*

[50] *Historia general,* VIII, 12. Nosotros creemos que el predicador pudo muy bien ser fray Antonio de San Miguel, franciscano, confesor del difunto y a quien ayudó a bien morir. Siendo corregidor del Cuzco, el conquistador Garcilaso apoyó las obras de fray Antonio (*Comentarios,* VII, 12). Hay otros indicios.

[51] Muy hombre de su tiempo, Garcilaso leyó los modelos epistolares renacentistas, como el comendador Aníbal Caro; unas *Lettere* del Tasso que, aun cuando hoy parecerían de Torcuato, más bien debieron ser de Bernardo Tasso y en fin, la *raccolta* de Paolo y Antonio Manuzio, *Lettere volgari* (cf. nuestra *Biblioteca del Inca,* en NRFH, ii 2, 1948, pp. 329); a las cartas italianas, añádanse las españolas y los modelos antiguos.

[52] Cf. Rubén Vargas Ugarte, S. J., "Nota sobre Garcilaso", en *MP,* Lima, 1930, Nº 137-138.

[53] Un adelanto del presente artículo, mucho más breve, se publicó bajo el título de "Les deux univers de l'Inca Garcilaso", en *Annales de la Faculté des Lettres d'Aix,* XXXVIII, pp. 25 ss., a 115 puede hallarse un resumen de las noticias sobre el lado lascasiano del Inca. Pronto aparecerá en una versión más cabal y desarrollada.

SARA CASTRO–KLAREN

# HUAMAN POMA Y EL ESPACIO DE LA PUREZA*

HABLAR DE MOVIMIENTOS étnicos separatistas en Latinoamérica equivale, a primera vista, a la contemplación de una ausencia. Aunque quizás de manera superficial, históricamente se podría explicar este fenómeno haciendo referencia al rápido y casi total colapso de las estructuras de las dos civilizaciones indígenas cuyo destino sería el de enfrentar los caballos europeos, las armas y las enfermedades, sin mencionar la guerra civil[1].

Inmediatamente después de la Conquista, los únicos grupos que pudieron escapar a las fuerzas de integración que se desataron fueron las comunidades étnicas que ya se encontraban en la periferia de los grandes imperios, como los Yaquis de México y del suroeste americano. La resistencia de los Incas en Vilcabamba no alcanzó a durar cuarenta años (1532–1572)[2]. Aun cuando habían logrado mejorar su ejército con la incorporación de caballos y de espadas, el hecho fue que cuando Manco Inca enfrentó a los españoles y a sus aliados huanca en la batalla, la derrota estaba escrita en el viento. El Imperio se había derrumbado. Los grupos étnicos que recientemente los Incas habían colocado bajo su dominio, estaban ahora en libertad[3] y los incas ahora rebeldes simplemente no podían obtener territorio suficiente que les permitiera el lujo de constituir un reino aparte. Después de la ejecución de Túpac Amaru por orden del virrey Toledo (1572) la aristocracia inca se rindió "y colaboró estrechamente con el interés de la metrópoli"[4].

Sin embargo parece que el deseo de separación étnica no desapareció ni siquiera con la llegada de organizadores tan astutos como los virreyes Toledo en Perú (1569–81) y Mendoza en México (1535–50). Aparte de las intrincadas pautas de resistencia a la integración con la cultura dominante practicadas durante las épocas colonial y republicana por el campesinado de Meso y Suramérica, la Guerra de Castas de Yucatán (1848) se destaca como el único hecho histórico de proporcio-

* *Revista Iberoamericana*, XLVII, núm. 114 (1981), pp. 45–67.

nes que podría interpretarse como una expresión de la continuidad más o menos silenciosa de un deseo de autonomía étnica[5].

Podría cuestionarse la permanencia de tal deseo, pues todas las fuerzas históricas conocidas han militado, y continúan haciéndolo, contra la realización de esta aspiración[6]. Estudios recientes sobre creencias populares en el Perú revelan que un mito común entre el campesinado de habla quechua sostiene que la cabeza del último Inca decapitado por los españoles en 1532 permanece viva. Está enterrada en algún lugar cercano al Cuzco, anterior centro del Imperio y del cosmos andino. El cuerpo ha estado reconstituyéndose desde entonces, y cuando esté completo y se reúna con la cabeza, el reino inca será restaurado. En ese momento los actuales dueños de la tierra serán expulsados y los indios recuperarán el dominio de su nación[7].

En el fondo de este mito esquemático y explícitamente apocalíptico residen dos items de desiderátum histórico: 1) la restauración de un reino nativo racialmente homogéneo y 2) la expulsión de los intrusos. El mito configura la imagen de un deseo. Su realización depende solamente del crecimiento mágico que el cuerpo del Inca pueda lograr y no requiere ninguna modificación de comportamiento por parte de los campesinos que conservan el mito. Cuando el hecho mágico sea consumado, un nuevo tiempo nacerá[8]. Pero este tiempo no es considerado como una continuación del presente. Tiene, por el contrario, la calidad distante del día del juicio final. Comparte con el tiempo de un pasado dorado la misma condición nebulosa en relación al presente y de este modo señala su neutralidad política inmediata.

Anteriormente, sin embargo, otra voz saturada por los planteos políticos de su tiempo también imaginaba la expulsión de los españoles. Huamán Poma de Ayala, (1532?–1619) se propuso lograr el estado étnicamente homogéneo en dos pasos: el primero sería la ocupación del más nuevo de los espacios asequibles a su raza: la palabra escrita; el segundo sería el establecimiento de su nuevo "buen gobierno".

Deslumbrado por el poder político de la escritura, Huamán se procuró una nueva *personae* que podría soslayar la administración colonial, cruzar el océano y tener acceso directo al Rey de España (en *Primer nueva crónica y buen gobierno,* La Paz, 1944, folio 960–963). Su libro podría llevar a cabo lo que su persona física y legal no había logrado en ninguna corte ni ante ningún corregidor a quienes había presentado sus reclamos. Poma pensaba que después de leer su larga reflexión histórica el Rey no podría evitar el llegar a la conclusión, y ordenar, por escrito, que los indios del Perú podían y debían gobernarse por sí mismos para asegurar la sobrevivencia del Imperio Español. Huamán Poma, miembro de la clase gobernante inca por parte de su madre, había depuesto las armas que sus mayores y contemporáneos no habían podido hacer victoriosas en Vilcabamba. Concibió el proyecto de su escrito sólo unos pocos años después de la ejecución del joven Túpac Amaru I (1572), la que reprochaba amargamente a Toledo (folio 937). Tanto la separación por la fuerza como la guerra de guerrilla prolongada habían resultado ineficaces y había llegado el momento de enfrentar a los invasores dentro del espacio que ellos mismos habían inaugurado recientemente y dentro del conjunto de reglas que proclamaban haber organizado y justificaban su cosmos y, en consecuencia, la reciente conquista del Imperio Inca. Todo esto significaba que, al escribir, tendría que aceptar la existencia de un nuevo orden.

Visto retrospectivamente, el proyecto de Huamán Poma parece ingenuo o, en el mejor de los casos, paradójico. No obstante, un examen de la diestra manipulación de datos y argumentos contenidos en la *Primer nueva crónica y buen gobierno*[9] demostrará que las herramientas intelectuales y los objetivos políticos de Huamán Poma fueron elegidos con gran cuidado e inteligencia. Su crónica no es en absoluto el producto mutilado de una mente primitiva que rechaza la iluminación del Renacimiento europeo, como algunos de sus primeros lectores escribieron con delectación[10]. La validez histórica de su proyecto era demostrada por el coro de voces españolas que aconsejaban la separación de indios y españoles, pero no gobiernos separados. El establecimiento de reinos milenarios franciscanos y de estados utópicos jesuitas ya constituyen la actualización parcial de su sueño[11]. En su manuscrito, silencioso durante más de trescientos años, Huamán Poma establece las bases para el mantenimiento de la integridad étnica aun a riesgo de favorecer el separatismo. "Dios permita que no nos acabemos" (folio 981). La constitución histórica de esta ideología es lo que trataré de discutir en este trabajo.

Lo que nosotros sabemos sobre Huamán Poma, el águila–león (folio 1107), se limita a lo que él mismo había decidido decir al Rey sobre su persona en *Primer nueva crónica y buen gobierno*[12]. Por línea paterna era descendiente de los Yarovilcas, señores de la parte Norte del Imperio. Su madre era una de las hijas de Túpac Inca Yupanqui (folio 15, también 1020–22), el penúltimo Inca. Nacido después de la muerte de Atahualpa en 1532, declara haber pasado la mayor parte de sus ochenta y siete años tratando de combatir los abusos de los españoles ("mira cristiano, a mí todo se me ha hecho" [folio 916]) en su aldea, de la cual fue finalmente expulsado por un corregidor codicioso. En sus últimos treinta años su empresa literaria absorbió todas sus energías. Pasó mucho de su tiempo recorriendo el territorio, explorando la memoria de los ancianos y observando el brutal comportamiento de los españoles, minuciosamente y con la muda indignación de un inquisidor. Su reflexión —una labor dolorosa, pues nos dice que escribir es llorar (folio 1111) se convirtió finalmente en un enorme manuscrito ilustrado (más de mil páginas y quinientas ilustraciones). No se sabe casi nada sobre el momento y el lugar en que llegó a adquirir tanta información sobre las nuevas categorías de pensamiento europeas (folios 912, 918, 1069–70)[13] y la controversia española sobre los derechos humanos de los indios en relación a su situación en el Imperio. Profesando no saber latín ni tener el beneficio de ningún título ni escolaridad alguna ("no soy letrado" [folio 8]) se disculpa por los errores que pueda cometer al escribir. Proveniente de la cultura vencida y de una tradición nativa puramente oral, encara la escritura, categoría totalmente nueva de pensamiento, con vacilación[14]. La *Primer nueva crónica,* al igual que la *Biblia* (folio 912, 1065), tal vez el modelo más cercano que Huamán tenía en su mente, trata de muchas cosas y puede ser útil en diversos aspectos. Contiene datos inapreciables sobre las civilizaciones pre–inca e inca[15], así como detalladas descripciones de la drástica disminución de la población india en el siglo XVI[16] (folio 1102–951). Puede también considerarse como una metáfora del encuentro de dos mundos dentro de una mente individual: vaivén dialéctico comparable al movimiento radical de las mareas en las plataformas continentales.

La larga defensa de la pureza étnica y del separatismo, que en la mayor parte del manuscrito permanece tangencial y entretejida con otros innumerables tópicos, ha sido a menudo descrita como el bosquejo de una utopía.

Al tratar de establecer las diferencias entre ideología y utopía Mannheim dice que

> ...every period in history contained ideas transcending the existing order, but these did not function as utopias, they were rather the appropriate ideologies of this stage of existence as long as they were "organically" and harmoniously integrated into the world view characteristic of the period [ ... ] Not until certain groups embodied these wish images into their actual conduct, and tried to realize them, did these ideologies become utopias[17].

Teniendo esto en cuenta y anticipándonos a los argumentos a favor del "buen gobierno", parecería que el manuscrito de Huamán Poma constituye un conjunto de proposiciones ideológicas no tan "armoniosamente" integradas en la "visión mundial característica del período" (europeo), aun cuando fueron explicitadas con el propósito de proclamar las razones que justificaban la dominación de los habitantes recientemente descubiertos del Nuevo Mundo. Las ideologías existentes (tanto andinas como europeas) no habían anticipado la realidad y en el tiempo en que Huamán Poma vivió se modificaron hasta convertirse en formas contorsionadas que les permitieron absorber el choque con la realidad. Además, si consideramos que la ideología europea era la visión del mundo característica del grupo dominante y tenemos un miembro del grupo vencido tratando de convertir en comportamiento real la ideología del grupo dominante, encontramos que la definición diferenciadora de Mannheim no nos es de mayor utilidad. Para pensar en los términos de Mannheim tendríamos que dar por sentado que la ideología de los colonizadores y de los conquistadores del siglo XVI era uniforme, cuando sabemos que en realidad la Corona, las órdenes misioneras y los colonizadores frecuentemente disentían en cuanto a la comprensión de los fines y significado del comportamiento español en el Nuevo Mundo. Para complicar las cosas aún más, no sabemos hasta qué punto el resto del grupo de Huamán Poma, que tampoco era monolítico, estaba preparado, ideológica o prácticamente, para convertir en comportamiento la imagen/deseo de un estado étnico autónomo. Por tanto, debemos considerar las peticiones ideológicas de Poma y su proyecto para el futuro fuera de categorías restrictivas tales como praxis de la ideología durmiente y praxis ideológicamente activada de la utopía.

Al evaluar el impacto del Nuevo Mundo sobre el antiguo, parece ahora cierto que la crítica de Thomas More contra el individualismo económico sin restricciones y su inclinación por los derechos de propiedad comunal estaba inspirada en lo que había leído sobre las sociedades indígenas en las cartas de Vespucio[18].

Probablemente el hecho de que el proyecto de Huamán Poma para el futuro comparte esta característica con la sociedad insular que More propone es la causa de que haya sido calificado de utópico. Sin embargo hay diferencias muy significativas entre los sueños de estos dos contemporáneos: Huamán Poma usa su propio pasado histórico, una experiencia concreta, como modelo para un futuro inmediato. Los ensueños de More, aunque fundamentados en una crítica del presente, están parcialmente inspirados en un fragmento de un orden humano distante e imperfectamente conocido. Como el modelo de Huamán Poma se apoya en una parte de su propia existencia, su proyecto no requiere ni tiempo ni espacio remoto, no persigue un experimento dudoso: su estado autónomo puede ocurrir en su tiempo y en su espacio. Bastará solamente cortar todo vínculo con el mundo español; mantener el nuevo espacio herméticamente cerrado al mundo exterior y comenzar la tarea de restauración −no de experimentación− y nuevo crecimiento[19]. La invasión española podría ser absorbida por la sociedad andina como una especie de poda casi catastrófica, pero de la cual el tronco del árbol podía todavía reponerse. El discurso de Poma es una empresa de fundación dentro de la conciencia de fractura que la invasión de América inaugura.

La oposición funcional en la mente de Poma, típica oposición renacentista pero también muy concreta según su experiencia, es la de las ciudades españolas y las comunidades indígenas. Para Poma la tarea a su alcance era aceptar la conquista y minimizar las pérdidas, dejar las villas y las ciudades a los españoles con su población de esclavos negros y mestizos, y devolver los indios a sus caseríos y a sus campos, donde podían reagruparse de acuerdo a las divisiones étnicas pre−incaicas[20].

Al igual que la mayoría de los escritores indios o mestizos de su época, Huamán Poma había sufrido una pérdida total de poder y de posición social (folio 1105−1106)[21]. Escribe, en este sentido, desde los márgenes del poder establecido, aunque no se pronuncia contra la autoridad ni contra las formas de represión que la civilización trae consigo, como lo hace Charles Fourier a fines del siglo XVIII en Francia[22]. Si estos dos soñadores[23] de un nuevo orden se encontrasen hallarían muy poco terreno común. La sensibilidad moral de Huamán Poma no tiene límites; su capacidad de indignación moral es inagotable y cuenta con que el lector "cristiano" estará de su parte. ¡Condenado sea el lector que no esté dispuesto a enjuiciar un flagelamiento, una violación, una decapitación, o un despojo! La desesperación por la pérdida sufrida y la urgencia por restaurar el mundo antes de que sea demasiado tarde, obsesionan su mente. Fourier y su falange de buscadores de placer probablemente merecerían ser arrojados al mar junto con el corregidor avaro, el juez voraz y el sacerdote sensual. A ojos de Poma estas gentes habían venido a América para corromper un orden justo e incontaminado. Han puesto "el mundo al revés" y de alguna manera están produciendo el infierno cristiano donde "habrá hambre, y sed y llanto y crugir de dientes y gusanos y escorpiones" (folio 944). Para el moralista Poma, el culto de los sentidos, preferencias y emociones del individuo solamente conduce a una perversión mayor.

Antes de proseguir con la descripción de la organización del estado indígena bajo el gobierno español, creo que es necesario examinar la base ideológica de la táctica de Huamán Poma, pues ella determina los parámetros de la imaginación de este soñador.

Un sentido de dualidad impregna todos los aspectos fundamentales del texto. El autor es por lo menos bilingüe. El manuscrito está dirigido a los "lectores" que pueden leer caracteres abstractos y, con sus ilustraciones, al público iletrado capaz de leer las imágenes. Abarca una reflexión histórica y un proyecto para el futuro. Su discurso supone, además, otros dos tipos de lectores: el lector cristiano del manuscrito publicado (folio 7) y el lector cristiano del texto sin publicar.

En general la primera parte del texto está dirigida a Felipe II (d. 1598) y la segunda presupone a Felipe III como lector. Por impensable que pueda parecernos, no cabe duda de que Poma realmente esperaba que el Rey sería su primer lector, gobernaría según sus propuestas y ordenaría la publicación de su trabajo. Investido de su nueva *personae* como autor, el creciente orgullo de Poma le permite imaginar una escena en la cual mantiene un diálogo con el Rey (folios 960–973). Cualquiera de los Felipes le pediría, como podrían hacerlo a sus consejeros de confianza, tales como el Duque de Alba con el que se compara, su consejo sobre cómo poner fin a los brutales estragos que los burócratas españoles producían y a la consiguiente despoblación del Perú. ¿En qué basaba Huamán Poma sus pretensiones? ¿Cómo podría un hombre vencido como él persuadir al Rey de que estableciera un reino aparte de y para indios exclusivamente, cuando ya el Nuevo Mundo estaba lleno de mestizos, mulatos, negros, zambos y blancos? La respuesta es muy compleja, pero por lo menos en parte se vincula a que Huamán Poma suponía, acertada o equivocadamente, que la lucha ideológica era la determinante más importante de su tiempo.

Otra motivación de Huamán Poma parece haber sido la confianza en el poder de la palabra como metáfora del mundo (folio 912). Aunque en su argumentación no utiliza una lógica lineal y explícita y aunque prefiere la acumulación de datos, lo que finalmente construye es una vasta red de alusiones. El poder de resonancia de su material descriptivo así como sus muchos apartados adquieren total significado si no olvidamos que el contexto de su escritura es el problema político teológico que surgió en Europa con el descubrimiento de los indios. Este autor indio no sólo estaba bien al tanto de que para resolver problemas políticos tenía que comprometerse con el discurso religioso, sino que reconocía que no había distinción alguna entre ellos. Consideraba de primordial importancia la razón que se aducía para justificar la guerra contra los indios y la conquista misma: la evangelización. De modo que trató de utilizar —no sabemos si con ingenua sinceridad o con gran astucia— las mismas armas que habían declarado a él y a su vencida raza niños irresponsables[24]. Apuntando las armas en dirección contraria, él podría demostrar que los españoles eran realmente malos cristianos; inmorales, despiadados, codiciosos, etc., y por tanto no tenían derecho a gobernar la tierra, y mucho menos a los indios[25]. Al cuestionar la legitimidad de la conquista española, su trabajo se convirtió en subversivo, junto con las obras de muchos españoles que también la habían cuestionado. Es decir, que un salvaje idólatra también podía ser considerado sacrílego.

A lo largo de su repetitiva y tediosa descripción de los abusos españoles —sadismo parecería muchas veces la palabra adecuada— está diciéndole al mismo Rey que su gobierno es inepto. Le informa que no ha cumplido su parte correspondiente del pacto con los pueblos indios: tierras a cambio de almas. Informa a Felipe II/III que no está enviando sacerdotes y encomenderos a sus nuevos súbditos de América. Lo que había hecho, en cambio, era soltar un montón de "ratas, gatos, leones y víboras" (folio 704) sobre la carne inocente de una fiel y excelente fuerza de trabajo. La comparación de los españoles con una fauna carnívora acarrea un impacto más político que literario. Su animalización pone énfasis en el comportamiento "salvaje" de los señores, y de esta manera Poma cuestiona directamente la base "espiritual" que justificaba la ideología de explotación y dominio que estaba viviendo.

A ojos de Poma los indios, pura carne "natural", son capaces de dos de los más altos valores humanos: trabajo y organización social. Los españoles, por el contrario, viven del trabajo de otros y no pueden siquiera organizar el gobierno del Imperio.

Poma ha señalado aquí un punto de gran importancia ideológica. Sabe, además, gracias a la simple observación de los españoles con los que entra en contacto, que la parte ética de su ideología no es el factor principal que motiva su comportamiento: de otra manera no se explicaría que las mujeres fueran azotadas porque les faltara un huevo en su tributo. En consecuencia, Poma se dirige al bolsillo del Rey, advirtiéndole las consecuencias desastrosas que ocasionaría a la economía del Imperio la despoblación nativa (fuerza de trabajo) hasta el punto de su extinción (1102). El Rey seguramente escucharía a los que se encontraban en posición que les permitiera predecir el destino de su alma y de su oro, pero escucharía especialmente a los que fueran capaces de impedir el desastre y de garantizar un flujo continuo de oro.

Si la imitación es el más alto homenaje que una persona, grupo o clase puede rendir a otro, Poma, al emular a sus mejores, pero quizás más astutamente al apaciguar la Inquisición, hace del arrepentimiento ("reforma") de las almas el propósito visible de su escrito. La intención moral de su crítica amortiguará la peligrosa violencia política de sus ejemplos y lamentaciones.

Irónicamente es en esta coyuntura de su obra que el proyecto futuro comienza a convertirse en historia. Aparte del cristianismo, la lectura y la escritura son las únicas herencias culturales que está dispuesto a retener (folio 792). Todo lo demás, exceptuando tal vez las tijeras, debe ser devuelto al lugar de procedencia. Para Poma el mejor orden de cosas ocurre cuando las cosas y la gente permanecen donde Dios las colocó originalmente.

> Dios hizo la tierra y plantó en ella cada simiente. El español en Castilla, el Indio en las Indias, el Negro en Guinea. . . que otro español no tiene por qué entrar, porque el Inca era propietario y legítimo rey y así Castilla es de los españoles y las Indias de los Indios y Guinea de los Negros [folio 566–591].

Por sádica y destructora que, como se había demostrado, fuera la dominación española, no había posibilidades de pensar en otra salida que la *reforma*. Con la circulación de la *Breve historia de la destrucción de las Indias* (1542), Las Casas había convencido ya a muchos de sus contemporáneos de la incapacidad moral de los españoles para gobernar las colonias. Los dominicos habían incluso sugerido la temeraria idea de que los mestizos eran los que estaban capacitados para gobernar. Sus padres habían conquistado la tierra y sus madres la habían heredado. La respuesta de la Corona fue la emisión de más leyes (folio 542) protegiendo a los Indios y más leyes conteniendo a los mestizos, inquietos, ambiciosos y rebeldes.

En vista de esa posición mental ¿qué otra cosa podía argüirse para defender el derecho de los indios a gobernarse? Poma debía convencer a su Lector Cristiano, su señor, de que el Indio es un ser humano capaz[26]. Argumenta con eficacia que su compañero indígena no es un ser humano solamente en virtud del razonamiento teológico, sino en virtud de la historia de su nación (o grupo étnico) que le garantiza por lo menos igual capacidad de administrar la tierra y de gobernar a la gente. ¿Era esto escandaloso, considerando el etnocentrismo europeo? Sí. ¿Imposible? Huamán Poma no lo consideró así en el momento en que se decidió a escribir[27].

En consecuencia, Huamán Poma comienza su extendido argumento igualador con un asalto al Tiempo. Totalmente consciente de que la composición narrativa de la *Biblia* es el mecanismo por el cual los españoles calculaban el tiempo y la legitimación política de los hechos históricos, Poma trata de encontrar los puntos débiles que le permitan introducir el Tiempo Indio en el flujo lineal del Tiempo Cristiano. Su necesidad apremiante es demostrar que los Indios, pero especialmente su grupo étnico, los Yarovilcas, eran descendientes de Adán y Eva (folio 80)[28]. El Diluvio les parece, como les había parecido a muchos teólogos y misioneros españoles[29], un acontecimiento plagado de suficiente confusión sobre quienes y cuantos habían sido salvados como para permitir la teoría de una tercera creación en la cual algunos de los descendientes de Noé fueran traídos por Dios mismo para poblar el Nuevo Mundo. Aquí Poma sigue los lineamientos del pensamiento de su época (tanto europeo como indio) respecto a la idea de una sola y posible creación. Esta noción ha continuado dominando el pensamiento europeo, aun en sus expresiones más modernas y científicas, como, por ejemplo, la teoría de la evolución y de la migración de los "indios" a este hemisferio por el estrecho de Bering.

Más preocupado con la mecánica concreta de reproducción que la *Biblia* misma, Huamán Poma hace toda clase de especulaciones sobre la rapidez con que la tierra podría haber sido poblada. Su preocupación por el crecimiento y disminución de la población, como veremos luego, no es un mero juego intelectual. Anteriormente algunos comentadores han insinuado que Poma es una muestra de la peculiar fascinación por los números, típica de la preocupación estadística de los Incas. Esto bien podría ser verdad, pero no puede olvidarse que lo que él quiere es un Estado Indio con el expreso propósito de promover la reproducción de los indios (folio 481), cuyo descenso de población se había convertido en una frase obsesiva ("se despueblan las Indias") en las mentes de sus contemporáneos, tanto indios como españoles.

En el momento en que escribe, el crecimiento de la población era literalmente un juego de vida o muerte para su raza. Tanto aquí como en otras manifestaciones de su discurso, encontramos que lo concreto está íntimamente ligado a la ideología política y ésta a su vez se vuelve inseparable de las consideraciones religiosas o cosmológicas.

Poma es bien consciente de que el problema de la descendencia de la pareja original es básico para la consideración del gran tabú del incesto. Los españoles habían usado la costumbre inca de casarse con sus hermanas para declararlos inmorales e ineptos para gobernar y por lo tanto merecedores del yugo español. Recurriendo otra vez a la confusión, ve la salida de la zona de peligro. Propone que, como Adán y Eva, los fundadores de la tercera edad en el Nuevo Mundo seguramente habían tenido vidas muy largas y han sido padres de muchas parejas de mellizos. En muy poco tiempo debía haber habido tanta gente en edad de procrear que se había hecho imposible controlar las relaciones de cada individuo. Y aún más, cuando páginas después habla del origen divino del Inca —Hijos del Sol— implacablemente destruye tales pretensiones al echarles en cara la acusación de incesto. Para Poma, los orígenes divinos del Inca son solamente un fraude, y, por añadidura, Manco Cápac era el producto de la creación sin padre de una ambiciosa madre/ bruja que se casó con su hijo y después inventó la historia de la ascendencia divina directa (folio 81).

Si la acusación de incesto contra sus antepasados Yarovilcas es rechazada de una manera por lo menos tan confusa como la de la *Biblia*, la cuestión de los derechos humanos como corolario exclusivo del cristianismo, en cambio, no lo es. El "descubrimiento" del Nuevo Mundo había puesto en crisis la mayoría de las nociones europeas de la naturaleza humana (ni divina ni animal)[30]. Las teorías contemporáneas sobre el derecho de hacer la guerra y de apoderarse del botín de la conquista, así como los derechos económicos, políticos y sociales de los individuos súbditos del Estado, tendrían que examinarse nuevamente a la luz de una nueva presencia: el indio. La mente de Huamán Poma parece sumergirse en el debate que siguió a la publicación de la *Destrucción de Indias* de Las Casas, especialmente entre Sepúlveda y Vitoria. Seguramente tuvo acceso a los argumentos de ambas partes. Por supuesto vio y consignó en su obra los efectos que la disputa tuvo en la vida cotidiana de sus semejantes. La "humanidad" de los indios pierde terreno cada día que pasa bajo la dominación española, una dominación que progresivamente los va considerando como simples cuerpos, sin derechos humanos ni "espíritu". La mirada de Poma sobre este paisaje de sufrimientos y de muerte no es exclusivamente moral, sino que ve destruidas a su alrededor ("todo en el suelo") (folio 1094), con la desaparición de los cuerpos, y por tanto de una cultura, las viejas esperanzas que la nobleza india había tenido de superponer el nuevo credo sobre el viejo cosmos. El objetivo siguiente de Poma es demostrar que, puesto que un gobierno justo y moral es la única justificación de la existencia del Estado y del ejercicio del poder, éste no puede ser monopolizado de ningún modo por los cristianos (folio 948). Por el contrario, la historia —en el Viejo y en el Nuevo Mundo— le permitirá probar que los gobernantes paganos habían sido justos y amados por sus súbditos en mayor medida que muchos gobernantes que pretendían gobernar en el nombre del Rey español cristiano. En efecto, si se le preguntara su franca opinión, tendría que decir que encuentra a los Incas incomparables: "No he hallado ninguno que haya sido de tan gran magestad" (folio 948).

Aunque una gran parte del libro está dedicada al recuerdo del sistema político, social y económico inca —sistema ejemplar a criterio suyo—, Poma proclama que las bases del sistema fueron delineadas en tiempos de los Yarovilcas. En una constante oscilación de sentimientos exhibe tanto profundo desdén como admiración por los Incas. Como indio, toma partido con ellos como ejemplo de lo que los indios son capaces de realizar. Procede luego a probar que eran gobernantes justos a pesar de ser paganos y aun cuando habían conquistado y dominado a sus fuertes antepasados.

En otra de sus sabias especulaciones, imagina que Cristo nació el mismo año que Julio César estaba en Roma y Sinchi Roca en Cuzco, los dos centros cosmológicos o ciudades santas de estos imperios en conflicto. Aquí la intención de su argumento apunta al problema de la expansión territorial justa. Conquista e Imperio hallaron su justificación, y aún ahora la halla, en su misión civilizadora (en nuestros tiempos llamada desarrollo). Para Huamán el Imperio Romano no fue una fuerza civilizadora mayor de la que había sido el Imperio Inca, y ninguno de estos imperios era menos virtuoso que el Imperio Español Cristiano. Como si no fuera suficiente, Poma prosigue recordándonos que los españoles habían vivido largo tiempo bajo el dominio del Imperio Romano y que nadie los culpaba por su previa sumisión a un gobierno pagano (folio 910). Fue sólo *más tarde* que se convirtieron al cristianismo, cuando el apóstol Santiago les llevó la Palabra[31]. Así que, en cierto modo, los españoles son también conversos, ya que no nacieron cristianos ni son tampoco cristianos tan "antiguos" como pretendían ser (folio 934). La ciudad Santa de Roma podía presidir sobre los indios así como presidía sobre España. Por lo tanto no es inconcebible que los indios pudieran duplicar la conversión a la fe de los españoles y convertirse ellos mismos en los grandes defensores de la fe, en santos, teólogos, artistas religiosos, en todo lo que el ser humano es capaz de realizar (1102). Prueba de ello puede encontrarse en la vida de santidad de su medio hermano Martín de Ayala o en libros tan piadosos como la *Primer nueva crónica*.

El atrevimiento del yarovilca no se detiene aquí. Un buen gobierno requiere una apropiada delegación de autoridad, no la mera aceptación verbal de una doctrina político-religiosa. Cristo mismo dio el primer y mejor ejemplo al delegar su autoridad en San Pedro, que luego el apóstol delegó en los Papas/Roma. En este punto de su argumento, Huamán Poma invoca un orden pontificio del mundo al embarcarse en la más tediosa y oscura recitación de nombres y fechas de los Papas en la que intercala la línea de descendencia Inca. En parte entendemos esto si tenemos en cuenta su empresa niveladora. En el flujo del tiempo cristiano-pontificio ha habido muchos linajes de gobernantes: españoles, ingleses, incas, etc. Poma toca la raíz del problema cuando gentilmente le recuerda al Rey de España que su autoridad solamente se apoya en la doctrina del poder divino. Cristo dejó a Pedro, Pedro a los Papas, esto en cuanto a la extensión temporal diacrónica. En la extensión espacial sincrónica, los papas autorizan a los reyes, los reyes a los virreyes, y así *ad infinitum*. Un yarovilca noble puede ser el delegado del Rey y también el puente para la creación de un futuro estado indio separado.

La posición del rey ha salido indemne una vez más, aunque la administración de la justicia que de él emana es seriamente atacada. Lo que se cuestiona no es el derecho de España a tener un imperio en el Nuevo Mundo sino, más bien, quiénes deberían gobernar en nombre del rey–papa–Cristo. Habiendo demostrado previamente la incompetencia burocrática y la ineptitud moral de los españoles, Poma sólo puede ver otra elección lógica: los indios mismos. Ellos se habían manejado muy bien sin el beneficio de la Cristiandad y por lo tanto sólo podía esperarse que lo hicieran aún mejor con el legado de la nueva luz.

La defensa lógica, entonces, de un reino autónomo indio, parecía haber terminado. Los indios eran seres humanos recientemente introducidos a la Cristiandad, y, sobre todo, eran históricos y no naturales. Tenían su lugar en el tiempo, lo que los hacía merecedores de continuar existiendo en el flujo del Tiempo Cristiano/Histórico.

Desafortunadamente para Huamán Poma, faltaba aún resolver el problema constituido por el mayor enemigo *natural* de su labor ideológica: el mestizo. La descendencia que resultó de la unión "natural" o violación que la conquista produjo es el mayor obstáculo para los planes de Poma. En ninguna de las 1000 páginas hace Poma el menor esfuerzo por disimular su odio por el mestizo. No elabora una crítica moral del mestizo como hace con los españoles. Lo que informa sus acusaciones de pereza, falta de fijación, sensualidad y arrogancia es frecuentemente simple repulsión física. Solamente los zambos (negro e indio) son merecedores de igual odio y repugnancia. Sólo pensar en esta gente hunde a Poma en intolerable estado de enajenación. La pureza de la sangre y de la descendencia obran en la conciencia de Poma como categorías enceguecedoras, de tal manera que este abierto disgusto por el zambo, el mestizo y el mulato se convierten en inesperada piedad y compasión por el esclavo negro, cuando dice que él es "humano también". Si bien conoce el problema de la pureza de sangre en relación a los judíos de España, Huamán piensa que los judíos son esencialmente españoles o, como se diría hoy, "caucásicos": "Considera que la nación española fue Judía aunque tuviera otra ley. Y tuvieron letra y traje, hábito y rostro y barbas. Conocieron muy de veras a Dios y tuvieron ley de Moisés y mandamiento, lo cual no tuvieron los Indios" (folio 937; ver también 915).

A juicio de Poma, el poder corrosivo, social y legal del mestizaje sobre la cultura indígena es crucial y abrumador. La imagen del mestizo toca un punto débil en todos los niveles físicos y morales de la conciencia de Poma. En lo más profundo, *mestizaje* significa que las mujeres indígenas darán a luz hijos cuyos seres físicos no perpetúan el ser material de los hombres de su misma etnicidad (folio 1105). Los hombres serán entonces condenados a la esterilidad. Poma cuenta muchos casos en que un hombre ha regresado de la *mita* (tributo de trabajo forzoso) para encontrar su casa llena de niños mestizos. Este hombre abandona su hogar, su villa, su mundo, para no dar salida a su disgusto, miedo y alienación matando a los hijos del conquistador en su mujer ("por no matarlos") (ver también folio 1109). El amor narcisista del padre por su hijo, el amor egocéntrico del grupo étnico hacia sí mismo es negado por el *mestizaje*. La amenaza a la continuación personal, a la diferenciación misma, el miedo a la extinción racial, es más de lo que Huamán Poma y sus congéneres indios pueden soportar (folio 981).

A todo esto debería agregarse que el propio padre de Huamán Poma tuvo que hacer frente al mismo trauma. El "querido" medio hermano de Poma, Martín de Ayala, era, según nos cuenta, un mestizo. La especulación psicológica nos dirá que el "regalo", la violación, la seducción o la participación voluntaria de su propia madre en el nacimiento de este mestizo podrían constituir los fundamentos de esta repulsión física. Aún más, en una extraña nota personal, confía en el lector y confiesa: "mira cristiano, a mi todo se me ha hecho, hasta quererme quitar mi mujer un fraile mercedario. . . pretenden que fueran los indios bobos, asnos, para acabar de quitarle cuanto tiene, hacienda, mujer, hija" (folio 916).

*Mestizaje* significa también, en líneas generales, la pérdida por el grupo del control sobre el sistema reproductivo y de parentesco de la sociedad india. Huamán Poma sabe que ninguna ley de protección de los indios puede tener el menor efecto sobre la insoluble destrucción causada por el *mestizaje* (folio 1109 a 1118). Por los datos que presenta podría deducirse que las mujeres no comparten su repulsión por la noción de relaciones sexuales y culturales[32] (folio 1109). Algunas, las buenas a los ojos de Poma, se sentían tan avergonzadas cuando un religioso o corregidor había violado a todas en la villa, que ellas también huían y no volvía a saberse nada de ellas. Otras, sin embargo, no se horrorizaban tanto ante la idea de convertirse en la concubina de un español o de un negro y de tener hijos de ellos (folio 966). Huamán comenta: "y se acaban los indios por no tener mujeres y porque todas las mujeres se van detrás de los españoles" (folio 1018). Preocupado por el hecho de que esta nueva libertad en las relaciones ha afectado a los indios porque "ha desatado tanta lujuria entre los indios" (folio 888), y también preocupado por la despoblación de los pueblos indios, Huamán Poma insulta a las mujeres que se van con los españoles a las ciudades: "Las mujeres salen, se ausentan, salen de noche, se hacen bellacas, putas" (folio 880). Para él todas estas mujeres son traidoras y prostitutas (folio 1118). No puede ver otra motivación. Sin embargo, cuando describe la vida de la mujer ideal en tiempos pre–hispánicos, páginas después, parecería que muchas de ellas vieron en las ciudades españolas un refugio de la vida de infinito trabajo y sumisión a la autoridad masculina en la casa, en el campo y en toda otra esfera de la vida.

El trabajo es otro de los argumentos que Poma sostiene en contra de los mestizos. La indignación de Poma arde con furia implacable cuando los españoles se salen con la suya y no pagan a los indios por su trabajo. Pero el hecho de que el mestizo no esté obligado por la *mita* (nueve meses de trabajo impago para los señores y tres para ellos mismos) es para Poma el equivalente de un mundo al revés, o del infierno mismo. Si el mestizo no tiene obligaciones de trabajo, debería ser echado de las poblaciones indias. Que se unan al mundo de los españoles, con sus mulatos y zambos. O mejor aún, que se los deporte a Chile, se los arroje al mar, pero que se los mantenga fuera de la vista de Poma, pues, como el marido engañado del teatro español, tiene deseos de matarlos él mismo.

El entrecruzamiento de razas no ocurre solamente fuera del matrimonio. Implica también el pecado de un sacerdote contra Dios y la sociedad, el robo de la virginidad y de la decencia de las mujeres indias (folio 971), produce el maldito y rebelde mestizo (folio 965), pero, sobre todo, debilita la fuerza de trabajo de las comunidades indias porque las mujeres se van y sus hijos no están sujetos a los sistemas de trabajo indígenas ni al tributo. El mestizo es una plaga casi tan perniciosa como el español mismo[33].

Y peor aún, el daño recae sobre el rey mismo, porque sin indios, esto es, sin una fuerza de trabajo capacitada,

> . . .se ha de perder la tierra porque ellos (españoles y mestizos) han causado gran daño y pleitos y perdiciones. Se perderá la tierra y quedará solitario y despoblado el reino y quedará muy pobre el rey por causa del dicho corregidor y demás españoles que roban a los indios sus haciendas, casa, sementeras, pastos, y sus mujeres, por asi casadas y doncellas, todas paren ya mestizos y cholos, hay clérigo que tiene ya veinte hijos y no hay remedio. [folio 446].

Un estado indio, en consecuencia, estaría dedicado a los tres fines que satisfaría los más altos intereses ideológicos y económicos del rey: la producción de súbditos cristianos leales y la producción de bienes destinados a satisfacer las necesidades de sobrevivencia de la fuerza de trabajo y de un excedente para las necesidades del Estado. A pesar del argumento de Las Casas en favor de los derechos a la herencia de los mestizos, Poma ha logrado dejar bien claro que entre todos los súbditos del rey los únicos adecuados y capaces de realizar un "buen gobierno" son los indios mismos. Los mestizos serían los menos capacitados, pues como grupo no tienen ni historia ni cosmos que les sirva de modelo.

La intención final de *Primer nueva crónica y buen gobierno* se nos presenta al preguntarnos, como todo lector de la obra de Poma debe estar ahora preguntándose, cuáles serían los indios capaces de cumplir las promesas hechas al Rey. Si el proyecto del Estado indio futuro tiene su modelo en el pasado, la nobleza india sobreviviente e históricamente responsable sería para Poma y para su fiel lector la respuesta inevitable. Especialmente los ancianos, pues ellos, además de recordar, representan una serie de negaciones básicas para la administración de un buen gobierno[34]. Los ancianos no albergan ya deseos de placer personal o ambiciones de poder, no sufren la lujuria propia de hombres más jóvenes, no codician un exceso de bienes materiales (en una sociedad sin propiedad privada no hay problemas de herencia), y no actúan movidos por ambición política para alcanzar honores y puestos más allá del presente. Los honores del mundo y la gloria del poder no son ya una tentación para los que están tan cerca del reino de Dios. Lo breve del tiempo que les queda por vivir, la proximidad de la muerte, los compele a un comportamiento ético. ¡Dios nos libre de las locuras y de los deseos experimentales de la juventud!

El inminente perfil "conservador" del futuro que Poma propone sólo ha comenzado a mostrarse con su preferencia por una gerontología. Si propone un cambio total en el presente, es para terminar con el caos desatado en el Perú por los cambios que siguieron a la Conquista. Poma, al igual que otros soñadores de una sociedad perfecta, visualiza un estudio final de total estabilidad, notable por su pureza, coherencia, unidad y falta de contradicciones. La mezcla de categorías, la ambigüedad de las posiciones y las pluralidades actúan como desestabilizadores en su esquema del mundo. La singularidad, la separación , las diferenciaciones y la clasificación favorecen el orden, el conocimiento, el planeamiento y la predictibilidad. Cada objeto, cada tarea, cada acto y cada oficio, debe estar claramente diferenciado de los otros, para evitar la confusión y el error. Por lo tanto, habría hecho vestir a la gente con colores y ornamentos diferentes que señalaran, sin dejar lugar a dudas, su ocupación, clase, origen regional, responsabilidad y sexo. La organización total del Estado estaría inscripta en el vestido de cada individuo. Entonces Poma podría complacerse en el deleite intelectual del orden: "Que bien se ve cada uno en su traje" (folio 797, ver también folio 1102).

La división de trabajo y de parentesco constituyen para Poma, en anticipación a la antropología moderna, los principios fundamentales de la organización humana. En el contrato social entre un miembro de la comunidad (me abstengo del término "individual" porque no creo que Poma lo interpretara en el mismo sentido que los europeos en los últimos doscientos años) y el Estado, este último garantiza el derecho y la obligación universales de trabajar y de procrear. Para Poma todas las relaciones humanas están conformadas en relación al trabajo. El sexo, la capacidad física y las habilidades serían, como lo habían sido en el Imperio Inca, los criterios que se adoptarían para la asignación del tipo de trabajo. Los niños comienzan a trabajar tan pronto pueden subsistir un tiempo considerable lejos de sus madres. Antes de los cinco años, cuando comienzan a atrapar pequeños pájaros para arrancarles las plumas, también barren, traen leña y ayudan a cardar lana. No podría detenerme aquí en todos los detalles en que entra al planificar una división más amplia del trabajo, pues Poma encuentra verdadero deleite en describirlos. Diré simplemente que cada miembro de la comunidad trabaja —lo que para Poma es que él o ella existen socialmente— desde la edad de tres años hasta la muerte, en una interminable relación con el trabajo. Poma elogia a los Incas porque en sus tiempos aun a los nacidos con defectos congénitos se les daba trabajo y pareja. Frecuentemente el jorobado, el sordo y hasta el ciego llegaban a ser los mejores tejedores y alfareros de la comunidad y hasta del reino. También tenían hijos sanos.

Bajo la dominación española, por el contrario, los ancianos y los enfermos asfixiaban las ciudades con sus cuerpos inútiles y sus manos extendidas tratando de consumir lo que no podían ya producir.

Su queja más amarga contra la administración española es la destrucción de la familia, que atribuye a la introducción de nuevos modos de producción[35]. Poma no puede separar el *confort* emocional, el sentido de dignidad personal y el "amor", así como todos los otros valores "espirituales" por los que la familia es idealizada, de su visión de la familia como la unidad básica de procreación y producción[36].

Para él la familia trabaja en primer término para satisfacer sus necesidades y por tal razón se les permite poseer unos pocos bienes de propiedad "privada": utensilios del hogar, animales domésticos, etc. El excedente producido por el trabajo fuera de la casa, y a veces dentro de ella, sea éste de tejidos o huevos, sostiene al Estado. En una sociedad de economía no monetaria, los oficiales del Estado son remunerados en bienes destinados al consumo y no a la acumulación, menos aún al despilfarro del banquete o a las vestimentas ornamentadas de los españoles. El papel del Estado sería mínimo y por lo tanto no demandaría grandes gastos. No existirían los "comenderos (que) gastan largamente como no les cuesta su trabajo, ni sudor, sino que pide a los pobres indios" (folio 559). Y al Rey le daría su tributo en mercancía y también en trabajo —plata, coca, ganado y oro— para que disponga de ellos como le plazca. La conversión de las mercancías a usos y valores ajenos a la economía indígena al integrárselos a la economía mercantil del imperio español no era de su incumbencia, siempre que los españoles mantuvieran el perverso sistema para uso exclusivo de ellos mismos.

En este mundo de trabajo, el Estado es comparable a una verruga en la suave epidermis de un cuerpo gigantesco de trabajadores. El Estado sería una presencia invisible encargada de vigilar el funcionamiento de la sociedad en un estado de equilibrio estable. El mayor cambio que la conciencia de Poma puede tolerar es una lenta adaptación a los fracasos inesperados de la máquina perfecta. Para él no existe nada más aborrecible —exceptuando los mestizos— que la noción de cambio rápido o experimentaciones o de ascenso social en la vida a expensas del trabajo de los demás[37]. En una de las muchas escenas que describe, ridiculiza a la familia española que, en la pobreza, imagina para su descendencia riquezas en el Nuevo Mundo.

A fin de mantener tranquilos a los mercedarios y otros religiosos y para convertir en realidad un estado indígena independiente, la segunda etapa de su utopía tendrá que realizarse por escrito. El Rey debe decretar su existencia y el retorno al pasado comenzará con la restitución de la tierra a sus dueños originales. Huamán Poma escribe:

> Es muy justo que se vuelva y restituya las dichas tierras y corrales y pastos que se vendieron en nombre de su majestad, porque de bajo de conciencia no se le puede quitarsela a los naturales, legítimos pro-

pietarios de las tierras. . . Después que se les vuelva los indios e indias les valdrá muy mucho a su majestad [folio 536].

Poma no advierte la red de complicaciones insolubles que surgían al producirse el cambio de un sistema de propiedad privada al sistema previo de propiedad comunal, especialmente después de la dispersión inicial de los indios ocasionada por la guerra y por la *encomienda.* De modo que la transferencia de la tierra se haría de acuerdo a los derechos existentes en tiempos de su abuelo, Túpac Inca Yupanqui "y si fuere común sementera o pastos de los pueblos de quien fuere justo título desde abinicio y desde Topa Inca Yupanqui. . . y a los indios que no fueren herederos se los arriende y paguen un tanto al dicho dueño" (folio 536).

Por más atractivo o necesario que el Estado indio independiente pudiera haberle parecido al Rey, la abrogación de los derechos de conquista era una carta políticamente imposible de jugar. La Corona tenía suficientes problemas con el control de los viejos súbditos españoles en el Nuevo Mundo para correr el riesgo de proponer, aunque fuera solamente por escrito, la autonomía económica y política de los indios. Aun cuando Poma ofrecía la promesa de mayores excedentes para la Corona, además de mayor número y mejores almas cristianas, las fuerzas que conformaban el mundo colonial hispánico, frecuentemente en amplio desacuerdo con los deseos de la Corona, eran incontrolables por las vías del interés ideológico aislado. Lo que Poma hace en *Primer nueva crónica,* aparte de rescatar del olvido un legado cultural, es proponer convincentemente un estado étnico independiente dentro de los parámetros ideológicos (limitaciones) de la cultura dominante. Su mayor fracaso, no mayor que los de sus muchos contemporáneos que perseguían cambios similares, era creer que la historia podía ser cambiada por la petición de un príncipe ("que soy un príncipe y protector") (folio 981) a otro, sin tener en cuenta cuán absoluto el poder del otro podía parecer. Aunque Huamán Poma entendía que el funcionamiento de la sociedad era un proceso orgánico, no otorgaba al cambio político drástico un atributo similar. Podría escribirse un libro sobre las razones por las que su sueño fracasaría. En las últimas cien páginas de su manuscrito comienza a vislumbrar la imposibilidad de su sueño. Defiende a sus indios como el príncipe debe hacerlo con sus súbditos, aun cuando sus nuevos señores se nieguen a oír sus reclamos "y así escribo esta historia para que sea memoria y se ponga en el archivo de la justicia" (folio 981). Con esta oración comienza a dedicar su obra a un espacio aislado de la escritura, como si ésta misma fuera un espacio separado del resto del mundo. Y sin embargo cuando Huamán Poma formula su pregunta principal: ¿Cómo nosotros, una entidad étnica y cultural, lograremos sobrevivir?, está formulando la pregunta histórica crucial. Más adelante, cuando se refiere al exceso de trabajo y a la mezcla de razas como peligros principales para la realización de su proyecto de resistencia, nuevamente acierta al percibir que el momento que los indios del Perú estaban viviendo era desesperado.

El análisis de proceso de despoblación de México, de Woodrow Wilson Borah, aclara, retrospectivamente, lo que Huamán Poma había advertido y trataba de expresar a fines del siglo dieciséis con respecto al Perú.

> El agudo y continuado descenso de la población de los indios de México a partir de la Conquista hasta el comienzo del siglo XVIII debe ser considerado como uno de los factores más importantes en la historia de México. Si las poblaciones originales del centro de México hubieran soportado el impacto de la conquista con poca pérdida demográfica los conquistadores podrían haber tenido escasas oportunidades, excepto como administradores o cobradores de tributos. México sería hoy un área indígena de la cual, un estrato más alto blanco en el proceso de lograr la independencia de España y que se mantenía separado, como los británicos en la India, podría haber sido fácilmente expulsado[38].

Resulta entonces que el sueño de Poma tenía sus raíces en la realidad y que podría haberse llevado a cabo —y esto era ya verdad en los tiempos en que escribía— si sus más graves temores (despoblación y mestizaje) no hubieran galopado al frente de sus esperanzas más queridas.

Traducción de Lillian-Seddon-Lozano
University of Pittsburgh

556

# NOTAS

[1] Sobre la enfermedad como aliada formidable de los españoles, véase Alfred W. Crosby, *The Columbia Exchange: Biological and Cultural Consequences of 1942*. West Port, Ct.: Greenwood Press, 1972. Sobre el problema de la conquista y los ejércitos: "El ejército que capturó Tenochtitlán era realmente un ejército de indios capitaneados por unos pocos españoles", dice Lewis Hanke (ed.), *History of Latin American Civilization, Sources and Interpretations*, 2 vols. (Boston: Little Brown and Company, 1973), vol. I, p. 168. Para el caso de Perú véase Waldemar Espinosa Soriano, *Los Huancas, aliados de los conquistadores; tres informaciones inéditas sobre la participación indígena en la conquista del Perú, 1558-60-1561* (Huancayo: Universidad Nacional del Centro, 1971).

[2] "Cuarenta años en que la penetración hispánica en Sud América tropezaba con una obstinada resistencia en Vilcabamba y el grupo seguía manteniendo la esperanza de recobrar la tierra", escribe Héctor López Martínez en *Rebeliones de mestizos y otros temas quinientistas* (Lima: 1972), p. 143.

[3] Para mayor información sobre las divisiones étnicas que debilitaron el Imperio Inca en el tiempo de la conquista véase Waldemar Espinosa Soriano, *La destrucción del imperio de los Incas: la rivalidad política y señorial de los curacazgos andinos* (Lima: Instituto Nacional de Investigación y Desarrollo de la Educación, Ediciones Retablo de Papel, 1973).

[4] Véase López Martínez, *op. cit.*, p. 155.

[5] "En fecha tan reciente como 1848 los descendientes de los antiguos mayas, después de siglos de sumisión, se abrieron camino peleando a través de la península de Yucatán y estuvieron casi a punto de empujar a sus señores blancos al mar", escribe Nelson Reed en *The Caste War of Yucatán* (Palo Alto, California: University of Stanford Press, 1964), p. VII.

[6] Todavía está por escribirse un estudio analítico de las numerosas rebeliones indígenas y mestizas en México, Perú, Guatemala, Bolivia y en todos los otros países donde la población podría llamarse indígena. Por tanto es imposible por el momento decir hasta qué punto estas rebeliones pueden ser interpretadas como explosiones contra una represión económica y política prolongada y en qué medida exhiben éstas un componente étnico fuerte o determinante. A juzgar por López Martínez *(op. cit.)* parecería que la conciencia étnica es realmente una parte importante de la identidad y de las motivaciones de los grupos rebeldes.

[7] Véase José María Arguedas, *Formación de una cultura nacional indoamericana*, selección y prólogo de Angel Rama (México: Siglo XX, 1975), pp. 173-182.

[8] Véase en Nathan Wachtel, *Sociedad e ideología, ensayos de historia y antropología andinas* (Lima: Instituto de Estudios Peruanos, 1973), pp. 190-11, una discusión sobre la organización temporal cósmica clásica andina en cuatro épocas escatológicas.

[9] Del relato contenido en el manuscrito podría deducirse que Poma lo escribió entre 1583 y 1613. Wachtel sostiene que Poma comenzó a copiar su crónica en 1612 y la terminó hacia 1615 (*Op. cit.*, p. 168).

[10] Véase, por ejemplo, "Juicio crítico de R. Pietschman" en el apéndice al libro de Julio C. Tello, *Las primeras edades de Perú por Huamán Poma de Ayala* (Lima: Ed. Lumen, 1948), p. 7.

[11] La existencia entre los misioneros franciscanos de México de un reino milenario heredado de Joachim de Floris por intermedio de San Francisco de Asís se discute extensa-

mente en Jacques Lafaye, *Quetzalcoatl and Guadalupe, the Formation of Mexican Consciousness, 1531-1813* (University of Chicago Press, 1976), pp. 30-31. Lafaye discute también (p. 33) el experimento utópico de fray Vasco de Quiroga en Michoacán con los indios tarascos. Para mayores detalles sobre el experimento franciscano véase John L. Phelan, *The Millenial Kingdom of the Franciscan in the New World* (Berkeley: University of California Press, 1958).

[12] R. Pietschman encontró el manuscrito en la Biblioteca Real de Copenhagen en 1908. Yo he usado la edición impresa transcripta y anotada por Arthur Posnansky, publicada en La Paz en 1944. Todas las referencias a los folios se hacen por esta transcripción.

[13] Wachtel ha demostrado que, aunque aparentemente confusas, sus secuencias del flujo del tiempo desde la creación del mundo hasta el presente obedecen a categorías andinas de espacio y tiempo. En efecto, Poma logra insertar el tiempo y el espacio cristiano en las divisiones cuatripartitas de tiempo y espacio andinas (pacha) (*op. cit.,* pp. 202-226). Y todavía hay otra corriente contraria en su pensamiento, que insertará el tiempo indígena y el cosmos indio en la cultura imperial europea en expansión. En "Las otras fuentes de Huamán Poma: sus lecturas castellanas", (*Histórica,* Lima, Vol. V, Dic., 1978) Rolena Adorno demuestra que Poma conocía muy bien no sólo las ideas de Las Casas, sino también las del Obispo Loayza, "Avisos para confesores", el *Léxico* de Domingo de Santo Tomás, el *Tratado de doce dudas,* así como *El tercero catecismo y exposición de la doctrina cristiana por sermones,* primer libro impreso en América.

[14] Parecería, por sus constantes comentarios laudatorios sobre su medio hermano el hermitaño Martín de Ayala, que era éste quien lo instruía en las cuestiones de la fe católica. Los misioneros predicadores son probablemente otra de sus principales fuentes. Mientras recorría las ciudades españolas y las villas indígenas seguramente oyó muchas misas y sermones. Como ocurre hoy día con los que no saben leer y escribir que se enteran a diario de los problemas de su tiempo a través de la televisión o de la radio, Poma parece estar totalmente atrapado por la mera fascinación de la palabra y en el recuerdo puede sin embargo enfurecerse ante la incomprensión de su cultura que se tradujo en evangelización y extirpación de la idolatría.

[15] La reconstrucción del sistema de los ceques del Cuzco por R. T. Zuidema en *The Ceque System of Cuzco: The Social Organization of the Capital of the Inca* (Leyden, E. J. Rill, 1964) y la revisión de Wachtel de la tesis de Zuidema (*op. cit.,* pp. 230-258) hacen un extenso y brillante uso de los datos disponibles en el manuscrito de Poma.

[16] En la historiografía del Perú no hay equivalente a Charles Gibson, *The Aztecs under Spanish Rule: A History of the Indians of the Valley of Mexico, 1519-1580* (Palo Alto, California: Stanford University Press, 1964), pero su afirmación "la sociedad india parecía encaminarse a la extinción a fines del S. XVI" está expresada con demasiado énfasis en las páginas de *Nueva Crónica,* donde Huamán Poma nos dice que "A donde había en la visita general cien indios tributarios no hay diez" (folio 931) (Lewis Hanke, *op. cit.,* p. 155).

[17] Karl Mannheim, *Ideology and Utopia* (New York, 1936), pp. 173-174.

[18] Véase Arthur J. Slavin, "The American Principle from More to Locke", en Fredi Chiappelli (ed.), *First Images of America,* 2 vols. (Los Angeles: University of California Press, 1976), vol. I, pp. 142-147.

[19] Poma razona con el Rey "que es muy justo y servicio de Dios y su magestad de que los españoles no se puede poblar junto con los Indios en las ciudades ni en las villas, aldeas, ni vaya a morar ningún español ni española ni mestizo ni zambahijo ni cholo... que los Indios se hacen bellacos y borrachos, jugadores perezosos, ladrones, cimarrones. Viviendo con ellos se alzarán y se harán traidores" (folio 543).

[20] En este respecto Poma va mucho más lejos que la cédula de 1578 de Felipe II que prohibía a los negros, mulatos y mestizos, pero no a los españoles, estar en compañía de los

indígenas, con el objeto de prevenir la corrupción de los "naturales". Aunque la ley establecía una severa segregación, ésta nunca fue realmente obedecida y Poma tiene conciencia tanto de la existencia de la ley como de su aplicación ineficaz. Véase Charles Gibson (ed.), *The Spanish Tradition in America* (New York: Harper and Row, 1968), pp. 135-36.

[21] "sean mestizos o indios. . . un hecho innegable surge de la historia de sus vidas: su fracaso social. . . Cada uno en su órbita, fue arrojado de la posición a la que habría podido pretender por su nacimiento", escribe Nicole Girón de Villaseñor en Perú: *Cronistas indios y mestizos en el siglo XVI* (México: SepSetentas, 1975), p. 98.

[22] Charles Fourier, *Design for Utopia, Selected Writings of Charles Fourier* (New York: Schocken Books, 1971).

[23] Estoy usando el término *sueño* en el sentido que Gaston Bachelard le ha dado en *The Poetics of Space,* translated by Etienne Gibson.

[24] Una comparación con los llamamientos ideológicos del movimiento negro en los Estados Unidos, especialmente el de Martin Luther King, proporcionaría muchas similitudes y diferencias iluminadoras, pero no serán consideradas en este trabajo por limitaciones de espacio.

[25] Girón de Villaseñor señala que la "obra civilizadora de los españoles es *menos* brillante que la de los Incas para el Inca Garcilaso y también menos brillante que la de los Yarovilcas para Huamán Poma" (*op. cit.,* p. 131).

[26] Aunque Hayden demuestra que la función del tema del salvaje noble en el S. XVIII es fetichista, no sería anacrónico extender su análisis a las leyes de la Corona destinadas a proteger a los llamados "naturales". Véase Hayden White, "The Noble Savage: Theme as Fetish" (en Slavin, *op. cit.,* pp. 121-135).

[27] Aquí difiero de la opinión de Wachtel y creo que el propósito político de Poma es más bien ubicar al indio en el cosmos europeo que invertir la operación, aunque, como Wachtel demuestra con su análisis del "mapa mundi" de Poma, sus categorías geográficas le permiten integrar al Rey de España y al Papa en el Cosmos Andino de los cuatro rincones, de lo alto y de lo bajo.

[28] Por supuesto no es original en este punto. Pero no es su originalidad lo que me interesa, ya que lo que estoy tratando de demostrar es su habilidad para adaptar el complejo pensamiento europeo renacentista a sus necesidades políticas, étnicas y personales.

[29] Véase Lafaye, *op. cit.,* pp. 30-50.

[30] Tanto esta crisis como las numerosas soluciones que se le dieron han sido recientemente discutidas en Lafaye, *op. cit.,* pp. 30-50.

[31] No contento con haber rebajado a los españoles al nivel de los paganos postula la idea, popular en la época entre algunos frailes, de que San Bartolomé había venido al Perú en tiempos de Sinchi Roca y había predicado la fe cristiana que con el tiempo se había relajado pero explicaba las "coincidencias" entre las creencias cristianas y las nociones indias de un creador, los santos espíritus, la vida después de la muerte, el bien y el mal, etc. Fray Antonio de la Calancha (1539) fue el promotor más importante de este punto de vista. Véase Lafaye, *op. cit.,* p. 46.

[32] Aparte de que la violación de las mujeres indias era un hecho común, los españoles frecuentemente engendraban hijos en las mujeres que recibían como obsequio de los *caciques* indios que deseaban consolidar alianzas. Muchos soldados españoles se casaron con mujeres indias de linaje en función del sistema del rey consistente en asignar tierras indias a los españoles tan legalmente como fuera posible. Muchas mujeres indias que por el tributo de trabajo debían entrar al servicio de sacerdotes españoles, etc., en sus casas, terminaron convirtiéndose en sus concubinas. Es también posible que las mujeres indias tuvieran la

esperanza de que al tener hijos de los nuevos señores podrían salvar a sus hijos de la servidumbre y hacerlos más aceptables a la nueva sociedad, nueva sociedad que rápidamente se volvió racista. Véase Magnus Mörner, *Race Mixture in the History of Latin America* (Boston: Little, Brown and Company, 1967).

[33] Irónicamente los altos funcionarios del rey tampoco consideraban al mestizo de utilidad alguna. Se lo consideraba pendenciero, rebelde, educado a medias, pretensioso, pero sobre todo de rápida propagación. Las cartas al rey abundaban en predicciones de rebeliones inminentes y en recomendaciones de que los españoles, mestizos y negros fueran deportados. Véase James Lockhart, "Letter and Peoples to Spain" (en Slavin, *op. cit.,* pp. 783–796).

[34] La tesis de Alfred Métraux de que los Incas "combinaban la forma más absoluta de despotismo con la mayor tolerancia hacia el orden social y político de los pueblos que subyugaban" podría también describir el proyecto para el futuro de Poma. Véase "The Inca Empire: Despotism or Socialism" (en Hanke, *op. cit.,* p. 81).

[35] En el esfuerzo de Poma por comparar la decadencia del presente Indio producida por el impacto de la cultura cristiana, con la estabilidad pasada y futura, se advierte un número sorprendente de coincidencias con las razones que los Indios de Nueva España daban para su propia decadencia aproximadamente en la misma época. La corona española había ordenado un cuestionario cosmográfico que se llevaría a cabo con el fin de descubrir la razón por la que los indios disfrutaban de mayor longevidad antes de la llegada de los españoles. La intención de las respuestas en general, al igual que los argumentos de Poma, confirman la superioridad de la cultura India. Austeridad en el vestir, comida, vivienda y sexo son citados como las causas de una mejor salud. Mejores curanderos, comida mensual, abstinencia sexual y sexo en la vejez eran considerados en México como las causantes de mejor salud y más larga vida. Otro punto de coincidencia es el trabajo. Mientras que en Nueva España la opinión estaba dividida en cuanto si los indios trabajaban más o menos bajo el dominio español que bajo el azteca, en Poma encuentra una posición monolítica al denunciar el exceso de trabajo del sistema de la *mita* y de la *encomienda.* Esta denuncia está además acompañada de una expresión de pesar. Muchos indios desplazados se hallan recorriendo aldeas y villas holgazaneando en *tambos* y bares. Incapaces de encontrar trabajo, terminan su vida tristemente, solos y antes de lo que podría esperarse. Finalmente, George Kubler escribe que "en la vida colonial, cuando se imponía a los indios trabajo físico sin el adorno ceremonial ellos se convirtieron en desocupados psicológicamente, por así decirlo" (Véase L. W. Hanke, *op. cit.,* p. 182). En ambos casos la ausencia de orden y de pautas vitales es puesta de relieve y atribuida al caos que los españoles habían instituido.

[36] El que Poma tuviera o no algún conocimiento de *La República* de Platón puede ser de interés para nosotros sólo con propósitos comparativos y no de filiación intelectual. Como he dicho anteriormente, Poma está usando el pasado andino como su modelo del futuro y me atrevo a decir que si él se enteró de las numerosas ideas utópicas que circulaban en la época, muchas de las cuales tenían el Nuevo Mundo como inspiración, tiene seguramente que haberse sentido regocijado y confirmado en su creencia de la posibilidad del "buen gobierno". El hecho de que Platón quisiera terminar con la familia porque sentía que el Estado podría hacer una mejor labor de adoctrinamiento de los ideales de la República es de poca relevancia en cuanto a nuestro juicio sobre el proyecto de Poma.

[37] Si bien tanto la sociedad Inca como la española estaban clara, firme y jerárquicamente orientadas y Poma desprecia al soldado español que quiere ser tratado como si fuera un señor, sus observaciones aquí se centran en el problema de la propiedad del trabajo.

[38] Hanke, *op. cit.,* p. 167.

RAQUEL CHANG RODRIGUEZ

# REINTERPRETACION DE LA CONQUISTA*

LA HISTORIOGRAFÍA tradicional ha estado mayormente preocupada por los hechos heroicos de los conquistadores y por lo tanto la historia de América Latina fue escrita alrededor de la minoría dominante europea, ignorando a la mayoría indígena. Como bien ha dicho el historiador francés Nathan Wachtel: "El Occidente se ha definido ideológicamente negando a otras culturas"[1]. Y es por eso que en el proceso colonizador, los europeos imponen sus valores, su religión, su modelo de civilización a los vencidos y, al mismo tiempo, instalan a Europa como centro de referencia. Tal esquema se escinde hoy día. Debido tanto al avance de las ciencias sociales como a los movimientos de liberación y descolonización, hay un deseo de revalorar la historia, de reexaminar el aporte de los antiguos americanos para así conocer su cultura independientemente de otros esquemas. Por eso el mensaje de José Martí adquiere hoy vigencia única: "La historia de América, de los incas acá, ha de enseñarse al dedillo, aunque no se enseñe la de los arcontes de Grecia. Nuestra Grecia es preferible a la Grecia que no es nuestra. Nos es más necesaria"[2]. Surgen entonces preguntas incontestadas por esa versión de la historia elaborada por los vencedores. Para responderles es imprescindible conocer mejor las antiguas culturas y averiguar qué lógica moldeaba su pensamiento.

A través del estudio de fuentes indígenas se comprenderá el significado de tragedia que tuvieron la conquista y el nuevo "orden" para los antiguos americanos[3] y, a la vez, se asumirá la historia del Nuevo Mundo desde el punto de vista americano. Cuando se analizan los antiguos testimonios se hace evidente cómo la obra de estudiosos modernos se inserta en una tradición que intuyó la necesidad de preservar y transmitir el pasado para, a través de él, comprender y darle sentido al presente. Vista en este contexto, la labor de rescate y preservación de esta porción de la cultura americana adquiere coherencia y continuidad plenas. Importa por esto señalar cómo Titu Cusi Yupanqui, Santacruz Pachacu-

---

\* En su *La apropiación del signo. Tres cronistas indígenas del Perú*, Tempe, AZ, Center for Latin American Studies, Arizona State University, 1988, pp. 55-72.

ti y Guamán Poma reordenan la historia andina para ofrecer una visión polémica de los hechos y mostrar a América como entidad cultural y geográfica diversa.

## LA OTREDAD AMERICANA

La obra de los tres cronistas remite a una pesquisa inaugurada con la primera carta de Cristóbal Colón a los Reyes Católicos. En ella el Almirante intenta describirles el Nuevo Mundo a los soberanos españoles e inicia así una tarea de exégesis cuyos diversos propósitos y perspectivas marcarán indeleblemente las letras coloniales y el debate cultural hispanoamericano. La dialéctica entre lo autóctono y lo impostado, lo nativo versus lo ajeno, constituye la raíz misma de esta indagación. Ella postula la conocida "búsqueda de nuestra expresión", esto es, del origen perdido, de la identidad, tanto como la búsqueda de un vehículo lingüístico adecuado para expresarla. Ciertamente esta pesquisa conlleva dos preguntas básicas: una es la consabida ¿qué es América?, y la otra ¿cómo articular su historia y cultura para que importe y signifique?

Inicialmente los cronistas europeos intentaron contestar la primera de estas interrogaciones. En su testimonio confluyen antiguos mitos heredados del mundo clásico y reordenados ahora por la mentalidad renacentista. Su adaptación del Nuevo Mundo a los parámetros detallados y popularizados por cosmografías medievales ha dejado páginas donde la historia de hazañas y descubrimientos va acompañada de la descripción de amazonas, sirenas, hombres grotescamente deformados y bestias espantables[4]. Esta presentación intenta encasillar a América en esquemas familiares y por lo tanto la ignora como novedad[5]. Ni el Cuzco es Roma ni los conquistadores son galanos caballeros como insinuó Garcilaso de la Vega en sus *Comentarios Reales* tantas veces escindidos por esa realidad americana que el Inca trató de armonizar en un ideal planteamiento. La disyunción evidente en este libro formidable tanto como en su obra primeriza, *La Florida del Inca* (1605), señala a América como novedad, como otredad. Es urgente presentarla así en la escritura porque su misma diversidad, como acertadamente comentara Antonello Gerbi, "postula otro mundo más allá del conocido y, por lo tanto, plantea inmediatamente el problema de las posibles relaciones entre los dos". Pero, a su vez, "exige una nueva definición, y por consiguiente toda una nueva lógica de las cosas naturales"[6]. Para corroborar su aserto, el estudioso italiano explicita el significado de las percepciones de algunos viajeros a otros territorios igualmente exóticos. Vale recordar su interpretación de los comentarios de Marco Polo:

> Al hacer referencia constante, como a un paradigma invariable, a *nuestras especies,* animales y vegetales, muestra Marco Polo un implícito pero categórico europeocentrismo [ . . . ] Decir de una especie nueva, generalmente animal o vegetal, que "es como en Europa" o "como en España" o "como entre nosotros" [ . . . ] quiere decir reci-

birla en el propio horizonte mental [ . . . ] No es sólo el mundo antiguo que se proyecta sobre el nuevo: es el mundo de casa que se
anexiona pacíficamente los descubrimientos ultramarinos[7].

Así, en su deseo de dar a comprender el Nuevo Mundo a sus coetáneos, muchos cronistas describieron la realidad americana parangonán-
dola con la europea en un acto de apropiación configurado por la escritura. La historia y el accionar de los antiguos americanos también se
explicaron a través de patrones de legitimidad y herencia europeos. Se
propagó entonces una visión del Nuevo Mundo conveniente y fácil de
entender, pero distorsionada. Tal y como explica Gerbi, a través de ella
el Viejo Mundo se proyectó sobre el Nuevo para hacerlo suyo. Empero,
pronto surgió un grupo de "crónicas–mestizas" donde se vislumbra la
diversidad cultural americana.

En éstas el choque de diferentes concepciones del devenir histórico sirvió para mostrar el signo plural de la nueva realidad. En efecto, en
Europa se describían los sucesos de la conquista y colonización lineal-
mente, en seguro progreso hacia la salvación de pueblos "bárbaros" a
través de la cristianización y detallando la intervención divina con fuerte sentido mesiánico. Dentro de la tradición andina el devenir de los
hechos acusa patrones cíclicos; por eso ciertos eventos se repiten para
subrayar el carácter permanente de la experiencia colectiva[8]. Ya se ha
comentado que los incas, aunque ignoraron la escritura, sí reconocían
la importancia de preservar el pasado. La fuerte tradición oral plasmada
en el *haylli* o loa de batalla, el *purucalla* o representación de los acontecimientos sobresalientes, así como procedimientos nemotécnicos –los
*quipus* o nudos, el sistema pictográfico denominado *quilca,* los báculos
rayados, los tablones pintados y las telas de cumbe– sirvieron para conservar los hechos de dos dinastías[9]. Los cantos y loas tenían por centro
las hazañas emulables de los soberanos: se castigaba con el olvido a aquellos gobernantes incapaces, cobardes o viciosos. Cieza de León en su
*Señorío de los Incas* comenta: "Y si entre los reyes alguno salía remisio,
cobarde, dado a vicios y amigo de holgar sin acrescentar el señorío de su
imperio, mandaban que déstos tales hobiese poca memoria o casi ninguna". La convergencia de tan disímiles tradiciones signa la obra de Titu
Cusi, Santacruz Pachacuti y Guamán Poma para ofrecer una tensa versión de los hechos que niega y contradice, o sea, subvierte, la historia
oficial y exhibe las hondas fisuras del proceso de transculturación. A la
vez, tal discurso detalla la lucha de sus emisores con diferentes maneras
de percibir la realidad que no llegan a fusionarse del todo, así como un
esfuerzo por adaptar teorizaciones y fuentes europeas. Pero, más que
nada, estas crónicas muestran ingenio y osadía en la presentación de una
instancia histórica específica: la conquista y sus consecuencias para la
sociedad nativa.

## EL RECLAMO INDIVIDUAL Y COLECTIVO

La *Relación de la conquista del Perú* de Titu Cusi Yupanqui detalla la tenaz resistencia incaica contra los europeos, la violencia de la conquista, las ambiciones imperiales de Manco Inca y las rivalidades entre los diversos aspirantes a la borla imperial. Muestra un mundo complejo cuya configuración hace estallar la fácil explicación de la superioridad ibérica *vis–a–vis* las debilidades y terror indígenas. Al mismo tiempo, la crónica del penúltimo Inca gira alrededor de su persona y reclamos. Como ya se notó, la *Relación* se constituye en "probanza de servicios", dirigida al soberano español[10]. Pero hay más. Esta petición de reconocimiento y favores al soberano español ofrece la trágica historia del penúltimo rey del Incario.

Titu Cusi narra la prisión y muerte de Atahualpa, el progreso de la conquista, el levantamiento de Manco Inca, su resistencia en Vitcos y, por último, su propia ascensión al trono y posterior conversión religiosa cuando toma el nombre de Diego Cristóbal. A pesar de su tardía redacción, la perspectiva historiográfica es india: el texto está saturado por la honda nostalgia de quien contempla la desaparición de un modo de vida, de un mundo que se deshace "sin remedio", como observará más tarde Guamán Poma de Ayala. Intencionalmente el autor equivoca nombres y fechas[11] para restarle importancia a Atahualpa y destacar las intervenciones de Manco Inca. Como se ocupa más de la mayoría andina que de la minoría europea, el texto ofrece esa otra versión de los hechos en la que Europa deja de ser el centro de referencia. Cuando Titu Cusi relata la historia de sus antepasados, convierte a su pueblo en protagonista de lo ocurrido. De este modo le otorga a éste y se otorga a sí mismo un espacio histórico relevante para desde él asumir las plurales valencias concitadas por su experiencia. Desde este ángulo de mira el cronista postula el reexamen de la conquista.

Ayudado, como sabemos, por el fraile Marcos García, cuyas intervenciones son evidentes en razonamientos y diálogos caballerescos, Titu Cusi cuenta los hechos[12]. Estos son ordenados en forma lineal y enmarcados, seguramente por el mismo agustino[13], en cánones retóricos europeos. Entre ellos se encuentra la clásica explicación de por qué se ponen por escrito los sucesos:

> . . .porque la memoria de los honbres es devil y flaca e si no nos acurrimos a las letras para nos aprovechar dellas en nuestras necesidades, hera cosa ynposible podernos acordar por estenso de todos los negocios largos y de ynportancia que se nos ofreciesen" (1).

Pero como el Inca relata lo que nadie conoce mejor que él, oblitera a su escriba y lo convierte en simple copista. Cuando se posesiona del mecanismo textual y de la historia, el monarca vuelve las armas de los conquistadores contra ellos para dejar un relato cuya tensión estriba en el escamoteo de los hechos, el pertinaz cuestionamiento de la versión española de la conquista y el consecuente reclamo. Si a esto añadimos la reiteración de "señores naturales"(1) con que el cronista se refiere a sus antepasados, su deseo de casar a Felipe, su hijo, con Beatriz Clara Coya, su desafortunada sobrina, para que la legitimidad incaica refluyera sobre su estirpe[14], y la evidencia documental de una rebelión indígena dirigida desde Vilcabamba y sobre la cual él nada comenta por obvias razones, concluimos que Titu Cusi no ha perdido del todo la esperanza de volver al antiguo orden. Vista en este contexto, su crónica impugna y reclama para conducir precisamente a la otredad andina configurada en la *Relación*.

Paradójicamente, si bien el Inca no sabe "hablar" con los "paños blancos", es decir, leer, sí domina, utiliza y posee al mundo que quiere negarlo cuando se vale del símbolo más distintivo del Occidente —el arte de escribir— para ofrecer una visión diversa de la conquista donde los andinos aparecen como protagonistas mientras los europeos son vilipendiados para justificar las acciones contra ellos de Manco Inca y sus descendientes. Sin embargo, Titu Cusi reconoce su precaria situación ante las autoridades coloniales y por eso culpa a Juan Pizarro y al rebelde Gonzalo, de los excesos de la conquista resguardando la figura de Francisco Pizarro[15]. El cronista, asimismo, juzga con benevolencia la cooperación de su padre con los europeos. Para asegurarse la borla imperial y conforme a patrones culturales andinos, Manco Inca había agasajado a los extranjeros con regalos y alimentos. Los maltratos sufridos por el soberano a manos de sus huéspedes, inconcebibles en el sistema de reciprocidad que regulaba el mundo andino, son contados en la *Relación* para realzar la bondad del Inca y justificar su rebelión.

Titu Cusi incide en la ambigüedad de ese momento histórico cuando recoge el diálogo de Manco Inca con sus súbditos antes de retirarse a Vitcos. El Inca, lleno de ira, les dice:

> Lo primero que hareis será que a estos barbudos que tantas befas a mí me an hecho por me fyar yo dellos en tanto, no les creais cosa que dixieren porque mienten mucho como a mí en todo lo que conmigo an tratado me an mentido y ansy haran a vosotros, lo que podreis hazer será dar muestras por de fuera de que consentis a los que os mandan y dar algun camarico y lo que pudieredes que en vuestras tierras oviere, porque como esta gente es tan brava y de diferente condición de la nuestra podria ser que no se lo dando vosotros os lo tomasen por fuerça. . . (26)

Luego añade:

> Lo que más aveis de hazer es que por ventura estos os diran que adoreis a lo que ellos adoran, que son unos paños pintados, los quales dizen que es Viracochan, y que le adoreis como a guaca, el qual no es sino paño, no lo hagais sino lo que nosotros tenemos eso tened, porque como beis las vilcas hablan con nosotros y al sol y a la luna bemoslos por nuestros ojos y lo quesos dizen no lo vemos bien. Creo

que alguna bez por fuerça o con engaño os an de hazer adorar lo que ellos adoran, quando más no pudieredes, hazeldo delante dellos y por otra parte no olvideis nuestras çerimonias; y si os dixieren que quebranteis vuestras guacas y esto por fuerça, mostraldes lo que no pudieredes hazer menos y lo demás guardaldo, que en ellos me dareis a mí mucho contento. (26)

Así, el engaño, la falta a la palabra, la violencia y la traición son señalados aquí como estrategias decisivas en el triunfo europeo. El intento de justificación de Titu Cusi se convierte en alegato acusatorio: recibidos en paz por su padre, los europeos no respetaron ni hospitalidad ni rango; es más, lo humillaron y traicionaron para dejarle un solo camino: la rebelión. Los consejos del Inca igualmente reiteran la peculiar situación de los andinos en las primeras décadas de la colonización: sumisión aparente *vis-a-vis* rebelión secreta; aceptación superficial del cristianismo versus la tenaz preservación de las antiguas creencias. Sus alusiones al Sol, la Luna, las *guacas* y *villcas* —culto general y culto regional— como deidades visibles, ofrecen un certero contraste entre lo tangible de las religiones autóctonas y lo etéreo del impuesto cristianismo (Regalado de Hurtado, 49-50), para otra vez develar el substrato andino de la *Relación* y la prevalencia de categorizaciones tradicionales. Del mismo modo, cuando el Inca les dice a sus súbditos "esteis sienpre con avisso para quando os enbiare a llamar" (26), el discurso remite a un trasfondo mesiánico exigente de cuidadosos rituales (Luis Millones "Introducción").[16] Vale señalar también que hay un explícito concepto de la divinidad cuando se describen los poderes del dios creador andino (Regalado de Hurtado, 50)[17]:

> Sy ellos fueran hijos del Viracochan como se jataban no ovieran hecho lo que an hecho, porque el Vira[co]cha puede allanar los çerros, sacar las aguas, hazer cerros donde no los hay, no haze mal a naidie y estos no vemos que an hecho esto, más antes en lugar de hazer bien nos han hecho mal. . . (26)

En este sentido es conveniente notar que Titu Cusi destaca su residencia en el Cuzco durante su niñez. Según cuenta, vivió en la casa de un español apellidado Oñate; de allí fue "hurtado" por orden de Manco Inca, su padre, y llevado a Vitcos (29-30). Estos eventos, tanto dentro de la tradición andina como en el discurrir de la *Relación*, revelan el deseo de "establecer [ . . . ] su ancestro inca a través [ , ] claro está [ , ] del nutrimiento de su bagaje cultural en la ciudad sagrada [ . . . ]". Llama asimismo la atención un rapto que devuelve a Titu Cusi al lado de la *élite* emigrada. Este hecho debe tal vez ser entendido como un acto *simbólico* al igual que el regreso de este hijo de Manco Inca a la ciudad sagrada por excelencia [Regalado de Hurtado, 57]. Ambas instancias, su estada en el Cuzco, antiguo centro político y religioso del Tahuantinsuyu, como el rapto que lo devuelve definitivamente a Vilcabamba después de un período de fortalecimiento, muestran la búsqueda de una fundamentación simbólica andina para imponer su autoridad (Regalado de Hurtado, 58-59). Con todo, la actitud dual ejemplificada por los consejos de Manco Inca marca indeleblemente el discurso de su hijo. Por eso no sorprende cuando, también al final de la *Relación,* Titu Cusi explica cómo vino "a tener paz" con los españoles, su bautismo y el de su hijo; y, en suma, se vale del mecanismo burocrático colonial para reclamar privilegios y mercedes. Los consejos de Manco Inca y la actitud del autor postulan un mecanismo de resistencia para preservar clandestinamente la cultura, bien configurado en la *Relación de la conquista del Perú.* En su reinterpretación de la conquista, esta narración de la derrota del Incario, de la biografía de Manco Inca y de las peticiones de su hijo, polemiza con la historia oficial para alterarla, desmentirla y negarla. En última instancia ella deviene reclamo de lo que justamente les pertenece al autor y a su pueblo y, a la vez, emblema del futuro.

## LA ENTRADA AL CUZCO

Cuando en la *Relación de antigüedades deste reyno del Pirú,* Santacruz Pachacuti describe el reinado de los incas, acude así a su origen andino para fundamentar su autoridad como narrador. Como Garcilaso, él ha adquirido el conocimiento que lo acredita de fuentes fidedignas (Millones, "Los dioses"[18], 127-128): "siendo niño [he escuchado] noticias antiquisimos y las ystorias, barbarismos y fabulas del tiempo de las gentilidades, que es cómo se sigue" (209). Pronto estas noticias adquieren un tono reiterativo que otorga una particular tensión a los acontecimientos narrados donde las luchas de cada Inca[19] contra guacas y caciques muestran lo indeleble del sentido de la historia andina que articula varias concepciones del tiempo —sagrado, secuencial, cíclico, lineal— contradictorias, pero a la vez armoniosas[20]. Así, la *Relación* del escritor collagua conduce al desarrollo lineal de los acontecimientos como al tiempo cíclico —la otredad americana— donde se explica el origen del género humano y al hecho mismo que inaugura el coloniaje: la penetración de Pizarro en el Cuzco. Específicamente, ella perfila cómo un curaca de rango medio y de una etnia vencida por los Incas percibe la conquista.

La descripción de estos hechos está circunscrita a las páginas finales de la *Relación* y comienza con la entrada de Francisco Pizarro en el Cuzco. En este ingreso a la ciudad sagrada aparecen equiparadas las figuras del capitán español, de fray Vicente de Valverde y de Manco Inca, en una trinidad vaticinadora de un futuro promisorio y que causa "gran alegría" a los indios (280). Un somero cotejo de la *Relación* indica que para su autor tampoco los Incas han sido gobernantes modelos. Después de enumerar las muchas virtudes y hechos encomiables de Manco Cápac, el primer Inca, Santacruz Pachacuti concluye la relación de su gobierno explicando cómo "este mismo ynga los abía mandado [a sus súbditos] que atasen las cabeças de las criaturas, para que sean simples y sin animo, porque como los yndios de gran cabeça y redondo suelen ser atribuidos para cualquier cosa, mayormente son inobedientes" (219). Sinchi Roca sacrifica a su hijo (220), atormenta a una de sus favoritas por haber huido con un pastor (222) además de adorar a múltiples guacas (223); Lloque Yupanqui continúa la práctica de atarles las cabezas a las criaturas para asegurar su obediencia (224); y, aunque Cápac Yupanqui lucha contra las *guacas*, no puede vencerlas (233). De a poco Santacruz Pachacuti quiebra el molde ejemplarizante otorgado por concepciones incaicas al relato de las hazañas y gobierno de cada soberano de la lista oficial. Pareciera postular una visión pro española de la historia andina, influida por ideas toledanas.

Vale examinar, sin embargo, la llegada al Tahuantinsuyu y actuación inicial de los españoles circunscrita a las últimas páginas de la *Relación* pues, tras los elogios del autor a estos acontecimientos, parece filtrarse una nota irónica y cuestionadora de la legitimidad de esa empresa. Efectivamente, Santacruz Pachacuti describe escuetamente los sucesos de Cajamarca (278), la muerte de Atahualpa "ajusticiado por traidor" (279), y cómo Manco Inca II, los orejones y curacas adoraron la cruz y le ofrecieron vasallaje al rey de España (280). La reducción del triunfo de Pizarro al asesinato de doce mil hombres que lo reciben en paz, la muerte de un Inca traidor y una recepción pacífica donde la única campaña bélica mencionada es conjunta (280), desmiente la heroicidad europea a la vez que destaca el caos interno del Tahuantinsuyu donde un Inca ha sido impuesto por invasores y no de acuerdo al orden andino. De ahí que Manco se vista como Guaina Cápac, o sea, se disfrace de Inca (Harrison, 73). Cuando Pizarro también se pone el traje de Inca, la equiparación es completa. Pero la burla implícita en tales acciones así como la ilegitimidad de los hechos se hacen más evidentes cuando el cronista comenta: "Al fin, los españoles y *curacas* venieron con mucha orden, y el ynga con el padre y capitán Francisco Piçarro que después de mucho tiempo se llamó Don Francisco Piçarro" (280). Ese "don" postizo adquirido tardíamente por Pizarro subraya sus orígenes plebeyos y, asimismo, lo señala como un usurpador y cuyos títulos y derechos ni siquiera han sido ganados por las armas. A nuestro modo de ver, Santacruz Pachacuti podría esbozar aquí una idea articulada después con mayor precisión por Guamán Poma de Ayala: no hubo conquista pues tampoco hubo resistencia (II:564). Inclusive, sus propios antepasados se sometieron pacíficamente (207).

Por otro lado, cuando Pizarro "representa" la persona del rey español después de la derrota de Quisquis, en un nivel simbólico, el cronista indígena equipara la marcha victoriosa a una farsa donde los principales participantes asumen papeles que no les corresponden:

> Y el marques con el ynga, en compañía del Santo Ebangelio de Jesucristo Nuestro Señor, entraron con gran aparato real y pompa de gran magestad; y el marques con sus canas y barbas largas representaua la persona del emperador Don Cárlos 5º, y el padre Fray Vicen-

te con su mitra y capa, representaua la persona de San Pedro, pontifice romano, no como Santo Tomas, hecho pobre; y el dicho ynga con sus andas de plumerias ricas, con el bestido mas rico, con sc [sic] *suntorpaucar* en la mano, como rey, con sus insignias reales de *capac unancha* y los naturales gran alegria, y tantos españoles! (280)

Pero Pizarro no es el rey de España. Valverde tampoco es el pontífice romano y hasta sus vestiduras son utilizadas aquí para separarlo del pobre evangelizador Santo Tomás (Tonapa), quien de acuerdo a argumentaciones coetáneas había predicado el Evangelio en América antes de la llegada de los españoles[21] (Duviols, *La destrucción* 55-71). Manco Inca no es Inca pues ha sido nombrado por quienes carecen de autoridad: aunque sus insignias y traje le hagan parecer "como rey" su soberanía espuria supérstite[22] (Harrison, 72-73).

Pachacuti Yamqui cierra su relato comentando: "no estaua desocupado [refiriéndose al trabajo evangelizador de Valverde] como los sacerdotes de agora; ni los españoles por aquel año se aplicaua á la sujecion de enterés, como agora; lo que es llamar á Dios, abia mucha diboçion en los españoles" (281). Ya se ha explicado que la omisión de elementos en un sistema es tan importante como su presencia porque puede otorgarle al conjunto un significado diferente (Barthes, "Historical", 154). Si suplimos los datos históricos elididos por el cronista peruano para salvar así la distancia entre la llegada de Pizarro al Cuzco y el eje cronológico y cultural desde el cual Santacruz Pachacuti cuenta los hechos —la rebelión de Manco Inca, las guerras civiles, la decapitación de Túpac Amaru, las campañas de extirpación de idolatrías— vemos que tal "edad dorada" nunca existió[23]. La irónica rememoranza de lo nunca habido con que cierra la crónica envía a la inoperancia del modelo colonial. Así, desde el impugnado presente, Santacruz Pachacuti nos obliga a otear el futuro.

La *Relación de antigüedades deste reyno del Pirú* tanto como la hazaña lingüística de su autor adquieren entonces cabal sentido: se discierne que ni el pasado incaico ni el presente colonial son modelos aceptables. De ahí la oquedad cultural sentida y expresada por el cronista. Empero, a su vez, desde este discurso transgresor donde confluyen el ayer y el hoy para ser desarticulados como paradigmas, Santacruz Pachacuti nos fuerza a escudriñar el mañana, a vislumbrarlo como posibilidad. El vacío ha de ser colmado con un proyecto. Aunque el cronista, al contrario de Guamán Poma, no esboza tal plan, sí insinúa que el soberano y sus delegados son responsables del "buen gobierno". Para lograrlo son esenciales el correcto ejemplo, la rectitud en la fe y un sentido de justicia: "los reyes de la tierra son obligados de dejar o nombrar gouernadores rectos en la ffee y no codiciosos ni descuydados, &; porque todas las cossas, assi espirituales y temporales, consiste en un gouernador. . ." (255) Vista de este modo, la *Relación* señala el camino a seguir para configurar el futuro. El desconocido peruano de comienzos del siglo XVII no vacila en escribir para testimoniar un dilema, para contagiarnos del valor con que ha tomado la pluma, para forzarnos a mirar hacia el porvenir. Pero, en última instancia, el mensaje de este discurso es la asunción y reafirmación de la otredad: América y su porvenir no deben ser ni "calco" ni "copia"²⁴ al asumir la totalidad de una diversa y vasta herencia cultural.

## EL SOMETIMIENTO PACIFICO

*Primer nueva corónica y buen gobierno* ofrece la reinterpretación más aguda y polémica de la conquista. El mismo título señala la naturaleza contestataria de la obra: la primera parte —*Primer nueva corónica*— implica la improcedencia de crónicas anteriores porque ellas repiten con intención justificadora y europeizante la historia del Incario y de la conquista; la segunda parte —*buen gobierno*— señala que el gobierno es malo y debe ser reemplazado por el modelo expuesto por el autor²⁵ (Sánchez, 268). Sin duda, leer el texto de Guamán Poma y mirar y entender sus dibujos es comprender "la manera cómo un indio del Perú, hacia el año 1600, vive la dominación española, cómo la interpreta y cómo reacciona partiendo de los esquemas mentales y de las nociones propias de su cultura"²⁶. Ya sabemos que sirviendo de "lengua" o intérprete el cronista recorre partes de la serranía peruana. Durante estos viajes Guamán Poma pudo sentir y observar la opresión nativa. Por eso nos dice que escribir su obra, relatar las irremediables desgracias de los suyos, es "llorar" (III: 983). Cuenta su historia precisamente para informar al rey de los males que aquejan a su pueblo y con la esperanza de que cuando esas noticias lleguen al soberano español, éste restaure el orden perdido. Su crónica entonces se convierte en cifra y clave del pasado y porvenir indígenas (Wachtel, "Pensamiento salvaje", 225). Como el modelo incaico orienta la visión del mundo del autor, basándose en él, sugiere reformas y un plan específico para llevarlas a cabo. Como bien ha señalado Wachtel: "Guamán Poma quiere transformar la sociedad en que vive, restaurarla dentro de su orden justo; quiere, en resumen, abolir la dominación colonial: su utopía conduce a la rebelión" ("Pensamiento salvaje", 228). Efectivamente, el autor detalla un plan para constituir un estado indio bajo la jurisdicción del rey de España a la vez que subraya por qué el mundo ordenado del Incario está ahora en total caos. Su proyecto de "buen gobierno" cuestiona el sistema vigente y propone su reemplazo para beneficio del rey y de los andinos.

La propuesta de Guamán Poma está fundamentada en una reinterpretación de la conquista en la cual cuestiona el derecho de los españoles a gobernar las Indias: no hubo conquista, explica el cronista, porque tampoco hubo resistencia (I:117, 163; II:395, 564). Su padre, Martín Guamán Malqui de Ayala, "virrey y segunda persón del *Ynga*" (II:377), viajó a Tumbes para hacer la paz con Francisco Pizarro en nombre de sus respectivos soberanos; así, el Tahuantinsuyu fue "donado" al rey de España. Tal acto, dentro de una economía de reciprocidad como la andina, es el principio de una relación específica y obligatoria donde no hay cabida para la lucha armada; esta interpretación de Guamán Poma posibilitará el aprovechamiento del argumento lascasiano con que el cronista explicará la conquista[27] (Pease, "Prólogo", LIII). Entonces, si los europeos no han luchado, nada les da derecho al señorío:

> Y ací aués de conzederar y acauar con esto. Que no hay comendero ni señor de la tierra cino son nosotros propetarios lexítimos de la tierra por derecho de Dios y de la justicia y leys. Quitando al rrey que tiene derecho, no hay otro español. Todos son estrangeros, *mitimays,* en nuestra tierra en nuestro mando y señorío que Dios nos dio. [III:972].

Aunque sagazmente el autor reconoce la autoridad real culpando a los funcionarios coloniales por los errores que han diezmado a los indígenas, su atrevido plan configura una sociedad donde él recuperará su vinculación con el poder y cuya norma será el antiguo orden: un estado basado en el modelo incaico y regido, claro está, por indios. Propone a los antiguos peruanos como administradores futuros –sugiere a su hijo como rey de las Indias (III:949)– reafirmando su propia valía y la de su pueblo. Los andinos sí son capaces de razonar y gobernar como ya lo ha probado su historia; y como pueden regir estos territorios mejor que los españoles, esto los eleva sobre ellos. Consecuente con este sentido del orden, Guamán Poma arguye que cada uno debe permanecer donde Dios lo situó pues él "hizo el mundo y la tierra y plantó en ellas cada cimiente, el español en Castilla, el yndio en las Yndias, el negro en Guynea. . . que otro español ni padre no tiene que entrar, porque el *Ynga* era propietario y lexítimo rrey" (III:929). La presencia española en América ha alterado esta disposición divina. El signo contestatario de esta crónica se hace más evidente cuando el autor reclama para sí y los suyos lo que legítimamente les pertenece por haberles sido otorgado por autoridad divina. En suma, la visión de los hechos ofrecida por Guamán Poma configura el carácter cataclísmico con que los antiguos peruanos percibieron la conquista. Sus asertos sobre la legitimidad incaica y su porfiada insistencia en que no hubo conquista, muestran a los europeos como usurpadores. Siguiendo tales explicaciones, desde los corregidores hasta los clérigos actuaron sin derecho, guiados únicamente por la ambición y el interés. En efecto, la argumentación del autor muestra un astuto manejo de razonamientos europeos.

La evidencia textual interna confirma que Guamán Poma se valió de la obra de varios cronistas europeos para armar su monumental carta ilustrada[28]. Vemos que, entre otros, el autor utiliza datos ofrecidos por Miguel Cabello de Balboa, Agustín de Zárate y el Palentino. Pero a la vez que aprovecha esta información, el cronista andino inserta en su obra episodios totalmente ficticios para reforzar con ellos su cuestionamiento de la versión oficial de los hechos[29]. En tanto la reinterpretación de la conquista su fuente teórica más importante es el *Tratado de las doce dudas* (1564) de fray Bartolomé de las Casas (Adorno, "El arte", 167-189; "Bartolomé de las Casas", 673-679). Siguiendo a Las Casas, Guamán Poma insiste en mostrar que los indios eran descendientes de Noé, creían en un Dios único y habían recibido el Evangelio cuando el apóstol San Bartolomé visitó el Nuevo Mundo. El corolario lógico de esta argumentación utilizada antes por otros cronistas para realzar la apostasía indígena[30], conduce en *Primer nueva corónica* a negar la primacía española en la obra evangelizadora. Pero el aspecto más controvertido de esta tesis, como ya comprobó Rolena Adorno, radica en la aplicación por Guamán Poma del siguiente argumento lascasiano: no puede haber guerra justa contra quienes aceptan pacíficamente la autoridad de un soberano cristiano; tampoco un príncipe cristiano debe agredir a otra nación cristiana sin que ésta haya dado causa para ello. Guamán Poma se basa en esta tesis para explicar que como los andinos no resistieron la conquista, los españoles tampoco tienen derecho sobre las tierras americanas; asimismo, resalta la fidelidad de los nativos en las guerras civiles y su labor de pacificación en pro de la Corona.

Más atrevida, sin embargo, es su conclusión basada también en Las Casas: como los indios son ahora cristianos, se les debe restituir honra y bienes (Adorno, "El arte", 175-176). Esta integración de las teorías lascasianas a la narración de Guamán Poma resulta en la total negación del derecho de los españoles en Indias. Entonces, los "datos 'históricos', señalados por muchos como insensatos errores de información, sirven la función explícita en la obra de respaldar la demanda del autor pidiendo al Rey justicia y restitución... la historia cronológica es un concepto que Waman Puma aprovecha sólo porque le ofrece un procedimiento para fundar su alegato a favor de los suyos" (Adorno, "El arte", 176). Para reconfirmar pictográficamente tales asertos, el cronista, por ejemplo, dibuja a su padre, Guamán Malqui, dándole la bienvenida a Pizarro en Tumbes. También lo pinta en batalla contra los rebeldes a la Corona. En total armonía, los códigos icónico y lingüístico subrayan la argumentación central de la crónica —no hubo conquista— para revelar la audacia del autor y la osadía de sus planteamientos.

En suma, los cronistas indígenas del Perú reinterpretan la conquista para legarnos una visión contradictoria y polémica de los hechos fundamentada con frecuencia en el pensamiento de teólogos coevos. Este discurso primigenio quiebra la versión oficial de los acontecimientos para, en su reto, asumir y mostrar a América como espacio geográfico e histórico diferente cuya instancia cultural exige otra explicación: ha de contener ella lo autóctono y lo impostado, tanto como la visión de los actores nativos y europeos en el proceso que simultáneamente funde y separa el Viejo y el Nuevo Mundo. En última instancia, tales obras devienen tablilla palimpséstica: por ellas los tres cronistas peruanos borran los signos falseados para reinscribir su historia personal, la del Incario, la de la conquista y colonización, y ofrecer una versión más auténtica de la historia de América.

# NOTAS

[1] "Prefacio", VII, en: Edmundo Guillén Guillén, *Versión Inca de la Conquista,* Lima, Milla, Batres, 1974.

[2] "Nuestra América". *Antología.* Ed. Andrés Sorel. Madrid, Editorial Nacional, 1975, p. 94.

[3] Sobre el efecto psicológico de la conquista en la zona andina, el historiador Pablo Macera ha comentado acertadamente: "Por otro lado la agresión cultural derrumbó los ajustes sico–fisiológicos de esas mismas poblaciones [andinas], que, en pocos días, después de sus derrotas militares, perdieron toda su razón de ser. Los indios del Perú aprendieron violentamente que la totalidad de sus valoraciones positivas merecían, por el contrario, una estimación derogatoria por parte de quienes los habían vencido. No había razón para vivir; sólo quedaba la básica e intensiva razón de sobrevivir; y esta misma disminuyó a causa del *stress* de la conquista" (*Visión histórica del Perú,* Lima, Milla, Batres, 1978, p. 124–125).

[4] Pupo–Walker, *La vocación literaria del pensamiento histórico en América: desarrollo de la prosa de ficción, siglos XVI, XVII, XVIII y XIX,* Madrid, Gredos, 1982, pp. 33–95.

[5] Gerbi, *La naturaleza de las Indias nuevas. De Cristóbal Colón a Gonzalo Fernández de Oviedo.* Trad. Antonio Alatorre. México, FCE, 1978, pp. 17–18.

[6] *Ibid.,* p. 19.

[7] *Ibid.,* pp. 17–18.

[8] Ossio, "Guamán Poma: *Nueva corónica* o carta al rey. Un intento de aproximación a las categorías del pensamiento del Mundo Andino", en: Juan M. Ossio, comp., *Ideología mesiánica del Mundo Andino,* Lima, Ignacio Prado Pastor, 1973, pp. 155–213; Frank Salomon, "Chronicles of the Impossible: Notes on Three Peruvian Indigenous Authors", en: Rolena Adorno, ed., *From Oral to Written Expression: Native Andean Chronicles of the Early Colonial Period,* Syracuse, Maxwell School, 1982, p. 11.

[9] Porras Barrenechea, *Fuentes históricas peruanas,* Lima, Juan Mejía Baca y P. L. Villanueva, 1954, pp. 103–135.

[10] Liliana Regalado de Hurtado, "La *Relación* de Titu Cusi Yupanqui, valor de un testimonio tardío", *Histórica,* V, núm. 1 (1981), p. 45.

[11] Guillén Guillén ha precisado las discrepancias con relatos coetáneos en un documentado trabajo ("Titu Cusi", 61–99).

[12] Se ha sostenido que la *Relación* ofrece, paralelamente a la versión indígena de los hechos, una visión española "sobre cómo debe llevarse adelante la colonización, sobre cómo debe tratarse a los indios y en especial a los indios nobles que... tienen poder y capacidad de resistencia". A su vez, fray Marcos García es visto como el "escriba–traductor" que mueve los hilos de la narración de acuerdo a sus intereses (Francisco Carrillo, reseña a Raquel Chang–Rodríguez en *Revista de Crítica Literaria Latinoamericana,* X, núm. 19, 1984, p. 185). La *Relación* propone, sin duda, un trato más equitativo para la nobleza indígena, su rápida cristianización y, en última instancia, al rey como árbitro supremo de las mercedes y privilegios a otorgársele. Con todo, y a pesar de la contaminación del relato por las ideas del fraile, el punto de vista prevalente es indígena.

[13] Recordemos que al fin de la obra se lee: "Fue fecho y ordenado todo lo arriba escripto dando avisso de todo el Ilustre señor don Diego de Castro Titu Cussi Yupanqui...

por el muy Reverendo padre frai Marcos García". . . (34). Después se reitera: "todo lo arriba escripto lo relató y ordenó el dicho padre a ynsintion del dicho don Diego de Castro, lo qual yo [Martín de Pando] escrivi por mis manos propias de la manera que el dicho padre me lo relataba. Siendo testigos a lo ver, escrevir e relatar el Reberendo padre fray Diego Ortiz. . . y tres capitanes del dicho don Diego de Castro" (34).

[14] El Inca pidió y le fue otorgada dispensa pontificia para el matrimonio de su hijo Felipe con Beatriz Clara Coya (Mackehenie, 5-14).

[15] Se ha notado que para esa fecha (1570), a Titu Cusi no le favorecía demostrar su disatisfacción con todos los españoles. Para divulgar su buena disposición "salva" a Francisco Pizarro mientras acusa a sus hermanos (Regalado de Hurtado, 49).

[16] Luis Millones, "Introducción", en: Diego de Castro Titu Cusi Yupanqui, *Ynstrucion (Relación de la Conquista del Perú)*. Lima, El Virrey, 1985, p. 14.

[17] Sobre el papel desempeñado por el *villac umu* véanse los comentarios de Regalado de Hurtado, 51-55, y Millones, "Introducción", 13-14.

[18] Millones, "Los dioses de Santa Cruz (Comentarios a la crónica de Juan de Santa Cruz Pachacuti Salcamaygua)", *Revista de Indias,* núms. 155-158 (1979), pp. (127-128).

[19] Millones ha observado que por las luchas de los Incas y el hecho de que a cada desacato del soberano en el culto al Supremo Hacedor corresponde el auge de las guerras así como la catástrofe individual o política del Inca, la *Relación* puede ser vista como una "argumentación en favor de las virtudes del cristianismo cuya antesala sería el descubrimiento del Creador, límite que, por razonamiento natural, podría alcanzar el pueblo de los Andes" ("Los dioses", 128).

[20] Lionel Vallée, "El discurso mítico de Santa Cruz Pachacuti Yamqui", *Allpanchis Aruturinga,* XVII, núm. 20 (1982) pp. 103-126.

[21] Pierre Duviols, *La destrucción de las religiones andinas (conquista y colonia).* Trad. Albor Maruenda, México, UNAM, 1977, pp. 55-71.

[22] Regine Harrison, "Modes of Discourse: *The Relación de antigüedades deste Reyno del Pirú* by Joan de Santacruz Pachacuti Yamque Salcamaygua", en Adorno, pp. 72-73.

[23] Sobre el significado e implicaciones de la "Edad de Oro" en crónicas y relaciones, véase Stelio Cro, *Realidad y utopía en el descubrimiento y conquista de América hispana (1492-1682),* Troy y Madrid, International Book Publishers y Fundación Universitaria Española, 1983, pp. 133-175.

[24] José Carlos Mariátegui, "Aniversario y balance", *Amauta,* 17 (1928), p. 3. El pensador peruano utilizó estas palabras en un editorial donde redefine la política de *Amauta* y a la vez insinúa cómo debe ser el socialismo en América.

[25] Luis Alberto Sánchez, *La literatura peruana. Derrotero para una historia cultural del Perú,* 4a. ed., vol. I, p. 268.

[26] Natham Wachtel, "Pensamiento salvaje y aculturación: el espacio y el tiempo en Felipe Guamán Poma de Ayala y el Inca Garcilaso de la Vega", *Sociedad e ideología. Ensayos de historia y antropología andinas,* Lima, IEP, 1973, p. 167.

[27] Franklin Pease, "Prólogo", LIII, *Nueva corónica y buen gobierno,* 2 vols., Caracas, Biblioteca Ayacucho, 1980.

[28] Rolena Adorno, "Las otras fuentes de Guamán Poma: sus lecturas castellanas", *Histórica,* II, núm. 2 (1978), pp. 137-158. Murra y Adorno han documentado ampliamente estas fuentes. Ver las notas a su edición de *Primer nueva corónica y buen gobierno,* México, Siglo XXI, 1980 (III notas a pp. 421 y 429 y ss.).

[29] Rolena Adorno, "El arte de la persuasión: el padre Las Casas y fray Luis de Granada en la obra de Waman Puma de Ayala", *Escritura,* IV, núm. 8 (1979), p. 175.

[30] Pierre Duviols, *ob. cit.,* pp. 55-69.

Si, efectivamente, se comprobaba que los nativos habían recibido el cristianismo y lo habían abandonado para sumirse en la idolatría, podían ser considerados como apóstatas. Aunque el mito del apóstol fue rechazado por el Primer Concilio reunido en Lima (1551), después de la llegada del virrey Toledo (1569), éste fue revivido y utilizado por algunos de los burócratas cercanos a Toledo para acusar a los antiguos peruanos de haber negado el cristianismo burlándose de sus enseñanzas. Entonces la Inquisición podía ser utilizada contra ellos con mayor justificación (Duviols, *La destrucción,* 68–69; Chang–Rodríguez, "Santo Tomás en los Andes", *Revista Iberoamericana,* (LIII, 1987, pp. 559–567).

WILLARD F. KING

# EL MEXICO DE ALARCON (1580-1613)*

## A. AMBIENTE FISICO Y POBLACION

Juan Ruiz de Alarcón vivió en la capital de la Nueva España desde su nacimiento en 1580/1581 hasta la primavera de 1600, cuando se embarcó a España, y después durante otros cinco años, entre 1608 y 1613. Estos años estuvieron marcados, en conjunto, por el auge de la prosperidad y del optimismo y, especialmente en los inicios del nuevo siglo, por el ritmo creciente de la construcción: se edificaron conventos, iglesias, hospitales, casas particulares. La vieja capital azteca se convertía en una ciudad colonial española, orgullosa y de grato aspecto. Poco es lo que hoy subsiste de los años mexicanos de Alarcón: el templo de Jesús María, partes del colegio jesuítico de San Pedro y San Pablo (hoy Escuela Nacional Preparatoria), una portada aquí, unas columnas de claustro más allá. Desastrosas inundaciones (la peor, tal vez, en 1629; en 1634 el agua no había bajado del todo a su nivel normal, y miles de personas abandonaron la ciudad); tumultos y trastornos civiles en cada siglo (uno de los más destructores fue el de 1692, cuando los amotinados incendiaron muchas de las estructuras de la Plaza Mayor, llamada hoy "el Zócalo"); terremotos; la consistencia esponjosa del subsuelo, que condenaba a muchos edificios a hundirse alarmantemente bajo el nivel del suelo; el consabido afán humano de derribar lo viejo y construir otra vez en el estilo más nuevo: todo esto contribuyó a borrar el pasado casi tan radicalmente como el ejército de Hernán Cortés había destruido a Tenochtitlán.

Para reconstruir en nuestra mente algo de la manera como las cosas se le mostraban al joven Juan, necesitamos depender de la palabra escrita —descripciones contemporáneas hechas por naturales y por visitantes— y de uno que otro mapa, sobre todo el que dibujó Juan Gómez de Trasmonte en 1628, quince años después del segundo y definitivo viaje de Alarcón a España. Este mapa, muy reproducido, presenta en pers-

---

\* En su *Juan Ruiz de Alarcón, letrado y dramaturgo. Su mundo mexicano y español,* México, El Colegio de México, 1989, pp. 37-60.

pectiva la topografía y los edificios de la ciudad española de México y de su ciudad hermana Santiago Tlatelolco, donde vivían los indios[1].

Todos los viajeros se hacen lenguas de la belleza de México. Ponce dice en 1585 que es la ciudad más noble y poblada de las Indias españolas. Situada en un valle fértil y placentero, junto al inmenso lago de Texcoco, la ciudad española ostentaba casas excelentes y calles largas y anchas, uniformes en tamaño y en aspecto; era notable por la apostura de sus habitantes de uno y otro sexo, así como por el brío y gallardía de sus caballos,

> . . .y éstas son las cuatro cosas que en aquella ciudad se alaban: calles, casas, caballos y criaturas. La gente española de México es muy cortesana, bien hablada y no menos tratada. Hay muchos caballeros, hidalgos y gente principal, así de los venidos de España como de los nacidos acá. Hay gruesos mercaderes y tratantes y oficiales de toda suerte, y entre éstos hay muchos ricos, pero tampoco faltan los pobres, antes cada día se aumentan, y todos guardan el dinero[2].

Los grandes derroches observados por tantos comentaristas en el siglo XVII, uno de ellos Gage (pp. 67–71) en 1625, no habían comenzado aún. En comparación con Europa, las casas y el mobiliario eran modestos; la riqueza visible consistía casi exclusivamente en vajillas de plata y en lujosas sillas de montar[3]. Alarcón se crió en un medio relativamente sobrio y austero. Ponce observa, muy satisfecho, la gran devoción y la estricta observancia que reinan en los conventos de monjas, particularmente el de la orden de Santa Clara, que en 1586, como otras órdenes religiosas, estaba construyendo su nuevo convento, para el cual él había traído un hueso de la pierna de una de las Once Mil Vírgenes (obsequio que sin duda fue muy apreciado, aunque no fuera de las reliquias más raras). Cuarenta años después, sin embargo, el malhumorado Gage (p.44) se mostraba escandalizado por el lujo y la laxitud de la observancia monástica en los conventos masculinos y femeninos.

A fines del siglo XVI las grandes casas particulares comenzaban a perder el aspecto de construcciones fortificadas con almenas y atalayas; algunas ostentaban ya graciosas fachadas platerescas. En un dibujo de la Plaza Mayor hecho en 1596 (Toussaint *et al., Planos,* fig. 2) se ve la casa de Guerrero, uno de los vecinos principales, con sus dos elegantes torres, su escudo tallado y una amplia ventana decorativa. Pero todavía en 1628, como se ve en el mapa de Trasmonte, las casas eran bajas, de no más de dos pisos, hechas así para soportar los terremotos (Ponce menciona temblores de bastante fuerza en 1588: t. 2, p. 516). Para ojos europeos, el rasgo más sobresaliente de las grandes casas y construcciones religiosas era su color, el rojo vivo de los muros hechos de la piedra volcánica llamada "tezontle", contrastado con la cantera blanca o "chiluca" que se usaba para enmarcar puertas y ventanas. Vásquez escribe que son "todas las casas (se refiere sólo, evidentemente, a las de los ricos) de muy buena fábrica, labradas de una piedra finísima colorada y peregrina en el mundo. . . , la cual es muy dócil de labrar, y tan liviana, que una losa grande o pe[que]ña nada sobre el agua sin hundirse" (p. 109b). Ya Carletti había admirado antes la iglesia nueva de los jesuitas, hecha con "cierta piedra esponjosa de color rojo y muy ligera" (p. 69).

El interior de los conventos e iglesias deslumbraba con el brillo de los artesonados y retablos. Vázquez, en 1612, menciona especialmente las esplendidas iglesias de San Agustín, "hecha toda un racimo de oro" (p. 110a), y de Santo Domingo, "una ascua de oro", si bien añade que los cimientos de ésta se han hundido unos cinco pies (p. 110b). Ya en 1595 había dicho Carletti que esta iglesia de Santo Domingo, y las de San Agustín y San Francisco, se habían hundido "casi a la altura de un hombre". Escarmentando en cabeza ajena, los jesuitas encontraron el modo de cimentar la suya "sobre maderos clavados en el agua del lago", técnica cuya eficacia se había descubierto poco antes (p. 69). En tiempos de Alarcón, como se ve en el mapa de Trasmonte, los techos de las iglesias eran puntiagudos y estaban adornados con torres; las bóvedas altas de media naranja no comenzaron a aparecer hasta mediado el siglo XVII.

Esta ciudad "europea" mostraba todavía a los asombrados viajeros, y a los habitantes como Alarcón, los restos visibles de una civilización exótica. Carletti vio en la Plaza Mayor "una mesa de una piedra grande y gruesa, trabajada en forma redonda, con varias figuras de medio relieve esculpidas dentro, con un canalillo en medio de ella, por el cual dicen que corría la sangre de aquellos hombres que se sacrificaban sobre ella", y añade que las reliquias de los ídolos "se ven todavía por la ciudad fijadas en la pared en las esquinas de las casas hechas por los españoles, puestas allí como triunfo de sus fundaciones" (p. 69). Sin embargo, la reacción de horror y temor estaba siendo sustituida poco a poco por juicios más positivos acerca de la cultura de los naturales. Algunos ciudadanos cuerdos, como Fernando de Alva Ixtlixóchitl (1568–1648), reunieron una buena cantidad de testimonios del pasado prehispánico, y el cosmógrafo Henrico Martínez, lleno de admiración por el saber astronómico de los indios, se ufanaba en 1606 de poseer un precioso calendario azteca, de piedra redonda, con pinturas[4]. Un viaje de menos de una jornada podía llevar a los visitantes a contemplar lo que en otro tiempo fueron las pirámides del Sol y de la Luna en Teotihuacán; ahora, dice Ponce (t. 1, p. 216), "no hay otra cosa más de los dos cerros, uno mayor que otro, y alrededor de ellos parecen muchos cimientos y casas derribadas y vestigios y señales de otras, en que se ve que hubo allí antiguamente gran población".

El recuerdo de tales espectáculos tiene que haber inspirado una fuerte y original imagen puesta en boca de don Juan, protagonista de la comedia alarconiana *La industria y la suerte*. Pensando que su adorada Doña Blanca se ha rendido al asedio de su rival, don Juan exclama enfurecido:

*¿Dónde está la honestidad*
*que yo veneraba tanto*
*la fingida compostura*
*y el hipócrito recato.*
*Los ídolos que adoré*
*por tierra están derribados,*
*la ciudad de mis tesoros*
*miro en poder de un tirano*[5].

Aunque nunca escribió —y sin duda nunca se propuso escribir— la terrible epopeya de la destrucción de Tenochtitlán, una imagen como ésa, tan enérgica, tan por encima de la expresión convencional del furor de un amante, atestigua la sensibilidad de Alarcón en cuanto a ese hito de la historia occidental. Cabe añadir que pasajes tan reveladores de su excepcional pasado mexicano son raros en su obra.

El aspecto más extraordinario de la ciudad era la omnipresencia del agua. Tenochtitlán, como casi todos saben, se construyó en un islote que había en el gran lago de Texcoco, y estaba conectada con las orillas más cercanas por medio de calzadas. Con el paso del tiempo fue creciendo la superficie de la isla y decreciendo la del lago (del cual quedan hoy pocos vestigios), pero el mapa de Trasmonte lo muestra todavía extendiéndose hasta perderse de vista por el lado de oriente. En 1625 Gage calculaba que el lago cubría una superficie de 100 millas. Sus aguas chapoteaban contra un "albarradón" o dique comenzado por los aztecas y extendido por los españoles como precaución —a menudo ineficaz, desgraciadamente— contra las inundaciones. Esta Venecia del Nuevo Mundo estaba surcada por gran número de canales, sobre los cuales había puentes de madera o de piedra. Los canales llevaban agua por toda la ciudad y la descargaban a través de esclusas abiertas en el dique; uno de ellos atravesaba la Plaza Mayor en tiempos de Alarcón. El agua potable, procedente de las montañas circunvecinas, entraba en la ciudad por dos grandes acueductos. Las calzadas aztecas tendidas sobre el lago o sobre terreno pantanoso seguían todavía en funciones. En 1625 dice Gage que entró en México desde el sur, tal como lo hizo Cortés en su primera entrada, por los ocho kilómetros de la calzada de Iztapalapa que  atravesaba el lago. En las orillas del lago, en torno a la ciudad, contó hasta treinta caseríos de indios, aunque ninguno con más de quinientos habitantes.

Carletti, seglar y mercader, observador quizá más objetivo y ciertamente mejor dispuesto que cualquiera de los demás viajeros, encontró templado y fresco el clima de la ciudad, precisamente a causa de la cercanía del agua, que podía encontrarse con sólo cavar la longitud de dos brazos. Es verdad que había problemas a la hora de enterrar un muerto, pues había que vaciar el agua de la fosa antes de depositar el cadáver.

El lago y los canales ofrecían cómodas rutas para el abastecimiento de la ciudad. Cada día, según Vázquez, entraban más de mil canoas cargadas de bastimentos de pan, carne, pescado, caza, leña y el abundante zacate que crecía en el lago y servía de forraje para los excelentes caballos que todos los viajeros ponderaban (p. 109b).

Sin embargo, el lago y los canales no siempre resultaban benéficos y hermosos. Durante la temporada seca el lago olía mal (Ponce, t. 1, p. 176), lo mismo que los canales, en los cuales echaban su basura los vecinos. Y cuando había lluvias fuertes, los canales se atascaban, de manera que fue haciéndose cada vez peor la amenaza de las inundaciones. El virrey Luis de Velasco el Mozo quiso remediar el problema mandando perforar en una de las montañas un canal de desagüe. Por varias razones, esta solución tan cuerda en apariencia no logró su propósito, y el problema del drenaje siguió siendo un costoso dolor de cabeza para el régimen colonial y para los gobiernos posteriores a la Independencia.

Así, pues, el agua era la gloria y la maldición de la ciudad de México, y Alarcón llama la atención de su público español sobre esa paradoja en un pasaje famoso de *El semejante a sí mismo,* donde en sesenta y tres versos describe con gran concisión y claridad la situación de México ("la celebrada / cabeza del indio mundo / que se nombra Nueva España")[6], la inundación de 1605 y los hercúleos trabajos que se llevaron a cabo para abrir las tres leguas del canal de desagüe bajo la supervisión del virrey Velasco. Es sumamente probable que Alarcón haya visitado el punto en que terminaba el canal: regresó a México el 19 de agosto de 1608, casi exactamente un mes antes de que el agua comenzara a correr por la galería subterránea[7]. En todo caso, esos versos de Alarcón muestran su amor a la tierra nativa y el orgullo por una hazaña de ingeniería (mayor maravilla que las siete de la antigüedad, según él) realizada por sus compatriotas y por ese señor Luis de Velasco que muchos años atrás había asistido a la boda de sus padres.

El México de que vengo hablando es, por supuesto, la ciudad planeada como residencia para los españoles (no para los indios) por Hernán Cortés, el cual, poco después de consumada la conquista, le ordenó a Alonso García Bravo reconocer y trazar una zona estrictamente señalada dentro de la ciudad vieja. García Bravo dibujó el plano de la futura ciudad con el patrón cuadricular característico de todas las ciudades españolas del Nuevo Mundo: calles rectas y amplias que salían del gran cuadrado en que estaban dos de las antiguas residencias de Moctezuma y la iglesia cristiana a medio erigir sobre la derruida pirámide del dios Huitzilopochtli. A partir de ese cuadrado central, que pasó a llamarse Plaza Mayor, la ciudad se extendió unas seis cuadras en cada una de las cuatro direcciones. Los límites del plano de García Bravo son actualmente las calles de Perú y Apartado al norte; Leona Vicario, Santísima y Roldán al este; San Pablo, San Jerónimo y Plaza de las Vizcaínas al sur; y San Juan de Letrán, Juan Ruiz de Alarcón (una cuadra pequeña) y Aquiles Serdán al oeste[8]. Los indios vivían fuera de estos límites, en cabañas construidas aquí y allá, o bien en la muy cercana población de Santiago Tlatelolco. El mapa de Trasmonte hace ver que en 1628 la ciudad española se había extendido muy poco más allá de los límites originales. Durante su primer período (1590–1595), el virrey Velasco el Mozo empujó la ciudad hacia el oeste al apartar varias cuadras de terreno para el parque público conocido como "la Alameda"; y varias iglesias importantes, sobre todo San Diego, la Vera Cruz y San Hipólito (el santo patrono de la ciudad) se salen ya del límite occidental del plano de García Bravo. La ciudad se estaba extendiendo poco a poco en dirección del boscoso cerro de Chapultepec, donde Moctezuma tuvo una casa de solaz. Los españoles siguieron su ejemplo. En el libro de Ponce, Chapultepec es un lugar ameno, coronado por la iglesia de San Miguel, y con bosques abundantes en conejos (t. 1, p. 58). La ciudad propiamente dicha tenía, según Vázquez, dos leguas de circunferencia (p. 109b), o sea unos nueve kilómetros y medio, distancia fácil de recorrer durante un paseo vespertino.

Si los límites físicos son fáciles de determinar, un recuento exacto de la población que dentro de ellos vivía es imposible. Ponce habla en 1585 de más de tres mil vecinos españoles y de innumerables indios (t. 1, p. 168). Pero "vecino" significa jefe de familia (generalmente un varón), de modo que hay que multiplicar la cifra al menos por tres —algunos demógrafos prefieren multiplicar por seis— para llegar al total, o sea, en este caso, unos nueve mil españoles, entre criollos y peninsulares. No hay duda de que la población aumentó rápidamente en años posteriores. Gracias a la anexión de Portugal a España en 1580, de pronto pudieron los portugueses pasar a las posesiones españolas de Indias y así lo hicieron en gran cantidad. Como los portugueses eran a la sazón los mercaderes de esclavos por excelencia, fue también en esta época cuando entró en las colonias españolas de América el mayor número de negros. Sin duda Vázquez exagera en 1612 al contar 15.000 "vecinos" españoles (criollos y peninsulares) en la ciudad de México; si multiplicamos por tres esta cifra, resultaría que los 9.000 de Ponce se habían hecho 45.000 en sólo veintisiete años. Vázquez cuenta, además, 50.000 negros y mulatos (pp. 109b–110a) y un gran número indeterminado de indios, algunos seguramente esclavos capturados en las guerras contra los chichimecas, en la parte septentrional de la Nueva España. Maza (*La ciudad de México,* p. 20) concluye que en 1689 los habitantes de la ciudad llegaban tal vez a 50.000.

Frente a estas titubeantes estadísticas, lo único que puede concluirse es que durante los primeros años de Alarcón la población española era relativamente exigua, que prácticamente todos los vecinos notables deben haberse conocido más o menos entre sí, y que noticias y rumores correrían rápidamente de extremo a extremo de la ciudad. Orozco y Berra tenía razones para decir que el México de mediados del siglo XVI no era sino una vasta casa de vecindad cuyos inquilinos se conocían unos a otros, sabían las tachas y flaquezas de cada uno, y reñían unos con otros por razones baladíes[9]. Pero en 1600, cuando Alarcón se fue a España, y más aún en 1608, cuando regresó de allá tras una ausencia de ocho años, parece que la casa de vecindad se había convertido en una ciudad hecha y derecha. Y, como lo señalan todos los comentaristas, desde el punto de vista racial o étnico era seguramente una de las más variadas que el mundo había visto[10]: europeos blancos (por una parte españoles y portugueses peninsulares, por otra parte criollos), indios puros, negros puros, mestizos y mulatos, y no pocos asiáticos orientales venidos de las Filipinas, de China y aun del Japón, lo cual se explica por el hecho de que fue fundamentalmente la Nueva España la que llevó a cabo la conquista de las islas Filipinas, y a través de la cual pasaba todo el tráfico comercial entre Oriente y Occidente. Variados eran asimismo los credos religiosos, pese al catolicismo oficial y obligatorio: católicos, algunos musulmanes, judíos sinceramente convertidos a la fe católica, criptojudíos, algunos budistas o confucianos, y las masas de indios, algunos realmente evangelizados, otros a medio camino, practicando un sincretismo católico-pagano, y otros no tocados por la nueva fe y ofreciendo aún sacrificios a los dioses de Tenochtitlán. Era un mundo más lleno de enredos, disfraces y cambios de identidad que el que pueda encontrarse en el más complicado argumento de comedia.

## B. GOBIERNO Y ESTRUCTURA SOCIAL

Hacia 1580 la Nueva España era ya una sociedad ordenada y relativamente tranquila, gracias en buena parte a la notable diligencia y a los talentos de una serie de virreyes excepcionales: Antonio de Mendoza (1535-1549), Luis de Velasco el Viejo (1550-1564) y Martín Enríquez de Almansa (1568-1580), sobre todo los dos primeros. Tan estable y tranquila se muestra, que muchos historiadores actuales olvidan el peligroso y agitado medio siglo que siguió inmediatamente a la conquista. Entre 1521 y 1570 la corona española llegó a temer no pocas veces, y con razón, que las rebeliones de indios y de esclavos, y también las tendencias separatistas de la población criolla, acabaran con su soberanía en los vastos territorios del Nuevo Mundo. La más seria de las rebeliones indígenas ocurrió en 1541 en la región de Guadalajara; quedó aplastada, pero con mucha dificultad, y sólo cuando el virrey Mendoza asumió personalmente el mando de las fuerzas españolas, muy inferiores en número.

En 1543 se promulgaron las Leyes Nuevas, en las cuales se decretaba que las encomiendas de indios otorgadas a los conquistadores quedarían suprimidas a la muerte de los beneficiarios originales. Estas disposiciones nunca se obedecieron rigurosamente, pues no hubiera sido posible, y se llegó a un acuerdo en virtud del cual la concesión de la encomienda seguiría siendo válida hasta la tercera generación. Pero, de todos modos, los conquistadores se mostraron muy ofendidos, y protestaron amargamente por una medida que para ellos significaba ingratitud de la Corona, dados sus incomparables servicios, y también, en un nivel más material, porque veían que no les era posible sobrevivir sin el trabajo forzado de los indios. Si Hernán Cortés hubiera prestado oídos en esos años a las quejas de los conquistadores del montón, fácil le hubiera sido romper los lazos de la Nueva España con la metrópoli; y esto lo sabía bien la Corona. Es difícil exagerar el enorme prestigio de que gozaba el Marqués del Valle entre los criollos, y la veneración que le tenían los indios, para los cuales era él, y no Carlos V, el verdadero Quetzalcóatl; y, mientras los descendientes de Cortés permanecieran en la Nueva España, seguirían conservando en gran medida esa aura espléndida, por indignos que fueran de ella.

Así las cosas, cuando en 1566 se conoció en México una real cédula que de nuevo decretaba la no hereditariedad de las encomiendas, hubo una auténtica conspiración acaudillada por los hermanos Alonso y Gil González de Avila, sobrinos del conquistador Alonso de Avila, con el propósito de suprimir el gobierno español y proclamar a Martín Cortés, hijo del conquistador, rey de una Nueva España independiente. Los conspiradores proyectaban dar muerte a los miembros de la Real Audiencia, lo mismo que a Luis de Velasco el Mozo y a Francisco de Velasco, respectivamente hijo y medio hermano de Velasco el Viejo, fallecido en 1564. Martín Cortés (que sólo había vivido en la Nueva España durante diez de sus treinta y tres años de edad) poseía rentas enormes, tenía unos veintitrés mil indios en encomienda, y ciertamente prefería el lujo y desenfreno de su vida a los rigores de la guerra y la revolución; parece, pues, que vaciló en sumarse a la rebelión destinada a estallar en su nombre. La conspiración fue denunciada a la Real Audiencia, y los cabecillas fueron encarcelados el 16 de julio de 1566. Tras un rápido proceso, los hermanos Avila fueron decapitados (el 3 de agosto), y Martín Cortés acabó por ser despachado a la península. Nunca se han averiguado a fondo los detalles de esta conspiración, pero es claro que la Corona la vio como asunto sumamente serio, y de ahí en adelante extremó las medidas tendientes a cuidar que no se metieran manos criollas en la esfera del poder[11].

El recelo de la Corona se extendía a sus propios representantes, o sea a los virreyes. Como éstos gozaban de gran poder, era de temerse que, si echaban raíces en suelo mexicano, ellos y sus descendientes se convirtieran, como los Cortés, en abanderados de nuevas rebeliones. Es un hecho que desde tiempos del primer virrey había la tendencia a establecer alianzas matrimoniales con los criollos más ricos y poderosos. María de Mendoza, media hermana del virrey Mendoza, casó con el conquistador Martín de Ircio. Y varios miembros de la familia de Luis de Velasco el Viejo entablaron ventajosas alianzas con gente criolla, por ejemplo su hija Ana de Castilla, casada con Diego de Ibarra, principal descubridor y explotador de la rica mina de San Bernabé (Zacatecas). Este matrimonio hizo brotar una copla que maliciosamente decía: "Si la de San Bernabé / no diera tan buena ley / no casara Diego de Ibarra / con la hija del virrey"[12].

Rubio Mañé observa que el virrey Luis de Velasco el Viejo y su hijo, virrey también a su tiempo, fueron los únicos que se vincularon íntimamente con la sociedad mexicana[13]. Muy cierto, y esos vínculos íntimos de los virreyes con la colonia eran precisamente los que la Corona quería impedir a toda costa. Alarmada por la reciente conspiración de los Avila en torno a Martín Cortés, y también por el nuevo centro de poder que estaban creando los Velasco, en las instrucciones dadas al tercer virrey, Gastón de Peralta, marqués de Falces (1566-1568), le prohíbe muy expresamente "casar hijos ni hijas ni parientes en aquella tierra sin expresa licencia nuestra"[14]. Felipe II era partidario de mandar como virreyes a señores viudos; al menos así los familiares de la difunta no andarían buscando alianzas matrimoniales. La Corona llegó a temer (sin fundamento alguno) que Antonio de Mendoza estableciera una dinastía en las colonias[15], y temores parecidos tuvo en cuanto a Velasco el Viejo. Pero, aunque siguió alerta, de 1580 en adelante quedó dueña de la situación, y no vaciló en nombrar virrey a Velasco el Mozo en 1590, pese a las enormes propiedades y a los muchos parientes que tenía en la Nueva España. Felipe II acabó por aprobar el nombramiento, pero tenía sus dudas, como claramente se ve por unos versos que González de Eslava puso en el poema amistoso, pero satírico, que escribió para la recepción de Velasco:

> ...*que teniendo impedimentos*
> *de pueblos, hijos y hermanos*
> *y otros parientes cercanos*
> *sus muchos merecimientos*
> *los hicieron todos llanos"*[16].

También la relación entre los dos grupos de vasallos —blancos e indios— había adquirido ya hacia 1580 el carácter que mantendría durante siglos. Mendoza y Velasco el Viejo, particularmente este último, habían apoyado a los franciscanos, dominicos y agustinos que con gran celo se empeñaban en aliviar a los indios de sus múltiples cargas y en incorporarlos poco a poco a la sociedad "española". Velasco soñaba con la creación de un pueblo único y homogéneo, resultado de la unión de indios y españoles, "aunque hasta ahora —reconocía— no se conforman bien y es mala mezcla"[17]. En todo caso, Velasco se afanó en la defensa de los indios, causando entre los españoles no poco descontento (devolvió la libertad a unos 50.000 indios esclavos, se esforzó en hacer obedecer las Leyes Nuevas y prohibió que los ganados de los españoles pastaran a su antojo en las tierras de los indios). De él es esta frase notable: "Más importa la libertad de los indios que las minas de todo el mundo, y las rentas de la Corona no son de tal naturaleza que por ellas se hayan de atropellar las leyes divinas y humanas" (*ibid.*, p. 167). Fue, además, un administrador abnegado e incorruptible. En 1554 las autoridades indígenas de Cholula le escribían al Emperador que Velasco era el mejor gobernante que habían tenido y terminaban así su carta: "Suplicamos a Vuestra Majestad no nos lo quite hasta que se muera, porque, como hemos dicho, en todo es bueno con nosotros" (*ibid.*, p. 130). Y así sucedió: don Luis de Velasco el Viejo siguió siendo virrey de la Nueva España hasta su muerte.

Con el paso del tiempo, se fue viendo que los indios no podían –o, las más de las veces, no querían– convertirse en buenos españoles y buenos cristianos. Estos pueblos recién conquistados resultaban menos fáciles de asimilar, menos industriosos y menos controlables que los moriscos de la península, con quienes los conquistadores, en un principio, los habían identificado mentalmente. Frailes y virreyes por igual dan muestras cada vez más claras de desilusión y aun de cinismo. Imposible olvidar, por otra parte, la muerte de millones y millones de indios, debida en gran parte a una serie de desastrosas epidemias. Se ha calculado que en 1521 había en la Nueva España entre diez y veinticinco millones de indios, de los cuales, en 1605, quedaba apenas un millón escaso[18]. Así, pues, la situación de quienes dependían de esa mano de obra, o sea los colonos y los frailes, se hizo aún más desesperada. En parte para salvar de la violencia europea a los desparramados y diezmados grupos de indios, y en parte para controlarlos mejor y facilitar su evangelización, la Corona decidió obligar a los indios a vivir en "congregaciones" o "reducciones" de las cuales estaban excluidos los europeos. Durante su primer virreinato (1590–1595), o sea durante la niñez de Alarcón, Velasco el Mozo estaba empeñado en poner en práctica tales medidas, pese a que los indios se resistían a esos trasplantes forzosos. Una "reducción" típica tenía entre doscientos y quinientos habitantes, atendidos por un clérigo secular o por un grupito de frailes. Quienes llevaron a término la tarea fueron los dos siguientes virreyes, Gaspar de Zúñiga y Acevedo, conde de Monterrey (1595–1603) y Juan de Mendoza y Luna, marqués de Montesclaros (1603–1607)[19].

Así pues, durante los años mexicanos de Alarcón se hacía cada vez más visible el hecho de que europeos e indígenas vivían vidas separadas en poblaciones separadas. El grandioso y sincero experimento de asimilación de la población aborigen había fracasado. En 1596, en las instrucciones destinadas a su sucesor, Velasco el Mozo señalaba con franqueza (y melancolía) la naturaleza del insalvable abismo que había entre las dos culturas.

> Las dos repúblicas de que este reino consiste, de españoles e indios, tienen entre sí, en lo que es su gobierno, aumento y estabilidad, gran repugnancia y dificultad, porque la conservación de aquélla siempre parece que es la opresión y destrucción de ésta. Las haciendas de españoles, labranzas, minas, ganados, monasterios, religiones, no sé que sea posible sustentarse ni pasar adelante sin el servicio y ayuda de los indios, cuya naturaleza y poca inclinación a ocuparse, trabajar y ganar es de tanto inconveniente, que ha obligado siempre a compelerlos a que hagan aquello que debieran hacer si tuvieran capacidad y policía, que es conducirse a servir[20].

El segundo Velasco no tenía la santidad ni las cualidades visionarias de su padre, que con toda justicia ha sido alabado e idealizado por muchos historiadores, Rubio Mañé entre ellos. Pero siendo, en toda la era colonial, el único virrey que se crió en la Nueva España, entendió los problemas del virreinato mejor quizá que cualquiera de sus predecesores y sucesores, y de ninguna manera había perdido el celo de su padre por el bienestar de los indios, no sólo porque tales eran las órdenes de Su Majestad, sino también porque tal era la lección aprendida de su padre, "y deseo acertar a ser su hijo en esto y en todo"[21]. Con respecto a los indios chichimecas –las tribus salvajes y merodeadoras del norte novohispano que nunca estuvieron sometidas a Tenochtitlán y que eran una constante amenaza para los establecimientos norteños, comenzando con Zacatecas–, mantuvo en vigor las eficaces medidas tomadas por su predecesor Manrique, a saber: trato amistoso, prohibición de guarniciones militares en su territorio y donativos de víveres y ropa. A fines del siglo XVI estaba pacificada toda la frontera septentrional y no había ya amenazas de ataques violentos por parte de los chichimecas. Cuando Velasco tomó las riendas del gobierno en 1590, la Nueva España sufría los efectos de las epidemias, de la inflación y del descenso en las actividades mercantiles y mineras. El atendió a todos estos problemas con gran vigor y con no escaso éxito. Convencido de que los mineros eran los vasallos más valiosos del rey de España (en lo cual no coincidía con su padre), insistió siempre en la necesidad de atender a sus necesidades de mano de obra y de azogue barato y en abundancia. Durante su gobierno, el azogue se vendía a los mineros al contado (no fiado, para evitar que la carga de deudas creciera hasta lo intolerable); con esos pagos al contado se creó un fondo del cual podía sacarse dinero en tiempos de apuro.

En recompensa de su buena actuación en la Nueva España, Velasco fue designado virrey del Perú (1595–1604) y luego por segunda vez de la Nueva España (1607–1611), cosa que nunca había sucedido. En 1609 recibió el título de Marqués de Salinas del Río Pisuerga (villa sobre la cual habían tenido señorío sus antepasados durante largo tiempo) y en 1611 fue nombrado presidente del Consejo de Indias, cargo que desempeñó hasta su muerte, en 1617, en Sevilla. Lewis Hanke lo juzga un hombre espléndido, honrado y leal por naturaleza, y observa que era, al morir, el funcionario público más experimentado que España había tenido en su historia[22]. En este juicio coincide Hanke con Juan Ruiz de Alarcón, que, habiendo vivido en México durante los dos períodos de gobierno virreinal de Velasco, lo llama en *El semejante a sí mismo* "símbolo de la prudencia" y evoca los años de su gobierno como una edad de oro[23].

Tras los europeos y los indios, el tercer componente de la población novohispana eran los negros y mulatos. Un censo de la parte central del virreinato, hecho a fines del siglo XVI, contaba 16.000 negros, mientras que los europeos eran 12.000 y 2.500 los mestizos[24]. Los negros, que adquirieron más rápidamente y más a fondo que los indios las costumbres, la religión y la lengua de los españoles, resultaron servidores mucho más eficaces que los indios, fueron a menudo los encargados de supervisarlos, y, en resumidas cuentas, gozaron en la sociedad novohispana una posición más privilegiada que ellos. La posesión de criados negros (generalmente esclavos) era señal de distinción social; se dice que en los conventos más aristocráticos eran menos las monjas residentes que las muchachas negras encargadas del quehacer (*ibíd*, p. 73). En 1625, Gage describe el diario desfile de coches en la Alameda a partir de las cuatro de la tarde, los señoritos acompañados de criados negros elegantemente trajeados y las señoritas rodeadas de negras con vestidos de telas blancas y ligeras (Gage, p. 73).

En 1608, cuando Alarcón volvió a México, la población indígena, mermada y confinada en las reducciones, había dejado de ser amenaza para los europeos. Pero la población negra comenzaba a dar señales de inquietud. En 1609 una gavilla de negros cimarrones, acaudillada por Yanga, causó grandes estragos en la región de Puebla. En 1611 los negros se amotinaron en la propia ciudad de México, porque una negra había sido muerta a azotes por su dueño. En 1612 la tensión racial llegó al último extremo: las autoridades tuvieron noticia de una conspiración de los esclavos negros para asesinar a sus amos. El castigo fue rudo e inmediato: el 2 de mayo de ese año, ante una multitud enorme, fueron ahorcados veintinueve negros y siete negras a quienes se acusó de ser los cabecillas[25].

De esos años no tenemos noticias buenas ni malas acerca de los mestizos, que parecen haberse mezclado, bien con los negros y mulatos, bien con los indios, o bien con los europeos, y llamaban muy poca atención en cuanto grupo aparte (obsérvese el escaso número de mestizos que hay en el censo antes citado). El Colegio de San Juan de Letrán, que en 1617 tendría como capellán a Pedro Ruiz de Alarcón[26], se fundó con el fin de dar educación a niños indios y mestizos sin hogar; pero, según un informe del arzobispo Moya y Contreras redactado en 1578, su funcionamiento dejaba mucho que desear[27]. No sabemos si las cosas mejoraron durante la capellanía de Pedro Ruiz de Alarcón. Juan de Mendoza y Luna, marqués de Montesclaros, virrey de 1603 a 1607, no oculta su desprecio por los mestizos[28]. Las órdenes mendicantes nunca aceptaron novicios mestizos (fue necesaria una gran batalla para que aceptaran novicios criollos), y lo mismo vale para los jesuitas, aunque éstos se ocuparon de ellos mucho más que los frailes. El único sitio de orden social que se le brinda a un mestizo con aspiraciones era el clero secular. Es verdad que había también mestizos hijos y nietos de conquistadores, cuyos derechos no podían desconocerse, pero a condición de que fueran hijos legítimos, cosa que rara vez sucedía. Solórzano Pereira, hombre tolerante en general, sostiene en su *Política indiana* (1648) que los mestizos están excluidos de los cargos eclesiásticos y civiles a causa precisamente de su ilegitimidad[29]. No hay un solo documento que nos diga si Juan Ruiz de Alarcón tenía opiniones más humanas; pero no está de más recordar que su padre era hijo ilegítimo y que su abuela paterna bien puede haber sido una esclava mora[30].

Tal vez en esto consista la diferencia más marcada entre España y la Nueva España. Las clases bajas, o sea las destinadas a las labores campestres, al trabajo de las minas y a la servidumbre doméstica, estaban constituidas por indios, negros y algunos mestizos y formaban un bloque visiblemente distinto de las clases altas blancas, que vivían en ciudades y dependían de esos trabajadores predominantemente rurales para sus necesidades más urgentes en una tierra tan vasta. A diferencia del campesinado de Castilla, laborioso y cumplidor, y procedente en gran medida del mismo tronco racial que las clases gobernantes, las clases rurales de la Nueva España eran esencialmente un grupo ajeno, indispensable pero no digno de confianza. Es posible que los españoles, con su secular experiencia de coexistencia y amalgama con pueblos de otras culturas, estuvieran mejor preparados que otros europeos para adaptarse a esa nueva estructura social, pero el hecho es que si la España del siglo XV, iniciadora de la conquista del Nuevo Mundo, estaba escindida por razones religiosas, la Nueva España del XVI y del XVII estaba escindida aún más radicalmente por razones de pigmentación. No había entre señores y siervos ningún lazo subyacente y estabilizador, ningún sentido de experiencia y valores históricos compartidos[31]. Qué oscuras tensiones, qué sensaciones en pugna (de superioridad por un lado, de inseguridad por otro) producía esta nueva estructura social en la conciencia de la minoría habitadora de las ciudades, es cosa que sólo se puede conjeturar, ya que los criollos mismos se abstuvieron de analizar directamente el fenómeno. Podemos suponer que la notable ausencia en el teatro alarconiano de la exaltación lírica de la vida campestre y del noble labrador —tema básico, como bien sabemos, de muchas de las mejores comedias de Lope y Calderón— se debe a la experiencia criolla de Alarcón, experiencia del "aristócrata" blanco a quien la residencia ciudadana, los mitos históricos y el color de la piel situaban en un lugar aparte del que tenían los hombres de piel oscura que trabajaban las tierras y las minas, y que trabajaban para que él viviera.

El poder estaba todo en manos de la minoría, o sea los blancos nacidos en España o en el Nuevo Mundo; y la Corona cuidaba de que la mayor parte de este poder le tocara a los peninsulares, pues era ella la que nombraba a los virreyes, a los oidores (miembros de la Real Audiencia), a los corregidores de un corto número de ciudades importantes y a casi todos los miembros de los cabildos de las principales ciudades, comenzando con la de México. El único campo de administración civil en que normalmente podían entrar los criollos era el cabildo, y éste vino a ser su principal foco de influencia. (Los cabildos o ayuntamientos otorgaban las codiciadas concesiones de tierra y agua, supervisaban los mercados, el abasto de víveres y los servicios públicos, cobraban los impuestos municipales, nombraban funcionarios subalternos y eran los responsables de las fiestas de Corpus Christi y otras.) En la ciudad de México, sin embargo, pocos criollos podían aspirar a un puesto de regidor en el Ayuntamiento; desde los comienzos de la colonia, éstas eran sillas que se vendían; los nombramientos eran vitalicios; y ciertos regidores tenían el derecho de transmitirle la silla a un heredero. Los miembros del cabildo constituían una pequeña y cerrada aristocracia municipal a la que sólo los ricos podían pertenecer. A comienzos del siglo XVII, para poner un ejemplo, el importante puesto de tesorero de la Casa de Moneda, al cual iba aneja una silla en el cabildo, se vendió por la increíble suma de 250.000 pesos de oro común[32]. Los miembros de familias relativamente pobres, como la de Alarcón, sin encomiendas de indios, no tenían la menor oportunidad de entrar en el cabildo.

¿Qué medios se le brindaban al criollo para subir en poder e influencia? De las tres rutas que, según el dicho, se abrían en la vieja España —"iglesia, o mar, o casa real"—, la mayor parte de los criollos, como sus contemporáneos peninsulares, escogían la de la iglesia o la de la casa real, no sólo socialmente aceptables, sino hasta "aristocráticas". Gonzalo Gómez de Cervantes, que se ganaba la vida como minero, comentaba en 1599, con acentos muy amargos, el hecho de que tan pocos hijos de criollos aprendieran la profesión de sus padres y prefirieran convertirse en abogados y clérigos, y atribuía tan deplorable costumbre al ascendiente y a la riqueza de los jesuitas, pues los colegios que ellos tenían en México y en Puebla eran los únicos en que se obtenía la preparación necesaria para tales carreras[33] Es evidente que en nuestra familia Alarcón existía esa tendencia lamentada por Gómez de Cervantes: de los cinco hijos, dos por lo menos emprendieron una carrera eclesiástica, y el tercer hijo —el futuro dramaturgo— hizo estudios de derecho. Por sí sola, la educación superior no le garantizaba al criollo un puesto en la jerarquía civil ni en la eclesiástica, las cuales, como hemos visto, estaban muy controladas por la administración virreinal. Además de educación y, seguramente, de algunos méritos propios, el criollo necesitaba alguna recomendación especial, alguna señal especial de distinción.

Un recurso muy utilizado, cuando era posible, consistía en presentar a la Corona pruebas de que se era descendiente de un conquistador o de un "primer poblador", y pedir recompensa por los señalados servicios del antepasado en forma de concesiones de tierras o de cargos civiles o eclesiásticos. A fines del siglo XVI, cuando las encomiendas originales se estaban extinguiendo, hubo, por una parte, un verdadero alud de tales solicitudes[34] y, por otra, escrupulosos censos de los descendientes legítimos de conquistadores y primeros pobladores, como el que en 1604 incluye Dorantes de Carranza en su *Sumaria relación de las cosas de la Nueva España,* mina de datos acerca de las familias sobresalientes de la Nueva España y la relación de unas con otras, donde llama la atención cómo había mermado el número de descendientes de conquistadores (en contra de las leyes normales de multiplicación demográfica). En 1604, los descendientes vivos de 1.326 conquistadores reconocidos eran sólo 109 hijos, 65 yernos, 479 nietos y 85 bisnietos, o sea un total de 738 individuos, mucho menos que los fundadores de esos linajes (Dorantes, p. 234). El nombre de Hernán Hernández de Cazalla —o Hernando de Cazalla— no figura en el bien informado catálogo de primeros pobladores redactado por Dorantes, pero hay que recordar que en 1613 Pedro Ruiz de Alarcón, clérigo (hermano mayor del dramaturgo), aduciendo los servicios prestados a la Corona por sus abuelos maternos, "primeros pobladores de las minas de Taxco", presentó ante el Consejo de Indias una de esas solicitudes de beneficio, la cual, a diferencia de tantas otras, recibió respuesta favorable, sin duda porque la familia tenía amigos bien situados. La facultad de conceder puestos estaba, como hemos visto, en manos del virrey, y en eso no podían hacer nada los criollos.

Dorantes de Carranza (pp. 12 y 306) lamenta la pobreza y la desesperación cada vez más negras en que viven los primeros pobladores: las Indias han resultado para ellos una "madrastra", y los bienes que les han quedado son "hacienda de duendes". Parecidos lamentos resuenan en Gómez de Cervantes (pp. 91–92), el cual pone el dedo en la llaga al observar que, si bien la norma de los funcionarios de la Corona en Madrid ha sido siempre otorgar puestos en el Nuevo Mundo a conquistadores, primeros pobladores y descendientes de unos y otros, la práctica que se sigue en México es muy otra: los virreyes otorgan esos puestos a los parientes, amigos y criados que han venido como parte de su enorme séquito —lo cual no tiene nada de sorprendente: extraños en una tierra extraña, era muy natural que quisieran entenderse con funcionarios bien conocidos[35]. Cualquiera que haya sido la línea de conducta de la Corona, debe observarse que el Rey nombraba sólo a cinco o seis funcionarios novohispanos, mientras que el virrey controlaba directamente los nombramientos para un centenar y medio de puestos[36].

Además, según el mismo Gómez de Cervantes, los funcionarios de la Corte española, que llegaban pobres al Nuevo Mundo, se casaban con hijas de ricos comerciantes criollos y medraban a expensas de los primeros pobladores. Todo lo cual era cierto. La Corona obstaculizaba la creación de nuevos centros criollos de poder por alianzas matrimoniales entre la parentela del virrey y la población criolla (véase *supra*, p. 46), pero, por lo visto, estas restricciones no se obedecían estrictamente en el caso de los oidores o de los protegidos del virrey. En la Nueva España se quedaron y prosperaron unos hijos del oidor doctor Luis de Villanueva como también los herederos del oidor doctor Juan de Quesada y Figueroa y los del oidor Cárcamo[37]. Puede casi decirse que era regla, y no excepción, el que un oidor viniera, trajera consigo su familia y se quedara en México.

Así, pues, el aumento de la población criolla se debió en buena medida a estas sucesivas entradas de inmigrantes procedentes de la península. Con el tiempo, sin duda, los recién llegados y sus hijos acababan por "acriollarse" del todo, pero la continua llegada de nuevos inmigrantes (en su mayor parte, a diferencia de la generalidad de los primeros pobladores, ni aventureros ni miembros del populacho español, seres marginados y quizá disidentes) fortalecía también la básica "españolidad" de la colonia y remachaba sus vínculos con la metrópoli. Las sucesivas camadas de pobladores nuevos desfavorecían necesariamente la creación de una cultura uniformemente "criolla", distinta de la de la metrópoli y contrapuesta a ella[38]. Los primeros pobladores, entre tanto, hechos a un lado por las nuevas oleadas de españoles, se quejaban de tamaña discriminación.

De hecho, cabe suponer que las frecuentes quejas que los virreyes mandaban a la Corona sobre el escaso talento administrativo demostrado por los hijos y nietos de los conquistadores[39] no revelan propiamente la índole verdadera de los criollos, sino más bien el deseo de los virreyes de justificar sus preferencias por los peninsulares[40]. También debe haber tenido algo que ver el simple desdén por el bajo origen social de muchos criollos. El virrey Montesclaros escribía en 1607 que los conquistadores fueron, como en todas las conquistas, un grupo muy heterogéneo, y que tratarlos a todos de la misma manera, "como nacidos en la misma conquista", era ofensivo para aquellos que podían ostentar un linaje distinguido[41].

Carletti, viajero italiano sin compromisos con nadie, sabía, como Montesclaros, que muchos criollos carecían de linaje ilustre, pero añadía: "aquellos que en España han sido conocidos como maleantes, se ha observado que al llegar a las Indias han mudado totalmente de condición y se han hecho allí virtuosos y han tratado de vivir civilmente, como acontece a menudo que quien muda cielo, muda, además de la fortuna, también la condición de la naturaleza, creo yo, por la fuerza de las estrellas" (p. 39). Merece ser tenido en cuenta este juicio, ya que la opinión general acerca de los criollos está representada más bien por los conceptos de Montesclaros o por los famosos versos en que Mateo Rosas de Oquendo (español peninsular que visitó la Nueva España a comienzos del siglo XVII) se burlaba de las pretensiones de nobleza que casi todos tenían. En la Nueva España, decía este poeta,

> *todos son hidalgos finos*
> *de conocidos solares;*
> *no viene acá Juan Muñoz,*
> *Diego Gil, ni Pedro Sánchez;*
> *no vienen hombres humildes*
> *ni judíos, ni oficiales,*
> *sino todos caballeros*
> *y personas principales.*[42]

Contra esa generalizada mala fama de los criollos y de los indianos iba a luchar incansablemente Juan Ruiz de Alarcón al abrirse paso en la jerarquía civil. Y en esta lucha, que lo ocupó durante gran parte de su vida, sus mejores armas serían sus conexiones familiares y sus amigos.

Si su hermano Pedro, como primogénito, pudo obtener el beneficio solicitado por haber aducido los servicios especiales prestados por la familia de la *madre,* Juan utilizó hasta el máximo, en la Nueva España, las conexiones de la familia del *padre,* esos Ruiz de Alarcón que, como hemos visto, no pertenecían a la nobleza de alto rango pero tampoco a la clase de los simples artesanos llamados Juan Muñoz o Pedro Sánchez. Por fortuna para él, la abuela del virrey Luis de Velasco el Mozo se llamaba Ana *Ruiz de Alarcón* y Berrio (natural de Palomares, cerca de Huete, en La Mancha), de la familia de los señores de Valverde. La casa manchega de Valverde, quizá la rama más próspera y distinguida de la familia Ruiz de Alarcón (a ella pertenecía el tío de Ana, el famoso señor Hernando de Alarcón, muerto en 1540, que peleó al lado del Gran Capitán Gonzalo Fernández de Córdoba y recibió el título de marqués de la Vala Siciliana), se había vinculado por matrimonio con la familia manchega de nuestro dramaturgo, o sea la casa de Albaladejo, desde fines del siglo XV, cuando Pedro de Alarcón, hijo del licenciado Fernán González del Castillo, se casó con Catalina Barba, hija de Lope de Alarcón, quinto señor de Valverde[43].

En vista de estos lazos sanguíneos, la presencia de los poderosos Francisco de Velasco y Luis de Velasco como testigos, en el México de 1572, de la boda del oscuro Pedro Ruiz de Alarcón, recién llegado de España, deja de ser sorprendente. Si los lazos de sangre son, como sabemos, especialmente fuertes en la península ibérica y en todo el Mediterráneo, lo eran más aún en el Nuevo Mundo, ya que la familia, entendida en el sentido más lato, era la primera defensa y la primera fuente de fuerza en una tierra nueva y desconocida. Chevalier nos dice que los encomenderos poderosos aceptaban sin chistar la obligación de proteger a los miembros más débiles de la familia, manteniendo constantemente para ellos una especie de casa abierta; en esta forma era posible que no pocos individuos relativamente destituidos de fortuna, protegidos por los jefes de familias más ricas y poderosas, vivieran como hidalgos (pp. 57–63). Tal fue, a todas luces, el caso de nuestra familia Alarcón. No cabe duda de que Juan Ruiz de Alarcón esperaba ayuda de Luis de Velasco el Mozo, y la obtuvo, si bien no se han hallado pruebas documentales que apoyen esta convicción.

El doctor Luis de Villanueva, oidor, testigo también en las bodas, estaba casado con Beatriz de Zapata, hija de cierta María de *Alarcón,*[44] su hijo Luis se firmaba a veces Villanueva Alarcón: es razonable suponer la existencia de un vínculo familiar. Pero el viejo oidor murió en 1583, Francisco de Velasco en 1574, y otro de los testigos, Villaseca, en 1580[45]. De los testigos de boda, el único que seguía vivo, y con posibilidad de ayudar al joven Juan Ruiz de Alarcón, era Luis de Velasco el Mozo. También, sin duda, era importante el patrocinio de los hijos de Villanueva: Agustín, Alonso y el ya mencionado Luis[46]. Muchos años después, el 5 de junio de 1629, Juan Luis de Alarcón y Mendoza, relator a la sazón del Consejo de Indias, pagó algo de sus deudas al testificar en Madrid en favor de un bisnieto del viejo oidor, Diego Villegas y Sandoval, durante la prueba de nobleza y linaje que precedió a su admisión en la orden de Santiago[47].

Es hora de considerar qué cosa significaban, en cuanto grupo, los cuatro testigos de la boda (los dos Velasco, Villaseca y el oidor Villanueva). Para el populacho mexicano de 1572, tenso aún por la abortada conspiración contra la Corona, esos hombres eran los súbditos más firmes de la monarquía castellana. Vale, pues, la pena ver cómo se formó el cuarteto.

En los últimos años de su gobierno, antes de morir en 1564, el virrey Luis de Velasco el Viejo había sido objeto de constantes críticas y ataques por parte de los miembros de la Real Audiencia, que desaprobaban las medidas emanadas del rey y del virrey en cuanto a las encomiendas y el modo de tratar a los indios. (De hecho, ningún virrey contó con la colaboración plena de la Audiencia.) El doctor Luis de Villanueva fue uno de los pocos oidores que apoyaron a Velasco, razón por la cual, en 1563, sus colegas consiguieron que fuera destituido y despachado a España[48]; pero Velasco no olvidó al amigo ausente, y lo nombró albacea en su testamento. La conspiración de los Avila en torno a Martín Cortés, empresa confusa e inepta si las hay, comenzó a tomar forma en 1565. El 5 de abril de 1566, Luis de Velasco, hijo del virrey difunto y miembro del cabildo (como lo eran también Agustín y Alonso de Villanueva, hijos del conquistador Alonso de Villanueva, no del oidor), denunció por escrito la conspiración ante la Real Audiencia, la cual, no habiendo aún nuevo virrey, era en esos días la más alta autoridad del virreinato.

No se sabe qué relación había (si es que la había) entre esta familia Villanueva y la del oidor Villanueva, pero sí se sabe que los jóvenes Villanueva, lo mismo que su cuñado, el conspirador arrepentido Baltasar de Aguilar (que una vez entregada la denuncia escrita, rindió ante la Real Audiencia un devastador testimonio oral sobre el asunto), eran sobrinos de doña Beatriz de Andrada, esposa de Francisco de Velasco, el medio hermano del virrey difunto. Según testimonio presentado durante el juicio de los conspiradores, Aguilar fue "compelido, forzado y apremiado" por su tía Beatriz a denunciar a los Avila[49]. Como tantas veces ha sucedido —recordemos la sublevación de las Comunidades en la España de Carlos V—, los odios y recelos entre clanes poderosos tuvieron mucho que ver con la frustración del golpe.

Enterada de la gravedad de la situación, la Real Audiencia nombró a Francisco de Velasco, hombre de cincuenta y un años, capitán general de las milicias del Rey, y convocó a los encomenderos para que defendieran con armas y caballos a la Corona. Las relaciones que se escribieron cuando todo había pasado dan la impresión de que los encomenderos obedecieron sin dilación, pero hay razones para creer que el grito de la Audiencia cayó en oídos sordos, puesto que en su mayor parte ellos eran simpatizantes de los conspiradores, o bien tenían miedo de las consecuencias que podría acarrear el tomar partido en una situación que distaba mucho de la estabilidad. Así las cosas, Alonso de Villaseca, el hombre más rico de México, se presentó repentinamente en la Plaza Mayor, frente al palacio virreinal, encabezando un escuadrón formado por familiares y criados suyos —doscientos hombres, todos a caballo, todos bien armados— y se ofreció a sí mismo, entonces y siempre, al servicio de Su Majestad el Rey[50]. Después de sofocada la conspiración, el doctor Luis de Villanueva volvió a ser nombrado oidor y en 1568 se reunió en México con su familia.

Los criollos de entonces se dividían muy tajantemente en un grupo mayoritario que deseaba rienda floja de parte de la Corona y hasta soñaba con separarse de ella, y un grupo minoritario que estaba en favor de la rienda tirante y que tenía por principio básico la lealtad a la Corona. Los jefes de este segundo grupo, los más poderosos y ostentosos enemigos de la conspiración de 1566, eran los cuatro hombres que acompañaron a Pedro Ruiz de Alarcón el día de su boda con Leonor de Mendoza, en marzo de 1572. Es probable que los cuatro se hayan granjeado el bilioso rencor de buena parte de la población criolla, y que su aparición en ocasiones públicas como esa boda haya sido ante todo un llamativo gesto de solidaridad. Nos preguntamos si en los documentos de México no habrá constancia de otras apariciones colectivas como ésa; nos preguntamos también si, al patrocinar al joven llegado de Castilla, no habrán estado reclutando partidarios. En todo caso, Pedro Ruiz de Alarcón se había colocado claramente del lado de los "realistas" congregados ese día de marzo en una celebración de mutuo apoyo.

Su hijo Juan haría de esa lealtad básica un sostén principal del marco ideológico de sus obras teatrales. Tal vez en ninguna de ellas se expresa esa idea con mayor elocuencia que en *No hay mal que por bien no venga* o *Don Domingo de Don Blas,* obra tardía[51] cuyo protagonista es un individuo adinerado, descontentadizo y un tanto poltrón, que se niega a conformarse a los usos sociales de su tiempo; pero, a pesar de su amor a las comodidades y de su desdén por las obligaciones sociales ordinarias, el día que su rey se ve en peligro, Don Domingo entra al punto en acción y defiende eficazmente con las armas a su soberano. No es nada irracional suponer que uno de los principales modelos históricos del excéntrico Don Domingo de Don Blas fue Alonso de Villaseca. Nacido en la provincia de Toledo, Villaseca ya estaba en México en 1538; aquí echó los cimientos de una inmensa fortuna como modesto vendedor de cacao en un puesto de mercado público[52], se casó con mujer rica, y no tardó en adquirir fama de irascible; parece haber detestado el modo de vida de los círculos distinguidos y vivía reposadamente fuera de la ciudad, en su hacienda de Ixmiquilpa[53], pero no vaciló en salir en defensa de su rey contra una conspiración deshonrosa. Villaseca murió en 1580, de manera que Alarcón no lo conoció personalmente, pero las leyendas acerca de ese pintoresco señor, que había sido patrono de su familia, no podían habérsele olvidado.

Sería cínico, injusto y erróneo especular con la idea de que los Villanueva y los Velasco actuaron en defensa del Rey por motivos interesados, pero es verdad que la Corona les quedó muy agradecida y los recompensó con largueza, en parte seguramente con propiedades confiscadas a los hermanos Avila, cabecillas de la conspiración. En 1570 se le había dado al doctor Luis de Villanueva, en Cuyoctepec (Coyotepec), una propiedad que él vendió después en 10.000 ducados[54]. En cuanto a Luis de Velasco el Mozo, se declara en 1598 (después de su primer virreinato) que posee un total de 8.970 indios tributarios en veintidós poblaciones, que se trata de encomiendas recientemente concedidas, y que la concesión es válida para tres generaciones[55]. No cabe duda de que los servicios prestados por él y por su padre, virreyes ambos, explican bastante bien la generosidad de la Corona, pero un documento fechado elocuentemente en 1567 (pasado apenas el episodio de la conspiración, y mucho antes de su primer nombramiento como virrey), hace constar de manera expresa que ciertos favores se le concedieron "en reconocimiento de sus diligencias y servicios acerca de la alteración que se intentaba por algunos de la ciudad"[56]. Y aquí tenemos otra lección que Alarcón asimilaría: la lealtad a la Corona podía producir recompensas tangibles.

# NOTAS

[1] El mapa de Trasmonte, acompañado de un amplio estudio e interpretación, puede verse en Manuel Toussaint, Federico Gómez de Orozco y Justino Fernández, *Planos de la ciudad de México*, UNAM, México, 1938, fig. 26 y pp. 175-192. Me referiré principalmente a los siguientes relatos:

a) "Ponce": *Relación breve y verdadera de algunas cosas que sucedieron al padre fray Alonso Ponce en las provincias de la Nueva España... escrita por dos religiosos,* tomo 57 (en 2 vols.) de la Colección de *Documentos Inéditos para la Historia de España,* Imprenta de la Viuda de Calero, Madrid, 1872-1873. Es un relato de los viajes que en 1584-1588 hizo el padre Ponce, comisario general de la orden de San Francisco, por todas las regiones en que había conventos franciscanos. Los dos religiosos que lo escribieron eran también franciscanos.

b) "Carletti": Francesco Carletti, *Razonamientos de mi viaje alrededor del mundo,* ed., trad. y notas de Francisca Perujo, UNAM, México, 1976. Carletti, italiano, era un comerciante viajero. La parte novohispana de su viaje cubre los años 1595 y 1596.

c) "Vázquez": Antonio Vázquez de Espinosa, *Compendio y descripción de las Indias occidentales,* ed. B. Velasco Bayón, t. 251 de la Biblioteca de Autores Españoles, Atlas, Madrid, 1969. Vázquez era un fraile carmelita. Describe el México de 1612.

d) "Gage": Thomas Gage, *Travels in the New World,* ed. J. Eric S. Thompson, University of Oklahoma Press, Norman, Okla., 1958. El autor era un dominico inglés. Describe sobre todo el México de 1625.

Uno de los estudios más ilustrativos acerca de la ciudad en los siglos XVI y XVII es el publicado en 1891 por Luis González Obregón: *México viejo (época colonial),* 9a. ed., Editorial Patria, 1966. Otros estudios útiles, y naturalmente más al día son el de Francisco de la Maza, *La ciudad de México en el siglo XVII,* Fondo de Cultura Económica, México, 1968, y el de Arturo Sotomayor, *De la famosa México el asiento,* Fondo de Cultura Económica, México, 1967.

[2] Ponce, t. 1, pp. 174-175. Esta descripción parece inspirada en parte en los versos con que Juan de la Cueva había descrito a la ciudad: "Seis cosas excelentes en belleza / hallo, escritas con C, que son notables / . . . /casas, calles, caballos, admirables, / carnes, cabellos y criaturas bellas" (Poetas novohispanos, ed. A. Méndez Plancarte, UNAM, México, 1942-1945, t. 1, pp. 13-14).

[3] Chevalier, *La formación,* p. 189.

[4] Sobre Ixtlixóchitl, véase Irving A. Leonard, *La época barroca en el México colonial,* trad. A. Escurdia, Fondo de Cultura Económica, México, 1976, pp. 121-122; sobre el calendario de piedra, el libro de Henrico Martínez, *Repertorio de los tiempos e historia natural desta Nueva España,* ed. Francisco de la Maza, Secretaría de Educación Pública, México, 1948, p. 195.

[5] *Obras completas de Juan Ruiz de Alarcón,* ed. Agustín Millares Carlo, 3 tomos. Fondo de Cultura Económica, México, 1957, 1959 y 1968. La cita procede del t. 1, p. 194 (acto III, escena 16). Yo he puesto en cursivas los últimos cuatro versos. (Esta edición se citará en adelante con la simple sigla *OC.*)

[6] *OC,* t. 1, p. 298 (acto I, escena 1).

[7] Antonio Castro Leal, *Juan Ruiz de Alarcón: Su vida y su obra,* Cuadernos Americanos, México, 1943, p. 30.

⁸ Sotomayor, *"De la famosa. . . "*, p. 11 (Entre tanto, las tres últimas calles que Sotomayor menciona han sustituido sus nombres por uno solo: Avenida Lázaro Cárdenas = Eje Central.)

⁹ Manuel Orozco y Berra, *Noticia histórica de la conjuración del Marqués del Valle: Año de 1565-1568*, Tipografía de R. Rafael, México, 1853, p. 30.

¹⁰ Véase J. I. Israel, *Race, Class and Politics in Colonial Mexico, 1610-1670*, Oxford University Press, London, 1975, p. 22.

¹¹ Véase, sobre esta conspiración, Vicente Riva Palacio, *México a través de los siglos*, Ballescá y Cía., México, s.a., t. 2, cap. 36; Orozco y Berra, *Noticia histórica*; Juan Suárez de Peralta, *Tratado del descubrimiento de las Indias* (1589), ed. Federico Gómez de Orozco, Secretaría de Educación Pública, México, 1949.

¹² Puesta como epígrafe en Bakewell, *Silver Mining*.

¹³ J. Ignacio Rubio Mañé, *Introducción al estudio de los virreyes de Nueva España*, 1535-1746, t. 1, UNAM, México, 1955, p. 228.

¹⁴ *Los virreyes españoles en América durante el gobierno de la casa Austria*, ed. Lewis Hanke, 3 tomos (Biblioteca de Autores Españoles, ts. 273-275), Atlas, Madrid, 1976 y 1977. Este dato está en el t. 1, p. 167.

¹⁵ Rubio Mañé, *Introducción*, t. 1, pp. 236-237.

¹⁶ Fernán González de Eslava, *Coloquios espirituales y sacramentales y poesías sagradas*, ed. Joaquín García Icazbalceta, Imprenta de Francisco Díaz de León, México, 1879, p. 191.

¹⁷ J. Ignacio Rubio Mañé, *D. Luis de Velasco, el virrey popular*, Ediciones Xóchitl, México, 1946, p. 76.

¹⁸ Magnus Mörner, *Race Mixture in the History of Latin America*, Little, Brown, Boston, 1967, pp. 31-33.

¹⁹ Sobre "congregaciones" y "reducciones", véanse las partes dedicadas a estos virreyes en *Los virreyes españoles,* ed. Hanke, tomos 1 y 2.

²⁰ Citado en *Los virreyes,* ed. Hanke, t. 2, p. 101b.

²¹ *Los virreyes*, ed. Hanke, t. 2. p. 95.

²² *Los virreyes*, ed. Hanke, t. 2. p. 88; t. 3, p. 10.

²³ *OC*, t. 1, p. 299 (acto I, escena 1): "En aquel siglo dorado / (dorado, pues gobernaba / el gran marqués de Salinas, / de Velasco heroica rama, / símbolo de la prudencia, puesto que por tener tanta, / después de tres virreinatos / vino a presidir a España) [ . . . ] ".

²⁴ Israel, *Race, Class and Politics*, p. 63; probablemente estas cifras representan sólo a los varones.

²⁵ Israel, *Race, Class and Politics*, pp. 69-71. Mateo Rosas de Oquendo, que estuvo en México en 1611 y 1612, fue testigo ocular de esos agitados acontecimientos y dejó un minucioso relato de ellos; véase los pasajes que cita Alfonso Reyes, *Capítulos de literatura española, Primera serie*, La Casa de España en México, México, 1939, pp. 63-67.

²⁶ Schons, *Apuntes*, p. 29.

²⁷ Francisco del Paso y Troncoso, *Epistolario de Nueva España*, t. 12, Robredo, México, 1940, pp. 51-52.

[28] *Los virreyes*, ed. Hanke, t. 2, p. 282.

[29] Citado por Israel, *Race, Class and Politics*, p. 65.

[30] King, "La ascendencia paterna", p. 73.

[31] Fernando Benítez, *La vida criolla en el siglo XVI*, El Colegio de México, México, 1953, p. 58, llama la atención sobre la gran distancia que mediaba, en el Nuevo Mundo, entre amos y sirvientes.

[32] Véase el t. 18 de las transcripciones de *Actas del cabildo de la ciudad de México, 1 oct.-22 dic. 1612*, México, 1902, pp. 313-349. Véase también C. H. Haring, *The Spanish Empire in America*, Oxford University Press, New York, 1947, que abunda en detalles sobre la estructura administrativa de las colonias españolas. Según Israel, *Race, Class and Politics*, p. 96, entre 1604 y 1640 los puestos ordinarios del cabildo llegaban a venderse por 10.000 pesos cada uno.

[33] Gómez de Cervantes, *La vida económica*, p. 184.

[34] Véase O'Gorman, "Catálogo de pobladores", donde se da cuenta de 872 documentos de este tipo, presentados por descendientes de primeros pobladores (los más antiguos son de hacia 1574; los más modernos, de 1607). El virrey Montesclaros (1603-1607), a quien irritaba la lluvia de solicitudes de beneficios, confirma el análisis de Gómez de Cervantes; ningún criollo —dice— enseña un oficio a su hijo ni asegura una dote para su hija; lo que les dejan por toda herencia es un memorial en que pormenorizadamente enumeran los meritorios servicios que prestaron en la conquista y "así no tiene el mundo gente más necesitada" (*Los virreyes*, ed. Hanke, t. 2, p. 282).

[35] Chevalier, *La formación*, cap. 1, subraya la importancia de los grandes séquitos que venían con cada virrey, formados sobre todo de parientes, y habla de los favores que a éstos se concedían.

[36] Es lo que dice Palafox, obispo de Puebla, en un informe mandado al Rey a mediados del siglo XVII (Véase Israel, *Race, Class and Politics*, p. 227).

[37] Véanse en *Los virreyes*, ed. Hanke, t. 3, p. 57, los nombramientos hechos en 1615 por el virrey Diego Fernández de Córdoba, marqués de Guadalcázar (1612-1621).

[38] Véase el Prefacio, p. 8, y la nota 2, donde menciono las teorías que se han formulado acerca del desarrollo temprano de una psicología y un carácter distintivamente criollos y mexicanos.

[39] Véanse, por ejemplo, las observaciones del virrey Enríquez de Almanza en *Los virreyes*, ed. Hanke, t. 1, p. 212.

[40] El famoso jurista Juan de Solórzano Pereira, modesto defensor de la inteligencia y las capacidades de los criollos, sostiene que la mala fama de los criollos (degenerados, indignos de llamarse seres racionales) tenía su origen en los maliciosos y falsos informes de los clérigos peninsulares que querían monopolizar todos los cargos eclesiásticos del Nuevo Mundo: *Política Indiana*, ed. Miguel Angel Ochoa Brun, t. 1 (Biblioteca de Autores Españoles, t. 252), Compañía Iberoamericana de Publicaciones, Madrid, 1972, p. 442.

[41] *Los virreyes*, ed. Hanke, t. 2, p. 281.

[42] Versos citados en Reyes, *Capítulos*, p. 37.

[43] El vínculo familiar entre la familia Velasco y la familia Ruiz de Alarcón ha merecido poca atención, a pesar de lo mucho que sirve para explicar la vida y fortunas de Juan Ruiz de Alarcón. Sobre los antepasados de Velasco el Mozo véase Rubio Mañé, *D. Luis de Velasco* (y no hay que olvidar que el propio Luis contrajo matrimonio con María de Ircio y Mendoza, sobrina de Antonio de Mendoza, el primer virrey. No es improbable que haya habido

también alguna relación entre esta familia Mendoza y la María de Mendoza que fue la abuela materna de Juan Ruiz de Alarcón). Sobre la alianza matrimonial entre los Ruiz de Alarcón de Valverde y la familia de Albaladejo, véase King, "La ascendencia paterna", p. 63. Más información acerca de la familia de Valverde podrá encontrarse en el Archivo Histórico Nacional de Madrid, Ordenes militares, Santiago. Véanse en particular el núm. 7288 (Diego Ruiz de Alarcón y Zárate, natural de Valverde, 1599), el núm. 177 (Diego de Alarcón y Alarcón, natural de Palomares, 1527-1547), el núm. 180 (Juan de Alarcón y Ayala, de Valverde, 1536; este candidato para un hábito da como bisabuelo paterno al Lope Ruiz de Alarcón, señor de Valverde, cuya hija se casó con Pedro Ruiz de Alarcón, natural de Albaladejo) y el núm. 189 (Hernando de Alarcón y Llanes, que recibió el hábito militar en 1526; se trata del famoso general a quien siempre se llama grandiosamente "*el señor de Alarcón*").

[44] *Poetas novohispanos,* ed. Méndez Plancarte, t. 2, p. LI.

[45] *Cartas de Indias,* t. 1, pp. 1b y 2b.

[46] La demostración de que también Agustín y Alonso eran hijos del doctor Villanueva se encuentran en O'Gorman, "Catálogo de pobladores", núms. 475 y 770 (en el t. 13).

[47] Archivo Histórico Nacional, Madrid, Ordenes militares, Santiago, núm. 8970, fol. 2r-v.

[48] Rubio Mañé, *D. Luis de Velasco,* p. 159.

[49] Orozco y Berra, *Noticia histórica,* p. 105. Detalle curioso: por los años 1630-1640 el poeta criollo Luis de Sandoval y Zapata, descendiente del oidor doctor Luis de Villanueva compuso un largo romance lamentando el ajusticiamiento de los "inocentes" hermanos Avila (véase *Poetas novohispanos,* ed. Méndez Plancarte, t. 2, pp. 105-108). Es evidente que los rebeldes hermanos Avila conservaron entre los criollos, y durante muchos años, su fama de héroes.

[50] Joaquín García Icazbalceta, *Obras,* t. 2: *Opúsculos varios.* II, México, 1896, p. 457 (cito por la reimpresión fotográfica: Burt Franklin, New York, 1968) Orozco y Berra, *Noticia,* publica extractos del proceso de los principales conspiradores.

[51] Como esta comedia no fue publicada por el propio Alarcón, hay una leve posibilidad de que no sea suya. Sin embargo, se atribuye a Alarcón en la primera edición, impresa en 1653, y nunca se ha dudado seriamente de su autenticidad. Puede haberse compuesto en fecha tardía (en 1631 o 1632; ciertamente no antes de 1623). Sobre la fecha y la atribución véase Walter Poesse, *Juan Ruiz de Alarcón,* Twayne, New York, 1972, pp. 95-99.

[52] Suárez de Peralta, *Tratado,* p. 97.

[53] García Icazbalceta, *Opúsculos,* II, p. 436.

[54] Chevalier, *La formación,* p. 164.

[55] Francisco del Paso y Troncoso, *Epistolario de Nueva España,* t. 13, 1597-1818, México, 1940, pp. 34-36.

[56] *Los virreyes,* ed. Hanke. t. 3. p. 34.

GEORGINA SABAT DE RIVERS

# LA SIGNIFICACION DEL "SUEÑO"*

## INTRODUCCION

LAS ÚLTIMAS POESÍAS significativas del Siglo de Oro español fueron escritas por una mujer, la única poetisa importante de la tradición renacentista. Y lo que puede asombrar a algunos es que no se escribieron en España, sino en el virreinato de la Nueva España, o sea en México. La figura de Sor Juana Inés de la Cruz, nacida ilegítimamente con el nombre de Juana de Asbaje y Ramírez de Santillana, es fascinadora y a veces inquietante. Como poetisa se nutre de la tradición española, y muestra al mismo tiempo una profunda originalidad. El propósito de este trabajo será demostrar esas dos características de Sor Juana con respecto a su poema más importante, el *Sueño*.

Son ya bien conocidos los principales datos biográficos de la poetisa de México. En el tercer tomo, último y póstumo, de sus obras se publicaron en 1700 dos documentos fundamentales: la biografía escrita por el padre jesuita Diego Calleja, y lo que pudiéramos llamar la autobiografía intelectual de la monja, o apología en su propia defensa, escrita en 1691 con el título de *Respuesta a Sor Filotea*. El P. Calleja desconocía, al parecer, que la madre de Sor Juana era soltera; fijó su nacimiento, basado con toda probabilidad en información que le daría la misma monja, en 1651. Las investigaciones modernas de Lota M. Spell y de Guillermo Ramírez España han señalado el año de 1648 como fecha más segura de su nacimiento. Con todo, las razones aducidas para este cambio no nos parecen concluyentes, así que conservamos la fecha de 12 de noviembre de 1651 que nos dejó su amigo jesuita.

Más importante que estos datos objetivos es la actitud personal de Sor Juana, tal y como se nos revela en su autobiografía, escrita en defensa de su afición intelectual. Sor Juana se había atrevido a discutir con mucha agudeza un sermón del famoso predicador jesuita de su tiempo, de

---

\* En su *El "Sueño" de Sor Juana Inés de la Cruz; Tradiciones literarias y originalidad*, London, Tamesis, 1977, pp. 13-18.

Portugal, el padre Antonio Vieira. En 1690 el obispo de Puebla, don Manuel Fernández de Santa Cruz, amigo de Sor Juana, queriendo darle pie para defenderse de duras críticas eclesiásticas, quizá del mismo arzobispo de México, pidió a nuestra monja que pusiera en papel escrito sus ideas sobre el sermón; luego las publicó, animándola al mismo tiempo a escribir más teología y menos literatura profana y científica. "No es poco el tiempo que ha empleado V. md. en estas ciencias curiosas; pase ya, como el gran Boecio, a las provechosas, juntando a las sutilezas de la naturaleza, la utilidad de una filosofía moral. Lástima es que un tan gran entendimiento de tal manera se abata a las rateras noticias de la tierra que no desee penetrar lo que pasa en el Cielo. . . " (*O. C.*, t. IV, p. 696)[1]. El obispo se disfrazaba bajo un seudónimo monjil: Sor Filotea de la Cruz.

Brillantísima es la conocida *Respuesta de Sor Juana Inés de la Cruz a la muy ilustre Sor Filotea de la Cruz*. Sor Juana explica que no se atrevía a tratar de materias divinas porque tenía el gran temor de caer en la herejía; en las letras humanas no había tal peligro. Dice que no le había gustado nunca escribir, sino estudiar y leer, "natural impulso que Dios puso en mí: Su Majestad sabe por qué y para qué" (*O. C.*, t. IV, p. 444). Luego Sor Juana nos cuenta la historia de esta inclinación suya, que se despertó en su pueblo natal, cuando muy niña acompañaba a su hermana mayor a la escuela y aprendió a leer. En la biblioteca de su abuelo materno se entretuvo leyendo todos los libros que allí había. La fama de su saber, acentuada por su hermosura, llegó a la corte virreinal de México, donde aprendió latín y empezó a estudiar seriamente, entrando por fin en un convento cuando no era más que una adolescente. (Pasó de las Carmelitas a las Jerónimas entre 1667 y 1669, por cuestiones de salud.) Siempre confiaba, o se tranquilizaba pensándolo así, que sus estudios la llevaban poco a poco hacia Dios, pues creía que todas las artes, humanas y divinas, se relacionaban y se ayudaban. Sin embargo, sus estudios provocaban las preocupaciones de sus amigos y la envidia de sus enemigos, resultando ambas muy molestas para Sor Juana. Termina la *Respuesta* con una ardiente defensa de la poesía y de la educación femenina.

En esta misma *Respuesta a Sor Filotea,* con una modestia algo irónica, Sor Juana subraya el carácter único del poema que vamos a estudiar, diciendo que "yo nunca he escrito cosa alguna por mi voluntad, sino por ruegos y preceptos ajenos; de tal manera que no me acuerdo haber escrito por mi gusto si no es un papelillo que llaman el *Sueño*" (*O. C.*, t. IV, páginas 470-471). Este poema se publicó luego, por vez primera, en el *Segundo volumen de las obras de Sor Juana Inés de la Cruz* (Sevilla, 1692) con el título de "Primero Sueño, que así intituló y compuso la Madre Juana Inés de la Cruz, imitando a Góngora". Pero esta imitación de Góngora, que tanto se ha subrayado, no es suficiente para la adecuada comprensión histórica del poema. Es, sobre todo, en los primeros ciento cincuenta versos, en los que se describen mitológicamente la llegada de la noche y el dormirse del mundo, donde predomina un culteranismo típicamente gongorino. El resto del poema, o tal vez sería mejor decir su significación total, es de una extraña originalidad, que tiene sin embargo raíces en el pensamiento y la poesía españoles anteriores.

El tono del poema, con su lucha por conocer la realidad material del mundo, está tan cerca de nosotros que no nos extraña la pretensión de algunos que quieren ver en el *Sueño* de Sor Juana ciertas actitudes de Descartes. El poema nos presenta un sueño epistemológico que, como ha apuntado Darío Puccini[2], bien pudiera haberse basado en estas palabras del sabio autor del *Discours de la méthode* (ed. Gilson, p. 85): "Et enfin, considérant que toutes les mêmes pensées, que nous avons étant éveillés, nous peuvent aussi venir quand nous dormons, sans qu'il y en ait aucune, pour lors, qui soit viraje, je me résolus de feindre que toutes les choses que m'étaient jamais entrées en l'esprit, n'étaient non plus vraies que les illusions de mes songes". Con las palabras de Descartes, por su aire de fantasía, se pueden comparar éstas de Sor Juana, en su *Respuesta*:

> . . .y más, señora mía, que ni aún el sueño se libró de este continuo movimiento de mi imaginativa; antes suele obrar en él más libre y desembarazada, confiriendo con mayor claridad y sosiego las especies que ha conservado del día, arguyendo, haciendo versos, de que os pudiera hacer un catálogo muy grande, y de algunas razones y delgadezas que he alcanzado dormida mejor que despierta. . . [*O. C.*, t. IV, p. 460].

Sería posible, en efecto, que las ideas revolucionarias de Descartes llegaran a México, y que Sor Juana las leyera, pues su compatriota y contemporáneo don Carlos de Sigüenza y Góngora lo citaba en sus obras, y sería natural que compartiera esas novedades con su culta amiga monja; pero no es necesario que fuera así, pues las semejanzas se pueden explicar como pertenecientes al mismo ambiente cultural. Los colegios jesuitas, lo mismo en Francia que en México, mantenían una formación escolástica común. Todo el mundo conocía la psicología aristotélica, que se estudiaba en el tratado *De anima,* con comentarios de Santo Tomás, y en los *Parva naturalia,* que contenían explicaciones fisiológicas del sueño (*De sommo et vigilia, De insomniis*). Mucho de lo que a nosotros nos suena a lenguaje cartesiano era realmente herencia escolástica[3]. Anclados en la misma tradición, el *Sueño* de Sor Juana no podía ser del todo ajeno al *Songe de Descartes* (París, 1932), evocado por Jacques Maritain.

Así vemos cómo pueden tener razón al mismo tiempo López Cámara, en su artículo "El cartesianismo en Sor Juana. . . " (1950), y G. C. Flynn, en su "Revision of the Philosophy of Sor Juana. . . " (1960). Efectivamente, como demuestran los dos, las ideas científicas de Sor Juana, tales como las vemos en su *Sueño,* provenían casi todas de la establecida ciencia escolástica. Por eso, en las notas a su edición, Méndez Plancarte pudo usar para aclarar gran parte de estas ideas *La antropología en la obra de fray Luis de Granada,* de Laín Entralgo. De igual manera O. H. Green[4] ha demostrado que el impresionante soneto de B. L. de Argensola, "Yo os quiero confesar, don Juan, primero", se basa en ideas medievales.

No son, pues, las ideas científicas lo que más nos importa en la llamada poesía científica. El *De rerum natura* de Lucrecio, por ejemplo, que presenta un anticuado materialismo atómico de ingenua simplicidad, sigue siendo un gran poema filosófico que nos conmueve todavía por una tonalidad afectiva y una postura intelectual tan duraderas como el espíritu humanista. Es la poesía de la ciencia, y no la ciencia de la poesía, lo que perdura a través del tiempo. La ciencia hace nuevas conquistas, y lo que se escribió hace siglos no nos puede interesar ya como ciencia; sólo la emoción literaria que nos transmite el poema es eterna. Es así, pues, como nos acercaremos al poema de Sor Juana, destacando su aspecto literario más bien que el científico.

¿De dónde provenía, dentro de la tradición renacentista, el entusiasmo poético por la ciencia? Las viejas ideas escolásticas por sí solas no parecían inspirar ya ningún ardor poético. La gran fuente de inspiración intelectual y poética durante el Renacimiento era el neoplatonismo florentino, sobre todo en su aspecto hermético[5]. En 1471, antes de traducir los diálogos de Platón mismo, Marsilio Ficino publicó su traducción de 14 tratados del *Corpus Hermeticum,* o sea de las obras atribuidas a Hermes Trismegistus, legendario sacerdote y mago del Egipto antiguo, inventor de los jeroglíficos, que se consideraban en Florencia como místicas claves del universo. De aquí la gran boga renacentista de los emblemas (Alciati) y de la cábala (Pico)[6]. Pico della Mirándola mezclaba en su sistema simbólico elementos muy dispares; no era científicamente exacto. Pero su gran entusiasmo vital y su fe en la humanidad inspiraban a muchos a través de su tratadillo *De hominis dignitate,* adaptado luego al español por el humanista Pérez de Oliva. En la Florencia de los Médicis era corriente el "poema visione" como forma literaria; el *De rebus caelestis,* por ejemplo, de Bonincontri, exponía en verso latino ideas más o menos científicas sobre la estructura del universo[7]. En tales poemas podemos ver lejanos antecedentes del *Sueño* de Sor Juana. En España, el marqués de Villena, "el mago" del siglo XV, era precursor, escribiendo una gran mezcla de teosofía, astrología, alquimia, numerología y magia que continuaba influyendo en el pensamiento europeo hasta finales del siglo XVII. Descartes mismo no era ajeno al rosicrucianismo. El Próspero de Shakespeare y el Dr. Faustus de Marlowe representaban literariamente los poderes benéficos y diabólicos del mago renacentista.

Ya se sabe que en las historias literarias de Francia y de Inglaterra, la poesía científica constituye un aspecto significativo. En *La Poésie scientifique en France au seizième siècle* (París, 1938), de Albert–Marie Schmidt, se estudian más de quince poetas. Muy típico parece ser el caso de Maurice Scève, quien "en ce qui concerne les sciences spéculatives, leurs méthodes, leurs fins, se réfère toujours aux poncives classifications médiévales. Il tourne en vers, les francisant à peine, d'ennuyeux manuels scolaires écrits en latinité scolastique" (p. 139). En inglés se conocen, sobre todo, los estudios de Marjorie N. Nicolson, cuyo libro titulado *Voyages to the Moon* (New York, 1948) no deja de iluminar ciertos aspectos del poema mexicano. La literatura renacentista de fantasía es el antecedente más importante de la ciencia-ficción actual. Una de las obras más impresionantes es la de Kepler, que se titula precisamente *Somnium, sive astronomia lunaris* (1634), narración de un viaje especulativo a la Luna.

En la literatura española no se ha estudiado casi la tradición científica que, por lo visto, es, además, relativamente pobre. En su artículo titulado "Nature, Art and Science in Spanish of the Renaissance", E. L. Rivers nos ha dado una orientación general de cierta utilidad para el estudio del *Sueño de Sor Juana*. Carlos Vossler descubrió hace años un enlace directo entre este poema y la tradición hermética en las obras del jesuita alemán Atanasio Kircher, calificado de "hermetista reaccionario" por Frances A. Yates[8]. En su *Respuesta a Sor Filotea*, nuestra monja cita el "curioso libro *De Magnete*, del R. P. Atanaci Quirquerio" (*O. C.,* t. IV, p. 450) para demostrar que hay una secreta armonía entre todos los elementos del mundo. En el *Sueño* se utilizan poéticamente ideas que provienen de la obra egiptológica de Kircher, *Oedipus Aegyptiacus* (Roma, 1653); según Erik Iversen, en su libro *The Myth of Egypt and its Hieroglyphs in European Tradition,* la obra de Kircher, quien conocía la lengua cóptica, presenta algunos valores auténticamente científicos para el desciframiento de los jeroglíficos.

No sólo es en su *Respuesta* donde Sor Juana se refiere específicamente al sabio jesuita alemán. También en dos poesías menores suyas aparece su nombre, una vez en forma de verbo ("kirkerizar", en *O. C.*, t. I, p. 158); en ambos casos se refiere a la matemática *Ars combinatoria* de Kircher. Además, la linterna mágica, o sea primitivo proyector luminoso de imágenes, mencionada por Sor Juana en el verso 873 del *Sueño,* era una nueva invención atribuida al P. Kircher, autor de la *Ars magna lucis et umbrae* (Roma, 1646). Así que de lo científico, más que las obras de Galileo, Copérnico, Newton y Descartes, las de Kircher eran las que mejor conocía la monja mexicana.

En este trabajo, primero nos proponemos estudiar la tradición literaria de los temas y tópicos que se encuentran en el *Sueño*. Nos parece que se ha hecho poco en este sentido. El que más ha contribuido a la comprensión del gran poema de Sor Juana ha sido el Dr. Alfonso Méndez Plancarte quien lanzó casi simultáneamente dos ediciones del mismo. La primera lleva la fecha del 10 de abril de 1951, y apareció en un tomito publicado por la Universidad de México; después de una introducción de casi 80 páginas, encontramos un texto crítico con una prosificación en páginas confrontadas. Después del texto hallamos un breve aparato crítico y unas 30 páginas de notas "ilustrativas". Todo esto, menos la introducción, se reimprimió en forma algo menos manejable en el tomo I ("Lírica personal") de las *Obras completas* de Sor Juana Inés de la Cruz, publicadas por el Fondo de Cultura Económica; este tomo I lleva en el colofón la fecha del 15 de septiembre de 1951.

La introducción de Méndez Plancarte, en la primera edición, contiene una valiosa reseña de las opiniones críticas sobre Sor Juana a través de las épocas, que empieza con "Los juicios de su tiempo" (p. IX) y sigue con "Los juicios –y prejuicios– del ochocientos" (p. XIX), entre los que figura en primer lugar el "Desdén y prisas de don Marcelino". Mucho más positiva es "La plenitud del *Sueño* en la hodierna crítica" (p. LXVIII), en la que se destacan Amado Nervo, Ermilo Abreu Gómez, Ezequiel A. Chávez, Carlos Vossler, Enrique Díez-Canedo y Alfonso Reyes. En su propio estudio crítico (pp. XXX-LXVII), Méndez Plancarte subraya la influencia de Góngora; bajo el epígrafe de "sello latinizante y gongorino" habla de la "plétora de cultismos", "el incansable hipérbaton", etc., siguiendo probablemente la pauta de los estudios de Dámaso Alonso sobre el estilo de Góngora. Por lo visto, Méndez Plancarte ignoraba el importante estudio anterior de Eunice Joiner Gates, "Reminiscenses of Góngora in the Works of Sor Juana Inés de la Cruz" (1939) [9]. Señala E. J. Gates más de cincuenta pasajes en el *Sueño* que son esos textuales de Góngora, sobre todo de las *Soledades* y el *Polifemo*. Podemos decir que entre Méndez Plancarte y E. J. Gates se ha hecho casi todo lo que había de hacerse con los aspectos gongorinos del poema mexicano.

Pero la tradición literaria que desemboca en el *Sueño* no puede explicarse total y exclusivamente en términos gongorinos. Entre la avalancha de estudios sobre la poetisa que se desencadenó en 1951, aniversario de su nacimiento, se encuentra un interesante ensayo del erudito argentino Emilio Carilla, "Sor Juana: ciencia y poesía (sobre el *Primero Sueño*)" [10]. Carilla no podía conocer, al escribir este ensayo, la recién publicada edición de Méndez Plancarte, pero sí conocía el estudio de Eunice Joiner Gates. Carilla (pp. 293 y 305) señala en unas poesías de Herrera y de Quevedo el tema del sueño; tal tema o tópico ha sido en efecto para nosotros el punto de partida de este estudio. Y, sin embargo, Carilla no quería detenerse "en distinguir otras derivaciones [ . . . ] dentro del *Primero Sueño* [ . . . ] " (página 291). Nosotros, apoyándonos en la publicada afirmación de Darío Puccini ("Un problema fondamente, ancora aperto e insoluto, é quello delle fonte del *Primero Sueño*", p. 120), esperamos demostrar que las derivaciones literarias, directas e indirectas, del *Sueño* no son pocas y que nos importan, efectivamente, para una adecuada comprensión histórico-interpretativa de la obra. Por consecuencia, nos proponemos estudiar primero, analíticamente, las tradiciones temáticas más importantes que se descubren con el poema de Sor Juana; luego estudiaremos sintéticamente el conjunto, haciendo destacar su gran originalidad espiritual.

605

# LA SIGNIFICACION DEL "SUEÑO"*

## INTRODUCCION.
## ESTRUCTURACION DEL SUEÑO

HEMOS ESTUDIADO, analíticamente, algunas de las tradiciones y fuentes literarias que se reflejan en los temas y tópicos del *Sueño* de Sor Juana. Visto el poema desde tal perspectiva, parece tener poca originalidad. Con algunas ecepciones, el léxico y la sintaxis de Sor Juana son los de Góngora, o de cualquier poeta barroco del siglo XVII español; utiliza los lugares comunes, las ideas recibidas.

Pero en su conjunto, visto sintéticamente, el *Primero Sueño* es un poema único, completamente diferente de ningún otro escrito en lengua española[11]. Quizá la poesía más parecida sea la ya citada *Oda a Felipe Ruiz* ("¿Cuándo será que pueda?"), de Fray Luis de León, en la que predomina también un anhelo ardiente de conocer los secretos naturales del universo. Pero lo que en la oda de Fray Luis es un nostálgico catálogo de misterios que sólo se comprenderán algún día en un místico y lejano más allá, en el poema de Sor Juana es un tremendo esfuerzo de comprensión inmediata, actualizado. Es parecido en ambos poemas el movimiento ascensional. Pero, según vimos antes, en Fray Luis hay una constante confianza futura, mientras que Sor Juana nos ofrece la narración de unos altibajos violentos que pertenecen a las ilusiones y fracasos pasados.

Para muchos lectores modernos, además de la dificultad lingüística del poema, hay un obstáculo particular que cohíbe la comprensión estética del *Sueño* de Sor Juana. Se cree que la ciencia y la poesía son dos modos radicalmente opuestos de comprender la realidad. Pero para los antiguos y los humanistas del Renacimiento, Apolo era con razón dios de la poesía y, al mismo tiempo, de la medicina. El arte de cantar los sentimientos humanos era, en el fondo, el mismo arte de curar a los enfermos, artes liberales las dos. La ciencia era filosofía natural, así como la poesía se relacionaba con la filosofía moral. Es verdad que Platón había excluido de su filosofía a la ciencia física, y creía que la poesía era materia sospechosa, pero para Aristóteles, menos excluyente, el conocimiento de la realidad física, de las plantas animales, era parte integral de su filosofía; y él consideraba que la poesía constituía un medio de comprensión cuasi filosófica. Desde un punto de vista más moderno, podemos afirmar que el formalismo de las matemáticas no es ajeno al de la música, y que la auténtica comprensión del hombre y de su circunstancia (el mundo social y natural) es lo que se busca tanto en la poesía como en las ciencias. El descubrimiento de una verdad lleva siempre consigo una emoción potencialmente poética.

---

* En su *El "Sueño" de Sor Juana Inés de la Cruz: Tradiciones literarias y originalidad*. London, Tamesis, 1977, pp. 127-150.

Así es como podemos percibir los valores poéticos del *Sueño*. No es, por supuesto, un mero compendio versificado de la ciencia de su época, sino, más bien, la expresión ficcional y universalizada, poetizada, de una experiencia personal que se puede ver expresada en forma más literalmente histórica en la *Respuesta a Sor Filotea*. Sor Juana se angustiaba siempre por las limitaciones que se le impusieron a su derecho humano de saber todo lo posible. En la *Respuesta* estas limitaciones eran más bien de tipo social y eclesiástico; como mujer y religiosa, no podía estudiar todo lo que quería. En el *Sueño* las limitaciones u obstáculos parecen formar parte de la naturaleza del hombre en general y de la suya en particular: por mucho que desee comprenderlo todo, no es capaz de una intuición infinita o divina, ni apenas le sirve a veces su intelecto discursivo para comprender los aspectos mínimos de la realidad. Y, sin embargo, el ejercicio de su razón es la única gloria del hombre. En esta ambigüedad, la de la grandeza y la miseria del ser humano, se encierran los valores esenciales, y románticamente trágicos, del *Sueño* de Sor Juana.

Cervantes, maestro del llamado "realismo" de la novela española, se daba cuenta de que eran artísticamente inmejorables ciertos artificios de la tradición literaria, tales como la locura y el sueño, "mentiras románticas" que se pueden encerrar dentro de la "verdad novelesca". (Véase sobre esto el sugestivo libro de René Girard, *Mensonge romantique et vérité romanesque,* París, 1961.) Uno de los episodios más significativos del *Quijote*, en este sentido, es el de la cueva de Montesinos; a través del sueño del protagonista hacemos un viaje al otro mundo de los libros de caballerías. (Véase Patch y Lida, obra citada, pp. 422-423.) Claro es que la ironía novelesca no nos deja disfrutar románticamente de ese hermoso mundo de ficciones heroicas y eróticas. Pero dentro de la experiencia humana existen efectivamente tales sueños, aunque su "contenido" no sea más que vanas ilusiones. Es en cierto sentido un mundo realísimo, pues es parte constituyente de nuestra vida.

No hay ironía novelesca en el *Sueño* de Sor Juana, que tiende hacia un romanticismo faustiano. Sin embargo, sabemos que lo que pasa dentro del poema no es más que un sueño, es decir, una experiencia imaginada, ficcional. Lo que por muchos motivos no se prestaba a una forma literalmente autobiográfica, como la de la *Respuesta a Sor Filotea,* encontró en la antigua forma del sueño–visión su expresión más adecuada. El ardiente deseo de comprender científicamente la naturaleza del mundo físico no se limita a la experiencia de una monja mexicana, sino que se atribuye al alma humana en general; la primera persona singular y femenina sólo aparece en el último verso del poema, cuando llega el día y se deja atrás la dudosa luz del sueño nocturno:

> ... *quedando a la luz más cierta*
> *el mundo iluminado, y yo despierta.*

Estos versos finales dan un nuevo enfoque levemente irónico a todas las ilusiones que los anteceden, al hacernos salir por fin del marco ficcional del *Sueño*[12].

No todo, pues, es sueño en el *Sueño*. La narración empieza con una descripción de la llegada de la noche y de cómo se duermen todos los animales. Esta descripción constituye una especie de prólogo al sueño humano propiamente dicho, que ocupa toda la parte central del poema, y que contiene la acción principal. Luego empieza a despertarse el hombre. Llega el día, y se despierta del todo. Este epílogo es más breve que el prólogo, pero la simetría formal es evidente. Una visión intelectual del mundo queda enmarcada entre procesos naturales y fisiológicos. Sólo el sueño, imagen de la muerte, permite la liberación espiritual del alma.

Según anotamos antes, Méndez Plancarte divide en doce secciones[13] su prosificación del *Sueño:*

  I   La Invasión de la Noche (vv. 1-79).
 II   El Sueño del Cosmos (vv. 80-150).
III   El Dormir Humano (vv. 151-266).
 IV   El Sueño de la Intuición Universal (vv. 266-339).
  V   "Intermezzo" de las Pirámides (vv. 340-411).
 VI   La Derrota de la Intuición (vv. 412-559).
VII   El Sueño de la Omnisciencia Metódica (vv. 560-616).
VIII  Las Escalas del Ser (vv. 617-703).
 IX   La Sobriedad Intelectual (vv. 704-780).
  X   La Sed Desenfrenada del Saber (vv. 781-826).
 XI   El Despertar Humano (vv. 827-886).
XII   El Triunfo del Día (vv. 887-975).

Aunque son útiles para el lector, se puede discutir la exactitud de estas secciones. La I y la II parecen formar más bien una sola unidad estilística y temática, que es el prólogo nocturno. Las secciones III y IV no se dividen bien en el verso 266, verso que Méndez Plancarte se ve obligado a repartir entre los dos. Es que no hay división entre el proceso fisio-psicológico de dormirse el hombre y el empezar éste a soñar; se funden aquí también "somnus" y "somnium". Pero parece que con el verso 292 empieza un sueño particular bien definido, el de la intuición universal. La derrota de la intuición termina con el verso 494, pues ya con el verso siguiente ("Más como al que ha usurpado") empieza otro movimiento de "reprise" dialéctica. La sección VII es una definición de la lógica discursiva, basada en las categorías y jerarquías aristotélicas. En las secciones VIII, IX y X se contrastan las virtudes, las limitaciones y las ambiciones del intelecto humano; el verso 705 ("unas veces; pero otras disentía") es retropectivo y a la vez claramente correlativo con el 781 ("Otras –más esforzado–"), la cual enlaza sintácticamente las tres secciones contrastadas.

Tenidos en cuenta estos reparos, podríamos rehacer de una forma más orgánica el esquema de Méndez Plancarte:

I.  PROLOGO: NOCHE Y SUEÑO DEL COSMOS                    1-150

II.  EL SUEÑO INTELECTUAL DEL HOMBRE                    151-886

   1. El dormir humano                                    151-291

   2. Intuición neoplatónica                              292-494
     A) esfuerzo intuitivo                    292-339
     B) las Pirámides                         340-411
     C) intuición derrotada                   412-494

   3. Raciocinio neoaristotélico                          495-826
     A) entendimiento discursivo              495-616
     B) dialéctica última                     617-826
       a) confianza            617-703
       b) cobardía             704-780
       c) atrevimiento         781-826

   4. El despertar humano                                 827-886

III.  EPILOGO: TRIUNFO DEL DIA                          887-975

De esta manera queda más patente la simetría y unidad de la obra como conjunto que como se ve responde, básicamente, a la estructura de las tres etapas naturales: ambiente exterior que invita al sueño, sueño, despertar, de que hablamos al principio. El prólogo y "el dormir humano" son más largos que los elementos finales correspondientes (el epílogo y "el despertar humano"), que son movimientos más rápidos. De las dos secciones centrales (2 y 3), en cambio, la segunda es más larga que la primera: la intuición neoplatónica termina rápidamente con un desengaño, mientras que es más lento y ambiguo el complicado proceso escolástico. Este conjunto de 534 versos constituye el meollo de la obra, el verdadero sueño interior, cuya conclusión es la "dialéctica última", movimiento de intensificación vertiginosa.

Pasemos ahora al comentario de cada una de las secciones. Seguiremos la división del *Sueño* en las partes que hemos adoptado y, cuando sea posible, señalaremos las partes correspondientes de la estructuración de Méndez Plancarte. (Los números en paréntesis se refieren a los de los versos.)

I.  PROLOGO: NOCHE Y SUEÑO DEL COSMOS  (vv. 1-150)

Son impresionantes los cuatro primeros versos del Sueño:

609

*Piramidal, funesta, de la tierra*
*nacida sombra al cielo encaminaba*
*de vanos obeliscos punta altiva,*
*escalar pretendiendo las estrellas*

Si nos imaginamos el universo tolemaico, vemos que en el centro está la tierra con un hemisferio bañado de luz y el otro de sombra, que es la noche. Esta sombra se proyecta hacia la última esfera, o cielo de las estrellas fijas, de la misma manera que una llama busca arriba su centro, que es el fuego celestial. Pero en vez de ser un cono, la sombra se imagina como pirámide cuya punta se forma de obeliscos "vanos", es decir, vacíos e impotentes, lanzados contra las estrellas. Las pirámides, como hemos visto, no escaseaban en la poesía nocturna anterior; pero junto a los obeliscos, nos llevan ahora hacia el misterioso mundo egiptológico que se desarrollará luego durante la sección de la intuición neoplatónica. Y al mismo tiempo hay un eco gongorino ("escalar pretendiendo", *Soledad II*, v. 13) que se deja absorber por este extraño ambiente interplanetario. Tal fusión de ciencia, egiptología y tradiciones poéticas, desde los primeros versos del *Sueño*, es la marca originalísima de Sor Juana.

La sombra terrenal no puede acercarse a las lejanas estrellas; se queda encerrada dentro del mundo sublunar. Ya se ha notado que en tal fracaso vemos una imagen anticipatoria de la derrota del intelecto humano en su pretensión de comprender el universo. Pero esto es aquí sólo una vaga metáfora posible. La sombra literalmente significa la noche que envuelve la tierra y se puebla de "nocturnas aves" silenciosas (v. 22). Tal recuerdo de la cueva de Polifemo no deja de tener su importancia estructural, pues lo mismo que en el *Polifemo* de Góngora, según la interpretación de Dámaso Alonso, en el *Sueño* de Sor Juana hay un juego constante de sombras y de luces, un violento "chiaroscuro" barroco.

La noche impone un silencio absoluto (vv. 21-24):

*sumisas sólo veces consentía*
*de las nocturnas aves,*
*tan obscuras, tan graves,*
*que aun el silencio no se interrumpía.*

Los adjetivos "obscuras" y "graves" se aplican simultáneamente a las aves y a sus voces. Los pájaros serían literalmente pesados y de color oscuro. Pero metafórica y sinestéticamente son las voces "tan obscuras, tan graves" que no afectan al silencio. Todos los tonos visuales y auditivos se van apagando.

Temores supersticiosos se acumulan en el ambiente de la estrofa siguiente (vv. 25-38); Nictimene, doncella incestuosa convertida en lechuza, trata de entrar en el templo para chupar el aceite de las lamparillas religiosas. Este sacrilegio también tiene un sentido metafórico, pues veremos que el atrevimiento del hombre científico, como el de Faetón, muy bien puede considerarse sacrílego, digno de un fulminante castigo divino. Este temor será un motivo importante de la última parte del poema.

Menos original, pero de una poesía gongorina perfeccionada, es la perífrasis del aceite (vv. 35-38):

> ... en licor claro la materia crasa
> consumiendo, que el árbol de Minerva
> de su fruto, de prensas agravado,
> congojoso sudó y rindió forzado.

Góngora se había referido al aceite como exprimido a Minerva (*Soledad I*, v. 834). Y la lechuza es el ave de Minerva. Sor Juana combina estas ideas con una superstición corriente y desarrolla de una manera magistral un nuevo concepto mitológico, rematando la estrofa con un perfecto verso bimembre, tan auténticamente gongorino como si lo hubiera escrito el mismo don Luis.

Sigue espesándose la oscura atmósfera repugnante con una bandada de vergonzosos murciélagos (vv. 44-46):

> segunda forman niebla,
> ser vistas aun temiendo en la tiniebla,
> aves sin pluma aladas

También estas llamadas aves lo son como resultado de un castigo divino: tres doncellas tebanas que, por haber despreciado los ritos debidos a Baco, fueron convertidas en murciélagos (vv. 49-52):

> que el tremendo castigo
> de desnudas les dio pardas membranas
> alas tan mal dispuestas
> que escarnio son aun de las más funestas

Pero más que una imagen visual de la oscuridad, nos dan los versos que siguen una paradójica imagen auditiva del silencio. Los murciélagos, con el búho, forman "la no canora... capilla pavorosa" (vv. 56-57), es decir, un coro no musical de pausas más prolongadas que sus notas.

> Este, pues, triste són intercadente
> de la asombrada turba temerosa
> menos a la atención solicitaba
> que al sueño persuadía
>
> (vv. 65-68).

La noche se convierte en el dios egipcio del silencio (vv. 73-76):

> —el silencio intimando a los vivientes,
> uno y otro sellando labio oscuro
> con indicante dedo,
> Harpócrates, la noche, silencioso

Oscuridad, quietud, silencio absolutos: éstas son las notas más importantes de los 79 primeros versos, y nos preparan para el imperio universal del sueño.

El viento sosegado "los átomos no mueve" (v. 82); el agua, lo mismo que el aire, queda sin movimiento (vv. 86-88):

> *El mar, no ya alterado,*
> *ni aun la instable mecía*
> *cerúlea cuna donde el sol dormía*

Dentro de estos elementos fluidos se duermen los peces y los pájaros marinos. Se multiplica el silencio hiperbólico (vv. 89-92):

> *y los dormidos, siempre mudos, peces,*
> *en los lechos lamosos*
> *de sus obscuros senos cavernosos,*
> *mudos eran dos veces*

También en el firme elemento de la tierra, dentro de las oscuras cuevas del monte, se duermen los animales (vv. 107-110):

> *yacía el vulgo bruto,*
> *a la naturaleza*
> *el de su potestad pagando impuesto,*
> *universal tributo*

Se describe la inquietud del ciervo dormido (vv. 116-122):

> *con vigilante oído,*
> *del sosegado ambiente*
> *al menor perceptible movimiento*
> *que los átomos muda,*
> *la oreja alterna aguda,*
> *y el leve rumor siente*
> *que aún le altera dormido.*

Y en lo alto de un árbol duermen los pajaritos (vv. 123-128). Lo mismo que el león, rey de los animales (vv. 111-112), el águila, reina de las aves, no debe rendirse por completo al sueño, sino guardar vigilante el sueño de los demás. Aquí, como hemos visto, Sor Juana atribuye al águila la ingeniosidad atribuida tradicionalmente a la grulla, la de sostener en una pata una piedrecilla que, cayéndosele, la despierte. Pero no sólo se usa con libertad insólita este tópico de los bestiarios, sino que se le asocia metafóricamente un mecanismo bien moderno, el del reloj despertador (vv. 134-136):

> *a un solo pie librada fría el peso*
> *y en otro guarda el cálculo pequeño*
> *—despertador reloj del leve sueño—*

En detalles así es donde vemos un aspecto importante de la originalidad poética de Sor Juana; con ella se extiende a campos nuevos el conceptismo barroco tradicional.

El águila cierra la serie de animales durmientes. Con cuatro versos resumidores, cuya sencillez de lenguaje hace un contraste notable con las complicaciones gongorinas anteriores, termina el prólogo cósmico (versos 147-150):

> *El sueño todo, en fin, lo poseía;*
> *todo, en fin, el silencio lo ocupaba:*
> *aun el ladrón dormía;*
> *aun el amante no se desvelaba.*

Las tranquilas repeticiones de estos versos, con sus rimas cerradas, son como la breve coda de una ambiciosa obertura sinfónica.

## II. EL SUEÑO INTELECTUAL DEL HOMBRE (vv. 151-886)

### 1. EL DORMIR HUMANO (vv. 151-291)

Dormido ya el mundo exterior, nos acercamos al protagonista humano en una frase larga y complicada. El hombre está físicamente cansado, tanto por el placer como por el trabajo, y el equilibrio de la naturaleza le trae un descanso reparador (vv. 166-172):

> *así, pues, de profundo*
> *sueño dulce los miembros ocupados,*
> *quedaron los sentidos*
> *del que ejercicio tienen ordinario,*
> *. . . . . . . . . . . . . . . . . . . . . . . . . . . . . .*
> *si privados no, al menos suspendidos*

La división entre cuerpo ("miembros") y sentidos es como una "muerte temporal" (v. 198) que llega lo mismo a los ricos que a los pobres. Significa esto, en efecto, la liberación del alma, ya "suspensa del exterior gobierno" (vv. 192-193), "remota, si del todo separada no" (vv. 197-198). Sólo las pulsaciones del corazón demuestran que no está realmente muerto el cuerpo, que permanece (vv. 202-209):

> *un cadáver con alma,*
> *muerto a la vida y a la muerte vivo,*
> *de lo segundo dando tardas señas*
> *el del reloj humano*
> *vital volante que, si no con mano,*
> *con arterial concierto, unas pequeñas*
> *muestras, pulsando, manifiesta lento*
> *de su bien regulado movimiento.*

Otra vez aparece el reloj como metáfora, pero esta vez con implicaciones más profundas. El reloj era durante mucho tiempo el mecanismo más ingenioso que había inventado el hombre. Con él Sor Juana compara, de una manera típicamente conceptista, el cuerpo humano, cuyo volante o cuerda osciladora es el corazón; pero los movimientos de éste no se exteriorizan por medio de manecillas, como en el reloj, sino por pulsaciones arteriales. Es verdad que el concepto escolástico del cuerpo era también mecánico; pero esta metáfora, en la que las manecillas son sustituidas por arterias, es una muestra perfecta de cierta imaginación barroca, a la vez científica y poéticamente expresiva. Tales modelos teóricos estaban en la base de la física clásica de Galileo y Newton, si no de la fisiología de Harvey. Es un estilo de pensamiento y una moda estética, al mismo tiempo.

De manera parecida se describen los pulmones, que se encuentran cerca del corazón (vv. 212-219):

> con su asociado repirante fuelle
> —pulmón, que imán del viento es atractivo,
> que en movimientos nunca desiguales,
> o comprimiendo ya, o ya dilatando
> el musculoso, claro arcaduz blando,
> hace que en él resuelle
> el que le circunscribe fresco ambiente,
> que impele ya caliente

Las varias metáforas (fuelle, imán, arcaduz) se combinan para explicar de la manera más adecuada el proceso respiratorio, que inhala el aire fresco y lo exhala calentado. Tanto el corazón como los pulmones dan así indicios de vida, desmentidos por el silencio de los sentidos y de la lengua (vv. 229-233). También funciona el estómago, "aquella del calor más competente, /científica oficina, / próvida de los miembros despensera" (vv. 234-236), o sea, "ésta, pues, si no fragua de Vulcano, / templada hoguera del calor humano" (vv. 252-253). Las metáforas son otra vez mecánicas o técnicas: oficina, despensera, fragua, hoguera. El estómago se nos presenta, en suma, como una central de alimentación y de calefacción; es difícil imaginárnoslo en términos poéticos más "actuales" y científicamente exactos.

El corazón, los pulmones y el estómago representan diferentes aspectos vivos del cuerpo humano dormido. Pero más importante para el sentido total del poema es la vida fantástica del alma, que se libera entre sueños. Otra muestra de lo que considera Sor Juana parte esencial del ser humano, es que parece ser el cerebro, y no el corazón, la sede del alma. Al cerebro el estómago le manda los humores debidamente atemperados (versos 254-266):

> al cerebro enviaba
> húmedos, más tan claros, los vapores
> de los atemplados cuatro humores,

*que con ellos no sólo no empañaba*
*los simulacros que la estimativa*
*dio a la imaginativa,*
*—y aquésta, por custodia más segura,*
*en forma ya más pura,*
*entregó a la memoria, que oficiosa,*
*grabó tenaz y guarda cuidadosa—,*
*sino que daban a la fantasía*
*lugar de que formase*
*imágenes diversas*

En estos versos se explica el proceso casi mecánico de la psicología escolástica: la estimativa, o sentido común, ha combinado los datos, o especies, de los cinco sentidos corporales para formar "simulacros" en la imaginativa, y éstos luego se almacenan en la memoria hasta que la fantasía (que debe de ser el aspecto activo de la misma imaginación) los use para formar nuevas combinaciones de imágenes[14].

Según la psicología escolástica, era la imaginación (fantasía) lo que mediaba entre la sensación y el pensamiento. Así es que Sor Juana, en un símil de extensión épica, compara la fantasía con el legendario espejo del Faro de Alejandría, en el cual se verían reflejadas todas las naves del mar Mediterráneo (vv. 271-279):

*del reino casi de Neptuno todo*
*las que distantes le surcaban naves,*
*—viéndose claramente*
*en su azogada luna*
*el número, el tamaño y la fortuna*
*que en la instable campaña transparente*
*arresgadas tenían,*
*mientras aguas y vientos dividían*
*sus velas leves y sus quillas graves—.*

Vemos fundidos en una misma frase aspectos abstractos escolásticos con aspectos concretos gongorinos. En el verso 275, por ejemplo, el número y el tamaño son precisamente los dos "sensibles comunes" más importantes que se recogen por el sentido común y la imaginación (Hammond, obra citada, p. IV). Y termina el pasaje con una hermosa correlación descriptiva de cómo los barcos se deslizan simultáneamente por el agua y el viento con "sus velas leves y sus quillas graves": hay que reconocer que el lenguaje gongorino es aquí, en efecto, científicamente analítico y exacto, pues las aliterativas "velas leves" corresponden al ligero elemento del aire, y las "quillas graves" al elemento más pesado del agua. Lo mismo que en las comedias y autos de Calderón, se ve en el *Sueño* de Sor Juana que el estilo gongorino, tan poco filosófico en Góngora mismo, se presta formalmente a la expresión de conceptos escolásticos.

Como aquel legendario espejo, pues, la fantasía dibuja, con colores potenciales, figuras de los objetos terrestres y también de las formas eternas, los universales; luego se comunican todas al Alma (vv. 282-291):

> *y el pincel invisible iba formando,*
> *de mentales, sin luz, siempre vistosas*
> *colores, las figuras*
> *no sólo ya de todas las criaturas*
> *sublunares, más aún también de aquellas*
> *que intelectuales claras son estrellas;*
> *y en el modo posible*
> *que concebirse puede lo invisible,*
> *en sí, mañosa, las representaba*
> *y al Alma las mostraba.*

## 2. INTUICION NEOPLATONICA (vv. 292-494)

### A) ESFUERZO INTUITIVO (vv. 292-339)

Dejados atrás el cuerpo y sus humores, el alma contempla su origen divino (vv. 294-296), sin "corporal cadena" (v. 299) que le impida "el vuelo intelectual" (v. 301) y la consideración de los "cuerpos celestiales" (v. 305). Casi como inteligencia angelical, el alma se eleva por encima de las montañas más altas de la tierra, "puesta, a su parecer, en la eminente cumbre" (vv. 309-310) de un monte superior al Atlas y al Olimpo. Este monte imaginario viene a ser ahora símbolo de la intuición que pretende el Alma (vv. 327-339):

> *A la región primera de su altura,*
> *(ínfima parte, digo, dividiendo*
> *en tres su continuado cuerpo horrendo),*
> *el rápido no pudo, el veloz vuelo*
> *del águila —que puntas hace al cielo*
> *y al sol bebe los rayos pretendiendo*
> *entre sus luces colocar su nido—*
> *llegar; bien que esforzando*
> *más que nunca el impulso, ya batiendo*
> *las dos plumadas velas, ya peinando*
> *con las garras el aire, ha pretendido,*
> *tejiendo de los átomos escalas,*
> *que su inmunidad rompan sus dos alas.*

Los gerundios repetidos introducen imágenes de un esfuerzo también repetido: las alas son velas plumadas que se baten; las garras son peines del vano viento; y por fin, aún más atrevida y desesperada, el águila trata de usar como hilos los átomos para tejer escaleras ascensoras. El fracaso del águila es por supuesto otra imagen anticipatoria del fracaso futuro del alma humana.

## B)  LAS PIRAMIDES (vv. 340-411)

La sección titulada por Méndez Plancarte " 'Intermezzo' de las Pirámides", a la cual corresponde la nuestra (vv. 340-411), consta de una sola frase prolongada. Es, en efecto, un paréntesis basado en la gran obra egiptológica de Atanasio Kircher y quizá influido también, como sugiere Vossler en sus notas, por lo que sabría Sor Juana de las pirámides toltecas de San Juan Teotihuacán. El pasaje se refiere concretamente a dos pirámides de Menfis (Kéops y Kefrén, dice Méndez Plancarte, prescindiendo, por menos alta, de la de Mikerinos). Las Pirámides son "montes dos artificiales" (v. 412), sugeridos por los montes naturales de Atlas y de Olimpo, y por el puramente imaginario del ascenso del alma. Glorias arquitectónicas de Egipto (vv. 340-353), las dos pirámides son también altas maravillas geométricas que superan a la vista humana (vv. 354-368):

> .... —que en nivelada simetría
> su estatura crecía
> con tal disminución, con arte tanto,
> que (cuanto más al cielo caminaba)
> a la vista, que lince la miraba,
> entre los vientos se desparecía,
> sin permitir mirar la sutil punta
> que al primer orbe finge que se junta,
> hasta que fatigada del espanto,
> no descendida, sino despeñada
> se hallaba al pie de la espaciosa basa,
> tarde o mal recobrada
> del desvanecimiento
> que pena fue no escasa
> del visüal alado atrevimiento—

Otra imagen de la derrota: la punta de la pirámide es un puro punto geométrico, sin dimensiones, invisible, que deja despeñada y deslumbrada a la vista que se atreve a fisgarlo. De tal manera están las Pirámides alineadas con los rayos del sol que jamás los obstaculizan (vv. 375-378):

> nunca de calorosos caminantes
> al fatigado aliento, a los pies flacos
> ofrecieron alfombra
> aun de pequeña, aun de señal de sombra

Así es como las Pirámides se van convirtiendo finalmente en místicos símbolos del alma misma (vv. 400-411):

> las Pirámides fueron materiales
> tipos solos, señales exteriores
> de las que, dimensiones interiores,
> especies son del alma intencionales:

> *que como sube en piramidal punta*
> *al cielo la ambiciosa llama ardiente,*
> *así la humana mente*
> *su figura trasunta,*
> *y a la Causa Primera siempre aspira*
> *—céntrico punto donde recta tira*
> *la línea, si ya no circunferencia,*
> *que contiene, infinita, toda esencia—.*

En este pasaje Sor Juana desarrolla la poesía ya implícita en las teorías herméticas. Según éstas, los sabios egipcios, contemporáneos de Moisés y de Homero, supieron construir figuras materiales que representaran las más altas aspiraciones espirituales del alma. La llama, en forma de pirámide, busca en el cielo su verdadero centro o elemento, que es el fuego, símbolo de la voluntad amorosa; de la misma manera el alma, centella divina (v. 295), aspira a reunirse místicamente con su fuente, que es Dios. Dios se representa por figuras geométricas: es simultáneamente el punto central a donde tienden todas las líneas rectas, y la infinita circunferencia que lo abarca todo, según las expresiones de la poetisa. Esta poesía tiene raíces medievales y renacentistas al mismo tiempo; a ella da Sor Juana una nueva forma personal en la que se funde una extravagante curiosidad intelectual con una fervorosa fe religiosa.

### C) INTUICION DERROTADA (412-494)

Ya en versos anteriores las Pirámides tenían cierto sentido ambiguo, entre glorioso y pagano (vv. 379-382):

> *éstas, que glorias ya sean gitanas,*
> *o elaciones profanas,*
> *bárbaros jeroglíficos de ciego*
> *error...*

Podían ser o bien maravillas meramente humanas o milagros auténticamente divinos, revelaciones precristianas de la verdad (v. 413). Pero en los versos siguientes las Pirámides se colocan al lado de "aquella blasfema altiva Torre" de Babel, causa de una pecaminosa perversión de la naturaleza (vv. 418-422):

> *los idiomas diversos que escasean*
> *el sociable trato de las gentes,*
> *(haciendo que parezcan diferentes*
> *los que unos hizo la naturaleza,*
> *de la lengua por sólo la extrañeza)*

He aquí otro gran fracaso de la ambición humana. Pero ni la Torre de Babel ni las Pirámides egipcias alcanzan la inconmensurable altura del Alma misma (vv. 423-434):

*si fueran comparados*
*a la mental pirámide elevada*
*donde, sin saber cómo, colocada*
*el Alma se miró, tan atrasados*
*se hallaran que cualquiera*
*gradüara su cima por esfera:*
*pues su ambicioso anhelo,*
*haciendo cumbre de su propio vuelo,*
*en la más eminente*
*la encumbró parte de su propia mente,*
*de sí tan remontada, que creía*
*que a otra nueva región de sí salía.*

El Alma se coloca extática encima de sí, se trasciende a sí misma. Esta imagen de lo imposible nos lleva al primer clímax del poema, la vanagloria del hombre como dueño de la Creación (vv. 436-445):

*gozosa mas suspensa,*
*suspensa pero ufana,*
*y atónita aunque ufana, la suprema*
*de lo sublunar Reina soberana,*
*la vista perspicaz, libre de anteojos,*
*de sus intelectuales bellos ojos,*
*(sin que distancia tema*
*ni de obstáculo opaco se recele,*
*de que interpuesto algún objeto cele),*
*libre tendió por todo lo criado*

Se describe la mezcla de emociones en conflicto: placer, admiración, orgullo, sorpresa. Los ojos físicos del hombre, ayudados por el telescopio (Sor Juana misma había manejado estos "anteojos" modernos), abarcaban ya todo el universo. Pero no eran tan capaces sus ojos intelectuales: prolongándose esa misma frase, sin experimentar siquiera la breve fruición mística que nos transmite Fray Luis de León, sobreviene el duro choque del anticlímax inmediato. La comprensión racional (vv. 450-453):

*. . . —entorpecida*
*con la sobra de objetos, y excedida*
*de la grandeza de ellos su potencia—,*
*retrocedió cobarde.*

Este último heptasílabo, con su verbo de acento agudo, da el golpe de gracia a la desmesurada ambición intuitiva.

Es una derrota doble. En primer lugar, la vista física, como Ícaro, se había atrevido contra el sol mismo, y se ahogó en sus propias lágrimas (vv. 454-468). En segundo lugar, y aún más rápidamente, naufragó la vista intelectual o el entendimiento, deslumbrado también y confundido por la cantidad y las cualidades diferentes que trata de comprender: "y por mirarlo todo, nada vía" (v. 480). La ambición intuitiva, que quería

abarcarlo todo, nos ha llevado irónicamente a la derrota total del intelecto, que es incapaz de entender no sólo ya las esencias, sino también
los meros accidentes (vv. 488-494).

## 3. RACIOCINIO NEOARISTOTELICO (vv. 495-826)

### A) *ENTENDIMIENTO DISCURSIVO* (vv. 495-616)

Con el verso 495 empieza un movimiento de recogida, y un prolon-
gado símil que ocupa más de sesenta versos. La primera parte del símil
describe al hombre que, acostumbrado a la oscuridad, sale a la luz del día
y tiene que darles sombra a sus ojos hasta que se vuelvan a acostumbrar
a la luz (versos 504-515):

> *a la tiniebla misma, que antes era*
> *tenebroso a la vista impedimento,*
> *de los agravios de la luz apela,*
> *y una vez y otra con la mano cela*
> *de los débiles ojos deslumbrados*
> *los rayos vacilantes,*
> *sirviendo ya —piadosa medianera—*
> *la sombra de instrumento*
> *para que recobrados*
> *por grados se habiliten,*
> *porque después constantes*
> *su operación más firmes ejerciten*

Esta rehabilitación "por grados" describe precisamente el proceso
de razonamiento discursivo que luego será tema principal del poema.
Pero dentro de la primera mitad del símil hay otra paradójica comparación basada en la ciencia empírica médica, que es el uso del veneno en
pequeñas cantidades como antídoto eventual contra el mismo veneno.
Tanto la dialéctica de contrarios como la graduación de cantidades se
pueden relacionar con la nueva estrategia del alma (vv. 540-546):

> *no de otra suerte el Alma, que asombrada*
> *de la vista quedó de objeto tanto,*
> *la atención recogió, que derramada*
> *en diversidad tanta, aun no sabía*
> *recobrarse a sí misma del espanto*
> *que portentoso había*
> *su discurso calmado*

Como explica Méndez Plancarte, "calmado" equivale a "paraliza-
do"; y la parálisis del raciocinio discursivo, causada por un excesivo
entusiasmo intuitivo que "derramaba" la atención y causaba una admiración deslumbradora, esta parálisis, decimos, no permitía la formación
de conceptos claros. Reinaban la confusión y el desorden, el caos intelectual. Sin conceptos distintos, el alma no podía organizar las "espe-

cies", o datos de los sentidos, que se combinaban y se desunían de un modo difuso, no adecuado al limitado proceso del entendimiento humano (vv. 550-556):

> *inordinado caos retrataba*
> *de confusas especies que abrazaba,*
> *—sin orden avenidas,*
> *sin orden separadas,*
> *que cuanto más se implican combinadas*
> *tanto más se disuelven desunidas,*
> *de diversidad llenas—*

Con el verso 560 empieza otra figura poética, la del bajel naufragado que recoge sus velas y, con timón y mástiles rotos, se refugia en la playa donde pueda repararse. La playa es en efecto "la mental orilla" (v. 566) donde la carena que se hace es la cuerda reflexión (v. 573). La tradicional alegoría del barco y la tormenta marítima se adapta perfectamente al pensamiento original de Sor Juana; vemos en esta combinación cómo la poetisa ha logrado renovar un tópico muy gastado.

La reflexión conduce a una consciente consideración metodológica y una conclusión escolástica (vv. 575-579):

> *que, en su operación misma reportado,*
> *más juzgó conveniente*
> *a singular asunto reducirse,*
> *o separadamente*
> *una por una discurrir las cosas*

A las cosas hay que aplicarles las diez "artificiosas" categorías aristotélicas (v. 581) que hacen posible la abstracción, por medio de "mentales fantasías" (v. 585), de los llamados universales,

> *reparando, advertido,*
> *con el arte el defecto*
> *de no poder con un intüitivo*
> *conocer acto todo lo crïado,*
> *sino que, haciendo escala, de un concepto*
> *en otro va ascendiendo grado a grado*

Así es que el entendimiento humano, incapaz de la divina intuición universal, tiene que usar el "arte" de la lógica para construir laboriosamente una "escala" de conceptos. Es la naturaleza del intelecto humano lo que nos impone estas limitaciones metodológicas. Pero la lógica, aunque pesada, es un arte que se puede aprender y perfeccionar con la práctica, llevándonos eventualmente al triunfo total. La metáfora básica de este pasaje no es ya la de la navegación, sino la del alpinismo (vv. 600-616, *passim*):

> *los altos escalones ascendiendo,*
> *. . . . . . . . . . . . . . . . . . . . . . . . . . . . . . . .*
> *la honrosa cumbre mira,*

*término dulce de su afán pesado,*
. . . . . . . . . . . . . . . . . . . . . . . . . . . . . .
*y con planta valiente*
*la cima huella de su altiva frente.*

Después de esta introducción al método dircursivo, el resto del sueño propiamente dicho se divide en tres secciones (las que titula Méndez
Plancarte "Las escalas del ser", "La sobriedad intelectual" y "La sed desenfrenada del saber".) La primera es en efecto un pequeño compendio
del sistema escolástico del mundo: minerales, vegetales, animales, con el
hombre como suprema maravilla de la Creación. La segunda sección,
contrastando con este optimismo racional, es un movimiento de dudas
en cuanto a la capacidad del entendimiento humano: el hombre resulta
muy pequeño frente al mundo. Podemos comparar estos dos movimientos opuestos con los extremos ponderados por Pascal, de la grandeza y
la miseria del hombre. Pero la síntesis que hace Sor Juana en la última
sección no es de una humildad jansenista, sino más bien de un orgullo
faustiano, prometeico, comparable con el espíritu del jesuita Atanasio
Kircher[15]. Veamos:

B) *DIALECTICA ULTIMA* (vv. 617-826)

a) *Confianza* (vv. 617-703)

Como indica el título de "Las escalas del ser", que utilizó Méndez
Plancarte, los versos 617-703 tienen un movimiento ascendente, jerár-
quico. Primero la vida vegetal supera a lo mineral, mamada a los pechos
de Tetis, diosa del agua (vv. 625-632):

> *. . . en vegetable aliento,*
> *primogénito es, aunque grosero,*
> *de Tetis, —el primero*
> *que a sus fértiles pechos maternales,*
> *con virtud atractiva,*
> *los dulces apoyó manantïales*
> *de humor terrestre, que a su nutrimiento*
> *natural es dulcísimo alimento—*

Luego la vida sensitiva de los animales supera en dignidad a la más
alta estrella (vv. 640-647):

> *forma . . . más bella,*
> *de sentido adornada*
> *(y aún más que de sentido, de aprehensiva*
> *fuerza imaginativa),*
> *que justa puede ocasionar querella*
> *—cuando afrenta no sea—*
> *de la que más lucida centellea*
> *inanimada estrella*

Finalmente pasamos "al supremo, maravilloso compuesto triplicado" (versos 654-655), "bisagra engazadora" (v. 659) que une lo más alto a lo más bajo, con sus dotes de memoria, entendimiento y voluntad (vv. 690-695):

> *el hombre, digo, en fin, mayor portento*
> *que discurre el humano entendimiento;*
> *compendio que absoluto*
> *parece al ángel, a la planta, al bruto;*
> *cuya altiva bajeza*
> *toda participó naturaleza.*

Después de ponderarla así la gloria natural del hombre, viene a ser menos enfático el propósito sobrenatural que se sugiere dubitativamente al final, que es la Encarnación (vv. 696-699):

> *¿Por qué? Quizá porque más venturosa*
> *que todas, encumbrada*
> *a merced de amorosa*
> *unión sería*

La gloria más alta del hombre sería así su unión con Dios mismo. Así termina el movimiento más positivo, más firmemente optimista, del poema.

### b) Cobardía (vv. 704-780)

Empieza abruptamente el movimiento contrario (vv. 704-711):

> *Estos, pues, grados discurrir quería*
> *unas veces; pero otras, disentía,*
> *excesivo juzgando atrevimiento*
> *el discurrirlo todo*
> *quien aun la más pequeña,*
> *aun la más fácil parte no entendía*
> *de los más manüales*
> *efectos naturales.*

Ahora se ponderará la ignorancia del hombre, quien no es capaz de entender ni siquiera los fenómenos que tiene más a mano ("más manuales"), los más sencillos y asequibles. Se desarrollan a continuación dos ejemplos: el misterio de las aguas subterráneas, y el de la pequeña flor hermosa y fragante. Dejando atrás las abstracciones intelectuales de la ciencia, estos dos ejemplos concretos nos llevan de nuevo al mundo poético tradicional de la mitología clásica y de la hermosura física.

El agua subterránea se particulariza en la fuente Aretusa, que pasa por el reino de Plutón, registrándolo todo: "útil curiosidad, aunque prolija" (v. 723), pues así Aretusa pudo informar a Ceres sobre su hija Proserpina. Pero la curiosidad del hombre no logra seguirle el curso a Aretusa.

Tampoco puede comprender la blancura y la grana de la flor, su fragancia, el desplegarse de sus pétalos, la mezcla renacentista de sus colores (vv. 743-748):

> de dulce herida de la Cipria Diosa
> los despojos ostenta jactanciosa,
> si ya el que la colora,
> candor al alba, púrpura al aurora
> no le usurpó y, mezclado,
> purpúreo es ampo, rosicler nevado

Esta sección de dudas y temores se concluye con una especie de silogismo *a fortiori* (vv. 757-780): si el entendimiento humano se acobarda frente a un solo objeto, ¿cómo pudiera atreverse contra el universo entero?

Las palabras clave son "tímido", "huye", "cobarde", "da las espaldas", "asombrado", "se espeluza", "rehusa acometer valiente", "espantosa", "terrible", "incomportable".

#### c) *Atrevimiento* (vv. 781-826)

La tesis de la grandeza del hombre y la antítesis de la cobarde debilidad se resuelven violentamente en esta tercera sección. La figura central de toda la sección es el "ejemplar osado del Claro Joven [ . . . ] auriga altivo del ardiente carro" (vv. 785-787), es decir, Faetón. El entendimiento humano considera el ejemplo del hijo de Apolo que reclamaba sus derechos (vv. 788-795):

> y él, si infeliz, bizarro
> alto impulso, el espíritu encendía:
> donde el ánimo halla
> —más que el temor ejemplos de escarmiento—
> abiertas sendas al atrevimiento,
> que una ya vez trilladas, no hay castigo
> que intento baste a remover segundo,
> (segunda ambición, digo).

"Si infeliz, bizarro": desafortunado sí, pero atrayente, el ejemplo de Faetón inspira más el atrevimiento que el temor. Se subraya ya la ineficacia del castigo de Júpiter.

Méndez Plancarte, en su nota a los versos 805-810, cita muy acertadamente un soneto atribuido a Giordano Bruno, que empieza "Poi che spiegate ho l'ali al bel desio". Es el monólogo de un atrevido defensor de la "nuova scienza", o sea, del entusiasmo neoplatónico, hermético, humanístico en suma, que había inspirado a tantas imaginaciones durante dos siglos, desde Pico della Mirándola hasta Atanasio Kircher. El monologuista del soneto no se deja desanimar por el ejemplo de Icaro:

> *Nè del figliuol di Dedalo il fin rio*
> *fa che più pieghi, anzi via più risorgo.*
> *Ch' i' cadrò morto a terra, ben m' accorgo;*
> *ma qual vita pareggia il morir mio?*

A este espíritu precisamente corresponde la última sección del sueño de Sor Juana, dominada por la figura incitante de Faetón. Se pregunta uno si la monja mexicana pudiera conocer y admirar el caso de Galileo, encontrando en su castigo un ejemplo de derrota gloriosa. No cabe duda, en todo caso, de que tenía presentes sus propios castigos eclesiásticos, contados luego en su *Respuesta a Sor Filotea*. El tópico no tanto de Ícaro, sí de Faetón, le venía perfectamente a propósito.

Es en los versos 796-826 donde se analiza con sutileza el caso de éste. Empieza este pasaje así:

> *Ni el panteón profundo*
> *—cerúlea tumba a su infeliz ceniza—,*
> *ni el vengativo rayo fulminante*
> *mueve, por más que avisa,*
> *al ánimo arrogante*
> *que, el vivir despreciando, determina*
> *su nombre eternizar en su rüina.*
> *Tipo es, antes, modelo:*
> *ejemplar pernicioso*
> *que alas engendra a repetido vuelo,*
> *del ánimo ambicioso*
> *que —del mismo terror haciendo halago*
> *que al valor lisonjea—,*
> *las glorias deletrea*
> *entre los caracteres del estrago.*

Los adjetivos "arrogante" y, sobre todo, "pernicioso" parecen condenar explícitamente el ejemplo de Faetón como moralmente culpable. Pero mucho más significativo es el hecho de que el espíritu humano responde afirmativamente a tal figura: nada le disuade, pues es más bien "tipo", "modelo", "ejemplar". Hay aquí una paradoja psicológica: así como la prohibición paterna provoca al hijo rebelde, el mismo terror lisonjea a la valentía, por la fascinación del peligro. Es la respuesta "absurda" del romántico de todos los tiempos. Al contemplar la tumba siniestra de Faetón, deletreamos y admiramos sus glorias en su conocido epitafio ovidiano[16].

Todavía más interesantes son los últimos versos del pasaje, en los que se critica, por falta de discreción, a la autoridad que impone un castigo público a tales delitos[17]. Pues los castigos así son contraproducentes: lo que había de ser vergüenza pública se convierte en fama gloriosa, y excita a la emulación. Para Sor Juana eran evidentes dos remedios posibles (versos 815-820):

> *—circunspecto estadista—;*
> *o en fingida ignorancia simulara,*
> *o con secreta pena castigara*
> *el insolente exceso,*
> *sin que a popular vista*
> *el ejemplar nocivo propusiera*

¡Atreverse a sugerir que la autoridad, si era discreta, debiera fingir ignorar el delito! Pero una complicidad así era tal vez ya corriente en la práctica mexicana. Bien conocida es la fórmula, entre feudal y anárquica, que solían emplear los virreyes para con la autoridad de Su Majestad Católica: "Obedezco, pero no cumplo".

La cuestión epistemológica, que oponía la realidad física y la capacidad intelectual humana, se ha ido convirtiendo en una cuestión de responsabilidad moral, personal. Sor Juana piensa en la relación entre el atrevimiento del intelecto individual y la autoridad. "El sueño de la razón produce monstruos", según el epígrafe de Goya (Capricho 43): el poema puramente especulativo de Sor Juana la ha llevado inevitablemente hacia su propia pesadilla personal, la crisis de su obediencia monástica. Más tarde escribiría la "Protesta que, rubricada con su sangre, hizo de su fe y amor a Dios al tiempo de abandonar los estudios humanos para proseguir, desembarazada de este efecto, en el camino de la perfección" (*O. C.*, t. IV, páginas 518-519).

## 4. EL DESPERTAR HUMANO (vv. 827-886)

> *Mas mientras entre escollos zozobraba*
> *confusa la elección, sirtes tocando*
> *de imposibles, en cuantos intentaba*
> *rumbos seguir...*
>
> (vv. 827-830).

Con esta conclusión se deja atrás el sueño, convertido ya en pesadilla, y empieza a despertarse el sujeto humano. Se explica fisiológicamente, según las ideas aristotélicas, el proceso del despertar: el estómago, que antes mandaba al cerebro humores en forma de vapor, ha gastado ya toda la comida (vv. 846-852):

> *los que de él ascendiendo*
> *soporíferos, húmedos vapores*
> *el trono racional embarazaban*
> *(desde donde a los miembros derramaban*
> *dulce entorpecimiento),*
> *a los suaves ardores*
> *del calor consumidos,*
> *las cadenas del sueño desataban*

El resultado psicológico es la desaparición de los fantasmas, o formas imaginadas, tan irreales como las figuras proyectadas por la linterna mágica, invento reciente que se atribuía al ingenio del P. Kircher (vv. 868-886):

> *Y del cerebro, ya desocupado,*
> *las fantasmas huyeron*
> *y —como de vapor leve formadas—*
> *en fácil humo, en viento convertidas,*
> *su forma resolvieron.*
> *Así linterna mágica, pintadas*
> *representa fingidas*
> *en la blanca pared varias figuras,*
> *de la sombra no menos ayudadas*
> *que de la luz: que en trémulos reflejos*
> *los competentes lejos*
> *guardando de la docta perspectiva,*
> *en sus ciertas mensuras*
> *de varias experiencias aprobadas,*
> *la sombra fugitiva,*
> *que en el mismo esplendor se desvanece,*
> *cuerpo finge formado,*
> *de todas dimensiones adornado,*
> *cuando aun ser superficie no merece.*

De un modo parecido, en su Egloga III, Garcilaso había ponderado, hacía casi doscientos años, las maravillas de la pintura renacentista (versos 267-270)[18]:

> *... con colores matizadas,*
> *claras las luces, de las sombras vanas*
> *mostraban a los ojos relevadas*
> *las cosas y figuras que eran vanas*

Para Sor Juana, como vemos en los versos suyos citados, ya eran bien conocidas las reglas de "la docta perspectiva"; lo que subraya ella son los "trémulos reflejos" y "la sombra fugitiva", que se proyectan contra la blanca pared, donde no se puede decir que formen una superficie siquiera. El "engaño a los ojos", ya presente en la tradición renacentista[19], se exagera aún más durante la época barroca, con sus rápidos avances técnicos y científicos. Si Cervantes se preguntaba, en el *Persiles,* sobre la diferencia entre las "maravillas" naturales y los "milagros" sobrenaturales, en el mundo del *Sueño* de Sor Juana bastan las maravillas naturales y las inventadas por el hombre; los milagros ni se mencionan ya.

III. EPILOGO: TRIUNFO DEL DIA (vv. 887-975)

En la última sección del poema (titulada acertadamente por Méndez Plancarte "El triunfo del día") volvemos al mundo poético de Góngora, el mundo visual de la naturaleza refractado por el lente de la mitología clásica. Pero aquí figura también la ciencia. El sol llega como "Padre de la Luz ardiente" (v. 887), dejando atrás las antípodas, cuyo ocaso es nuestra aurora (vv. 893-894):

> *en el punto hace mismo su occidente*
> *que nuestro oriente ilustra luminoso.*

La estrella matutina de Venus "y del viejo Titón la bella esposa" (v. 898) forman la vanguardia (vv. 906-910)

> *del planeta fogoso,*
> *que venía las tropas reclutando*
> *de bisoñas vislumbres*
> *—las más robustas, veteranas lumbres*
> *para la retaguardia reservando—,*

Dentro de la alegoría militar, más bien tradicional, del conflicto entre el día y la noche, se nota la ingeniosa originalidad conceptista de Sor Juana, quien juega simultáneamente con los sonidos de las palabras ("bisoñas vislumbres") y con las elaboraciones alegóricas ("veteranas lumbres para la retaguardia"). Otra vez vemos que, en el nivel puramente gongorino del poema, Sor Juana es capaz de competir con el maestro (vv. 920-923)

> *tocando al arma todos los süaves,*
> *si bélicos, clarines de las aves,*
> *(diestros, aunque sin arte,*
> *trompetas sonorosos)*

La enemiga Noche huye cobarde (vv. 927-930),

> *. . . oponiendo*
> *de su funesta capa los reparos,*
> *breves en ella de los tajos claros*
> *heridas recibiendo*

Es aquí sólo la originalidad del detalle, y no de la concepción total, lo que nos convence de la calidad poética de nuestra autora.

En la última fase del poema, la Noche ha ido a apoderarse del otro hemisferio, desamparado ya del sol (vv. 967-975),

> *mientras nuestro hemisferio la dorada*
> *ilustraba del sol madeja hermosa,*
> *que con luz judiciosa*
> *de orden distributivo, repartiendo*
> *a las cosas visibles sus colores*
> *iba, y restituyendo*
> *entera a los sentidos exteriores*
> *su operación, quedando a luz más cierta*
> *el mundo iluminado y yo despierta.*

Así terminan simultáneamente la noche y el sueño; desaparecen las tinieblas, las cosas recobran sus colores, y empiezan de nuevo a funcionar los sentidos físicos del sujeto humano, sustituyendo en su imaginación a los fantasmas interiores por nuevas figuras venidas directamente del mundo exterior. Ya no es el impersonal entendimiento humano en general, sino la poetisa misma quien firma con una "yo despierta" femenina.

# NOTAS

[1] Así nos referimos en adelante a las *Obras completas* de Sor Juana (edición de Alfonso Méndez Plancarte, los tres primeros tomos; y de Alberto G. Salceda el IV, Fondo de Cultura Económica, México, 1951-57), y el número del tomo y de la página. Las citas del *Sueño*, en cambio, sólo llevarán el número del verso; se pueden verificar en cualquiera de las dos ediciones del *Sueño* de Méndez Plancarte.

Los subrayados de los poemas de Sor Juana y de los otros poetas citados cuando los haya, son nuestros a menos que se especifique lo contrario.

[2] Darío Puccini, *Sor Juana Inés de la Cruz: Studio d'una personalita del barocco messicano*, Roma, 1967, pp. 113-114.

[3] Véanse sobre esto los libros de Etienne Gilson, *Index scolastico-cartésien*, Paris, 1912, y *Etudes sur le rôle de la pensée médiévale dans la formation du systeme cartésien*, París, 1930.

[4] En el tomo II, 1964, pp. 64-74, de su *Spain and the Western Tradition*.

[5] Sobre esto véase el libro de Frances A. Yates, *Giordano Bruno and the Hermetic Tradition*, y su conferencia "The Hermetic Tradition in Renaissance Science", publicada en *Art, Science and History in the Renaissance*, ed. C.S. Singleton, Baltimore, 1967.

[6] Véase el libro de Erik Iversen, *The Myth of Egypt and its Hieroglyphs in European Tradition*, Copenhagen, 1961.

[7] Se refiere Nesca A. Robb al poema *De rebus calestis* (*sic:* caelestibus?) en su libro *Neoplatonism of the Italian Renaissance*, London, 1935, pp. 161-162.

[8] En su citado *Giordano Bruno...*, p. 416-423.

[9] Publicado en PMLA, LIV, 1939, 101-105.

[10] Publicado en la *Revista de Filosofía Española*, XXXVI, 1952, 287-307.

[11] Los dos estudios de conjunto más importantes son los de Octavio Paz y de José Gaos. Basado en ellos, "El ambiguo *Sueño* de Sor Juana", escrito por Elías L. Rivers, es una breve presentación popular del poema. Los tres estudios son el punto de partida de esta segunda sección de nuestro trabajo.

[12] Era tradicional desde el *Somnium Scipionis* el final abrupto del despertamiento: "Ille discessit; ego sommo solutus sum". De modo parecido terminó Maldonado: "Quid piscatoribus acciderit, nescio: ego certe tanto concursu navis et fragore somno excitus sum" (Menéndez Pelayo, *Bibliografía...*, t. III, p. 177). Pero sólo en el poema de Sor Juana se suprime el yo durante todo el sueño, sustituyéndose por el alma humana objetivada en tercera persona; la persona histórica de la poetisa aparece sólo al terminarse la ficción del sueño.

[13] Anteriores a la división propuesta por Méndez Plancarte son otras estructuraciones: la de Pfandl, quien divide el *Sueño* en cinco partes; la de Chávez, en seis partes, y la de Carilla, en tres partes. Posteriormente se ha hablado de dividirlo en dos partes. (Véase G. Flynn, *Sor Juana Inés de la Cruz*. Twayne Publishers, Inc. New York, 1971, pp. 29-34.)

[14] Sobre todo esto, véase Hammond, *Aristotle's Psychology,* especialmente pp. LLXIII.

[15] Carlos Vossler, quien descubrió la relación entre Kircher y Sor Juana, es quien mejor la ha explicado (*Primero sueño*, Buenos Aires, 1953, pp. 13-14): "En especial el ansia de

ilustración y el cultivo de las ciencias –tal como predominaba en la Compañía de Jesús–
deben haber tenido un efecto arrebatador en el vivaz espíritu de Sor Juana. Fue principalmente un sabio alemán, el Padre Athanasius Kircher (1602-1680), quien polarizó la atención
de todo el mundo ilustrando con los estudios físicos, cosmográficos, astronómicos, jerogli-
ficos y orientales, que publicaba en lujosos volúmenes, y quien regocijó a grandes y chicos
con sus ingeniosos inventos y entretenimientos científicos (relojes de sol, arpas eólicas,
linternas mágicas, reflectores, amplificadores de sonido y otras cosas semejantes). Se dice
que durante un solo año llegaron a Roma dirigidas a él, como el oráculo científico del mundo, de todos los continentes, diez diferentes soluciones al problema de la construcción del
"perpetuum mobile". En la celda del convento de Sor Juana estaban colocadas, junto a las
obras de Galeno, las "Kirqueri Opera", si damos fe al pintor Miguel Cabrera y a su retrato de
la poetisa, pero no todas por cierto, para esto el espacio no habría alcanzado. Mas, ya no
puedo dudar de que ella conocía por lo menos aproximadamente algunas de sus obras
físicas, como por ejemplo el "Ars magna lucis et unbrae" y además la "Musurgia"; algunos de
sus escritos egiptológicos y, probablemente, el "Iter extaticum coeleste", aquel soñado viaje
astronómico del P. Kircher, aunque no los hubiera leído detenidamente. Todavía más que
sus ideas sobre armonía, sinestesia, colores, luz, perspectiva, pirámides y jeroglíficos, toda la
mentalidad del P. Kircher podría haber actuado de una manera incitante y seductora sobre
nuestra poetisa. La agradable conciliación entre exactitud y entusiasmo, subordinación y
crítica, tal como solía realizarla –por cierto en detrimento de su posterior reputación científica–, debía ser algo sumamente reconfortante para el espíritu poéticamente conmovido de
Sor Juana, ya que se producía en una mente tan elevada".

"El entusiasmo excitante del P. Kircher se comunica a través de toda su ambiciosa
obra. Para él el descubrimiento del Nuevo Mundo y la invención del telescopio fueron dos
emocionantes acciones de Dios que hacían urgente una nueva revisión del sistema del
universo" (*Iter exstaticum terrestre coeleste,* prólogo, p. 12): Non stetit hic divinae benigni-
tatis lusus, dum non ita longo annorum intervallo post novi Orbis detectionem, novum
nobis Coelestium spectaculorum theatrum expandit, inauduta omnibus retro seculis co-
elestis tubi beneficio revelavit". Por esto publica su *Iter exstaticum coeleste,* junto con su
*Iter exstaticum* y su *Sypnosis mundi subterranei,* en 1671.

[16] "Aquí yace Faetón, conductor del carro de su padre; si no lo manejó bien, por lo
menos murió con gran osadía". A este bien conocido pasaje de Ovidio (*Metamorfosis,* libro
II, vv. 180-181) sin duda se le han de referir los versos 809-810 del poema de Sor Juana.

[17] Hay que afirmar otra vez la posibilidad de que Sor Juana se refiera aquí al famoso
caso de Galileo y al suyo propio: "que yo no quiero ruido con el Santo Oficio", diría ella en
su *Respuesta a Sor Filotea* (O. C., t. IV, p. 444). Sabía muy bien que su curiosidad científica
podría provocar un castigo eclesiástico; todo el mundo tenía que andar con cuidado. Su
admirado jesuita Atanasio Kircher, en su *Iter Exstaticum coeleste,* pp. 38-39, trata así la
espinosa cuestión del sistema copernicano: "Sextum Systema ponit in Centro Mundi Solem
immobilem... Hoc Systema dicitur Copernicanum, a Nicolas Copernico Borusso, qui illud...
tandem perfecit, ac pluribus argumentis, ingeniosisque hypothesibus fulcivit; quem dein-
de secuti sunt pene omnes Mathematici Acatholici, et nonnulli ex Catholicis, quibus nimi-
rum ingenium et calamus prurit ad nova vendidanda... Copernicanum igitur omnino rejici-
mus, tum ob alias rationes ibidem insinuatas, tum quia Sacrae Scripturae adversari videtur"...

[18] Elías L. Rivers, "The Pastoral Paradox of Natural Art", *Modern Language Notes,* vol.
77, núm. 2, March, 1962. Y. L. Spitzer, "Garcilaso, Third Eclogue, Lines 265-271", *Hispanic
Review,* XX, 1952, 243-248.

[19] Véase A. Castro, *El pensamiento de Cervantes,* pp. 79-88.

# UN SABIO BARROCO*

El jueves, 23 de agosto de 1691, a las nueve horas de la mañana, estaba oscuro como a medianoche, los gallos cantaban y las estellas brillaban, pues el sol se eclipsó completamente, cuenta un diario. Un pavoroso frío descendió con el paño mortuorio de una noche antinatural, trayendo un pánico supersticioso sobre la ciudad de México. Entre el pandemónium de mujeres y niños que gritaban, perros que aullaban y burros que rebuznaban, la gente fanática corrió a refugiarse en la Catedral o en la iglesia más cercana, cuyas campanas retumbaban requiriendo oraciones propiciatorias. Inadvertido entre esta confusión frenética estaba un hombre solitario e inmóvil que, con instrumentos de aspecto extraño, inspeccionaba el cielo oscurecido en una especie de tranquilo éxtasis: "yo, en este ínterin —escribió poco tiempo después, ese hombre—, en extremo alegre y dándole a Dios gracias repetidas por haberme concedido ver lo que sucede en un determinado lugar tan de tarde en tarde y de que hay en los libros tan pocas observaciones, que estuve con mi cuadrante y anteojo de larga vista contemplando el sol" [1].

ESTAS FUERON palabras de un notable sabio del México colonial, don Carlos de Sigüenza y Góngora, el comprensivo amigo y compañero intelectual de Sor Juana Inés de la Cruz. Ningún otro incidente comprendia tan bien su vida y la de su tiempo, pues yuxtapone el espíritu osado de la investigación científica de la época que él encarnó y el ambiente de ignorancia, de temor y de superstición que respiró. Su curiosidad intelectual y su independencia mental lo colocan muy aparte de esa sociedad consagrada al tradicional despotismo teocrático en el que vivía. No obstante, fue parte integral de su medio y expresión auténtica de la época barroca, pues tuvo el cuidado de separar su firme adhesión a la ortodoxia religiosa de su afición especulativa por los estudios laicos. De hecho, creyó que la nueva metodología sólo confirmaría los dogmas de la fe, y el neomedievalismo de su ambiente influyó en él tanto como la Edad Media condicionó

---

* En su *La época barroca en el México colonial,* Agustín Escurdia, trad., México, FCE, 1974, pp. 278-308.

a los humanistas del Renacimiento. Pero, aún más tarde que la monja poetisa a quien tanto admiraba, él simboliza la transición de la ortodoxia extrema de la América española del siglo XVII a la creciente heterodoxia del siglo XVIII.

Este sabio criollo gustaba de jactarse de su linaje, que, desde los tiempos de Isabel y Fernando, incluyó hombres distinguidos en las armas y en las letras. Su padre, don Carlos de Sigüenza y Benito, oriundo de Madrid, fue en su juventud tutor en la casa real. El hijo, nacido en México, estuvo especialmente orgulloso de que su progenitor instruyera alguna vez a aquel príncipe de corta vida, don Baltasar Carlos, en quien se apoyaron en vano las esperanzas dinásticas de Felipe IV y de toda España. La razón por la cual el padre de don Carlos renunció a ese puesto privilegiado y se avino al Nuevo Mundo no ha sido revelada, pero la rápida declinación de las fortunas en la Península influyó sin duda en su decisión de unirse al séquito del recién nombrado virrey de la Nueva España, el marqués de Villena. En 1640, en la misma flota que trajo al demente Guillén de Lampart, que poco después se proclamaría Emperador de México, llegó el mayor de los Sigüenza. Si alguna vez tuvo la esperanza de mejorar su fortuna material con la emigración a la más rica colonia de España, quedó en gran parte defraudado, como tantos otros. Parece que tuvo que contentarse con un modesto empleo de escribano público aunque más tarde llegó a ser secretario de una oficina del virreinato.

Dos años después de haber llegado a México se casó con doña Dionisia Suárez de Figueroa y Góngora, oriunda de Sevilla, hija de una familia con pretensiones aristocráticas. Los apellidos de esta señora eran distinguidos en los anales de la historia literaria española y su hijo mayor agregó con orgullo el Góngora a su firma, para patentizar su parentesco sanguíneo con el poeta de Córdoba. Nueve hijos fueron el fruto de esta unión, de los cuales el sabio mexicano fue el segundo vástago y el primer varón. Esta prole tan numerosa fue carga penosa para el raquítico presupuesto del antiguo instructor de la casa real, y con el tiempo su famoso hijo tuvo que asumir la responsabilidad familiar. Algunos de sus hermanos y hermanas entraron al servicio de la Iglesia, otros se casaron, pero todos solían acudir a él en busca de ayuda económica y de consejo.

Aun cuando don Carlos hijo no fue tan precoz como Sor Juana, su talento excepcional se mostró a temprana edad. Su experimentado padre lo alentaba, echando cimientos firmes a los logros posteriores del adolescente. Para un joven tan prometedor era obvio que la Iglesia ofrecía la carrera más distinguida, y la bien establecida fama intelectual de los jesuitas hizo que esta orden le fuera especialmente atractiva. A la edad de quince años Carlos fue aceptado como novicio y en 1662 hizo sus primeros votos. Durante más de siete años se ejercitó con rigor en la teología y en los estudios humanísticos; pero este período fructífero terminó súbitamente con un suceso que pareció frustrar sus grandes esperanzas; en el espíritu del sabio dejó una cicatriz que nunca llegó a borrarse por completo.

El orgullo y el temperamento impetuoso del joven Góngora encontraba a veces la disciplina jesuítica demasiado severa para su naturaleza independiente. Aunque su mente gozaba de bastante libertad intelectual, las rígidas restricciones físicas impuestas a su persona le eran irritantes. Por fin la inquietud impaciente lo arrastró a una indiscreción juvenil, cuya memoria lo perseguiría para siempre. Durante sus días de estudiante en el Colegio del Espíritu Santo, en Puebla, sucumbió a la tentación de eludir la vigilancia de los prefectos y escapó del dormitorio para saborear el fruto prohibido de las aventuras nocturnas por las calles de la ciudad. El descubrimiento de esta repetida violación a las reglas le trajo una represalia inmediata; el 15 de agosto de 1668 fue formalmente despedido de la Orden. Este desgraciado suceso le causó un trauma y un amargo remordimiento tiñó permanentemente su carácter con cierta melancolía e irascibilidad. Protestando de su arrepentimiento, hubo de rogar, con llorosa sinceridad, su reinstalación, pero toda clemencia fue negada por sus implacables superiores jesuitas. En marzo de 1669, el general de la Orden escribió al Provincial: "[ . . . ] don Carlos de Sigüenza y Góngora también solicita el volver a la Compañía, pero no se le otorgó [ . . . ] La causa de la expulsión de esta persona es tan deshonrosa, como él mismo confiesa, que no merece esta merced [ . . . ]". Dos años más tarde, una renovada súplica del joven contrito también fue rechazada. "No es mi intención que don Carlos de Sigüenza vuelva a la Compañía, siendo su caso como usted lo representa [ . . . ]".

Aunque estos rechazos tenían el carácter de definitivos, el joven enmendado nunca dejó de esperar que las autoridades jesuitas se aplacaran. Diez años después, en 1677, cuando su distinción como profesor en la Universidad de México iba en ascenso, otra vez pidió la reconsideración de su caso, confiado quizá en que su prestigio creciente y el paso del tiempo hubieran quebrantado la intransigencia. Pero otro general de la Compañía aunque favorablemente impresionado por los ruegos de Sigüenza, se mostró casi tan obstinado como los anteriores.

> Don Carlos de Sigüenza y Góngora quien, como lo sabe su Reverencia, fue expulsado de la Compañía, está haciendo una petición muy urgente para ser reaceptado con el pretexto de que su salvación así quedaría asegurada. Me han dicho que es persona de talento, de treinta años de edad y profesor en la Universidad, y que puede ser útil a la Orden y que está muy compungido y arrepentido. Lo más que puedo hacer es absolverlo del impedimento de expulsión. Por este acto lo absuelvo. Su Reverencia consultará a sus consejeros sobre si conviene o no recibirle por segunda vez. Lo demás lo dejo a lo que resulte de vuestra consulta[2].

Ningún fruto resultó de los esfuerzos repetidos de Sigüenza y la tristeza del desengaño se instaló como sombra sobre su carácter que se fue agriando, en tanto los años le llevaban desilusiones y enfermedades. El celo puesto todos los días en sus tareas intelectuales y en el servicio público probablemente surgió, en mucho, de su ferviente deseo de redimirse ante sus propios ojos y, posiblemente, para llamar la atención de la Compañía de Jesús a la pérdida que sufría por la persistente exclusión de un tan cumplido sabio de sus filas. Que el perdón lo haya alcanzado en el lecho de muerte y se cumpliera así su esperanza largo tiempo aplazada, es todavía cosa incierta, pero el hecho de que hiciera testamento legando sus preciosos libros, manuscritos, mapas e instrumentos a la Compañía y fuese enterrado en una capilla jesuita, indica este epílogo.

Mientras tanto, obligado a adaptarse a la dolorosa realidad de una expulsión aparentemente irrevocable, el desdichado Sigüenza estaba desconcertado en 1668. Desde luego, tendría que iniciarse en una nueva profesión ajena a la regla que había escogido. Vuelto a la ciudad de México, reanudó sus estudios de teología en la Universidad y allí empezó a desarrollar independientemente sus intereses humanísticos que se habían despertado durante los años en el seminario. De primera importancia para él fueron las matemáticas, para las que poseía aptitudes especiales. Mediante una aplicación diligente, sobresalió en esta disciplina y pronto fue reconocido como el matemático más adelantado de México, de gran competencia en las ciencias relacionadas.

En 1672 quedó vacante en la Universidad la cátedra de Matemáticas y Astrología. Sigüenza se decidió a aspirar a ella. Otros dos candidatos hicieron oposiciones similares, uno de los cuales tenía grado académico, y por eso se creía el único elegible. Don Carlos, carente de diplomas, no se amedrentó por los de su rival pues la Universidad no otorgaba licenciaturas en estas materias específicas. Además, agriamente recordó a las autoridades que los conocimientos son más vivos que los títulos y que ninguno de los otros aspirantes a la cátedra, declaró, era tan competente como él, pues él había estudiado ex–profeso esas materias y "[ . . . ] fue experto en estas disciplinas como es reconocido y bien sabido por todo este Reino debido a sus dos almanaques, uno del año anterior (1671), y otro del presente año que fueron impresos con la aprobación del padre Julio de San Miguel de la Compañía de Jesús y del Santo Oficio de la Inquisición de la Nueva España".

Estos argumentos fueron eficaces y don Carlos estableció su derecho a hacer la oposición. El método corriente para seleccionar a los miembros del profesorado consistía en las oposiciones. Cada candidato tomaba puntos de una autoridad clásica en la materia y, a las veinticuatro horas, estaba obligado a disertar sobre el tema tomado al acaso. Después de que los diversos concursantes habían presentado, cada uno a su turno, una rápida improvisación mostrando su erudición, tanto los estudiantes como los titulares votaban por el competidor que los había satisfecho y así se ganaba la cátedra. Estas elecciones no siempre estuvieron limpias de fraude, y se supo de casos en los que un aspirante pagó a un redactor venal para que escribiera su discurso. Parece que Sigüenza sospechó una intención semejante en el rival que reclamara el derecho único a la Cátedra basado en el diploma que tenía y solicitó que este opositor fuera vigilado por dos guardias durante las veinticuatro horas otorgadas para preparar la disertación. Es indicio de la personalidad agresiva y franca de don Carlos que las autoridades de la Universidad accedieran a su solicitud. El resultado fue la victoria absoluta del brusco joven Sigüenza y, el 20 de julio de 1672 fue debidamente instalado como profesor de Matemáticas y Astrología.

Los archivos de la Universidad no indican si el sabio criollo llegó a ocupar un asiento académico, pues demasiado claras son sus frecuentes peticiones de permisos para largas ausencias y sus solicitudes de sustitutos en sus clases. Aún más comunes fueron sus omisiones relativas a la cuenta de la asistencia de los estudiantes a clase, a veces por semanas enteras. Y como los reglamentos universitarios imponían sanciones por estas negligencias, las multas que Sigüenza hubo de pagar debieron de exceder al modesto sueldo de cien pesos que recibía. Abstraído en sus investigaciones y, al aumentar su renombre, solicitado constantemente para diversos servicios públicos, descuidaba frecuentemente las obligaciones rutinarias de sus clases.

Su indiferencia a estas obligaciones es, posiblemente, atribuible en parte a su falta de respeto a la astrología la que, según parece, atraía más alumnos que sus queridas matemáticas. En una época en que esa seudociencia conservaba prestigio en ambos lados del Atlántico, es típico de la áspera independencia y del punto de vista *científico* de Sigüenza que él mismo criticara los falsos supuestos de sus almanaques anuales. En una polémica sobre la naturaleza de los cometas, él declaró agriamente: "También soy astrólogo y sé muy bien de qué pie cojea la astrología, y sobre cuán extraordinariamente débiles cimientos se levanta su estructura". Y otra vez, al postular la evidencia demostrable en lugar de los dictados de las autoridades escolásticas —una actitud sorprendentemente moderna para su ambiente—, preguntó: "¿Qué debe inferirse de ellos, sino que todos son impuestos, falsos, ridículos y despreciables, y que la astrología es una invención diabólica y, por consecuencia, ajena a la ciencia, al método, al principio, y a la verdad? [ . . . ]". Es apenas sorprendente, por lo tanto, que los críticos hostiles vieran un descomedimiento en esta actitud herética hacia la materia que se le pagaba por enseñar. Pero, cualesquiera que fueran las causas de sus muchos descuidos en el desempeño de sus tareas académicas, estas omisiones turbaban penosamente su conciencia, como se revela por su última voluntad y testamento.

A diferencia de sus colegas de la facultad, que eran miembros de órdenes y tenían por esto segura subsistencia, Sigüenza tuvo que encontrar medios para ganarse la vida y ayudar al sostenimiento de una familia sólo dotada en padres, hermanos, hermanas y otros dependientes. Su salario era insignificante aunque no hubiera tenido que pagar multas y, como muchos de sus sucesores en las universidades hispanoamericanas hoy día, tuvo que suplementar su sueldo con diversos empleos simultáneos. Con el paso de los años, estas actividades le trajeron títulos con muchas tareas y emolumentos modestos: cosmógrafo principal del reino; capellán del Hospital del Amor de Dios, éste el mejor remunerado pues le proveía alojamiento; Inspector General de Cañoneros; Contador de la Universidad; Corrector de la Inquisición, etc., pero acerca de todos ellos socarronamente comentaba "[ . . . ] suenan como si fueran mucha cosa pero valen muy poco". También recibía remuneraciones por servicios especiales de índole práctica y estas actividades explican muchas de sus ausencias de clase.

Cuando el arzobispo Aguiar y Seijas ocupó su cargo en 1682, Sigüenza adquirió un amigo influyente. La cómoda prebenda en el Hospital del Amor de Dios le llegó por este cauce, el cual también le dio la autorización para oficiar como diácono y así aumentar sus ingresos mediante estipendios. Como Limosnero Principal del excesivamente generoso arzobispo, tuvo molestas obligaciones que a veces hubiera querido evitar. Entre estos deberes estaba el de la distribución de cien pesos entre las mujeres pobres, cuya presencia no podía sufrir el prelado misógino, y también el reparto de grandes cantidades de granos y otros cereales a instancias del filantrópico clérigo.

El carácter áspero de Sigüenza y la índole imperiosa del arzobispo, que tanto contribuyó a la tragedia personal de Sor Juana Inés, chocaban a menudo. Un diario contemporáneo informa:

> Una controversia: sábado 11 de octubre de 1692. Don Carlos, chantre, tuvo algunas diferencias con el arzobispo; don Carlos decía a éste que su Alteza Ilustrísima debía recordar con quién hablaba, con lo cual el arzobispo levantó la muleta que usa y rompió los anteojos de Sigüenza, bañándose la cara en sangre.

Pero, a pesar de estas extravagancias temperamentales, los dos tozudos personajes permanecieron amigos y estrechamente unidos en el trabajo. Por cierto que la veneración de don Carlos a su agresor fue aumentando hasta que, en su mente, el prelado casi adquirió aureola de santidad. Una cláusula del testamento del sabio dice:

> Tengo en mi posesión el sombrero usado por el muy ilustre y venerable don Francisco de Aguiar y Seijas, en tiempos pasados arzobispo de México. Al tocarlo varios enfermos se aliviaron de sus enfermedades. Deseando que esta práctica continúe con toda veneración, pido que el sombrero sea entregado al doctor Juan de la Pedrosa y guardado a perpetuidad en el oratorio de Nuestro Padre San Felipe Neri[3].

Así, este sabio barroco, tan moderno e inteligente en muchas de sus actividades, siguió siendo hijo de su época en otros respectos.

Sigüenza nunca se olvidó de su parentesco con el gran don Luis de Góngora, el santo patrón de los versificadores españoles del siglo XVII, y cuando aún era estudiante en el seminario jesuita, buscaba hacerse digno de esta conexión literaria. Son demasiado claros sus esfuerzos literarios que descubren una filiación genealógica, aunque ya cierta degeneración estética había comenzado a manifestarse en el caso de este descendiente particular. Su *Primavera indiana*, himno fervoroso a la Virgen de Guadalupe en setenta y cinco octavas, refleja fielmente los excesos del *gongorismo* trasnochado. Escrito cuando el autor estaba aún en sus años mozos, entre los trece y diecinueve, fue publicado en 1662 y reimpreso en 1668 y en 1683; en él es mayor la evidencia de cierta precocidad que la del genio heredado. *El Oriental Planeta Evangélico,* panegírico a San Francisco Xavier, amigo y compañero del fundador de la Compañía de Jesús, fue impreso después de la muerte de Sigüenza. Es un esfuerzo lírico compuesto probablemente hacia la época de su expulsión del seminario, quizá con la esperanza de retorno al favor de sus superiores. Pero nunca completamente satisfecho del mérito artístico del *Planeta* que debía igualar su excelso tema, aplazó continuamente su publicación. Estas aspiraciones literarias, que nunca estuvo dispuesto a abandonar, fueron sin duda el tema de muchas charlas con la mucho más talentosa para la música Sor Juana Inés en el locutorio de su convento. Juiciosamente, él decidió concentrar sus energías en las actividades eruditas.

Como sucedió con los humanistas del Renacimiento, ningún campo de investigación fue ajeno a los trabajos de la mente curiosa de Sigüenza, pero sus mejores logros fueron en los campos de la arqueología y de la historia, por una parte, y en los de las matemáticas y ciencias aplicadas, por la otra. Sus estudios de las civilizaciones prehispánicas de México, que en el transcurso del tiempo llegaron a ser autoridad indiscutible, fueron iniciados en el año de su despedida del seminario. Debido a su dominio de las lenguas autóctonas, pudo reunir libros, códices, mapas y otros manuscritos relacionados con la antigua cultura de los naturales. Posiblemente en 1670 adquirió la preciada colección de documentos, apuntes y traducciones que pertenecieron a don Fernando de Alva Ixtlixóchitl, quien floreció, como se recordará, en los días del arzobispo-virrey García Guerra. Juan Alva Cortés, hijo del cronista indio, conservaba en San Juan Teotihuacán, no lejos de la ciudad de México, la herencia de su padre, la cual unos funcionarios rapaces intentaron arrebatarle. Sigüenza, según parece, intervino felizmente y protegió a Juan Alva Cortés de este despojo de los amos blancos. Por gratitud, el propietario natural indio regaló al sabio criollo una pequeña hacienda y, lo que era aún más apreciado, el rico archivo familiar. Con estos documentos y otras diversas adquisiciones, Sigüenza llegó a poseer una biblioteca magnífica, muchas piezas de la cual tuvo la intención de legar al Vaticano en Roma y al Escorial en España. Las noticias que le proporcionaban sus libros, combinadas con sus propias exploraciones arqueológicas, particularmente en las pirámides toltecas de Teotihuacán, fueron la sustancia de monografías de indudable importancia, de las cuales, en su mayoría, sólo queda el nombre. Las dificultades que encontró para publicar sus descubrimientos fueron las que siempre encuentran los eruditos que carecen de dinero propio o de subsidios filantrópicos para sufragar los gastos de la impresión. Siendo tan alto el número de analfabetos y las investigaciones seculares mucho menos estimadas que las disquisiciones teológicas, los estudios de Sigüenza tuvieron poca o ninguna oportunidad de tomar la forma más permanente de las letras de molde.

Aunque Sigüenza trató de dar algún significado religioso a sus investigaciones, como por ejemplo en su ingenioso *Fénix del Occidente* en que se hace un esfuerzo por identificar a Quetzacóatl con el apóstol Santo Tomás, la Iglesia —que era el más indicado Mecenas para tales empresas— aparentemente no se impresionó por tesis tan curiosa. Sus monografías, *Historia del imperio de los Chichimecas, Ciclografía mejicana, La Genealogía de los reyes mejicanos, Calendario de los meses y fiestas de los mejicanos,* y otras obras semejantes, tampoco alcanzaron apoyo financiero y en poco tiempo desaparecieron. En vista de las fuentes utilizadas que ahora están perdidas, estos estudios probablamente poseerían un valor permanente, y su desaparición es una pérdida realmente lamentable. Hacia el final de su vida crecía el desaliento del autor en lo relativo al destino de sus hallazgos y este estado de ánimo lo empujaba a ponerlos generosamente a la disposición de contemporáneos más afortunados como medio para la publicación de sus propias obras. Los padres Florencia y Vetancourt han dejado ricas relaciones sobre diversas etapas de la historia mexicana, en las que reconocen su deuda a don Carlos, y el viajero italiano Gemelli Carreri, en su *Giro del Mondo,* dedica un extenso capítulo a los jeroglíficos, religión y cultura aztecas, basado en materiales y dibujos que les proporcionó el criollo mexicano. En general, el último recurso de Sigüenza consistió en insertar trozos sobre el saber náhuatl entre las páginas de libros de índole diferente y efímera, que a veces se le encargaba escribir.

Sus escritos históricos sobre el período posterior a la conquista española tuvieron destino similar y la mayoría de ellos son conocidos sólo por sus títulos. Indudablemente, muchos datos valiosos fueron insertos en narraciones tales como la *Historia de la Catedral de la ciudad de Méjico, Historia de la Universidad de Méjico,* acerca de la cual escribió en su testamento: "Yo humildemente pido que la Real Universidad acepte la devoción con la cual empecé a escribir sobre su historia y su grandeza, historia que fue suspendida por el claustro por razones por mí desconocidas"; la *Tribuna Histórica,* posiblemente una historia de México; *Teatro de la Santa Iglesia metropolitana de la Ciudad de Méjico;* la *Historia de la provincia de Tejas* y varias otras.

Mejor fortuna tuvieron las crónicas contemporáneas, escritas en sus últimos años y que son una forma de periodismo rudimentario. El conde de Galve, virrey desde 1688 hasta 1696, se apoyó mucho durante estos años críticos en los consejos del sabio criollo, quien llegó a ser una especie de cronista de la corte. El respaldo del gobierno de Madrid era lastimosamente débil durante los últimos y tan poco gloriosos días de la dinastía de los Habsburgo, cuando tanto el corazón como las fronteras de la Nueva España presentaban problemas de creciente gravedad para la administración virreinal y de los que, en una serie de episodios, Sigüenza hacía las crónicas. Estas relaciones son muchas veces más amenas que sus tratados eruditos, aunque su prosa padece de la sintaxis complicada, retórica pomposa que ya entonces pasaba de moda. Sin embargo, gustaba creer que su estilo era sencillo y natural. En el prólogo a su *Paraíso occidental,* la historia de un convento de la ciudad de México que se le pidió escribir, declara: "En cuanto al estilo que empleo en este libro, es el que uso siempre, esté yo charlando, escribiendo, o predicando, acaso porque no pudiera hacerlo de otra manera aunque lo intentara [ . . . ]".

Pretensiosamente condena los abusos gongorísticos tan universales durante su tiempo, acaso inconsciente de su propia culpa manifiesta. No obstante, algunas veces se aproxima a la claridad que él mismo decía tener y en ocasión, en su narración de los sucesos del día, ofrece ejemplos de vívido reportaje. *El trofeo de la justicia española* (1691) narra las peripecias de una afortunada aventura militar contra los franceses en Santo Domingo; *Relación histórica de los sucesos de la armada de Barlovento* (1691) da cuenta de la etapa marítima de esta empresa; y el *Mercurio Volante* (1693) descubre la reconquista pacífica de Nuevo México. Un interesante ejemplo de reportaje sobre el desastroso alboroto maicero de los indios en la ciudad de México el 8 de junio de 1692 está contenido en una carta que escribió con voluntad de publicarla, pero que no fue impresa hasta 1932[4].

La más encantadora de estas narraciones periodísticas es un curioso relato de las desventuras de un joven puertorriqueño durante un viaje alrededor del mundo. Se llama *Los infortunios de Alonso Ramírez;* está narrado en primera persona y cuenta la historia de su captura por piratas ingleses, que más tarde lo abandonaron a la deriva en una pequeña embarcación, que por fin naufragó en la costa de Yucatán, donde tiene una experiencia parecida a la de Robinson Crusoe. Aunque Sigüenza retrasa el ritmo de su relato con detalles pedantes, escribe según la tradición picaresca de la literatura española y con más entusiasmo que el acostumbrado. De hecho, a algunos historiadores literarios les gusta clasificar esta curiosa relación como precursora de la novela mexicana[5].

Un motivo más auténtico para fundar la distinción de este erudito criollo se encuentra en sus escritos científicos, que ofrecen una mejor señal de su capacidad intelectual. Sin embargo, aquí otra vez, la mayoría de sus escritos de importancia jamás lograron la semipermanencia de la impresión y son conocidos sólo por referencias; pero el reducido número de los que sobreviven asegura a Sigüenza un lugar encumbrado en los anales de la historia intelectual del México colonial, y de hecho en la de toda la América española.

Las matemáticas fueron su devoción más constante, y constituyen el campo en que fue más competente. Si su eminencia en esta disciplina se deriva de sus aspectos prácticos más bien que de los teóricos, se debe posiblemente al hecho de que compartió la opinión de Descartes sobre la importancia de las matemáticas como método para buscar el conocimiento y como instrumento de conquista de la verdad. Confiando en esto, reunió la mejor colección de tratados en instrumentos que pudiera entonces encontrarse en el Nuevo Mundo, la cual, hacia el final de su vida, legó a los jesuitas "en gratitud y como adecuada compensación por la buena formación y buena instrucción que recibí de los reverendos padres durante los pocos años que viví con ellos [ . . . ]". Aunque aplicara con más frecuencia sus conocimientos a proyectos de ·ingeniería, tanto militares como civiles, su inclinación más entusiasta fue a la astronomía.

Ya por el año de 1670 observaba los fenómenos de los cielos, obteniendo datos precisos que siempre deseaba intercambiar con los de otros investigadores. Se esforzaba continuamente haciendo todo lo posible para que estas notas fueran exactas, e importaba con este propósito los más modernos instrumentos accesibles. En sus observaciones del total eclipse solar de 1691, empleó un telescopio "de cuatro lentes, que, hasta ahora, es el mejor que ha llegado a esta ciudad. El padre Marco Antonio Capus me lo vendió por ochenta pesos". Así, es probable que en cuanto a erudición firme, a literatura técnica e instrumentos eficientes fuese el científico mejor dotado de su tiempo en los dominios españoles de ultramar. Por su correspondencia con hombres de ciencia notables, su fama se extendió por Europa y Asia. Ya en 1680 su distinción le ganó el distinguido nombramiento de Real Cosmógrafo del Reino, y se afirma que Luis XIV, mediante ofrecimiento de pensiones y honores especiales, trató de atraer al sabio mexicano a su Corte.

Algunas de las obras perdidas, fruto de su diligencia, son: un *Tratado sobre los eclipses de sol,* sólo conocido por el nombre: un *Tratado de esfera,* sólo descrito como formado por doscientas páginas *in folio;* y un folleto polémico motivado por el cometa de 1680 y que llevaba un título curioso: *El beleforonte matemático contra la quimera astrológica de Martín de la Torre,* etc. Es brevemente descrito como exposición de todas las sutilezas de la trigonometría "en las investigaciones de los movimientos de los cometas, o mediante una trayectoria rectilínea en las hipótesis de Copérnico, o mediante las esferas cónicas de los vórtices cartesianos". Pero ya en 1690 este tratado había desaparecido.

Afortunadamente, no tuvo destino similar un impresionante pequeño volumen titulado *Libra astronómica y filosófica,* pues gracias a la generosidad de un admirador amigo que subvencionó una edición de poco tiraje, nos quedan unos cuantos ejemplares. Es un tratado polémico sobre la naturaleza de los cometas que ofrece la evidencia más sustanciosa de la competencia e ilustración del autor. Un espíritu de modernidad llena sus páginas que hacen eco a las ideas entonces subversivas de Gassendi, de Descartes, de Galileo, de Kepler, de Copérnico y de otros pensadores todavía sospechosos a fines del siglo XVII. Combinando curiosamente la objetividad científica y la subjetividad emocional, el libro refleja las tensiones de la época barroca al proporcionar atisbos de la personalidad orgullosa, sensitiva y quisquillosa del sabio criollo.

El "Gran Cometa de 1680" que tanto angustió a los ignorantes y preocupó a las mejores inteligencias de ambos lados del Atlántico, fue visto por primera vez en la ciudad de México el 15 de noviembre. En todas partes, y particularmente allí, esta extraña aparición causó terror y motivó presagios de horrendas calamidades y graves infortunios futuros. Para Sigüenza fue un acontecimiento emocionante y una ocasión feliz. Como recién nombrado Real Cosmógrafo del Reino, comprendió que era su deber apaciguar los infundados miedos y la extensa inquietud que causó en la sociedad mexicana en general. Por esto sacó a luz el 13 de enero de 1681 un folleto con título rimbombante: *Manifiesto filosófico contra los cometas despojados del imperio que tenían sobre los tímidos.* Sigüenza era consciente de que el tema de su materia era controversial; pero no estaba preparado para resistir la tempestad que se desató por su bien intencionado esfuerzo de restaurar la tranquilidad pública[6].

En su tratado don Carlos disentía severamente del significado ominoso que los astrólogos atribuían a estas manifestaciones astrales. Aunque reconocía libremente su ignorancia del verdadero significado de estos fenómenos, estaba seguro de que debían ser aceptados como la obra de un Dios justo. Esta suave aserción parecía casi subversiva en la atmósfera de la Nueva España y pronto provocó la agria réplica de un caballero flamenco afincado en Yucatán y que se llamaba Martín de la Torre, en un folleto titulado: *Manifiesto cristiano en favor de que los cometas se mantengan en su significado natural.* Basado en datos astrológicos, este autor afirmaba que los cometas eran, de hecho, advertencias de Dios mismo de venideros sucesos calamitosos. Sigüenza, cuya índole combativa reaccionaba inmediatamente frente a cualquier oposición, pronto contestó con el bien concebido, aunque pomposamente llamado, *belerofonte matemático,* donde subrayó la superioridad del análisis científico sobre el saber astrológico.

Más cerca explotó una respuesta más alarmante al folleto original. Provenía de la pluma de uno de sus propios colegas en la Universidad de México, un profesor de cirugía. Llamando a su escrito *Discurso cometológico e informe del nuevo cometa,* etc., este profesor sostenía que la aparición astral ¡era un compuesto de exhalaciones de cuerpos muertos y de transpiración humana! Desdeñosamente don Carlos declaró que él no se dignaría responder a tan notorio desatino.

Otros personajes tomaron participación en la refriega, cada uno con sus propias teorías y hubo uno cuya eminencia y prestigio eran de tal importancia, que no fue posible pasarlo por alto y cuya opinión provocó una rigurosa refutación de parte de Sigüenza en la antes citada *Libra astronómica y filosófica*[7].

La persona que inspiró este esfuerzo supremo de Sigüenza fue un jesuita del Tirol austríaco, a quien le aconteció llegar de Europa durante el apogeo de la polémica cuando iba en camino a la frontera misionera del Viejo México. Fue el padre Eusebio Francisco Kino, como se le conoce en la historia. Tenía poco más o menos la misma edad que Sigüenza. Kino se había preparado en diversas universidades europeas y era muy competente en matemáticas. De presencia imponente, dotado de lenguas y muy afamado por su erudición, había rechazado una cátedra en la Universidad de Ingolstadt por llevar la luz del Evangelio a los paganos en una región remota e inhóspita del globo. El sacrificio de tantos talentos a una causa tan noble constituyó el supremo idealismo de la época y los más distinguidos miembros de la sociedad virreinal buscaron al recién llegado, entre ellos don Carlos, para lo que tenía motivos bastantes en su amor común a las matemáticas. Además, puesto que el padre Kino había anotado observaciones sobre el cometa de 1680, antes de embarcarse en Cádiz, un intercambio de datos sería ilustrativo. En el hogar del criollo mexicano los dos sabios gustaron de largas discusiones sobre sus mutuas opiniones[8].

Para el sensitivo don Carlos, el padre Kino parecía un poco arrogante, pues había en éste una especie de tácito aire de superioridad; por ejemplo, no demostraba una adecuada estimación por las observaciones astronómicas del criollo. Esta indiferencia se originaba probablemente, como Sigüenza más tarde lo comentara con acritud, en que el erudito mexicano no había estudiado en la Universidad de Ingolstadt y el europeo no podía imaginar cómo pudieran producirse matemáticos "entre los bejucos y espadañas de una charca mexicana". El sumamente inteligente sabio criollo era peculiarmente propenso al sentimiento de inferioridad que los de su clase experimentaban en presencia de los nacidos en Europa, pues pensaba que sus propios talentos y el encumbrado linaje que reclamaba para sí le daban título a consideración igual. Particularmente irritante fue la condescendencia, a veces desdeñosa, que los peninsulares dispensaban a los nacidos en América, y los extranjeros del continente no parecían creer que su erudición les diera derecho a respeto alguno.

> En algunas partes de Europa —Sigüenza comentaba cáusticamente—, sobre todo en el norte, por ser más alejado, piensan que no solamente los habitantes indios de Nuevo Mundo, sino también nosotros, quienes por casualidad aquí nacimos de padres españoles, caminamos sobre dos piernas por dispensa divina, o, que aun empleando microscopios ingleses, apenas podrían encontrar algo racional en nosotros.

En el caso del padre Kino, la sensibilidad de don Carlos posiblemente se vio exagerada por el hecho de que su invitado era miembro respetado de la Orden religiosa de la que él fue sumariamente expulsado y a la que repetidamente se le negó la readmisión.

No duraba mucho la estancia del padre Kino en la ciudad de México, en donde se preparaba para el campo misionero, cuando llegaron al profesor criollo rumores acerca de que este visitante estaba a punto de publicar un libro sobre el cometa, en el que refutaría las concepciones de Sigüenza. Los amigos del sabio mexicano le advirtieron que el eminente jesuita, con contactos tan recientes con los sabios alemanes, sería un formidable contrincante en el debate. El padre Kino no había insinuado siquiera sus intenciones y don Carlos, confiando en la solidez de su posición, según se afirma, esperaba los acontecimientos con serenidad. Por fin, una noche, cuando el misionero estaba próximo a partir para Sinaloa, donde iniciaría sus labores, visitó, para despedirse de él, al ex jesuita en su alojamiento. En el curso de la conversación el visitante, como por casualidad, ofreció a su anfitrión un ejemplar de una *Exposición astronómica,* acabada de salir de la imprenta. El ademán del misionero era condescendiente, o así lo tomó el hipersensitivo científico criollo cuando aquél le insinuó que éste podría repasar con provecho el libro que había escrito, pues podía proporcionar al digno mexicano algo para pensar. Don Carlos interpretó estas palabras como desafío para un duelo intelectual, y su respuesta fue *La libra astronómica y filosófica.*

El hecho de que el padre Kino no mencionara en parte alguna el nombre de Sigüenza no disminuyó la certeza del impresionable criollo de que las aseveraciones estaban dirigidas a él. Cuando leyó, por ejemplo, que los cometas eran realmente presagios de mal agüero y mensajeros de mala fortuna y que otra opinión era contraria a lo que todos los mortales sabían, fuesen encumbrados o humildes, nobles o plebeyos, instruidos o iletrados, tuvo la seguridad de saber a quién aludía este comentario. "Nadie sabe mejor dónde le aprieta el zapato que el que lo lleva y, puesto que yo mantengo que soy yo el objeto de su invectiva, todo el mundo puede creer sin duda, que soy yo". Puesto que el punto de vista racional no era sostenido por nadie, según el padre Kino, ¡la implicación fue que Sigüenza no era nadie! Y cuando el misionero jesuita concluyó que el portento ominoso había sido evidente a todos "[ . . . ] a menos que haya algunos trabajosos juicios que no lo puedan percibir", el profesor mexicano estalló: "Los que entienden la lengua castellana bien saben que el decir de alguien que es un 'trabajoso juicio', es lo mismo que llamarle loco. Puesto que éste es el caso, que sin duda lo es, que tenga larga vida el Reverendo Padre por este encomio tan excesivamente precioso con que el me honra!"

De esta manera el sabio mexicano desahoga su cólera en el primer capítulo, después de lo cual se calma y hace una discusión metódica del problema, presentando un análisis de los movimientos de los cometas, de sus paralajes, de sus refracciones, etc., que van acompañados de diagramas cuidadosamente ejecutados. El ofendido científico criollo se esforzó por sostener, en el plano desapasionado de la razón, su exposición, pero a pesar de esto, en todo el texto hay chispazos de sarcasmo y de resentimiento que brillan entre la sustancia sólida del discurso y se le ve incapaz de resistir aquí y allí, la tentación de una estocada sardónica contra su contrincante.

No se intentará aquí seguir el paso de esta discusión técnica. Bastaría, acaso, con señalar su subyacente significado para la historia intelectual del México colonial. La gran lucha entre el autoritarismo neoclásico y lo empírico del experimentalismo, que apenas alboreaba en el tiempo de fray García Guerra, pero que tanto preocupó al cerebro brillante de Sor Juana Inés, ahora había llegado a una tregua en la obra de su amigo y compañero intelectual. Este, por razones de sexo y de votos religiosos menos estorbado que la poetisa, pudo divorciar preocupaciones seculares de la tradición de autoridad, e hizo así posible que su pensamiento se remontara sin trabas en tales materias. Aunque fue chantre no tuvo que respetar juramento solemne alguno de sumisión a superiores monásticos y disfrutó de más libertad para independizar su racionalismo en filosofía natural del inmutable dogma teológico que la que tuvo la monja enclaustrada en su convento. Este hecho señala una curiosa paradoja en las vidas de estos dos sobresalientes personajes; si la causa secreta de la tristeza de Sor Juana Inés fue su imposibilidad de escapar hacia un mundo de horizontes más anchos, la aflicción particular de Sigüenza fue la imposibilidad de volver a la regla estricta de una orden religiosa.

Lo que surge, acaso, con más claridad de la lectura de *La libra astronómica y filosófica* es la heterodoxia del autor en su persecución de la verdad natural. Su posición radical es evidente en la autonomía postulada bruscamente de la autoridad de la ciencia, en su convicción de la necesidad de demostración, y en su confianza en las matemáticas como el medio para medir los fenómenos naturales. La influencia de Descartes es obvia por sus referencias explícitas a este filósofo y por las menciones de sus obras. El pensador mexicano está dispuesto a despojarse de prejuicios que todavía tendrían larga vida e inhibirían a sus contemporáneos tanto en Europa como en el México colonial. Por lo pronto, supersticiones comunes y especulaciones poco profundas asumen forma material en la persona del ingrato y altanero padre Kino, que es la verdadera personificación del ideal espiritual de su cultura y la imagen de su propia esperanza perdida. Con veneno no oculto el ex jesuita criollo ataca las aserciones dogmáticas de su oponente sobre el significado de los cometas y decididamente refuta la validez de su autoridad en estos asuntos.

> . . .Yo, por la presente señalo que ni su Reverencia, ni ningún otro matemático, aunque fuese Tolomeo mismo, puede establecer dogmas en estas ciencias, pues la autoridad no tiene lugar en ellas para nada, sino solamente la comprobación y demostración [ . . . ]

Aquí, claramente, está el espíritu moderno alumbrando la oscuridad del pensamiento neomedieval. Los problemas y las dudas que propone a la humanidad el espectáculo de la naturaleza continúan, nunca podrán resolverse con sólo escrudiñar viejos textos para averiguar lo que dijeron sobre la materia las autoridades de la sabiduría clásica.

¡Qué diría yo —exclama— para satisfacer a alguien que afirma que, en un tema abierto a la discusión, es necesario aceptar lo que otros dicen, cuando es claro que nadie, con mente y poder para razonar se guía jamás por las autoridades si estas autoridades no tienen congruencia! [ . . . ] ¿Y sería juicioso —pregunta, añadiendo pronto que no lo sería— afirmar en estos tiempos que los cielos son sólidos e invariables, sólo porque la mayoría de los autores antiguos afirman que lo son? ¿Que la luna está eclipsada por la sombra de la tierra y que todos los cometas son semilunarios solamente porque estas autoridades así lo informan? ¿Sería prudente para la inteligencia aceptar las enseñanzas de otros sin investigar las premisas sobre las cuales basan sus ideas? [ . . . ]

Este tipo de escepticismo fue raro en el mundo barroco del México del siglo XVII, y fue un poco subversivo en una cultura en que la teología como "Reina de las Ciencias" aún reinaba suprema.

Esta inequívoca burla del sacrosanto principio de autoridad que la mayoría de los contemporáneos no osaron desafiar, prefigura la rebatiña intelectual encauzada a promover en aulas académicas del México colonial y de la América española, casi dos generaciones más tarde, el destronamiento de Aristóteles como sumo sacerdote de la sabiduría. Ya en 1681 Sigüenza proclamó su herejía. "[ . . . ] aún Aristóteles, el reconocido Príncipe de los Filósofos, quien, por tantos siglos, ha sido aceptado con veneración y respeto, no merece crédito [ . . . ] cuando sus juicios se oponen a la verdad y a la razón [ . . . ]". Este fue en verdad un rompimiento brusco con el pasado y una aserción que los jesuitas, por quienes él tanto ansiaba ser aceptado, difícilmente habrán perdonado. De hecho, poco después de la muerte de don Carlos, los miembros de esta compañía tan intelectualmente avanzada recibieron orden de enseñar únicamente la filosofía aristotélica, y de huir de las "proposiciones erróneas del pensamiento cartesiano"[9].

Tal fue pues el atrevido pensamiento expresado por el sensitivo y sumamente inteligente sabio mexicano en su cuidadosamente razonada refutación de las afirmaciones y dichos del padre Kino. Cada página de la *Libra astronómica y filosófica,* descubre una mente lógica y erudita, aunque algo atrabiliaria, bien versada en las ideas de pensadores como Conrado Confalonier, Athanasius Kircher, Pico della Mirandola, Juan Caramuel, Kepler, Gassendi, Oldenburg, Descartes y de muchos otros mencionados en el texto y en las notas de pie de página. Desde luego que este aislado y solitario trabajador estuvo más que oscuramente enterado de las corrientes de pensamiento científico que fluían con fuerza en la Europa contemporánea, pero se cuenta entre el grupo de espíritus libres que se esforzaron por desatar la venda de ignorancia y superstición de los ojos de sus semejantes. En las páginas finales de este tratado, pequeño pero impresionante, el autor efectivamente derriba las falsas interpretaciones astrológicas de Martín de la Torre y registra sus propias observaciones del controvertido cometa desde el 3 hasta el 20 de enero de 1681.

Diez años transcurrieron antes de que este pequeño volumen llegara a imprimirse, aunque las licencias necesarias se obtuvieron inmediatamente. Este retraso provino indudablemente de las dificultades del indigente autor para costear el gasto de publicación de una obra tan técnica para un público tan limitado. Se debió su aparición, por fin, a la generosidad de un amigo y admirador de don Carlos. Sigüenza estaba por demás orgulloso de este esfuerzo y solía regalar un ejemplar a cada persona particularmente distinguida de las que pasaban por la ciudad de México. Cuando el famoso viajero italiano Gemelli Carreri estuvo a verle en su alojamiento del Hospital del Amor de Dios, salió de allí llevando consigo una *Libra astronómica y filosófica* junto con otros datos que el sabio profesor le suministró para su libro sobre su viaje alrededor del mundo. No se sabe si el padre Kino tuvo noticia del tratado que su propia obra provocó. Las exploraciones y la edificación de misiones en las provincias del noroeste de México absorbieron sus energías y sus intereses y no hay indicaciones disponibles sobre la reanudación de sus relaciones con el quisquilloso criollo durante las visitas (fueron una o dos, separadas por mucho tiempo) que después hizo a la capital virreinal.

Los últimos años de la vida de Sigüenza coincidieron con los finales del siglo XVII y con los finales de la dinastía de los Habsburgo en el trono de España. El cáncer del Imperio tuvo su contrapartida en el cuerpo del humanista mexicano. En éste la declinación física era ya visible en 1694, y se aceleró durante los años siguientes. Sufría intensamente de piedras en el riñón y de "[ . . . ] una vejiga del tamaño de un huevo grande de pichón, según el testimonio de los cirujanos que la han palpado". El caminar, aun pequeñas distancias, le era difícil y doloroso. Al asomar el espectro de la muerte, parientes y amigos queridos sucumbieron a él, haciendo así más profunda la aflicción y el abatimiento del sabio moribundo. En 1695 perdió a un hermano favorito y, por el mismo tiempo, sufrió una pérdida igualmente conmovedora por la liberación final de la mente y el espíritu atormentados de Sor Juana Inés. Al pronunciar una oración fúnebre junto a la fosa de la monja, una aguda presencia de su propia soledad desolada se abatió sobre él. Sucesivamente su anciano padre, que fuera ex preceptor del ya hacía mucho tiempo muerto príncipe Baltasar Carlos; el virrey, Conde de Galve, y el arzobispo Aguiar y Seijas, sus patronos más influyentes, desaparecieron. La defunción del prelado probablemente puso fin a su bien remunerado empleo de Limosnero Mayor y, junto con su salud, sus circunstancias económicas se deterioraron, aunque las demandas de sus numerosos parientes persistieron sin cesar. Inesperadamente, el puesto de Contador Universitario con sus emolumentos, le fue retirado y, además, la distinción de profesor emérito sólo la recibió con mucho retraso debido al no siempre fiel desempeño de sus deberes docentes. En este estado casi de miseria, aceptó el puesto de Corrector de la Inquisición, que lo obligaba a dedicar su vigor menguante al tedioso escrutinio de libros sospechosos, tarea esta especialmente incompatible con su espíritu ilustrado y para el mal uso de su talento. El último año de la vida de don Carlos se nubló por un incidente que habría de apresurar su fin, pues lastimó muy hondo una parte muy sensible de su ser, su integridad de científico. Hacia 1693, Sigüenza, por petición urgente del Conde de Galve, hizo su viaje más largo y desempeñó su misión más trascendental. Las intrusiones francesas en el Golfo de México, que amenazaban las costas de Tejas, Louisiana, y de la Florida, atemorizaron a las autoridades españolas y las llevaron a hacer un esfuerzo tardío por poblar efectivamente aquella parte de la región del Golfo. Entre otras medidas, enviaron una expedición de reconocimiento para levantar mapas de la prometedora bahía de Pensacola. Dejando su estudio tranquilo y cómodo, Sigüenza se embarcó en su único viaje marítimo y exploró e hizo cartas hidrográficas de esa ensenada de la Florida[10]. Su recomendación en favor de la inmediata ocupación por los españoles sólo encontró demoras debidas a las graves incertidumbres que planteaban la dinastía moribunda y los endebles recursos del imperio, hasta que la acometida francesa motivó una acción tardía. En 1693 Andrés de Arriola, un oficial famoso por su viaje de ida y vuelta a las Islas Filipinas en un tiempo récord, aceptó de mala gana la comisión de establecer una colonia en la bahía de Pensacola. Cuando una embarcación francesa apareció en la boca de ésta, Arriola se apresuró de vuelta a Vera Cruz y a la capital mexicana, llevando un informe sumamente crítico de la zona, que ponía en tela de juicio la exactitud del anterior reconocimiento de Sigüenza.

El sabio doliente reaccionó bruscamente a estos infundios con más acritud que la acostumbrada, acusando inmediatamente al reaparecido oficial de abandono de su puesto y de falsificación de los descubrimientos de 1693. El ofendido Arriola luego solicitó del virrey —ya no era el amigo leal de Sigüenza, el Conde de Galve— que el sabio fuera obligado a volver a Pensacola con él, para comprobar sus afirmaciones con un nuevo reconocimiento. El hecho de que don Carlos estuviera obviamente demasiado enfermo para viajar, no impidió a Arriola la insistencia, y el virrey Moctezuma se vio obligado a pedir a Sigüenza que cumpliera o diera una explicación satisfactoria.

Reuniendo sus menguadas fuerzas, el profesor criollo redactó una respuesta magistral, empleando en ella la destreza dialéctica y el sarcasmo mordaz con que había fustigado a sus contrincantes en otras polémicas. Con precisión analítica desbarató los dichos de Arriola en todas sus partes, las cuales, una a una, anuló con autoridad moral y lógica inexpugnables. "Yo no soy quien se retracte de lo que ha dicho", declaró con orgullo. Si el virrey insistía en el viaje a Pensacola, se presentaría a hacerlo, a pesar de su salud precaria y de estar tullido; pero impondría sus propias condiciones. Si su cuerpo estaba ahora endeble, su espíritu se hallaba fuerte y emprendedor como siempre. Tanta confianza tenía en la actitud de su informe anterior, que apostaría su posesión más preciada, su biblioteca, al resultado favorable del nuevo informe. Esta colección "es la mejor de su índole en todo el reino" y, "junto con sus instrumentos matemáticos, telescopios, relojes de péndulo y valiosas pinturas toda está valuada en más de tres mil pesos", y la apostaría "contra una suma igual puesta por Arriola [ . . . ]" sobre la exactitud de los primeros datos. Pero, estipuló, el virrey debía enviarlos en embarcaciones separadas a la costa de la Florida, de otra manera no faltarían ocasiones, afirmaba que, "o él me arroje al mar o que yo le arroje a él[11].

Este segundo viaje de Sigüenza nunca se realizó, en parte porque su salud lo hizo impracticable; pero más probablemente porque había refutado efectivamente los argumentos de su oponente. Sin embargo, el incidente no dejó de ahondar su desaliento y aun de provocar su última comunicación reveladora. Hasta cierto punto, ésta fue la contraparte de la notable *Réplica* de Sor Juana Inés, pues los dos documentos simbolizan una crisis en las vidas de los dos escritores. Ambas son contestaciones a críticas hechas a sus actividades; ambas contienen datos personales; ambas son defensas a imputaciones sobre el empleo de sus intelectos; ambas son informes cuidadosamente meditados y subjetivos; y ambas, por fin, anuncian la desintegración y muerte de sus autores. Mientras que la *Réplica* de Sor Juana es claramente más patética y significativa, el carácter excepcional y las singulares personalidades de los dos malaventurados personajes están conmovedoramente grabados en las frases de sus largas deposiciones postreras. Para la monja, el paso a la muerte fue más lento; para el sabio, más veloz. Poco más de un año después de firmar su respuesta a Arriola, su espíritu atribulado y su cuerpo atormentado hallaron el descanso. El 22 de agosto de 1700 le trajo la liberación.

Las virtudes y el carácter de este erudito barroco se parecieron a los de los humanistas del Renacimiento, cuyas mentes inquisitivas y enciclopédicas echaron los cimientos de la ciencia y sabiduría modernas. Como ellos, Sigüenza afrontó la tarea de concordar la creciente independencia del espíritu humano y la indisputable autoridad de la Iglesia. Su mente robusta, su duda metódica y su vigoroso pragmatismo en asuntos seculares fueron excepcionales en el tiempo y lugar barrocos en que él vivió. En cuanto al dogma y la piedad, permaneció siempre sumiso y devoto, aceptando implícitamente la autoridad eclesiástica y la validez de los principios del catolicismo ortodoxo. Esta dicotomía de su vida mental en ninguna parte está más patente que en su última voluntad y testamento, preparado durante las postreras semanas de su existencia. Allí, curiosa yuxtaposición, da testimonio de su incuestionable y cándida aceptación de los milagros y otras cosas sobrenaturales, y allí también proclama su absoluta devoción al espíritu iluminado de la investigación científica y al ilustrado servicio a la humanidad. Una cláusula testamentaria atestigua la actitud completamente moderna que poseyó su ser y marca la dedicación de toda una vida.

En cuanto que los médicos y los cirujanos que me tienden en mi enfermedad larga y dolorosa relativa a la orina no han podido determinar si es debido a las piedras biliares o a la vejiga y, puesto que no hay remedio conocido para el excesivamente severo dolor y tormento que padezco, es mi deseo que quien quiera que tenga un mal similar pueda recobrar la salud o, a lo menos, obtener algún alivio por el conocimiento de la causa de este padecimiento. Sin este conocimiento o experiencia ningún alivio puede hallarse, ni puede aplicarse ninguna medicina que pueda hallarlo. Por tanto, puesto que mi cuerpo ha de volver al barro de donde provino, solicito en el nombre de Dios que, tan pronto como la vida haya partido de mí, mi cuerpo sea abierto por cualesquiera médicos o cirujanos que deseen hacerlo y que el riñón derecho, y la vejiga cuyo extremo pequeño me va a privar de la vida, y la disposición de los organismos todos sean examinados cuidadosamente. Solicito que cualesquiera deducciones sean hechas, se revelen a los demás médicos para que tengan datos para guiarles en administrar a otras víctimas. Lo pido en el nombre de Dios que esto se haga por el bien común, y mando que mi heredero no intervenga, pues poco importa que esto se haga en un cuerpo que, dentro de pocos días, ha de ser corrupción y podredumbre.

Un ejecutor del testamento informó:

Su mandato se llevó a cabo, y, después de abrirle, se encontró una piedra del tamaño de un hueso de durazno en el riñón izquierdo donde decía que había sentido dolor[12].

Así, en una época en la que los restos humanos eran considerados sagrados y aún se pensaba en la disección como profanación, este sabio consagrado del México del siglo XVII demostró, en su último acto, el deseo de verdad y de servicio a la humanidad, aun más allá de las fronteras de la vida. Claramente su espíritu anunciaba el fin de la época barroca y el principio de la Edad de la Razón en la América hispana.

[1] Esta y muchas otras citas de este capítulo se tomaron de la larga carta de Sigüenza y Góngora dirigida al almirante Andrés de Pez en Madrid. Se instituló *Alboroto y motín de los indios de México el 8 de junio de 1692.* Una copia contemporánea se conserva en la Biblioteca Bancroft de la Universidad de California (Berkeley). Una traducción aparece como Apéndice B de Irving A. Leonard, *Don Carlos de Sigüenza y Góngora, A Mexican Savant of the Seventeenth Century* (Berkeley, 1929). En 1932 se hizo de esta copia una edición anotada por Irving A. Leonard y la publicó el Museo Nacional de México. En 1940 (y otra vez en 1954) fue reimpresa en forma más breve en Manuel Romero de Terreros (ed.), *Carlos de Sigüenza y Góngora. Relaciones históricas,* Biblioteca del Estudiante Universitario, 13 (México). Sobre la vida de este letrado criollo la biografía de Leonard arriba citada continúa siendo el estudio más completo. Una biografía más corta es la de José Rojas Garcidueñas, *Don Carlos de Sigüenza y Góngora, erudito barroco,* Vidas Mexicanas, 23 (México, 1945). La poesía de Sigüenza se puede leer en *Carlos de Sigüenza y Góngora. Poemas* recopilados por Irving A. Leonard, Estudio preliminar de Ermilo Abreu Gómez, Biblioteca de Historia Hispanoamericana (Madrid, 1931).

[2] Cf. Edmundo O'Gorman, "Datos sobre D. Carlos de Sigüenza y Góngora, 1669-1677", *Boletín del Archivo General de la Nación,* volumen 15, número 4 (1944), pp. 593-612; y E. J. Burrus, "Sigüenza y Góngora's efforts for readmission into the Jesuit Order", *American Historial Review,* 33 (1953), p. 387.

[3] Este interesante testamento de Sigüenza está impreso en Francisco Pérez Salazar, *Biografía de Carlos Sigüenza y Góngora, seguida de varios documentos inéditos* (México, 1928), pp. 161-92.

[4] *The Trophy of Spanish Justice* y el reláto de la Flota de Barlovento están reimpresos en Pérez Salazar (e.), *Obras de Carlos de Sigüenza y Góngora,* el *Mercurio Volante* fue publicado por la Sociedad Quivira en fascímil con una traducción y una introducción de Irving A. Leonard, *The Mercurio Volante of Sigüenza y Góngora. An Account of the First Expedition of Don Diego de Vargas into New Mexico in 1692* (Los Angeles, 1932). Respecto a los motines de los indios, ver nota 1.

[5] El texto de *Los infortunios de Alonso Ramírez* está en el vol. 20 de la *Colección de libros raros y curiosos que tratan de América* (Madrid, 1902), y en Manuel Romero de Terreros, *Relaciones históricas de Carlos de Sigüenza y Góngora* (México, 1940, 1954).

[6] Este extraordinariamente raro panfleto está reimpreso en forma modernizada en *Universidad de México,* II núm. 11, (1957), pp. 17-19.

[7] Carlos de Sigüenza y Góngora: *Libra astronómica y filosófica* (México, Universidad Nacional Autónoma de México, 1959). Presentación de José Gaos. Edición de Bernardo Navarro.

[8] Respecto al Padre Kino, ver Herbert Eugene Bolton, *Rim of Christemdom* (Nueva York, 1936).

[9] Gerard Decorme, S. J. *La obra de los jesuitas mexicanos, durante la época colonial 1572-1767* (México), vol. I. p. 231.

[10] Para un relato completo, ver Irving A. Leonard, *The Spanish Approach to Pensacola* (1689-1693), Publicaciones de Quivira Society, vol. 9 (Albuquerque, 1939).

[11] Esta carta, de fecha 9 de mayo de 1699, está impresa en Pérez Salazar, *Biografía...* p. 119-60. Un relato detallado del proyecto unitario de Pensacola, se encuentra en William

E. Dunn, *Spanish and French Rivalry in the Gulf Region of the United States, 1678-1702, University of Texas Bulletin,* núm. 1705 (Austin, 1917), y en cuanto a Arriola ver Irving A. Leonard "Don Andrés de Arriola the Occupation of Pensacola Bay", en *New Spain and the Anglo-American West,* Contribuciones Históricas ofrecidas a Herbert Eugene Bolton (Los Angeles, 1932), 2 vols. vol. I, pp. 81-106.

[12] Antonio de Robles, "Diario de sucesos notables", *Documentos para la historia de México,* Serie I, vols. II y III (México, 1853).

MABEL MORAÑA

# PARA UNA RELECTURA
# DEL BARROCO HISPANOAMERICANO:
# PROBLEMAS CRITICOS E HISTORIOGRAFICOS*

## INTRODUCCION

CREO QUE NO es errado afirmar que el Barroco es uno de los períodos de la historia literaria y cultural de Hispanoamérica que reclama más urgente revisión. Por un lado, la proliferación de estudios monográficos sobre temas y obras del período demuestra un notorio interés por parte de la crítica en esa etapa de la historia cultural del continente. Esta dedicación al Barroco no ha resultado, sin embargo, en la producción de estudios globales, de reinterpretación y análisis del significado de la producción barroca como parte del desarrollo histórico-cultural hispanoamericano. Los estudios parciales que han visto la luz en las dos últimas décadas no impugnan casi nunca la periodización a los criterios historiográficos que han fijado el Barroco a las etapas del proceso imperial, con prescindencia de los avatares históricos y las condiciones político-sociales americanas. Incluso desde el ala de la crítica socio-histórica, la sobreenfatización de la teoría dependentista, por ejemplo, oscureció, a mi juicio, buena parte del proceso propio de las nuevas formaciones sociales americanas. Las innovaciones críticas, que muchas veces aparecen en estudios actuales sobre temas o autores barrocos, no alteran así la continuidad de vicios conceptuales y desviaciones ideológicas acerca del período. La amplia-ción del canon colonial no cambia aún la matriz interpretativa global. Por otra parte, la diversidad de direcciones desde la que se ha enfocado el Barroco ha terminado por confundir los campos de análisis, ha oscurecido tanto el objeto como los objetivos de esta área de los estudios coloniales. El "precioso catálogo de disparates" al que se refiriera hace años Jaime Concha aludiendo a la crítica existente sobre el *corpus* colonial, tiene su

*   *Revista de Crítica Literaria Latinoamericana*, año XV, núm. 29 (1ᵉʳ semestre de 1989), pp. 219-231.

principal fuente de ingresos en el nivel metodológico. Este oscila entre el reduccionismo y la expansión *ad infinitum* de las categorías de análisis, entre el eurocentrismo y el tropicalismo, entre el dependentismo y la crítica intrínseca, apegada a su ideal de deconstruir epifenómenos culturales.

En estas notas quiero, en primer lugar, esbozar algunas de las posiciones desde las que se ha abordado el tema del Barroco americano, para delinear de alguna manera el mapa de los estudios sobre el período. En segundo lugar, mencionaré algunos de los problemas a los que se enfrenta, necesariamente, la crítica que trata del Barroco. En tercer lugar, deseo incluir algunas de las bases que podrían servir, a mi juicio, para elaborar una propuesta crítica para la reinterpretación del Barroco hispanoamericano.

## 1. LA CUESTION DEL BARROCO

El Barroco ha permanecido en el interés de la crítica y la historia del arte hispanoamericanos por razones diversas, quizá principalmente por la conciencia, muy clara en algunos casos, de que nos encontramos frente a un tema a la vez crucial y mal resuelto por los estudios existentes hasta ahora. Las causas de ese interés en el Barroco son, en todo caso, muy variadas y no siempre parten, como podría pensarse, del reconocimiento *per se* del valor estético de la producción del período. Quiero indicar aquí, someramente, cuáles son algunas de las trincheras crítico–ideológicas desde las que se ha asediado este período crucial del desarrollo cultural hispanoamericano, y cuyas divergencias han llegado a configurar lo que hoy puede reconocerse como "la cuestión del Barroco".

### A) EL BARROCO, PERIODO FUNDACIONAL

Considerado una de las etapas fundacionales de la literatura hispanoamericana, el Barroco encierra para muchos los orígenes de la identidad mestiza y la condición colonial de Hispanoamérica. Por un lado, volver a él significa, en muchos casos, interrogarse acerca de nuestras raíces culturales, preguntarse, con un interés retrospectivo, sobre los orígenes de problemáticas actuales, que permanecen irresueltas. A partir de cuestiones como las del realismo o lo "real–maravilloso", los orígenes de la novela, la crónica o el testimonio, la identidad hispanoamericana y el surgimiento de los nacionalismos, se lleva en muchos casos al Barroco viendo en él una especie de piedra fundamental de muchos temas y problemas que la actualidad hispanoamericana no alcanza a resolver. La ampliación del canon colonial, uno de los tradicionalmente más restringidos en nuestra historia literaria, es resultado de esta operación historicista, que reivindica los orígenes de la cultura hispanoamericana al interior de esa misma cultura, promoviendo una lectura de los procesos culturales continentales en su peculiaridad histórica.

## B) EL BARROCO, CULTURA "CLASICA"

En otros casos, la recurrencia crítica sobre el Barroco surge de otros supuestos menos compatibles que el anterior, muy arraigados; sin embargo, en buena parte de los estudios literarios hispanoamericanos, específicamente de los coloniales. Partiendo de premisas sentadas por el liberalismo burgués en el siglo pasado, muchos estudios actuales de la literatura colonial consideran que el Barroco corresponde al período "más clásico" de las letras hispanoamericanas, ya que aparece contaminado por el prestigio indiscutido de los modelos metropolitanos. No es infrecuente, así, ver integrado al currículum de los cursos o manuales de literatura española autores como Sor Juana Inés de la Cruz o Juan Ruiz de Alarcón. La excelencia literaria de estos autores, a quienes la visión eurocentrista beneficia con su inclusión en el Parnaso universal del clasicismo, permite pasar por alto la causalidad histórica de su condición colonial, que aparece, más bien, desde esta perspectiva, como un obstáculo bien superado por estos exponentes excepcionales de la cultura hispánica. Esta perspectiva asume, así, una posición reflejista, que por supuesto no se agota en los estudios coloniales, realizando una lectura precondicionada por los códigos expresivos metropolitanos, y descartando como no canónicos todos los textos que rompen este esquema de dependencia expresiva.

## C) BARROCO, "BARROQUISMO", "NEOBARROCO"

Otros autores, por su parte, se interesan en el tema del Barroco porque el mismo provee, más allá de los límites de su canonización crítico-historiográfica, un rótulo vagamente asociado con el "sistema de preferencias" temáticas y estilísticas que el barroco formalizó en su momento. En efecto, la denominación de "barroco" aparece hoy día aplicada a los más variados productos culturales, en diferentes épocas. Los autores que recurren a esta utilización del término son en general ellos mismos, y realizan una aproximación espontánea y voluntarista a la literatura continental, no exenta, en algunos casos, de ricas sugerencias. En este sentido deben ser entendidas las reflexiones de Lezama Lima cuando habla de "La curiosidad barroca", o las consideraciones de Carpentier en *Tientos y diferencias,* o la teorización de Severo Sarduy u Octavio Paz, aun cuando en cada caso podría verse una diversa utilización crítica e ideológica del concepto de "barroco". Esta posibilidad de "extensión metafórica" del término "barroco" se produce también con otros códigos expresivos (realismo, romanticismo, vanguardia, por ejemplo). Además de que el procedimiento trivializa y en gran medida tiende a la desemantización del término, creo que ese recurso de extensión metafórica tiene consecuencias de tipo ideológico, que no cabe desarrollar en estas notas. Baste indicar, solamente, de qué modo en muchos casos se articula ese supuesto "barroquismo" de la cultura hispanoamericana a una concepción tropicalista de nuestros países. "Barroquismo" se asocia, en efecto, a una condición intrínseca de América Latina, facilitando paralelos entre "barroquismo", exuberancia geográfica, volubilidad política, por ejemplo.

### D) EL BARROCO, IDEOLOGIA HEGEMONICA

Desde el ala de los estudios socio-históricos e ideológicos de la literatura hispanoamericana, la "cuestión del Barroco" es abordada con el siguiente fundamento: el Barroco ofrece, en la historia literaria hispanoamericana, la primera oportunidad de estudiar el modo en que un código expresivo, articulado a formas bien concretas e institucionalizadas de dominación, es impuesto como parte del sistema hegemónico y asimilado en las formaciones sociales del mundo colonial. El estudio del Barroco nos permite la aplicación de la teoría marxista en sus variantes althusseriana y gramsciana respecto a los conceptos de aparatos ideológicos de Estado y hegemonía, por ejemplo, y nos remite a la temática del colonialismo en su manifestación más ortodoxa. Doy aquí tres ejemplos de esta orientación crítica:

> El Barroco fue un estilo importado por la monarquía española como parte de una cultura estrechamente ligada a su ideología imperialista. Su importación tuvo, desde el principio, fines de dominio en el terreno ideológico y cultural.

En seguida el mismo autor se pregunta —claro— por qué, entonces, "el tema del barroco merece tanta atención", e indica:

> Ante la existencia de problemas mucho más apremiantes —incluso en el plano cultural— tales como los que plantea la creciente penetración yanqui en la América Latina, el tema del barroco colonial o neocolonial no parece merecer tanto espacio ni tan prolífica argumentación.

Y se contesta:

> Sin embargo, la importancia del tema resalta cuando lo insertamos en su verdadero contexto, el de la ideología hispanizante que surgió en nuestra América a fines del siglo pasado y en cuyos lazos cayeron no pocas figuras ilustres de la política y las letras.

Jaime Concha, por su parte, indica que:

> ...lo característico de la poesía barroca en el continente es que la renovación gongorina [ ... ] se pone al servicio de intenciones claramente apologéticas del orden colonial, especialmente de una super-

estructura administrativa civil y eclesiástica. Lo que en la metrópoli fue un impulso de liberación cultural llevado hasta límites extremos de las posibilidades del lenguaje, se convierte en la Colonia en un vehículo de poesía devota, de reverencia hagiográfica (31-50).

A partir de la aplicación de este modelo de análisis, puede interpretarse así la historia literaria hispanoamericana como la repetición de un "pattern" de dependencia, sojuzgamiento de formas autóctonas, transculturación y censura, con variantes que corresponden a las distintas formas de dominación y a la distinta configuración del Estado en épocas diversas.

En estas notas quiero argumentar solamente con respecto a la metodología e implicaciones ideológicas de esta última posición con respecto al Barroco, aunque relacionándola con la primera de la serie mencionada: la que enfoca el Barroco como una de las etapas fundacionales en el desarrollo cultural de Hispanoamérica. Previamente mencionaré, sin embargo, algunos de los puntos cuya resolución me parece primaria para el desarrollo de cualquier interpretación del Barroco.

## 2. PROBLEMAS PARA EL ESTUDIO DEL BARROCO HISPANOAMERICANO

### EL BARROCO: ¿UN ESTILO, UN PERIODO, UNA CULTURA?

El problema más obvio es la falta de acuerdo en cuanto a la significación y aplicabilidad del término. Los usos más tradicionales del término "barroco" se aplican a diversos niveles relacionados con el estudio de las obras artísticas y específicamente literarias. Cada uno de esos niveles implica una operación cognoscitiva específica, y por lo tanto reclama una metodología diferente. Recogiendo solamente los usos más frecuentes, podemos indicar que se habla por ejemplo, de un *estilo barroco,* haciendo referencia a rasgos generales que extreman la estética renacentista y que pueden reducirse, siguiendo a Wolfflin, a un sistema de opuestos que denota en sí mismo la tensión expresiva de ese estilo.

Se habla también de un *período barroco,* es decir de una etapa difícil de delimitar en la historia del arte y la literatura, marcada por la predominancia estilística del barroco. La presencia de estas "dominantes" barrocas destruye otras formas artísticas que permanecen así como formas no canónicas. Esta lectura de la historia literaria del período instala al interior de las culturas americanas de la época un mecanismo de colonialismo interno, por el cual las formas dominantes terminan eclipsando totalmente a otras que, por razón del relegamiento social de los sectores productores, son también marginalizadas, apareciendo como no configurando el período al cual pertenecen.

A partir principalmente de los estudios de Maravall, se habla en el ámbito hispánico de "la cultura del Barroco", extendiendo así la aplicación del término del campo de lo estético al de las demás formas de organización político-social en un período determinado. Maravall concibe la cultura del barroco como una "estructura histórica" y a la vez como un "concepto de época" que articula una determinada "mentalidad" a ciertas condiciones de producción cultural que se repiten, según su análisis, en diversos países del contexto europeo. Es interesante anotar que en ningún momento Maravall hace extensiva esta conceptualización a la realidad americana, ni alude a ningún tipo de continuidad o sincronización de la cultura barroca metropolitana y colonial.

Otra variante de la cuestión barroca es la que ilustra, por ejemplo, el delirio crítico de Severo Sarduy, que se lanza a una interpretación libre de lo que denomina el "campo simbólico del barroco".

## LA PLURALIDAD BARROCA

A pesar de que muchos de los más valiosos estudios sobre el Barroco señalan su presencia en numerosos países europeos (Highet), tiende a predominar la idea de que el Barroco es un fenómeno artístico predominantemente español irradiado desde la Península a espacios que aparecen así constituyendo una especie de periferia cultural (Haztfeld). Por el contrario, la descentralización del fenómeno barroco, su comprensión como fenómeno o "significante cultural" (Beverley), permite el estudio independiente de las diversas culturas nacionales en las cuales el Barroco pudo actualizarse con significados estético-ideológicos diversos. A esta descentralización apunta Picón Salas al hablar del Barroco de Indias, fijando en esa fórmula el encuentro de constantes y variables propio del desarrollo de una cultura dependiente pero diferenciada, como es la americana. Creo que el acento de los estudios actuales sobre el Barroco americano debe enfatizar principalmente las formas, grados y alcances ideológicos de esa diferenciación, vista como resultado de procesos histórico-sociales específicos.

## EL BARROCO Y SU ARTICULACION HISTORICO-IDEOLOGICA

Las articulaciones más recibidas: Barroco y Contrarreforma, Barroco y práctica jesuítica, Barroco y absolutismo monárquico, Barroco como estilo de una sociedad rural y señorial, Barroco como cultura eminentemente urbana y masificada, dan cuenta de la línea dominante del Barroco español, principalmente. La dominante barroca así articulada eclipsa las que fueron manifestaciones de un barroco protestante, por ejemplo, o subestiman la calidad "disidente" de la estética gongorina. El Barroco español es así considerado un arte que, para algunos, celebra el poderío de la España imperial; para otros, es el lenguaje grandilocuente y propagandístico a través del cual se expresa la crisis de un imperio. En todo caso, estas articulaciones tienen sólo una relativa vigencia en el caso de

América. Como área periférica y dependiente, la cultura barroca virreinal está condicionada por la ideología hegemónica. Como sociedad nueva, constituida económica, étnica y lingüísticamente por componentes diversos a los metropolitanos, su dinámica propia plantea otras necesidades expresivas. Los grupos productores y receptores actualizan así los códigos dominantes a través de un proceso diferenciado del metropolitano, determinado por la vigencia de peculiares condiciones de producción cultural. La función de la crítica es así la de identificar esos puntos de articulación entre los códigos estéticos y el nivel histórico-social para que el Barroco de Indias, significante cultural diferenciado, adquiera su significación precisa.

## 3. ESTRATEGIAS PARA UNA REINTERPRETACION DEL BARROCO AMERICANO

A partir de los niveles de problematización antes indicados, puede irse delineando una propuesta interpretativa que debería intentar responder a las siguientes preguntas: ¿Debe continuar viéndose el Barroco como un fenómeno periférico con respecto al metropolitano en el cual se actualizan, "regionalizados", los códigos dominantes? ¿Puede ser entendido el Barroco como un sistema histórico-cultural diferenciado? ¿En qué medida el código barroco se articula a la dinámica social americana? ¿En qué consiste, a nivel ideológico, la importancia fundacional del Barroco?

Creo que una aproximación a estos problemas requiere una innovación metodológica al menos en dos aspectos fundamentales:

### A) ATENCION A LA DINAMICA SOCIO-CULTURAL DE LA COLONIA

Creo que el estudio y evaluación de los códigos expresivos vigentes durante el período colonial debe partir de la realidad americana misma, identificando como factores esenciales para la comprensión del período aquéllos que tienen que ver con las variaciones político-económicas verificables en la época, las pugnas raciales, la composición de las castas, funcionamiento institucional, etc. La asimilación del Barroco con el que ha dado en llamarse "período de estabilización virreinal" sugiere la existencia de una continuidad entre las formas de dominación "estabilizadas" en ultramar y los modelos expresivos dominantes, implantados en América para reproducir y perpetuar los principios del absolutismo monárquico y la Contrarreforma. Las múltiples tensiones ideológicas, políticas y sociales del período parecen, desde esta perspectiva, no haber sido relevantes, o no haber encontrado representación a través de las formas canónicas. De modo que el primer paso para una relectura del Barroco parece ser el abandono de toda actitud eurocéntrica y reflejista, y la relectura de la dinámica social del virreinato, a través de la cual se manifiesta no solamente la decadencia del régimen imperial, que expone ya a esa altura numerosas fisuras, sino además los conflictos propios de las nuevas sociedades, dependientes pero diferenciadas de la metrópoli.

## B) CONSIDERACION DE LOS GRUPOS PRODUCTORES

En el mismo sentido, la caracterización del sector letrado en la Colonia es esencial para la identificación de la perspectiva ideológica desde la cual se produce la apropiación de los códigos metropolitanos y su redimensionamiento en América. A estos efectos es esencial considerar aspectos como los relacionados con la formación de una nobleza indiana, así como los vinculados a la constitución social de los sectores entronizados en la alta dirigencia eclesiástica y en la burocracia estatal en la Colonia. Estos elementos definen, entre otros, a este sector letrado cuyas expectativas y frustraciones se establecen en relación a los grupos peninsulares, con los que competían, pero al mismo tiempo a partir de un horizonte ideológico definido y limitado a las alternativas de la época. Desde una perspectiva así determinada es que debe analizarse el sentido de la apropiación de los códigos dominantes así como de los aportes de la cultura indígena, que revela la cara oculta de la sociedad virreinal.

## 4. ESTUDIO DE LAS IDEOLOGIAS EMERGENTES: BARROCO Y CONCIENCIA CRIOLLA

La consideración del Barroco en su carácter de ideología hegemónica, es decir en tanto celebración y reproducción de los valores dominantes y de los principios de legitimación imperial deja al descubierto sólo la mitad de la verdad con respecto a este período de la historia colonial americana. Como mencionaba en páginas anteriores, el largo adiestramiento de la crítica literaria socio-histórica en el análisis del verticalismo ideológico ha sido ya fructífero en su demostración del modo en que funcionan los modelos de legitimación político-ideológica a nivel cultural y específicamente literario. Existen suficientes elementos como para establecer los modos de aplicación y función de códigos estéticos como el gongorismo, el discurso escolástico, la poética aristotélica, en el contexto de la cultura barroca. No se cuenta, sin embargo, con apoyo teórico como para mostrar la operación contraria: el modo en que el seno de ese "enclave asediado" que es la ciudad virreinal, y a través de las formas excluyentes y represivas impuestas como parte de la dominación imperial, surge y se desarrolla la sociedad criolla. Creo que la clave para el estudio del Barroco de Indias estriba en la articulación de los códigos metropolitanos hegemónicos no solamente con las estructuras de dominación vigentes en América, sino con las formas ideológicas emergentes a través de las cuales se expresa por lo menos algún sector social de los que componen las formaciones sociales de ultramar. Las dificultades que

660

presenta esta forma de análisis ideológico son múltiples. Por un lado, las formas ideológicas emergentes se expresan a través de los códigos del dominador. El proceso de diferenciación con la formación social peninsular es gradual, problemático y muchas veces contradictorio, y en el discurso a través del cual se expresa ese proceso deben identificarse indicios, formas de redimensionamiento ideológico, avances y retrocesos en el curso de la constitución de la identidad criolla y de los proyectos protonacionales. Pero es solamente a través de este análisis que el Barroco se presentará en su verdadero carácter y funcionalidad sociocultural dentro de las formaciones sociales americanas.

Las estrategias metodológicas que acabo de mencionar dejan al descubierto algunos rasgos diferenciadores del Barroco de Indias que la crítica no ha desarrollado hasta ahora. En una síntesis provisional, el discurso barroco americano aparecería a esta luz como:

    i)    discurso de ruptura
    ii)   discurso reivindicativo
    iii)  discurso de la marginalidad criolla.

No es del caso desarrollar aquí los apoyos textuales que nutren este análisis. Baste indicar que los textos más importantes del período recaen sobre aspectos como los siguientes, por ejemplo: creación de un yo epistolar, lírico, crítico o narrativo que opera el desmontaje de la sociedad virreinal y expresa las aspiraciones y reclamos de buena parte del sector criollo; bivalencia de ese yo (individual y colectiva, representacional); utilización de recursos canónicos con una diferente funcionalidad ideológica; por ejemplo, uso de la retórica forense, utilización "perversa" de la erudición, redimensionamiento del tópico del viaje como revelación de espacios marginales, desmontaje de la sociedad virreinal en sus contradicciones y conflictos, utilización del discurso crítico y la polémica como fijación de la identidad criolla, dinamización del concepto de patria como ideologema protonacional, representación de la cotidianidad y sectores populares, integración de elementos de la cultura indígena en diálogo con las formas canónicas peninsulares, articulación de la estética gongorina a la visión criolla, representación de la tensión entre espacios públicos y privados, recepción del cartesianismo, etcétera.


## 5. HACIA LA CONSTITUCION DEL SUJETO SOCIAL HISPANOAMERICANO

Más allá de estas formas concretas a través de las cuales se expresa el proceso de constitución de la identidad criolla y la representación de ese proceso a través de los códigos expresivos dominantes, es obvio que el Barroco asume en América, junto a las manifestaciones celebratorias del sistema imperial que han sido ya relevadas por la crítica, el carácter de un discurso de ruptura. Antes de alcanzar una forma acabada y de llegar a constituir un proyecto político diferenciado, el discurso barroco se afirma en la representación de las diversas formas de marginalidad criolla impuesta como expresión epocal de la hegemonía imperial. Es a partir de esa representación que el discurso barroco se afirma como discurso reivindicativo y, en este sentido, como etapa fundacional en la constitución de las identidades nacionales. Esa es la funcionalidad histórico-ideológica de buena parte, al menos, de la producción barroca en América. La naturaleza jánica del Barroco se define en América no tanto por el doble enfrentamiento de los resabios de la sociedad feudal y los albores de la modernidad, sino por la vigencia paralela de la ideología hegemónica imperial y la emergente conciencia criolla. De más está decir que ésta no se define obviamente en contra de aquella hegemonía en tanto que proyecto político-económico en el siglo XVII, ni siquiera como acabado proyecto alternativo. Pero sí como emergente proceso de constitución de una identidad diferenciada y en pugna por el predominio. Es en este sentido que el Barroco consolida su condición fundacional: al manifestarse como momento inaugural en la constitución del sujeto social hispanoamericano. Si es cierto, entonces, que en América rigió un "Barroco de estado", teatralización y alegoría del poder imperial, y que a través de sus códigos se expresaron los intelectuales orgánicos de la colonia, no es menos cierto que una ideología emergente, que con el tiempo consolidaría un proyecto político-económico alternativo, comienza a expresarse y a representar su condición social a través de los mismos modelos expresivos del dominador, pero articulados a conflictos diversos, y redimensionados estéticamente en textos que hoy reclaman una nueva lectura.

# BIBLIOGRAFIA UTILIZADA

Acosta, Leonardo, *Barroco de Indias y otros ensayos,* La Habana, Cuadernos Casa 28, 1985.

Beverley, John. *Del Lazarillo al Sandinismo: Estudios sobre la función ideológica de la literatura española e hispanoamericana,* Minneapolis Ideologies and Literature, 1987.

———— "Nuevas ambivalencias sobre el barroco" (en prensa).

Carilla, Emilio. "Literatura barroca y ámbito colonial" En: *Thesaurus* XXIV. (1060), pp. 417–425.

———— *El Gongorismo en América,* Buenos Aires, Instituto de Cultura Latinoamericana, 1946.

Castagnino, Raúl. *El Barroco literario hispánico,* Buenos Aires, Ed. Nova, 1969.

Catalá, Rafael. *Para una lectura americana del Barroco mexicano: Sor Juana Inés de la Cruz & Sigüenza y Góngora,* Minneapolis, Ideologies and Literature/Prisma Institute, 1987.

Concha, Jaime. "La literatura colonial hispanoamericana: problemas e hipótesis". En: *Neohelicon* IV, 1–2 (1976) pp. 31–50.

XVII Congreso del Instituto Internacional de Literatura Iberoamericana. *El Barroco en América,* Madrid, Ed. Cultura Hispánica del Centro Iberoamericano de Cooperación, 1978.

Elliot, J. H. "Concerto barroco" (Review on J. A. Maravall, *Culture of the Baroque: Analysis of a Historical Structure* (U. of Minnesota Press), The New York Review, 9 de abril 1987, pp. 26–29.

Highet, Gilbert. *The Classical Tradition,* 6a. ed., Oxford, UP, 1966.

Leonard, Irving. *La época barroca en el México colonial,* México, Fondo de Cultura Económica, 1974.

Maravall, José Antonio. *La cultura del Barroco,* Barcelona, Ed. Ariel, 1975.

Mark, James. "The Uses of the Term Baroque", En: *The Mode Lenguage Review* 4 (Oct. 1938) pp. 547–563.

Paz, Octavio. *Las peras del olmo,* Barcelona, Ed. Seix Barral, 1971.

Peiser, Werner. "El Barroco en la literatura mexicana". En: *Revista Iberoamericana* VI, 11 (1943) pp. 77–93.

Picón Salas, Mariano. *De la Conquista a la Independencia,* México, Fondo de Cultura Económica, 1982.

Romero, Armando. "Hacia una lectura de *Barroco* de Severo Sarduy", *Revista Iberoamericana,* 112–113 (Julio-Dic. 1980). pp. 563–569.

Sarduy, Severo. "El Barroco y el Neo-Barroco" *América Latina en su literatura,* César Fernández Moreno (Ed.), México, S. XXI, 1972.

———— *Barroco,* Buenos Aires, Ed. Sudamericana, 1974.

Vidal, Hernán. *Socio-Historia de la literatura colonial hispanoamericana: Tres lecturas orgánicas,* Minneapolis, Ideologies and Literature, 1985.

Weisbach, Werner. *El Barroco, arte de la Contrarreforma,* 2a. ed. Trad. y ensayo preliminar de Enrique Lafuente Ferrari, Madrid, Espasa Calpe, S.A., 1948.

Wellek, René. "The concept of Baroque in Literary Scholarship". *The Journal of Aesthetics and Art Criticism* V, 2 (Dec. 1946), pp. 77–109.

# NUEVAS PERSPECTIVAS EN LOS ESTUDIOS LITERARIOS COLONIALES HISPANOAMERICANOS *

Para dar alguna orientación a lo que voy a desarrollar, me gustaría comenzar con dos observaciones; una sobre el discurso colonial, la otra, sobre "la cuestión del otro". En primer lugar, estamos concibiendo la cultura literaria colonial no como una serie de momentos culturales sino como una red de negociaciones que tienen efecto en una sociedad viviente. La noción de "literatura" se reemplaza por la de "discurso", en parte porque el concepto de la literatura se limita a ciertas prácticas de escritura, europeas o eurocéntricas, mientras que el discurso abre el terreno del dominio de la palabra y de muchas voces no escuchadas. Estamos en el umbral de la emergencia de un páradigma nuevo[1]: del modelo de la historia literaria como el estudio de la transformación de las ideas estéticas en el tiempo, al modelo del discurso en el ambiente colonial en tanto estudio de prácticas culturales sincrónicas, dialógicas, relacionales e interactivas. Con este énfasis sobre lo dialógico, los objetos de análisis cambian de tal manera que la categoría reservada al sujeto se abre para incluir no sólo el europeo o criollo letrado sino los sujetos cuyas identificaciones étnicas o de género no reproducen las de la ideología patriarcal e imperial dominante.

La segunda observación tiene que ver con nuestro conocimiento de la interacción entre las culturas europeas y americanas. Hay evidencias significativas que sugieren que estamos abandonando (incluso en los estudios literarios), la noción de la transformación cultural como una donación unidireccional de la cultura del conquistador a la del conquistado. En cambio, hay una tendencia notable para ver la transformación cultu-

* Ponencia leída en el XIV Congreso de LASA (Nueva Orleans, 1988). Quisiera reconocer a Josephat Kubayanda, Walter Mignolo, Kathleen Newman y Susan Deans–Smith, cuyos comentarios (de gran utilidad para mí) ejemplifican las nuevas direcciones intelectuales que intenté destacar en este planteamiento. Reproducida en *Revista de Crítica Literaria Latinoamericana*, XIV, 28 (1988), pp. 11–28.

ral como el proceso de la transculturación, tal como lo concibió Fernando Ortiz ([1940] 1963) y aplicada a la narrativa por Angel Rama (1982), que nos permite comprender la cultura literaria colonial no como la imitación pálida de la de la metrópolis, sino como construcciones híbridas nuevas que son mayores que la suma de sus partes y fuentes multiculturales. Aquí es significativa la cuestión del otro.

Al tomar la noción de la transculturación como la teoría predominante de la transformación cultural, y el discurso como la noción relevante a la descripción de las prácticas de escritura coloniales, quisiera bosquejar las vías a través de las cuales estamos construyendo prácticas disciplinarias nuevas. En efecto, estamos comprometidos a la construcción de objetos nuevos de conocimiento y prácticas disciplinarias alternativas[2].

Es tentador contemplar estos hechos como representativos de un cambio o "shift" pero, en este momento, la "aparición de ciertas prioridades y prácticas nuevas" es una descripción más apta por ser más modesta. En vez de dirigirme a los contenidos específicos de los estudios textuales coloniales de los últimos años, quisiera examinar algunos asuntos metodológicos y proveer ejemplos ocasionales sin intentar dar reseña sistemática de los estudios recientes de nuestros colegas. Puesto que considero que las letras coloniales de Hipanoamérica se definen por su referente (Mignolo 1982) y no por sus practicantes, así también definiré los estudios sobre la producción textual de la Hispanoamérica colonial, sin tomar en cuenta las afiliaciones académicas de los investigadores en un foro internacional.

## I. DE LA HISTORIA LITERARIA AL DISCURSO COLONIAL

Durante mucho tiempo, los objetos de análisis en los estudios literarios coloniales han sido los discursos que eran artísticos o estéticos por naturaleza, o con respecto a los cuales se podía racionalizar la atribución de propiedades estéticas. Al dedicarse los estudios literarios coloniales a crear su propio sitio dentro del espacio selecto del canon literario hispánico, dos problemas han surgido una y otra vez: el de la relación de la historia y la ficción en la producción literaria colonial, y la búsqueda (reiteradamente frustrada) de una novela hispanoamericana colonial[3]. En ambos casos, el planteamiento de estas cuestiones intentó definir y fijar la tradición hispanoamericana literaria. Desde los días de Alfonso Reyes y Pedro Henríquez Ureña, la meta ha sido atribuir una "vocación literaria" a los escritos históricos sobre la conquista de América, con el intento de "ubicar los orígenes literarios del discurso literario latinoamericano en las crónicas de la conquista de América" (González Echevarría 1985:288). En esta tradición, el objeto fue justificar y racionalizar la atribución de propiedades estéticas o expresivas a un conjunto de textos cuya relevancia cultural nos resulta hoy obvia aunque no sus rasgos literarios" (Mignolo 1986:139): "la consecuencia más notable de estos estudios es la de ampliar el horizonte de los estudios literarios incluyendo en él una amplia gama de discursos cuyo estatuto literario no vaya de suyo" (*ibid*:140).

Obviamente, la cuestión sobre el estatuto literario de la producción cultural de la colonia fue una preocupación fundamental en la elaboración de la historia literaria y cultural hispanoamericana. Estos fueron los pasos necesarios: Afirmar la identidad cultural latinoamericana ante la española y europea fue "una etapa necesaria en la 'búsqueda de nuestra expresión' e inevitable frente a la callada e imponente identidad del colonizador" (*ibid*:157). Implicaba la construcción de una herencia cultural expresada como "territorialidad a la que pertenecemos (o, como extranjeros, reconocemos)" (*ibid:* 157). La preocupación por tales problemas en la tradición hispanoamericana colonial de escritores europeos y criollos ha sido esencial en recuperar para el canon literario cultural los escritos que se condenaron y se tipificaron como reflejos pálidos de una cultura superior metropolitana.

Aunque las discusiones de categorías estéticas y de género literario no han formulado satisfactoriamente, según mi modo de ver, los problemas intrínsecos en el estudio de las letras coloniales, nos han otorgado —en cambio— intentos de descripción genérica de obras y nos han enseñado la necesidad de reconocer la densidad de discursos inherentes en la producción cultural de la colonia. Este punto lo descubrí al estudiar las obras de escritores que existen aparte del canon literario, las cuales exigen que desenredemos de la interrelación de argumento y narración los diversos discursos históricos, míticos, teológicos y jurídicos que las constituyen (Adorno 1986). Nos convenzamos o no de la hibridización genérica de obras particulares, lo significativo es la estratificación o simultaneidad de discursos que se van descubriendo. Si hay todavía logros para obtener del estudio de la relación historia/ficción, ellos estarán en la manera en que las formas artísticas y documentales se nutren mutuamente[4].

Esta observación trae a cuento otro asunto: el de las posiciones del sujeto y su relación con la densidad de dicursos. Para ilustrar este problema, cito la frase de Alonso Fernández, que apareció en su *Historia eclesiástica de nuestros tiempos* [1611] sobre fray Bartolomé de las Casas: "Cuando vino [el Emperador] de Alemania, [Las Casas] le propuso su causa con mucha erudición y prudencia, hablando como santo, informando como jurista, decidiendo como Teólogo, y testificando como testigo de vista" (30).

Según mi modo de ver, esta frase sugiere un paradigma que posible y típicamente opera dentro del discurso colonial, es decir, una simultaneidad de varias posiciones del sujeto exigida por las diversas facetas (político–administrativa, religioso–teológica, etc.) del proyecto del colonialismo.

La noción de la "polivocalidad", la existencia de discursos variados y contradictorios y la variedad de las posiciones del sujeto se enfocan para nosotros en la obra que considero la más importante para los estudios literarios coloniales de los últimos diez años, *La ciudad letrada* (1984) de Angel Rama. Más allá de la noción de la relación entre la manipulación del poder y de la letra sobre la cual se basa su teoría de la historia cultural hispanoamericana, Rama contrasta la ilusión del orden con el caos de la realidad social y propone la representación de la jerarquía impuesta sobre el carácter continuamente subversivo de los ciudadanos. Aunque su ensayo no es exhaustivo, encuentro que su modelo, para la sociedad colonial, es completo. Es decir, los principios que Rama destaca permiten la incorporación y contemplación de sujetos coloniales que no menciona explícitamente. Al ir más allá del texto y llegar a las formaciones discursivas sociales, *la ciudad letrada* concebida por Rama, epitomiza las prácticas sincrónicas, interactivas y dialógicas que tenemos que intentar comprender y reproducir en nuestra búsqueda de la crítica y la historia culturales.

## II. LOS "GROWING PAINS" DE LOS ESTUDIOS LITERARIOS COLONIALES

Las discusiones recientes de una "crisis" en el estudio de la literatura hispanoamericana ponen de relieve la manera en que el proyecto de la historia literaria tradicional se ha llevado a cabo. Según algunos, esta crisis se debe a que el carácter singular y distinto que se ha atribuido a la literatura hispanoamericana se somete a un cuestionamiento radical como postulado ideológico (González Echevarría 1980: 8-13). Según otros, esa crisis, en cuanto afecta el estudio del período colonial, consiste en la tensión que existe entre la expresión de una identidad cultural y la articulación de una práctica disciplinaria, entre, por así decir, autocomprensión y conocimiento (Mignolo 1986: 35-38).

El enfrentamiento de la "crisis" ha comenzado ya, y consiste en ampliar el alcance no estético sino cultural, cruzando fronteras nacionalistas, étnicas y de género. Un ejemplo prominente es el estudio del corpus fundacional de la tradición literaria hispanoamericana (i.e., las crónicas de Indias) no desde la perspectiva de su recepción (haciendo que entren a la fuerza categorías estéticas) sino de su producción[5]. Para lograr esta meta, la distinción entre la propiedad intelectual de España y la de sus colonias tenía que suspenderse. Borrar las construcciones ideológicas que han segregado porciones de la cultura hispánica literaria de los siglos XVI y XVII una de la otra, son maneras de trascender la "crisis" y de reconstruir la historia cultural hispanoamericana de una manera más auténtica y más completa. Las divisiones nacionalistas aplicadas a posteriori al mundo colonial en la época de la pos-independencia fueron, en su mayor parte, juicios políticos y sociales disfrazados como valoraciones estéticas o culturales[6]. Trascender esa frontera artificial —que con demasiada frecuencia separa a los investigadores españoles de los hispanoamericanos– es imprescindible para los estudios coloniales y para el proceso que se comenzó a través de estudios reconstructivos como los descritos arriba, que enfocan la producción en vez de la recepción cultural.

Bajo otra luz, la recuperación de las tipologías de las formaciones discursivas pertinentes a la cultura colonial tenía un efecto liberador, porque demasiados de nosotros habíamos intentado responder a la pregunta sobre el estatus literario/historiográfico citando a Hayden White (1973, 1976). El problema con esto es que el mundo historiográfico decimonónico analizado por él no tenía nada que ver con las crónicas de Indias de los siglos XVI y XVII [7].

Con el interés más intenso en los temas literarios coloniales, la reciente generación de investigadores ha insertado las obras coloniales en el campo de la crítica literaria a través de estudios interpretativos designados a cerrar la brecha entre el autor original y sus lectores del siglo XX. Juntando las observaciones de la teoría contemporánea con la lectura de textos coloniales, tales investigaciones tienden a aplicar paradigmas teóricos o analíticos que tienen poco que ver con el complejo histórico-cultural investigado[8]. Aunque esta aproximación no resulta en reconstrucciones histórico-literarias, tales ejercicios interpretativos han constituido una segunda fase en el proceso de recuperación comenzado por la historia literaria y dedicado a la creación y expansión del canon. Es decir, las estrategias para incluir la producción escriptural colonial dentro del canon literario –aplicando criterios pertenecientes a otras formaciones discursivas– se han repetido en los esfuerzos para incorporar ciertos discursos, marginalizados por los guardianes de la ya canónica cultura literaria colonial, en la exclusividad de su dominio.

## III. MODELOS LINEALES Y ENCUENTROS DISCURSIVOS

El modelo de trabajo de la historia literaria, sin embargo, ha sobrevivido su utilidad particularmente cuando concebimos no el texto sino el discurso como la categoría analítica pertinente. En la historia de las ideas literarias construida según la historia lineal de prácticas o sucesos, se seleccionan figuras consideradas claves y se presenta la evidencia textual tanto para localizar puntos de transición y ruptura como para proponer "tipologías sincrónicas o transformaciones diacrónicas en las sensibilidades y actitudes de períodos históricos" (véase Cousins y Hussain 1984: 76–80). En una gran variedad de obras, podemos encontrar que la cronología ayuda a imponer la ilusión de que existen modelos sucesivos de producción cultural[9]. Aunque los investigadores que presentan sus trabajos según este modelo no atribuyen a la linealidad ni connotaciones de "progreso" ni de degeneración, el hecho es que el modelo lineal elimina puntos de vista dialógicos y contestatarios e impone el de una progresión (si no el de progreso) monolítica. Aquí me gustaría citar dos ejemplos, menos por lo que hacen con respecto a un modelo tradicional que por lo que prometen con respecto a otros nuevos: me refiero a *La conquista de América: la cuestión del otro* (1982) de Tzvetan Todorov y *El discurso narrativo de la conquista de América* (1983) de Beatriz Pastor. A pesar de ser tan diferentes —el primero analiza una serie de textos coloniales para sacar una "tipología de las relaciones con el Otro"; el segundo, para reconstruir la transformación de la visión europea española y criolla de América y su relación con ésta— los dos examinan los escritos de autores europeos o criollos como entidades discretas y en sucesión cronológica. Sin embargo, por crear como objetos de estudio "el otro" y "el discurso", respectivamente, los dos anticipan la emergencia de otras subjetividades como sitios de intervención y no sencillamente como el trasfondo sobre el cual se perciben nuevas ideas[10]. Así anticipan el hecho de que las posiciones del sujeto no son exclusivas ni discretas y que las mentalidades no tienden a ser ni monolíticas ni susceptibles de cambios definitivos.

Veamos ya el concepto de discurso, sus significados y su utilidad. No hay consenso, por supuesto, sobre el uso; pero hay sí algunos ejemplos reveladores. Pastor define el discurso por su objeto declarado: la narración directa de los hechos concretos del proceso de descubrimiento, exploración y conquista de las tierras y culturas del "Nuevo Mundo" (1983: 8). Aquí "discurso" no se define por género sino por modo: narrativo, no argumentativo. En *Colonia Encounters,* Peter Hulme define el discurso colonial como "un conjunto de prácticas lingüísticas ["linguistically based"] unificadas por su despliegue común en la organización de asuntos coloniales, un conjunto que podía incluir el más formulístico y burocrático de los documentos oficiales . . . con la más humilde y no— funcional de las novelas románticas" (2). Las distinciones de forma y de género se suspenden y el autor asevera que el discurso colonial, en su estudio, "no puede permanecer un conjunto de rasgos meramente lingüísticos y retóricos, sino que deben relacionarse a su función dentro de un conjunto más amplio de prácticas socio-económicas y políticas" (5). El discurso surge como una categoría tanto formal (pero no atada a la forma) e ideológica (pero no limitado a la ideología dominante), social, política e institucional –más grande que sus autores, más abarcador que sus intenciones. Estamos más allá de los conceptos de autor y obra, período, género y movimiento, que han provisto las categorías de análisis en la historia literaria tradicional.

Que éste sea un concepto analítico productivo, no cabe duda. ¿Puede aplicarse, sin embargo, a categorías de experiencia y producción escriptural y verbo no-europeas? Lo ha sido, aunque en usos diferentes de los que acabo de citar. Traigo dos ejemplares, elaborados cuidadosa y exitosamente por Regina Harrison y Frank Salomon, para mostrar la aceptación que tiene esta agrupación de conceptos. Harrison y Salomon han trazado categorías de análisis y un método que cabe dentro del marco de lo discursivo, pero en el cual las categorías se derivan del mismo discurso o producción verbal andina, no de modelos europeos superpuestos.

Regina Harrison analizó el tratado de Juan de Santacruz Pachacuti Yamqui bajo el título "modos de discurso" (1982). En este contexto "discurso" tiende hacia sus significados lingüísticos (con respecto a la comunicación y la referencia, véase Rabasa 144), y sociolingüísticos, en los cuales el análisis del habla señala "la dinámica y las reglas que gobiernan situaciones sociales determinadas" (véase Cousins y Hussain 77). Al trabajar con los conceptos de códigos lingüísticos y culturales inspirados en las investigaciones de Roman Jakobson y otros, Harrison examina los problemas del "habla dentro del habla" ["speech within speech"] y "habla acerca del habla" ["speech about speech"] en la obra de Pachacuti Yamqui para describir las actitudes quechuas con respecto a los actos de habla y la incorporación de situaciones lingüísticas determinadas (eso es, textos rituales) dentro de su narración sobre "las antigüedades deste reyno del Pirú" (78). A través del análisis de textos ritualizados en quechua, Harrison ofrece evidencias sobre ciertos modos de discurso vigentes y algunas nociones sobre las dimensiones del conocimiento andino. Harrison propone un método que no sólo explicará cualquier oración o rezo sino que será, además, una manera de desenredar las diferencias entre varias relaciones sagradas y ritos del mundo incaico (Salomon 19).

Al tomar las oraciones a las divinidades andinas Viracocha y Tonapa recogidas por Pachacuti Yamqui, Salomon sigue el método de análisis de Harrison, bosquejando y definiendo el conjunto de verbos atribuidos a los varios interlocutores para descubrir "qué poderes y actitudes el pensamiento incaico identificaba con cada uno" (20). Al aplicar la misma aproximación a la *Relación de la conquista del Perú* de Titu Cussi Yupanqui, la cual Raquel Chang Rodríguez (1982) había analizado como una "transposición de la ideología política incaica al idioma español", Salomon demuestra cómo Titu Cussi adoptó una clasificación simplificada de todas las acciones en la guerra entre el español y el Inca para trascender "la distancia entre las nociones andinas y las españolas a base de las cuales las dinastías guerreras podrían reconciliarse" (12-16). En ambos casos, el análisis etnolingüístico de los escritos quechua/españoles ayuda a reconstruir, en el sentido sociolingüístico, los discursos que toman en cuenta, por un lado, la adoración ritualizada de las divinidades y, por otro, el arte militar desvirtualizado por el invasor europeo.

## IV. LA CUESTION DEL OTRO

En el contexto colonial, el "Otro" es una categoría analítica ocupada por todos los sujetos menos el europeo. Todorov planteó la cuestión del otro, aunque no la haya resuelto. Su observación es importante y necesitaba hacerse, porque el nativo americano —conquistado o indomable— siempre está en el centro de todos los escritos coloniales, aun cuando no se lo mencione. Algunos de los temores que Todorov causó con su libro en nuestro campo de estudios se debieron a la turbación provocada al surgir un tópico insuficientemente reconocido.

Uno de los resultados significativos del paso de la historia literaria colonial al discurso colonial es la aparición del autor no como hombre de letras o autodidacta sino como colonizador o colonizado, es decir, como sujeto colonial. La historia literaria ha logrado eclipsar la posición del sujeto porque sus intereses pertenecen al foro estético, no al social: ha visto al escritor como productor de discursos artísticos y no las implicaciones políticas y sociales producidas por ellos. Al tratar el discurso hegemónico de la conquista de América, críticos como Hernán Vidal y Beatriz Pastor prestan atención al sujeto literario europeo en tanto colonizador, constituyendo un paso significante en las reconstrucciones histórico-literarias del discurso hegemónico, paternalista del colonialismo. Lamentablemente, no tomaron lo contra-hegemónico como otro enfoque de análisis.

En los manuales de la historia literaria producidos de los años cuarenta hasta los ochenta, la única apertura donde el nativo se hizo visible fue en el reconocimiento de algunos individuos cuyos nombres se mencionaban sólo para descartarles (Adorno 1974). Más recientemente, estos escritores sólo se mencionan como ejemplos en el ensayo de Jean Franco sobre la cultura hispanoamericana en el período colonial en un apartado titulado, siguiendo a León-Portilla, "la visión de los vencidos" (en Iñigo Madrigal 41-42).

La cuestión del otro presenta dos problemas para los estudios literarios coloniales que todavía tienen que estudiarse y para los cuales la colaboración de otras disciplinas es necesaria. Uno es el problema complejo de la construcción cultural del sujeto, eso es, la figuración del sujeto colonizado tal como se representa en los discursos del colonialismo. El otro es el problema de profundizar nuestro conocimiento del sujeto colonizado policultural y multilingüe como autor o agente de discursos. Los dos son proyectos críticos, desde el punto de vista de cualquier investigador con un interés amplio en la historia cultural hispanoamericana, porque los dos hacen asequibles los procesos de transformación e intercambio histórico-cultural sobre los cuales nos hace falta aprender tanto.

Específicamente, hay un logro metodológico que debe aprovecharse para el estudio del testimonio y de la experiencia del escritor nativo, aun cuando ese sujeto no sea de interés por sí solo. Es decir, el testimonio del escritor nativo puede servir para comprobar las evidencias de la resonancia de ideas que la historia intelectual colonial nos ha enseñado. Aquí, si se me permite, quisiera citar ejemplos de mis propias investigaciones. Al descubrir la prominencia de Las Casas o de la tradición de los sermones en la obra de Guamán Poma, sugerí que las ideas y los escritos del dominico en el Perú, el entrenamiento doctrinal y la retórica eclesiástica tuvieron un impacto y aplicaciones que no hubiéramos esperado. Estoy convencida también de que la ausencia de ciertas ideas en estos escritos puede significar tanto como la expresión de otras. Aunque no podemos suponer que todos los silencios en estos discursos "contra-hegemónicos" sean significativos, sí sugieren la necesidad de reevaluar el peso que las investigaciones recientes han puesto sobre ciertas interpretaciones de las ideologías coloniales.

Del mismo modo, el sujeto literario femenino es "otro" tópico excluido de la investigación en los estudios literarios coloniales. La existencia del talento y productividad extraordinarios de Sor Juana Inés de la Cruz nos ha bendecido y condenado a la vez, porque ha tenido que representar "la voz femenina" de la misma manera que el Inca Garcilaso de la Vega ha tenido que representar todas las sensibilidades posibles en tanto mestizo y americano. El examen de la cultura femenina literaria está cambiando, y con investigaciones como las de Kate Myers estamos descubriendo que hay otras voces femeninas que pueden recuperarse para poner en perspectiva las representaciones coloniales de lo femenino que Julie Greer Johnson nos ha dibujado. Las sólidas investigaciones sobre Sor Juana Inés de la Cruz, en la línea filológico-histórica (Georgina Sabat de Rivers) y feministas (Electa Arenal, Stephanie Merrim) proveen modelos excelentes para recuperar la cultura literaria femenina colonial. La labor de historiadores como Asunción Lavrin y Patricia Seed es crucial en esta empresa.

## V. LA EXPANSION DEL CAMPO

Las bibliografías recientes de estudios literarios coloniales (*MLA, Year's Work in Modern Languages, Handbook of Latin American Studies, etc.*) indican que los autores canónicos continúan despertando mucho interés, tanto en las investigaciones publicadas como en la preparación de disertaciones doctorales. Lo novedoso es el hecho de que otros investigadores, que normalmente no trabajan en el área de estudios literarios hispánicos, se han dedicado al estudio de discursos típicamente reservados —cuando se consideraban obras y textos— a la provincia de los hispanistas. Actividades como los congresos de Essex (Gran Bretaña) sobre la sociología de la literatura, sus publicaciones, y en este país los de la revista *Cultural Critique,* particularmente los números dedicados al "discurso de minorías"[11], llevan nueva vida y energía al estudio de las prácticas del colonialismo que, por su naturaleza, no pueden restringirse a estrechas fronteras nacionales o empeños provinciales.

Aquí se ve emerger con gran claridad la diferencia entre la recuperación interesada de una tradición literaria cultural y la articulación de prácticas disciplinarias variadas e interrelacionadas. En el sentido más amplio, la "cuestión del otro" (más allá de Todorov, claro está) ha sido el elemento más significativo en efectuar el cambio de focos y la mudanza de las fronteras, precisamente porque esta cuestión lleva consigo la consideración de la oralidad y de otros modos de comunicación escrita no-alfabética. Más allá del campo de estudios literarios, historiadores

672

y etnohistoriadores sensibles a los problemas del análisis textual nos han ayudado a avanzar mucho. Investigadores como R. Tom Zuidema, Frank Salomon y Sabine MacCormack (para mencionar sólo la región andina) nos han ayudado en la recuperación de discursos que, con su conocimiento de las tradiciones lingüísticas y orales nativas, han reordenado las cuestiones con respecto a la relación entre las tradiciones orales y escritas. En los últimos años, investigadores en Estados Unidos y en Europa se han dedicado al problema de la oralidad evidenciada en la producción escrita como un terreno nuevo de investigación (Harrison, Mannheim, Scharlau y Munzel, Urioste). Un área nueva de investigación es la coexistencia de la palabra escrita y la oral y las escrituras no-alfabéticas como foco de transiciones culturales (Scharlau), es decir, de la transculturación. Al mismo tiempo, estudios en México sobre la cultura neo-latina y la historia y desarrollo de la retórica (Osorio Romero) revelan áreas cruciales de la relación entre la cultura letrada y otros géneros orales. La oralidad, en breve, es un tópico inmenso en las culturas coloniales, si se la contempla en su manifestación en las tradicionales orales americanas o en la institución del sermón oral como uno de los productos principales exportados de Europa a América. También ciertos sistemas de representación y de comunicación (los catecismos testerianos, los códices mesoamericanos coloniales, los *kerukuna* [vasos ceremoniales de madera] del Perú, el arte de la iglesia colonial, etc.) nos pueden enseñar mucho sobre los procesos de transformación e intercambio en la cultura colonial. Finalmente, comprender el concepto del libro en sí, en sus dimensiones epistemológicas y políticas, en la organización y transmisión del conocimiento y como un instrumento de colonización, es un proyecto fundamental (Mignolo 1987 y en preparación).

Con respecto a la política de la cultura de la imprenta, no hemos trascendido el espacio preparado para nosotros hace cuarenta años por Irving Leonard y José Torre Revello, en cuanto a la circulación y supresión de libros en la Hispanoamérica colonial. La historia del libro en la sociedad es un problema crítico para resolver si queremos ir más allá de las condenas estereotipadas como éstas: "The compressing steamroller of ecclesiastical censorship prohibited and condemned the novel as impious [ . . . ] Every printed work was the victim of an obsessive scrutiny for signs of heterodoxy, and the literary occupation became a depersonalized and aseptic ritual, exercised within certain rigid molds in which spontaneity had been suppressed once and for all" (Vargas Llosa 10). Aunque tal era la meta de la censura eclesiástica, sabemos que en la práctica no siempre resultaba así. Además, las varias agencias involucradas oficialmente en la censura de libros y los distintos criterios aplicados hacen del problema del control de la circulación de libros un asunto de muy poca claridad hasta el momento.

Ultimamente, al contemplar la Hispanoamérica colonial, nos damos cuenta de que nos hace falta considerar Portugal y Africa también.

Africa, en dos contextos: primero, la experiencia africana en Hispano-américa requiere nuestra atención inmediata[12]. Al pasar del concepto de la obra al del texto, y luego al de discurso, es preciso dirigirnos a la presencia africana en los discursos del colonialismo. En la producción literaria de Hispanoamérica, este sujeto colonial ha sido del todo ignorado. Segundo, estudios coloniales comparativos entre la América española y la portuguesa pueden servir para iluminar ambas experiencias; la empresa comparativa está por hacerse. Otra zona de comparación es América y Africa, en cuanto al estudio de la oralidad y la relación entre las tradiciones escritas y orales, aunque sólo sea para poner de relieve lo que es específico a prácticas culturales particulares en ciertos momentos de transformación histórica.

En suma, al echar un vistazo sobre el campo de estudios literarios coloniales, veo con mucho optimismo la marcha de cambios constructivos en un área que por fin se desarrolla según criterios sugeridos desde adentro y no impuestos desde afuera. Los conceptos del discurso nos ayudan a resolver problemas que nos llevan más allá del concepto tradicional de la historia literaria, como ha sido típicamente concebida y puesta en práctica, y la cuestión del otro nos lleva a hacer reevaluaciones en la historia cultural e intelectual de Hispanoamérica. He tenido desde hace mucho tiempo la intuición de que la crítica estética era inadecuada como método para estudiar las letras coloniales; ahora esa intuición se convierte en una convicción basada en evidencias concretas. Preguntas como ésta, hecha por Mario Vargas Llosa en ocasión de un discurso sobre "The Culture of Freedom" pronunciado en la Washington University, St. Louis –"Why was Colonial literature in Latin America so clamorously mediocre that today we have to search very hard to find an author in those 300 years who deserves to be read?" (9)– ya no son las preguntas pertinentes[13]. Continuarán expresándose, seguramente, como parte de agendas políticas particulares. Sin embargo, como los acontecimientos recientes nos han mostrado, la crítica estética no contiene las respuestas a las preguntas permanentes sobre la producción y recepción de la cultura literaria discursiva colonial. Aquellas respuestas comienzan a emerger desde muchos sitios diferentes, haciendo que los estudios literarios coloniales empiecen a descolonizarse.

# BIBLIOGRAFIA

Adorno, Rolena. *Guamán Poma: Writing and Resistance in Colonial Perú*. Austin, University of Texas Press, 1986.
————."Racial Scorn and Critical Contempt." En *Diacritics* 4:4 (1974): 2.7.
————. ed. *From Oral to Written Expression: Native Andean Chronicles of the Early Colonial Period*. Syracuse, Maxwell School of Citizenship and Public Affairs, Syracuse University, 1982.
Arenal, Electa and Stacey Schau. *Untold Sisters: Hispanic Nuns in their own Writing*. Albuquerque, University of New Mexico, 1988.
Bhabha, Homi K. "The Other Question: Difference, Discrimination and the Discourse of Colonialism". *Literature, Politics and Theory,* ed. Francis Barker, Peter Hulme, Margaret Iversen and Diane Loxley. New Accents Series. London, Methuen, 1986.
Césaire, Aimé. *Discourse on Colonialism*. [1955) Trans. Joan Pinkham. New York/London, Monthly Review Press, 1972.
Chang-Rodríguez, Raquel. "Writing as Resistance: Peruvian History and the *Relacion of Titu Cusi Yupanqui*". In Adorno, ed. 1982. pp. 41-64.
Concha, Jaime. "La literatura colonial hispanoamericana: Problemas e hipótesis". En *Neohelicón* 4:1-2, (1976) 31-50.
Cousins, Mark & Athar Hussain. *Michel Foucault*. New York, St. Martins Press, 1984.
Fanon, Franz. *Black Skin, White Masks* [1952] Trans. Charles Lam Markann. London, MacGibbon & Kee, 1968.
Fernándex, Alonso. *Historia eclesiástica de nuestros tiempos*. Toledo, Pedro Rodríguez, 1611.
Foucault, Michel. *The Archaeology of Knowledge*. London, Tavistock, 1977.
Godzich, Vlad and Nicholas Spadaccini, eds. *Literature among discourse: The Spanish Golden Age*. Minneapolis, University of Minnesota Press, 1986.
Goić, Cedomil. "La novela hispanoamericana colonial". *Historia de la literatura hispanoamericana. Tomo I. Epoca colonial*. Ed. Luis Iñigo Madrigal. Madrid, Cátedra, 1982. pp. 369-406.
González Echevarría, Roberto. "The Life and Adventures of Cipión: Cervantes and the Picaresque". En *Diacritics* 10 (1980), 15-26.
————. "El concepto de cultura y la idea de literatura en Hispanoamérica" *Simposio: Perspectivas sobre la literatura latinoamericana*. Ed. Guillermo Sucre. Caracas, Equinoccio Editorial de la Universidad Simón Bolívar (1980), 5-40.
————. "Humanismo, retórica y las crónicas de la conquista". *Isla a su vuelo fugitiva: ensayos críticos de literatura hispanoamericana*. Madrid, Porrúa, 1983. pp. 9-25.
————. "America Conquered". *The Yale Review* (1985): 281-290.
————."Humanism and Rhetoric in *Comentarios reales and El Carnero" In Retrospect: Essays on Latin American Literature (In memory of Willis Knapp Jones)*. Ed. Elizabeth S. Rogers and Timothy J. Rogers. York, South Carolina, Spanish Literature Publications Co., 1987. pp. 8-23.
————. "The Law of the Letter: Garcilaso's *Commentarios* and the Origins of the Latin American Narrative". *The Yale Journal of Criticism* 1:1 (1987), 107-131.
Hanke, Lewis. *Aristotle and the American Indians*. [1959] Bloomington, Ind., Indiana University Press, 1970.
Harrison, Regina. "Modes of Discourse": *The Relacion de antiguedades deste reyno del Pirú* by Joan de Santacruz Pachacuti Yamqui Salcamaygua". In: Adorno, ed. 1982. pp. 65-99.
Hulme, Peter. *Colonial Encounters: Europe and the native Caribbean 1492-1797*. London and New York, Methuen, 1986.
Iñigo-Madrigal, Luis, coordinador. *Historia de la literatura hispanoamericana. Tomo I. Epoca colonial*. Madrid: Cátedra, 1982.

Jákfalvi–Leiva, Susana. *Traducción, escritura y violencia colonizadora: un estudio de la obra del Inca Garcilaso.* Syracuse, NY, Maxwell School of Citizenship and Public Affairs, Syracuse University, 1984.

Jan Mohamed, Abdul and David Lloyd. "Introduction: Toward a Theory of Minority Discourse. En *Cultural Critique 6* (Spring 1987), 5-12.

————· eds. Special Issue: *The Nature and Context of Minority Discourse. Cultural Critique* 6 & 7 (Spring 1987 and Summer 1987), 2 vols.

Johnson, Julie Greer. *Women in Colonial Spanish American Literature.* Westport, CT., Greenwood Press, 1983.

Kaminsky, Amy. "Sor Juana o las trampas de la fe". En *Hispamérica,* año 15, núm. 43 (1986), 126-131.

Kubayanda, Josephat B. "Minority Discourse and the African Collective: Some Examples from Latin American and Caribbean Literature". En *Culture Critique* 6 (Spring, 1987), 113-130.

Lavrín, Asunción. "Unlike Sor Juana? The Model Nun in the Religious Literature of Colonial México". En *The University of Dayton Review* 16:2 (Spring 1983), 75-87.

Leonard, Irving. *Romances of Chivalry in the Spanish Indies.* University of California Publications in Modern Philology, vol. 16, Nº 3, pp. 217-371. Berkeley, University of California, 1933.

————. *Books of the Brave.* Cambridge, Mass., Harvard University Press, 1964.

Lienhard, Martin. "La crónica mestiza en México y el Perú hasta 1620; apuntes para su estudio histórico literario". En *Revista de Crítica Literaria Latinoamericana,* 9:7 (1983), 105-115.

López–Baralt, Mercedes. *Icono y conquista: Guamán Poma de Ayala.* Madrid, Hiperión, 1988.

Losada, Alejandro. *La literatura en la sociedad de América Latina: Modelos teóricos.* 2nd ed. Dinamarca, Romansk Institut–Aarhus Universitet, 1984.

Mannheim, Bruce. "Popular song and popular grammar, poetry and metalanguage". En *Word* 37, 1-2 (1986), pp. 45-75.

Mignolo, Walter D. "Cartas, crónicas y relaciones del descubrimiento y la conquista". *Historia de la literatura hispanoamericana.* Tomo I. Epoca colonial. Madrid, Cátedra, 1982. pp. 51-116.

————. "La lengua, la letra, el territorio (o la crisis de los estudios literarios coloniales)". En *Dispositio* 10: 28-29 (1986b), 137-161.

————. "Histórica, relaciones y Tlatóllotl: Los Preceptos Historiales de Fuentes y Guzmán y las Historias de Indias. *"Filología* 21:2 (1986B): 153-177.

————. "La historia de la escritura y la escritura de la historia". *De la crónica a la nueva narrativa mexicana.* Ed. Merlín H. Forster y Julio Ortega. México, Oasis, 1986c, pp. 13-28.

————. "El metatexto historiográfico y la historiografía Indiana". *MLN* 96 (1981). 358-402.

Myers, Kathleen A. "Selections from the Autobiography of Madre María de San Joseph", in Arenal and Schlau, eds. 1988.

Ortiz Fernández, Fernando. *Contrapunteo cubano del tabaco y el azúcar.* [1940] 2nd ed. La Habana, Cuba, Universidad Central de Las Villas, 1963.

Osorio Romero, Ignacio. *Tópicos sobre Cicerón en México.* México, UNAM, 1976.

————. "Jano o la literatura neolatina en México". *Tradición Clásica 1* (1981), 3-43.

————·"La retórica en Nueva España". En *Dispositio* 8:22-23 (1983): 65-86.

Pagden, Anthony. *The Fall of Natural Man: The American Indian and the Origins of Comparative Ethnology.* Cambridge, Cambridge University Press, 1982.

Pastor, Beatriz. *El discurso narrativo de la conquista de América.* La Habana, Cuba, Casa de las Américas, 1983.

Paz, Octavio. *Sor Juana Inés de la Cruz o las trampas de la fe.* 3a. ed. México, Fondo de Cultura Económica, 1983.

Puppo–Walker, Enrique. *Historia, creación y profecía en los textos del Inca Garcilaso de la Vega.* Madrid, Porrúa Turanzas, 1982a.

676

————. *La vocación literaria del pensamiento histórico en América: desarrollo de la prosa de ficción: siglos XVI, XVII, XVIII y XIX.* Madrid, Gredos, 1982b.

Rabasa, José. "Dialogues as Conquest". *Cultural Critique* 6 (Spring, 1987), 131–159.

Rama Angel. *La ciudad letrada.* Hanover, NH: Ediciones del Norte, 1984.

————. *Transculturación narrativa en América Latina.* México. Siglo XXI, 1982.

Sabat de Rivers, Georgina. *El sueño de Sor Juana Inés de la Cruz.* London, Tamesis, 1977.

————· "Sor Juana Inés de la Cruz". En Iñigo-Madrigal, 1982, 275–293.

Salomon, Frank. "Chronicles of the Impossible: Notes on Three Peruvian Indigenous Historians". In Adorno, ed. 1982. pp. 9–39.

Scharlau, Birgit. "The Interaction of Aztec Picture Writing and European Alphabetic Writing in Colonial México". A lecture presented at the John Carter Brown Library, Providence, R.I., October 22, 1986.

Scharlau. Birgit and Mark Munzel. *Qellqay. Mündliche Kultur und Schrifttradition bei Indianern Lateinamerika,* Frankfurt / New York, Campus–Verlag, 1986.

Seed, Patricia. *To Love, Honor, and Obey in Colonial Mexico: Conflicts over Marriage Choice (1579–1821).* Stanford, Stanford University Press, 1988.

Todorov, Tzvetan. *The Conquest of America: The Question of the Other.* [1982], trans. Richard Howard. New York, Harper and Row (1984).

Torre Revello, José. *El libro, la imprenta y el periodismo en América durante la dominación española.* Buenos Aires, Facultad de Filosofía y Letras, Universidad de Buenos Aires, 1940.

Urisote, George L. "The Editing of Oral Tradition in the Huarochiri Manuscript". In Adorno, ed. 1982. pp. 101–108.

————, ed. and trans. *Hijos de Pariya Qaqa: La Tradición Oral de Waru Chiri.* Syracuse, NY, Maxwell School of Citizenship and Public Affairs, Siracuse University, 1983.

Vargas Llosa, Mario. "The Culture of Freedom". St. Louis, Mo., Washington University, 1986.

Vidal, Hernán. *Socio–historia de la literatura colonial hispanoamericana:* Tres lecturas orgánicas. Minneapolis, Institute for the Study of Ideologies and Literature, 1985.

White, Hayden. *Metahistory: The Historical Imagination in Nineteenth Century Europe.* Baltimore, Johns Hopkins University Press, 1973.

————."The Fictions of Factual Representation". In *The Literature of Fact: Selected Papers from the English Institute.* Ed. Angus Fletcher. New York, Columbia University, 1976. pp. 21–44.

Zamora, Margarita. *Language, Authority, and Indigenous History in the Comentarios Reales de los Incas.* Cambridge, University Press (1988).

————. "Historicity and Literariness: Problems in the Literary Criticism of Spanish American Colonial Texts". *MLN,* 102:2 (March, 1987), 334–346.

677

# NOTAS

[1] Walter Mignolo (1986b) fue el que propuso que estamos presenciando la emergencia de un paradigma nuevo. Le agradezco las muchas conversaciones que hemos sostenido sobre este tema y otros relacionados.

[2] Para ejemplificar estas tendencias, quisiera citar a Peter Hulme en *Colonial Encounters* (1986), por la posición que toma con respecto a las prácticas disciplinarias. Al notar que la matriz de su libro debe considerarse histórica, señala que él no es historiador; aunque dos de los capítulos discuten textos convencionalmente considerados obras importantes de literatura, su estatuto como textos "literarios" se pondrá en suspenso; observa que, mientras que los capítulos del libro tendrán éxito o fracasarán como análisis textuales, los textos analizados y los asuntos discutidos trascienden las fronteras convencionales de la práctica literaria (XIII-XIV).

[3] Las obras de Enrique Pupo-Walker (1982a, 1982b) y Beatriz Pastor (1983) son ejemplos recientes de esta tendencia (véase Mignolo 1986:139), vista también en los estudios de José Juan Arrom y Raquel Chang-Rodríguez, entre otros. El estudio del "relato intercalado" en las crónicas ha sido un tópico menor persistente en este contexto. Cedomil Goic recientemente puso en su propia perspectiva la cuestión de si había o no una novela hispanoamericana colonial. Véase también el excelente artículo de Jaime Concha para un resumen analítico de estos problemas.

[4] González Echevarría estudia estas estratificaciones discursivas en los *Comentarios reales* y *El Carnero* (1987: 15-16) *Literature among discourses,* editado por Wlad Godzich y Nicholas Spadaccini, ofrece nuevos aportes en esta dirección y Peter Hulme examina la coexistencia de diversos discursos en *Colonial Encounters.*

[5] Los estudios de Walter Mignolo son fundamentales en este contexto (1981, 1982, 1986a, 1986b, 1986c).

[6] Véase Adorno 1974 para el estudio de un ejemplo de la confusión entre polémicas políticas y crítica e historia literarias.

[7] "Por evitar prolijidad", como dicen los cronistas de Indias, me cito sólo a mí misma (1986) entre los culpables.

[8] Véase nota 7.

[9] Véanse, por ejemplo, Iñigo-Madrigal (1982), Todorov [1982] 1984, Pastor (1983), Vidal (1985).

[10] Aunque Pastor no tome en cuenta el aspecto dialógico de "la otra cara de la conquista", lo reconoce como un proceso paralelo y complementario a examinar (12).

[11] Abdul Jan Mohamed y David Lloyd aplican el término "discurso minoritario" a las prácticas culturales que han sido víctimas del olvido institucional; el proyecto es recuperar estas prácticas y disipar el velo ["semblance"] de un estatuto minoritario al cual se han relegado la mayoría de las cuestiones étnicas y de género ante la cultura dominante. Al mismo tiempo, advierten que negar el estatuto minoritario, y luego lamentar el hecho de que la tradición se ha ignorado, es confundir el orgullo cultural con la situación política de la literatura étnica, confundiendo ese orgullo con el carácter de la realidad política actual (5-9).

[12] Aquí me es grato reconocer las investigaciones recientemente emprendidas y anunciadas en el XIV congreso de la LASA por Robert Krueger, Universidad de Northern Iowa.

[13] La declaración de Vargas Llosa recuerda un comentario hecho por Pablo Neruda ante el Pen Club de Nueva York, el 10 de abril de 1972: "One has only to look toward the Spanish Empire in America where I can assure you that three centuries of domination produced no more than three writers of merit in all of America".

MARY LOUISE PRATT

# HUMBOLDT Y LA REINVENCION DE AMERICA*

FUE EN 1799 cuando Alexander von Humboldt y Aimé Bonpland consiguieron el permiso de la corte española para viajar libremente por el interior de las colonias americanas. Su viaje se extendió entre 1799 y 1804, lapso durante el cual viajaron extensamente por América del Sur, México, los Estados Unidos de Norteamérica y Cuba. Bonpland volvió a América del Sur en 1814 y se quedó allí hasta el final de su vida (de hecho, se "hizo natural" del Paraguay). Humboldt permaneció en Europa y entre 1807 y 1834 publicó unos treinta volúmenes basados en sus viajes. Estos escritos, o al menos algunos de ellos, tuvieron un papel clave en la reinvención discursiva e ideológica de Hispanoamérica que ocurrió en ambas márgenes del Atlántico a comienzos de siglo. Al mismo tiempo que se desmoronaba la hegemonía española, tanto las clases comerciales europeas, decididas a extenderse en la región, como las élites criollas que buscaban formas de legitimación y auto-comprensión, sintieron la necesidad de un proceso de reinvención. Los escritos de Humboldt sobre América representaron una voz influyente en el diálogo transatlántico, lo cual es el tema de este ensayo.

## I. EXPANSION E INTERIORES

Desde una perspectiva global, los viajes de Humboldt por América y sus escritos coinciden con una coyuntura particular de la expansión capitalista europea. Las famosas exploraciones de Cook y Bougainville por el Pacífico en 1760 y 1770 marcaron la última gran fase marítima de la exploración europea. Cook descubrió y trazó los mapas de las costas del último continente por delinear: Australia. Hacia fines del siglo XVIII en Europa se pasó a poner énfasis en la exploración interior, hacia tierra adentro, probablemente por primera vez desde la conquista de Perú y la búsqueda de El Dorado. Humboldt registra ese momento de cambio en

* *Nuevo Texto Crítico,* I, núm. 1 (1988), pp. 35-53.

un prefacio: "No es navegando a lo largo de la costa", dice, "que podemos descubrir la dirección de las cadenas de montañas y su constitución geológica, el clima de cada una, etcétera". Su traductor al inglés le da un carácter estético al asunto: "En general, las expediciones marítimas tienen una cierta monotonía que proviene de la necesidad de referirse continuamente a la navegación con un lenguaje técnico [ . . . ] El relato de viajes por tierra a regiones lejanas es mucho más calculado para concitar el interés general"[1].

El *momentum* económico para la exploración de tierra adentro es claro. A medida que la industrialización acelera la producción en Europa, se intensifica la demanda de mercados y materias primas; los capitalistas europeos buscan un comercio más directo con el extranjero sin competencia ni intermediarios locales; una enorme apropiación y transformación eurocentrista del planeta se pone en marcha. A lo largo de todo el siglo XIX, la exploración y la descripción del interior del continente fue una actividad de importancia central para este proceso expansionista, tanto desde un punto de vista instrumental (confección de mapas, documentación, contactos iniciales) como desde un punto de vista ideológico. De igual manera que en anteriores momentos expansionistas, la literatura de viajes constituyó un vehículo principal para la creación de conocimientos y formas de comprensión que, en el sentido teatral, "produjeron" el proyecto expansionista para la imaginación europea. Los libros de viajes, inmensamente populares durante todo el siglo XIX, no les ofrecieron a los lectores europeos solamente representaciones estables, canónicas, ancladas en sistemas ideológicos coherentes y consistentes. Por el contrario, la variedad interna de tales escritos era una parte importante de su atractivo popular y de su trabajo ideológico. De este modo, como espero demostrarlo en seguida, el discurso de Humboldt sobre América se debe escuchar en diálogo con otros textos contemporáneos.

Era por supuesto en Gran Bretaña que el capital se estaba acumulando más aceleradamente y que la producción superaba en rapidez a los mercados. En los sueños de adquisición de los burgueses protestantes de Inglaterra, la desnudez del mundo entero se vería pronto cubierta con textiles británicos. En 1788 se formó la Sociedad para el Descubrimiento de las Zonas Interiores de África y comenzó la exploración del Niger. Alexander von Humboldt, quien entonces tenía 19 años, se asoció inmediatamente. Durante las siguientes tres décadas la Sociedad envió a exploradores–escritores famosos tales como Mungo Park, Richard Denham, y Richard y John Lander. (Park fue uno de los héroes personales de Humboldt.) Simultáneamente, el interior de África del Sur sufrió una mini-invasión de exploradores–escritores, empezando con los naturalistas Anders Sparrman y el franco–brasileño Le Vaillant. Las invasiones británicas se sucedieron en 1802 y 1806. En 1797 África del Norte recibió la incursión de Napoleón, suceso que obligó a Humboldt y a Bonpland a desviar su itinerario de África a las Américas. Del mismo modo, la presión empezaba a sentirse en el imperio americano de España, cuyo interior había permanecido cerrado durante muchos años a viajeros extranjeros. La carta blanca que la Corte de España les dio a Humboldt y a Bonpland fue una respuesta a intereses económicos apremiantes y, también, a exigencias de poderosas comunidades científicas y diplomáticas europeas. Y nuevamente la exploración vino de la mano con la invasión: el viaje de Humboldt fue seguido por los generales británicos que invadieron el Río de la Plata en 1806 y 1807. (De hecho, fueron éstos los mismos generales británicos que habían invadido Africa del Sur un año antes.) En las décadas siguientes, el interior de América del Sur "se abrió" bajo el influjo de viajeros–escritores como había sucedido en Africa.

## II. LA CIENCIA Y LA CONCIENCIA PLANETARIA

Si bien las expediciones marítimas de Cook pueden haber cerrado un capítulo en la historia de los viajes, abrieron un capítulo nuevo en la historia de la literatura de viajes, un capítulo que Humboldt vivió hasta sus últimas consecuencias. Fueron sobre todo los escritos sobre las expediciones de Cook los que consolidaron al discurso científico como un mundo dominante en la literatura de viajes y exploraciones. Alrededor de 1790, la literatura europea sobre el mundo no–europeo estaba claramente polarizada en dos extremos: lo científico, representado por relatos de viajes e innumerables volúmenes de historia natural taxonómica, y lo sentimental, representado por relatos de viaje, novelas y poesía romántica de lo sublime. (En esta polarización se pueden reconocer las dos caras de la hegemonía burguesa emergente: la separación entre formas subjetivas y objetivas de autoridad entre las esferas pública y privada.) Humboldt nació en medio de esta dinámica, y ella se transparenta en su trabajo. Este punto es evidente cuando se compara a Humboldt con su antecedente inmediato en América del Sur, el científico francés La Condamine. Por iniciativa de la comunidad científica europea, La Condamine dirigió una expedición internacional en 1735 al continente para medir la exacta longitud de un grado en el ecuador. Como en el caso de Humboldt, conseguir el permiso de la corte española para el viaje fue un logro asombroso que sólo pudo alcanzarse en el nombre desinteresado de la ciencia y a través de una delicada diplomacia. Sin embargo, ahí se acaba la semejanza.

La expedición de La Condamine cumplió su misión, pero se la recuerda más por su carga dramática que por sus logros científicos. Los expedicionarios padecieron muchos desastres, y cuando regresaron a Europa, diez años después de su partida, no llevaban muestras botánicas sino relatos espeluznantes de espionaje, intrigas, asesinatos, enfermedades, sufrimiento y amor. Eran historias relatadas en un estilo fácilmente reconocible por los europeos: el estilo de los naufragios, del sufrimiento y la sobrevivencia, que había sido el modelo acostumbrado de la literatura de viajes desde el siglo XVI. La poética de esta "literatura de sobrevivientes" exigía un equilibrio aristotélico entre la instrucción y la diversión: la última suministrada por la emoción y el carácter exótico del relato, y la primera por el drama moral de la redención, así como por apéndices descriptivos sobre costumbres, flora y fauna. En su propio informe a la Academia de Ciencias de París en 1745[2], La Condamine adopta automáticamente esta vieja configuración sumamente estable. Sesenta años más tarde, para Humboldt tal posibilidad ya no existe. Efectivamente, en un prefacio se refiere explícitamente a este tipo de escritura como perteneciente a una "época anterior". Al contrario, aunque el proyecto de La Condamine era científico, en 1740 para él no existía todavía una autoridad discursiva general específicamente anclada en la ciencia; para Humboldt esta forma de autoridad ya es un fuerte imperativo.

Entre La Condamine y Humboldt, por lo tanto, se encuentra Cook, la aparición de los escritos sobre viajes científicos y el surgimiento de la ciencia como una forma normativa del conocimiento. Humboldt invierte mucho en este desarrollo. La mayor parte de su obra estuvo dedicada a lo que él refería como "el gran problema de la descripción física del globo". De los treinta volúmenes que resultaron de sus viajes por América, la mayoría son tratados de taxonomía botánica y zoológica –sobre plantas equinocciales, un par de volúmenes dedicado exclusivamente al estudio de las mimosas, algunos atlas físicos, zoología y anatomía comparadas– además de la descripción demográfica de base ecológica de los afamados *Ensayos políticos.* Tan comprometido estaba Humboldt con el proyecto de la ciencia descriptiva que manifestó un decidido desinterés por las formas narrativas. Durante muchos años se negó a escribir una relación narrativa de su viaje americano, y se puede sospechar que fue la proliferación de escritos de viajeros posteriores la que finalmente lo convenció de iniciar su *Relación histórica* en 1814. A pesar de su enorme éxito popular, Humboldt abandonó el proyecto cinco años más tarde, después de completar dolorosamente tres volúmenes y de destruir el manuscrito del cuarto. Por supuesto, es el poder estabilizador y totalizador de la ciencia descriptiva y clasificatoria lo que atrae a Humboldt y a sus colegas científicos, y lo que hace trivial el estilo narrativo en su criterio. En el modo narrativo, una persona cuenta sólo una pequeña historia, transita un único y estrecho camino sobre la faz de la tierra. Las grandes categorías descriptivas de la ciencia taxonómica, por otro lado, cubren el globo sin esfuerzo alguno, nombrando todo, subsumiendo todo en un conjunto de sistemas clasificatorios que, como Humboldt esperaba, expresaría finalmente la armonía y la unidad subyacentes del cosmos. (Dedicó las últimas décadas de su vida a un *magnum opus* enciclopédico titulado *Cosmos.)*

Claramente se advierte que el "gran problema de la descripción física del globo", como apareció a fines del siglo XVIII en Europa, de ninguna manera es independiente del gran proyecto de expansión política y comercial que Europa estaba articulando simultáneamente a escala global. Aparte de todo lo que puedan ser, las taxonomías descriptivas europeas, como sus museos, sus jardines botánicos y sus colecciones de historia natural, son formas simbólicas de apropiación planetaria, articulaciones de una "conciencia planetaria" emergente a través de la cual, parafraseando a Daniel Defert, Europa llega a verse a sí misma como un "proceso planetario" más que como una simple región del mundo[3]. (Se destaca que el término "poder descriptivo" es usado para discutir y evaluar dichos sistemas.)

A pesar de estar basados en el mundo no social, escritos científicos como los de Humboldt deben verse también como "estadísticos" en el sentido etimológico (cf. el término alemán Staatistik) vinculado a *statecraft*. La geografía y las ciencias naturales son, entre otras cosas, aparatos discursivos mediante los cuales los estados definen y representan el territorio. No es por casualidad que la descripción del paisaje se vuelva una práctica importante en medio de las luchas para forjar las primeras repúblicas burguesas de América y Europa. Y tampoco es por casualidad que la descripción del paisaje en Humboldt haya sido reproducida una y otra vez por los escritores criollos americanos durante las décadas siguientes a la Independencia.

Este vínculo con la formación estatal, clarísima en los *Ensayos políticos* de Humboldt, subraya las dimensiones políticas y de clase en el ascenso de la ciencia. Como mencioné antes, hacia fines del siglo XVIII, los discursos complementarios de la ciencia y el sentimiento se habían enraizado como formaciones ideológicas centrales de una hegemonía burguesa emergente. Tal como lo demostró Norbert Elias, ellos constituyen el reto burgués a las ideologías de la vida cortesana[4]. En esta última, el valor personal radica en la pureza de la propia sangre (noble) más que en la profundidad de la propia alma (burguesa). El mundo exterior se lee a través de categorías de jerarquía y privilegio más que de descripción clasificatoria (burguesa). Humboldt ocupa una posición única con relación a este diálogo entre la hegemonía cortesana y la burguesa. El es un burgués que creció en la corte de Federico II, donde su padre era chamberlán del príncipe imperial. Durante sus años de estudiante Humboldt disfrutó el papel de radical de la Corte, ya que, junto con su hermano Wilhelm, optaba por concurrir a los salones de la *intelligentsia* judía de Berlín en lugar de aquéllos de la nobleza alemana. Cuando conoció a Simón Bolívar en París, Humboldt manifestó su gran apoyo a las revoluciones americanas, como lo había hecho con la francesa. No obstante, toda su vida fluctuó entre mantener o desechar el *von* cortesano que su padre había obtenido en 1738. Fue precisamente la combinación de las relaciones cortesanas de Humboldt con su capacidad técnica lo que le aseguró la confianza de la corona española[5].

## III.  UN NUEVO CRISTOBAL COLON

Mientras parecía estar llevando el proyecto de la ciencia descriptiva a su extremo enciclopédico, Humboldt siempre se sintió incómodo con el empobrecimiento espiritual y estético del discurso científico, con su tedio inevitable. Reconociendo la influencia científica en los relatos de viajes, dice, "me temo que no habrá mucha tentación por seguir el curso de los viajeros interesados por los instrumentos y recolecciones científicas", como él (PN, Prefacio). Junto con sus tratados científicos sobre las Américas, Humboldt experimentó con formas no especializadas en la escritura, tratando así de mitigar el aburrimiento del detalle científico mezclándolo con lo estético, aun cuando siempre trataba de asegurar la autoridad de la ciencia por sobre lo "meramente personal". Tanto el primero como el último de sus trabajos sobre las Américas resultaron fruto de dicha experimentación, y fueron sus trabajos más leídos durante su vida. Es en estos escritos no especializados que voy a enfocar lo que sigue.

Su primer experimento es *Cuadros de la naturaleza* (1806), un libro basado en una serie de conferencias que Humboldt dio a su regreso y que amplió considerablemente en las ediciones de 1826 y 1849[6].*Cuadros de la naturaleza* es un libro innovador en el que Humboldt trata de mezclar la descripción científica con el discurso romántico de lo sublime produciendo lo que él llamó "el modo estético de tratar temas de Historia Natural" (VN, Prefacio). Su meta es reproducir en el lector "ese placer que la mente sensible recibe de la contemplación inmediata de la naturaleza" *(ibid.)*. América del Sur es declarada un lugar privilegiado para "la antigua comunión de la naturaleza con la vida espiritual del hombre". "En ningún otro lugar", dice Humboldt, "la naturaleza nos impresiona más hondamente con una sensación de su grandeza, en ningún otro lugar nos habla tan poderosamente como en el mundo tropical" (VN, 154). En su intento por representar esta grandeza y comunión, Humboldt está convencido de que el brillo de la descripción estética puede complementarse e intensificarse mediante las revelaciones de la ciencia sobre las "fuerzas ocultas" que hacen funcionar a la naturaleza. Sin embargo, es un ejercicio que él encuentra "lleno de dificultades en su ejecución". El primer ensayo de la colección, el famoso "Sobre estepas y desiertos", se abre con un viajero hipotético que desvía su mirada de las zonas cultivadas del litoral de Venezuela, para dirigirla a los llanos del interior:

> Cuando el viajero deja atrás los valles alpinos de Caracas, y el lago de Tacarigua lleno de islas, cuyas aguas reflejan las formas de los bananos vecinos; cuando deja los campos resplandecientes con el verde suave y luminoso de la caña de azúcar tahitiana, o la sombra oscura de los plantíos de cacao, su mirada reposa en las estepas del sur, cuyas aparentes elevaciones desaparecen en el lejano horizonte [ . . . ]

De pronto se encuentra sobre la triste orilla de un territorio baldío (VN, 15).

Humboldt se propone hacer que esta región desolada se vuelva maravillosamente viva en la mente de sus lectores. He aquí un ejemplo perfecto de su estilo estético-científico:

> La superficie de la tierra apenas está humedecida antes de que la Killingiae, el panículo Paspalum y una variedad de hierbas cubran la fecunda estepa. Incitada por la fuerza de la luz, la Mimosa herbácea despliega sus dormidas hojas colgantes, como si estuviera saludando la salida del sol en coro con la canción matinal de los pájaros y las flores acuáticas que se abren. Los caballos y los bueyes, pletóricos de vida y gozo, pacen vagabundeando por los llanos. El pasto lujurioso esconde al jaguar de hermosas manchas, que, al acecho en un escondite seguro, y midiendo cuidadosamente la extensión del salto, se lanza, semejante al tigre asiático, con la flexibilidad de un gato sobre su presa (VN, 16).

Estos llanos están sin duda vivos, pero curiosamente faltos de gente. Las fantasías sociales de armonía, trabajo y ausencia de alienación se proyectan sobre el mundo no-humano (los pájaros que cantan los maitines, plantas que saludan al sol, etcétera), pero no hay gente. Sus huellas están allí: el caballo y el toro llegaron mediante la intervención humana. Pero el hipotético viajero europeo es la única persona mencionada en estas "soledades sagradas y melancólicas". Realmente, la ausencia de gente se vuelve esencial en la visión americana de Humboldt. Es justamente esta ausencia, arguye Humboldt, lo que "les da carta blanca a las fuerzas de la naturaleza para que se desenvuelvan" (VN, 12). Así es como la gente y el espacio tienden a excluirse mutuamente; así es como la mirada de Humboldt despuebla y deshistoriza el paisaje americano aun cuando celebra su grandeza y su variedad.

El esfuerzo de Humboldt por fusionar ciencia y estética iba a tener muchos imitadores. Aunque innovadora, en otros sentidos, su postura tipifica lo que acabo de referir como la "conciencia planetaria" europea, que surge en este período. La ciencia natural cataloga al mundo en cuanto naturaleza, y específicamente *no* en cuanto historia. "El hombre" podía ocupar el centro del universo en Europa, pero no en el resto del mundo, tal como lo veían los europeos. La historia será admitida en escena sólo cuando el pensamiento evolucionista le permita catalogarse como naturaleza. Del mismo modo, la estetización aquí está separada de un sujeto humano histórico, un implícito potencial en la estética de lo sublime. El hipotético viajero-observador es el único vestigio de la narrativa de viajes y de la historia.

Al mismo tiempo, el discurso de Humboldt representa la recurrencia de una estrategia compartida por Colón, Vespucio y Raleigh, varios de los primeros "inventores de América". Es la estrategia de presentar a América como un mundo primigenio de la naturaleza; como un Otro que no es un enemigo; como un espacio que contiene plantas y animales (algunos de ellos humanos), no organizados en sociedades y economías; un espacio cuya única historia es la que está por empezar; un espacio inestructurado para ser representado en un discurso de acumulación, un catálogo, después estructurado e historizado. El viajero hipotético de Humboldt es un nuevo Colón, quien esta vez desembarca y se interna tierra adentro para repetir el gesto fundador. De hecho a menudo se alude directamente a Colón. En *Cuadros de la naturaleza,* el ensayo sobre el Orinoco, por ejemplo, comienza a través de la mirada de un marinero hipotético que "al acercarse a las costas graníticas de Guayana [ . . . ] ve adelante la ancha boca de un río caudaloso que fluye con violencia como un mar sin costas". Es evidente la alusión al encuentro de Colón con el Orinoco en su tercer viaje. No es sin razón que tan frecuentemente se le elogia a Humboldt como el "redescubridor" de América[7]. Sin embargo, después de elogiar, es necesario preguntar qué significa revivir el gesto originario de Colón inmediatamente después de tres siglos de dominio colonial español.

El mismo proyecto de reinvención predomina en la *Relación histórica* de Humboldt. Aquí también la naturaleza es el espectáculo; la sociedad colonial −y con ella la historicidad− está al fondo o bien fuera del escenario. Se podría pensar que el tejido social y humano de Hispanoamérica se transparentase mejor en un relato narrativo hecho día a día. Después de todo, los movimientos de Humboldt estaban completamente inmersos en, y dependían de la infraestructura colonial. No obstante, esta infraestructura sólo aparece en su texto de manera incidental. Las misiones, los hospitales, las granjas, las avanzadas, y los pueblos en los que él se hospedó, se mencionan pero nunca se describen; lo mismo sucede con los habitantes, ya sean éstos misioneros españoles, pobladores criollos, o los esclavos y trabajadores indígenas que guiaban y transportaban a la partida y su equipo. Consideremos el siguiente pasaje:

> Los granjeros, con la ayuda de sus esclavos, abrieron una senda a través del bosque hacia la primera caída del río Juagua; y el 10 de septiembre hicimos nuestra excursión al Cuchivano [ . . . ] Cuando la cornisa fue tan estrecha que ya no hubo espacio para nuestros pies, descendimos al torrente, lo cruzamos vadeándolo o en hombros de un esclavo y escalamos la pared opuesta... A medida que avanzábamos la vegetación se iba haciendo más densa. En varios lugares las raíces de los árboles habían quebrado la roca calcárea insertándose en las grietas que separan los estratos. Era un problema cargar las plantas que juntábamos a cada paso. Las cañas, las heliconias con hermosas flores violetas, los costos y otras plantas de la familia de los amomos, aquí alcanzan de ocho a diez pies de altura, y su fresco y tierno verdor, su sedoso esplendor, y el extraordinario desarrollo del paránquima, forman un contraste sorprendente con el color marrón de los helechos arborescentes, cuyo foliaje está tan delicadamente

delineado. Los indios hicieron cortes con sus largos cuchillos en el tronco de los árboles, y nos llamaron la atención con esas hermosas maderas rojas y doradas, que algún día serán solicitadas por nuestros torneros y ebanistas [PN, III, 73-4].

Los críticos han tenido razón en alabar este estilo humboldtiano por su vivacidad y su valoración del paisaje americano frente a la larga indiferencia europea. Los críticos han tenido razón al reconocer en Humboldt un antecedente clave en la tradición de lo *real maravilloso* (en el pasaje arriba citado, los lectores contemporáneos no pueden sino escuchar la voz del Alejo Carpentier de *Los pasos perdidos*). Al mismo tiempo, se debe señalar el lugar del mundo social en el proyecto discursivo de Humboldt. Visiblemente, en el pasaje citado arriba los habitantes de América pasan a primer plano sólo al servicio de los europeos. La iniciativa que se les ve tomar por sí mismos es la de descubrir los recursos explotables a los europeos, como si estuvieran ansiosos por facilitar la apropiación industrial en su medio ambiente. Es este gesto el que da pie a una de las relativamente escasas alusiones en estos libros a los designios del capital europeo. Mientras tanto, cualquier impresión acerca de estos habitantes como dueños de una economía o de una ecología propias, brilla por su ausencia.

En suma, "el modo estético de tratar temas de historia natural" de Humboldt representa una América en un estado primigenio desde el cual podrá ahora, dependiendo del punto de vista, subir a la gloria de la civilización o caer en la corrupción de la civilización. ¿Qué significa revivir esta estrategia en vísperas de la independencia de Hispanoamérica, y en vísperas de una nueva fase de la intervención europea? Humboldt y sus viajeros hipotéticos están demarcando para los europeos un nuevo comienzo de la historia de América del Sur, un nuevo punto de partida para un futuro que empieza ahora, y que remodelará ese "territorio salvaje". En uno de sus prefacios Humboldt alude a este futuro:

> Si entonces algunas páginas de mi libro son arrancadas del olvido, el habitante de las riberas del Orinoco contemplará con éxtasis que populosas ciudades enriquecidas por el comercio, y campos fértiles cultivados por hombres libres, adornan esos lugares donde en la época de mis viajes yo encontré solamente selvas impenetrables y tierras inundadas"[PN, I, li].

De acuerdo con la práctica de Humboldt, la visión transformada de América se ofrece nuevamente con un paisaje visto por un testigo hipotético. Entre Humboldt y ese observador futuro, sin embargo, yace una cadena de acontecimientos de los que Humboldt explícitamente se excluye. Su auto-presentación a todo lo largo de estas páginas es firmemente no intervencionista, firmemente inocente. Es necesario reconocer aquí una mistificación. Sin embargo, como lo discutiré en seguida, fue esta misma mistificación la que facilitó el uso de los escritos de

Humboldt para los intelectuales criollos que buscaban descolonizar su cultura sin perder sus valores europeos.

## IV. HUMBOLDT TRANSCULTURADO

La "Silva a la agricultura de la zona tórrida" de Andrés Bello (1825) es sólo uno de los muchos textos hispanoamericanos que tiene sus raíces en los escritos de Humboldt. Sabemos que Bello conoció a Humboldt y a Bonpland siendo un joven estudiante en Caracas, los acompañó en algunas de sus expediciones locales y se inspiró en su proyecto. Años después, escribiendo en celebración de la Independencia de Hispanoamérica, Bello repite el gesto humboldtiano de (re)descubrimiento al comienzo de su famosa "Silva". "Salve, fecunda zona", comienza, acercándose como el viajero hipotético de Humboldt. Sigue un catálogo rapsódico de las riquezas nativas de América, desde las uvas al grano, la caña de azúcar, cochinilla, los nopales, el tabaco, la yuca, el algodón, etcétera. Se aprecia el mismo discurso de acumulación, el mismo tono rapsódico, la misma visión del floreciente mundo primigenio. El eco de Colón es quizás aún más pronunciado que en Humboldt.

Con respecto a la reinvención de América, Bello está ubicado de manera diferente que Humboldt y sus discípulos europeos, sin embargo. Como intelectual criollo, el proyecto de Bello en la "Silva" es descolonizador. Está buscando nuevas formas de representación para las nuevas repúblicas, un discurso que fundamentara el auto–conocimiento y legitimación en el presente y proyectase a las nuevas sociedades hacia el futuro. (Su "Silva" fue escrita como parte de una épica en tres partes titulada *América*, la que, al igual que el *Cosmos* totalizador de Humboldt, nunca se terminó.)

En su calidad de hombre de letras criollo, Bello está siguiendo una ruta complicada en la búsqueda de una cultura letrada descolonizada. Por un lado, está comprometido con las letras de base europea en contraposición a los "barbarismos" indígenas y al provincianismo rural. Por otro lado, ve la necesidad de una auto–afirmación americanista ante la nueva ola de intervencionismo europeo. Una de las respuestas de Bello es transculturar (tomo prestado el término a Fernando Ortiz y Angel Rama)[8] ciertos paradigmas europeos. Por lo tanto, aun cuando Bello repite inicialmente el gesto de descubrimiento de Humboldt, lo repite *sólo en cuanto gesto*. Después de unos sesenta versos de rapsodia botánica, el poema cambia abruptamente de clave. Se vuelve una exhortación a los habitantes de las nuevas repúblicas para que pueblen el paisaje vacío, rechacen a los debilitantes demonios de las ciudades en favor de una simple vida campesina: "¡Oh, jóvenes naciones, que ceñida/alzáis sobre el atónito occidente/de tempranos laureles la cabeza!/honrad el campo, honrad la simple vida/del labrador, y su frugal llaneza". El futuro, apenas vislumbrado por Humboldt, se convierte en el tema del texto de Bello. Para articular ese futuro, Bello toma otro paradigma europeo, el pastoril. Se ha advertido una deuda especial con las *Geórgicas* de Virgilio en la segunda parte del poema, una deuda suficientemente significativa como para inspirar a Menéndez y Pelayo a reivindicar a Bello como "el más virgiliano de nuestros poetas"[9]. La poesía pastoral de Bello conserva la postura estilizante de los escritos de Humboldt, pero sustituye la temática de la naturaleza y lo visual por una misión moral y cívica. Bello evoca a Humboldt sólo para dejarlo de lado y seguir con otra cosa. Otros textos claves del período hacen lo mismo. Tanto *La cautiva* de Echeverría como el *Facundo* de Sarmiento comienzan con paisajes inequívocamente humboldtianos y los dos, una vez apropiados del gesto humboldtiano, *en cuanto gesto,* se dirigen hacia otras formaciones discursivas.

## V. LOS INTERVENCIONISTAS INGLESES

Rodeado por Humboldt, Virgilio y Menéndez y Pelayo, ¿se debe concluir en que el proyecto descolonizador de Bello no es otra cosa que un ejercicio de alienación? Tal vez. Aun así es importante reconocer el experimentalismo de su texto, y del momento de su escritura. Los teóricos de la transculturación identifican la *selección y la invención* como los dos procesos centrales mediante los cuales las periferias incorporan la cultura de la metrópolis[10], procesos cuyo experimentalismo e innovación ignoran los teóricos de la aculturación. Tanto la selección como la invención están claramente presentes en la "Silva" de Bello, transculturando materiales europeos en una visión descolonizadora que en importantes aspectos impugna la visión hegemónica de Europa. *La cautiva* y *Facundo* se pueden ver, del mismo modo, como experimentos nítidamente criollos en pos de una cultura letrada descolonizada.

Para aclarar este punto, sólo se necesita examinar otros escritos sobre Latinoamérica con los que tanto los escritores hispanoamericanos como Humboldt dialogaban. Hacia 1820, otro discurso muy diferente sobre Hispanoamérica estaba resonando alrededor de Bello en Londres y de Humboldt en París. Una vez que las restricciones coloniales desaparecieron después de 1810, docenas de viajeros, sobre todo ingleses, comenzaron a inundar a Hispanoamérica, y docenas de ellos escribieron libros de viajes. Es muy posible que esta ola de libros de viaje haya sido lo que tardíamente llevó a Humboldt a emprender su propia *Relación histórica.* Bello continuamente leyó y reseñó a estos escritores para los lectores hispanoamericanos[11], y en ocasiones (aunque de manera muy selectiva) tradujo extractos.

Como lo señaló Jean Franco, estos visitantes británicos de la época de la Independencia, en su mayor parte, viajaron y escribieron explícitamente como exploradores de avanzada para el capital europeo[12]. Ingenieros, mineralogistas, ganaderos, agrónomos, eran enviados para localizar y analizar con precisión los recursos, contactar y contratar con las élites locales, informar acerca de riesgos potenciales, condiciones de trabajo, transporte y demás. Ellos desarrollaron un discurso directamente expresivo de su misión. Como Franco señala, esta ola de viajeros-escritores a menudo buscó una postura conscientemente antiestética en sus escritos, introduciendo retóricas economistas, intervencionistas, que estaban casi totalmente ausentes de los libros de Humboldt y de sus discípulos. Considérese, por ejemplo, esta visión de los Andes en un relato de 1827 del ingeniero minero inglés Joseph Andrews (citado por Franco):

> Contemplando la cadena más cercana y sus cimas descollantes, don Thomas y yo construimos castillos en el aire a sus inmensos costados. Excavamos ricas venas de mineral, levantamos hornos de fundición, en nuestra imaginación vimos a una multitud de trabajadores moviéndose como insectos ocupados en las alturas y fantaseamos en que esa región enorme y salvaje estaba poblada por las energías de los británicos desde una distancia de nueve o diez mil millas [cit. por Franco, p. 133].

De manera similar John Mawe trata de describir el escenario "salvaje y romántico" que encuentra en La Plata, pero no puede y lo único que logra es exclamar: "¡Qué escena para un agricultor emprendedor! Actualmente todo está descuidado"[13]. Charles Cochrane, un británico cuya ambición es apoderarse de la pesca de perlas en Colombia, ve en el paisaje americano una máquina dormida a la espera de quien la ponga en marcha:

> En ese país hay todas las facilidades para la empresa, y grandes expectativas de progreso: sólo se necesita que el hombre eche a andar la máquina que ahora está inactiva pero que, con capital e industria, se puede volver productiva con cierto beneficio y riqueza final[14].

El contraste con los vibrantes panoramas de Humboldt no podía ser mayor.

Casi obsesivamente, en estos textos, la naturaleza americana se representa como el futuro objeto de la explotación europea. El exotismo y la retórica romántica de Humboldt se dejan explícitamente de lado en favor de una visión modernizadora, industrializadora. Los libros de Humboldt a menudo se critican directamente, porque son "demasiado científicos, y entran en demasiados pocos detalles como para satisfacer una lectura minuciosa", como lo expuso un escritor en 1825[15]. Las expectativas de la intervención europea ocupan el centro y no las orillas de este discurso, y sus voceros celebran en vez de mistificar su participación en ese proceso. En contraste directo con Humboldt (y Bello), la naturaleza primigenia es vista como problemática, e incluso fea, y su propia primigenidad es un signo de descuido humano. En 1828 Charles Brand encuentra las pampas "estériles e inhóspitas"[16], aunque repetidamente halla belleza en escenas de trabajo nativo. "Fue hermoso", dice, cuando dos tropillas de mulas se encuentran en un camino, "ver a los peones mantener a sus tropillas separadas unas de otras" (*op. cit.*, p. 208). Para el francés Gaspar Mollien (1824) la naturaleza primigenia se ve como descuidada o indescifrable, mientras que la belleza se encuentra en paisajes domesticados que recuerdan a Europa:

> Después de atravesar un bosque muy espeso, seguimos continuamente el ascenso hasta que llegamos a un lugar desde el cual se nos apareció un paisaje verdaderamente magnífico: la provincia entera de Maraquita se desplegaba delante nuestro, sus montañas aparecían desde el lugar donde estábamos pero como lomas insignificantes: sin embargo podíamos distinguir las casas blancas de Maraquita. Mucho más cerca de nosotros estaba la tierra de Honda, cuyos muros son lavados por el Magdalena de verdes riberas que imparten una belleza especial al paisaje vecino. Se podía haber pensado que era el Sena serpenteando por las ricas praderas de Normandía. Esta hermosa vista, sin embargo, desapareció tan pronto como entré en el bosque nuevamente [ . . . ][17]

La sociedad criolla, relegada a los márgenes del discurso de Humboldt, es tratada extensamente por esta vanguardia capitalista, a menudo bajo una luz muy negativa. Aunque frecuentemente se alababa a las élites por su hospitalidad y su estilo aristocrático de vida, la crítica a la sociedad criolla por la indolencia y el abandono de sus recursos, era casi obsesiva. "Mientras que la naturaleza ha sido profusa en sus bendiciones", dice John Mawe, "los habitantes han sido negligentes en su mejoramiento" (*op. cit.*, p. 89). De acuerdo con John Miers, "la gente que vive fuera de los pueblos, aunque lo haga en la tierra más fértil y no tenga nada que hacer, nunca cultiva ni siquiera el lugar más pequeño"[18]. El fracaso de los criollos se entiende como el rechazo no sólo a trabajar, sino también a racionalizar la producción, a especializarla y a buscar su máximo rendimiento. Los europeos se asombran por la ausencia de cercas y otros cerramientos, el fracaso en separar malezas de cosechas, la indiferencia para diversificar los cultivos, o para "preservar la raza" de los perros, caballos, incluso de ellos mismos.

Con igual vigor, los criollos —especialmente en las provincias— son criticados por el hecho de no poseer hábitos modernos de consumo. Aunque a menudo se expresa entusiasmo por el pintoresquismo de la sociedad provincial, un viajero frustrado tras otro se queja de la indiferencia criolla frente a las virtudes del confort, la eficiencia, la limpieza, la variedad y el gusto. John Mawe apenas puede concebir, y mucho menos tolerar, una sociedad cuyos miembros han adoptado vivir de carne vacuna y de mate. Los alojamientos se ven repugnantemente toscos, es difícil conseguir caballos, los retrasos son intolerablemente largos. Viajero tras viajero se escandaliza por los "hábitos inmundos" que encuentra en el populacho. A la llegada a Lima, Charles Brand se siente repugnado frente a las mujeres limeñas, que son "desaliñadas y sucias" y "nunca usan corsé"; los hombres son igualmente "sucios e indolentes en un grado asombroso" (*op. cit.*, p. 182). John Miers registra la misma impresión en el interior de Argentina: "Son tan inmundos los hábitos de estas gentes, que ninguno de ellos piensa por una sola vez en lavarse la cara, y muy pocos lavan o reparan alguna vez sus ropas: una vez que se las ponen, las usan día y noche hasta que se pudren" (*op. cit.*, p. 31). Igualmente horrorosa para algunos es la costumbre de compartir platos de comida, ollas de cocina, vasos de bebida y camas.

De vez en cuando, las contradicciones salen a la superficie. En la pampa Miers se muestra por lo menos ligeramente confuso porque la gente apenas si hace ejercicio físico y "sin embargo son saludables, robustos, musculosos y atléticos" (*op. cit.,* p. 32). Charles Brand se conmueve por la igualdad de la sociedad de la pampa ("Viviendo tan libres e independientes como el viento, ellos no pueden ni podrán reconocer la superioridad de ningún otro mortal") pero con todo encuentra "extraño que sean tan sucios y descuidados; las mujeres, en particular, son asquerosamente sucias. No tienen la menor idea del confort..." (*op. cit.,* p. 74-75).

Si el paisaje americano debe transformar su condición selvática en un cuadro de industria y eficiencia, su población colonial también se debe transformar: de masa indolente, indiferenciada, carente de apetito, noción de jerarquía y gusto, en dos cosas: trabajo asalariado y mercado para los bienes de consumo metropolitanos.

Bello, en su convocatoria a los granjeros humildes y sin miedo al trabajo duro, comparte claramente la crítica que hacen los británicos de la sociedad provinciana tradicional, de que ésta no ha logrado desarrollar su medio. Al mismo tiempo, ni el trabajo asalariado ni el consumismo tienen ningún lugar en el llamado de Bello a una vida frugal y simple asentada en la tierra. La perspectiva pre-industrial y pastoral de Bello no se debe ver solamente como nostálgica y reaccionaria, sino como una respuesta dialógica a la visión mercantilista y expansionista de los ingenieros británicos. Bello es un hombre de letras urbano, mira a Europa en busca de alternativas para dicha visión, y transcultura a Virgilio y a Humboldt con ese propósito. La notoria omisión de minerales en su canción de alabanza a América es, tal vez, sintomática de su intento descolonizador: la minería (como bien lo sabía Humboldt) constituía el gran imán para el capital extranjero y el *locus* de los designios neocoloniales.

## VI. REINVENTANDO A EUROPA

La "Silva" de Bello, entonces, entra en un diálogo transatlántico iniciado por Humboldt y continuado por muchos escritores en ambas márgenes del océano a lo largo de la época de la Independencia. Es un diálogo en el que varias voces se encuentran comprometidas en lo que he llamado la "reinvención de América". Para los escritores hispanoamericanos, en particular, es un momento altamente experimental, en el cual la transculturación de los paradigmas europeos es de importancia fundamental. Para que no se piense que sólo América estaba en juego en este diálogo, propongo terminar con una breve discusión de un texto en el cual Europa es reinventada por un escritor hispanoamericano. Me refiero a Domingo Faustino Sarmiento y el relato de sus viajes a Europa en 1845-1847[19].

Dada la larga asociación de la literatura de viajes con los europeos y con el expansionismo europeo, no es sorprendente que Sarmiento encontrase un poco problemática su propia autoridad como escritor de viajes. Para cualquier escritor, dice Sarmiento en su prefacio, es muy difícil escribir libros de viaje interesantes ahora que "la vida civilizada reproduce en todas partes los mismos caracteres" (p. 2). "Mayor se hace la dificultad", prosigue, "si el viajero sale de las sociedades menos adelantadas, para darse cuenta de otras que lo son más. Entonces se siente la incapacidad de observar, por falta de la necesaria preparación de espíritu, que deja turbio y miope el ojo, a causa de lo dilatado de las vistas, y la multiplicidad de los objetos que en ellas se encierran". Como ejemplo de esa torpeza él cita su propia inhabilidad para percibir en las fábricas algo más que un montón inexplicable de maquinaria. Si su texto fuese a ser comparado con los de los grandes escritores de viajes europeos como Chateaubriand, Lamartine, Dumas o Jaquemont, concluye, "yo sería el primero en abandonar la pluma" (p. 6).

A pesar de esta elaborada renuncia –la que también se debe leer como un gesto– Sarmiento continúa y escribe su relato de viaje sin evidencia alguna de la invalidez de espíritu que se adjudica en este prefacio. Su texto, en efecto, abarca la pregunta: en la época independiente, ¿cómo se ubica el hombre de letras americano con respecto a Europa? El capítulo inicial presenta un episodio fascinante dedicado a contestar a esta pregunta, por lo menos en el dominio de lo simbólico. El relato se abre con el barco de Sarmiento saliendo de Valparaíso rumbo a Montevideo y luego a Europa. Como si reflejase las dificultades de Sarmiento para hacer zarpar a su propio texto, el barco se queda sin viento y varado durante cuatro días apenas se aleja de la costa chilena. Este no-acontecimiento, decididamente fuera de la retórica habitual de los libros de viaje, tiene lugar junto a una isla llamada Más-a-fuera.

Aunque está "más afuera" de la civilización, esta isla tiene una historia que la une con firmeza a Europa y su tradición literaria. Más-a-fuera es una de las islas de Juan Fernández, donde el escocés Alexander Selkirk estuvo abandonado durante muchos años hacia fines del siglo XVII. Selkirk y su historia se hicieron famosos más tarde como el modelo que tomó Defoe para su novela *Robinson Crusoe*. Conocedores de este antecedente, Sarmiento y algunos compañeros aprovechan la ocasión para revivir y revisar por sí mismos la experiencia de Crusoe. Deciden pasar un día en la isla Más-a-fuera. Se asombran al descubrir que ya está habitada por cuatro norteamericanos descastados que viven allí, según la expresión de Sarmiento, "sin preocuparse por el mañana, libres de toda sujeción, y fuera del alcance de las vicisitudes de la vida civilizada". Tal como lo sugiere este lenguaje, el relato que hace Sarmiento de la vida en Más-a-fuera conserva un poco del espíritu utópico del *Crusoe* de Defoe. El describe un paraíso masculinista con varios rasgos de la humilde visión pastoral de Bello. De acuerdo con la época, es también un paraíso republicano: no hay ningún Viernes esclavizado, y la jerarquía predominante es la del esquema padre-hijo[20]. El rasgo caballeroso de Crusoe predomina: los hombres se divierten organizando un día de cacería de cabras salvajes de las que abundan en la isla. (Como se recordará, Crusoe capturó y crió estas cabras; el Selkirk original, por su lado, contó haber bailado con ellos en su deseo de compañía humana.) A medida que sigue el relato, sin embargo, Sarmiento desmistifica gradualmente el paradigma utópico. Los cuatro hombres, como se llega a saber, son infelices y están divididos entre sí, lo que lleva a Sarmiento a concluir en que "la discordia es una condición de nuestra existencia, aunque no haya gobierno ni mujeres" (p. 22).

Al igual que con la historia original de Crusoe, el episodio de Más-a-fuera de Sarmiento permite una lectura alegórica. En este caso, lo que se alegoriza son las propias relaciones complejas de Sarmiento con las culturas europea, norteamericana y argentina. En la importante escala civilizatoria de Sarmiento, él ubica a los habitantes de Más-a-fuera mucho "más afuera" que él mismo, pero no tan afuera como algunos habitantes del interior de Argentina. Notando que los norteamericanos, al igual que Crusoe, fueron capaces de mantener un calendario exacto, Sarmiento recuerda el episodio en que la población de una de las capitales provinciales de Argentina descubrió a través de un viajero en tránsito que ellos, de alguna manera, habían perdido la cuenta de un día. Pues durante un año, tal como lo contaron, aprendieron "no sin general estupefacción, que estaban un año había, ayunando el jueves, oyendo misa el sábado i trabajando el domingo" (p. 14). Aún náufragos y descastados, según parece, los anglo-norteamericanos pueden mantener el tiempo calendario racionalizado, mientras que las provincias coloniales no.

Alegóricamente, esta anécdota y todo el episodio de Más-a-fuera le permiten a Sarmiento situarse a sí mismo con respecto de los múltiples referentes culturales que chocan con él. Con respecto a Europa, Sarmiento está ligeramente "más afuera". Al mismo tiempo, su marginalidad tiene una dimensión afirmativa: el episodio de Crusoe transculturado realiza el gesto que la terminología contemporánea llama ahora realismo mágico. Mirando a la metrópolis, el escritor colonizado reivindica: Tus novelas *(Robinson Crusoe)* son mis realidades (Más-a-fuera); tu pasado es mi presente; tu exotismo (un mundo fuera de tiempo del reloj) es mi vida cotidiana (el interior de Argentina). Sólo después de ubicarse de ese modo Sarmiento comienza a asumir el papel de escritor de viajes como mediador cultural. En efecto, su viaje sólo sigue cuando la mediación cultural puede seguir.

Es completamente de acuerdo con este gesto que, una vez llegado a París, Sarmiento se represente a sí mismo como un descubridor: el descubridor del exacto análogo de lo que Humboldt había encontrado en las regiones equinocciales. París es una enorme cornucopia, un lugar de variedad y abundancia interminables y exóticas. Lo que Humboldt encontró en las selvas y las pampas, Sarmiento lo encuentra en las tiendas de la Rue Vivienne, las colecciones de Jardin des Planes, los museos, galerías, librerías y restoranes. Las descripciones catalogadoras que Sarmiento hace de París reproducen el discurso acumulativo de Humboldt y su postura de asombro inocente. Irónicamente, el naturalista se redescubre en el *flaneur* urbano. Sarmiento se refiere extensamente a las alegrías del *flaneur,* cuyo privilegio, tal como lo describe, curiosamente se parece al del naturalista:

> Es cosa tan santa i respetable en París el *flaneur,* es una función tan privilegiada que nadie osa interrumpir a otro. El *flaneur* tiene derecho a meter las narices en todas partes. Si usted se para delante de una grieta de la muralla i la mira con atención, no falta un aficionado que se detiene a ver qué está Ud. mirando; sobreviene un tercero, i si hai ocho reunidos, todos los paseantes se detienen, hai obstrucción en la calle, *atropamiento* [p. 117].

Al igual que Humboldt el naturalista, "el *flaneur* persigue también una cosa, que él mismo no sabe lo que es; busca, mira, examina, pasa adelante, va dulcemente, hace rodeos, marcha, i llega al fin [ . . . ] a veces a orillas del Sena, al boulevard otras, al Palais Royal con más frecuencia" (p. 116).

En un gesto paródico, transculturador, entonces, Sarmiento reenfoca el discurso descriptivo (preindustrial) humboldtiano justo en su propio contexto de origen: la metrópolis capitalista. Es el paradigma humboldtiano menos una dimensión, no obstante: la dimensión de apropiación. Figura alienada, el *flaneur* no compra, no colecciona muestras, no clasifica, no erige esquemas totalizadores ni imagina transformar lo que ve. Sin embargo reacciona, y Sarmiento, el *archi–flaneur,* frente al espectáculo de los *flaneurs* reacciona haciéndose una pregunta muy americana y muy republicana: "¿Este es, en efecto, el pueblo que ha hecho las revoluciones de 1789 i 1830? ¡Imposible!" Un comentario probable para un sudamericano independiente, y en vísperas de 1848, un comentario verdaderamente profético.

# NOTAS

[1] Alexander von Humboldt, *Personal Narrative of Travels to the Equinoctial Regions of the New Continent*, 1789-1804, trad. Helen Maria Williams, London: Longman *et al.* 1822.
Una traducción posterior fue hecha por Thomasina Ross en 1851. Otras citas de esta obra se señalaran dentro del texto como PN.

[2] Presentado parcialmente en *Pinkerton's Voyages,* vol. 14.

[3] Daniel Defert, "La collecte du monde: pour un étude des récits de voyages du XVIe au XVIIe siecle", *Collections Passion.* Neuchatel: Museé d'ethnographie, 1982.

[4] Norbert Elias, *The History of Manners,* trad. Edmund Jephcott, NY: Pantheon Books, 1978 (Orig. alemán: 1939).

[5] Ver Douglas Botting, *Humboldt and the Cosmos.* New York: Harper and Row, 1973.

[6] Alexander von Humboldt, *Views of Nature or Contemplations on the Sublime Phenomena of Creation,* trad. E. C. Otte y Henry G. Bohn, London: Henry G. Bohn, 1850. Otras citas de esta obra se señalarán del texto como VN.

[7] Ver por ejemplo, Carlos Stoetzer, "Humboldt, redescubridor del Nuevo Mundo", *The Americas,* Washington, XI, Nº 6, 1959.

[8] Este término, originalmente acuñado por el sociólogo cubano Fernando Ortiz en los años cuarenta, ha sido recientemente reintroducido en los estudios literarios hispanoamericanos por Angel Rama, en especial en su *Transculturación narrativa de América Latina* (México: Siglo XXI, 1982).

[9] Citado por Hespelt *et al. An Anthology of Spanish American Literature,* New York: Appleton-Century-Crofts, 1946, p. 113.

[10] Ver Angel Rama, *Transculturación, op. cit.,* capítulo I.

[11] Esos materiales aparecieron en el *Repertorio Americano* de Bello. Ver volúmenes 19 y 20 de las *Obras completas* de Andrés Bello: Ministerio de Educación, 1957.

[12] Jean Franco, "Un viaje poco romántico: viajeros británicos hacia Sudamérica, 1818-28", en *Escritura* Nº 7, 1979, pp. 129-42.

[13] John Mawe, *Travels in the Interior of Brazil, particulary in the gold and diamond districts. . .* Philadelphia: M. Carey, 1816.

[14] Capitán Charles Stuart Cochrane, *Journal of a Residence and Travels in Colombia during the years 1823 and 24.* 2 vols. London: Henry Colburn, I, VII.

[15] W. B. Stevenson, *An Historical and Descriptive Narrative of 20 Years Residence in South America.* 3 vols., London: Hurst, Robinson and Co., 1825, I, VII.

[16] Teniente Charles Brand, *Journal of a Voyage to Peru: A Passage Across the Cordillera of the Andes in the Winter of 1827. . .* London: Henry Colburn, 1828, p. 57.

[17] Gaspar Mollien, *Travels in the Republic of Colombia in the Years 1822 and 23.* London: C. Knight, p. 57.

[18] John Miers, *Travels in Chile and La Plata. . .* London: Baldwin, Creadock and Joy, 1826.

[19] Domingo Faustino Sarmiento, *Viajes por Europa, Africa i América* en *Obras de D.F. Sarmiento,* tomo V, París: Belin Hermanos, editores, 1909.

[20] Aquí estoy en deuda con el trabajo de Elizabeth Garrels sobre los conceptos generacionales en el *Facundo* de Sarmiento.

# INDICE
# DE AUTORES

ADORNO, Rolena. Crítica e investigadora, profesora universitaria. Obras: Ed. de *From Oral Written Expression: Native Andean Chronicles of the Early Colonial Period* (1982); *Cronista y príncipe, la obra de don Felipe Guamán Poma de Ayala* (1989)

ALATORRE, Antonio. (México). Profesor universitario, traductor y ensayista. Obra: *Avatares barrocos del romance (De Góngora a sor Juana Inés de la Cruz)* (1977); Trad. J.M. Machado de Assis, *Memorias de Blas Cubas;* obras de Graça Aranha, Antonello Gerbi, etc.

ARROM, Juan José. (Cuba). Profesor universitario, antólogo y ensayista. Obra: *Esquema generacional de las letras hispanoamericanas* (1977); *Certidumbre de América* (1980); *En el fiel de América* (1985).

BALLON AGUIRRE, Enrique. (Perú). Ensayista, profesor universitario. Ha participado en numerosos estudios colectivos con ensayos sobre César Vallejo y otros.

BARRENECHEA, Ana María. (Argentina). Filóloga, ensayista, profesora universitaria. Obras: *Textos hispanoamericanos: de Sarmiento a Sarduy* (1978); *La expresión de la irrealidad en la obra de Borges* (1984); *Cuaderno de Bitácora de Rayuela* (1985).

BENEDETTI, Mario. (Uruguay). Novelista, cuentista, poeta y ensayista. Obras: *Subdesarrollo y letras de osadía* (1987); *La cultura, ese blanco móvil* (1989); *La realidad y la palabra* (1991).

CANDIDO, Antonio (Brasil). Ensayista y profesor universitario. Obras: *Formaçao de literatura brasileira. Momentos decisivos* (1975); *Presenta da literatura brasileira. Historia y antología* (1992); *Introducción a la literatura de Brasil* (1968).

CASTRO-KLAREN, Sara (Estados Unidos). Bibliotecaria, profesora universitaria, ensayista. Obras: *El mundo mágico de José María Arguedas* (1973); *Mario Vargas Llosa: Análisis introductorio* (1988); *Escritura, transgresión y sujeto en la literatura hispanoamericana* (1989).

CONCHA, Jaime. (Chile). Ensayista y crítico, profesor universitario. Obras: *Tres estudios sobre Pablo Neruda* (1974); *Rubén Darío* (1975); *Vicente Huidobro* (1980); *Gabriela Mistral* (1987).

CUEVA, Agustín. (Ecuador). Profesor universitario, ensayista. Obra: *El desarrollo del capitalismo en América Latina* (1977).

CHANG-RODRIGUEZ, *Raquel* (Estados Unidos). Antóloga, ensayista, profesora universitaria. Obras: *Cancionero peruano del siglo XVII* (1983); *Poesía hispanoamericana colonial. Antología* (en colaboración con Antonio de la Campa) (1985); *La aprobación del signo: tres cronistas indígenas del Perú* (1988).

DORRA, Raúl. (Argentina). Ensayista, narrador y poeta. Prof. en la Univ. Autónoma de Puebla, México. Coordinador de la maestría de Ciencias del Lenguaje en la UAP.

DURAND, José (México). Crítico y profesor universitario. Obras: *Ocaso de sirenas. Manatíes en el siglo XVI* (1953); *La transformación social del conquistador* (1953); *El Inca Garcilaso, clásico de América* (1976).

FERNANDEZ RETAMAR, Roberto. (Cuba). Poeta, crítico y profesor universitario. Obras: *Calibán, apuntes sobre la cultura en nuestra América* (1971); *Panorama actual de la literatura latinoamericana* (1975); *Para una teoría de la literatura hispanoamericana y otras aproximaciones* (1984).

FRANCO, Jean. (Inglaterra). Profesora universitaria, crítica y ensayista. Obras: *Introducción a la literatura hispanoamericana* (1971); *Historia de la literatura hispanoamericana* (1975); *César Vallejo* (1976).

KING, Williard. Prof. de Literatura en Byrn Mawr College. Ha realizado estudios sobre Juan Ruiz de Alarcón y entre otros ha publicado *Prosa novelística i academia literarias en el siglo XVII.*

LEENHARDT, Jacques. (Suiza). Crítico y profesor universitario. Obras: *Idéologies, littérture and société en Amerique Latine* (1975); *Perspectivas de comprensión y explicación de la narrativa latinoamericana* (1982); *Más allá del boom: literatura y mercado* (1984).

LEONARD, Irving A. (Estados Unidos). Crítico, traductor, profesor universitario. Obras: *Los libros del conquistador* (1953); *La época barroca en el México colonial* (1974); *Colonial Pensacola* (1974).

LEON-PORTILLA, Miguel (México). Crítico y profesor universitario. Obras: *Literatura de México antiguo* (1978); *Historia de la literatura mexicana; período prehispánico* (1979); *Literatura de Mesoamérica* (1984)

LOSADA, Alejandro (Argentina). Crítico y profesor universitario. Obras: *La producción literaria como praxis social en Hispanoamérica y el Perú* (1976); *La literatura en la sociedad de América Latina. Los modos de producción entre 1750-1980* (1980); *La literatura en la sociedad de América Latina. Perú y Río de la Plata, 1937-1980* (1983).

MIGNOLO, Walter. (Argentina). Profesor universitario, investigador y crítico. Obras: *Literatura fantástica y realismo maravilloso* (1983): *El cuento fantástico y lo real maravillo* (1983); *Proceedings of the Conference The Book in the Americas* (1987).

MILIANI, Domingo (Venezuela). Crítico y profesor universitario. Obras: *Uslar Pietri, renovador del cuento venezolano* (1968); *La realidad mexicana en su novela de hoy* (1968); *Vida intelectual de Venezuela* (1973); *Tríptico venezolano* (1985); *País de lotofagos* (1992).

MORAÑA, Mabel (Uruguay). Crítica y profesora universitaria. Obras: *Literatura y cultura nacional en Hispanoamérica (1910-1940)* (1984); *Memorias de una generación fantasma* (1988).

OSORIO TEJEDA, Nelson (Chile). Crítico y profesor universitario. Obras: *El futurismo y la vanguardia literaria en América Latina* (1982); *La formación de la vanguardia literaria en Venezuela (Antecedentes y documentos)* (1985); *Manifiestos, proclamas y polémicas de la vanguardia literaria hispanoamericana* (1988).

PASTOR, Beatriz. (España). Crítica y profesora universitaria. Obras: *Roberto Arlt y la rebelión alienada* (1980); *Discursos narrativos de la conquista: mitificación y emergencia* (1988).

PERUS, Francoise. (México). Crítica, investigadora y profesora universitaria. Obras: *Literatura y sociedad en América Latina: el modernismo* (1980); *Historia y crítica literaria: El realismo y la crisis de dominación oligárquica* (1982).

PRATT, Mary Louise. (Canadá) Crítica y ensayista. Prof. de la Univ. de Stanford. Autora de trabajos sobre teoría literaria. Uno de sus últimos libros: *Towards a speech act theory of literary discourse.*

RAMA, Angel. (Uruguay). Novelista, crítico, editor, profesor universitario muerto en 1983. Obras: *La novela latinoamericana. Panoramas 1920-1980* (1982); *Los gauchipolíticos rioplantenses. Literatura y sociedad* (1982); *La ciudad letrada* (1984); *La crítica y la cultura en América Latina* (1985); *Ensayos sobre literatura venezolana* (1990).

RINCON, Carlos (Colombia). Crítico y profesor universitario. Obras: *El cambio actual de la noción de literatura y otros estudios de teoría y crítica latinoamericana* (1978).

SABAT de RIVER, Georgina (Cuba) Especialista en literatura colonial. Prof. en la Univ. de Nueva York. Ha publicado varios libros sobre Sor Juana, entre ellos: *Estudios de literatura hispana: Sor Juana Inés de la Cruz y otros poetas barrocos.*

SEGALA, Amos (Italia) Crítico especialista en la obra de Miguel Angel Asturias. Prof. en la Univ. de París. Director de la Colección Archivos (Unesco). Ha publicado entre otros: *Literatura nahuatl: fuentes, identidades, representaciones.*

SOSNOWSKI, Saúl. (Argentina) Crítico, ensayista, editor. Director del Dpto. de Español y Portugués de la Univ. de Maryland. Director de la revista *Hispamérica.* Preside el Centro Internacional de Revistas de Crítica Literaria Latinoamericana. Ha escrito entre otros: *Cortázar. Una búsqueda mítica; Borges y la cábala; Represión y reconstrucción de una cultura: el caso argentino.*

SUBERCASEAUX, Bernardo. (Chile). Crítico y profesor universitario. Obras: *Cultura y sociedad del siglo XIX (Lastarria, ideología y literatura)* (1981); *Fin de siglo. La época de Balmaceda. Modernización y cultura en Chile* (1988).

VIDAL, Hernán. (Chile). Profesor universitario, crítico y ensayista. Obras: *José Donoso: Surrealismo y rebelión de los instintos* (1972); *Fascismo y experiencia literaria: reflexiones para una recanonización* (1985); *Dictadura militar, trauma social e inauguración de la sociología del teatro en Chile* (1991).

VILLEGAS MORALES, Juan. (Chile). Crítico y profesor universitario. Obras: *Estudios de lengua y literatura como humanidades* (1960); *Estructuras míticas y arquetipos en el "Canto General" de Pablo Neruda* (1976): *Interpretaciones de textos poéticos chilenos* (1977).

# INDICE

# REVISION DE LOS ESTUDIOS LITERARIOS

# LECTURA CRITICO-HISTORICA

# TITULOS PUBLICADOS

Este volumen, el CXCIII de la BIBLIOTECA AYACUCHO, se terminó de imprimir el día 13 de diciembre de 1996, en los talleres de Editorial Texto, Avenida El Cortijo, Quinta Marisa, Los Rosales, Caracas. La edición consta de 3.000 ejemplares (1.500 rústicos y 1.500 empastados).